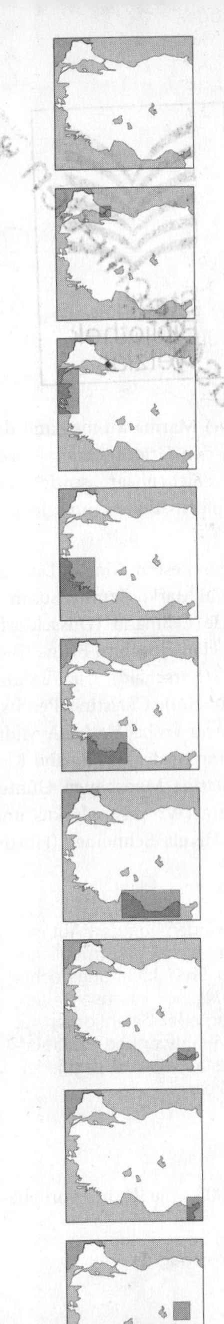

Türkei Mittelmeerküste
- Allgemeines

ul

Nordägäis

Südägäis

Lykische Küste

Türkische Riviera

Die Çukurova

Das Hatay

Kappadokien

Text und Recherche: Michael Bussmann, Gabriele Tröger
Griechenlandausflüge:
Inseln Sámos, Chíos, Lésbos: Thomas Schröder,
Inseln Kós und Sými: Frank Naundorf
Insel Rhódos: Hans-Peter Siebenhaar
Zypern: Ralph-Raymond Braun
Lektorat: Ralph-Raymond Braun
Redaktion und Layout: Sven Talaron
Fotos: siehe Fotonachweis S. 662
Cover: oben: auf Gökçeada
unten: in der Lagune Ölüdeniz (beide Michael Bussmann)
Karten: Carlos Borrell (Coverkarten), Gàbor Sztrecska, Judit Ladik

Danksagung

Für ihre freundliche Unterstützung bedanken wir uns bei Marmara Lines und der RECA-Handels-GmbH. Ein besonderer Dank gilt auch den Griechenlandautoren Frank Naundorf, Thomas Schröder und Hans-Peter Siebenhaar, sowie dem Zypernkenner Ralph-Raymond Braun für wertvolle Informationen und Jochen Grashäuser für seine Beiträge zur türkischen Westküste.

Ein herzlicher Dank für die wertvollen Tipps gilt auch den Lesern: Martin Douven und Angela Holz (Köln), Heinrich Kussnik (Hanau), Armin Marko (İzmir), Susanne Länger und Marcus Jegg, Petra Ehlers (Köln), Gabriele Leßmann (Düsseldorf), Christoph Tölle (Duisburg), Jochen Gaede (Schlaitdorf), Hans-Joachim Brune (Bielefeld), Günter Wilhelm (Heidelberg) und Peter Bursch (Burscheid), Claudia und Frank Heitsch (München), Dr. Axel Rebhahn (Meckenheim), Christine Peschke und Mauro Moschini (München), Dorothea Greischel, Artur Fröba, Hatice Ayyıldız (Frankfurt), Karin Welsch (Göttingen), Marlis und Günter Leydecker, Roland Kleber, Frauke Oppenberg (Kriftel), Hans Guenter Abt, Bettina Moosbauer, Günter Knüferl, Hansjörg Krämer, Jean-Claude und Gabi Thiem (Worms), Markus und Doris Weinhart (Stuttgart), Johannis Leky (Salzburg), Ursula Schneider (Hürth) und Bernd Häusler (Illerieden).

ISBN 3-89953-126-4

Aktuelle online-Infos unter: http://www.michael-mueller-verlag.de

6. Auflage 2003

TÜRKEI MITTELMEERKÜSTE

Michael Bussmann
Gabriele Tröger

INHALT

Südägais

Zeichenerklärung für die Karten und Pläne

Autobahn
asphaltierte Verbindungsstraße
Nebenstraße
Eisenbahn
Fähre
Grünanlage
Berggipfel
Aussicht
Wasserfall
Höhle
Campingplatz
Strand
Windmühle
Schloss/Burg
Kloster/Kirche
Moschee
Flughafen/-platz
Sehenswürdigkeit
antike Sehenswürdigkeit
Burg
Taksim Haltestellen
Tankstelle
Leuchtturm
Information
Post
Museum
Parkplatz
ärztliche Versorgung
Reisebüro
Wechselstube
Bushaltestelle
Taxistandplatz
Fahrradverleih
Autovermietung

Kartenverzeichnis

Was haben Sie entdeckt?

Trotz gründlicher Recherche kann es immer wieder passieren, dass uns etwas entgeht. Haben Sie mehr oder etwas anderes gesehen, ein tolles Restaurant, eine gemütliche Pension oder *die* Traumbucht entdeckt, dann lassen Sie es uns bitte wissen. Auch für Kritik und Verbesserungsvorschläge sind wir dankbar.

Schreiben Sie uns an:

Michael Bussmann und Gabriele Tröger
– Türkei Mittelmeerküste –
c/o Michael Müller Verlag
Gerberei 19
91054 Erlangen
e-mail: bussmann.troeger@michael-mueller-verlag.de

Buchtenzauber bei Datça

Die Mittelmeerküste erleben ...

***Akdeniz*, "Weißes Meer", nennen die Türken das Mittelmeer im Gegensatz zum Schwarzen Meer. Jährlich lockt die hiesige Küste Millionen von Erholungssuchenden an – Baden plus antike Kultur zu günstigen Preisen heißt das Erfolgsrezept.**

Rund 2.500 km Küstenlinie trennen den Dardanellenort Çanakkale von Antakya an der syrischen Grenze. Wer die gesamte Strecke abfahren sollte, erlebt die Türkei als Verkleidungskünstlerin: Zerlappte Steilküsten werden zu gepflegten Sandstränden mit Sonnenschirmreihen, fruchtbare Ebenen zu schroffen Berglandschaften, vom Wohlstand verwöhnte Großstädter zu bescheidenen Bauern, Olivenhaine zu unendlichen Baumwollfeldern und die wieder zu weiten Bananenplantagen.

Das Gros der Urlauber lernt nur einen kleinen Teil der langen Küste kennen, viele nur ihre gebuchte Clubanlage, den Strand davor und das künstliche Shoppingdorf dahinter. Das ist schade, denn zu entdecken gibt es viel: Ruinen jeder Größe und aus allen Zeiten, dazwischen verschwiegene Dörfer oder romantische Fischerörtchen, wo unverfälschte türkische Gastfreundschaft dem Werbeslogan der Fremdenverkehrsämter "Urlaub bei Freunden" keinen Hohn spricht. Ein besonderes Bonbon ist ein mehrtägiger Ausflug nach Kappadokien, einem landschaftlichen und kulturhistorischen Gesamtkunstwerk – allein die Anreise wird dabei schon zum Erlebnis. Und auch ein Zwischenstopp in İstanbul kann sich als ein turbulenter Einstieg oder ein krönender Abschluss Ihres Urlaubs entpuppen.

Idylle bei Teos

... mit Badeschlappen, Liegestuhl und Sonnenbrand

Dass die türkische Mittelmeerküste ein Badeparadies ist, wird wohl jeder wissen, der auch nur einmal in einem Reiseprospekt geblättert hat. Südseeflair – nicht ganz, aber fast – finden Sie an der Traumlagune Ölüdeniz, eine saharaähnliche Dünenlandschaft am kilometerlangen, unverbauten Strand von Patara. Doch auch wer sich nicht für einen der beiden türkischen Vorzeigestrände entscheidet, kann ausgiebig plantschen. Feinsandige, kinderfreundliche Strände mit bester Infrastruktur erstrecken sich entlang der Türkischen Riviera. Buchtenzauber bieten vor allem die Nordägäis, die lykische Küste und das "Rauhe Kilikien". Aquaparks und Bootsausflüge entlang der Küste sind Alternativen zum sandigen Handtuch.

... auf den Spuren untergegangener Kulturen

Zahlreiche Ruinenstädte, darunter die imposantesten Kleinasiens, zeugen von der Bedeutung der türkischen Mittelmeerküste im Altertum. Wieder aufgerichtete Säulenstraßen, überwucherte Brunnenanlagen, verblasste Fresken und zersplitterte Mosaike erzählen die Geschichte der antiken Landschaften Ionien, Karien, Lykien, Pamphylien, Kilikien und wie sie nicht noch alle hießen. Dabei ist es an sich egal, ob Sie Bestseller-Steinhaufen wie Ephesus oder Pergamon den Vorzug geben, oder eher einsam, dafür spektakulär gelegene Ausgrabungsstätten mit weniger klangvollen Namen besuchen – auf irgendeine Art beeindrucken fast alle.

Vitaminspritze am Straßenrand

... zwischen Grillspieß und Haute Cuisine

Kreativität zeichnet die türkische Küche aus, das gilt für die Zubereitung der Speisen genauso wie für die Wahl ihrer Namen. Was z. B. in Deutschland schlicht als "Bulette", "Frikadelle" oder "Fleischpflanzerl" auf den Teller kommt, wird in der Türkei verführerisch als "Frauenschenkel" serviert. Sie machen Urlaub in einem Land, in dem selbst der der Snack am Straßenrand zum kulinarischen Highlight werden kann. Wer die Küste abfährt und sich auf die regionale Küche einlässt, wird alle paar Kilometer Neues entdecken – die verspielte Osmanencuisine İstanbuls, die olivenölgetränkten Ägäisspezialitäten, feinen Mittelmeerfisch oder die scharfe, arabisch beeinflusste Küche des Hatay.

... zwischen Sonnenuntergang und Morgengrauen

Meeresrauschen oder Technobeats, Ballermann auf Türkisch oder glitzernd-rasselnder Bauchtanz? Wie immer auch Sie Ihren "Après" gestalten, für Kurzweil ist gesorgt. Das vielfältigste Nightlife bietet İstanbul, doch in den Sommermonaten zieht auch die Mittelmeerküste kräftig nach. In Bodrum und Çeşme können Sie in noblen Tanztempeln und schicken Beachclubs mit dem Jetset des Landes clubben gehen, allabendliche Sommerparties und unterhaltsame Folkloreveranstaltungen mit gut gelauntem Touristenpublikum findet man aber auch in Kuşadası, Marmaris, Antalya, Side und Alanya.

Patara: einer der schönsten Strände der Türkei

... im Schweiße Ihres Angesichts

"No sports" war nicht nur die Devise Winston Churchills, sondern ist für die meisten Türken auch heute noch Lebensmotto. Doch keine Sorge – die internationalen Touristenzentren bieten ihren Urlaubern alles zwischen organisierter Gruppenaerobic und Adventuretouren. Wer schon immer einmal tauchen lernen, den ersten Sprung vom Bunjeekran oder mit dem Gleitschirm wagen, mit dem Kajak über tosende Flüsse rasen oder auf dem Mountainbike Unentdecktes entdecken wollte, der ist an der Mittelmeerküste gut aufgehoben.

... mit Müllers Lust

Mit Rucksack und in Kniebundhosen lässt sich abseits der touristischen Zentren viel entdecken – ganz egal, ob Sie durch das ägäische Hinterland mit bizarren Felsformationen und weiten Olivenhainen stiefeln, das herbe Bergland des Taurus entdecken oder kleinere Spaziergänge durch imposante Schluchten unternehmen. Wer die Mittelmeerküste per pedes kennen lernen will, ist in Lykien am besten aufgehoben, wo viele Wanderwege mittlerweile markiert sind. Anderswo sollte man eine gute Orientierung mitbringen, sich einer organisierten Tour anschließen oder auf lokale Führer zurückgreifen, die Ihnen ihre Heimat gerne zeigen.

Die Türkei in Fakten und Zahlen

Offizieller Name: Türkiye Cumhuriyeti (Republik Türkei).
Nationalflagge: Weißer Halbmond und Stern auf rotem Grund.
Geographie: Mit einer Fläche von 779.452 qkm ist die Türkei gut zweimal so groß wie Deutschland. 3 % der Fläche befinden sich auf dem europäischen Kontinent, der Rest – allgemein als Anatolien bezeichnet – gehört zu Asien. Die Fläche İstanbuls beträgt ca. 5.600 qkm. Das Land, in 80 Provinzen untergliedert, erstreckt sich zwischen dem 26. und 45. Grad östlicher Länge und dem 36. und 42. Grad nördlicher Breite. Die Nachbarländer sind Griechenland, Bulgarien, Georgien, Armenien, Aserbaidschan, Iran, Irak und Syrien. Die Türkei ist überaus reich an Bodenschätzen, darunter große Kupfer-, Chrom- und Manganvorkommen. Der höchste Berg ist der Ararat (5.165 m) ganz im Osten des Landes. Die Westküste der Türkei ist geprägt von Mittelgebirgszügen, Ausläufer des anatolischen Hochlandes, die zum Meer hin abfallen. Die bergige Landschaft ist von weiten Flusstälern mit Schwemmlandebenen durchsetzt. Diese Randzone ist geologisch mit den Ägäisinseln verbunden. Entlang der Südküste grenzt die Bergkette des Taurus (mit Höhen bis zu 3.000 m) das anatolische Hochland von der Küste ab. Dieser Bergzug bildet zugleich eine Wetterscheide, die bis in den Spätherbst das Vordringen kalter Luft- und regenreicher Wolkenmassen vom anatolischen Hochland an die Küste verhindert.
Politisches System: Die Türkei ist nach der Verfassung von 1982 eine parlamentarische Demokratie. Der Präsident, der für eine Amtszeit von 7 Jahren von der Nationalversammlung gewählt wird, ist Staatsoberhaupt und hat als Chef der Exekutive u. a. das Recht, Parlamentswahlen anzusetzen, den Vorsitz im Ministerrat zu führen und den Ministerpräsidenten zu ernennen. Legislative ist die Nationalversammlung, die aus 550 Abgeordneten besteht. Die Legislaturperiode dauert 5 Jahre. Um in der Vielparteienlandschaft stabile Mehrheiten zu schaffen, herrscht eine 10-%-Hürde für den Einzug ins Parlament; Millionen Wählerstimmen gehen dadurch verloren.
Nationalbewusstsein: Das Osmanische Reich war als ein Vielvölkerstaat ohne ethnisch-sprachliches Nationalbewusstsein konzipiert. Das Unternehmen Atatürks, den Türken das Selbstgefühl einer "Nation" zu geben, ist bis heute ein Leitmotiv der Innenpolitik des türkischen Staates. U.a. kommt das Nationalbewusstsein in den an allen Ecken und Enden gehissten Landesflaggen zum Ausdruck.
Wirtschaft: Die wirtschaftliche Situation des Landes ist alles andere als gut. Experten führen dies zum einen auf den fehlenden Willen zur Privatisierung unrentabler Staatsbetriebe zurück, zum anderen auf die hohe Auslandsverschuldung. Zinsen verschlingen fast 90 % des Staatshaushalts. Auf Pump startete der türkische Staat große Investitionsprogramme, insbesondere um das Ost-West-Gefälle des Landes zu entkräftigen: Tausende von Kilometern Straße wurden ausgebaut und asphaltiert, riesige Staudammprojekte in Angriff genommen, neue Flughäfen geschaffen, die Elektrifizierung und Wasserversorgung in abgeschiedenen Landesteilen hergestellt, Universitäten gegründet, Millionen von Wohnungen errichtet. Doch bis all die Bemühungen Früchte tragen, werden noch Jahre vergehen. Und auch an dem gigantischen Haushaltsdefizit des Landes wird sich vorerst wenig ändern, wenn von 10 Erwerbstätigen nur einer Steuern zahlt. Die Inflation schwankte in den letzten Jahren zwischen 20 und 85 %. Das BSP pro Einwohner wird für 2003 auf rund 3.200 US-Dollar geschätzt, die Zuwachsrate lag in den letzten Jahren bei rund 4,5 % jährlich. Zum BIP tragen die Landwirtschaft 14,6 % bei, die Industrie 28 % und der Dienstleistungssektor 57,4 %. Etwa ein Drittel der Bevölkerung lebt in Dörfern und von der Landwirtschaft. Die Türkei ist übrigens eines der wenigen Länder der Welt, das ohne Agrarimporte auskommt und sich selbst mit Lebensmitteln versorgen kann. Das führende Wirtschaftszentrum der Türkei ist İstanbul. Zwei Fünftel der

gewerblichen Arbeitsplätze und rund 40 Prozent aller türkischen Industriebetriebe sind hier konzentriert. Fast 50 % der gewerblich industriellen Arbeitskräfte verarbeiten agrarische Rohstoffe und schaffen über ein Drittel der türkischen Exportwerte. Einen großen Anteil daran hat die Textilindustrie. Die Hauptexportartikel sind Fertigwaren (darunter Pkws für den Vorderen Orient), industrielle Vorprodukte und Nahrungsmittel. Die türkische Industrie ist dank eines großen Binnenmarktes weniger exportabhängig.

Tourismus: Der internationale Tourismus ist heute die wichtigste Devisenquelle des Landes. Die Zahl der ausländischen Besucher schwankte in den letzten Jahren jedoch extrem. In guten Zeiten kommen weit über 7 Mio. ausländische Touristen ins Land (darunter rund 1,3 Mio. Deutsche), in schlechten 2 bis 3 Mio. Die guten und schlechten Jahrgänge hatten und haben insbesondere mit dem politischen Umfeld zu tun: Zu erheblichen Einbrüchen kam es infolge des Kurdenkonflikts, insbesondere nach der Verhaftung des PKK-Führers Abdullah Öcalan (1999), und nach den Terroranschlägen vom 11. September 2001. Die Auswirkungen der Irakkrise für die Tourismusbranche waren z. Z. der Recherche noch nicht absehbar. 40 % aller Türkei-Urlauber sind aus dem eigenen Land: Die Türken verreisen gerne und viel, beliebte Ziele sind neben den Küstenorten auch Kur- und Heilbäder, Bergalmen und diverse Pilgerorte.

Militär: Die Streitkräfte zählen 639.000 Mann und gehören so zu den größten der Welt. Der Anteil der Militärausgaben am Bruttosozialprodukt liegt rund ein Drittel höher als im Weltdurchschnitt. Grund dafür war lange Zeit der Krieg gegen die Kurden im Osten des Landes und das Kräftemessen mit Griechenland. Die Soldaten genießen übrigens bei der Bevölkerung großen Respekt.

Bevölkerungsstruktur: 2002 hatte die Türkei annähernd 68 Mio. Einwohner (1960: 28 Mio.). Die Weltbankprognose für das Jahr 2010 liegt bei 77,51 Mio. Einwohnern. Die Bevölkerungsdichte ist sehr unterschiedlich. Der Verwaltungsbezirk İstanbul steht mit knapp 1.330 Einwohnern je qkm deutlich an der Spitze. Es herrscht ein reger Zuzug aus den östlichen Landesteilen in die Städte des Westens, der Anteil an "Fremdgeborenen" liegt hier nicht selten bei 20–40 %. Die geringste Bevölkerungsdichte haben die unterentwickelten Provinzen in Ostanatolien mit 16 Einwohnern pro qkm.

Gesundheit/Soziales: Auf 1.176 Einwohner kommt 1 Arzt. Die Lebenserwartung liegt für Frauen im Durchschnitt bei 71 Jahren, für Männer bei 66 Jahren. Eine Rentenversicherungspflicht gibt es nicht, ebenso keine Arbeitslosenversicherung.

Bevölkerungsgruppen: 85,7 % Türken, 10,6 % Kurden, 1,6 % Araber, den verbleibenden Rest stellen Griechen, Armenier, Lasen, Tscherkessen, Georgier und muslimische Bulgaren.

Bildung: Für die Bildung wurde in den letzten Jahrzehnten viel getan, seit 1950 wurden rund 50.000 Schulen gebaut. Die Analphabetenrate schätzt man bei Frauen auf ca. 28 %, bei Männern auf ca. 8 %. Dabei herrscht jedoch ein starkes Ost-West-Gefälle: Im Westen sind vorwiegend ältere Menschen betroffen, im Osten auch Kinder; Kinderarbeit ist noch gang und gäbe. Es existiert seit 1997 eine 8-jährige Schulpflicht. Universitäten gibt es rund 30 im Land, die angesehensten befinden sich in İstanbul, Ankara und İzmir. Wer zur Elite des Landes aufsteigen will, benötigt neben guten Beziehungen in der Regel das Diplom einer bekannten europäischen oder amerikanischen Universität.

Religion: 99 % der türkischen Bevölkerung bekennen sich zum Islam. Den verbleibenden Rest stellen Juden sowie armenische, syrisch- und griechisch-orthodoxe Christen.

Umweltschutz: Nur zögerlich bemüht sich die Regierung in Ankara, fehlende Gesetze zur Angleichung des Umweltschutzniveaus an EU-Standards zu verabschieden. In der Praxis – wo man mit Bestechung und Schmiergeldzahlungen nahezu jedes Umweltschutzgesetz außer Kraft setzen kann – zeigen diese bislang wenig Wirkung.

Fähranreise: die bequemste Art in die Türkei zu gelangen

Anreise

Das Gros aller Türkeibesucher reist bequem mit dem Flugzeug an. Daneben besteht aber auch die Möglichkeit, mit dem eigenen Fahrzeug, dem Bus oder der Bahn ans Ziel der Träume zu gelangen. Dafür müssen aber bis an die Südküste weit über 2.000 km überwunden werden. Mit der Fähre gelangt man von Italien in die Türkei. Welche Dokumente Sie für die Einreise in die Türkei benötigen, erfahren Sie unter "Wissenswertes von A bis Z/Reisepapiere" auf Seite 66.

Mit dem Flugzeug

In ungefähr drei Stunden sind Büroalltag, Verkehrschaos und die nervenden Nachbarn vergessen. Abflugmöglichkeiten ins Reisegebiet bestehen von allen größeren deutschen Städten (Gleiches gilt für die Schweiz und Österreich). Im Reisegebiet haben Sie mehrere Zielflughäfen zur Auswahl. Im Sommer ist das Angebot selbstverständlich größer als im Winter, wo die meisten Airlines nicht nur Flüge streichen, sondern auch gleich ganze Zielflughäfen wie Bodrum oder Dalaman aus dem Programm nehmen. Eine Überlegung wert ist stets ein Gabelflug (z.B. hinwärts nach Dalaman und zurück von Kayseri). Die meisten Kombinationsmöglichkeiten bietet diesbezüglich die Turkish Airlines (Türk Hava Yolları), kurz THY. Das Gros aller THY-Flüge an die Küste ist jedoch mit einem Umsteigen in İstanbul verbunden.

Neben der THY fliegen in den sonnigen Süden u.a. Hapag Lloyd, Aero Lloyd, Thomas Cook, Sun Express, LTU, Pegasus, Hamburg International, Öger Türk-Tur, Lauda Air und die Lufthansa. Vergleiche lohnen. Faire Preise, guten Service und Abflugmöglichkeiten von 15 deutschen Städten bietet z. B. Air-Berlin.

Alle wichtigen Informationen zu den Flughäfen (Verbindung ins Zentrum, Geldwechsel, Autoverleiher am Flughafen usw.) finden Sie im Reiseteil.

Die Zielflughäfen für die Nordägäis sind **İzmir** und **Edremit**, Letzterer wird jedoch ausschließlich von der THY bedient. Als Zielflughafen für die Südägäis empfiehlt sich **Bodrum**. Wer nach Marmaris will, kann auch **Dalaman** anfliegen, ein Airport, der insbesondere von Lykienbesuchern frequentiert wird.

An der Grenze zwischen Lykien und der Türkischen Riviera liegt **Antalya** – zu keinem anderen türkischen Mittelmeerflughafen bestehen bessere Verbindungen. Dem Flughafen Antalya wird vielleicht einmal der Flughafen **Alanya** Konkurrenz machen. Doch dieser liegt nicht, wie vielleicht angenommen, direkt bei Alanya, sondern ca. 50 km östlich der Urlaubsmetropole bei Gazipaşa. Landebahn und Terminal sind schon seit längerem fertig, ein Eröffnungsdatum fehlt bislang jedoch. Wann der Flughafen jemals touristisch genutzt wird, stand bei Redaktionsschluss in den Sternen – in der Gerüchteküche wird diesbezüglich viel gekocht, zumal sich offizielle Seiten bislang bedeckt halten. Ob es sich wirklich um eine klassische Fehlplanung mit einer viel zu kurzen Landebahn angesichts der hohen Berge drum herum handelt, erfahren Sie in der nächsten Auflage.

Airlines im Internet

Air-Berlin: www.airberlin.de

Lufthansa: www.lufthansa.com

Austrian Airlines/Lauda Air: www.aua.com

Swiss: www.swiss.com

THY: www.turkishairlines.com

Onur Air: www.Onurair.de

Öger Türk-Tur: www.4440102.com (nur türkisch)

Hapag Lloyd: www.hapag-lloyd.de

Aero Lloyd: www.aerolloyd.de

LTU: www.ltu.de

Pegasus: www.pgtair.com

Hamburg International: www.hamburg-international.de

Unter **www.michael-mueller-verlag.de/verlag/links/index.html** finden Sie weitere Links zur Anreise, Last-Minute-Anbieter usw.

Für Reisen in die Çukurova oder ins Hatay bietet sich der Flughafen **Adana** an, den jedoch nur wenige Fluggesellschaften ansteuern. Als Zielflughafen für Kappadokien kommt bislang (Stand: Frühjahr 2002) nur **Kayseri** in Frage. Zum Flughafen "Kapadokya" bei **Gülşehir** bestanden zum Zeitpunkt der Recherche keine regelmäßigen Linien- oder Charterverbindungen (→ "Kappadokien im Überblick", S. 606). Das kann sich aber wieder ändern, erkundigen Sie sich diesbezüglich in Ihrem Reisebüro. **İstanbul** besitzt zwei Flughäfen, den zentrumsnahen *Atatürk Havalimanı* auf der europäischen Seite und den neuen *Sabiha Gökçen Havalimanı* auf der asiatischen Seite.

Nur-Flug-Angebote sind ideal für alle, die individuell und auf eigene Faust unterwegs sein wollen. Um zu erfahren, was wann, wie und wo angeboten wird, kommt man um einen Gang ins Reisebüro, einen Blick ins Internet oder in den Reiseteil der überregionalen Tageszeitungen kaum herum. Die Reisebüros verdienen an Nur-Flug-Buchungen deutlich weniger als an Pauschalarrangements, was sich gelegentlich in mangelhafter Beratung niederschlägt.

• *Preise* Flüge, die keine Mindestaufenthaltsdauer und keine Aufschläge bei einer Reisedauer von mehr als 4 Wochen beinhalten und gegen Gebühr umbuchbar sind, werden je nach Saison und Abflughafen ab 275 bis 400 € angeboten. Es gibt aber auch preiswertere Tickets für rund 200–300 €. Diese sind jedoch mit diversen Auflagen verknüpft. So sind Umbuchungen gar nicht oder nur gegen saftige Gebühren möglich, zudem wird ein gewisser Mindestaufenthalt im Reiseland gefordert und ist die maximale Aufenthaltsdauer beschränkt.

Pauschalangebote: Um im Dschungel der Saison- und Sonderarrangements die besonders günstigen zu erhaschen, sollte man sich möglichst in mehreren Reisebüros informieren – nicht alle bieten dieselben Veranstalter an, und oft zahlt man bei verschiedenen Gesellschaften für dieselbe Leistung deutlich unterschiedliche Preise.

Flug mit Unterkunft ist im Rahmen von Pauschalangeboten die häufigste Variante. Geboten werden Hin- und Rückflug, Transfer vom Flughafen zum Hotel oder Apartment, wahlweise mit Frühstück, Halb- oder Vollpension. Vermittelt werden in erster Linie die großen Badehotels an der Küste bei Bodrum, Marmaris, Fethiye und zwischen Side und Alanya. Bei den Türkeispezialisten können Ausflüge nach Pamukkale und Kappadokien gleich mitgebucht werden.

Fly & Drive: Dieses Pauschalarrangement besteht aus Hin- und Rückflug sowie der Bereitstellung eines Leihwagens. Außerdem kann das Ganze mit einer Hotelreservierung kombiniert werden (Fly & Drive & Sleep). Der Zuschlag für den Leihwagen beträgt ca. 45–55 € pro Tag für die preiswerteste Kategorie. Die Übergabe erfolgt in der Regel am Flughafen.

Spezielle Pauschalangebote: Angeboten werden ferner Tenniscamps, Wander-, Tauch- und Rundreisen, Kreuzfahrten etc. Bei Golfreisen findet man insbesondere in der Nebensaison sehr gute Packageangebote, bei denen man im Vergleich zu einer individuellen Buchung vor Ort viel sparen kann. Nähere Informationen erhalten Sie im Reisebüro.

Last-Minute-Angebot: Was sich bis kurz vor dem Abflugtermin nicht verkaufen lässt, wird als Last-Minute-Angebot verramscht. Jeder zehnte Türkeiurlauber greift mittlerweile auf ein solches zurück. Wenn Sie sich für ein Last-Minute-Pauschalarrangement mit Unterkunft entscheiden, lassen Sie sich entsprechende Kataloge zeigen – einige findige Geschäftemacher bieten normale Katalogreisen als "Last-Minute-Schnäppchen" an. Last-Minute-Angebote für İstanbul sind selten.

• *Preise* Last-Minute-Nur-Flug-Angebote liegen je nach Saison bei 110–250 €. Die attraktivsten Tickets werden 2 Tage vor der Abreise gehandelt. Mit Glück fallen dann die Preise für ein Nur-Flug-Angebot auf unter 100 €.

Rail & Fly: Egal ob Sie ein Nur-Flug-Angebot wahrnehmen oder ein Pauschalarrangement, oft ist das Zugticket zum Airport bereits inbegriffen oder gegen ein geringes Aufgeld erhältlich. Die Rail & Fly-Tarife der Deutschen Bahn liegen in der Regel erheblich darüber.

Transport von Gepäck und Sportgeräten: Die Freigepäckgrenze für Flüge in die Türkei liegt für gewöhnlich bei 20 kg pro Person und ist auf dem Flugschein vermerkt. Wer jedoch Business anstatt Tourist Class fliegt, länger als 28 Tage vor Ort bleibt oder in Besitz einer Kundenkarte der Airline oder seines

Reiseveranstalters ist, darf meist 30 kg mitnehmen. Erkundigen Sie sich diesbezüglich jedoch zur Sicherheit bei Ihrer Fluggesellschaft. Für Übergepäck berechnen die meisten Airlines ca. 5 € pro Kilo (bei kleinen Überschreitungen wird in der Regel ein Auge zugedrückt).
Die Gebühren und Freigewichtsgrenzen für Sportgeräte unterscheiden sich von Gesellschaft zu Gesellschaft z. T. erheblich. Golf- und Tauchausrüstungen bis 30 kg gehen z. B. bei Air-Berlin umsonst mit, bei anderen werden sie als Übergepäck abgerechnet, wieder andere verlangen Pauschalsätze zwischen 25 und 30 €. Für die Mitnahme eines Fahrrads muss man mit 25 bis 50 € rechnen, für ein Surfbrett zwischen 30 bis 150 €. Rechtzeitige Anmeldung und sachgerechte Verpackung sind obligatorisch.

Mit dem eigenen Fahrzeug

Überlegenswert ist diese Variante nur für Langzeiturlauber oder all jene, die die Anreise als Teil der Reise betrachten und Zwischenstopps in Venedig, Budapest oder wo auch immer einlegen wollen. Wer sich aber nur zwei Wochen erholen und dennoch im Reiseland mobil sein will, ist mit einem Mietwagen vor Ort besser bedient.
Es stehen prinzipiell zwei Routen zur Auswahl: Die eine führt über den Balkan (durch die Nachfolgestaaten des ehemaligen Jugoslawien bzw. über Ungarn, Rumänien und Bulgarien), die andere über Italien mit anschließender Fährpassage. Grundsätzlich gilt: Die Route über Italien ist insgesamt die schönere und bequemere. Als Fährhäfen in Italien standen 2002 Ancona und Brindisi zur Auswahl (→ "Mit der Fähre").

Welche Route über den Balkan die gerade empfehlenswerteste ist, erfahren Sie bei den Automobilclubs. Aufgrund der seit Jahren latent unsicheren und angespannten Lage in den Ländern Ex-Jugoslawiens kann darüber an dieser Stelle keine längerfristige, verlässliche Auskunft gegeben werden. 2002 erreichten uns nur wenige Berichte von Reisenden, die diese Route ohne Probleme meisterten. Die meisten erzählten von schikanierenden Grenzbeamten, Wartezeiten von bis zu 40 Stunden an den Grenzen zu Bulgarien, Rumänien, Serbien und Montenegro, zudem von falschen und echten Polizisten, die die Hand aufhalten, von Autoaufbrüchen und Raubüberfällen.

• *Distanzen* Die Kilometerangaben beziehen sich auf die schnellste und kürzeste Verbindung. Die Kosten für Maut, Vignetten und Autobahngebühren entsprechen dem Stand vom März 2003. Für die Strecke nach İstanbul und Antalya wurde von Frankfurt und Zürich aus der Weg über Zagreb, Belgrad und Sofia gewählt. Visagebühren für Serbien und Montenegro sind in den Preisangaben nicht enthalten.

	Ancona	Brindisi	İstanbul	Antalya
Frankfurt	1108 km (ca. 23 €)	1673 km (ca. 46 €)	2217 km (ca. 69 €)	2904 km (ca. 80 €)
Zürich	735 km (ca. 23 €)	1302 km (ca. 46 €)	2181 km (ca. 80 €)	2868 km (ca. 91 €)
Wien	972 km (ca. 27 €)	1538 km (ca. 49 €)	1570 km (ca. 59 €)	2257 km (ca. 70 €)

• *Reisepapiere* Benötigt werden für einen Gesamtaufenthalt von 6 Monaten (Einzelaufenthalt max. 3 Monate) bei der Einreise in die Türkei der **nationale Führerschein**, der **Kfz-Schein** und die **grüne Versicherungskarte**. Diese muss für die gesamte Türkei einschließlich des asiatischen Teils gültig sein! Lassen Sie sich zudem von

Alltäglicher Trubel am Busbahnhof von İstanbul

Ihrer Versicherung schriftlich bestätigen, dass Sie in der gesamten Türkei die gleiche Deckung haben wie zu Hause. Wer länger als drei Monate mit seinem Fahrzeug in der Türkei bleiben möchte, muss sich bei seinem deutschen Automobilclub oder dem türkischen Pendant (Türkiye Turing ve Otomobil Kurumu, Oto Sanayi Sitesi, Levent/İstanbul, ✆ 0212/2828140) ein "Carnet de Passages" besorgen.

Obligatorisch ist für Fahrzeugbesitzer außerdem der **Reisepass**: Sie erhalten bei der Einreise in die Türkei einen Passvermerk, der dazu verpflichtet, das eingetragene Fahrzeug bei der Ausreise vorzuführen. Im Falle eines Totalschadens oder Diebstahls muss eine Löschung des Fahrzeugs im Reisepass beim zuständigen Zollamt, d. h. dort wo der Schaden entstanden ist, veranlasst werden. Dabei ist der türkische Polizeibericht vorzulegen.

• *Weitere Hinweise* Es ist ratsam, einen **Auslandsschutzbrief**, eine **Kurzkasko**-, eine **Verkehrsrechtsschutz**- sowie eine **Insassen-Unfallversicherung** abzuschließen, die ebenfalls für die gesamte Türkei gültig sind. Zudem müssen in der Türkei **zwei Warndreiecke** mitgeführt werden, die im Bedarfsfall vor und hinter dem Fahrzeug aufzustellen sind. Auch muss am Fahrzeug ein **Nationalitätskennzeichen** angebracht sein, unabhängig davon, ob Sie eine EU-Plakette haben.

Egal ob mit dem eigenen Fahrzeug, der Bahn oder dem Bus: Erkundigen Sie sich vor Reiseantritt über die Einreiseformalitäten der Transitländer. Für Serbien und Montenegro bestand z. B. noch im März 2003 eine Visumspflicht. Informationen erhalten Sie u. a. unter www.auswaertiges-amt.de.

Mit der Bahn

Auch wenn der glorreiche Orient-Express der Vergangenheit angehört – mit der guten alten Eisenbahn kann man noch immer in die Türkei fahren. Dafür muss man jedoch tief in die Tasche greifen, allein bis nach İstanbul 40 bis 50 Stunden auf jeglichen Komfort verzichten und mehrmals umsteigen. Ein

Erlebnis ist die Strecke aber allemal. Die Verbindung führt in der Regel über München und Salzburg nach Wien und von dort weiter über Budapest, Belgrad und Sofia (zuweilen auch über Bukarest) zum İstanbuler Bahnhof Sirkeci auf der europäischen Seite. Hier kann man evtl. auf die Direktfähre nach İzmir umsteigen (→S. 92) oder nimmt eine Fähre über das Marmarameer nach Bandırma, von wo Zugverbindungen nach İzmir und weiter nach Selçuk bestehen. Auf der anderen Seite des Bosporus (Verbindung mit Pendelfähren) starten vom Bahnhof Haydarpaşa die Züge über Ankara nach Denizli (Pamukkale) oder nach Konya, Karaman und Adana.

Alternativ zur Zugfahrt direkt in die Türkei bietet sich die Zugfahrt zu den italienischen Fährhäfen an.

• *Preisbeispiele* Ohne besondere Ermäßigungen müssen Sie für eine Hin- und Rückfahrkarte von München nach Adana mit rund 420 € rechnen, von Wien mit 300 € und von Zürich mit 620 sfr. Erheblich billiger wird es, wenn Sie in jedem Land die Zugfahrkarte separat lösen. Infos unter www.bahn.de, www.ssb.ch oder www.oebb.at.

Endstation Sirkeci – wohin der Orient-Express rollte

Der legendäre Orient-Express nahm seinen Dienst von Paris in Richtung İstanbul 1883 auf. Anfangs verlief die Route über Wien und Budapest nach Varna (Bulgarien) am Schwarzen Meer, von dort ging es per Schiff weiter. 1889 rollte der Zug erstmals im Bahnhof Sirkeci auf der Serailspitze ein. Berühmt wurde er durch diverse Filme und literarische Werke, insbesondere durch Agatha Christies "Mord im Orientexpress" und durch Graham Greenes "Stamboul Train". Letzterem Werk sollte man aber nicht allzu großen Glauben schenken, Greene ging bereits in Köln das Geld aus, die restliche Strecke bis İstanbul entspringt seiner Phantasie. Die Fahrt durch die verschiedenen Königreiche des Balkans war in den ersten Jahren nicht ungefährlich. Mehrmals kam es zu Überfällen, denn der Luxuszug beförderte neben betuchten Passagieren auch wertvolle Waren: auf der Hinfahrt Schuhe, Parfüm, Wein und Stoffe, auf der Rückfahrt Leder, Gewürze und Baumwolle. Mitte des 20. Jh. war es mit dem Glanz und der Gloria des Zuges vorbei. 1977 setzte er sich zum letzten Mal in Bewegung.

Mit dem Bus

Eine preisgünstige Alternative zur Bahn. Die *Deutsche Touring* bietet in Zusammenarbeit mit den türkischen Busgesellschaften *Ulusoy* und *Varan Turizm* ganzjährig Fahrten von verschiedenen deutschen und österreichischen Städten nach İstanbul an. Zum Zeitpunkt der letzten Recherche nahmen diese die Route über Italien, weiter ging es mit der Fähre nach Griechenland und von dort auf dem Landweg nach İstanbul (Dauer 44–60 Std.). Einen Linienbusverkehr von der Schweiz in die Türkei oder zu den Fährhäfen nach Italien gibt es nicht.

• *Information und Buchung* **Information in Deutschland**: Deutsche Touring GmbH, Am Römerhof 17, 60486 Frankfurt, ✆ 069/790353, www.deutsche-touring.com.

In Österreich: Varan Turizm, Südtiroler Platz 7, Wien, ✆ 01/5046593.

In İstanbul: Varan Turizm, ✆ 0212/6580270, www.varan.com.tr; Ulusoy, ✆ 0212/6583000, www.ulusoy.com.tr.

• *Preise* Die Preise für eine Fahrt nach İstanbul bewegen sich je nach Abfahrtsort und Abfahrtstag für eine Hin- und Rückfahrt zwischen 180 und 220 € zzgl. Fährgebühren von ca. 50 €.

Mit der Fähre

Der Seeweg in die Türkei erlebte durch den Balkankonflikt eine Renaissance. Alle, die ein Fahrzeug mitnehmen, sollten für die Hauptferienzeit früh buchen. Als Abfahrtshäfen in Italien stehen Ancona und Brindisi zur Auswahl, in manchen Jahren auch Venedig und Bari. Zielhafen in der Türkei war 2002 ausschließlich Çeşme. Den besten Service bietet Marmara Lines, die 2002 den Fährbetrieb aufnahm. Des Weiteren tuckern seit vielen Jahren zuverlässig Fähren der Turkish Maritime Lines und der Med Link Lines in die Türkei. Welche Reedereien sonst noch die Strecke bedienen, erfahren Sie in einem guten Reisebüro.

Besondere Verkehrshinweise für Italien

Auf Autobahnen muss auch tagsüber mit Licht gefahren werden. Motorradfahrer müssen immer mit Licht fahren. Promillegrenze: 0,5. Höchstgeschwindigkeit auf Autobahnen (Schnellstraßen) für Pkws 130 (110) km/h, für Wohnmobile 100 (80) km/h, für Gespanne 80 (70) km/h. Über das Fahrzeug reichende Dachlasten müssen mit einer 50 x 50 cm großen, rot-weiß gestreiften Warntafel versehen sein.

Von Ancona nach Cesme

• *Fährverbindung* Von Ancona nach Çeşme fährt nur die Marmara Lines 1-mal wöchentl. von Mai bis Okt., Fahrtdauer ca. 43 Std. Einfache Passage in der Hochsaison pro Person ab 205 € (Pullmannsitz, inkl. Frühstück), Motorrad 65 €, Pkws ab 215 €, Fahrräder frei. Alle Angaben inkl. Hafengebühren. Selbstverständlich gibt es Ermäßigungen für Kinder, in der Nebensaison, bei gleichzeitiger Buchung der Hin- und Rückfahrt usw. **Information** bei RECA-Handels-GmbH, Neckarstr. 37, 71065 Sindelfingen, ✆ 07031/866010. In der Schweiz ebenfalls bei RECA, Schaffhauser Str. 35, 8006 Zürich, ✆ 01/3683111. Oder unter www.marmaralines.com.

• *Information Ancona* **APT** in der Via Thaon de Revel 4, nahe der Piazza 4 Novembre (Passetto). Hier bekommen Sie auch einen Stadtplan. Geöffnet Mo–Sa 9–13 Uhr und 15–18 Uhr, So und feiertags 9–13 Uhr. ✆ 071/358991, ℻ 071/3589929. Darüber hinaus gibt es in den Sommermonaten (Juni bis Ende September) **Informationsbüros** am Hafen (tägl. 8-20 Uhr geöffnet) und am Bahnhof.

• *Parken Ancona* Gebührenpflichtige Parkplätze oder –häuser gibt es ausreichend im Zentrum, gute Parkmöglichkeiten zudem am Fährhafen.

• *Bahn Ancona* Der Bahnhof liegt ca. 1,5 km nordwestlich des Zentrums; Hafen und Zentrum erreichen Sie vom Bahnhof mit dem Stadtbus 1 oder 1/4.

• *Hotels Ancona* ***Roma e Pace**, etwas altertümliches, angenehmes Hotel mitten im Zentrum. Autobesitzer können dank der für das Hotel reservierten Parkplätze vor der Haustür aufatmen – ein idealer Standort, wenn man die Altstadt von Ancona erkunden will. DZ ca. 95 €, EZ ca. 60 €, 3er ca. 115 €, 4er um 130 €. Alle Zimmer mit Bad und TV, es gibt eine Heizung, Frühstück ist im Preis inbegriffen. Via Leopardi 1, ✆ 071/202007, ℻ 071/2074736.

*****City**, ähnlich zentral wie Roma e Pace, freundlicher Service, modernes Hotel mit kleiner Terrasse, die Zimmer (alle mit Bad, Klimaanlage, Kühlschrank und TV) entsprechen dem 3-Sterne-Standard, Blümchenvorhänge, EZ 61 €, DZ 97 €, 3er 105 €, Frühstück inkl. Via Matteotti 112, ✆ 071/2070949, ℻ 071/2070372, www.hotelcityancona.it.

****Fiore**, am Bahnhof, mit Parkmöglichkeiten. DZ mit Bad ab 37 €, ohne Bad um 30 €, EZ mit Bad ca. 25 € (ohne Bad ab 20 €). Piazza Rosselli 24-25, ✆ 071/43390.

• *Jugendherberge Ancona* **Ostello della Gioventù**, nur wenige Schritte vom Bahnhof entfernt in der Via Lamaticci 7. ✆ 071/42257.

• *Essen & Trinken in Ancona* Die meisten Restaurants befinden sich im Umkreis der

Dardanellentransfer – mit der Fähre nach Çanakkale

Piazza Repubblica, Piazza delle Erbe und Piazza Roma.

Antica Trattoria La Moretta, rustikales und sehr sympathisches Ambiente am wohl schönsten Platz der Stadt, der Piazza del Plebiscito. Netter Service, für das Gebotene nicht teuer: Primi ab 6 €, Secondi ab ca. 10 €. Mittags und abends geöffnet, So geschlossen, ✆ 071/202317.

La Cantineta, traditionelle Trattoria im Herzen Anconas, einfach und günstig, nette Atmosphäre und gute Küche, die die Bewohner der Stadt zu schätzen wissen. Spezialität des Hauses ist der regionaltypische Stockfisch (Stoccafisso all'anconetana), dazu gibt es Hauswein. Mittags und abends geöffnet, So geschlossen. Via Gramsci 1c, ✆ 071/201107.

• *Camping in Portonovo (schön, 12 km südlich von Ancona)* **Camping "La Torre"**, schöner und angenehm schattiger Platz in Bestlage fast am Meer, in Portonovo ausgeschildert, der Platz liegt nahe der Torre Clementina. Mit Bar und Ristorante, leider kein Mini-Market. Pro Person 5,50 €, Stellplatz Wohnwagen/Wohnmobil 8,50 €, Stellplatz Zelt 6,50 €, Auto 5 €. Geöffnet Juni – Mitte Sept., ✆ 071/801257, ℻ 071/801075.

Camping Adriatico, kleiner als "La Torre" und ein wenig günstiger, ebenfalls ganz in Strandnähe gelegen, ausgeschildert. Geöffnet Juni – Mitte Sept., ✆ 071/801170, ℻ 071/34371.

Vorwahl für Italien: Wenn Sie aus dem Ausland nach Italien anrufen, muss aus der BRD und der Schweiz die 0039, aus Österreich die 04 vorgewählt werden, danach muss die Null der Ortsvorwahl mitgewählt werden!

Von Brindisi nach Cesme

• *Fährverbindung* Auf dieser Route konkurrieren zwischen Ende Juni und Anfang Okt. u. a. Marmara Lines, Turkish Maritime Lines (Vollpension an Bord) und Med Link Lines. Die Fahrtdauer liegt etwa bei 30–35 Std. Auf den ersten Blick differieren die Preise zwischen den Reedereien recht stark. Zieht man jedoch die von den verschiedenen Gesellschaften gebotenen diversen Ermäßigungen in Betracht, ist der Unterschied nur noch gering. Einfache Passage in der Hochsaison pro Person ab 93 €

(nur bei Med Link Lines, Deckpassage), ansonsten ab ca. 130 €, Pkws ab 150 €, Motorräder 65 €, Fahrräder frei (Angaben jeweils inkl. Hafengebühren). **Für Informationen zu Marmara Lines s.o., zu Med Link Lines** über Neptunia Schifffahrts-GmbH, Postfach 600803, 81208 München, ✆ 01805316191, www.neptunia.de. Zu **Turkish Maritime Lines** in Deutschland über diverse Öger-Türk-Tur-Büros und unter www.tdi.com.tr. Der Hafen in Brindisi ist mit Porto ausgeschildert.

• *Information Brindisi* **Casa del turista**, an der Viale Regina Margherita 43, am Hafen hinter dem Hotel Internazionale, Stadtplan und Hochglanzbroschüren, Mo–Sa 8–14 Uhr, ✆ 0831/523072.

• *Parken Brindisi* Wer dem Wegweiser "Porto" folgt, gelangt zwangsläufig zur nördlichen Hafenrandstraße Viale Regina Margherita/Via L. Flacco), dort gute Parkchancen.

• *Bahn Brindisi* Viele Züge fahren bis zum **Hafenbahnhof** (Stazione marittima) durch. Der **Hauptbahnhof** liegt günstig am Altstadtrand an der Piazza Crispi. Von hier geht's über den größtenteils verkehrsberuhigten Corso Umberto I in 10 Min. zu Fuß direkt zur zentralen Piazza del Popolo. Die **Gepäckaufbewahrung** im Hbf. befindet

sich in der Hochsaison oft am Rand ihrer Kapazität.

• *Hotels Brindisi* **** **La Rosetta**, Via San Dionisio 2, Nähe Piazza del Popolo, relativ neues, komfortables Stadthotel mit viel Marmor; kein Hotelrestaurant, DZ 93–108 €, EZ 62-72 €, ✆ 0831/590461.

*** **Regina**, Via Cavour 5, modernisierter Altstadtpalazzo, gut geführt, DZ 55–90 €, EZ 44–70 €, ✆ 0831/562001.

*** **Torino**, Largo Palumbo 6, zwei Schritte vom Regina entfernt, kleiner modernisierter Altstadtpalazzo, gepflegter Gesamteindruck, DZ 41–67 €, EZ 33–49 €, ✆ 0831/597587.

• *Jugendherberge Brindisi* **Ostello per la Gioventù Casale**, Via Nicola Brandi 2, stadteigene Einrichtung, 30er-Jahre-Bau, nur 2 km vom Stadtzentrum entfernt, Stadtbus Nr. 3 und 4 vom Hauptbahnhof. Ganzjährig geöffnet, in der HS oft voll, kleine Schlafsäle, Übernachtung 12 € pro Person, mit Frühstück, ✆ 0831/413123. Bei Ankunft am Bahnhof wird man auf Anruf abgeholt – funktioniert tatsächlich!

• *Camping (beide Plätze liegen außerhalb von Brindisi)* **Pineta al Mare**, in Specchiolla 24 km nördlich von Brindisi, großer moderner Strandplatz, schattige Grünflächen, Swimmingpool, 2 Personen, Zelt und Auto ab 15,50 €, ✆ 0831/987821.

Costa Merlata, mittelgroßer gepflegter Uferplatz im gleichnamigen Ferienort **Merlata** 32 km nördlich von Brindisi, dessen Bungalowarchitektur eher angenehm ins Auge fällt, 2 Personen, Zelt und Auto ca. 23 €, ✆ 0831/304064.

• *Essen und Trinken in Brindisi* Die **Restaurants am Corso Garibaldi** empfehlen wir nicht, da sie vorwiegend auf die schnelle Abfütterung der Transitreisenden spezialisiert sind. Gleiches gilt auch für die **Straßencafés** am Corso Garibaldi. Ein paar Tipps:

Ristorante del Pescatore Iaccato, Via L. Flacco 32, an der Uferstraße des alten Hafenviertels *Sciabiche* inmitten der Fischverkaufsstände, einfache Baracke, originell, hemdsärmelige Bedienung, schnörkellose Fischküche mit Frischegarantie, ehrliche Preise.

Pantagruele, Via Salita di Ripalta 1, stimmungsvolle Altstadt-Trattoria, einige Tische im Freien, raffinierte regionale Küche, mehrfach ausgezeichnet, zu den Primo-Spezialitäten gehören *Maccheroncini con funghi porcini* (Steinpilze) und *Laganari con vongole e zucchini*, Menü 25 €, ✆ 0831/560605, So Ruhetag.

Alternative Fortbewegungsmittel – nur Fliegen ist schöner

Unterwegs an der Mittelmeerküste

Mit dem Auto oder Motorrad

Ein eigenes Fahrzeug – egal, ob geliehen oder mitgebracht – macht das Reisen an der türkischen Mittelmeerküste und durch Kappadokien unkompliziert. Vorsicht ist jedoch geboten, nicht nur wegen der teils überaus glatten Straßen. Denn so kämpferisch und stolz, wie die Türken einst auf ihren Steppenpferden bis nach Wien jagten, so selbstbewusst geben sich ihre Ur-Ur-Ur-Enkel heute im Straßenverkehr. Dabei wird der Kampfschrei durch die Hupe ersetzt.

Von **Nachtfahrten** sollte man absehen. Gefahr droht durch mangelhaft beleuchtete Lkws und Pkws sowie gänzlich unbeleuchtete Ochsenkarren, mit denen (dunkel gekleidete) Bauern von der Arbeit kommen. Erhöht wird das Unfallrisiko durch unvorhersehbare Schlaglöcher und nur mit Steinen abgesicherte Baustellen. Dazu kommen allzu sorglose Fußgänger jeden Alters. Kein Wunder, dass die Türkei die europäische Unfallstatistik seit Jahren souverän anführt. Um die Raserei ein wenig einzudämmen, wurden in den letzten Jahren an Ortseinfahrten und in Wohngebieten vielfach Bodenwellen geschaffen. Für Ortsunkundige sind sie oft heimtückisch, denn in der Regel macht weder ein Schild auf sie aufmerksam, noch sind sie – bis auf große Ölflecken – farblich markiert. Um nicht nur der Raserei Herr zu werden, sondern um auch das Staatsäckel ein wenig aufzufüllen, werden vielerorts **Radarkontrollen** durchgeführt. Wer erwischt wird, zahlt mindestens 25 €. Autobahnen sind übrigens gebührenpflichtig, die Kosten jedoch gering.

• *Verkehrsvorschriften* **Höchstgeschwindigkeit** in Ortschaften 50 km/h (mit Anhänger 40 km/h), außerhalb 90 km/h (mit Anhänger 70 km/h), Motorräder 70 km/h. Auf Autobahnen für Pkw und Motorräder 130 km/h.

Die **Promillegrenze** für Fahrer von Pkws ohne Anhänger liegt bei 0,5, ansonsten herrscht absolutes Alkoholverbot (auch für Motorradfahrer). **Mobiltelefone** dürfen während der Fahrt nur mit einer Freisprechanlage benutzt werden.

Verkehrsschilder – was heißt was?

Bozuk satıh	schlechte Wegstrecke	*Park yapılmaz*	Parken verboten
Dikkat	Achtung bzw. Vorsicht	*Şehir merkezi*	Stadtmitte
Dur	Stop	*Tamirat*	Straßenarbeiten
Düşük banket	unbefestigte Straße	*Taşıt gecemez*	Durchfahrt verboten
Kaygan yol	glatte Fahrbahn	*Yavaş*	langsam fahren
Park (yeri)	Parkplatz	*Yasak*	verboten

• *Tanken* Die Oktanzahl des türkischen Superbenzins entspricht in etwa der des deutschen Normalbenzins. Bleifrei (türk. *kurşunsuz*) zu tanken ist entlang der Mittelmeerküste kein Problem.

• *Ersatzteile* sind für Fiat, Renault, Ford und Mercedes leicht zu haben, bei anderen Automarken sieht es etwas schlechter aus. Falls Sie mit Ihrem Fahrzeug Probleme haben, fragen Sie nach dem **Oto Sanayii**, eine Ansammlung von Werkstätten, meist an den Ein- oder Ausfallstraßen der größeren Ortschaften.

• *Unfall* Verändern Sie nichts am Unfallort. Es muss die Polizei gerufen werden, denn für die Schadensklärung ist ein Polizeiprotokoll erforderlich. Unterschrieben Sie keine Protokolle, die Sie nicht lesen können, oder vermerken Sie auf dem Protokoll, dass Sie es nicht lesen konnten. Melden Sie größere Karosserieschäden, die Sie vor Ort nicht beheben lassen wollen, ebenfalls der Polizei – ohne Protokoll kann es bei der Ausreise sonst zu erheblichen Schwierigkeiten kommen.

Der gelegentlich zu hörende Rat, nach einem Unfall mit Personenschaden nicht zu halten, sondern wegen drohender Lynchjustiz bis zur nächsten Polizeistation weiter zu fahren, ist schlichtweg Quatsch. Das wäre Fahrerflucht und unterlassene Hilfeleistung, und hat schlimmere Folgen als die Unannehmlichkeiten am Unfallort.

• *Pannenhilfe* Keine Sorge, man lässt Sie nicht im Regen stehen, die Türken sind sehr hilfsbereit. Sollten Sie einen Abschleppwagen benötigen, teilen Sie dies Ihrer Versicherung mit (die Notrufnummer steht auf jedem Schutzbrief). Alles weitere wird dann durch den türkischen Automobilclub Türkiye Turing ve Otomobil Kurumu (→ Anreise/Mit dem eigenen Fahrzeug, S. 22) veranlasst.

• *Hupen* In der Türkei ist es auf unübersichtlichen Strecken üblich, vor einer Kurve zu hupen. Hört der Entgegenkommende nichts, geht er davon aus, dass die Straße frei ist – und das kann fatal enden. Auch beim Überholen wird gehupt!

> Stehen Sie an einer roten Ampel in der ersten Reihe, schauen Sie unbedingt nochmals nach rechts und links, wenn das Licht auf Grün springt. Nicht alle Verkehrsteilnehmer interessieren sich für das Farbenspiel.

Mietfahrzeuge: Pkws kann man in den Touristenzentren nahezu an jeder Ecke mieten, das Angebot an Mopeds, Motorrädern und Fahrrädern ist dagegen bescheiden. Wer ein Fahrzeug mieten will, muss lediglich den nationalen Führerschein und den Pass oder Personalausweis vorlegen. Manche Anbieter setzen voraus, dass der Fahrers mindestens 23 Jahre alt ist und seit mindestens einem Jahr den Führerschein besitzt.

Der gängigste und zugleich billigste Leihwagen ist übrigens der Fiat 131, der in der Türkei *Şahin* heißt. Kilometerbegrenzungen oder -abrechnungen sind nicht üblich.

• *Preise* Die lokalen Anbieter sind in der Regel erheblich billiger als die großen internationalen Verleiher. Den Preisvorteil erzielen sie durch einen älteren und meist weniger gepflegten Fuhrpark. Die Preise der renommierten Verleiher unterscheiden sich wenig, pro Tag muss man mit ca. 50–60 € für das günstigste Modell rechnen. Etwas preiswerter ist es, wenn man bereits von zu Hause aus wochenweise bucht, eventuell gleich in Verbindung mit dem Flugticket. Bei den lokalen Anbietern beginnen die Preise bei 30–40 € pro Tag. Ein empfehlenswerter Autoverleiher ist die **Agentur Say** mit Hauptsitz in Antalya und Partneragenturen an der gesamten Mittelmeerküste; 2002 lag das billigste Modell bei 26 €, mit Klimaanlage bei 40 €. Buchungsmöglichkeiten bestehen in Deutschland unter ✆/℡ 0911/686266 oder über www.say-autovermietung.de

Die Preise für **Motorräder** beginnen bei ca. 30 €/Tag, für **Motorroller** bei 20 €/Tag und für **Mopeds** bei 15 €/Tag.

• *Kleingedrucktes* Achten sollte man auf den vertraglich festgelegten **Versicherungsschutz,** insbesondere auf den Eigenanteil im Schadensfall. Bei diversen Anbietern kann man mit Kreditkarte bezahlen, die goldenen Exemplare bieten z. T. einen zusätzlichen Versicherungsschutz, der den Abschluss von Insassenversicherungen oder Ähnlichem überflüssig macht. Erkundigen Sie sich bei Ihrem Kreditinstitut. Manche Verleiher verbieten das Verlassen von asphaltierten Straßen – wer es dennoch tut, verliert den Versicherungsschutz.

Entfernungstabelle

Angaben in km	Adana	Antalya	Çanakkale	Denizli	İstanbul	İzmir	Nevşehir	Konya
Adana	•	553	1101	766	939	898	282	356
Antalya	553	•	727	238	724	469	634	413
Çanakkale	1101	727	•	503	325	316	926	751
Denizli	766	238	503	•	652	231	631	415
İstanbul	939	724	325	652	•	565	730	663
İzmir	898	469	316	231	565	•	763	548
Nevşehir	282	634	926	631	730	763	•	221
Konya	356	413	751	415	663	548	221	•

Mit dem Bus

Der Bus ist der König des Überlandverkehrs. Die Zahl der Gesellschaften, die das im ganzen Land dichte Netz bedienen, ist nahezu unüberschaubar, die preislichen Unterschiede sind gering.

Bei den meisten Gefährten handelt es sich um moderne Mercedes- oder Mitsubishibusse, die in der Türkei in Lizenz hergestellt werden. Zum Standard gehören Klimaanlage und Video, das Gros der Busse verfügt auch über Toiletten, getönte Scheiben, besondere Sitzkissen usw. Renommierte Unternehmen sind *Metro, Ulusoy, Kamil Koç, Pamukkale* und *Varan.* Unterwegs betreut ein meist jugendlicher Steward oder eine Stewardess die Passagiere. Kostenlos verteilt werden Kekse und Getränke sowie eine türkische Kölnischwasser-Variante *(kolonya)* für verschwitzte und verklebte Handflächen.

Achtung, Abfahrt: Gestartet wird pünktlich bis 5 Min. zu früh!

• *Preise* Durchschnittlich werden pro km 2–3 Cent gezahlt, bei Nobelfirmen etwas mehr. Mit der Buchung ist eine Platzreservierung verbunden, auf die Sie Einfluss nehmen können, indem Sie auf dem Plan den gewünschten Sitz bestimmen – die vorderen sind in der Regel die besseren!

• *Busbahnhöfe* Die türkischen Busbahnhöfe *(otogar, terminal)* entsprechen in Funktion und Ausstattung (WC, Wartesäle, Kioske, Restaurant, Geschäfte) unseren Zugbahnhöfen. Meist liegen sie einige Kilometer außerhalb des Zentrums, sind jedoch gewöhnlich mit öffentlichen Stadtbussen oder Zubringerbussen der Busgesellschaften erreichbar. Kleinere Orte verfügen häufig nur über eine Ansammlung von schlichten Büros in der Nähe des Marktplatzes. In diesen Fällen gehen die Busse von dort ab oder halten kurz an der Umgehungsstraße.

Mit dem Dolmuş (Sammeltaxi)

Das Sammeltaxi zählt im innerstädtischen Verkehr und auf Fahrten zwischen den Küstenorten zu den wichtigsten Verkehrsmitteln. *Dolmuş* heißt auf Deutsch so viel wie "voll besetzt" – und nennt das wesentliche Kennzeichen der Sammeltaxis, denn ein Dolmuş fährt in aller Regel erst dann ab, wenn alle Plätze belegt sind. Als Dolmuş verkehren Kleinbusse in der Größenordnung eines Ford Transit. Zu erkennen sind Dolmuşe an ihrem Schild auf dem Dach oder an einer Tafel hinter der Windschutzscheibe, die das Fahrtziel angibt. In Städten gibt es separate Dolmuş-Bahnhöfe für Verbindungen in die Region, ansonsten fahren sie vom Marktplatz ab. In großen Gemeinden werden bestimmte Routen bedient, an denen entlang es Haltestellen gibt. Man kann ein Dolmuş aber auch per Handzeichen stoppen und irgendwo unterwegs zusteigen.

• *Preise* Die Preise (von den Stadtverwaltungen festgelegt) liegen im Stadtverkehr etwas höher als bei den Bussen, auf längeren Strecken etwas darunter. Bezahlt wird in der Regel während der Fahrt. Es ist ratsam, sich an den Beträgen der Mitreisenden zu orientieren, wenn man keinen Touristenzuschlag zahlen will. Längere Routen sind in Teilstücke gegliedert. Sie zahlen nur den Abschnitt, den Sie mitgefahren sind.

Weitere Verkehrsmittel

Taxi: Ein *Taksi* findet man in den Touristenzentren an jeder Ecke. Die Tarife für längere Fahren zu den umliegenden Sehenswürdigkeiten sind meist in verschiedenen harten Währungen auf einer Tafel angeschrieben. Für Fahrten innerhalb der Städte wählt man am besten ein Taxi mit Taxameter oder handelt den Preis im Voraus aus.

Achtung Manchmal drücken Taxifahrer beim Taxameter "versehentlich" auf den Knopf, der zum teureren Nachttarif abrechnet. Tagsüber muss auf dem Display *gündüz* erscheinen (*gündüz* = tagsüber; *gece* = Nacht).

Bahn: Entlang der Mittelmeerküste führen so gut wie keine Schienenstränge. An der Westküste können Sie lediglich von İzmir oder Selçuk (Ephesus) über Aydın nach Denizli (nahe Pamukkale) fahren und von İzmir nach Manisa bzw. Sardes. In der Çukurova und im Hatay gibt es einen Schienenstrang von Mersin über Adana nach İskenderun. Zudem kann man von Adana mit dem Zug nach Kayseri (nahe Kappadokien) fahren. Zugfahren ist extrem billig, in der ersten Klasse einmal quer durchs ganze Land von Ost nach West kostet Sie keine 20 €.

Fährschiff: Eine größere Autofähre bedient die Strecke İzmir-İstanbul (→ Reiseteil, S. 92). Fährverbindungen bestehen zudem zu den vorgelagerten türkischen und griechischen Inseln sowie nach Nordzypern. Entlang der Südküste verkehren seit Jahren keine Schiffe mehr.

Flugzeug: Zwischen den Städten der Mittelmeerküste bestehen keine regelmäßigen, direkten Flugverbindungen; sämtliche Flüge mit der THY führen über İstanbul. Das Gleiche gilt für Flüge nach Pamukkale (Denizli) oder Kappadokien (→ "Kappadokien im Überblick", S. 606).

Fahrrad: Fahrräder gibt es nicht allzu oft zu leihen – und wenn doch, dann meist in Kaufhausqualität. Wer Touren entlang der Südküste oder durch Kappadokien plant, bringt am besten sein eigenes Bike mit. Empfehlenswert ist ein sog. Dog Chaser, der durch Hochfrequenztöne die Hunde der Hirten vom Leib hält. Wegen der bergigen Landschaft sollte man über eine gute Kondition verfügen.

Trampen: ist aufgrund der niedrigen Preise für öffentliche Verkehrsmittel nicht verbreitet, aber grundsätzlich überall möglich. Allein reisende Frauen sollten davon absehen.

Unter Segel

Die türkische Südägäis und die lykische Küste zählen zu den beliebtesten Segelrevieren des Mittelmeeres, Boote mit und ohne Skipper lassen sich vor Ort und von Deutschland aus chartern, ein Blick in die bekannten, überall erhältlichen Seglermagazine genügt. Zentren des Jachttourismus sind Finike, Göcek, Marmaris, Fethiye, Bodrum und Kuşadası, aber auch fast alle anderen größeren Urlaubsorte verfügen über eine Marina. Zudem lässt es sich in vielen abgeschiedenen Häfen und Buchten herrlich ankern. Wer mit dem eigenen Schiff unterwegs ist oder ein Boot ohne Skipper chartert, dem seien die Segelhandbücher "Türkische Küste – Vom Bosporus bis Antalya" (26 €) und "Türkische Küste/Ostgriechische Inseln" (45 €) empfohlen, beide im Delius Klasing Verlag erschienen. Die beste Zeit für einen Törn ist von Mai bis September.

Blau reisen – Segeltörns an der Ägäis

Einen wahren Boom erleben an der lykischen und südägäischen Küste die sog. "Blauen Reisen". Dabei handelt es sich um eine Art All-inclusive-Urlaub auf einer *Gulet*, einer schönen, aus Holz gezimmerten, dickbäuchigen Jacht. Die Schiffe haben Masten und Segel, fahren aber meist unter Maschine. Das einzige Segel, das so gut wie immer gesetzt ist, ist das Schatten spendende Sonnensegel. Die Schiffe sind im Unterschied zu reinen Segeljachten nicht nur praktisch, sondern in der Regel sehr komfortabel ausgestattet, denn bei der "Blauen Reise" steht nicht das sportlich ambitionierte Segeln im Vordergrund, vielmehr das Genießen der Küste von Boot aus, das Baden in einsamen Buchten und die gemeinsame Unterhaltung an Bord. Letzteres ist der Risikofaktor eines solchen Törns. Denn den engem Raum mit Spießern oder Kiffern zu teilen, kann je nach Einstellung Freude ins Gegenteil kehren. Daher empfiehlt es sich, eine solche Reise gleich als Gruppe zu buchen und am besten ein ganzes Schiff zu chartern.

Namensgebend für derartige Törns waren übrigens die Schiffsreisen eines illustren Philosophenzirkels um den Journalisten und Bohemien Cevat Şakir Kabaağaçlı. Nachdem er wegen seiner antimilitaristischen Gesinnung nach Bodrum verbannt worden war, publizierte dieser türkische Jean-Paul Sartre ab 1925 unter dem Pseudonym "Der Fischer von Halikarnas". Die jungen Intellektuellen, die sich um ihn sammelten, schipperten auf Schwammtaucherbooten die Ägäisküste entlang, ernährten sich in erster Linie von Fisch und Rakı und nannten ihre Seelenreinigungstrips *Mavi Yolculuk*, "Blaue Reise."

Blaue Reisen werden über alle größeren Türkei-Reiseveranstalter angeboten. Wer Wert darauf legt, auf seinem Törn versichert zu sein, sollte darauf achten, dass der Charterer eine Lizenz des türkischen Reisebüroverbandes (TÜRSAB) besitzt.

Organisierte Ausflüge

Per Helikopter nach Kappadokien, mit dem Jeep durchs Hinterland oder mit dem Ausflugsboot in einsame Buchten oder zu griechischen Inseln: Zu Luft, zu Land und zu Wasser werden in allen touristischen Zentren unzählige Halbtages-, Tages- und Zweitagestouren zu den Sehenswürdigkeiten der näheren und weiteren Umgebung angeboten. Für alle, die die Planung und Durchführung eines Ausflugs nicht selbst in die Hand nehmen wollen, eine bequeme Art, mehr von der Türkei kennen zu lernen. Preislich rechnen sich solche Touren insbesondere für Alleinreisende. Zu zweit kann man für das gleiche Geld schon oft einen Mietwagen nehmen. Der große Haken vieler Bustouren oder Bootsausflüge: Die Routen der meisten Veranstalter sind annähernd identisch, und so erleben viele Buchten oder Sehenswürdigkeiten für ein paar Stunden am Tag einen herdenartigen Ansturm.

• *Preise* Große Preisunterschiede gibt es zwischen den meisten Veranstaltern nicht. Sollte jedoch eine Tour erheblich preiswerter angeboten werden als beim Gros der Veranstalter, sind unter Garantie weit aus mehr Shoppingpausen mit Teppichknüpfvorführungen im Programm als sonst. Bei allem, was Sie kaufen, verdienen die Touranbieter mit; ein Drittel des Kaufpreises geht in ihre Tasche. Bei vielen Touranbietern ist ein Pickup-Service vom Hotel im Preis inbegriffen.

Wandern

Im Frühjahr und Herbst gibt es kaum eine schönere Art, die türkische Mittelmeerküste und Kappadokien zu entdecken. Im Sommer dagegen ist Wandern aufgrund der hohen Temperaturen, zumindest an der Küste, fast unmöglich. Ausgeschilderte Wanderwege gibt es nur wenige, dafür aber unzählige Pfade, die sich fast immer zu einem Rundweg kombinieren lassen. Etwas Erfahrung und ein guter Orientierungssinn sind bei allen Touren vonnöten, denn exakte topographische Karten sind nicht erhältlich. Bringt man aber guten Willen, Ausdauer und Kondition mit, dann wird man mit einer Fülle von Naturschönheiten belohnt, seien es kleine versteckte Fjorde, tiefe Schluchten mit tosenden Flüssen oder auch ausgedehnte Blumenteppiche, auf die man vor allem im Frühjahr stößt. Die schönsten Ecken zum Wandern bietet die lykische Küste, die Gegend rund um den Bafa-See und das Kazdağları-Gebirge am Golf von Edremit. Für Wandern in Kappadokien → "Kappadokien im Überblick", S. 607.

• *Gefahren am Wegesrand* Vor Hunden brauchen Wanderer keine Angst zu haben, nur wenige Türken halten überhaupt welche. Achten Sie jedoch auf Schlangen! Zum Glück sind die meisten harmlos und flüchten, wenn sich ein Mensch nähert. Es gibt aber auch verschiedene Vipernarten und die Taurische Bergotter (ab 2.000 m), deren Biss gefährlich werden kann. Im Unglücksfall sollten Sie unbedingt einen Arzt aufsuchen (am besten die Schlange töten und mitbringen). Skorpionsstiche sind dagegen zwar schmerzhaft, aber in der Regel nicht lebensgefährlich. Um Bienenkörbe sollte man stets einen großen Bogen machen. Zum Problem können ferner Zecken werden.

Lykia Yolu – der Lykische Weg

Von Antalya führt dieser Wanderweg entlang der Küste bis nach Fethiye. Die englische "Sunday Times" erklärte ihn zu einem der schönsten Wanderwege der Welt. Unterwegs passiert man unzählige antike Stätten und herrliche Buchten. Rund fünf Wochen sollte man für die Tour als ganze einplanen – und ein paar Monate Training davor. Damit aber nicht der komplette Jahresurlaub dafür in Anspruch genommen werden muss, können Sie auch einzelne Abschnitte des Weges gehen, z. B. von Kalkan nach Patara. Halten Sie für den Einstieg in den lykischen Wanderweg entlang der Küste einfach nach den gelben Wegweisern mit der Aufschrift "Lykia Yolu" Ausschau. Aber auch für diesen Weg gilt: Ein guter Orientierungssinn ist vonnöten, denn an manchen Passagen ging man recht sparsam mit der Beschilderung um. Wer sich die gesamte Wandertour zum Ziel setzt, dem sei folgende Literatur empfohlen: Kate Clow, *The Lycian Way. Turkey's First Long Distance Walk.* Buxton UK, Upcountry Publ., ISBN 0–9539218-0–8.

Boutique-Hotels – stilvolles Wohnen für oft gar nicht viel Geld

Übernachten

Das Angebot an Übernachtungsmöglichkeiten ist vielseitig. Von Clubanlagen, bei denen im Whirlpool der Caipirinha gereicht wird, bis zu Absteigen, deren Toiletten man ohne Badeschuhe in seinem Leben nie betreten würde, ist alles vorhanden. Apartments bieten eine interessante Alternative für Selbstversorger.

Hotelhochburgen der Ägäis sind Çeşme, Bodrum und Marmaris, der lykischen Küste Fethiye und Kemer, der Türkischen Riviera Antalya, Side und Alanya, in Kappadokien Ürgüp und Göreme. Begrüßenswert ist die wachsende Anzahl sog. "Boutique-Hotels" – kleine stilvoll-nostalgische Unterkünfte (oft auch als Pensionen vermarktet), die in alten, restaurierten Natursteinhäusern oder osmanischen Stadtvillen untergebracht sind. Man findet sie an der Küste genauso wie im Landesinneren oder in İstanbul. Bei der Unterkunftsauswahl für dieses Buch wurde ein besonderes Augenmerk darauf gelegt.

Hinweis: Dort, wo vorrangig Türken urlauben – insbesondere an der Nordägäis, der Çukurova und dem Hatay –, schließen viele Unterkünfte bereits Ende September nach den türkischen Sommerferien und öffnen nicht vor Mai. Auch haben viele einfachere Campingplätze nur zur türkischen Ferienzeit geöffnet.

Der Standard der meisten Hotels ist im Vergleich zum Preis mehr als nur zufrieden stellend – bei den Übernachtungen zeigt sich die Türkei noch immer als Billigreiseland. Das Zimmerangebot ist in den touristischen Zentren und in İstanbul gigantisch, im Hochsommer empfiehlt sich dennoch eine Reservierung, um nicht das nehmen zu müssen, was noch übrig ist. Handeln ist in kleinen Billighotels und Pensionen prinzipiell möglich, wird aber gewöhnlich nicht gerne gesehen. (Ebenfalls nicht gerne gesehen – aber leider mancherorts vorhanden – sind Kakerlaken.)

All-inclusive-Anlagen: Das Gros dieser Anlagen befindet sich an der Südägäis, der lykischen Küste und der Türkischen Riviera. Meist liegen sie weit abseits der Städte, in Nachbarschaft zu weiteren Resorthotels, die zusammen oft riesige künstliche Feriensiedlungen bilden. Die stilvollsten All-inclusive-Anlagen im Reisegebiet finden Sie westlich von Antalya bei Kemer, östlich von Antalya in Belek, sowie in Titreyengöl bei Side. Die oft wie Hochsicherheitstrakte abgeriegelten Ferienanlagen, teils mit Kapazitäten von bis zu 2.500 Betten, sind jedoch auf Individualreisende nicht eingestellt und daher vor Ort entweder gar nicht oder nur mit viel Aufwand zu buchen. Der Preis vor Ort (Walk-in-rate) für große All-inclusive-Anlagen, liegt nicht selten weit über dem Doppelten, wenn nicht gar beim Drei- oder Vierfachen des Preises, den man bezahlt, wenn man pauschal aus dem Katalog bucht. Der Begriff "all inclusive" ist übrigens nicht eindeutig definiert, und so manches Hotel führt diese Bezeichnung, ohne sie eigentlich zu verdienen. Erkundigen Sie sich daher im Voraus, ob das angebotene Sportprogramm oder alle Getränke im Preis inbegriffen sind. Bei vielen Hotels, bei denen das nicht der Fall ist, wird von der Reiseleitung darauf hingewiesen, dass man besser nie außer Haus etwas essen oder trinken sollte, um Magenproblemen vorzubeugen oder um nicht überfallen zu werden. Das ist Humbug! Man will Sie mit solchen Aussagen nur an die Hotelbar binden, wo die Bierpreise nicht selten um das Vier- oder Fünffache höher sind als außerhalb der Anlage.

Preise je nach Ausstattung, Service, Umfang des Büfetts, Sportangebot, Anzahl der Animateure 75–250 € pro Nacht und DZ.

Hotels und Pensionen: Kategorien zugeordnet und mit Sternen versehen sind all jene Hotels, die beim Ministerium für Kultur und Fremdenverkehr registriert sind. Wer seine Unterkunft nach der Anzahl der Sterne wählt, sollte allerdings bedenken, dass sich die Klassifizierung an der Ausstattung der Unterkünfte (Minibar, Fernseher, Aufzug, Restaurant, Klimaanlage oder Zimmerzahl) orientiert und Kriterien wie Lage, Architektur, Sauberkeit oder Freundlichkeit des Personals unberücksichtigt lässt – luxuriöse Boutique-Hotels werden beispielsweise nicht nach Sternen kategorisiert. Hinzu kommt, dass viele türkische Hotels aufgrund ihrer billigen Bauweise und Ausstattung oft schneller abgewohnt und daher erheblich im Wert gemindert sind, als die Rückstufung bei der Kategorisierung erfolgt. Das gilt insbesondere für Drei-Sterne-Hotels.

Im Vergleich zwischen einfacheren Hotels und kleinen Pensionen sind Letztere oft die bessere Wahl, da ihre Betreiber in der Regel mehr auf das Wohl der Gäste bedacht sind. Auch gegenüber manch vornehmem Hotel macht die Freundlichkeit vieler Pensionsbesitzer den fehlenden, nicht selten überflüssigen Luxus wett. Die gemütlichsten Pensionen mit internationalem Publikum findet man entlang der lykischen Küste und in Kappadokien. In İstanbul muss man auf sie verzichten – hier ersetzen billige Stadthotels die familiären Budgetunterkünfte. Nicht jedermanns Sache sind die sog. *Aile Pansiyonları* (Pensionen für Familien), die man vorrangig in den türkisch geprägten Ferienorten der Nordägäis oder ganz im Osten der Mittelmeerküste findet. Oft handelt es sich dabei um recht konservativ geführte, einfache Unterkünfte mit Gemeinschaftsküche, wo man an ausländischen, Bier trinkenden Travellern nicht sonderlich interessiert ist. Spartanisch ausgestattete, aber meist recht freundliche Zimmer, z.T. in Bungalows, vermieten zudem viele Campingplätze (s.u.).

• *Preise für Hotels* Bessere Hotels oder Hotelketten nehmen in der Hauptreisezeit pro DZ ab 30 € aufwärts. In den Monaten zwischen September und Mai werden die Preise gesenkt. Einfache Häuser bieten DZ mit Dusche oder Bad ab ca. 15 €. Ein Zimmer in Billigabsteigen ohne Bad und WC bekommt man pro Person ab 5 €. In İstanbul liegen die Hotelpreise weit über dem Landesdurchschnitt.

• *Preise für Pensionen* Ein DZ mit Du/WC bekommt man für 10–20 €. Singles erhalten meist ein DZ zum ermäßigten Preis.

• *Information* Die Fremdenverkehrsämter halten eine Liste aller Hotels bereit, die beim Ministerium für Kultur und Fremdenverkehr registriert sind (Adressen der Fremdenverkehrsämter → S. 6).

Aparthotels: Die Sparte reicht von einfachen Häusern bis zu modernen Mittelklassehotels, in denen nicht nur geschlafen, sondern selbst gekocht und ein Teil der Freizeit verbracht werden kann. Zur Grundausstattung gehören Küchenzeile oder kleine Küche, Salon mit Couch und TV und – je nach Größe – ein oder mehrere Schlafräume. Eine besonders große Auswahl an Aparthotels finden Sie an der Ägäisküste.

Preise Die Preise der Aparthotels variieren naturgemäß nach Größe, Ausstattung und Ort erheblich. Ein gutes Apartment für 4 Personen bekommt man ab ca. 35 €/Tag.

Jugendherbergen: In der gesamten Türkei gibt es nur sehr wenige Jugendherbergen, nicht zuletzt deswegen, weil viele private Pensionen ordentliche und preiswerte Zimmer anbieten. Die einzige offizielle Jugendherberge im Reisegebiet befindet sich in Marmaris. Einige hostelähnliche Travellerherbergen, die für ein paar Euro Betten in Schlafsälen oder auf dem Dach anbieten, findet man in größeren ägäischen Städten wie Kuşadası oder Çanakkale und im kappadokischen Göreme, wo sich Rucksackreisende aus aller Welt treffen.

Campingplätze: Die offiziellen, lizenzierten Campingplätze unterstehen der Kontrolle des Ministeriums für Kultur und Fremdenverkehr und entsprechen europäischem Standard. Warme Duschen, Camperküchen und Stromanschlüsse, Restaurants und meist auch Supermärkte gehören zur üblichen Ausstattung. Manchmal ist zudem ein Swimmingpool oder eine Diskothek angegliedert. Sehr schöne Plätze findet man auf der Bodrum-Halbinsel, in Pamucak bei Kuşadası, in Ören am Golf von Edremit, auf der Halbinsel Reşadiye, bei Anamur sowie in Kappadokien. Preislich liegen die offiziellen Plätze nicht selten um etwa das Doppelte über den nicht lizenzierten Campingplätzen, deren sanitäre Einrichtungen häufig stark zu wünschen übrig lassen.

Viele Campingplätze vermieten neben Stellplätzen für Zelt und Wohnmobil auch **Bungalows**. Dabei handelt es sich meist um einfache Hütten ohne jeden Komfort; z. T. sind sie aber auch mit gefliestem Boden, Bad und WC, Terrasse usw. ausgestattet.

Wildcampen ist in der Türkei verboten. Eine Ausnahme bilden die Picknickplätze in den Nationalparks, die mit Abfallkörben und Tischen, häufig auch mit bescheidenen Grillmöglichkeiten sowie Toiletten ausgestattet sind.

• *Preise* Für 2 Pers. mit Wohnmobil oder Zelt sollte man je nach Ausstattung des Platzes mit 3–13 € rechnen.

• *Öffnungszeiten* Die meisten Campingplätze haben nur von Mai–Okt. geöffnet, die einfacheren schließen oft schon mit dem Ende der türkischen Sommerferien Mitte Sept. Großer Andrang herrscht lediglich im Hochsommer.

"Bescheidenheit ist eine Zier"

Essen und Trinken

"Der Imam ist in Ohnmacht gefallen", als er "Frauenschenkel" und den "Nabel der Dame" probieren sollte. "Dem Herrscher hat's gefallen", als man ihm den "Finger des Wesirs" servierte – mit den Namen türkischer Gerichte lassen sich ganze Dramen inszenieren. Sie deuten aber auch an, auf welche Tradition die Küche zurückgreift und mit wie viel Phantasie die Köche bei der Arbeit sind.

Die türkische Küche braucht den Vergleich mit französischer Esskultur nicht zu scheuen. Grundlage der Gerichte ist in der Regel frisches Gemüse, darunter Sorten, die in Mitteleuropa eher unbekannt oder vergessen sind (z. B. Kichererbsen, Erdbirnen, Saubohnen, Okraschoten, Rauke und Portulak). Anders bei den Kräutern und Gewürzen: Verwendet werden keinesfalls geheimnisvolle orientalische Exoten, sondern in erster Linie die uns vertrauten Klassiker wie Pfeffer, Paprika oder Petersilie. Auch Knoblauch kommt zum Zuge, aber bei weitem nicht in dem Maß, wie es sich mancher vorstellt.

Wo isst man?

In den großen Touristenzentren gibt es vom Chinarestaurant über die italienische Pizzeria bis zum bayerischen Biergarten alle erdenklichen Lokalitäten. Bei den türkischen Speiselokalen unterscheidet man vornehmlich zwischen Lokanta und Restoran.

Lokanta: Hier isst man, um satt zu werden, nicht um seine Verlobte auszuführen. Lokantas sind – machen Sie nicht gerade in Kemer, Side oder Alanya

Candlelight-Dinner in der Hayıtbükü-Bucht

Urlaub – an jeder Ecke zu finden, sind einfach, gut und günstig: Ab 1,50 € is(s)t man dabei. Die Innenausstattung gibt sich mit gekachelten Wänden und kaltem Neonlicht äußerst spartanisch. Das vorgekochte Essen wird in Vitrinen warm gehalten, Sie können wählen zwischen Fleisch- und Gemüsegerichten, Suppen und Eintöpfen. Je besser die Lokanta besucht ist, desto frischer sind in der Regel die Speisen. Lokanta-Varianten gibt es viele: Je nachdem, worauf sich eine Lokanta spezialisiert hat, heißt sie auch *kebapçı, köfteci* oder *pideci*. Beim *işkembeci* bekommt man Kuttelflecksuppe und andere Innereien. Die meisten Lokantas haben keine Alkohollizenz.

Restoran/Restaurant: Restaurants haben die gediegenere Innenausstattung, den besseren Service und so auch die höheren Preise. Nur die Küche unterscheidet sich nicht immer von jener der einfachen Lokantas, das gilt insbesondere für Mittelklasserestaurants. Eine volle Mahlzeit mit einem Getränk beginnt dort bei ca. 5 €. Nach oben sind keine Grenzen gesetzt: Wer sein Candlelight-Dinner in einem eleganten Lokal am Meer genießt, bezahlt schnell 20 € und mehr pro Person (ohne Wein). Auch Fischlokale gehören zu den gehobeneren Restaurants, für ein komplettes Menü sollte man mit 15–20 € pro Person rechnen. Auf sog. Ocakbaşı-Restaurants trifft man vor allem in İstanbul, in der Çukurova und im Hatay. *Ocakbaşı* heißt "am Herd" – treffender wäre jedoch "am Grill", denn Mittelpunkt dieser Lokale ist ein großer Holzkohlengrill, wo die Rostspezialitäten direkt vom Feuer serviert werden. Die meisten Restaurants besitzen eine Alkohollizenz, konservative Lokale schenken jedoch z.T. keinen Alkohol aus.

Tipping-Tipps: In einfachen Lokantas wird kein Trinkgeld erwartet, wohl aber in Restaurants. Ist der Service noch nicht in der Endsumme verrechnet, was in gehobeneren Restaurants und Touristenlokalen durchaus vorkommt, gibt man etwa 10 Prozent. In Lokalen, die keine Speisekarten haben und in denen auch die Preise nicht aushängen, ist es ratsam, sich vor dem Bestellen nach den Preisen zu erkundigen – Schlitzohren unter den Kellnern gibt es einige.

Was isst man?

Frühstück *(kahvaltı)*: Das türkische Frühstück besteht gewöhnlich aus frischem Weißbrot, Marmelade, Butter, Oliven, Schafskäse, Tomaten, Gurken und Tee. Gelegentlich wird an Stelle der Marmelade auch Honig gereicht, zuweilen auch ein hart gekochtes Ei. Filterkaffee ist nicht üblich, wer will, kriegt Nescafé oder verwandte Surrogate. Türken essen als Brotaufstrich auch *pekmez* (eingedickter Traubensaft) mit *tahin* (Sesampaste) zum Frühstück – sehr empfehlenswert! In den großen Hotels der Touristengebiete und in İstanbul wird heute fast nur noch europäisches Frühstück gereicht – je nach Hotelkategorie als üppiges Büffet oder in der Magervariante mit Kaffee, Konfitüre, Schmelzkäse und Ei. In den Städten bietet sich außerhalb der Hotels auch eine *pastane*, eine Art Konditorei, zum Frühstücken an. Hier bekommt man neben leckeren Kuchen und Torten auch herzhafte Snacks.

Vorspeisen: Wählen Sie zwischen pikanten Joghurtcremes *(haydari)*, würzigen Gemüsepürees *(ezme)*, kaltem Gemüse in Olivenöl *(zeytinyağlı)*, gefüllten Weinblättern *(yaprak dolması)*, Melone mit Schafskäse (*peynirli karpuz*) und ähnlichen Köstlichkeiten. *Meze* nennen die Türken solche Vorspeisen, die in Vitrinen zur Auswahl stehen. Sie können auch auf den Hauptgang verzichten und nur Vorspeisen wählen; in vielen Restaurants ist das kein Problem.

Suppen nehmen die Türken als Vorspeise eher selten zu sich. Man isst sie als Frühstücksersatz, zwischendurch oder nach durchzechten Nächten. Viele Schnapsnasen schwören auf die Alka-Seltzer-Wirkung von Kuttelflecksuppe *(işkembe çorbası)* – sicher nicht jedermanns Geschmack. Wer dennoch als Vorspeise eine warme Suppe vorzieht, sollte die herzhafte Linsensuppe *(merçimek çorbası)* probieren.

Achtung: Verzichten Sie auf Vorspeisen in kleinen Strandrestaurants, die nicht an das Stromnetz angeschlossen sind. Das kann insbesondere bei Gerichten mit Fisch und Majonäse durchschlagende Folgen haben.

Fleischgerichte: Am beliebtesten sind *kebap* und *köfte*. *Kebap* ist der Oberbegriff für Fleischgerichte jeglicher Couleur (in der Regel Lamm, manchmal auch Geflügel), die gegrillt, geschmort, gebraten oder gebacken sein können. Zu *döner kebap* braucht wohl nichts mehr gesagt zu werden. Beim *şiş kebap* handelt es sich um einen zarten, auf Holzkohleglut gerösteten Fleischspieß, zu dem als Beilage gewöhnlich Reis oder Bulgur gegessen wird. Beim *patlıcan kebap* wird der Spieß mit Hackfleisch und Auberginen bestückt. *Bursa Kebap* (oft auch *İskender Kebap* genannt) verdient seinen Namen nur dann, wenn Dönerfleisch zusammen mit Joghurt und Tomatensoße auf geröstetem Fladenbrot angerichtet wird. Beim *tandır kebap* werden Hammelstückchen im geschlossenen Topf geschmort. Kosten Sie auch den *Adana Kebap*, einen scharf gewürzten Hackfleischspieß, der in der Çukurova am besten schmeckt. Unbedingt probieren sollte man das vielerorts angebotene *güveç*, zartes Schmorfleisch mit Gemüse im Tontopf. Oder *saç kavurma*: Geschnetzeltes

Fleisch wird in einer flachen Blechpfanne (türk. *saç* = Blech) zusammen mit Tomaten, Peperoni und Zwiebeln im eigenen Fett gebraten.

Unter die Bezeichnung *köfte* fallen frikadellenähnliche Hackfleischgerichte aus Hammel, Lamm oder Rind (gebraten oder gegrillt). Die leckeren "Frauenschenkel" *(kadınbudu)*, die mit Reis verfeinert und anschließend paniert werden, haben ihren Namen übrigens von der Form der Frikadelle.

Türken lieben zudem Innereien wie z. B. gebratene Leber *(ciğer)* oder Nieren *(böbrek)*. Als Innereiensnack wird an vielen Straßenecken *kokoreç* angeboten: gegrillte Därme, die mit Zwiebel und Tomate ins Brot kommen. Nebenbei haben Sie auch noch die Möglichkeit, eine Vielzahl anderer Kuriositäten zu probieren, z. B. gegrillte Schafshoden *(koç yumurtası)*, gedünstete Schafsköpfe *(kelle)* oder gekochte Hammelfüße *(paça)*. Nur nichts mit Schweinefleisch, das für Moslems absolut tabu ist.

Zu jeder Mahlzeit gehört frisches Weißbrot. Einen Laib pro Tag – einen halben zum Frühstück, den anderen zum Abendessen – kann man problemlos essen, denn das Brot ist sehr leicht und locker.

Gemüsegerichte: Gemüse *(sebze)* ist weniger Beilage als vielmehr die Grundlage türkischer Gerichte. Die Auswahl an Schmortöpfen, Aufläufen und Eintöpfen ist riesig. Beliebt sind insbesondere die Dolma-Gerichte. Dabei handelt es sich um gefülltes Gemüse, z. B. gefüllte Zucchini *(kabak dolması)* oder Auberginen *(karnıyarık)*, das zusammen mit Hackfleisch oder mundgerechten Lammfleischstückchen serviert wird. In der Regel wird dazu Joghurt gegessen. Ebenfalls schmackhaft sind diverse Eintöpfe wie *kıymalı ıspanak* (Spinat mit Hackfleisch). Ein Genuss sind aber auch Kichererbsen *(etli nohut)* oder Okraschoten mit Lamm *(kuzu etli bamya)*. Achtung: Vielfach schwimmt das Essen in Olivenöl – auf Mägen, die dergleichen nicht gewöhnt sind, hat dies die gleiche Wirkung wie eine gehörige Dosis Rizinusöl.

Hinweis: Je weiter nach Osten bzw. Südosten Sie fahren, desto schärfer und arabisch beeinflusster wird die Küche! Wundern Sie sich also nicht, wenn man Ihnen den Salat im Hatay mit scharfem Paprikapulver serviert.

Fischgerichte: An Meeresfischen werden häufig Seebarsch *(levrek)*, Steinbutt *(kalkan)*, Mittelmeermakrele *(kolyos)*, Scholle *(pisi balığı)*, Makrele *(uskumru)* und fangfrische Sardinen *(sardalya)* angeboten. Auch Thunfisch *(palamut)* kann in verschiedenen Zubereitungsarten genossen werden. Unter den Süßwasserfischen ist insbesondere die Forelle sehr beliebt, im Hinterland findet man viele auf Forellen spezialisierte Restaurants. In İstanbul ergänzen die Fischgründe des Schwarzen Meers das Angebot, sehr populär sind *hamsi*, Schwarzmeersardinen, die mit Haut und Gräten verzehrt werden. Um sich Überraschungen zu ersparen, sollten Sie sich vorher nach dem Preis erkundigen – Fischlokale sind gewöhnlich teuer.

Süßspeisen und Obst: Eine der beliebtesten Süßspeisen *(tatlı)* ist *baklava*, ein Gebäck aus mehreren Teigschichten, zwischen die Mandeln und Pistazien eingestreut sind. Die kleinen Rechtecke werden mit einem Sirup aus Zucker, Zitronensaft und Honig übergossen. Genauso süß und klebrig ist *helva,* eine Kalorienbombe aus Weizenmehl, Sesamöl, Honig und Zucker. Unserem Geschmack vertrauter sind Mandelpudding *(keşkül)* oder Milchreis *(sütlaç).* Experimentierfreudige sollten einmal *aşure* probieren, eine gallertartige Süßspeise, die, in bester Qualität zubereitet, mehr als 40 Zutaten enthalten muss, darunter Rosenwasser, Nüsse, Zimt und sogar Bohnen. Der Legende nach wurde sie auf der Arche Noah kreiert – man schüttete alle Speisereste zusammen und kochte sie auf. Ähnlich seltsam liest sich die Zusammensetzung von *tavuk göğüsü:* Hier werden klein gehackte Hühnerbrust, Reismehl, Milch und Zucker verarbeitet. All das und noch viel mehr bietet der *muhallebici* an, eine Art Süßspeisenschnellimbiss.

Auch mit Obst *(meyve)* schließt man gerne eine Mahlzeit ab. Im Sommer werden vorwiegend Melonen, Feigen, Trauben, Pfirsiche und Granatäpfel serviert, im Winter Zitrusfrüchte oder Äpfel. Gründlich waschen ist gut, schälen ist besser!

Snacks: Nahezu eine komplette Mahlzeit ersetzt *börek,* eine blätterteigähnliche Strudelspezialität, die mit Hackfleisch, Spinat oder Schafskäse gefüllt wird. Ähnlich leckere Füllungen verstecken sich im *pide,* einem knusprigen Teigschiffchen. Eine Kostprobe wert ist auch *lahmacun,* die türkische Pizza mit Hackfleisch und Kräutern. *Mantı* nennen sich die türkischen Ravioli, die so klein sein sollen, dass 30 davon auf einen Löffel passen. Man isst sie mit Knoblauchjoghurt, zerlassener Paprikabutter und Minze. Unübersehbar sind die *Simit*-Verkäufer; ihre Sesamkringel sind in der Früh am knusprigsten. Oft sieht man zudem ländlich gekleidete Frauen *gözleme* zubereiten, eine Art Pfannkuchen, der auf verschiedene Arten süß oder herzhaft gefüllt wird. Und: Kosten Sie *kumpir,* wenn sich die Möglichkeit ergibt. Die gefüllten Riesenkartoffeln stopfen für etliche Stunden.

Die Türkei für Vegetarier

Ein müdes Lächeln ist alles, was viele Türken einem Vegetarier entgegenbringt: Denn wer freiwillig auf so leckere Dinge wie *şiş kebap, köfte* oder Kuttelflecksuppe verzichtet, muss krank sein – oder verrückt. Doch keine Sorge: Auch ohne Fleisch kann man in der Türkei Köstlichkeiten genießen. Das Gros der Vorspeisen ist rein vegetarisch, zudem warten schmackhafte Gemüseeintöpfe, sämige Suppen, Salate und gefüllte Teiggerichte auf ihre Entdeckung. Um keine bösen Überraschungen zu erleben, vergewissern Sie sich am besten mit "Etsiz mi?" ("Ist das ohne Fleisch?", gesprochen: "Ätsis mi?") und bekräftigen Ihre Frage mit "Et yemiyorum" ("Ich esse kein Fleisch", gesprochen: "Ät jämijorum").

Was trinkt man?

Softdrinks: Ob Pepsi oder Coke, überall werden die auch bei uns bekannten Marken angeboten. Zum Essen wird oft eine Karaffe Wasser *(su)* auf den Tisch gestellt. Kommt es aus der Leitung, sollten Sie darauf verzichten. Empfehlenswert

Bei der Oma schmeckt's am besten

sind frisch gepresste Fruchtsäfte *(meyve suyu)*. Auch in der Dose werden überall leckere Fruchtsäfte verkauft. *Ayran* ist ein erfrischendes Mixgetränk aus Joghurt, Salz und kaltem Wasser, das ein wenig an Buttermilch erinnert.

Heißgetränke: Das türkische Nationalgetränk ist der *çay*. Der gute schwarze Tee aus den Plantagen der Schwarzmeerküste wird zu jeder Gelegenheit getrunken. Ob beim Frühstück, bei Geschäftsbesprechungen, im Teppichladen oder beim Friseur – nirgends fehlen die kleinen bauchigen Gläser. Für Nachschub wird stets gesorgt. *Elma çayı* nennt sich der unter Touristen sehr beliebte Apfeltee.

Türkischen Mokka *(Türk kahvesi)*, den man entweder süß *(şekerli)*, mittelsüß *(orta şekerli)* oder ohne Zucker *(sade)* bestellt, trinkt man für gewöhnlich nach einem üppigen Essen. Wer auf Krümel zwischen den Zähnen wenig Wert legt, bestellt *Neskafe*. In schickeren Cafés bekommen Sie auch Cappuccino, Espresso oder Latte Macchiato.

Alkohol: Beliebt ist vor allem der Rakı, ein ca. 45-prozentiger Anisschnaps, der geschmacklich dem griechischen Ouzo ähnelt. Am liebsten trinken ihn die Türken mit Eis und Wasser verdünnt aus schmalen, hohen 0,2-Liter-Gläsern. Er erhält dann eine milchig-trübe Färbung und wird nicht zuletzt deswegen auch "Löwenmilch" genannt. Rakı gilt als Magenelixier und Heilmittelchen gegen alle möglichen Beschwerden. Hochgeschätzt ist die Marke "Tekirdağ". Guter Rakı unterscheidet sich von minderwertigem dadurch, dass er am Glasrand einen Film zieht.

Neben Rakı wird auch gerne ein Bier *(bira)* zum Essen getrunken, am weitesten verbreitet ist das *Efes*. Daneben bekommt man auch das dänische – aber in der Türkei gebraute – *Tuborg*, das etwas herber als *Efes* schmeckt.

Vielen unbekannt ist türkischer Wein *(şarap)*. Die besseren Sorten können sich jedoch durchaus sehen lassen. Dazu gehören insbesondere Weine der Kellereien "Doluca" und "Kavaklıdere". Türkische Weine sind aufgrund ihres geringen Säuregehaltes ausgesprochen magenfreundlich. Ein Paradies für Weinfreunde ist übrigens Kappadokien.

Wissenswertes von A bis Z

Adressen

Befindet Sich Ihr Hotel in der XY Cad. 1208 Sok. Atatürk Mah.? Nicht verzweifeln, türkische Adressen sind ein Kapitel für sich. Unter Cad. (= Cadde) verbirgt sich in der Regel eine größere Straße (gelegentlich auch Bul. = Bulvarı genannt), von der kleinere Gassen (Sok. = Sokak) abgehen, die in vielen größeren Städten mangels Ideenreichtum der Stadtväter oft nur nummeriert sind. Straßen und Gassen zusammen ergeben wiederum ein Mah. (Mahalle = Stadtviertel), die Untereinheit eines Stadtteils. Doch damit nicht genug: Suchen Sie eine Adresse mit der Bezeichnung 1208 Sok. XY Apt. 22 D:5 K:2? Keine Sorge. Neben der Hausnummer (=22) erhalten viele Apartmentblocks (=Apt.) zusätzliche Bezeichnungen. Ihre gesuchte Adresse befindet sich damit in Hausnr. 22 der 1208 Sok., und zwar hinter der Wohnungstür 5 (D=Daire=Wohnung/Büro) im 2. Stock (K=Kat=Stockwerk).

Ärztliche Versorgung

Auch wenn zwischen Ihrem Land (Deutschland, Österreich oder Schweiz) und der Türkei ein Sozialversicherungsabkommen besteht, ist der Abschluss einer privaten Auslandskrankenversicherung ratsam (Formulare liegen z. B. in Banken aus), zumal Privatärzte und private Krankenhäuser in der Regel besser

ausgestattet sind als die staatlichen. Das vorgestreckte Geld für Behandlung und Medikamente wird in der Heimat nach Vorlage einer Quittung mit Stempel, Datum und Unterschrift des türkischen Arztes bzw. Apothekers erstattet. Für leichtere Fälle reicht es meist aus, wenn Sie eine der zahlreichen Apotheken aufsuchen und dem Apotheker irgendwie Ihr Leid verdeutlichen. Dieser beherrscht zwar häufig keine Fremdsprache, die Mittelchen gegen die gängigsten Touristenleiden, insbesondere Darminfektionen, hat er aber schon unzählige Male über den Ladentisch gereicht.
Deutschsprachige Ärzte oder das nächstgelegene Krankenhaus sind im Reiseteil unter der Rubrik "Adressen" aufgeführt. Auch die Konsulate und Botschaften des Heimatlandes erteilen Auskünfte über deutschsprachige Ärzte. In schweren Fällen ist es ratsam, das Deutsche Krankenhaus in İstanbul aufzusuchen (→ Adresse S. 94).

Apotheken *(eczane)*: In türkischen Apotheken gibt es kaum etwas, was es bei uns nicht gibt, vieles jedoch unter einem anderen Namen, zudem rezeptfrei und preiswerter. Arzneimittel, auf die Sie ständig angewiesen sind, sollten Sie trotzdem sicherheitshalber von zu Hause mitbringen. Im Schaufenster ist der nächstgelegene Notdienst *(nöbetçi)* vermerkt.

Schutzimpfungen sind nicht vorgeschrieben. Es wird jedoch geraten, sich vor Reiseantritt gegen Tetanus, Diphtherie und Hepatitis A impfen zu lassen. Zusätzliche Impfungen gegen Hepatitis B, Tollwut oder Typhus werden Risikogruppen (Krankenpfleger, Förster, Abenteuerreisende usw.) angeraten. Ein "minimales Malariarisiko" gibt das Tropeninsititut München für die Schwemmlandebene der Çukurova und für die Provinz Hatay an, eine Prophylaxe wird jedoch ebenfalls nur Risikogruppen empfohlen. Grundsätzlich aber gilt: Schützen Sie sich vor Mückenstichen! Informationen über aktuelle Entwicklungen erhalten Sie bei den Gesundheitsämtern, den Tropeninstituten und unter www.fitfortravel.de.

Falls Sie während Ihres Aufenthaltes ein Schnupfen plagt: Öffentliches Naseputzen gilt in der Türkei als sehr unfein!

Ausgrabungsstätten

Ephesus, Pergamon, Troja oder Aspendos sind antike Stätten von Weltrang. Entlang der Mittelmeerküste liegt aber eine Vielzahl weiterer Ausgrabungen, braune Schilder machen auf sie aufmerksam. Die bedeutendsten und sehenswertesten sind im Reiseteil beschrieben. Was in der Beschreibung fehlt, lohnt unseres Erachtens nicht einmal für Hobby-Archäologen, denn in der Regel steht man nach langen, schweißtreibenden Fußwegen durchs Dickicht nur ein paar verwitterten Steinen gegenüber.

Die Eintrittspreise für antike Stätten, Museen oder die kulturhistorischen Highlights Kappadokiens sind nicht einheitlich. Grundsätzlich gilt: Je berühmter die Stätte, desto teurer – bis zu 15 € Eintritt werden verlangt. Ermäßigungen bekommen nur Studenten mit einer ISIC-Karte. Es gibt aber auch eine Vielzahl von Ausgrabungen, die frei und kostenlos zugänglich sind. Nicht selten versuchen dort allerdings selbsternannte Aufseher dem Touristen ein paar Lira abzuknöpfen. Lassen Sie sich nicht übers Ohr hauen – wer von offizieller Seite dazu befugt ist, kann Ihnen eine Eintrittskarte aushändigen.

Antike Stätten – die wichtigsten Begriffe

Agora:	Markt und Versammlungsplatz in der griechischen Antike; meist von einem Säulengang mit Geschäften umringt
Akropolis:	Burgberg, auch Oberstadt
Architrav:	auf Säulen ruhender Hauptbalken (meist aus Stein)
Basilika:	zentrale römische Halle, bei der die Seitenschiffe niedriger als das Hauptschiff liegen, erst später für Kirchen verwendet
Bouleuterion:	Ratssaal des Senats in hellenistischer und römischer Zeit
Cavea:	Zuschauerraum des antiken Theaters, in römischer Zeit meist halbkreisförmig, in griechischer meist darüber hinausgehend
Cella:	Hauptraum eines Tempels, meist mit einer oder mehreren Kultstatuen
Gymnasion:	Zentrum für athletisches Training, ursprünglich Teil einer Schule
Heroon:	Kultbau zu Ehren eines Helden oder Würdeträgers
Kapitell:	oberster Abschluss einer Säule
Nekropole:	Gräberfeld
Nymphäum:	Brunnenanlage
Odeion:	Theaterähnliches Gebäude für kleinere kulturelle Veranstaltungen
Orchestra:	Spielfläche des Theaters
Pantheon:	Tempel für alle Götter
Peristyl:	Säulenhalle um einen Hof
Propylon:	Torbau
Stoa:	Säulenhalle

Baden

Die Sehnsucht nach Sonne, Strand und Meer lockt jährlich Millionen Touristen an die türkische Mittelmeerküste. Nicht ohne Grund: Weite Sandstrände und idyllische Buchten mit einem türkisfarbenen Meer davor gibt es zuhauf. Die Wasserqualität ist – mit Ausnahme der Buchten rund um die industriellen Großstädte wie İzmir oder Mersin – fast überall sehr gut. An kaum einem Strand findet man bislang jedoch Rettungsschwimmer – eine Schande für ein Land, das vom Badetourismus so profitiert. Allein im Juni 2002 ertranken vier Deutsche bei Alanya.

Bucht von İzmir

Durchschnittliche Wassertemperatur in °C

Januar	Februar	März	April	Mai	Juni
15	13	14	15	18	21
Juli	**August**	**September**	**Oktober**	**November**	**Dezember**
23	23	22	20	17	11

Golf von Antalya
Durchschnittliche Wassertemperatur in °C

Januar	Februar	März	April	Mai	Juni
15	14	15	16	18	21
Juli	**August**	**September**	**Oktober**	**November**	**Dezember**
24	25	24	22	19	17

Nacktbaden ist in der Türkei verboten; wer dabei ertappt wird, muss sogar mit Gefängnis und Geldstrafen rechnen. Auch in der Unterhose zu baden – für viele türkische Männer gang und gäbe – ist verboten. Die letzten Sommer veranstaltete die Polizei deswegen sogar großangelegte Strandrazzien.

Behinderte

Unterkünfte, die auch für Rollstuhlfahrer geeignet sind, finden Sie u.a. in Ören am Golf von Gökova (→ S. 356), in Yalıkavak auf der Bodrum-Halbinsel (→ S. 347) und in Anamur an der Türkischen Riviera (→ S. 542). Folgende Agenturen haben Türkeireisen für Behinderte im Programm:

Grabo-Tours-Reisen, Rennweiler Str. 5, 66903 D-Ohmbach, ✆ 06368/7744, www.grabo-tours.de. 7-tägige Städtereise İstanbul.

Rolls Reisen, Friesenstraße 27, D-10965 Berlin, ✆ 030/69409700, RollsReisen@t-online.de. Rullstuhlfahrergerechte Strandurlaube in Fethiye, Kemer, Belek oder Side.

Betteln

Verwachsene, die ihren Bittgesang herunterleiern, trifft man vor allem vor den Moscheen der größeren Städte. Ebenso zahlreich vertreten sind Mütter mit unterernährten Kindern, die laut flehend um eine milde Gabe bitten. Aus den Touristenzentren sind die Bettler weitgehend verbannt – hier sorgt die Polizei aus Imagegründen für ein möglichst "störungsfreies" Stadtbild.
Wie im Einzelfall auf die Bettelnden zu reagieren ist, muss jeder selbst entscheiden. Auf einen Aspekt des durchaus vielschichtigen Problems sei jedoch hingewiesen: Insbesondere bettelnden Kindern tut man nicht unbedingt einen Gefallen, wenn man sie mit Geld unterstützt. Bettelkinder sind Kinder ohne Lebensperspektive. Betteln ist ihr Job, und sie können – wenn sie geschickt sind und am richtigen Platz arbeiten – für die Landesverhältnisse sogar sehr gut verdienen. Die Kehrseite ist, dass durch den einmal eingeschlagenen Weg jede seriöse Ausbildung verhindert wird. Das Problem wird spätestens dann akut, wenn aus den Kindern Erwachsene werden. Dann erregen sie längst nicht so viel Mitleid, und für eine Reintegration in die Gesellschaft ist es zu spät.

Diplomatische Vertretungen

Deutschland, Österreich und die Schweiz sind in İstanbul, İzmir und Antalya mit Konsulaten vertreten, Deutschland und Österreich sind zudem in Adana präsent. Die Botschaften aller drei Länder befinden sich in Ankara. Als Anlaufstellen stehen sie aber nur in extremen Notfällen zur Verfügung.

• *Türkische Botschaften* **Deutschland**, Rungestr. 9, 10179 Berlin, ✆ 030/275850, www.tcbonnbe.de. Generalkonsulate in Bremen, Düsseldorf, Essen, Frankfurt/M, Hamburg, Hannover, Hürth, Karlsruhe, Mainz, München, Münster, Nürnberg und Stuttgart.

Österreich, Prinz-Eugen-Str. 40, 1040 Wien, ✆ 01/50525100, ✆ 5053660. Generalkonsulate in Bregenz und Salzburg.

Schweiz, Lombachweg 33, 3006 Bern, ✆ 031/3511691, ✆ 3528819. Generalkonsulate in Genf und Zürich .

• *Botschaften in der Türkei* **Deutsche Botschaft**, Atatürk Bul. 114, 06540 Ankara, ✆ 0312/4555100, www.germanembassyank.com.

Österreichische Botschaft, Atatürk Bul. 189, 06680 Ankara, ✆ 0312/4190431, austroambtr@superonline.com.

Schweizer Botschaft, Atatürk Bul. 247, 06692 Ankara, ✆ 0312/4675555, Vertretung@ank.rep.admin.ch.

• *Konsulate im Reisegebiet* → İstanbul/Adressen, S. 95, İzmir/Adressen, S. 239, Antalya/Adressen, S. 480 und Adana/Adressen, S. 577.

Drogen

An illegalen Drogen werden in der Türkei Marihuana, Haschisch, Opium und Heroin gehandelt und konsumiert. Die Strafen für die Ein- und Ausfuhr oder den Genuss von Drogen sind drastisch und die türkischen Gefängnisse international für ihre miserablen Zustände bekannt. Übrigens arbeiten viele Rauschgifthändler eng mit der Polizei zusammen.

Achtung: Wenn Sie gebeten werden, ein Päckchen nach Deutschland mitzunehmen, schauen Sie sich den Inhalt sorgfältig an.

Ein- und Ausfuhrbestimmungen

Gegenstände des persönlichen Bedarfs dürfen zollfrei eingeführt werden. Wertvolle Objekte wie z. B. einen Laptop, einen Fernseher oder teuren Schmuck sollte man bei der Einreise vom türkischen Zoll in den Reisepass eintragen lassen, damit die Wiederausfuhr ohne Schwierigkeiten gewährleistet ist. Darüber hinaus dürfen 200 Zigaretten bzw. 50 Zigarren oder 200 g Tabak, 5 l alkoholische Getränke und Geschenke im Wert von bis zu 250 € zollfrei eingeführt werden. Für Reisende, die ihren Wohnsitz in der Türkei haben, gelten abweichende, z. T. günstigere Regelungen bezüglich der Zollbefreiung; erkundigen Sie sich am besten bei einem türkischen Konsulat.

Für die Ausfuhr antiker Gegenstände aus der Türkei benötigt man die schriftliche Genehmigung eines Museumsdirektors. Das gilt auch für alte Siegel, Orden, Teppiche usw. Bei Zuwiderhandlung drohen hohe Strafen! Bei der Ausfuhr von Teppichen muss eine Quittung vorgelegt werden.

Hinweis für Raucher: Zigaretten sind in der Türkei billiger als in den Duty-free-Shops am Abflughafen!

Einkaufen und Handeln

Lederwaren, Teppiche, Goldschmuck, Keramik, Tee, Gewürze, Onyxprodukte und alle Dinge, die einen Hauch von Orient erwecken, zählen zu den beliebtesten Souvenirs. Vieles davon ist im westeuropäischen Vergleich preiswert, vieles aber auch minderer Qualität. Hoch im Kurs stehen zudem T-Shirts, Jacken und Hosen mit dem Schriftzug bekannter Designer. Das sind Imitate, die zumindest ihren Zweck erfüllen: Man kann sie tragen. Achtung aber vor den täuschend echt verpackten Parfüms – sie stinken mehr als dass sie riechen.

Am besten kauft man in Boutiquen und Einkaufszentren der größeren Städte, wo die Waren mit Preisen versehen sind und sich so auch Preisvergleiche durchführen lassen. Wo es keine Festpreise gibt, müssen Sie handeln. Um aber gut handeln zu können, sollten Sie den Wert und die Echtheit einer Ware einschätzen können. Türkische Händler sind leider, ohne es böse zu meinen, fast durch die Bank Schlitzohren. Lassen Sie sich also kein Schweinsleder als Nappa verkaufen und glauben Sie nur einen Bruchteil von dem, was Ihnen erzählt wird ... Falls Sie schon vor der Abreise wissen, dass Sie sich für Goldschmuck oder einen Teppich interessieren, so machen Sie sich am besten im Heimatland mit den Produkten und deren Preisen vertraut.

Hinweise zum Teppichkauf

Die Türkei ist bekannt als ein Land, in dem man preiswert Teppiche kaufen kann. Das setzt aber voraus, dass man sich mit der Materie auskennt und genau weiß, was man will. Nur dann wird der Teppich zum Schnäppchen. Das Gros der Urlauber jedoch, das sich spontan zu einem Kauf hat überreden lassen, bringt in der Regel einen überteuerten und dazu noch einen viel zu großen oder viel zu kleinen Teppich mit nach Hause, der zudem oft farblich nicht einmal in die Wohnung passt.

Um einen guten Preis aushandeln zu können, sollten Sie in der Lage sein, Qualität von Billigware zu unterscheiden. Vergessen Sie den Ratschlag, ein Produkt um ein Drittel herunterzuhandeln, um einen guten Preis zu erzielen. Das gelingt jedem beim zehnten Tee. Auch die Händler kennen diesen Ratschlag, und wer sagt Ihnen, dass diese nicht bei einem hundertfach höheren Preis anfangen?

Daher unser Tipp für alle, die keine Ahnung von Teppichen haben: Kaufen Sie wenn überhaupt ein billiges Stück als Souvenir, das notfalls in einer Kiste auf dem Dachboden die Motten ernährt, oder gehen Sie zu Hause in ein Fachgeschäft. Dort dürfen Sie den Teppich gegen Pfand mitnehmen und können ihn einmal in Ihren vier Wänden zur Probe auslegen.

Wer dennoch als Ahnungsloser sein Glück versuchen will, sollte wenigstens den Eindruck eines Teppichexperten erwecken. Dazu gehört der fachmännische Blick auf die Dicke der Knoten sowie die Frage nach der Anzahl der Knoten je Quadratzentimeter. Hantieren Sie mit dem Stück unter freiem Himmel etwas herum, teilen Sie gar den Flor mit den Fingern, um die Farbechtheit zu testen. Passen Sie auf, dass Sie beim berüchtigten Gewebetest mit dem Feuerzeug kein Loch in den Teppich brennen, sonst sind Sie unten durch. Fragen Sie zudem, ob der Teppich fliegen kann. Wenn nicht, drücken Sie sofort den Preis um 50 %. Beherzigen Sie die Ratschläge, dann weiß der Händler, dass Sie zumindest gewisse Grundkenntnisse besitzen. Und noch etwas: Lassen Sie sich niemals aus Bequemlichkeit auf das Angebot des Händlers ein, dass er Ihnen den Teppich mit der Post nach Hause schickt!

Unter **pazar** verstehen die Türken übrigens einen Wochenmarkt mit Gemüse-, Käse-, Klamotten- und Schuhständen. Feste Einrichtungen wie der *Große Basar* von İstanbul oder Marktviertel mit richtigen Läden nennt man in der Türkei hingegen **çarşı.**

Hier gibt es so ziemlich alles

Einladungen

Die Türken sind überaus gastfreundlich. Wer sich unter die Leute mischt, mit dem Bus reist oder einfache Restaurants besucht, wird häufig spontan angesprochen oder sogar zum Tee eingeladen. Einladungen nach Hause, beispielsweise zum Abendessen, werden dagegen viel seltener ausgesprochen, da die Familie einen nahezu sakralen Wert hat. Sollten Sie trotzdem in den Genuss kommen, können Sie dies als Zeichen besonderer Wertschätzung ansehen. Die folgenden Hinweise sollen Ihnen helfen, ein wenig auf die Sitten und Konventionen Ihrer Gastgeber einzugehen (kleine Fehler gegen die Etikette werden selbstverständlich verziehen):

- Gastgeschenke sind üblich. Nichts Aufwendiges, einfach eine Kleinigkeit, die Freude macht.
- Am Wohnungseingang werden die Schuhe ausgezogen. Stehen keine Hausschuhe bereit, tun's die Strümpfe.
- Zur herzlichen Begrüßung wird der traditionelle Doppelkuss ausgetauscht (Backe rechts, Backe links). Unter Männern ist er üblicher als zwischen den Geschlechtern. Wer sich nicht sicher ist: Die Hand zu geben ist auf jeden Fall höflich – bevor man ins Fettnäpfchen tritt, lässt man lieber dem türkischen Gegenüber die Initiative.
- In Gegenwart älterer Menschen gilt lautes Reden als rüpelhaft. Senioren werden sehr zuvorkommend behandelt. Erscheint in traditionellen Familien das Familienoberhaupt, ist es sogar üblich aufzustehen.
- Etwas Angebotenes abzulehnen gilt als unhöflich. Die Gastgeber haben sich nämlich auf jeden Fall viel Mühe gemacht und eventuell Ausgaben weit über ihre Verhältnisse hinaus getätigt.

Elektrizität

Die Stromspannung beträgt 220 Volt. In der Regel benötigt man für mitgebrachte Geräte keine Adapter. Zur Sicherheit sollte man dennoch einen für Südosteuropa im Gepäck haben.

Feste und Feiertage

Von vielen Feiertagen bekommt man in den Touristenzentren an der Küste nur wenig mit. Dort herrscht nämlich stets Festtagsstimmung – allerdings nur unter den Touristen.

Weltliche Feiertage:

1. Januar: Neujahr.

23. April: Unabhängigkeitstag, Tag der Kinder – am 23. April 1920 versammelte sich das Parlament in Ankara zu seiner ersten Sitzung.

1. Mai: Frühlingsfest (inoffizieller Feiertag, Ersatz für den ehemaligen Tag der Arbeit).

19. Mai: 1919 landete Atatürk an diesem Tag in Samsun und organisierte den Nationalen Befreiungskrieg. Heute Tag der Jugend und des Sports.

29 Mai (nur in İstanbul): Eroberung İstanbuls (1453). Eine Woche Ausstellungen und Veranstaltungen überall in der Stadt.

30. August: Gedenktag anlässlich des Sieges über die Griechen im Jahr 1922.

29. Oktober: Tag der Republik – am 29. Oktober 1923 wurde die Türkische Republik ausgerufen. Riesige Aufmärsche im ganzen Land begleiten das Fest.

10. November: Todestag Atatürks – quasi ein halbamtlicher Feiertag, aber nicht gesetzlich verankert. Ein Großteil der Bevölkerung feiert den Gründer der Türkischen Republik und bleibt der Arbeit fern.

Ramazan

So bezeichnen die Türken den islamischen Fastenmonat, der in den anderen islamischen Ländern *Ramadan* heißt. 30 Tage lang darf der Gläubige zwischen Sonnenauf- und -untergang nicht essen, trinken, rauchen oder Geschlechtsverkehr haben. Nach Anbruch der Dunkelheit jedoch wird alles ausgiebig nachgeholt. In konservativen Gegenden sind während der Fastenzeit viele Lokale geschlossen, in den Küstenorten merkt man jedoch kaum einen Unterschied zu den anderen Monaten.

Religiöse Feiertage: Die genauen Termine werden Jahr für Jahr nach dem islamischen Mondkalender neu bestimmt. Nach islamischer Konvention beginnt ein Feiertag jedoch bereits mit dem Sonnenuntergang am Vortag, bei großen religiösen Feiertagen sind dann sogar ab Mittag des Vortages alle Läden, Büros usw. geschlossen. Besonders herauszuheben sind:

Kadir Gecesi (Nacht der Kraft): In der 27. Nacht des Fastenmonats Ramadan wird die Offenbarung des Koran gefeiert. Mohammed soll in dieser Nacht durch den Erzengel Gabriel zum Boten Gottes ernannt worden sein. Nach dem Volksglauben gehen Wünsche und Gebete, die in dieser Nacht ausgesprochen werden, in Erfüllung.

Şeker Bayramı (Zuckerfest): Es bildet den Abschluss des Fastenmonats Ramadan. Man besucht Verwandte, und die Kinder ziehen von Haus zu Haus und bitten um Süßigkeiten. Daher rührt auch der Name der dreitägigen Feierlichkeiten, bei denen Behörden, Banken und Geschäfte geschlossen bleiben (2004: 14–16. Nov; 2005: 3.–5. Nov; 2006: 24.–26. Okt.).

Kurban Bayramı (Opferfest): Das höchste Fest des Islam dauert vier Tage. Hintergrund des Opferfestes ist die (auch biblische) Geschichte von Abraham, der, um Gott seine Treue zu beweisen, seinen Sohn Isaak opfern will. Das Fest ist gesetzlich verankert, alle öffentlichen Einrichtungen bleiben geschlossen (Beginn 2004: 2. Febr.; 2005: 21. Jan.; 2006: 10. Jan.).

Flora ...

Mediterrane Vegetation mit Pinien- und Zypressenwäldern sowie gestrüppartiger Maccia, bestehend aus Oleander, Stechpalme, Kermeseiche, Buchsbaum, Myrte, Lavendel, Johannisbrotbaum usw., prägt die türkische

Sammelpunkt im Schatten

Mittelmeerküste. In höheren Lagen ist die Brutische Kiefer die vorherrschende Baumart, vereinzelt finden sich dort auch Tannen, Schwarzföhren und Libanonzeder.

Weite Olivenhaine charakterisieren zudem die türkische **Ägäisküste**, eine der wasserreichsten und fruchtbarsten Landschaften der Türkei. In den weiten Flussebenen werden neben Oliven Getreide, Tabak, Weintrauben (die zu Sultaninen verarbeitet werden) und Feigen geerntet.

An der **Südküste** schirmt das bis zu 3.000 m hohe Taurusgebirge die Meeresregionen vom zentralantolischen Hochland ab. Während der Taurus in Kilikien bis ans Meer reicht, zieht er sich weiter westlich (bei Antalya) und weiter östlich (bei Adana) z. T. bis 200 km weit von der Küstenlinie zurück. Zu seinen Füßen erstrecken sich fruchtbare Schwemmlandebenen mit Bananenhainen, Zitruspflanzungen, Erdnussplantagen, Gewächshäusern für den Gemüseanbau, und – besonders in der Çukurova – riesigen Baumwollfeldern. Den Holzreichtum des Taurus schätzte man schon in der Antike, bis nach Ägypten exportierte man Stämme für den Bootsbau.

Kappadokien ist eine Oase in der Steppe Zentralanatoliens. Auf dem fruchtbaren vulkanischen Boden werden u.a. Melonen, Aprikosen und Weintrauben angebaut.

... und Fauna

Unkontrollierte Jagd auf jegliches Wild haben die Tierbestände in freier Natur stark dezimiert. In den Wäldern des lykischen und kilikischen Taurus und der Ägäis tummelten sich einst Rehe und Hirsche, heute sieht man sie nur noch selten. Mit etwas Glück begegnet man dort auch noch Füchsen, Wildschweinen,

Dachsen, Iltissen, Baum- und Steinmardern, den vom Aussterben bedrohten Stachelschweinen oder Nagetieren wie dem putzigen Ziesel. Wölfe und Bären kommen nur noch in den abgeschiedensten Regionen des Taurus und des Beşparmak-Massivs an der Ägäis vor, Schakale und Leoparden nur noch äußerst selten im fernen Osten Anatoliens. Löwen starben in der Türkei im 19. Jh. aus. Wasserbüffel kann man zum Teil im Hatay und der Çukurova als Nutztiere der Bauern entdecken.

Am Boden kriechen Eidechsen, Geckos und Schildkröten (Letztere gibt's zu Land und zu Wasser). Bei Wanderungen sieht man gelegentlich auch Schlangen, von den 37 in der Türkei vorkommenden Arten gehören die meisten zu den Familien der Nattern, Vipern und Ottern, und sind größtenteils ungiftig. Nicht selten sind ferner Chamäleons – allerdings fallen sie naturgemäß wenig auf.

In der Luft faszinieren Störche, die in der Türkei nicht gejagt werden dürfen und die man gelegentlich gar in Schwärmen sieht – vor allem an der Ägäis, aber auch bei Silifke im Osten der Mittelmeerküste. Zudem gibt es viele Raubvögel wie Adler, Falken und Bussarde. Für Ornithologen ist die türkische Mittelmeerküste ein wahres Paradies. Am Flussdelta des Großen Mäander sieht man Stelzenläufer, Pelikane, Brachschwalben, Spornkiebitzen und im Winter sogar Flamingos, am Bafa-See gibt es Blässhühner, Löffler und Sichler zu beobachten. Am Strand von Patara und im Dalyan-Delta kann man sich auf Grau- und Purpurreiher, Eisvögel, Weißstörche, Cistensänger und Nachtschwalben freuen. In den Deltas der großen Taurusflüsse Göksü, Seyhan und Ceyhan flattern u.a. Rosa- und Graukopfpelikane, Eisvögel und Kraniche.
Zum Schluss noch ein Hinweis in Sachen "tierische Quälgeister": Moskitos, Flöhe und Kakerlaken sehen nicht nur die Wälder als ihre Heimat an!

Fotografieren/Filmen

Kinder lassen sich gerne ablichten, nicht selten forden sie Touristen sogar dazu auf. Auch Männer sind stolz, wenn man sie fotografieren will. Bei Frauen liegen die Dinge oft anders, bei ihnen ist Zurückhaltung oberste Devise. Und will man Zeugnisse der Armut fotografieren, z.B. Bettler oder verfallene Häuser, ist der nationale Stolz schnell angegriffen. Verboten ist das Fotografieren von militärischen Einrichtungen; um Unanehmlichkeiten vorzubeugen, ist es ratsam, beim Passieren von Kasernen, militärischen Sperrzonen etc. die Kamera in eine Tasche zu stecken !

Hinweis Das gängigste Foto- und Filmmaterial gibt es überall zu kaufen, dazu auch Batterien. Preiswerter ist es jedoch, Filmmaterial von zuhause mitzubringen. Filmentwicklungen sind im Heimatland zwar teuerer, qualitativ jedoch meist besser.

Frauen

Die Stellung der Frau in der modernen Türkei ist dank Atatürks Reformen nicht mit der der Frauen in vielen arabischen Staaten gleichzusetzen. Zwischen ihren Rechten und den von der männlichen Gesellschaft auferlegten Zwängen herrscht jedoch, je nachdem, wo man sich in der Türkei aufhält, eine große Diskrepanz. Polygamie, verkaufte Bräute im minderjährigen Alter und bis über die Augen schwarzverhüllte Frauen – für viele unterentwickelte Regionen des Landes sind dies keine Klischees.

Fotoshooting

Wenn auch der Alltag in İstanbul und an der Mittelmeerküste vorrangig von Männern bestimmt wird – zumindest für die Frauen der Ober- und Mittelschicht sieht die Situation hier ganz anderes aus. An der İstanbuler Börse arbeiten z. B. mehr Frauen als Männer, und auch in İzmir oder Antalya genießen viele (schick und westlich gekleidete) Frauen angesehene Positionen als Rechtsanwältinnen, Architektinnen usw.

Das Emanzipationsgefälle in der Türkei hat wesentlich mit der Ausbildung der Frauen zu tun. Während in İstanbul, an der Mittelmeerküste und in den modernen Städten des Landes über 50 % der weiblichen Arbeitskräfte eine Ausbildung besitzen, die über das Grundschulniveau hinausgeht (ein Drittel aller Hochschulabsolventen sind übrigens Frauen), sind es auf dem Lande gerade 5 % – mehr als jede zweite Frau dort ist Analphabetin.

Es ist grundsätzlich kein Problem, als ausländische Frau alleine entlang der Mittelmeerküste, nach İstanbul oder Kappadokien zu reisen. Aufgrund westlicher Medienberichterstattung und den Erfolgsmeldungen der Strandgigolos aus den Ferienorten besitzen viele türkische Männer jedoch die Vorstellung, dass ausländische Frauen erotische Annäherungen erwarten. In touristischen Zentren oder den liberalen Vierteln İstanbuls fällt die Anmache nicht anders aus als in Italien oder Spanien. Um Unannehmlichkeiten bei Reisen in konservative Gegenden vorzubeugen, ist es jedoch ratsam, dezente Kleidung zu tragen und dazu einen Ehering (auch wenn er aus dem Automaten ist). Zu einer ehrbaren, unantastbaren Frau werden Sie auch, wenn Sie Fotos von ihrem Mann und Kind mitbringen (falls Sie beides nicht haben, tut's auch ein Bild mit dem Schwager und dessen Kindern). Übernachten sollte man lieber in kleinen Familienpensionen als unpersönlichen

Hotels. Setzen Sie sich bei Taxifahrten auf die Rücksitzbank und bei Busreisen stets neben eine Frau – Sie haben das Recht darauf! Grundsätzlich gilt zudem: Spricht man Sie an, bleiben Sie formell und höflich, aber vermeiden Sie Freundlichkeit und Augenkontakt, beides wird gerne fehlinterpretiert. Wandernde Hände in überfüllten Bussen kommentiert man lautstark, egal in welcher Sprache – recht gute Wirkung erzielt man dabei mit dem Wörtchen "Ayıp!" (gesprochen etwas "Ajip"). Die wortwörtliche "Schande" für den Betroffenen wird groß und die Empörung der Umgebung offensichtlich sein.

Restaurants, Lokantas und Cafés stehen Frauen jederzeit offen. Männern vorbehalten sind die *kahvehaneler* (traditionelle Kaffee- bzw. Teehäuser) und die *birahaneler*, schmierige Bierkneipen. Manche Lokale verfügen über einen abgetrennten Familienbereich *(aile salonu)*, der Männergrüppchen versagt bleibt. Mit dem Hinweis "*Damsız girilmez*" ("Eintritt ohne weibliche Begleitung verboten") versucht man in den Touristenzentren und in İstanbul zudem, Machos mit Röntgenaugen von den Bars und Diskotheken fernzuhalten.

Geld und Geldwechsel

Gesetzliches Zahlungsmittel ist die Türkische Lira (TL). Zum Zeitpunkt der Recherche waren Liramünzen im Wert von 25.000, 50.000, 100.000, 250.000 und 500.000 TL sowie Banknoten im Wert von 100.000, 250.000, 500.000, 1 Mio., 5 Mio., 10 Mio. und 20 Mio. TL im Umlauf. Aufgrund der hohen Inflation (→ "Türkei in Zahlen", S. 16) ist es jedoch nur eine Frage der Zeit, bis die niedrigsten Münzen und Banknoten aus dem Verkehr gezogen und 50-Millionen- oder gar 100-Millionen-Noten gedruckt werden. Es wird aber auch über eine Währungsreform diskutiert.

1 € entsprach Anfang Mai 2003 ca. 1,87 Mio. TL.

Devisenvorschriften: Bargeldbeträge im Gegenwert von über 5.000 US-Dollar müssen bei der Ein- und Ausreise deklariert werden.

Geldwechsel: Banken und Wechselstuben gibt es en masse, zumal auch die Türken ihr Erspartes in harten Devisen anlegen. Die Kursunterschiede sind insgesamt gering. Lassen Sie sich immer einen Beleg geben, als Nachweis, dass Sie Ihr Geld legal umgetauscht haben.

Bankomaten sind weit verbreitet. Der Kurs beim Abheben mit der Bank-Karte ist im Endeffekt meist besser als beim Barumtausch, die besten Kurse bekommen Sie bei der T.C. Ziraat Bankası und der Yapı Kredi Bankası.

Kreditkarten werden in allen besseren Restaurants, Hotels und Geschäften akzeptiert.

Reiseschecks: Nicht jede Bankfiliale ist dazu autorisiert, Schecks einzulösen. Gute Kurse für Schecks bietet im Allgemeinen die Post. *American-Express-Cheques* können – sofern das Personal davon unterrichtet wurde – bei den Filialen der *Akbank* und *Koçbank* provisionsfrei in TL eingelöst werden; *Thomas-Cook-Cheques* nur bei der *Akbank*.

Trinkgeld: Der orientalische Begriff für Trinkgeld lautet Bakschisch (türk. *bahşış*). Bakschisch ist wesentlich verbreiteter als bei uns, auch als Ansporn. In Restaurants gibt man in der Regel 10 %, Masseuren, Zimmermädchen oder Friseuren rund einen Euro. Lediglich Taxifahrer gehen in der Türkei leer aus.

Ermäßigungen: bekommen Studenten mit der ISIC-Karte.

Griechen und Türken – eine schwierige Nachbarschaft

Noch zu Anfang des 20. Jh. waren Griechen die größte nichtmuslimische Minderheit im Osmanischen Reich. In İstanbul stellten sie rund ein Viertel der Einwohner, und auch viele Orte der Westküste und Kappadokiens waren fest in griechischer Hand. Doch mit der Zerschlagung des Reiches nach dem Ersten Weltkrieg endete das weitestgehend friedliche Zusammenleben beider Völker: Auf den Versuch Griechenlands, sich Kleinasiens zu bemächtigen, folgte der türkische Befreiungskrieg, an dessen Ende ein "Bevölkerungsaustausch" – eine Vertreibung bzw. ethnische Säuberung – stand: Ca. 1,4 Millionen Griechen mussten die Türkei verlassen, in entgegengesetzter Richtung waren rund 350.000 Türken unterwegs. Lediglich die Griechen İstanbuls, ohne welche die Wirtschaft der Stadt von heute auf morgen zusammengebrochen wäre, und die Bewohner der Ägäisinseln Tenedos (heute Bozcaada) und Imbros (heute Gökçeada) wurden davon ausgenommen.

Doch auch sie kehrten in den folgenden Jahrzehnten der Türkei den Rücken: Die neue Republik belegte Nichtmuslime mit diskriminierenden Steuern – wer nicht zahlen wollte oder konnte, wurde in Arbeitslager verbannt. Ab den 50er Jahren verschärfte zudem der Zypernkonflikt das Verhältnis zwischen Griechen und Türken auf eine Weise, die ein friedfertiges Miteinander kaum mehr zuließ. Die Situation eskalierte 1955, als Bombenanschläge griechisch-zypriotischer Untergrundbewegungen mit gewalttätigen Ausschreitungen gegen christliche Minderheiten beantwortet wurden.

Viele Jahre betrachteten die NATO-Partner mit Besorgnis das Verhalten der beiden "verfeindeten" Verbündeten, noch bis in die 1990er kam es immer wieder zu militärischen Provokationen in der Ägäis. Die Verbesserungen der bilateralen Beziehungen kamen infolge schwerer Erdbeben und verheerender Waldbrände, bei denen sich beide Nationen wechselseitig Hilfe leisteten. Mittlerweile ist Griechenland gar ein Befürworter des türkischen EU-Beitritts.

Haustiere

Wer in der Türkei mit seinem geliebten Vierbeiner reist, wird Schwierigkeiten bei der Zimmersuche erleben. Hunde und Katzen benötigen eine Impfung gegen Tollwut (mindestens 15 Tage, aber höchstens ein Jahr alt) und ein amtliches Gesundheitsattest. Zudem ist eine Abstammungsurkunde erforderlich. Zur Erleichterung der Einreiseformalitäten ist es sinnvoll, die Dokumente ins Türkische übersetzen zu lassen.

Tierschützer warnen ausdrücklich vor der qualvollen Gefangenschaft Ihres geliebten Vierbeiners in einer Transportbox im Gepäckraum eines Flugzeugs. Lassen Sie Ihre Tiere also besser bei Freunden oder engagieren Sie einen Tiersitter.

Information

Bei speziellen Fragen können Sie sich vor der Abreise an die Fremdenverkehrsämter der Türkei im Heimatland wenden. Vor Ort finden Sie in allen Urlaubszentren Touristeninformationen, deren Mitarbeiter in der Regel sehr zuvorkommend und hilfsbereit sind (im Reiseteil unter der Rubrik "Information"). Offiziell heißen die Büros übrigens **Turizm Danışması**, vor Ort verwendet man aber gewöhnlich die englische Bezeichnung **Tourist Information**.

• *Türkische Fremdenverkehrsämter*
A-1010 Wien, Singerstr. 2/8, ☏ 01/5122128, ℻ 5138326.
CH-8001 Zürich, Talstraße 82, ☏ 01/2210810, ℻ 2121749.
D-60329 Frankfurt, Baseler Str. 35–37, ☏ 069/233081, ℻ 232751.
D-80335 München 2, Karlsplatz 3/1, ☏ 089/594902, ℻ 5504138.
D-10789 Berlin, Tauentzienstr. 9–12, ☏ 030/2143752, ℻ 2143952.

Internet

Im World Wide Web gibt es eine ganze Reihe von Informationen zur Türkei, die bei der Reisevorbereitung hilfreich sein können. Als Startseiten empfehlen sich die offiziellen Seiten des türkischen Fremdenverkehrsamt www.reiseland-tuerkei.info bzw. www.turizm.gov.tr. Sofern vorhanden, sind die Internetadressen diverser Einrichtungen und Hotels im Buch angegeben.

Wer während seines Türkei-Aufenthaltes im Netz surfen oder Mails verschicken will, kann dies in zahlreichen **Internet-Cafés** tun. Je schicker das Café, desto teuerer der Ausflug in den Cyberspace: Eine halbe Stunde kostet zwischen 0,65 und 1,15 €.

Interessante Links und aktuelle Informationen zu diesem Buch finden Sie auf den entsprechenden Seiten des Michael Müller Verlags **www.michael-mueller-verlag.de**.

Islam

Der Islam (arab. = Unterwerfung, Hingabe), die jüngste der großen Weltreligionen, ist ebenso wie das Judentum und das Christentum eine streng monotheistische Religion, d. h. seine Anhänger glauben an den einen allmächtigen Gott. Nach islamischer Auffassung ist Allah Schöpfer und Bewahrer aller Dinge und allen Lebens. Er versorgt, führt und richtet die Menschen, wobei sich das Richten auf den Tag des Jüngsten Gerichts bezieht, an dem die "Geretteten" ins Paradies eingehen, während die "Verdammten" in die Hölle absteigen. Religionsstifter Mohammed (um 570–632) wuchs als Waisenkind in ärmlichen Verhältnissen in Mekka auf. Sein religiöses und politisches Wirken begann um 610, nachdem ihm in einer Vision der Erzengel Gabriel erschienen war. In seiner Geburtsstadt stand man seinen öffentlichen Auftritten zunächst sehr skeptisch gegenüber. Erst in Medina, wohin er 622, dem Beginn der islamischen Zeitrechnung, abgewandert war, verschaffte sich Mohammed weltliche und geistliche Autorität und wurde als Gesetzgeber und Prophet allgemein akzeptiert. Einige der von ihm verbreiteten Botschaften hatten für die damalige Zeit geradezu revolutionäre Inhalte, z. B. die Verdammung der Sklaverei.

Die Rolle, die der islamische Glaube in der Türkei einnimmt, ist von Region zu Region, teils aber auch von Stadtviertel zu Stadtviertel verschieden. In unbeschwerten, westlich orientierten Küstenorten wie Bodrum, Marmaris oder Antalya tendiert sie gar gegen null. Doch schon ein paar Kilometer weiter im Landesinneren kann alles anders aussehen. Den Kontrollorganen des Staates sind islamistische Strömungen ein Dorn im Auge. Doch so vehement er auch gegen sie vorgeht, in den letzten Jahren erlebten sie einen enormen Aufschwung, angefacht von Perspektivlosigkeit und Unzufriedenheit mit der wirtschaftlichen und politischen Situation des Landes.

Laizismus – die Trennung von Staat und Religion

"Der Islam wird eines Tages die Türkei regieren, die Frage ist nur, ob der Übergang weich oder hart, süß oder blutig sein wird." Solche und ähnliche Äußerungen des Parteichefs Necmettin Erbakan waren die Gründe für das Verbot der islamistischen Wohlfahrtspartei und deren Auffangbecken, der Tugendpartei (2001 verboten). Aus den Scherben der Letzteren ging die Partei für Gerechtigkeit und Entwicklung (AKP) hervor, der Sieger der Parlamentswahlen 2002. Begründet wurden die Verbote mit dem seit Atatürk insbesondere vom Militär und von westlich orientierten Politikern vertretenen Kurs einer strikten Trennung von Staat und Religion. Ein ständiges Konfliktpotential birgt dieser Kurs insofern, als der islamischen Sozialphilosophie prinzipiell die Auffassung zugrunde liegt, dass alle Lebenssphären, ob spirituelle, soziale, politische oder ökonomische, eine untrennbare Einheit bilden. Während radikale Kräfte daraus die Forderung nach einem theokratisch organisierten Staatsgebilde ableiten, suchen gemäßigtere Kräfte nach Wegen, die traditionellen islamischen Werte für die heutige säkularisierte Welt nutzbar zu machen und beide Sphären nicht gegeneinander auszuspielen. Ein populärer Verfechter dieses Ansatzes ist Yaşar Nuri Öztürk, Dekan der islamischen Fakultät der Universität İstanbul. Dessen Veröffentlichungen zählen zu den Rennern des türkischen Buchmarktes, auch im Fernsehen tritt er regelmäßig auf. In deutscher Sprache hat der Grupello Verlag Düsseldorf sein Werk "400 Fragen zum Islam. 400 Antworten. Ein Handbuch" herausgegeben.

Koran und Sunna sind die grundlegenden Quellen der islamischen Glaubenslehre. Dabei wird der Koran, der aus 114 Suren (Kapiteln) besteht, als das authentische Wort Gottes verstanden, das Mohammed durch den Erzengel Gabriel übermittelt wurde. Daraus erklärt sich der Unfehlbarkeitsanspruch, der dem Koran zugeschrieben wird.

Die Sunna (arab. "Gewohnheit"), die im Hadith, einer Textsammlung aus dem 9. Jh. enthalten ist, überliefert dagegen exemplarisches Handeln des Propheten und wird im Unterschied zum Koran nicht für unfehlbar gehalten.

Propheten: Da die Menschen moralisch schwach und fehlbar sind, schickt Gott ihnen Propheten, welche die göttliche Botschaft verbreiten, an der sich das Handeln der Menschen orientieren soll. Zu diesen Propheten zählt im Islam neben Abraham und Moses u. a. auch Jesus. Die christliche Auffassung, nach der es sich bei Jesus um den Sohn Gottes handelt, wird vom Islam nicht geteilt. Die Muslime glauben dagegen, dass sich das Prophetentum mit Mohammed vollendet hat, und der Koran die letztgültige und vollkommenste Offenbarung Gottes ist.

Islamische Gruppierungen: Streitigkeiten um die Nachfolge des Propheten führten nach Mohammeds Tod zu einer Spaltung der Muslime in Sunniten und Schiiten. Über 70 Prozent der Türken sind Sunniten. Die Sunniten sehen im Kalifen den rechtmäßigen Nachfolger Mohammeds und das Oberhaupt der muslimischen Welt. Für die Schiiten sind hingegen Ali, der Vetter und Schwiegersohn Mohammeds, und seine Nachkommen die legitimen Nachfolger (Imame).

Rund 25 Prozent der Türken, darunter viele Kurden, sind Aleviten, die der Schia zugerechnet werden. Mit der Schia iranischer Prägung hat der Alevismus die Nachfolgeregel gemein, lehnt als libertäre Glaubensrichtung aber z. B. die Scharia ab. Dieses überlieferte antiquierte islamische Rechtssystem beruht auf einer über 1.000 Jahren alten, nahezu unveränderten Auslegungsvariante des Korans und der Sunna und beschreibt die Rechte und Pflichten des Einzelnen in der Gemeinschaft.

Die fünf Säulen des Islam: Die unter diesem Namen bekannten Pflichten werden als zentrale Bestandteile im Leben eines jeden Moslems angesehen. Die erste Pflicht ist das Glaubensbekenntnis *(kelimei şahadet: "Ich bezeuge, dass es keinen Gott gibt außer Allah, und Mohammed ist sein Prophet ... ")*, die zweite die fünf täglichen Gebete *(namaz)* mit den vorgeschriebenen Waschungen, die dritte die Almosengabe an Bedürftige *(zekat)*, die vierte das Einhalten des Fastenmonats *Ramazan* und die fünfte die Pilgerfahrt nach Mekka *(haç)*. Bei einigen Geboten gibt es Spielraum. So braucht der Moslem seine Pilgerfahrt nur dann durchzuführen, wenn es ihm (finanziell) möglich ist. Die Waschungen können notfalls ohne Wasser, d. h. als bloßes Ritual, ausgeführt werden, und schwangere Frauen können aus gegebenem Anlass die Fastenzeit verschieben.

Karten

Für die Mittelmeerküste ist das von den Touristeninformationen kostenlos verteilte Kartenmaterial im Maßstab 1:300.000 durchaus ausreichend. Empfehlenswert sind auch die im Handel erhältlichen Türkeikarten aus dem Haus Kartographischer Verlag R. Ryborsch, die in Zusammenarbeit mit dem türkischen Verteidigungsministerium entstanden sind. Von den insgesamt sieben Blättern im Maßstab 1:500.000 benötigt man für İstanbul und das Marmaragebiet Blatt 1, für die Ägäis und Lykien bis Antalya Blatt 2 und für das östliche Mittelmeer Blatt 4 und Blatt 7. Die einzelnen Karten sind für etwas über 6 € zu haben. Recht gut ist auch die Euroländer-Karte Türkei aus dem RV-Verlag (1:750.000). Für alle Karten aber gilt: Keine stimmt hundertprozentig! Überaus fehlerhaft und meist sehr undetailliert sind zudem sämtliche Stadtpläne.

Für **İstanbul-Stadtpläne** → İstanbul/Adressen, S. 95.

Schulschluss

Kinder

Familien mit Kind sind die Könige unter den Touristen. Die Türkei ist ein wahres Kinderparadies, in dem die Kleinen grenzenlos verwöhnt werden. Ob Ihr Nachwuchs im Restaurant Tellersegeln spielt oder längere Zeit im Bus seinen Weltschmerz hinausschreit, niemand wird sich darüber aufregen, die Scherben werden lächelnd beseitigt, das Kind wird allseits getröstet und geherzt und mit Bonbons versorgt. Ein Spaß für Kinder sind neben den allerorts angebotenen Bootstouren Aquaparks und Kamelritte. In İstanbul unternimmt man mit den Kleinen am besten eine Dampferfahrt über den Bosporus, ansonsten ist die Millionenmetropole für einen Urlaub mit Kindern denkbar ungeeignet. Die beste Windelmarke soll übrigens *Ultra Prima* sein, erhältlich in Apotheken.

Kleidung

Seit Atatürks Kleiderordnung ist das Tragen von Fes und Schleier verboten – ein Kopftuch gehört jedoch bei vielen Frauen noch immer zum Ausgehkostüm. Die Männer sind seit Atatürks Reformen rein europäisch gekleidet, der Fes als ehemalige Nationalkopfbedeckung wird nur noch an Touristen verkauft. Insgesamt ist festzuhalten, dass in der Türkei großer Wert auf ein korrektes, sauberes und gesittetes Erscheinungsbild gelegt wird. Fürs Kofferpacken orientieren Sie sich am besten an der Klimatabelle. Für einen Badeurlaub an der Küste reicht leichte Kleidung, möglichst aus Baumwolle, für kappadokische Nächte sollte auch im Sommer ein Pulli im Gepäck sein. Für den Besuch von Moscheen → "Moscheen", S. 62.

Klima

An der Mittelmeerküste folgen auf heiße, trockene Sommer milde, verregnete Winter. Im Hochsommer können die Temperaturen in der Çukurova auf bis zu 45°C ansteigen und selbst die Nächte sind dann noch schweißtreibend. Anders das Klima Kappadokiens auf einer Höhe von etwa 1.200 m: Hier sind die Nächte selbst im Hochsommer frisch, im Winter schneit es. Hitze, eine hohe Luftfeuchtigkeit und viele Mücken bestimmen die Sommermonate in İstanbul. Frühlingshafte Sonnentage sind für den İstanbuler Winter genauso charakteristisch wie Dauerregen und Kälteeinbrüche.

	İstanbul			İzmir		
Monat	Lufttemperatur (Min./Max.-Ø in °C)	Sonnenstunden	Regentage	Lufttemperatur (Min./Max.-Ø in °C)	Sonnenstunden	Regentage
Jan.	3/9	2,6	18	6/12	4	9
Febr.	2/9	3,3	15	6/13	5	8
März	3/11	4,4	14	8/16	6	7
April	7/16	6,6	9	11/21	8	6
Mai	12/21	8,9	8	15/26	10	3
Juni	16/26	10,8	5	20/31	12	1
Juli	18/29	11,7	4	22/33	12	1
Aug.	20/29	11,3	3	22/32	12	1
Sept.	15/25	8,5	6	19/29	10	2
Okt.	11/21	6,2	10	14/24	8	4
Nov.	9/15	4,6	13	11/18	5	7
Dez.	5/11	2,3	17	8/14	4,5	11

	Alanya			Kappadokien		
Monat	Lufttemperatur (Min./Max.-Ø in °C)	Sonnenstunden	Regentage	Lufttemperatur (Min./Max.-Ø in °C)	Sonnenstunden	Regentage
Jan.	7/16	5	11	-5/4	4	7
Febr.	7/17	6,5	10	-4/7	4	5
März	8/18	7	7	-2/11	5	5
April	11/21	8	4	3/17	6	5
Mai	15/25	10	3	8/22	8	6
Juni	19/30	12	0	12/27	11	3
Juli	23/34	13	0	15/30	12	1
Aug.	23/34	12	0	15/29	12	1
Sept.	19/31	10	1	10/27	10	2
Okt.	15/26	8	5	6/21	7	4
Nov.	11/21	7	7	1/13	5	4
Dez.	8/18	5	11	-3/6	4	7

Reisezeit: An der Ägäis geht die Badesaison von April bis Anfang Oktober, außerhalb dieser Zeit sind auch viele Hotels geschlossen. Rund um Antalya und an der Türkischen Riviera kann man an manchen Tagen selbst noch im Dezember baden; in den dortigen internationalen Ferienorten findet man auch das ganze Jahr über geöffnete Hotels und Pensionen. In allen Orten jedoch, wo vorrangig Türken Urlaub machen, geht die Saison nur von Juni bis September. Die Monate April, Mai und Oktober sind für Kulturreisen in der Küstenregion am besten geeignet, zum Sightseeing in İstanbul sind es die Monate Mai, Juni, September und Oktober, die Tageshöchsttemperaturen übersteigen dann selten 30°C.

Die beste Reisezeit für Kappadokien ist – sofern man keine Rundtour im klimatisierten Bus gebucht hat, sondern aktiv etwas unternehmen möchte – ebenfalls der Frühling und der Herbst. Aber auch in den Sommermonaten ist die Hitze erträglich, da das Klima insgesamt sehr trocken ist. Zwischen Dezember und Februar ist die Märchenlandschaft im Winterkleid zu sehen. Man findet auch in dieser Jahreszeit offene Hotels und im Frühstückssalon viele Japaner.

Kriminalität

Delikte wie Diebstahl oder Raub treten in der Türkei verhältnismäßig selten auf. Korruption nennt sich das Übel des Landes, aber die tut dem Touristen nicht weh. In Großstädten und Touristenzentren müssen Urlauber jedoch wie überall auf der Welt damit rechnen, dass Betrüger und Trickdiebe die Reisekasse plündern wollen. Im Notfall wenden Sie sich an die Polizei oder an die Touristeninformation. Man wird Ihnen auf jeden Fall helfen, denn als Tourist genießen Sie großes Ansehen.

Literatur

Achten Sie darauf, dass sich in Ihrer Urlaubsliteratur keine Bücher oder Unterlagen befinden, die in Titel oder Inhalt einen Zusammenhang mit Armenien, den Kurden, Menschenrechtsverletzungen oder anderen Reizthemen erkennen lassen. Ein paar Empfehlungen für die Urlaubslektüre:

Zu İstanbul: *Koydl, Wolfgang: Der Bart des Propheten. Haarige Geschichten aus Istanbul.* Picus Verlag, Wien 1998. Unverblümt, informativ und unterhaltsam, vom einstigen SZ-Korrespondent in İstanbul.

Kreiser, Klaus: Istanbul. Ein historisch-literarischer Stadtführer. C.H. Beck Verlag, München 2001. Hochgelobt. Der Autor, Turkologieprofessor an der Universität Bamberg, erarbeitet das alte Istanbul anhand zahlreicher (vorrangig türkischer) Quellen.

Zur Mittelmeerküste: *Scholl, Dietmar und Holger: Türkei Südküste. Reise- und Kulturführer.* Reisebuchverlag U. Bardorf, München 1991. Ein detailliert recherchierter kunst- und kulturgeschichtlicher Führer, der fast jeden Stein zwischen Marmaris und dem Hatay umdreht. Leider nur noch antiquarisch zu bekommen.

Zu Land und Leuten: *Erzeren, Ömer: Der lange Abschied von Atatürk.* ID-Verlag, Berlin 1997. Erstklassige Reportagen über die Türkei.

Koydl, Wolfgang: Gelobt sei der Hl. Staat. Türkische Tragikomödien. Picus Verlag, Wien 2001. Weitere authentische und erfrischende "haarige Geschichten", diesmal aus der ganzen Türkei.

Seufert, Günter: Café Istanbul. C.H. Beck Verlag, München 1999. Eine brilliante Analyse der Türkei in all ihren Widersprüchen.

Belletristik: *Fait, Saik: Ein Lastkahn namens Leben.* Unionsverlag, Zürich 1996. Eine Anthologie des lange Zeit vergessenen türkischen Erzählers.
Özdamar, Emine Sevgi: Die Brücke vom Goldenen Horn. Kiepenheuer & Witsch, Köln 1999. Die Geschichte einer jungen Türkin zwischen İstanbul und Berlin.
Kemal, Yaşar: Memed, mein Falke. Unionsverlag, Zürich 1990. In 40 Sprachen übersetzter Roman über den Kampf eines türkischen Robin Hood gegen Hass und Unterdrückung. Sehr empfehlenswert.

Medien

Deutsche Zeitungen und Zeitschriften sind überall dort zu erhalten, wo sich deutsche Urlauber tummeln, die aktuelle Tagesausgabe erhält man in der Regel am Nachmittag. Hintergrundinformationen und Aktuelles zu Politik, Wirtschaft, Sport und Kultur bieten die beiden täglich erscheinenden englischsprachigen Zeitungen *Turkish Daily News* und *Turkish News*, die man außerhalb von İstanbul jedoch nur mit etwas Glück bekommt. Ähnlich verhält es sich mit der in İstanbul publizierten deutschsprachigen Zeitung *Türkische Allgemeine*.

Will man im Radio die Bundesliga live miterleben oder sich über das Tagesgeschehen informieren, ist ein Weltempfänger Voraussetzung. Frequenzpläne und Programmhefte erhalten Sie unter folgenden Anschriften:

Deutsche Welle (DW), Technische Beratung der Deutschen Welle, Deutsches Programm, 50588 Köln, ✆ 0221/389–3208, www.dw-world.de.

Schweizer Radio International (SRI), Giacomettistr. 1, Postfach, 3000 Bern, ✆ 031/3509222, www.swissinfo.org.

Radio Österreich International (RÖI), 1040 Wien, ✆ 01/5001010, http://roe.ors.at.

Moscheen

Moscheen sind die islamischen Sakralbauten, in denen nicht nur gebetet wird, sondern auch politische Versammlungen und theologische Unterrichtsstunden abgehalten werden. Darüber hinaus dienen sie traditionell als Stätte der persönlichen Andacht und als temporäre Unterkunft für Pilger und Obdachlose. Die Architektur der Moscheen orientierte sich ursprünglich am Haus das Propheten Mohammed in Medina. Für gewöhnlich betritt man eine Moschee über einen Vorhof (*avlu*), wo am Reinigungsbrunnen (*şadırvan*) die rituellen Waschungen vor dem Gebet vorgenommen werden. Zur Grundausstattung des mit Teppichen ausgelegten Gebetssaals gehört eine Gebetsnische (*mihrab*), die stets in Richtung Mekka weist, eine Kanzel für die Freitagspredigt (*minbar*) und ein Stuhl oder eine Art Thron (*kürsü*), von dem der Vorbeter (*Imam*) Passagen aus dem Koran verliest. Männer und Frauen beten getrennt, stets jedoch Richtung Mekka. Indem man kniet und den Kopf zu Boden neigt, zeigt man Allah Demut und Respekt. Zum Gebet ruft fünfmal am Tag der Muezzin vom Minarett der Moschee. Heute ertönt der für Europäer so verheißungsvoll orientalisch klingende Gebetsruf meist nur noch aus dem Lautsprecher.

• Hinweis Türkische Moscheen können von Nichtmuslimen jederzeit besucht werden – nur zur Gebetszeit werden Touristen oft abgewiesen. Beachten Sie die Kleidervorschriften: Herrenbeine und -arme dürfen nicht entblößt sein, der Rock der Dame sollte mindestens knielang sein, ihr Kopf (Kopftuch!) und die Oberarme bedeckt. Vor dem Betreten der Moschee zieht man die Schuhe aus. Betende sollten nicht fotografiert werden.

Spiel's nochmal, Kemal!

Musik und Bauchtanz

Auch wenn sich für das mitteleuropäische Ohr alles ziemlich gleich anhört – türkische Musik unterteilt sich in unterschiedliche Stilrichtungen.

Volksmusik: Bei der traditionellen türkischen Volksmusik *(halk müziği)*, die auch *Türkü* genannt wird, steht die *saz*, eine Laute mit meist drei Saiten, im Vordergrund. Alleinunterhalter oder kleine Combos besingen dabei Themen aus dem Leben des einfachen Volkes: Geburt, Tod, Liebe. Nach Jahrzehnten der Absenz ist auch kurdische Volksmusik wieder im Kommen. Volksmusik hört man vorrangig in gemütlich-orientalischen Kneipen, fragen Sie nach einer "Türkü-Bar".

Klassische Kunstmusik: Im Gegensatz zur Volksmusik wird die auch *Fasıl* genannte Kunstmusik in Restaurants oder Meyhanes präsentiert. Sie hat ihren Ursprung in der osmanischen Palastmusik, doch haben auch modernere Einflüsse Spuren hinterlassen. Meist begleiten Instrumente, wie *kanun* (Zither), *darbuka* (Handtrommel), *tef* (Tamburin) oder *ud* (Laute) den Gesang.

Popmusik: Die türkische Popmusik spricht in ihren Liedern das gleiche Thema an wie deutsche Schlager: Liebe. Türkpop vermischt traditionell-türkische Melodien mit modernen Einflüssen. Die Interpretenpalette reicht dabei von niveauvollen Songwriterinnen wie Sezen Aksu über trendige Teeniestars wie Tarkan bis hin zu Schnulziers wie İbrahim Tatlıses oder Mahsun Kırmızıgül.

Arabeske Musik: Die arabeske Musik, die (wie der Name schon sagt) Einflüsse aus Arabien aufweist, hat die ausweglose Liebe zum Thema. Die singsangartigen, orientalisierenden Trauergesänge hört man für gewöhnlich im Fernsehen *TRTint* oder im Dolmuş. Als Idol schlechthin gilt Müslüm Gürsel, der aussieht wie "ein liebeskranker Dackel auf Entzug" (Wolfgang Koydl, Gelobt sei der Hl. Staat, → Literatur, S. 61). Berühmt-berüchtigt sind die aufwühlenden Konzerte des stets bekifften Mittfünfzigers, bei denen das Publikum in kreischend-heulende Ekstase verfällt und sich dabei mit Rasierklingen Schnittwunden beibringt.

Bülent, Sezen, Tarkan: Pop oder Provokation?

Die drei schrillsten Stars am türkischen Pop- und Schlagerhimmel sind zugleich der Inbegriff landesweiter Scham. Dazu gehört **Bülent Ersoy,** eine der erfolgreichsten Interpretinnen der klassischen türkischen Musik. Die prallbusige, grell geschminkte und mit Nerzen und Glitterkleidung wie eine korpulente Barbie geschmückte Anfangsfünfzigerin war nämlich bis 1979 ein Mann. Heute lebt und produziert sie im Ausland, verheiratet mit einem Twen.
Auch **Sezen Aksu,** die Madonna vom Bosporus, die seit annähernd 20 Jahren mit ihren Hits die türkischen Massen begeistert, findet mit ihrem Privatleben wenig Anklang: Mit jungen Mädchen soll sie sich ihre Nächte um die Ohren schlagen und auch dem Kokainkonsum nicht abgeneigt sein.
Und **Tarkan?** Der grünäugige Teenieschwarm mit den wippenden Hüften, der als "türkischer Ricky Martin" mit "Şımarık" ("Verwöhnt") sogar europaweit Erfolge feierte, steht zur Trauer unzähliger kreischender Girlies nur auf Männer.

Bauchtanz: Der Bauchtanz gilt für viele Europäer als Inbegriff türkisch-orientalischer Sinneslust. Dabei hat diese Kunst in der Türkei bis heute etwas Anrüchiges, das man gerne anderen Kulturen in die Schuhe schiebt. So behaupten konservative Türken, die erotisierend-klimpernde Nabelschau stamme aus Ägypten, während die Araber davon überzeugt sind, die osmanischen Besatzer hätten den Tanz eingeschleppt. Zu sehen ist Bauchtanz heute in erster Linie als überteuertes Touristenspektakel.

Was türkische Namen aussagen können

Stellen Sie sich vor, Ihr Metzger würde *Etyemez* ("Er isst kein Fleisch") heißen oder der Getränkehändler ums Eck *Suiçmez* ("Er trinkt kein Wasser"). In der Türkei kann das vorkommen. Die Fülle lustig-blumiger Familiennamen geht auf ein Gesetz von 1934 zurück. Im Zuge von Atatürks Reformen mussten sich nämlich die bis dato nachnamenlosen Türken einen solchen zulegen. Teils konnten sie den Namen selbst wählen, teils wurde ihnen einer zugewiesen. Manche trafen zum damaligen Zeitpunkt vielleicht eine passende Wahl, bedachten aber nicht, dass der Name an ihre Söhne und Töchter weitervererbt würde. Und so kann der Klavierspieler an der Hotelbar auch *Parmaksız* ("Ohne Finger") heißen ...
Heute bleibt leider nur noch die Wahl der Vornamen übrig, aber auch diese stehen den Nachnamen an Einfallsreichtum kaum nach: Der Freude über die Geburt des ersten Kindes wird z. B. gerne mit Namen wie *Devletgeldi* ("Das Glück ist gekommen") oder *Gündoğu* ("Die Sonne ist aufgegangen") Ausdruck verliehen. Wem die Familie irgendwann aber zu groß ist, hofft, mit Namen wie *Yeter* ("Es reicht") oder *Dursun* ("Es soll aufhören") den Kindersegen stoppen zu können – relativ egal, ob gerade ein Männlein oder ein Weiblein das Licht der Welt erblickt hat.

Notrufnummern → S. 68

Öffnungszeiten

Der islamische Ruhetag ist der Freitag, der gesetzliche Ruhetag in der Türkei seit Atatürks Reformen jedoch der Sonntag.

Banken: Mo–Fr 8.30–12 und 13.30–17 Uhr, Sa/So geschlossen.

Behörden: Mo–Fr 8.30–12 und 13–17.30 Uhr, Sa/So geschlossen.

Geschäfte: Für den Einzelhandel gibt es keine einheitlichen Öffnungszeiten, für gewöhnlich öffnen die Geschäfte Mo–Fr 9–13 und 14–19 Uhr, Sa nur 9–13 Uhr, So sind sie dicht. In Touristenzentren liegt der Sachverhalt jedoch anders, dort ist jeder Tag ein Verkaufstag. Kleinere Lebensmittelläden haben oft bis spät in die Nacht geöffnet .

Post: Mo–Fr 8–12 und 13–17 Uhr, Sa/So geschlossen. In den größeren Städten und in manchen Touristenzentren sind Postämter für Teilbereiche (z. B. Telefon) auch bis 24 Uhr und So 9–19 Uhr geöffnet.

Museen: In der Regel Di–So 8.30–17 Uhr, Mo geschlossen.

Restaurants: In der Regel tägl. ab 11 Uhr bis mind. 23 Uhr. Kleine Lokantas schließen oft schon früh am Abend.

Polizei

Die türkische Polizei ist überall präsent. So schlecht, wie sie bezahlt ist, so schlecht ist sie meist auch gelaunt. Gegenüber Touristen verhält sie sich jedoch in der Regel korrekt und zuvorkommend. Ferner sorgt die **Jandarma,** eine militärische Einheit in grünen Uniformen, für Ordnung und Sicherheit.

Post

Postämter (und Briefkästen) erkennt man an den gelben Schildern mit den drei schwarzen Buchstaben PTT *(Posta, Telefon, Telegraf)*. Das Hauptpostamt liegt in großen Städten meist in der Nähe des Hauptplatzes oder des Banken- bzw. Einkaufsviertels. Bis eine Postkarte in der Heimat angekommen ist, vergeht ungefähr eine Woche (zum Telefonieren → S. 68).

• *Postgebühren* Luftpostbriefe bis 10 g und Luftpostansichtskarten nach Deutschland, Österreich und in die Schweiz kosten knapp 0,40 €.

• *Poste Restante* An die Hauptpostämter (Merkez Postane) können Sie sich postlagernd Briefe senden lassen. Der Absender sollte darauf achten, dass der Anfangsbuchstabe des Nachnamens korrekt und deutlich geschrieben ist. Am Schalter wird die Post nach Vorlage eines Ausweises ausgehändigt. Sinnvolles Adressier-Beispiel:
Müller, Michaela – poste restante – Merkez Postane – Stadtname – Turkey.

Preise

Gemessen an mitteleuropäischen Maßstäben ist die Türkei ein günstiges Reiseland. Lediglich die Preise in den internationalen Ferienorten der Riviera (insbesondere Alanya und Side) liegen weit über dem Landesdurchschnitt, in Restaurants bezahlt man nicht selten das Drei- oder Vierfache wie anderswo in der Türkei.

Selbstverständlich korrelieren die Kosten einer Reise mit den Ansprüchen des Urlaubers, das breit gefächerte Angebot an touristischen Leistungen hält aber für fast jeden Geldbeutel etwas parat. Wer mit einem Minimum an Komfort zufrieden ist, benötigt pro Tag keine 25 €.

Reisepapiere

Für Deutsche und Schweizer Urlauber genügt bei der Einreise in die Türkei der Personalausweis bzw. die Identitätskarte. Bei der Einreise mit dem eigenen Fahrzeug ist jedoch stets ein gültiger Reisepass vonnöten. Österreicher brauchen ein Visum und erhalten dieses für 15 € an der Grenze bzw. am Flughafen. Von Bundesbürgern und Eidgenossen wird ein Visum nur dann verlangt, wenn sie länger als drei Monate im Land verweilen möchten. Kinder benötigen einen Kinderausweis, der die Nationalität angibt und mit einem Lichtbild versehen sein muss. Führen Sie in der Türkei Ihren Ausweis stets bei sich, denn Kontrollen sind häufig, insbesondere bei Ausflügen ins Landesinnere.

Visitenkarten sind in der Türkei sehr beliebt: Oft bekommt man eine gereicht oder wird nach der eigenen gefragt. Bevor Türken ihre Karte aushändigen, pflegen sie diese auf der Rückseite mit einem Kringel zu versehen. Damit entwerten sie die Karte. Früher nämlich konnte man mit einer unentwerteten Karte essen oder einkaufen gehen, der Name darauf hatte für die Rechnung aufzukommen.

Sport

Wo Türken Urlaub machen, tendiert das Sportangebot traditionell gegen null – schließlich sind die kostbaren Erholungswochen zum Nichtstun da. In den internationalen Touristenzentren jedoch geht der Trend hin zum Aktivurlaub europäischer Prägung. Immer mehr Tourenveranstalter bieten neben den obligatorischen Ausflugsfahrten ein Freizeit- und Sportprogramm an. An der Küste dominiert ganz klar der Wassersport.

Golf: spielt man in der gesamten Türkei nirgendwo besser als rund um Belek, → S. 505. Golfmöglichkeiten bestehen auch in İstanbul (→ S. 97).

Paragliding: Zentren der Flieger sind an der Ägäis der Kocadağ (640 m) östlich von Bodrum in Ören (→ S. 356) und an der lykischen Küste der Baba Dağı (1.900 m) über der Lagune von Ölüdeniz (→ S. 419).

Reiten: In der Nähe großer Touristenzentren liegen oft Reiterhöfe, die Ausritte ins Hinterland anbieten; auch über Tourenveranstalter vor Ort buchbar.

Skifahren: Einen Lift bietet das Skigebiet Saklıkent bei Antalya (→ S. 492). Schneesicher ist es jedoch selbst im Winter nicht.

Tennis: Viele größere Hotelanlagen verfügen über Tennisplätze, auf denen auch Nichtgäste gegen ein Entgelt spielen können.

Wandern: → "Unterwegs", S. 33.

Segeln: → "Unter Segel", S. 31.

Tauchen: Nahezu an allen Küstenabschnitten darf getaucht werden. Das Auflesen und die Mitnahme historischer bzw. antiker Gegenstände und die Unterwasserjagd sind strengstens verboten.

Surfen: In den Touristenzentren bieten Surfschulen Kurse an und organisieren den Brettlverleih für all jene, die ihr eigenes Board nicht dabeihaben. Cracks fahren an die Ägäis, z.B. auf die Çeşme -Halbinsel oder nach Bodrum.

Kajak/Rafting: An der Türkischen Riviera haben diverse Tourenveranstalter das Paddelerlebnis im Programm. Entsprechende Möglichkeiten bieten der Köprü-Fluss zwischen Antalya und Side (→ S. 508) und der Alara-Fluss zwischen Side und Alanya (→ S. 522).

Sonstiger Wassersport: In den internationalen Touristenorten an der Küste werden diverse Fun-Sportarten auf dem Wasser angeboten, z. B. Wasserski, Bananaboat, Speedboat, Gleitschirmfliegen übers Wasser usw. Die Veranstalter finden sich in der Regel an den Stränden.

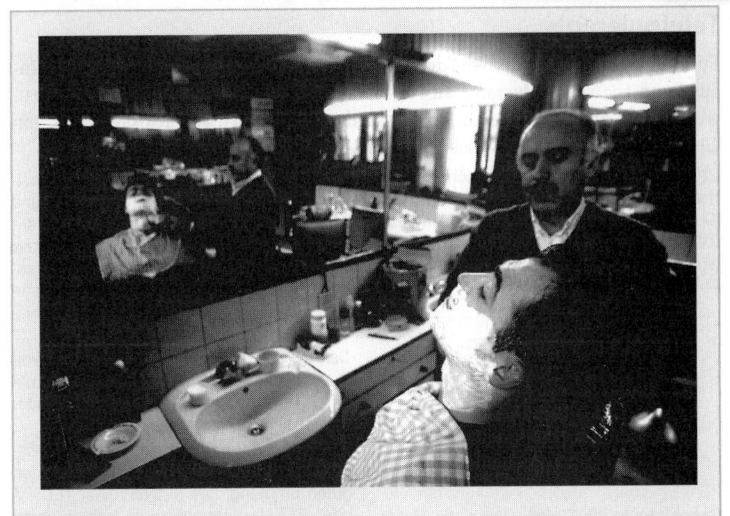

Wer sich nicht rasiert, verliert

Buschig und prächtig oder eher spärlich und zierlich, immer jedoch gepflegt: Erst der Schnurrbart macht den Türken zum richtigen Mann – zumindest in der anatolischen Provinz und in konservativen Kreisen. Noch heute wachen in vielen Dörfern altgediente Schnurrbartträger darüber, dass keinem jungen Bengel vor dem "schnauzerwürdigen" Alter ein solches Exemplar wächst.
In vielen Orten der Südküste will man von solchen antiquierten Traditionen aber nichts mehr wissen. Die Jugend zeigt sich glatt rasiert oder im schicken Dreitagesbart. Die klassischen Schnauzerträger mit grauem Kaufhaus-Standard-Jackett haben dort den Status eines Dorftrottels aus Hinteranatolien. Als schmierige Anmacher, als *Röntgenci* ("Glotzer mit Röntgenaugen"), sind sie unter jungen Frauen verpönt. In manchen trendigen Clubs sorgen gar Türsteher dafür, dass "Schnauzer" draußen bleiben. Draußen bleiben, zumindest aus öffentlichen Ämtern und Universitäten, müssen auch Vollbartträger. In der laizistischen Türkei wird der Vollbart als ein islamistisches Bekenntnis gewertet, ähnlich wie das Kopftuch bei Frauen.

Schwule und Lesben

Homosexualität ist in der Türkei verpönt, ein Outing führt zu gnadenloser Diskriminierung. Ein Erlass des Innenministeriums verbietet sogar die Präsenz organisierter Homosexuellengruppen auf türkischen Straßen. Dies durften im September 2000 über 800 Teilnehmer einer Schwulenkreuzfahrt erfahren, denen in der ägäischen Hafenstadt Kuşadası der Landgang schlichtweg untersagt wurde. Ausweichen können türkische Schwule und Lesben lediglich in die Anonymität der Millionenstadt İstanbul. So findet sich dort eine Vielfalt an Clubs und Kneipen, die europaweit ihresgleichen suchen kann.

Telefonieren

Funktioniert problemlos von den öffentlichen Kartentelefonen. Darüber hinaus kann man vom Postamt aus telefonieren (man lässt sich eine Kabine zuweisen und zahlt dann nach Zählerstand am Schalter), von Kiosken oder von Geschäften mit dem Hinweisschild *kontörlü telefon* (Telefon mit Zähler).

Gespräche aus der Türkei nach Hause: Nach der internationalen Vorwahlnummer (Deutschland: 0049, Österreich: 0043, Schweiz: 0041) wählt man die Ortskennzahl des gewünschten Ortes (jedoch ohne die Null am Anfang), dann die Rufnummer.

Notrufnummern

Polizei	✆ 155
Verkehrspolizei	✆ 154
Ambulanz	✆ 112
Feuerwehr	✆ 110

Gespräche in die Türkei: Wer in die Türkei telefonieren möchte, wählt ✆ 0090 als Landesvorwahl und lässt die Null der Regionalvorwahlnummer weg.

Telefonkarten (telefon kartı) gibt es in Postämtern, in Geschäften, an Kiosken und selbst an kleinen Verkaufsständen an der Straße. 100 Einheiten (ca. 3 €) reichen etwa für ein 5-Minuten-Gespräch nach Deutschland. Beim Kauf sollte man darauf bestehen, dass die Karte auf ihre Funktionsfähigkeit geprüft wird.

Call-by-Call: Den günstigsten Anbieter von Deutschland in die Türkei erfahren Sie unter www.billiger-telefonieren.de oder www.call-by-call.com.

Mobiltelefon: Im gesamten Reisegebiet haben Sie mit einem Dual-Band-Handy einen guten Empfang. Die Netzbetreiber TELSIM oder TCELL unterscheiden sich in ihren Tarifen kaum.

Toiletten

Männer finden das stille Örtchen hinter Türen mit der Aufschrift *Bay,* Frauen achten auf *Bayan.* In Touristenzentren haben die Toiletten in der Regel mitteleuropäischen Standard, abseits der Urlaubsorte ist das Stehklo noch weit verbreitet. Papier gibt es auf diesen stillen Örtchen nur selten; ein eigener kleiner Vorrat ist daher dringend angeraten. Steht in der Toilette ein kleiner Eimer, dann werfen Sie das Papier dort hinein und spülen es bitte nicht runter. Die zu dünnen Abwasserrohre verstopfen schnell, zudem verzögert das Toilettenpapier in den Sickergruben den Zersetzungsvorgang.

Hinweis Wenn Sie das dringende Bedürfnis bei einer Stadtbesichtigung ereilt – Toiletten finden Sie immer bei einer Moschee.

Verständigung

In den Touristenzentren an der Küste kommt man mit Englisch oder Deutsch recht gut zurecht. Deutsch ist übrigens in der Türkei vor Englisch die führende Fremdsprache. Viele türkische Arbeiter haben im deutschsprachigen Ausland ihr Geld verdient, selbst in den entlegensten Ortschaften wohnt jemand, der bei Verständigungsproblemen zu Hilfe gerufen werden kann.

Wasserpfeife

Zu Beginn des 17. Jh. kam die Wasserpfeife *(nargile)* von Persien nach Kleinasien. Anfangs wurde sie von den Herrschenden jedoch nicht immer gern gesehen, Sultan Murat IV. (1623–1640) verhängte gar die Todesstrafe auf das Rauchvergnügen. Erst im späten 19. und frühen 20. Jh. wurde die Wasserpfeife zum Statussymbol der türkischen Highsociety und war vornehmlich bei Frauen beliebt. In republikanischer Zeit verlor sie wieder an Popularität, die Wasserpfeife galt in der Türkei Atatürks als Zeichen bäuerlicher Rückständigkeit. Ein Comeback erlebt sie seit einigen Jahren. Doch nur wenige Türken rauchen sie heute noch mit *tömbeki,* einem extrem starken Wasserpfeifentabak. Bevorzugt werden Apfelschalen, die durch ein Holzkohlestückchen am Glühen gehalten werden und die Luft mit jenem süßen Duft erfüllen, der so typisch für Nargile-Cafés ist.

Wo Körper und Seele ein Bad nehmen – Erholung im Hamam

In den Hamams, so sagt man, sei die osmanische Vergangenheit noch lebendig. Und wer eines der historischen Dampfbäder besucht, glaubt in eine andere Welt einzutauchen. Man spürt die Schwere der heißnassen Luft, atmet den Geruch von Seife, vernimmt das Geplätscher des Wassers, das Geklapper hölzerner Schuhe und das Gemurmel unter glänzend nackten Körpern, die in geheimnisvollem Licht auf marmornen Steinen liegen.

Ein Hamam ist in drei Bereiche gegliedert. Den *camekân,* den Eingangsbereich, schmückt meist ein ausladender Brunnen. Drum herum befinden sich die Rezeption und die Umkleidekabinen. *Soğukluk* heißt der Durchgang in den Schwitzbereich und Hauptteil des Hamams, den *hararet.* Die große, von unten erwärmte Marmorplattform in der Mitte nennt sich *göbek taşı,* Nabelstein. Auf ihn legt man sich zum Schwitzen und zur Massage. Bei den Frauen verrichten die Tätigkeit in der Regel schwergewichtige Masseurinnen, bei den Männern drahtig-muskulöse Meister ihres Faches. Bevor die Massage beginnt, werden Sie mit einem rauen Lappen kräftig abgerieben, *kese* heißt diese Prozedur. Auch wenn Sie malträtiert werden wie ein Wiener Schnitzel vorm Panieren – hinterher fühlen Sie sich gut und entspannt.

Die meisten Hamams besitzen separate Abteilungen für Männer *(erkekler)* und Frauen *(kadınlar).* Bei kleineren Bädern baden die Geschlechter zu unterschiedlichen Zeiten oder an unterschiedlichen Tagen. In den Touristenzentren wird in vielen Hamams auch ein gemischtes Bad angeboten. Übrigens tragen Männer ein Tuch um die Lenden, Frauen baden nackt. Handtücher braucht man nirgendwo mitzubringen.

Zeit

Gegenüber der Mitteleuropäischen Zeit (MEZ) besteht eine Stunde Unterschied; bei Ihrer Ankunft müssen Sie die Uhr eine Stunde vorstellen, egal ob im Sommer oder Winter (12 Uhr Frankfurt = 13 Uhr İzmir)! Die Umstellung von Sommerzeit auf Winterzeit erfolgt in der Türkei am gleichen Tag wie in Deutschland.

Der Tempel von Euromos bei Milas, einer der besterhaltenen seiner Art

Geschichte im Abriss

ab 150.000 v. Chr. Höhlenfunde wie z.B. aus der Karain-Höhle nahe Antalya (→ S. 492) lassen darauf schließen, dass nomadisierende Jäger und Sammler bereits im Paläolithikum an die türkische Mittelmeerküste vorstoßen.

8.000–5500 v. Chr. Während des Neolithikums entstehen erste stadtähnliche Siedlungen auf dem Boden der heutigen Türkei. Für den Bau von Behausungen wird Lehm verwendet, damit einhergehend entwickelt sich die Töpferei. Mit der Sesshaftwerdung beginnen auch Ackerbau und Viehzucht. Eine berühmte Ausgrabungsstätte diesbezüglich ist die jungsteinzeitliche Siedlung Çatal Hüyük bei Konya, hier fanden Archäologen u.a. Kleinplastiken wie schwerbrüstige Göttinnen als Symbole der Fruchtbarkeit.

5500–3200 v. Chr. Chalkolithikum (Kupfersteinzeit). Feiner gearbeitete Töpferwaren und einfache Werkzeuge aus Kupfer brachten z.B. die Ausgrabungen von Hacılar bei Burdur, rund 150 km nördlich von Antalya, zu Tage.

ab 3200–2000 v. Chr. Frühe Bronzezeit. Die Spinnerei und Weberei breitet sich aus, zudem wird Schmuck aus Bronze gearbeitet. Eigene regionale Kulturen entstehen, u.a. Troja (→ S. 177) oder Alt-Smyrna (İzmir, → S. 235) an der Westküste.

2000–1200 v. Chr. Mit dem Vordringen der Hethiter über den Kaukasus wird Zentralanatolien Teil des Althethitischen Reiches, aus dem später das Großhethitische Reich hervorgeht. Hattuşa (ca. 170 km östlich von Ankara) wird das Zentrum ihres Reiches, das sich über

Kappadokien bis an die Südküste erstreckt. Die Hethiter hinterlassen u. a. Felsreliefs und viele in Stein gemeißelte Schriftzeugnisse, so z.B. im Karatepe-Nationalpark nordöstlich der Çukurova (→ S. 587).

Gleichzeitig dehnen die Mykener (frühe Griechen) ihr Herrschaftsgebiet über die Ägäis hinweg bis zum minoischen Kreta aus. Troja entwickelt sich infolgedessen zu einer mächtigen Handelsstadt.

um 1200 v. Chr. Die sog. Seevölker, über die nur wenig bekannt ist, fallen von Norden her ein, zerstören Troja und beenden die Vormachtstellung der Hethiter und Mykener.

1200–700 v. Chr. Nach dem Untergang Trojas ziehen griechische Stämme der Westküste unter Führung der Seher Mopsos, Kalchas und Amphilochos durch Kleinasien nach Pamphylien und gründen dort Städte wie z.B. Perge und Sillyon. Ein Teil dieser Völkerwanderung erreicht auch Kilikien. So überliefern es antike Quellen, die in der Wissenschaft allerdings umstritten sind. Im Gegensatz zur türkischen Westküste, wo bedeutende antike Chronisten lebten, existieren zur Südküste nur wenige historische Quellen, deren Glaubwürdigkeit angezweifelt werden muss.

Tatsache ist, dass sich ab dem 11. Jh. v. Chr. vermehrt griechische Kolonisten (Äolier, Ioner und Dorer) an den Küsten Kleinasiens) niederlassen. Sie treten in Konkurrenz zu den heimischen Stämmen der Leleger, Karer, Phryger, Lykier, Lyder u.a.

In Kilikien machen sich nun späthethitische Kleinkönigreiche breit. Eine führende Stellung in Zentral- und Westanatolien nehmen die vom Balkan zugewanderten Phryger ein.

690–550 v. Chr. Im Westen Kleinasiens gründen die Lyder ein großes Reich mit Sardes (→ S. 232) als Hauptstadt. Sie unterwerfen auch weite Teile der Südküste, nicht jedoch Kilikien, das aufgrund seiner rauen Gebirgslandschaften zu schwer zu erobern ist. In den griechischen Küstenstädten blühen Kunst, Kultur und Wissenschaft.

ab 545 v. Chr. Unter Kyros dem Großen dringen die Perser bis nach Westanatolien vor und zerstören das Lyderreich. Immer wieder kommt es zu Aufständen gegen die Perser, nicht jedoch unter den Pamphyliern, sie unterstützen die persischen Expansionsgelüste.

ab 479 v. Chr. Die Perser ziehen sich von der Ägäisküste zurück. Vorübergehend können sich Stadt- und Kleinstaaten bilden.

334/333 v. Chr. Alexander der Große erobert Kleinasien. Damit beginnt die sog. Hellenistische Zeit, die bis zur römischen Kaiserzeit andauert und gewaltige Kulturleistungen hervorbringt.

ab 323 v. Chr. Nach Alexanders Tod zerfällt das Makedonische Reich. Seine Heerführer teilen es unter sich auf. Zu den bedeutendsten dieser Diadochenreiche zählen das der Ptolemäer (in Ägypten), zu dem auch Lykien und weite Teile der Südküste gehören, ferner das der Attaliden (Pergamenisches Reich in Westanatolien) und das der Seleukiden (in Syrien). Letztere machen das heutige Antakya zu ihrer Hauptstadt. Aus dem Seleukidenreich lösen sich im 3. Jh. mehrere unabhängige Staaten, u.a. Kappadokien und östlich davon Kommagene. Zwischen dem Seleukidenreich

	und Pergamon kommt es zu kriegerischen Auseinandersetzungen um die Städte Pamphiliens.
190 v Chr.	Die Attaliden schlagen mit Unterstützung Roms und Rhodos die Seleukiden in der Schlacht von Magnesia, dem heutigen Manisa in Westanatolien. Damit geht fast das gesamte Seleukidenreich im mit Rom verbündeten Pergamenischen Reich auf. Lediglich Lykien, das noch kurz vor der Schlacht von Manisa von den Seleukiden erobert worden war, fällt für rund zwei Jahrzehnte an Rhodos.
ab 133 v. Chr.	Mit dem Tod Attalos III. fällt Pergamon testamentarisch an Rom. Das Pergamenische Reich bildet fortan die Provinz Asia. Mehrere Städte der Südküste interessieren sich für die Gesetze Roms jedoch wenig und frönen der Piraterie.
63–67 v. Chr.	Der römische Feldherr Pompeius gründet die römische Provinz Syrien, zu der später auch Kommagene gehört. 67. v. Chr. setzt er der pamphylischen Piraterie ein Ende.
42. v. Chr.	Mit der Ermordung Caesars fällt der Osten des römischen Imperiums an Mark Anton.
31. v. Chr.	Mit dem Sieg Octavians, dem späteren Kaiser Augustus, über die Flotte Mark Antons in der Schlacht von Actium beginnt eine fast 250 Jahre währende Friedensepoche im Römischen Reich. Während der *Pax Romana* durchdringt die römische Kultur alle Städte Kleinasiens. Tempel, Prachtstraßen, Theater, Aquädukte usw. zeugen noch heute von dem Glanz dieser Epoche.
38–72 n. Chr.	Der römische Kaiser Caligula setzt Antiochus VI. als König der Kommagenen ein und überträgt ihm auch die Bewachung und Verwaltung eines Abschnitts der türkischen Südküste. Nach dem kommagenischen Krieg wird Kommagene jedoch wieder Teil der römischen Provinz Syria.
45–60 n. Chr.	Missionsreisen des Apostels Paulus, der u. a. in Tarsus (→ S. 572) und in Caesarea, dem heutigen Kayseri, Station macht (→ S. 604). Die ersten Christengemeinden entstehen.
um 290	In Patara wird ein Kind geboren, das später als der Hl. Nikolaus weltberühmt wird.
330	Konstantin der Große ernennt das ehemalige Byzantion (heute İstanbul) unter dem Namen *Nea Roma* (Neues Rom) zur neuen Hauptstadt des Römischen Reiches. Schon bald nach dem Tod des Kaisers setzt sich der Name Konstantinopel durch.
380	Das Christentum wird Staatsreligion, alle heidnischen Kulte werden verboten.
395	Endgültige Teilung des Imperiums in West- und Oströmisches Reich. Letzteres, später Byzantinisches Reich genannt, wird Kerngebiet des Christentums mit römischem Recht und griechischer Sprache.
527–565	Unter Kaiser Justinian I. erreicht das Byzantinische Reich seine größte Ausdehnung und Blüte. Es erstreckt sich von Süditalien über die Balkanhalbinsel und ganz Kleinasien bis zum Rand des iranischen Hochlands. Jegliche Bautätigkeit konzentriert sich auf Konstantinopel. Die Küstenstädte spielen fortan eine untergeordnete Rolle, auch wenn viele von ihnen zu Bischofssitzen erhoben werden.

622 Mit der Hedschra, Mohammeds Flucht nach Medina, beginnt das erste Jahr islamischer Zeitrechnung.

ab 636 Der Osten des Byzantinischen Reiches wird von den Arabern erobert. Angeleitet von syrischen Seeleuten wagen sich die Wüstensöhne aufs Meer und plündern mit ihren Flotten die byzantinischen Küstenstädte. Zum Schutz werden Festungen verstärkt oder neu errichtet – nicht selten muss dafür antikes Baumaterial herhalten.

726–843 Im Zuge des so genannten Ikonoklasmus ("Bilderstreit") wird unter Leo III. (717–741) die bildliche Darstellung von Christus, den Aposteln und Heiligen als Sünde angesehen, und die Verehrung von Heiligenfiguren verboten. Alle Ikonen werden aus den Kirchen entfernt, unzählige Kunstwerke zerstört. Über 100 Jahre währt der Bilderstreit, der zu Spaltungen innerhalb der orthodoxen Kirche und zu einer Schwächung des Reiches durch innere Aufstände führt. Erst Mitte des 9. Jh. findet die kulturelle Stagnation ihr Ende, und die Kirchen werden neu ausgeschmückt.

1014 Eine der letzten großen erfolgreichen Schlachten des Byzantinischen Reiches führt Basil II. (976–1025) gegen die Bulgaren. 15.000 Bulgaren nimmt er gefangen, und fast alle lässt er blenden. Nur jeder Hundertste behält sein Augenlicht – um die geschlagene Armee zurück ins Zarenreich führen zu können. Damit ist der Gipfel der Macht des Reiches überschritten, und ein siechender Zerfall setzt ein.

Historische Landschaften und Städte

1054 Bruch zwischen der römisch-katholischen und der griechisch-orthodoxen Kirche.

ab 1071 Die Seldschuken, ein Turkmenenstamm, der von den kirgisischen Steppen nach Westen vordringt, schlagen die Truppen von Byzanz in der Schlacht von Manzikert. Sie bringen den Islam mit, breiten sich in Zentralanatolien aus, machen Konya zu ihrer Hauptstadt und halten den noch verbliebenen Rest des Byzantinischen Reiches in Angst und Schrecken. Infolgedessen flüchten viele Armenier nach Kilikien und gründen dort einen von Byzanz unabhängigen Herrschaftsbereich: Kleinarmenien (→ S. 584).

ab 1096 Hilfe für Byzanz kommt aus dem Abendland, das in der Folgezeit Kreuzzüge unternimmt, um die verlorenen heiligen Stätten von islamischer Herrschaft zu befreien. Beim dritten Kreuzzug ertrinkt der Stauferkaiser Friedrich I. Barbarossa im Göksu bei Silifke (→ S. 557).

1204–1261 Der 4. Kreuzzug richtet sich gegen Konstantinopel selbst, und zwar mit der Absicht, den römisch-katholischen Glauben wiederzubeleben. Nach der Einnahme der Stadt etablieren die Ritter dort das Lateinische (katholische) Kaiserreich. Die griechischen Byzantiner ziehen sich nach Nikaia (İznik) zurück und können erst 1261 unter Michael VIII. Paläologos die Lateiner wieder aus Konstantinopel vertreiben. Das Byzantinische Reich wird wieder hergestellt, allerdings in nun bescheidenen Ausmaßen, es umfasst nur mehr Teile Thrakiens, Makedonien und den Peloponnes.

1226 Die Seldschuken erobern weite Teile der Küstenregion. Venezianer und Genueser erhalten in der Folgezeit die Erlaubnis, Handelsniederlassungen zu errichten.

ab 1243 Das Seldschukenreich zerfällt unter dem Ansturm der Mongolen. An seine Stelle treten in Anatolien mehrere kleine Fürstentümer turkmenischer Dynastien. Gleichzeitig entwickelt sich Ägypten unter der Dynastie der Mameluken (ab 1249) zu einem der mächtigsten Staaten des vorderen Orients. Die Mameluken erobern Syrien, zerstören 1268 Antiochia, das heutige Antakya, und dringen entlang der türkischen Südküste bis an die westliche Grenze Kilikiens vor. Später verlieren die Mameluken ihr Reich an die Osmanen.

ab 1309 Der Johanniterorden begründet auf Rhodos einen Ritterstaat, und lässt in den folgenden Jahren diverse Festungen in der Ägäis errichten, u.a. auch in Bodrum.

1326 Osman (1281–1326), Heerführer und Emir eines turkmenischen Stammes, erobert die westanatolische Stadt Bursa, die daher gerne als die Wiege des Osmanischen Reiches bezeichnet wird. Da der Osten von mongolischen Reiterheeren beherrscht wird, orientieren sich Osmans Nachfolger nach Norden und Westen.

ab 1354 Die Osmanen betreten erstmals europäischen Boden. Unter Beyazıt I. (1389–1402), der die Bulgaren und die Ungarn unterwirft und ein Kreuzritterheer bis in die Steiermark verfolgt, umschließt das Osmanische Reich schon Byzanz.

1402–1406 Der Tatarenherrscher Timur Lenk (1365–1405), auch Tamerlan genannt, gibt ein kurzes und blutiges Gastspiel in Anatolien. Zurück bleiben unzählige verwüstete Städte. Dem Aufstieg des Osmanischen Reiches tut dies aber keinen Abbruch.

1453 Die Osmanen erobern Konstantinopel und löschen damit das Byzantinische Reich von der Landkarte, das an seinem Ende aus nichts mehr anderem als seiner Hauptstadt bestanden hatte. Von nun an ist *Konstantiniya* Hauptstadt des Osmanischen Reiches, dessen Machtbereich in der Folgezeit beständig wächst. Keine 20 Jahre später ist die türkische Südküste eingenommen. Man streckt die Finger aus nach Mesopotamien, Syrien und Unterägypten.

1517 Selim I. (1512–1520) erobert Syrien und Ägypten. Damit kommt das Kalifat an den Bosporus.

1520–1566 Süleyman I., genannt der Prächtige, erobert Bagdad, Belgrad, Rhodos, Ungarn, Georgien, Aserbeidschan und Gebiete Nordafrikas. 1529 wird Wien erstmals belagert. Er führt das Osmanische Reich an den Zenit seiner Macht – 75 Minuten braucht nun die Sonne, um über dem Imperium unterzugehen. Für die Entwicklung in den Küstenstädten Kleinasiens zeigt Süleyman wie seine Nachfolger wenig Interesse.

1683 Die Niederlage bei der zweiten Belagerung Wiens bedeutet jedoch das Ende der Expansion und läutet den allmählichen Niedergang des Reiches ein. Peu à peu schrumpft es in den nächsten Jahrhunderten zusammen, zudem flammen immer wieder innenpolitische Unruhen auf.

Das Sultanat der Frauen

Mit Süleyman dem Prächtigen (1520–1566) und seiner Hauptfrau Roxelane begann das sog. "Sultanat der Frauen", eine Umschreibung und Erklärung für den langsamen, über drei Jahrhunderte dauernden Niedergang des Osmanischen Reiches. Durch Intrigen und Anstiftung zum Mord brachte Roxelane ihren Sohn Selim II. (1566–1574) auf den Thron. Als "Selim der Säufer" ging er in die Geschichte ein. Noch bevor dieser beschwipst in der Badewanne ausrutschte und ertrank, verlor das Osmanische Reich seine Flotte. Fünf Söhne hatte Selim II., vier davon ließ seine Frau Nurbanu umbringen, damit ihr eigener Sprössling als Sultan Murat III. (1574–1595) den Thron besteigen konnte. Dieser zeigte sich, wie so viele Sultane, im Harem reger als in der Politik. Er brachte es auf über 100 Kinder, von denen allein seine Frau Safiye 19 ermorden ließ, damit ihr Sohn als Sultan Mehmet III. (1595–1603) den Thron ...
Die Geschichte der weiblichen Einflussnahme auf die Thronfolge könnte man ewig so weiterführen. Und die Tatsache, dass die angehenden Sultane verhätschelt und verwöhnt in der realitätsfernen Welt des Harems heranwuchsen, umschmeichelt von intriganten Höflingen, die nur ihre eigenen Interessen befriedigt sehen wollten, führte dazu, dass überwiegend unfähige Regenten nachkamen. Viele von ihnen waren nicht einmal stark genug, bis ans natürliche Ende ihres Lebens zu regieren. Schon vorher wurden sie erdrosselt, vergiftet oder wegen Geistesschwäche abgesetzt.

1703–1730 Die Regierungszeit Ahmets III. steht zugleich für den Begriff *Lale Devri*, Tulpenzeit. In der Kunst ist sie geprägt vom osmanischen Rokokostil, in der Politik von einer ersten Annäherung an Europa und im Alltag der Herrschenden von rauschenden, märchenhaften Festen und Empfängen, bei denen der Sultan Tulpen streuen lässt, während das einfache Volk hungert.

ab 1808 Unter Mahmut II. (1808–1839) erfolgen die ersten Versuche, das Reich schrittweise zu reformieren. Mit einem Massaker löst er die Janitscharen auf, die gegen alle fortschrittlichen Strömungen erbittert kämpfen. Er verbietet den Turban und führt dafür den Fez ein. Er versucht, alte Traditionen zu brechen und das Land an Europa anzunähern.

ab 1839 Unter Abdül Mecit (1839–1861) und Abdül Aziz (1861–76) folgen weitere Reformen. Beide setzen ihre Hoffnungen auf die Wirtschaftskraft der nichtmuslimischen Minderheiten im Land, die sie fortan – zumindest auf dem Papier – gleichwertig an der osmanischen Gesellschaft partizipieren lassen. Die Reformperiode unter diesen Sultanen nennt man *Tanzimat*, Neuordnung. Trotzdem geht es mit dem einst so prächtigen Osmanischen Reich wirtschaftlich weiter bergab – man spricht schon bald vom "Kranken Mann am Bosporus." Einer der Gründe dafür ist der verpasste Anschluss an die industrielle Revolution. Man wird abhängig von Importen und Waren, die man zuvor lange Zeit selbst gewinnträchtig exportiert hatte.

1853–1856 Krimkrieg (erster Stellungskrieg der Militärgeschichte). Das Osmanische Reich gewinnt mit Unterstützung der Westmächte (Großbritannien, Frankreich und Sardinien) die von russischen Truppen besetzten Donaufürstentümer zurück.

1875 Frankreich und England streichen die nach vielen kostspieligen Kriegen so notwendigen Kredite. Die Folge ist der Staatsbankrott.

ab 1877 Das Tanzimat endet mit einer neuen osmanische Verfassung und der Schaffung eines Parlaments. Nur ein paar Monate tagt es, dann wird es von Abdül Hamit II. (1876–1909), einem Despoten, wieder aufgelöst. Sympathien genoss er beim deutschen Kaiser Wilhelm II., nicht aber beim Volk, das zahlreichen Repressalien ausgesetzt war. Unter Abdül Hamit II. erfolgen der Anschluss İstanbuls an das Eisenbahnnetz Europas und der Bau der Bagdad-Bahn.

1908 Mit der Jungtürkischen Revolution erzwingen Offiziere die Abdankung von Sultan Abdül Hamit II. zugunsten seines Bruders. Die tatsächliche Macht liegt nun in den Händen des Militärs.

1912/13 In den Balkankriegen verliert das Osmanische Reich den größten Teil der ihm noch verbliebenen europäischen Gebiete.

1914–1918 Im Ersten Weltkrieg schlagen sich die Türken auf die Seite der Deutschen und verlieren. Die Siegermächte verteilen die Beute: Griechische Truppen marschieren auf Ankara zu, Italien besetzt den Küstenstreifen um Antalya, Frankreich Kilikien, englische Truppen kontrollieren den Bosporus. Das Osmanische Reich besteht nur noch aus Inneranatolien.

1919/20 Der für das Osmanische Reich schikanöse Friedensvertrag von Sèvres wird zwar von İstanbul notgedrungen akzeptiert, nicht jedoch von den Nationalisten. In Ankara konstituiert sich die

	Große Nationalversammlung und setzt eine neue Regierung unter Mustafa Kemal ein. Dieser organisiert den militärischen Widerstand.
1921/22	Kemals Truppen schlagen die griechische Armee am Sakarya-Fluss. Die Italiener und Franzosen bekommen es mit der Angst zu tun und ziehen freiwillig ab.
1923	Mit dem Vertrag von Lausanne erkennen die Alliierten die Unabhängigkeit und Souveränität der neuen Türkei an. In Ankara als neuer Hauptstadt proklamiert die Nationalversammlung die Republik und wählt Mustafa Kemal Atatürk ("Vater der Türken") zum Staatspräsidenten. Noch im gleichen Jahr schlägt Völkerbundskommissar Fritjof Nansen einen Bevölkerungsaustausch zwischen Griechen und Türken vor. Ankara stimmt sofort zu. Damit endet die dreitausendjährige Geschichte des kleinasiatischen Griechentums (→ Kasten "Griechen und Türken ...", S. 55).
1924	Eine neue Verfassung tritt in Kraft, die u. a. die Trennung von Staat und Religion vorsieht. Das islamische Recht, basierend auf dem Islam, wird vom Schweizer Zivilrecht, italienischen Strafrecht und deutschen Handelsrecht abgelöst.
1925–1938	Bis zu Atatürks Tod werden zahlreiche Reformen durchgeführt, um die Türkei zu europäisieren: Bildungs- und Schriftreform (Übergang zum lateinischen Alphabet), Einführung von Familiennamen, Umstellung des Ruhetags von Freitag auf Sonntag usw.
1945	Die Türkei erklärt Deutschland den Krieg. Im selben Jahr wird sie Gründungsmitglied der UNO.
1950	Die einstige Staatspartei Atatürks verliert die ersten freien Wahlen.
1952	Die Türkei tritt der NATO bei.

1960 Kemalistische Offiziere putschen und lassen den Ministerpräsidenten Adnan Menderes hinrichten. Bis heute sieht sich das Militär als Hüter des Laizismus (Trennung von Religion und Staat) und als Verwalter von Atatürks geistigem Erbe. Es steht in klarer Gegnerschaft zu islamischen Fundamentalisten und linksradikalen Gruppierungen.

1971 Unruhen und Streiks lassen das Militär abermals in die Politik eingreifen, das Kabinett wird zum Rücktritt gezwungen. Aber auch die folgenden Regierungen bekommen Arbeitslosigkeit, Inflation, Auslandsschulden und die zunehmend militanten Auseinandersetzungen zwischen Rechten und Linken, Kurden und Türken, Aleviten und Sunniten nicht in den Griff. Längere Phasen politischer und wirtschaftlicher Kontinuität bleiben aus.

1974 Türkische Truppen besetzen den Norden Zyperns.

1980 Erneut übernimmt das Militär die Macht und löst das Parlament auf.

1984–1999 Der gewaltsame Kampf der türkischen Kurden für einen eigenen Staat fordert im Osten und Südosten des Landes schätzungsweise 25.000 Todesopfer. Mit der Verhaftung des PKK-Chefs Abdullah Öcalan im Februar 1999 entspannt sich die Lage erstmals.

1995–1998 Die Wohlfahrtspartei Refah Partisi (RP) gewinnt die vorgezogenen Neuwahlen, ihr Führer Necmettin Erbakan wird Ministerpräsident. Die Partei wird 1998 als verfassungsfeindlich verboten, Erbakan selbst aus der politischen Arena verbannt. Viele Mandatsträger wechseln in die neu gegründete Tugendpartei Fazilet Partisi (FP), die ihrerseits 2001 verboten wird. Als Auffangbecken dienen diesmal die Glückspartei Saadet Partisi (SP) und die heute regierende "Partei für Gerechtigkeit und Entwicklung" AKP.

1999 Am 17. August trifft ein schweres Erdbeben den Nordwesten der Türkei, rund 18.000 Menschen sterben.

2000–2002 Auch die makroökonomische Stabilität des Landes ist erschüttert, die Türkei steckt in einer ihrer schwersten Finanzkrisen. Ohne Milliardenkredite des Internationale Währungsfonds stünde sie vor dem Bankrott. Allein im Februar 2001 verliert die Türkische Lira 40 % an Wert. Gründe für die wirtschaftliche Misere sind u.a. Korruption und Vetternwirtschaft.

Aus den vorgezogenen Wahlen im November 2002 geht die AKP als klarer Sieger hervor. Parteiführer Recep Tayyip Erdoğan, der die "Minarette als seine Bajonette" betrachtet, darf aufgrund einer Vorstrafe wegen Volksverhetzung zunächst nicht selbst Regierungschef werden.

Ausblick Die Türkei steht in Bezug auf das Verhältnis von Religion und Staat vor einer harte Zerreißprobe. Das laizistisch orientierte Militär findet Unterstützung bei den vom Tourismus profitierenden Bewohnern der Mittelmeerküste und bei der westlich orientierten Ober- und Mittelschicht. Auf der anderen Seite stehen die konservative Landbevölkerung und Modernisierungsverlierer in den Städten.

Orient oder Okzident, Westen oder islamische Welt? EU-Beitrittsverhandlungen sind, sofern die Türkei alle Voraussetzungen erfüllt, für 2005 versprochen. Der Weg bis zur Mitgliedschaft ist jedoch noch weit, der Beitritt selbst wird – wenn überhaupt – nicht vor 2015 erwartet.

Abendstimmung am Bosporus

İstanbul

İstanbul liebt man oder İstanbul hasst man, dazwischen gibt es wenig. Ein unvergessliches Erlebnis ist die Metropole am Bosporus jedoch immer.

İstanbul ist für viele nicht nur eine der prächtigsten Städte Europas und eine der reizvollsten Asiens, sondern eine der faszinierendsten der Welt. Und teilt man die Meinung Alexander von Humboldts, dann ist İstanbul sogar die schönste Metropole überhaupt.

Als einzige Stadt auf unserem Globus erstreckt sie sich über zwei Kontinente. Ihre 10 bis 15 Millionen Einwohner – keiner weiß das so genau – machen sie zu einem brodelnden Irrwitz zwischen Orient und Okzident, zwischen Kommerz und Koran.

İstanbul ist der türkische Schmelztiegel an Innovation, moderner Lebensfreude und jugendlicher Aufmüpfigkeit. Am Bosporus boomt die Wirtschaft, herrscht reger Handel und Wandel und werden die neuesten Trends des Landes vorgegeben. Gleichzeitig pflegt man liebevoll sämtliche Klischees aus 1001 Nacht: mit illuminierten Kuppeln und Minaretten, orientalischen Basaren und glitzernd-rasselnden Bauchtänzerinnen.

İstanbul weckt nicht nur Träume bei ausländischen Reisenden, sondern auch bei den Türken selbst: Die sehnsüchtig nach Europa blickende, gebildete Jugend sieht in der Anonymität der Großstadt meist die einzige Möglichkeit, der starr-konservativen Provinz zu entkommen. Für viele verarmte und streng religiöse Dörfler aus Ostanatolien hingegen stellt das prosperierende İstanbul die oft letzte Chance auf Arbeit dar. Das offensichtliche Nebeneinander von

Liberalismus und Traditionalismus, von Arm und Reich bringt Widersprüche mit sich, die die Stadt abstoßend und anziehend zugleich machen: Während die schön-schicke Highsociety in eleganten Gourmettempeln den Monatslohn des davor postierten Schuhputzers in wenigen Minuten verfuttert, bunthaarige Technofreaks in vernebelten Clubs bis zum Morgen feiern und junge Avantgardekünstler in Literaturcafés über die nächste Vernissage plaudern, stehen anderswo von Kopf bis Fuß in Schwarz gehüllte Frauen im Brotladen an. Ihre bärtigen Männer mit bunten Wollmützen und grauen Jacketts spielen Tavla im Kaffeehaus und warten auf Arbeit und den nächsten Ruf des Muezzins. İstanbul hat viele Gesichter.

İstanbul – die Highlights

Gleich vorweg: Wer zum ersten Mal İstanbul besucht, sollte mindestens drei Tage einplanen. Bis man sich in der Millionenmetropole zurecht gefunden hat, ist oft schon der erste Tag vorbei.

Topkapı-Palast: 1001 Nacht auf 70 Hektar. Von allen Sultanspalästen İstanbuls ist der Topkapı Sarayı der mit Abstand beeindruckendste. Mindestens einen halben Tag sollte man für die Besichtigung einplanen.

Hagia Sophia und Blaue Moschee: Sie zählen zu den imposantesten und berühmtesten Sakralbauten der Welt und liegen eng beieinander.

Yerebatan-Zisterne: Der "Versunkene Palast", ein geheimnisvoller byzantinischer Wasserspeicher, zählt zu den beeindruckendsten Sehenswürdigkeiten Alt-İstanbuls – ein atmosphärischer Ausflug in die Unterwelt.

Großer Basar: Gesellen Sie sich zu den rund eine Million Kauflustigen, die hier alltäglich durch die überdachten Passagen wuseln. Ein farbenprächtiges Stück Orient mit über 4.000 Geschäften.

Chora-Kirche: Die byzantinische Kirche liegt alles anderes als zentral, ist aber die Anfahrt wert. Die vielfarbig glänzenden Mosaiken und Fresken darin gehören zu den weltweit bedeutendsten Zyklen sakraler Kunst.

Taksim und Beyoğlu: Den Ausflug ins schrille Vergnügungsviertel İstanbuls sollten Sie am besten gegen Abend unternehmen. Erleben Sie, wie Berlin oder Frankfurt in ihrer Erinnerung zu langweiligen Kuhdörfern verblassen.

Bosporusfahrt: Eine Fahrt mit dem Dampfer über die Meerenge gehört zum Pflichtprogramm für alle, die länger als drei Tage in der Stadt verweilen. Ohne Stress und Hektik lernen Sie die Perle am Bosporus von ihrer schönsten Seite kennen.

Prinzeninseln: Ein Ausflug auf die im Marmarameer gelegenen, autofreien Inseln ist ein Trip in die Beschaulichkeit.

Geschichte

Byzantion, Konstantinopel, İstanbul – eine Stadt, 2.500 Jahre Geschichte. Sie wurde gegründet, als die Welt noch keine Kontinente kannte. Heute ist sie der bedeutendste Brückenkopf zwischen Asien und Europa. An ihre große Vergangenheit erinnern Kirchen und Paläste, Moscheen und Museen.

Funde aus dem Neolithikum nahe dem heutigen Kadıköy und aus der Bronzezeit im Stadtteil Sultanahmet geben Aufschluss darüber, dass die Ufer des Bosporus schon sehr früh besiedelt waren. Der obligatorischen Stadtlegende nach war es der sagenhafte Byzas aus dem griechischen Megara, der auf der heutigen Serailspitze (Sarayburnu) 667 v. Chr. eine Kolonie gründete, die nach ihm

Byzantion (Byzanz) genannt wurde. Ausschlaggebend für die Ansiedlung war dabei nichts Geringeres als ein Spruch des Orakels von Delphi, der die Anweisung enthielt, gegenüber dem Gebiet der Blinden zu siedeln. Und für blind hielt Byzas die Siedler von Chalkedon (dem heutigen Kadıköy), die sich wenige Jahre zuvor auf der asiatischen Seite niedergelassen hatten, ohne die Vorteile einer Stadtgründung auf der Serailspitze zu nutzen. Von einer Girlande von Wasser umgeben, reichte hier eine verhältnismäßig kurze Stadtmauer aus, um sich vor Angreifern zu schützen. Außerdem konnte man spielend die Meerenge kontrollieren, und selbst die Händler auf dem Landweg kamen mehr oder weniger zwangsläufig hier vorbei.

Aller Anfang ist griechisch

Aufgrund der günstigen Lage am Bosporus entwickelte sich Byzantion schnell zu einem bedeutenden, reichen Handelszentrum und stieg zu einer der vierzig wichtigsten Stadtstaaten der Antike auf. Das aber machte Byzantion auch begehrenswert. Im Wechsel folgten Belagerungen und Eroberungen. Der persische Feldherr Darius ließ 512 v. Chr. gar eine riesige hölzerne Pontonbrücke über den Bosporus schlagen, um mit seinem Heer die Stadt einzunehmen. 340 v. Chr. erschien Phillip II. von Makedonien vor den Toren der Stadt, um sie ausdauernd aber vergeblich zu belagern. Angeblich soll kurz vor Phillips Angriff der Mond aus dem wolkenverhangenen Himmel hervorgetreten sein und die Byzantiner gewarnt haben.

Wohin dem Vater der Einlass verwehrt blieb, durfte der Sohn ohne Widerstand schreiten. Dem ruhmvollen Heer Alexanders des Großen, Sohn Phillips II., öffneten die Byzantiner bereitwillig die Tore. Mit dem Tod Alexanders, dem Zerfall seines Weltreichs und dem Erstarken der neuen Supermacht Rom geriet auch Byzantion in den Strudel kriegerischer Auseinandersetzungen. Erst ab der Mitte des 2. Jh. v. Chr. – Rom hatte sich endgültig durchgesetzt – wurde es wieder vergleichsweise ruhig am Bosporus. Byzanz wurde zur *civitas foederata,* zum Verbündeten Roms, und schließlich Teil der römischen Provinz Bithynien und konnte sich so fast drei Jahrhunderte lang erfolgreich der Mehrung seines Reichtums widmen.

Das neue Rom

196 n. Chr. fand das süße Leben zunächst ein jähes Ende. Byzanz hatte sich bei den Kämpfen um die römische Kaisermacht auf die falsche, die Verliererseite gestellt. Der Sieger Septimius Severus belagerte die Stadt, ließ ihre Befestigungen schleifen und massakrierte die Soldaten und Beamten. Kurz darauf aber erinnerte sich derselbe Septimus Severus an die einzigartige taktische Bedeutung der Stadt und ließ sie samt neuen Mauern wesentlich größer wieder aufbauen.

Im Römischen Reich hingegen bröckelte es unaufhaltsam weiter. Das einst so glorreiche Imperium Romanum war im 4. Jh. wirtschaftlich, politisch und gesellschaftlich am Ende. Einer der Kandidaten um die Vorherrschaft im Reich war Konstantin, der 306 vom Militär im Westen zum *Augustus* ausgerufen worden war. In der entscheidenden Schlacht bei Chrysopolis (dem heutigen Stadtteil Üsküdar auf der asiatischen Seite) ging er 324 gegen Licinus, den Kaiser des Ostens, als Sieger und Alleinherrscher hervor. Einen Tag später, am 18. September 324, zog Konstantin I. alias Konstantin der Große in Byzanz ein, dessen Pracht und Schönheit der einstigen Weltstadt Rom schon lange den Rang abgelaufen hatten.

Konstantin I. sollte in den folgenden Jahren aus außenpolitischen und strategischen Gründen, sicher aber auch aus persönlichen Imagegründen eine weitreichende Entscheidung treffen: 330 wurde das ehemalige Byzantion nunmehr unter dem Namen *Nea Roma* (Neues Rom) als neue Hauptstadt des Römischen Reiches eingeweiht. Der Kaiser hatte durch seine ambitionierten Bauvorhaben seiner Kapitale den Stempel aufgedrückt und allein das Stadtgebiet um das Fünffache vergrößert. Kein Wunder also, dass sich schon bald *Constantinopolis* (also Konstantinopel) als neuer Name durchsetzte. Um die kaiserlichen Anlagen auf dem Paladin in Rom zu übertrumpfen, wurde der sog. "Große Palast" gebaut, der sich von der heutigen Blauen Moschee bis zum Marmarameer erstreckte. Für Jahrhunderte sollte er der Sitz der Kaiser werden. Heute liegen seine Reste größtenteils Meter unter der Stadtbebauung der osmanischen Epoche.

Die schönste Stadt der Welt

Mit dem neuen geographischen Schwerpunkt veränderte sich auch das religiöse und damit gesellschaftliche Gesicht des Römischen Reiches. Schon Konstantin hatte das Christentum toleriert und sich selbst, wenn auch erst am Totenbett, taufen lassen. Unter Theodosius I. wurde das Christentum 381 zur Staatsreligion. Mit seinem Tod und der Aufteilung des Römischen Reichs unter seinen Söhnen kam es 395 endgültig zur Spaltung in eine westliche, lateinische und eine östliche, griechischsprachige Hälfte. Letztere sollte als Byzantinisches oder Oströmisches Reich in die Geschichte eingehen.

Während Westrom von Germanen und Hunnen überrannt wurde und der letzte weströmische Kaiser schließlich 476 abgesetzt wurde, boomte Konstantinopel. In der ersten Hälfte des 5. Jh. wurde es unter Theodosius II. notwendig, abermals eine neue Stadtmauer weiter westlich zu errichten; sie ist noch heute erhalten. Wie Rom erstreckte sich nun auch Konstantinopel über sieben Hügel.

Kaiser Justinian I. (527–565) führte Byzanz in ein goldenes Zeitalter. Siegreich zog er in den Kampf gegen Bulgaren, Perser und Goten. Unter ihm erreichte das Byzantinische Reich seine größte Ausdehnung, eine straffe zentrale Verwaltung sorgte zudem für inneren Frieden. Und so waren die Voraussetzungen gegeben, dass sich Konstantinopel zur prächtigsten Metropole der damals bekannten Welt entwickeln konnte. Man schätzt, dass am Ende der Regierungszeit Kaiser Justinians zwischen 600.000 und einer Million Menschen in Konstantinopel lebten. Die Stadt, durch Justinian mit der gewaltigen *Hagia Sophia* in ihrer Mitte gekrönt, war mittlerweile von einer Seemauer umgeben.

Die folgenden Kaiser taten sich schwer, das Erbe Justinians zu bewahren, zumal Reich und Stadt von außen immer wieder bedroht wurden. So lag der Schwerpunkt jeglicher Bautätigkeit in Konstantinopel in der Verstärkung der Verteidigungsanlagen. Um auch die Einfahrt feindlicher Schiffe ins Goldene Horn zu verhindern, ließ man eine schwere Kette schmieden, die im Notfall über den Meeresarm gespannt werden konnte.

Mosaik in der Chora-Kirche

Istanbul
Karte S. 90/91

Von der Königin zur Bettlerin

Immer wieder standen in den folgenden Jahrhunderten vor allem Bulgaren und Araber vor den Toren der Stadt. Doch all den Angriffen geboten die sog. Theodosianischen Landmauern Halt. 716 tauchten die Araber gar mit 800 Schiffen auf. Nur ganze fünf kehrten zurück, der Rest verschwand auf dem Grund des Bosporus. Aber nicht nur Kriege hielten die Stadt in Atem, auch Erdbeben, Brände und Epidemien. Dem Ruhm Konstantinopels taten all die Schicksalsschläge aber keinen Abbruch.

Im 11. Jh. begann das Byzantinische Reich schließlich sprichwörtlich an Boden zu verlieren, auch wenn es für ein Jahrhundert fast so aussah, als könnten die Kaiser der sog. Komnenen-Dynastie (1081–1204) das Ruder noch einmal herumreißen. Unter den Komnenen wurde Konstantinopel gar zur reichsten Stadt der Welt, denn die Herrscher liebten den Luxus, ließen Paläste und Klöster bauen und förderten eine liberale Wirtschaftspolitik. Zu den Handelspartnern zählte die Creme der damaligen Seerepubliken – Venedig, Amalfi, Pisa, Genua – sowie Russland. Nördlich des Goldenen Horns bildeten die Händler eigene kleine Kolonien.

Intrigen lösten gegen Ende des 12. Jh. eine Thronfolgekrise aus. 1195 entmachtete Alexios III. seinen Bruder Isaak II. und ließ ihn inhaftieren. Isaaks Sohn heuerte daraufhin das 4. Kreuzfahrerheer an, versprach diesem im Falle der Einnahme Konstantinopels und der Rethronisierung seines Vaters die Rückkehr zur Katholischen Kirche und was noch wichtiger war: viel, viel Geld. Die Kreuzfahrer gingen auf das Geschäft ein, doch Alexius floh mit den Reichsjuwelen und die Rechnung konnte nicht beglichen werden. Die Folge waren mehrtägige Plünderungen. Was nicht niet- und nagelfest war, wurde mitgenommen, darunter Kunstschätze von unermesslichem Wert. Danach lag die Stadt in Trümmern. Das Gros der Einwohner flüchtete.

Die Ritter etablierten das sog. Lateinische Kaiserreich (1204–1261). Patriarchen aus Venedig bezogen die Residenzen ihrer griechischen Vorgänger. Sie bluteten die Stadt förmlich aus. Alles, was aus Edelmetall bestand, wurde eingeschmolzen. Konstantinopel verkam zu einer Ansammlung verstreuter Siedlungen mit ca. 50.000 Einwohnern. Die geflohenen byzantinischen Familien sammelten Geld und gewannen schließlich Genua – die größte Rivalin Venedigs im Mittelmeerhandel – und ein bunt gemischtes Söldnerheer zur Rückeroberung Konstantinopels. 1261 konnte dieser Plan verwirklicht werden. Doch das einst so große Reich war nur noch ein Schatten seiner selbst.

Die osmanische Herrschaft

Anfang des 15. Jh. bestand das Byzantinische Reich schließlich aus nicht viel mehr als seiner Hauptstadt selbst. Es war von den Osmanen umgeben, die am Bosporus Festungen errichteten, um Konstantinopel vom Schwarzen Meer und damit von möglichen Hilfstruppen abzuschneiden. Im April 1453 begann unter Mehmet II. eine mehrwöchige Belagerung Konstantinopels. Die Stärke seiner Truppen wird auf 80.000–250.000 Mann geschätzt – die Zahlen in der Literatur schwanken erheblich. Um die Stadt von allen Seiten in die Zange zu nehmen, ließ Mehmet 70 Kriegsschiffe auf eingeseiften Brettern vom Bosporus über Land an Galata vorbei zum Goldenen Horn schleppen. So umging er die Sperrkette im Meeresarm. Gerade 5.000–9.000 wehrhafte Männer hatte Konstantinopel zur Verteidigung. Am 29. Mai 1453 (heute ein Feiertag) gab Mehmet II. den Befehl zur Erstürmung der Stadt. Der letzte byzantinische Herrscher Konstantin XI. starb heroisch im Kampf. Blut soll die Straßen hinabgelaufen sein wie Fluten nach einem Sturmregen. Die Zahl der Toten wird mit rund 50.000 angegeben.

Die überlebenden Einwohner wurden mit Ausnahme der Juden und Genuesen deportiert. Konstantinopel hieß von nun an *Kostantiniya,* und Mehmet II. schmückte sich mit dem Beinamen *Fatih,* der Eroberer. Ein neues Kapitel in der Geschichte der Stadt brach an, eines im Zeichen des Islam. Unzählige Kirchen, wie die Hagia Sophia, wurden zu Moscheen umfunktioniert. Aber auch neue islamische Gebetsstätten entstanden, und Minarette begannen die Silhouette der Stadt zu prägen. Mehmet selbst verewigte sich mit der *Fatih Camii,* der Eroberermoschee, gab aber auch den Bau des Topkapı Sarayıs in Auftrag. Schon bald durften die vertriebenen Griechen und Armenier zurückkehren. Mehmets Nachfolger, Beyazıt II. (1481–1512), nahm zudem vor der Inquisition geflüchtete spanische Juden auf. Mit den nichtmuslimischen Minderheiten begann der Handel der wieder aufstrebenden Metropole zu blühen.

Mit der Eroberung Ägyptens 1517 unter Selim I. (1512–1520) kam das Kalifat an den Bosporus. Kostantiniya entwickelte sich dadurch zum Zentrum zweier Religionen, da auch weiterhin das Orthodoxe Patriarchat hier seinen Sitz hatte. Eroberungszüge brachten neben Land auch viel Geld. Mit der Kriegsbeute ließ sich die Stadt weiter ausbauen und ausschmücken.

Kalif, Kadi und Khedive – Titel, Gruppen und Institutionen des Osmanischen Reichs

Sultan: Politisches Oberhaupt des Reiches, ab 1517 (s. u.) auch religiöses. Der Titel wurde vererbt, nicht jedoch automatisch an den ältesten Sohn.

Diwan: Bezeichnung des osmanischen Reichsrats, benannt nach dem Ort seines Zusammentretens im Topkapı-Palast. Er war das höchste gesetzgebende Staatsorgan, ihm oblag zudem die Exekutive.

Wesir: Bezeichnung eines Ministers. Die vier ältesten Wesire nahmen an den Kabinettssitzungen im Diwan teil. Ab dem 16. Jh. leitete ein Großwesir die Unterredungen.

Emir: Fürstentitel ab dem 10. Jh.

Bey: Gouverneur einer Provinz.

Subaşı: Stadtvogt, eine Art Bürgermeister.

Pascha: Ein auf Lebenszeit verliehener Titel für hochverdiente Militärs oder langgediente Beamte.

Gazi: Titel für verdiente islamische Glaubenskämpfer.

Khedive: Titel der Vizekönige von Ägypten, welche die Vormachtstellung des Osmanischen Reiches anerkannten.

Janitscharen: Anfangs die Leibgarde des Sultans, ab dem 14. Jh. die Kern- und Elitetruppe des Osmanischen Reiches und verantwortlich für dessen militärische Erfolge. Rekrutiert durch die berüchtigte "Knabenlese" *(devşirme)*, bei welcher alle paar Jahre die erstgeborenen Söhnen der christlichen Bevölkerung ausgehoben wurde. Die Knaben wurden am Hofe des Sultans, abgeschieden von ihren Eltern, zum Islam erzogen und später als Soldaten zum lebenslangen Dienst verpflichtet. Die Sultane verfügten damit über die ersten "Berufssoldaten" der Welt, anderswo in Europa rekrutierte man zu jener Zeit Bauern für militärische Aktionen. Nachdem die Janitscharen immer mächtiger geworden waren und sich zudem Reformen in den Weg gestellt hatten, wurden sie 1826 liquidiert.

Kalif: Bezeichnete das Oberhaupt der islamischen Welt. Nach der Eroberung Ägyptens 1517 und dem Tod des letzten abassidischen Kalifen Mütevekkil nahm der Sultan das Amt des Kalifen wahr. Zur Entlastung seiner Person schuf er jedoch das Amt des Şeyhülislam.

Şeyhülislam: Auch Großmufti genannt, Leiter der *Ulema*, einer religiösen Institution von Gelehrten, welche für die Auslegung und Einhaltung des islamischen Gesetzes (Scharia) verantwortlich zeichnete.

Kadi: Richter, der mit der Auslegung und Anwendung des islamischen Rechts betraut war.

Unter Süleyman dem Prächtigen (1520–1566) wurde Kostantiniya wieder das, was es schon einmal war, nämlich Hauptstadt eines riesigen Reiches. Er führte das Osmanische Reich an den Zenit seiner Macht, 1529 standen seine Truppen gar vor Wien. Unter Süleyman, der wegen seiner Toleranz, Humanität,

Intelligenz und Gerechtigkeit auch im Abendland überaus geschätzt war, entstanden unzählige Paläste und Moscheen, viele davon durch Sinan, den größten Baumeister seiner Zeit (→ S. 112).

Südlich des Goldenen Horns entwickelte sich İstanbul zu einer orientalischen Stadt mit engen, verschlungenen Gassen zwischen imposanten Moscheen, nördlich davon begann sich Pera, der heutige Stadtteil Beyoğlu, zu formen. Vorwiegend ausländische Gesandte, Diplomaten und Kaufleute ließen sich dort nieder.

Zwar ging es im Laufe der Zeit infolge des "Sultanats der Frauen" (→ Geschichte, S. 75) mit dem Osmanischem Reich peu à peu bergab, doch im Serail störten die Probleme im eigenen Land nicht allzu sehr. Hier schwelgte man im Luxus, und ein Bedürfnis nach Veränderung war nicht vorhanden. In der Bevölkerung jedoch kam zu Beginn des 18. Jh. sozialer und politischer Unfrieden auf.

Ahmet III. (1703–1730) war der erste Sultan, dessen Herrschaft aufgrund einer Revolte beendet wurde. Für seine Regierungszeit – die Staatsgeschäfte hatte er seinem Großwesir übergeben – steht der Begriff *Lale Devri*, Tulpenzeit. In der Kunst war sie geprägt vom osmanischen Rokokostil, in der Politik von einer ersten Annäherung an Europa und im Alltag der Herrschenden von rauschenden, märchenhaften Festen und Empfängen, bei denen der Sultan Tulpen streuen ließ, während das einfache Volk hungerte. Zu jener Zeit begann sich auch der Name "İstanbul" (bzw. verwandte Formen) für die Hauptstadt des Osmanischen Reiches durchzusetzen. Woher er stammt, weiß niemand so genau. Manche Theorien sehen die Herkunft im osmanischen Wort *İslâmbol* ("von Islam erfüllt"), andere in der Verstümmelung des griechischen *istin polin* ("in der Stadt").

Erste Versuche, das Reich schrittweise zu reformieren, unternahm Mahmut II. (1808–1839). Mit einem Massaker schaffte er die Janitscharen ab, die gegen alle fortschrittlichen Strömungen erbittert gekämpft hatten (→ Kasten, S. 115). Weiter reichende Reformen folgten unter Abdül Mecit (1839–1861) und Abdül Aziz (1861–76). Sie brachten İstanbul westlich angehauchte Paläste wie den Dolmabahçe Sarayı, die ersten fahrplanmäßig verkehrenden Bosporusdampfer (1850), eine Telegrafenleitung nach Europa (1855), die erste pferdegezogene Straßenbahn (1872) usw. Sie brachten am Ende aber auch den Staatsbankrott (1875).

Unter Abdül Hamit II. (1876–1909), einem Despoten, der keine Sympathien beim Volk, dafür jedoch beim deutschen Kaiser Wilhelm II. genoss, erfolgte der Anschluss İstanbuls an das Eisenbahnnetz Europas und der Bau der Bagdad-Bahn.

Die heimliche Hauptstadt

Die über 16 Jahrhunderte lange politische Vormachtstellung İstanbuls endete 1923 mit der Ausrufung der Türkischen Republik und der Ernennung Ankaras zur neuen Hauptstadt. Wirtschaftlich und kulturell aber sollte die Stadt am Bosporus weiterhin das Zentrum der neuen Republik bleiben.

Während des Zweiten Weltkriegs entwickelte sich İstanbul zu einem Anlaufpunkt für Flüchtlinge. Ohne Wenn und Aber nahm die Türkei politisch und religiös Verfolgte auf, darunter viele Juden aus Deutschland. Obwohl das Gros der Ausländer und Nichtmuslime die Stadt nach dem Zweiten Weltkrieg ver-

Restauration in der Hagia Sophia, für über 1.000 Jahre die bedeutendste Kirche der Welt

ließ, stieg deren Einwohnerzahl rapide an und verfünffachte sich in rund 40 Jahren auf weit über 7 Millionen. Täglich erreichten Busse voll mit verarmten Bauern aus Ostanatolien, Kurden aus den Krisengebieten (insbesondere ab 1984) oder Glücksrittern aus der Provinz die Metropole. In sog. *Gecekondus* (über Nacht errichteten Hütten, die von der Obrigkeit nicht mehr so ohne weiteres abgerissen werden dürfen) ließen sie sich an den Stadträndern İstanbuls nieder. Wer ein wenig Gespartes besaß, leistete sich dort ein Apartment in einem Wohnblock, den nicht selten eine Baumafia illegal und billigst auf Staatsland errichtet hatte. Bei Erdbeben sind sie die Wackelkandidaten Nummer eins. Das Buhlen um Wählerstimmen in den jeweiligen Stadtteilen ließ – und lässt noch heute – die Kommunalpolitiker alle Augen zudrücken.

Mit der extremen Zunahme der Bevölkerung standen die Stadtväter vor immer neuen Herausforderungen: Gigantische Bauprojekte über und unter der Erde waren und sind die Folge, die jedoch mit dem rapiden Bevölkerungszuwachs der Stadt bis heute nicht Schritt halten können.

İstanbul, mittlerweile auf eine Ost-West-Ausdehnung von über 70 km angewachsen, lockt nicht nur die Armen, sondern auch die Reichen an: Wer viel Geld hat und es stilgerecht ausgeben will, zieht ebenfalls in die Metropole am Bosporus. In keiner Stadt der Türkei ist die Kluft zwischen Reich und Arm, zwischen Weltoffenheit und religiöser Verschlossenheit so groß. Für viele alteingesessene İstanbulis bezeichnet der Westen nicht nur eine Himmelsrichtung, sondern auch eine politische und kulturelle Orientierung. Anders jedoch die Sichtweise vieler ostanatolischer Zuwanderer. Und ihr Zuzug hält weiter an, obgleich Rückwanderern staatliche Prämien winken.

İstanbul – eine Geschichte voller Erdbeben

Ein katastrophales Beben mit einer Stärke von mindestens 7.0 auf der Richter-Skala sagen Experten für İstanbul innerhalb der nächsten 10 bis 20 Jahre voraus. Die letzten schweren Erdbeben, wie das im Frühjahr 2003 in der südanatolischen Stadt Bingöl, oder das im August 1999 bei İzmit mit 18.000 Toten, waren, so befürchtet man, lediglich Vorboten. Mit dem Aufstellen von Notfallcontainern, in denen sich Schaufeln, Decken, hydraulische Geräte und dergleichen befinden, will sich die Stadt auf den Ernstfall vorbereiten. Grund für die extreme Erdbebengefahr im Raum İstanbul ist die prekäre Lage der Bosporusmetropole nahe einem Riss in der Erdkruste, der sich von Nordanatolien bis zum Marmarameer zieht. Zwei Erdplatten, die afrikanische und die asiatische, stoßen hier aufeinander.

Und so zittert İstanbul seit eh und je – mal mehr, mal weniger, mal alle drei Jahre, aber auch mal ein ganzes Jahrhundert nicht. Eines der katastrophalsten Beben, verbunden mit einer gigantischen Flutwelle, die über die einstigen Seemauern der Stadt einstürmte, ereignete sich 1509. Über 100 Moscheen wurden zerstört, und über 10.000 Menschen starben. 1766 wurde die Eyüp-Sultan-Moschee vollständig zerstört, 1894 stürzten bei einem Beben weite Teile des Großen Basars ein.

Information/Verbindungen (überregional)

• *Telefonvorwahl* 0212 für die europäische Seite, 0216 für die asiatische. Wer von der europäischen Seite auf die asiatische telefoniert, muss die Vorwahl folglich mitwählen.

• *Information* In İstanbul gibt es etliche Informationsstellen, die offiziellen im Stadtzentrum im Überblick: **Sultanahmet,** am Sultanahmet Meydanı, ✆ 0212/5188754, 📠 5181802. Tägl. 9–17 Uhr, sehr hilfsbereit. **Sirkeci Garı,** ✆ 0212/5115888. Die Auskunft für Zugreisende am Sirkeci-Bahnhof, tägl. 9–17 Uhr. **Karaköy Yolcusalonu,** im internationalen Terminal am Hafen von Karaköy, ✆ 0212/2495776. Tägl. 9–17 Uhr, nicht sehr kompetent. **Istanbul Hilton,** Cumhuriyet Cad., Harbiye, ✆ 0212/2330952, 📠 2456876. Tägl. 9–17 Uhr, absolut unfreundlich.

Erste Orientierung: Die Meerenge des Bosporus trennt İstanbul in eine europäische und eine asiatische Hälfte. Die europäische Hälfte wiederum teilt der Meeresarm des Goldenen Horns in zwei Bereiche. Südlich des Goldenen Horns, in der Altstadt bzw. den Stadtteilen Sultanahmet, Beyazıt und Eminönü, liegt das touristische Zentrum der Millionenmetropole mit den bedeutendsten Sehenswürdigkeiten. Die meisten Touristen verlassen die Altstadt nie, doch ist ein Ausflug in die modernen Stadtteile wie Beyoğlu oder Taksim auf der anderen Seite des Goldenen Horns eine lohnenswerte Abwechslung. Die Monströsität İstanbuls erschließt sich letztendlich erst bei einer Dampferfahrt über den Bosporus oder auf die asiatische Seite. Grundsätzlich gilt übrigens noch immer das, was Erich Kästner schon vor einem Vierteljahrhundert so treffend formulierte: "Man muß viel laufen in Stambul. Da man, was man nicht mit dem Kleingeld von Schritten bezahlt hat, nicht gesehen hat, ist diese Stadt schwierig."

• *Verbindungen* İstanbul besitzt zwei internationale **Flughäfen**, die durch einen Shuttle-Service miteinander verbunden sind. Der **Atatürk Havalimanı,** wie İstanbuls Flughafen auf der europäischen Seite offiziell heißt, liegt 18 km westlich der Altstadt im

Stadtteil Yeşilköy. Im Ankunftsbereich des 2000 neu eröffneten internationalen Terminals *(Dış hatlar)* finden Sie u. a. Banken mit EC-Automaten, alle international operierenden Autoverleiher, eine Gepäckaufbewahrung, Geldwechselmöglichkeiten und eine rund um die Uhr geöffnete Tourist Information (Hotelvermittlung, kompetent, ✆ 0212/5734136, ℻ 6630793). Nebenan befindet sich der Inlandsterminal *(İç hatlar)*. Der **Transfer vom Atatürk-Flughafen ins Zentrum** geht problemlos vonstatten. Zwischen 6 und 24 Uhr gelangen Sie bequem mit der **Metro** vom Flughafen nach Aksaray und steigen dort auf die **Straßenbahn** nach **Sultanahmet** und somit ins touristische Zentrum um. Umgekehrt kommen Sie ebenso schnell zum Flughafen. Unmittelbar vor dem Ausgang des internationalen Flughafenterminals starten zudem die **Busse** der Gesellschaft Havaş zwischen 5 und 23 Uhr halbstündlich nach **Taksim** (2 €). In Taksim fahren die Busse vor dem Büro der Gesellschaft am Beginn der Cumhuriyet Cad. ab. Billiger (für 0,50 €) fährt man mit dem öffentlichen **Stadtbus** Ⓑ 96 T vom Flughafen nach Taksim. Der Bus verkehrt von 6.30 bis 20.30 Uhr alle 45 Min. Die Bushaltestelle finden Sie nach Verlassen des internationalen Terminals nach ca. 200 m rechter Hand. In Taksim starten die Stadtbusse zum Flughafen am Busbahnhof. Für eine **Taxi**fahrt vom Zentrum zum Atatürk-Flughafen sollte man je nach Abfahrtsstelle mit 7–15 € rechnen. Zum Atatürk-Flughafen bieten zudem mehrere Reisebüros am Divan Yolu in Sultanahmet Flughafentransfers mit Hotel-Pickups ab ca. 3 € an (z. B. unter ✆ 0212/5292328).

İstanbul
Karte S. 90/91

Verpassen Sie Ihren Rückflug nicht: Kalkulieren Sie ausreichend Zeit für die Fahrt von der Innenstadt zu den Flughäfen ein. In İstanbul dauert die Rushhour 24 Stunden am Tag, zudem wird beim Betreten des Flughafengebäudes sorgfältig kontrolliert. Nicht selten steht man schon hier eine Ewigkeit in der Warteschlange.

Neueren Datums ist der zweite internationale Flughafen **Sabiha Gökçen Havalimanı**, rund 35 km östlich des Zentrums im asiatischen Stadtteil Kurtköy. Auch hier finden Sie im Ankunftsbereich Banken mit EC-Automaten und eine Tourist Information. Aufgrund der unattraktiven Lage des Flughafens landen und starten hier erheblich weniger internationale Fluggesellschaften. Das hat zur Folge, dass sich bislang nur lokale, aber keine international operierenden Autoverleiher eingemietet haben. **Transfer vom Sabiha-Gökçen-Flughafen ins Zentrum**: Tägl. von 6–24 Uhr fahren alle 90 Min. Havaş-Busse zum Fähranleger von **Kadıköy**, von dort gelangt man mit der Fähre nach Karaköy (von hier weiter mit der Tünel-Bahn nach Beyoğlu) und Eminönü (von hier weiter mit der Straßenbahn nach Sultanahmet). Ein Taxi direkt nach Taksim kostet zwischen 25 und 30 €.

Servicenummern der wichtigsten Airlines: Lufthansa ✆ 0212/3153434, Austrian Airlines ✆ 0212/ 2936995, Swiss ✆ 0212/2911073, Turkish Airlines/Türk Hava Yolları (THY) ✆ 0212/ 6636363, Onur Air ✆ 0212/2333800, Öger Türk-Tur ✆ 0212/4440102.

• *Bus* Vom **Büyük İstanbul Otogarı** ("Großer İstanbuler Busbahnhof"), im Stadtteil Esenler auf der europäischen Seite ca. 8 km westlich des Zentrums, gelangen Sie rund um die Uhr an fast jeden Ort der Türkei. Das Terminal verfügt über 170 Busbahnsteige und direkten Metrozugang. **Vom Busbahnhof ins Zentrum**: Wer nach Sultanahmet will, fährt mit der Metro bis Aksaray und von dort mit der Straßenbahn weiter. Taksim erreicht man mit dem Stadtbus 83 0.

Harem, der zweite große Busbahnhof der Stadt, liegt auf der asiatischen Seite im gleichnamigen Stadtteil. Wer von der West- oder Südküste noch vor 22 Uhr hier ankommt, braucht nicht weiter bis zur Endstation **Büyük İstanbul Otogarı** fahren (dauert eine Ewigkeit), sondern steigt bereits in Harem aus. Mit der Autofähre gelangen Sie von Harem schnell und bequem auf die europäische Seite (Sirkeci/Eminönü), dann geht es mit der Straßenbahn weiter nach Sultanahmet.

Tickets können Sie in den Reisebüros am Divan Yolu in Sultanahmet sowie in den Büros der Busgesellschaften an der İnönü Cad. nahe dem Taksim-Platz erstehen.

• *Zug* Endstation der Züge aus Europa ist der **Bahnhof Sirkeci** (Information und Reservierung unter ✆ 0212/5206575) nahe der Schiffsanlegestelle in Eminönü. Von hier

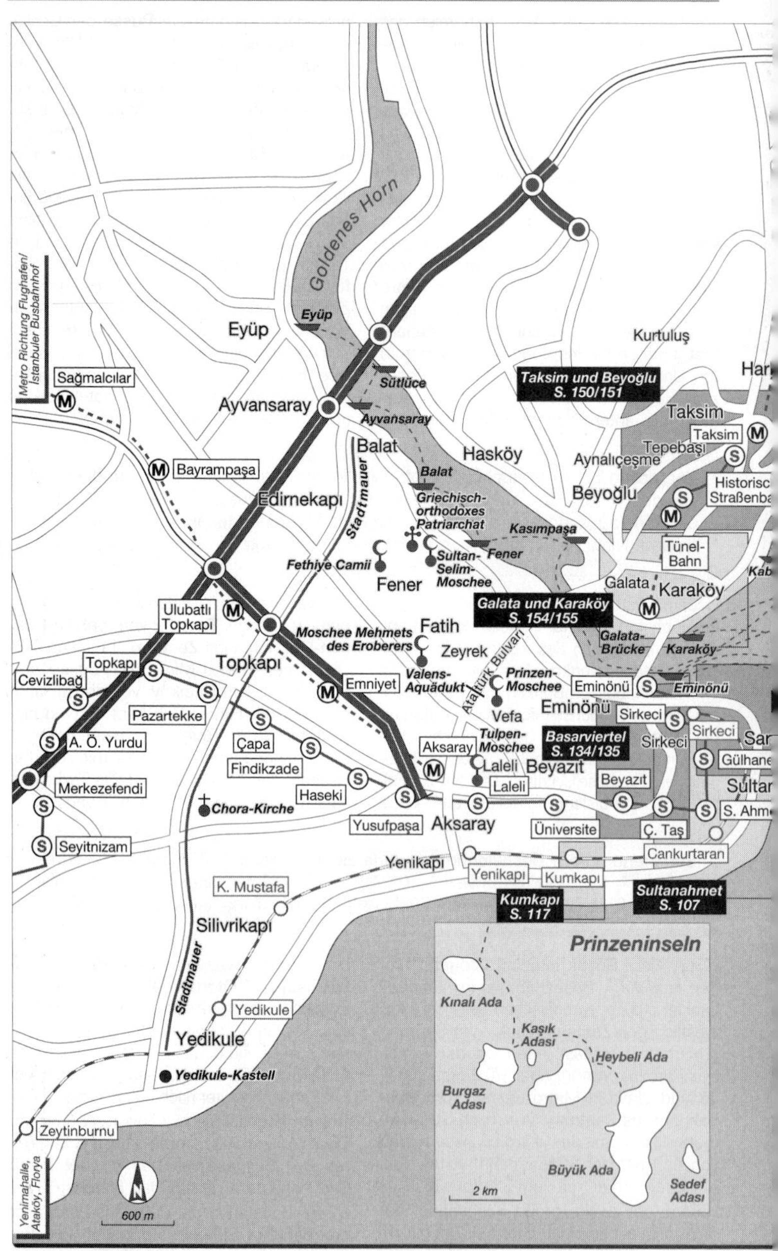
Goldenes Horn
Eyüp
Sütlüce
Ayvansaray
Balat
Griechisch-orthodoxes Patriarchat
Kasımpaşa
Fener
Hasköy
Kurtuluş
Taksim und Beyoğlu S. 150/151
Taksim
Tepebaşı
Aynalıçeşme
Beyoğlu
Historische Straßenbahn
Tünel-Bahn
Galata
Karaköy
Galata und Karaköy S. 154/155
Galata-Brücke
Eminönü
Sirkeci
Gülhane
Sultanahmet
S. Ahmet
Metro Richtung Flughafen/ İstanbuler Busbahnhof
Sağmalcılar
Bayrampaşa
Edirnekapı
Stadtmauer
Fethiye Camii
Sultan-Selim-Moschee
Fatih
Moschee Mehmets des Eroberers
Zeyrek
Ulubatlı Topkapı
Topkapı
Cevizlibağ
Pazartekke
Emniyet
Valens-Aquädukt
Atatürk Bulvarı
Prinzen-Moschee
Vefa
A. Ö. Yurdu
Çapa
Findikzade
Aksaray
Tulpen-Moschee
Laleli
Beyazıt
Basarviertel S. 134/135
Merkezefendi
Haseki
Chora-Kirche
Yusufpaşa
Üniversite
Ç. Taş
Cankurtaran
Seyitnizam
Yenikapı
Kumkapı
Kumkapı S. 117
Sultanahmet S. 107
K. Mustafa
Silivrikapı
Yedikule
Yedikule-Kastell
Zeytinburnu
Yenimahalle, Ataköy, Florya
600 m
Prinzeninseln
Kınalı Ada
Kaşık Adası
Heybeli Ada
Burgaz Adası
Büyük Ada
Sedef Adası
2 km

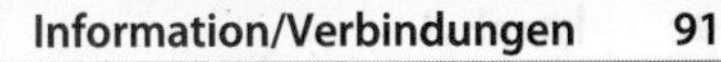

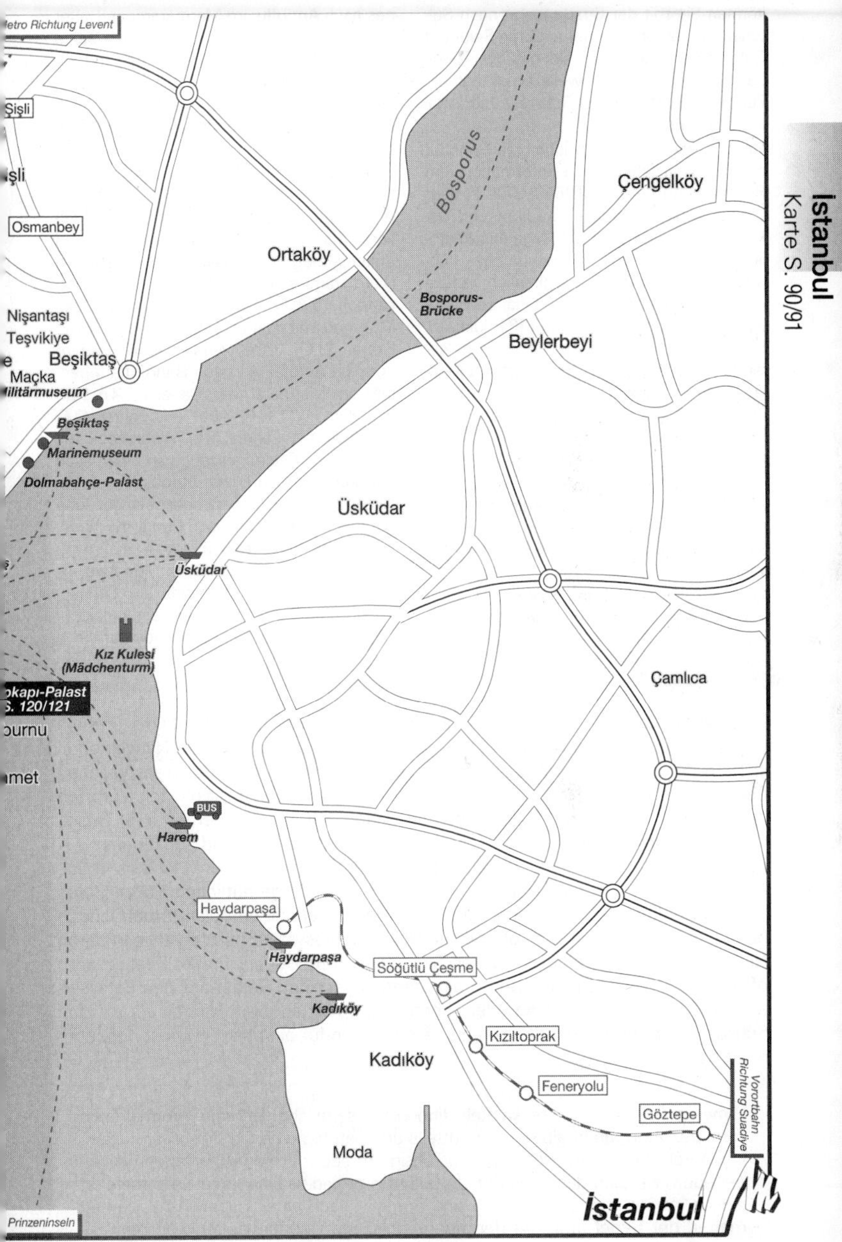
etro Richtung Levent
Şişli
şli
Osmanbey
Nişantaşı
Teşvikiye
Beşiktaş
Maçka
ilitärmuseum
Beşiktaş
Marinemuseum
Dolmabahçe-Palast
Ortaköy
Bosporus
Bosporus-
Brücke
Çengelköy
Beylerbeyi
Üsküdar
Üsküdar
Kız Kulesi
(Mädchenturm)
okapı-Palast
S. 120/121
ournu
met
Çamlıca
BUS
Harem
Haydarpaşa
Haydarpaşa
Söğütlü Çeşme
Kadıköy
Kızıltoprak
Kadıköy
Feneryolu
Göztepe
Vorortbahn
Richtung Suadiye
Moda
Prinzeninseln
İstanbul
İstanbul
Karte S. 90/91

können Sie mit der Straßenbahn nach Sultanahmet fahren. Auf der anderen Seite der Galatabrücke gelangen sie mit der Tünelbahn nach Beyoğlu. Jeweils 1-mal tägl. ein Zug nach Budapest und Bukarest und 1-mal tägl. nach Edirne.

Haydarpaşa nennt sich İstanbuls Bahnhof auf der asiatischen Seite (Information und Reservierung unter ✆ 0216/3364470). Er liegt zwischen den Stadtteilen Kadıköy und Üsküdar direkt am Bosporus. Züge aus Anatolien laufen hier ein. Von Haydarpaşa können Sie u.a. mehrmals tägl. nach Ankara (von dort weiter Richtung Adana) sowie jeweils 1-mal tägl. nach Denizli (Pamukkale), Konya oder Gaziantep fahren. Fähren verbinden Haydarpaşa mit Eminönü und Karaköy auf der europäischen Seite. Von Karaköy gelangt man mit der Tünel-Bahn nach Beyoğlu.

• *Schiff* Von April bis Okt. legt 1-mal wöchentl. (meist Fr) eine Autofähre der Turkish Maritime Lines nach **İzmir** ab, Dauer ca. 20 Std. Deckpassage 19 €, Kabinen 17–36 € pro Person, Motorrad 9 €, Auto 22 €, Wohnmobil 30–35 €.

Zwischen Ende Juni und Mitte Sept. kann man in manchen Jahren zudem 1-mal wöchentl. (meist Fr) mit Turkish Maritime Lines nach **Armutlu** am Marmarameer (Dauer ca. 3 Std.) übersetzen, von wo man seine Reise die Küste entlang gen Süden fortsetzen kann. Informationen zur Ablegestelle (ändert sich manchmal), Reservierung und Ticketverkauf bei **Turkish Maritime Lines** (Türkiye Denizcilik İşletmeleri) am Hafen von Karaköy, Rıhtım Cad., ✆ 0212/2497178, www.tdi.com.tr.

Alle 2 Std. verkehren schnelle Autofähren vom Stadtteil Yenikapı (südwestlich von Sultanahmet) nach **Yalova** (ebenfalls am Marmarameer, Dauer ca. 1 Std., pro Person einfach 5,70 €, Auto mit Fahrer 19 €, Motorrad mit Fahrer 12 €, Wohnmobil mit Fahrer 23 €), 3 bis 4-mal täglich zudem normale Autofähren nach **Bandırma** (ebenfalls am Marmarameer, Dauer ca. 4,5 Std., pro Person 11,40 €, Auto mit Fahrer 43 €, Motorrad mit Fahrer 19 €, Wohnmobil mit Fahrer 50 €). Ohne Fahrzeug kann man auch mit den schnellen **Deniz Otobüsleri** von Yenikapı über das Marmarameer gelangen, und zwar mind. 3-mal tägl. nach **Bandırma**, mind. 1-mal tägl. nach **Yalova** sowie mehrmals wöchentl. über Armutlu nach **Mudanya**. Ticketverkauf und Information zu Schnellfähren und Deniz Otobüsleri am Eminönü-Terminal, ✆ 0212/5137535, www.ido.com.tr.

Stadtverkehr/Organisierte Touren/Parken

İstanbul besitzt kein zusammenhängendes und zugleich überschaubares öffentliches Transportsystem wie z. B. Paris oder London. Das öffentliche Nahverkehrssystem der Stadt ist nicht darauf abgestimmt, die Wege der Touristen zwischen den zentralen Stadtteilen zu verkürzen, sondern die İstanbulis von den Vororten ins Zentrum zu befördern. Dafür stehen Fähren, Straßenbahnen, Metro, Busse und Sammeltaxis zur Verfügung. Einigermaßen flächendeckend funktioniert nur das Bussystem. Immerhin liegen die großen Sehenswürdigkeiten İstanbuls in Sultanahmet recht nah beieinander, auch lassen sich die gemütlichen Ecken Beyoğlus spielend zu Fuß erkunden. Zu abseits gelegenen Zielen gelangt man jedoch häufig nicht so einfach. Das öffentliche Nahverkehrssystem befördert Sie in deren Nähe, den Rest des Weges müssen Sie zu Fuß zurücklegen. Dieser Rest ist aber oft nicht ganz einfach zu finden: Kein Stadtplan stimmt. Selbst auf den detailliertesten Plänen fehlen Gassen oder haben einen ganz anderen Namen als auf den Schildern vor Ort. Heben Sie sich also ein Lächeln für ein paar umsonst gegangene Meter auf.

Hinweis: Bei den Stadtteilkapiteln finden Sie sämtliche wichtige Informationen zum Transport innerhalb eines Stadtteils und darüber, wie Sie diesen erreichen. Die Anfahrten werden von Beyoğlu/Taksim und/oder Eminönü/Sultanahmet angegeben, wo sich das Gros der Unterkünfte befindet. Ein wenig Selbsthilfe ist jedoch immer vonnöten. Doch keine Sorge – nach einer kurzen Anlaufzeit ist man in der Regel grob mit den geographischen Gegebenheiten und dem öffentlichen Verkehrssystem der Stadt vertraut.

• Bus Das Bussystem ist auf den ersten Blick etwas undurchsichtig organisiert, zumal es keine Pläne gibt, auf denen die Linien und Haltestellen nachvollziehbar eingezeichnet sind. Es verkehren **städtische** *(Belediye otobüsü)* und **private Busse** *(Halk otobüsü)*. Beide bedienen die gleichen Streckenabschnitte, haben Tafeln mit Endstation und Busnummer hinter der Windschutzscheibe angebracht und garantieren aufgrund geringer Geschwindigkeit und vieler Stopps ein langes Fahrvergnügen für wenig Geld: 0,50 € pro Fahrt, lediglich für längere Strecken in die Vororte und über die Bosporusbrücken verdoppelt sich der Fahrpreis. Der Unterschied zwischen privaten und städtischen Bussen liegt in den Modalitäten des **Fahrkartenkaufs**. Bei den privaten löst man im Bus. Wer einen städtischen Bus besteigt, muss schon im Besitz eines Fahrscheins sein, der dann in einen Sammelbehälter beim Fahrer gesteckt wird. Da man im Voraus nie weiß, ob ein städtischer oder ein privater Bus vorbeikommt und zudem nicht an allen Haltestellen Tickets verkauft werden, ist es ratsam, immer ein paar in Reserve zu haben. Man bekommt sie an allen Busbahnhöfen (z. B. am Fährhafen in Eminönü oder am Taksim-Platz). An stark frequentierten Bushaltestellen verkaufen zudem Rentner oder Kinder Tickets gegen einen kleinen Aufschlag. Die Busse verkehren in der Regel von 6 bis 23 Uhr.

• *Dolmuşe* bedienen wie Linienbusse feste Routen, manche sogar rund um die Uhr. Die Endstation ist hinter der Windschutzscheibe angegeben. Die Abfahrtsstellen der Sammeltaxis sind häufig in Seitengassen versteckt. Grundsätzlich dürfte der Preis den einer Busfahrt nicht arg übersteigen, solange man keine Vororte ansteuert.

• *Straßenbahn/Vorortbahn/Metro* Auf der Schiene besitzt İstanbul kein flächendeckendes und ein nur teilweise zusammenhängendes Netz. Die wichtigsten Linien: **Südlich des Goldenen Horns** rattert die Vorortbahn *(Banliyö treni)* am Marmarameer entlang, eine moderne Straßenbahn fährt von Eminönü nach Zeytinburnu und eine Metro von Aksaray zum Flughafen. **Nördlich des Goldenen Horns** verkehrt seit 1875 die nur 614 m lange Tünel-Bahn, eine U-Bahn in Miniformat. Auf der İstiklal Caddesi im Stadtteil Beyoğlu bimmelt zudem eine historische Straßenbahn hoch und runter. Des Weiteren führt eine neue, erst 2000 eröffnete Metrolinie vom Taksim-Platz in das nördlich davon gelegene Bankenviertel Levent. Sie besitzt bislang nur fünf Stationen und ist für den Touristen relativ uninteressant. Das Gleiche gilt für die Vorortbahn auf der **asiatischen Seite**, die von Kadıköy die Stadtteile am Marmarameer abfährt.

Tickets bzw. Jetons werden an allen Haltestellen verkauft (Vorortbahn 0,50 €, alle anderen 0.35 €). Um Zugang zu den Haltestellen zu bekommen, steckt man die Jetons zur Entriegelung eines Drehkreuzes in einen Schlitz.

• *Schiff* Es gibt keine gemütlichere Art, in İstanbul herumzukommen als mit den Fährschiffen. Die Hauptanlegestellen sind Sirkeci/Eminönü, Karaköy und Beşiktaş auf der europäischen sowie Üsküdar und Kadıköy auf der asiatischen Seite. Die meisten Fähren sind staatlich und recht preiswert (ab 0,35 €; auch hier Jetonprinzip). Aktuelle Fahrzeiten sind in den Hafenstationen angeschlagen. Ergänzt wird das Angebot durch kleinere private Motorboote, die nach dem Dolmuş-Prinzip funktionieren, und durch die etwas teureren *Deniz Otobüsleri* ("Wasserbusse"), die im Komfort irgendwo zwischen Flugzeug und ICE liegen. Letztere sind zwar klimatisiert und schnell, aber alles andere als für eine unvergessliche Bosporusfahrt geeignet. Zudem steuern sie in der Regel recht abgelegene Stadtteile an, die für den Touristen ohnehin wenig interessant sind.

Tipps zu einer **mehrstündigen Bosporusfahrt** auf Seite 156.

• *Taxis* stehen an jeder Ecke bereit. Für Fahrten zu unbekannteren Sehenswürdigkeiten sollten Sie einen Stadtplan dabeihaben und dem Fahrer die Adresse geben können. Für ganztägige Touren empfiehlt es sich, vorher einen Pauschalpreis auszuhandeln (ca. 100 €).

• *Organisierte Touren* Eine empfehlenswerte Adresse unter den unzähligen Anbietern ist **Plan Tours** mit Hauptsitz in der Cumhuriyet Cad. 131/1, Taksim (✆ 0212/2302272, ✆ 2318965) und mit einem Stand vor der Hagia Sophia. Geboten werden City-Standardtouren, aber auch spezielle Thementrips: Tagestour inkl. Mittagessen zu 50 € (Hagia Sophia, Blaue Moschee, Hippodrom, Türkisch-Islamisches Museum, Großer

Basar, Topkapı-Palast, Süleymaniye-Moschee); halbtägige Bosporustour zu 25 €; İstanbul bei Nacht (mit Essen und Bauchtanz) zu 60 €. Tages- (ab ca. 70 €) und Halbtagestouren (ab ca. 35 €) durch İstanbul und in die nähere Umgebung bietet zudem der **American Express Travel Service,** in der Lobby des Hilton, Cumhuriyet Cad., Harbiye, ✆ 0212/2301515, 📠 2410431.

• *Parken* Eine Parkmöglichkeit zu finden ist in der Innenstadt oft mit einer langwierigen Suche verbunden. Es existieren nur wenige ausgeschilderte Parkhäuser. Parksünder werden gnadenlos abgeschleppt.

Sultanahmet, rund um die Uhr bewachter Parkplatz nahe den großen Sehenswürdigkeiten in der Torun Sok. (neben dem Hotel Sultan Ahmet Sarayı). Pro Tag 2,50 €.

Taksim, ebenfalls rund um die Uhr bewachter Parkplatz am Taksim-Platz hinter dem Busbahnhof. Pro Tag 3 €.

Eminönü, Parkhaus nahe den Fähranlegestellen an der Reşadiye Cad. Die erste Stunde 1 €, danach wird's erheblich billiger: 12 Std. 4,60 €.

Falls Ihr Auto abgeschleppt sein sollte: Jedes Viertel besitzt seinen eigenen Abholplatz für abgeschleppte Autos. Wenden Sie sich an die nächste Polizeidienststelle ("En yakın polis nerede?", ausgesprochen etwa: "Än jackin polis närädä?") und nennen Sie dort die Straße, in der Ihr Auto stand.

Wer schneller hupt, gewinnt!

Von den vielen Millionen Einwohnern İstanbuls halten sich vielleicht gerade Hundert- oder Zweihunderttausend gleichzeitig in ihren vier Wänden auf. Der Rest irrt durch die Stadt – so scheint es zumindest. Überall Menschen, ein Gewusel auf jeder Straße, ein Geschiebe in jeder Gasse, ein Gedränge auf jedem Platz. Überall Autos und überall Busse, bis auf den letzten Platz gefüllt – die Rushhour İstanbuls dauert 24 Stunden. Riesige Verkehrsschneisen, die man in den 1940ern, 50ern und 80ern durch die Stadt schlug, konnten den Verkehrsfluss nur geringfügig fördern. Meist steht man im Stau und hupt – aus Langeweile. Wenn's mal läuft, hupt man auch – um Trödlern Beine zu machen, sich zu grüßen oder zu verabschieden oder um die Vorfahrt einzufordern. Denn: Wer schneller hupt, gewinnt! Als Fußgänger ohne Hupe sollte man Vorsicht walten lassen. Wer's nicht glaubt, kann die Unfallstatistik zu Rate ziehen – souverän führen sie die Türken im europäischen Vergleich an, souverän die İstanbulis im innertürkischen.

Lediglich die Metro ist meistens leer. Der Grund: Das "Netz" – drei unverbundene Linien mit ein paar Stationen – ist bislang noch unattraktiv. Gegen einen von vielen Seiten geforderten Ausbau wehren sich Archäologen, die Schäden am noch unter der Erde schlummernden byzantinischen Erbe befürchten. Aber auch so manche Stadtväter haben Bedenken, insbesondere was die Zusammenführung der Linien beiderseits des Goldenen Horns angeht. Ihre Sorge ist, dass sich eine Trasse über den Meeresarm negativ auf das Stadtbild auswirken würde.

Adressen/Einkaufen/Sonstiges

• *Ärztliche Versorgung* Erstversorgung bei Notfällen bietet rund um die Uhr das staatliche Erste-Hilfe-Krankenhaus **Taksim İlkyardım Hastanesi**, Sıraselviler Cad. 112, Taksim, ✆ 0212/2524300. Zudem gibt es in İstanbul zwei deutschsprachige Krankenhäuser: **Alman Hastanesi** (Deutsches Krankenhaus), bietet auch zahnärztliche Versorgung. Sıraselviler Cad. 119, Taksim, ✆ 0212/2932150. **Sen Jorg Hastanesi** (St.-Georgs-Hospital), das österreichische Pendant. Berketzade Medresesi Sok. 5/7, Karaköy, ✆ 0212/2432590.

• *Autoverleih* Die Preise der international renommierten Verleiher unterscheiden sich wenig, pro Tag muss man mit ca. 50 € inkl. Versicherungen für das günstigste Modell rechnen. **Budget**, Cumhuriyet Cad./Ecke Aydede Cad., Taksim, ✆ 0212/2539200, 📠 2372919. **Avis**, gegenüber der Tourist Information beim Hotel Hilton an der Cumhuriyet Cad., Harbiye, ✆ 0212/2487752, 📠 2316244. **Hertz**, Cumhuriyet Cad. 295, Harbiye, ✆ 0212/2331020, www.hertz.com.tr. **Europcar**, Topçu Cad. 1, Taksim, ✆ 0212/2547788, 📠 2373158.

• *Diplomatische Vertretungen* **Deutschland** (Generalkonsulat), İnönü Cad. 16–18, Beyoğlu, ✆ 0212/3346100, 📠 2499920. **Österreich** (Generalkonsulat), Köybaşı Cad. 46, Yeniköy, ✆ 0212/2629315, 📠 2622622. **Schweiz** (Generalkonsulat), Hüsrev Gerede Cad. 75/3, Teşvikiye, ✆ 0212/2591115, 📠 2591118.

• *Einkaufen* İstanbul ist ein einziges riesiges Markttreiben, und es gibt nichts, was es nicht gibt. "Die fremden Besucher der Stadt sollten als erstes die Basare von İstanbul besuchen", bemerkte schon der dänische Schriftsteller Hans Christian Andersen im 19. Jh. Noch heute sind die Märkte İstanbuls ein schrilles Potpourri aus Farben und Gerüchen, wo Augen und Nase Karussell fahren: orientalisch glitzernde Stoffe, duftende Gewürze, blank gepolierte Granatäpfel und funkelndes Gold an jeder Ecke. Aber nicht nur die Basare laden zum Bummeln ein. Entdecken Sie noble Einkaufsviertel mit exquisiten Designerläden, verstaubt-charmante Antiquariate und gläserne Shoppingtempel.

> Spezielle Einkaufstipps finden Sie unter den jeweiligen Stadtteilen.

• *Geld* Banken und Wechselstuben an jeder Ecke.

• *Institute* **Goethe-Institut**, Yeni Çarşı Cad. 52, Beyoğlu, ✆ 0212/2492009. Di 13–19 Uhr, Mi 10–14 Uhr, Do/Fr 13–18 Uhr, Sa 12–17 Uhr. **Österreichisches Kulturinstitut**, Köybaşı Cad. 46, Yeniköy, ✆ 0212/2237843. Mo–Fr 10–16 Uhr. Beide Kulturinstitute verfügen über kleine Bibliotheken mit deutschsprachigen Zeitungen, Zeitschriften und Büchern. Zudem tragen sie mit Filmvorführungen, Konzerten, Ausstellungen, Vorträgen und Lesungen zur kulturellen Vielfalt der Stadt bei.

• *Polizei* Sollten Sie Hilfe benötigen, wenden Sie sich am besten an die **Touristenpolizei** *(Turizm Polisi)*, Yerebatan Cad. 6, Sultanahmet, ✆ 0212/5274503. Rund um die Uhr besetzt, in der Regel sind auch deutschsprachige Beamte anwesend.

Wer die Fähre verpasst, muss sich rudern lassen

• *Post* **Hauptpost** *(Büyük Postane)* in Sirkeci westlich des Bahnhofs in der Şehin Şah Pehlevi Cad. (in manchen Karten wird die Straße auch Yeni Postane Cad., Büyük Postane Cad. oder einfach nur Postane Cad. genannt).

• *Reisebüros* Die meisten Reisebüros haben ihren Sitz am Divan Yolu in Sultanahmet und an der Cumhuriyet Cad. nahe dem Taksim-Platz. Ein Studentenreisebüro ist **Gençtur**, Prof. Kazım İsmail Gürkan Cad. 14/4, Sultanahmet, ✆ 0212/5205274, 📠 5190864. Hier kann man sich gegen Vorlage des heimischen Studentenausweises auch die ISIC-Karte ausstellen lassen, die Voraussetzung für den ermäßigten Eintritt in Museen ist.

• *Stadtpläne* Selbst die ausführlichsten Pläne sind fehlerhaft. Insbesondere die asiatische Seite wird sehr vernachlässigt. Einen ganz nützlichen Plan – verlässt man die touristischen Trampelpfade nicht allzu weit – gibt es gratis bei vielen Informationsbüros. Wer es genauer haben will, kann auf eine der beiden folgenden Empfehlungen zurückgreifen:

İstanbul Rehberi, zwei Bände mit über 100 Seiten, einer zur europäischen (Avrupa yakası) und einer zur asiatischen Seite (Anadolu yakası). Dünya Yayınları, İstanbul 1999.

İstanbul A–Z, ein zum Buch gebundener Stadtatlas mit Vororten, Straßenverzeichnis und den wichtigsten Adressen. Aysa limited, İstanbul (ohne Jahr).

• Waschsalons findet man nur in Sultanahmet. **Cem Laundry,** 2 kg (Minimum) waschen und trocknen 1,50 €. Kutlugün Sok. 30. **Active Laundry,** waschen pro Kilo 1,50 €, trocknen pro Kilo 1 €. Dr. Eminpaşa Sok. 16.

• Zeitungen und Zeitschriften in deutscher Sprache findet man an Kiosken und in Buchläden in Taksim, Beyoğlu und Sultanahmet.

Baden/Sport/Freizeit

Fußball bestimmt das Leben. Wenn ein Fußballspiel übertragen wird, sind die Kneipen voll und die Straßen leergefegt. Davon einmal abgesehen, fällt das Sport- und Freizeitprogramm recht dürftig aus. Sorgen Sie sich aber nicht um Bewegungsmangel – in kaum einer anderen Stadt der Welt muss man so viel laufen wie in İstanbul.

• Baden Das Meer vor Ort ist gesundheitsgefährdend und mit Quallen durchsetzt. Ein paar Nobelhotels bieten einen Pool, jedoch sind die Gebühren für Nicht-Hotelgäste saftig: im Hilton (Cumhuriyet Cad., Harbiye) werden z. B. unter der Woche 23 €, an Wochenenden 29 € verlangt. Bademöglichkeiten im Meer finden Sie auf den Prinzeninseln (→ S. 164).

• Eislaufen kann man im Einkaufszentrum **Galleria Ataköy**, auch im Sommer, wenn es draußen weit über 30 °C hat. Anfänger sind in der Überzahl, entsprechend geht es zu! Tägl. 10–23 Uhr, 7,50 € pro Std. Rauf Orbay Cad., Ataköy. Ⓑ 81 von Eminönü, Ⓑ 72 T von Taksim, Busse halten vor der Tür.

• Fußball Ein Besuch eines Spiels ist spannender als so manches Museum, ein Lokalderby gar ein unvergessliches Erlebnis. Ligaspiele finden von August bis Mai statt, und – damit nahezu alle im Fernsehen übertragen werden können – zu unterschiedlichen Zeiten am Fr, Sa oder So. Tickets (8–120 € für Ligaspiele) kauft man am Stadion. **Beşiktaş** spielt im İnönü-Stadion von Beşiktaş, der schönsten Arena der Stadt. **Fenerbahçe** spielt im Rüştü-Saraçoğlu-Stadion im gleichnamigen Stadtteil (asiatische Seite, von Kadıköy erlaufbar). **Galatasaray** spielt im Ali-Sami-Yen-Stadion im Stadtteil Mecidiyeköy. Ⓑ 52 oder 74 von Eminönü, Ⓑ 51 oder 59 von Taksim.

Wo Himmel auf Hölle trifft – Fußball in İstanbul

Fußball ist in der Türkei nicht nur Leidenschaft, Liebe oder Passion – Fußball ist mehr, Fußball ist der wahre Sinn des Lebens. Die Treue zu einem Verein kommt einem Glaubensbekenntnis gleich. Den Himmel auf Erden verspürt der Türke im Stadion bei einem Sieg seiner Mannschaft. Die Hölle dagegen erfahren die unterlegenen Gegner. Wer ein Stadion in İstanbul besucht, weiß auch, warum: Rauchbomben vernebeln die Arenen, die Gesänge gleichen einem dröhnenden Wahnsinn – die Südtribüne des Dortmunder Westfalenstadions klingt dagegen wie ein kleinlauter Knabenchor.

Die bekanntesten İstanbuler Vereine sind Fenerbahçe, Galatasaray und Beşiktaş. Fenerbahçe (von der asiatischen Seite) ist der erfolgreichste Club des Landes und wird – ähnlich wie der F.C. Bayern München – entweder geliebt oder gehasst, dazwischen gibt es nichts. Beşiktaş hingegen rühmt sich, der älteste türkische Clụb zu sein, ein traditioneller Arbeiterverein, den auch viele Intellektuelle in ihr Herz geschlossen haben. Galatasaray ist der Club der gehobeneren Schichten. Im Jahr 2000 gewann er den UEFA-Cup. Nach solchen Siegen herrschen auf den İstanbuler Straßen bürgerkriegsähnliche Zustände. Riesige Menschenmassen versammeln sich am Taksim-Platz und feiern ihren Verein, viele besitzen ein Gewehr und feuern damit ziellos in den Himmel. Also besser im Gedränge mitmischen als vom Balkon zusehen! Immer wieder kommt es so zu Todesfällen.

Der Topkapı-Palast von der Seeseite (mb) ▲▲
Rakitafel (mb) ▲

▲▲ Moscheenzauber (mb)
▲ Die Festung Rumeli Hisarı (mb)

• *Golf* Rund um İstanbul gibt es mehrere Plätze. Je nachdem, ob man vormittags oder nachmittags, unter der Woche oder am Wochenende spielen will, muss man mit einem Greenfee-Preis von 30 bis 60 € rechnen. **Istanbul Golf Club**, im Stadtteil Ayazağa, ✆ 0212/2640742, 📠 2837391. 18-Loch-Anlage. Ⓑ 41 C von Beşiktaş bis zur Endstation, weiter mit dem Taxi. **Kemer Golf and Country Club**, im Belgrader Wald nahe der Ortschaft Kemerburgaz, ✆ 0212/2397913, 📠 2397376. Von Beşiktaş mit Ⓑ 42 bis zur Endstation, dann weiter mit dem Taxi.

• *Hamams (Türkische Bäder)* besitzt İstanbul unzählige. Eine kleine Auswahl:

Galatasaray Hamamı, traditionsreiches Bad, das 1481 unter Sultan Beyazıt II. gebaut wurde. Getrennte Männer- und Frauenabteilung, die Männer schwitzen jedoch auf der prachtvolleren Seite. Inkl. Massage 20 €. Tägl. 8–22 Uhr. Turnacıbaşı Sok. 24, Beyoğlu.

Cağaloğlu Hamamı, schon Kaiser Wilhelm, Franz Liszt, Florence Nightingale und Tony Curtis schwitzten in dem Bad aus dem 18. Jh., das auch ein beliebter Ort für Filmaufnahmen ist. Ein Bad kostet 10 €, mit Massage 17 €. Für Männer tägl. 7–22 Uhr, für Frauen 8–20 Uhr. Prof. Kazim İsmail Gürkhan Cad. 34, Sultanahmet.

Çemberlitaş Hamamı, eines der schönsten Hamams der Stadt. Seit seiner Errichtung 1583 wird das Bad ohne Unterbrechung genutzt. Sehr beliebt bei Touristen. Separate Abteilungen für Männer und Frauen. Eintritt 8 €, mit Massage 15 €. Tägl. 6–24 Uhr. Vezirhan Cad. 8, Çemberlitaş (Basarviertel).

• *Pferderennen* finden im **Veli Efendi Hipodromu** im Stadtteil Yenimahalle statt. Renntage sind von Mitte April bis Mitte September Mi, Do und Sa. Beginn 15 Uhr, Eintritt 0,40 €. Wetten ist möglich. Mit der Vorortbahn vom Bahnhof Sirkeci (im Gebäude rechts halten) nach Yenimahalle. Der Turf liegt in Fahrtrichtung rechter Hand und ist vom Zug bereits zu sehen. Man verlässt den Bahnhof jedoch in Richtung Seeseite, läuft ein paar Meter zurück und unterquert dann die Bahnlinie.

Kultur

Von Kulturmetropolen wie Berlin oder London ist İstanbul weit entfernt. Opern- und Ballettaufführungen sowie klassische Konzerte werden fast ausschließlich von der intellektuellen Elite des Landes besucht. Unter Theater verstand man bis zur Republikgründung 1923 in der Türkei nichts anderes als Puppentheater und Schattenspiel (→ Kasten). So besitzt das europäisch geprägte Theater in İstanbul keine große Tradition. Kritiker sehen darin auch das Manko der türkischen Bühnen, die mehr imitieren als vor Innovativität zu sprühen. Die Theatersaison dauert von September/Oktober bis April/Mai. Einen Überblick über das aktuelle Kulturangebot gibt das monatlich erscheinende Magazin *Time Out Istanbul* (mit englischer Beilage). Wer des Türkischen mächtig ist, kann sich zudem in der Tageszeitung *Hürriyet* und dem Monatsmagazin *İstanbul Life* informieren. Programme zu Konzerten, Festivals, Theaterstücken etc. liegen im Atatürk-Kulturzentrum (Atatürk Kültür Merkezi, s. u.) aus. Achten Sie auch auf Plakate. Einen Veranstaltungskalender finden Sie auf S. 105.

• *Veranstaltungs- und Konzertsäle* **Atatürk Kültür Merkezi (Atatürk-Kulturzentrum)**, ein riesiger Kasten mit fünf Hallen und alles andere als schön, dafür aber *der* Angelpunkt des İstanbuler Kulturlebens. Veranstaltungsort für klassische Konzerte, Theater und Ausstellungen, zudem Heimat der Staatsoper und des Staatsballetts – beide von deutschen Flüchtlingen 1946 gegründet. Auch das staatliche Symphonieorchester, das schon Yehudi Menuhin und Luciano Pavarotti begleitete, tritt hier regelmäßig auf. Vorverkauf unter ✆ 0212/2511023 (klassische Konzerte) oder ✆ 2431068 (Ballett und Oper). Unübersehbar am Taksim-Platz.

Cemal Reşit Rey Konser Salonu, vor allem klassische Konzerte, zudem Opern, Operetten, Jazz und (selten) klassisch-osmanische Musik. Heimat des gleichnamigen Symphonieorchesters, das ebenfalls hin und wieder internationale Größen wie José Carreras begleitet. Großer Saal für rund 800 Zuschauer. Darülbedai Cad. 1, Harbiye (nördlich des Taksim-Platzes), ✆ 0212/2329830. Von Taksim in 5 Fußminuten erreichbar.

• *Theater* **Taksim Sahnesi**, hier ist das İstanbuler Staatstheater zu Hause. Klassisches und modernes Theater für Anspruchsvolle. Sıraselviler Cad. 39, Taksim, ✆ 0212/2496944.

Kenter Tiyatrosu, 1968 von Yıldız Kenter, einer der führenden türkischen Theaterschauspielerinnen, gegründet. Neben Klassikern auch Schattenspiel-Aufführungen. Halaskargazi Cad. 35, Harbiye (nördlich des Taksim-Platzes), ✆ 0212/2463589. Von Taksim in 5 Fußminuten zu erreichen.

• *Tickets* Dank staatlicher Subventionen sind Tickets für Oper, Ballett, klassische Konzerte und Theater recht preiswert. Zuweilen ist man schon ab 1 € dabei, und mehr als 12 € kosten Karten selten. Tiefer in die Tasche greifen muss man hingegen für Rock- und Jazzkonzerte. Die Spanne reicht von 2 € für eine kreischende Schülerband bis ca. 40 € für hochrangige Combos. Tickets bekommt man in den jeweiligen Häusern, im Atatürk Kültür Merkezi und bei der Vorverkaufsstelle **Vakkorama,** Osmanlı Sok. 13, Taksim, ✆ 0212/2511571, www.vakkorama.com.tr.

Karagöz, das türkische Schattenspiel

Karagöz ("Schwarzauge") nennt sich das türkische Schattenspiel im Kasperletheater-Format, bei dem ein fingerfertiger Künstler hinter einer straff gespannten Leinwand und vor einer Lampe Figuren dirigiert. Seinen Namen erhielt das Schattentheater von seinem Protagonisten Karagöz, einem gutmütigen und pfiffigen Charakter. Am Leben erhält ihn der schalkhafte, aber stetige Streit mit seinem Gegenpart Hacivat, der den gebildeten, Opium liebenden Osmanen verkörpert. Ihren Ursprung haben die Charaktere einer Legende zufolge im 14. Jh. Angeblich waren sie einfache Bauarbeiter, die durch ihre Späße andere von der Arbeit abhielten und von Sultan Orhan deswegen geköpft wurden. Als Schattenspielfiguren begeisterten sie das türkische Volk über Jahrhunderte hinweg mit Geschichten aus dem alltäglichen Leben. Erst mit dem Aufkommen moderner Medien verschwand diese alte Tradition.
Die Möglichkeit, einer fast vergessenen Kunst beizuwohnen, hat man in İstanbul heute noch im Kenter-Theater (s.o.) und während des Internationalen Festivals des Puppentheaters (→ "İstanbul rund ums Jahr", S. 105).

Nachtleben

İstanbul schläft nicht. Egal ob Sie Punkrock, Türkpop, Ethno, elektronische Beats oder orientalische Klänge bevorzugen, ob live oder vom Plattenteller, dem Clubbing steht am Bosporus nichts im Wege. Das Angebot ist gigantisch und stellt das vieler europäischen Metropolen in den Schatten: Die Palette reicht von schummrigen Pinten, wo graubärtige Alleinunterhalter melancholische Volksweisen trällern, bis zu exklusiven Open-Air-Clubs direkt am Bosporus mit Blick über die nächtliche Skyline der Stadt. Zentrum des Nachtlebens ist Beyoğlu, wo an Wochenenden Bars und Clubs restlos überfüllt sind. Wer zu Platzangst neigt, sollte nach Ortaköy an den Bosporus ausweichen; dort findet man gemütliche Kneipen und einige der exklusivsten Clubs der Stadt.

• *Traditionelle Musik/Bauchtanz* **Türkü Bar (5/S. 150/151)**, halb Open-Air-, halb Orient-Kneipe. Türkische Volksmusik und eine der besten Orte zum Beobachten des illustren Nachtvolkes von Beyoğlu. İmam Adnan Sok. 9, Beyoğlu.

Şal Café Bar (16/S. 150/151), teppichlastiges Orientambiente unter niedriger Decke. Zu traditionell türkischer Musik gibt es Leckereien wie Börek oder gefülltes Gemüse. À la carte oder fixes Menü, bei der Wahl des Letzteren bekommen Sie Essen, Musik und unbegrenzte (türkische!) Getränke für 15 €. Büyükparmakkapı Sok. 18, Beyoğlu.

Orient House (6/S. 134/135), die Bühnenshow dieses Bauchtanzclubs gilt als die beste der Stadt. Saal im mittelalterlichen Stil, ca. 400 Plätze. Tägl. 20.45–24 Uhr. Im Gebäude des Hotels President in der Tiyatro Cad. 27, Beyazıt (Basarviertel).

Türkischer Wein – sollten Sie probieren!

• *Rock* **Babylon (35/S. 150/151)**, hier stehen die lokale Rock- und Pop-Elite, die internationale Avantgarderock-Szene, Fusion-Jazzer usw. auf der Bühne. Regelmäßig Konzerte und Performances. Eine der besten Adressen. Tickets 7–14 €. Tägl. ab 21.30 Uhr. Şehbender Sok. 3, Beyoğlu.

Kemancı (12/S. 150/151), alteingesessener İstanbuler Rockclub auf drei Etagen. Täglich Livegigs, danach sorgen DJs für Stimmung. Alles zwischen Hippiesound und Metal, stets gut von der İstanbuler Langhaarszene besucht. Eintritt je nach Tag und Band 4–8 €. Tägl. 21–4 Uhr. Sıraselviler Cad. 69, Taksim.

Hayal Kahvesi (13/S. 150/151), Liverock-Kneipe mit American-Style-Bar und möchtegerntrendigem Publikum. Livemusik ab 23 Uhr. Sa/So ca. 9 € Eintritt, sonst frei. Tägl. 12–2 Uhr. Büyükparmakkapı Sok. 19, Beyoğlu.

• *Elektronische Musik* **Laila,** der Elite-Nightspot der Stadt, in herrlichem Ambiente direkt am Bosporus gelegen. Wen die Türsteher durchlassen, der gehört zu İstanbuls Jetset oder hat Glück. Eher konventionelle türkische und internationale Dancemusik. Sehen und Gesehenwerden ist das, was zählt. Alles in allem ein riesiger Komplex mit verschiedenen Lokalitäten, topschicken Twens und bombastischen Preisen. Eintritt 27 €. Tägl. 18.30–3 Uhr, nur im Sommer. Muallim Naci Cad. 141, Ortaköy. Anfahrt → "Am Bosporus", S. 189. Von Taksim mit Ⓑ 40, von Eminönü mit Ⓑ 25 E.

Godet (2/S. 150/151), renommierter Elektroclub, der sich darum bemüht, Abwechslung auf den Plattenteller zu bringen. Alle zwei Wochen werden DJs aus dem Ausland geholt. Die Abende beginnen mit softem Drum 'n' Bass, gehen über zu House und enden mit harten Technobeats. Kleine, trendige, aber nicht unbedingt ausgefallene Location. Am Wochenende Partystimmung (ab 23 Uhr 8 € Eintritt), unter der Woche Barbetrieb. Mi–So 22–4 Uhr. Zambak Sok. 15, Beyoğlu.

Dulcinea (4/S. 150/151), Allround-Location, die unter der Woche als Café, Restaurant und Galerie dient, am Wochenende jedoch eine bunte Menge Tanzsüchtiger anlockt, die von Platzangst sicher noch nie etwas gehört haben. Gut ausgewählte Musik querbeet, die Clubnächte am Fr und Sa sind trance-, funk- und technolastig. Lang gezogene Diele mit schicker Einrichtung. Tägl. 17–24 Uhr. Kein Eintritt, dafür Getränke zu satten Preisen. Meşelik Sok. 20, Beyoğlu.

• *Jazz* **Gramofon (39/S. 150/151)**, Location in bester Lage. Tagsüber luftiges, modernes Café am Abend Jazzbar. Am Wochenende meist Livegigs, sonst DJs. So/Mo tote Hose. Sicherlich nicht allzu innovativ, aber İstanbul ist ja auch nicht New Orleans.

Di–Sa 9–2 Uhr. An den Liveabenden 9–11 € Eintritt. Tünel Meydanı 3, Beyoğlu.

Jazz Café (14/S. 150/151), der Tipp in Sachen Jazz, wenn auch noch lange kein Club, sondern lediglich eine gemütliche Kneipe mit Instrumenten an der Wand und sympathischem, jungem Publikum. Die Musik kommt vorrangig aus der Konserve, Livegigs steigen zuweilen unter der Woche, meist Do. Faires Preis-Leistungs-Verhältnis, tägl. außer So 12–2 Uhr. Hasnun Galip Sok. 20, Beyoğlu.

• *Schwules und lesbisches Nachtleben* Lesbenkneipen gibt es nicht, Frauen sind in den Schwulentreffs aber stets willkommen. Einen Überblick über die Szene kann man sich im Magazin *KAOS GL*, erhältlich in den großen Buchhandlungen in Beyoğlu, verschaffen.

Bar Bahçe (23/S. 150/151), trendiger, freundlicher Schwulenclub, in dem Heteros und Lesben ebenfalls willkommen sind. Rosa-minimalistische Einrichtung, 99 Prozent des Clubs bestehen aus Tanzfläche. Zwischen House und Breakbeat verirren sich auch mal die Weather Girls. Kein Eintritt, dafür nicht ganz billiges Bier. Mo–Sa 21.30–1.30 Uhr. Soğancı Sok. 7, Cihangir (Beyoğlu).

Queen (1/S. 150/151), der frühere Transvestitentreff wurde in jüngster Zeit zu einem angesehenen Schwulenclub. Klein und intim, am Wochenende (1,30 € Eintritt) gerammelt voll mit einer gut gelaunten Gemeinde. Unkomplizierte Dancemusik. Tägl. 22–4 Uhr. Zambak Sok. 23, Beyoğlu.

Essen & Trinken

Nirgendwo in der Türkei ist die Küche vielfältiger als in İstanbul. Die Stadt am Bosporus kennt die kunstvolle osmanische Palastcuisine, bei der Gemüse und Fleisch mit Soßen, Cremes, Reis und Früchten raffiniert kombiniert werden, genauso wie Gerichte aus dem einstigen multikulturellen Osmanischen Reich: vom Balkan, aus Persien und Arabien, aus Südostanatolien und vom Schwarzen Meer. İstanbuler Spezialitäten sind *hamsi*, Schwarzmeersardinen, die mit Haut und Gräten verzehrt werden, und *midye*, frittierte Miesmuscheln mit Knoblauchsoße, die auch im Sandwich angeboten werden. In İstanbul können Sie aber auch Borschtsch löffeln oder Sushi essen gehen – die Auswahl an schicken Restaurants ist enorm, kaum eine europäische Großstadt kann İstanbul in dieser Hinsicht das Wasser reichen. Wer sich dabei zu İstanbuls Oberschicht gesellt und sein Candlelight-Dinner in einem eleganten Lokal mit Bosporusblick genießt, bezahlt schnell 40 € und mehr pro Person (ohne Wein). Billiger (und wahrscheinlich auch lustiger) wird ein Abend in einer istanbultypischen *Meyhane*, eine Art große Restaurantkneipe, in der man zu Rakı in erster Linie Vorspeisen isst. Dabei wird traditionelle türkische Livemusik dargeboten, und es geht laut und ausgelassen zu.

Empfehlenswerte Restaurants finden Sie unter den einzelnen Stadtteilen.

Übernachten

Als Standort bieten sich mehrere Stadtteile an: In **Sultanahmet**, dem touristischsten Viertel İstanbuls, wohnt man nahe den großen Sehenswürdigkeiten. Hier gibt es Hotels, Pensionen und Hostels jeder Kategorie, darunter die stilvollsten Häuser der Stadt (für die Anfahrt zu den Unterkünften → Sultanahmet, S.106). Auch vom Bahnhofsviertel **Sirkeci** sind die großen Sehenswürdigkeiten bequem zu Fuß zu erreichen. Mit dem Charme Sultanahmets kann Sirkeci nicht aufwarten, dafür ist der Stadtteil natürlicher und lebendiger (für die Anfahrt zu den Unterkünften → Sultanahmet, S. 106). In **Taksim** wohnt die Geschäftswelt, viele internationale Hotelketten haben hier ihren Sitz. Der sich daran anschließende pulsierende Stadtteil **Beyoğlu** ist als Standort empfehlenswert für all jene, die nicht nur Moscheen und Museen besichtigen, sondern auch am Leben der Stadt teilhaben möchten.

Neben unzähligen Bars, Kneipen und Restaurants findet man hier Hotels jeglicher Couleur. In manchen Billighotels sind zuweilen ein paar Etagen für das Geschäft mit der Liebe reserviert (für die Anfahrt zu den Unterkünften → Taksim und Beyoğlu, S. 148). Auch auf der asiatischen Seite findet man zahlreiche Unterkünfte – wer mit dem Zug oder Bus von der Küste anreist und in Haydarpaşa bzw. Harem aussteigt, kann im modernen, lebenslustigen Stadtteil **Kadıköy** auf Zimmersuche gehen. Fähren verbinden Kadıköy mit Eminönü auf der europäischen Seite.

Die hier angegebenen **Preise** beziehen sich auf die Hauptsaison, d. h. auf die Monate von April bis Oktober, die Tage zwischen Weihnachten und Neujahr sowie die nationalen Feiertage. Außerhalb dieser Zeiten werden Rabatte von bis zu 50 Prozent gewährt. Übrigens sind die hohen offiziellen Tarife, die an der Rezeption aushängen, meist reine "Luftpreise". Pauschalreisenden will man damit das Gefühl geben, ihr Veranstalter habe für sie ein teueres, vornehmes Haus gebucht. Bei Individualreisenden erwecken sie umgekehrt den Eindruck, als habe man ihnen einen überaus großzügigen Rabatt gewährt.

• _Sultanahmet (Karte, S. 107)_ **Four Seasons Hotel (17)**, nahe der Hagia Sophia in einem ehemaligen Gefängnis. Keine Sorge, die Zimmer sind größer als 2 mal 2 m, es wurde viel umgebaut. Und so präsentiert sich das Four Seasons von den großen internationalen Tophotels der Stadt als das kleinste mit dem größten Charme. Luxus pur, DZ ab 320 €. Wer die Diamanten aus der Schatzkammer des Topkapı-Palasts mitgehen lässt, wählt am besten eine Suite für 2000 €. Zu den Gästen zählten u. a. David Copperfield, Demi Moore und Michail Gorbatschow. Tevkifhane Sok. 1, ✆ 0212/6388200, 📠 6388210.

Sultan Ahmet Sarayı (24), der Name kommt nicht von ungefähr: Schräg gegenüber der Blauen Moschee gelegen, gleicht das Haus tatsächlich einem Palast. Die 36 Zimmer im pseudobyzantinischen Stil besitzen das Suitenniveau so mancher Vier- und Fünf-Sterne-Hotels in Taksim. Jedes mit eigenem Hamam! Ein Hotel, wie es in İstanbul nur wenige gibt. DZ 160 €, EZ 140 €. Torun Sok. 19, ✆ 0212/4580460, www.sultanahmetpalace.com.

Ayasofya Pansiyonları (4), nahe dem Topkapı-Palast. Beschaulicher kann man in Sultanahmet kaum wohnen. 63 Zimmer verteilen sich auf mehrere alte, pastellfarben gestrichene Holzhäuser in einer ruhigen, pittoresken Gasse. Alle Räume mit Parkettböden, pseudoviktorianischem Mobiliar und Lüstern. Zum Komplex gehört zudem das Hotel Konukevi mit herrlicher Dachterrasse in der gleichen Straße. Zu den Gästen zählten u. a. Bernardo Bertolucci und Roman Polanski. EZ ab 80 €, DZ ab 100 €, erhebliche Preisnachlässe von November bis April. Soğukçeşme Sok., ✆ 0212/5133660, ayapans@escortnet.com.

Kybele Hotel (8), nahe der Yerebatan-Zisterne. Für den einen zu kitschig-überladen, für den anderen ein orientalischer Traum: Von den Decken der Gemeinschaftsräume baumeln exakt 1002 antike Lämpchen, die sanftes Licht spenden. Antiquitäten satt auch in den komfortablen, farbenfrohen 16 Zimmern mit Marmorbädern und Klimaanlage. Romantische Innenhof-Terrasse. EZ 50 €, DZ 80 €. Yerebatan Cad. 35, ✆ 0212/5117766, www.kybelehotel.com.

Hotel Ararat (23), kleines, fast intimes Haus bei der Blauen Moschee. Nur 14 Zimmer, alle jedoch unterschiedlich durch den griechischen Maler Nikos Papadakis gestaltet. 2000 eröffnet. Zwei Dachterrassen – Sie können zwischen Meeres- und Moscheenblick wählen. DZ 60–70 €, je nachdem, wohin das Fenster geht. Torun Sok. 3, ✆ 0212/5160411, www.ararathotel.com.

Hotel Uyan (18), bonbonrosa angestrichenes Hotel mit blau gehaltenen Zimmern. Bewährter Lesertipp. Gepflegt, freundlich und im Vergleich zu vielen anderen Hotels auf gleichem Niveau nicht einmal teuer: DZ 50 €, EZ 35 € – sehr gutes Preis-Leistungs-Verhältnis. Utangaç Sok. 25, ✆ 0212/5164892, www.uyanhotel.com.

Hotel Pamphylia (3), im Presseviertel Cağaloğlu und etwas abseits des großen Touristenstroms. Vom Äußeren nicht abschrecken lassen – im Inneren des etablierten Familienbetriebes warten 32 herrlich bunte Zimmer, jedes davon im türkisch-osmanischen

Stil eingerichtet. Genießen Sie Ihr Frühstück bei traumhaftem Bosporusblick im Obergeschoss! DZ mit Klimaanlage 40 €. Yerebatan Cad. 47, ✆ 0212/5120133, www.hotelpamphylia.com.

Guesthouse Kervan (11), mitten im Geschehen. Mit Feingefühl restauriertes Haus aus dem 19. Jh. Vermietet werden fünf geschmackvolle Zimmer mit Dielenböden. Das Frühstück (selbstgemachte Marmelade!) wird auf der schönen Dachterrasse serviert. Freundlicher Service. DZ 40 €. Şeftali Sok. 10, ✆ 0212/5282949, 5272390.

Vezirhan Hotel (6), kleines, gepflegtes Mittelklassehotel. 8 Teppichboden-Zimmer mit schwerem Mobiliar. Wählen Sie ein Zimmer auf der Rückseite, vorne fährt die Straßenbahn! Netter Service, für die Lage gutes Preis-Leistungs-Verhältnis. EZ 14 €, DZ 21 €. Alemdar Cad. 7, ✆ 0212/5112414, vezirhanhotel@hotmail.com.

Pension & Hotel Türkmen (21), Empfehlung unter den Budget-Unterkünften. Vermietet werden im Hotel 17 schlichte, jedoch ordentliche Zimmer mit Telefon und Zentralheizung, mehrere davon mit Meeresblick (DZ ab 25 €). Die Pension bietet 33 einfache, jedoch geräumige Ein- bis Vier-Bett-Zimmer, nur teilweise mit Nasszellen in den Räumen (DZ 16 €). Schön gekachelter Empfangs- und Frühstücksraum, netter Service. Dizdariye Çeşmesi Sok. 27, ✆ 0212/5171355, www.turkmenhotel.com.

Amphora Hostel (20), im ruhigen Viertel Kadırga, auch "Boby's Place" genannt. Im Vergleich zu den meisten Billigabsteigen recht gepflegt. Mit ein wenig Phantasie, Kreativität und Farbe gestalteter Eingangs- und Aufenthaltsbereich. Internetzugang. DZ 20 €, Bett im Schlafsaal 6 €, Frühstück 2 €. Su Terazisi Sok. 8, ✆ 0212/6381554, amphora@hotelsinturkey.net.

Yücelt Interyouth Hostel (9), neben der Hagia Sophia. Bekanntester, alteingesessenster und beliebtester Backpacker-Treffpunkt der Stadt. Schöner Außenbereich, Bibliothek, Waschservice und Internetzugang. Zudem werden Ausflüge organisiert. Die Zimmer? Für Anspruchslose. Im Sommer ist eine Reservierung unbedingt zu empfehlen. Das kleine DZ ohne Sanitärs kostet 16 €, pro Person im Mehrbettzimmer 6 €. Caferiye Sok. 6, ✆ 0212/5136150, www.yucelthostel.com.

Sipahi Otel (7), nahe dem Großen Basar im Viertel Çemberlitaş. Einfaches, aber irgendwie originelles 50-Zimmer-Haus. Jedes Zimmer anders eingerichtet – man könnte meinen, mit Möbeln aus Wohnungsauflösungen. Rosa Wände, rote Bäder etc. Zimmer mit und ohne Du/WC. DZ ohne Frühstück ab 14 €. Türbedar Sok. 20, ✆ 0212/5279261, 5273402.

Can Youth Hostel (25), billiger und keinen Deut schlechter als alle anderen Hostels, jedoch nicht ganz so zentral gelegen. Fast dörfliche Idylle umgibt diese kleine Herberge im Viertel Kadırga. 7 Zimmer mit insgesamt 17 Betten auf engem Raum. Familiäre Atmosphäre. Pro Person 6 €, egal ob im DZ oder im Mehrbettzimmer. Etagensanitärs. Für 3 € pro Person kann man ein Lager auf der schönen Dachterrasse (mit Meeresblick) beziehen. Netter Service. Şehit Mehmet Sok. 2, ✆ 0212/6386609, www.geocities.com/canhostel.

Weitere Hostels findet man zudem rund um die Küçük Ayasofya Cad. südwestlich der Blauen Moschee.

• Sirkeci (Karte S. 107) ******Hotel Yaşmak Sultan (2)**, aus der ehemaligen Billigabsteige wurde 1998 ein Vier-Sterne-Haus mit allem Komfort. Sehr schöner Eingangsbereich mit Bodenmosaiken und schwerem Mobiliar im osmanischen Stil. 84 klassisch-moderne Zimmer mit Marmorbädern. Hamam, Fitnesscenter, Sauna. Zurückhaltender, erstklassiger Service. Für das Gebotene preislich okay: DZ 60 €. Ebusuut Cad. 18–20, ✆ 0212/5281343, www.yasmak.com/yasmaksultan.

• Taksim-Platz und Beyoğlu (Karte S. 150/151) **Family House Apart Hotel (9)**, im ruhigen Viertel Gümüşsuyu nahe dem deutschen Konsulat. Empfehlenswert für kleine Gruppen oder längere Aufenthalte. Vermietet werden geräumige Apartments mit etwas biederer, jedoch erstklassiger Ausstattung: TV mit deutschen Kanälen, Handtücher, Fön, komplettes Geschirr, tägl. Grundreinigung etc. Freundlicher Service. Apartment für bis zu fünf Personen 96 €. Kutlu Sok. 53, ✆ 0212/2499670, 2499667.

Entes Apart Hotel (6), 11 sehr schöne, mit Geschmack ausgestattete Apartments zum Wohlfühlen. Zentralheizung, Klimaanlage, Satelliten-TV, Telefon und komplett ausgestattete Küche. Freundliche, familiäre Atmosphäre. Bis zu drei Personen zahlen 80 €. İpek Sok. 19, ✆ 0212/2932208, www.entes.com.tr.

Vardar Palace Hotel (20), in seiner Kategorie eine Empfehlung, nicht zuletzt wegen des mehr als guten Preis-Leistungs-Verhältnisses. Gepflegtes 40-Zimmer-Haus auf Vier-Sterne-Niveau in einem Gebäude aus dem frühen 19. Jh. Klassische Hotelzimmer mit Mahagonimobiliar, warmen Wandfarben und originellen Bädern. Leider an einer Tag und Nacht trubeligen Straße gelegen. DZ 55 €. Sıraselviler Cad. 54, ✆ 0212/2522888, www.vardarhotel.com.

Wohnen wie anno dazumal – die Grandhotels des Fin de Siècle

Mata Hari, Josephine Baker, Marlene Dietrich, Alfred Hitchcock, Tito, Jackie Kennedy – sie alle fielen in die prächtigen Betten des **Pera Palace (27)**, eines der ersten İstanbuler Luxushotels aus der glanzvollen Zeit des Orient-Expresses. 1884 gebaut, war es İstanbuls erstes Hotel mit einem elektrischen Aufzug und konnte lange vor anderen vergleichbaren Hotels der Stadt mit fließendem Wasser und elektrischem Licht aufwarten. Marmor aus Carrara, handgeknüpfte Teppiche und Gardinen aus Seide – das Beste war gerade gut genug. Mehrmals beherbergte das Haus den Staatsmann Atatürk, in Zimmer 101 erweist man ihm heute mit einer kleinen Gedenkstätte Reverenz. Die englische Krimiautorin Agatha Christie stieg des Öfteren in Zimmer 411 ab und schrieb dort ihren weltberühmten Roman "Mord im Orient-Express". 1926 verschwand die Dame für elf Tage spurlos aus dem Hotel. Bis heute sind die Gründe unklar, manch einer vermutet gar, dass die Autorin selbst ein Verbrechen verübte, um so authentischer schreiben zu können.

Wie der Orient-Express ist auch die Prominenz verschwunden. Zwar kann man das Haus noch immer als stilvoll bezeichnen, jedoch nicht mehr als luxuriös, auch wenn die Preise das vermuten lassen. Für die Nostalgie-Nacht im abgewetzten Fin-de-Siècle-Charme bezahlt man satte 220 € im Doppelzimmer. Lohnenswert ist aber noch immer ein Kaffee in der sehenswerten Orient Express Bar.

Ähnlich liest sich die Geschichte des 1892 errichteten **Büyük Londra Oteli (22)** in der Nachbarschaft. An dessen Bar, die noch heute gerne als Filmkulisse genutzt wird, versumpfte schon Ernest Hemingway. Leider bieten die Zimmer nur noch muffeligen Charme: hohe Räume mit Stuckdecken und einem Geruch, als wären sie seit dem letzten Orient-Express 1977 nicht mehr gelüftet worden. Und auch hier hat Nostalgie seinen Preis: 80 € für das Doppelzimmer.

Adressen: Das Pera Palas Oteli (✆ 0212/2514560-70, ℻ 2514088) befindet sich in Beyoğlu in der Meşrutiyet Cad. 89–100, das Büyük Londra Oteli (✆ 0212/2931619, ℻ 2450671) in der gleichen Straße in Hausnummer 117.

*****Villa Zürich (30)**, keine schlechte Wahl, wenn auch noch lange keine Villa. Im ruhigeren Viertel Cihangir. Gepflegtes Mittelklassehotel mit 42 freundlichen Zimmern. Standardeinrichtung, aber auch Badewannen. Waschservice und Babysitting auf Wunsch. Guter Service, viel deutsches Publikum. DZ 50 €. Akarsu Yokuşu Cad. 44–46, ✆ 0212/2930604, ℻ 2490232.

Hotel Residence (17), eine gute Wahl in dieser Preisklasse für Nachtschwärmer. Das Hotel in einer trubeligen Bargasse bietet 51 sympathische Zimmer mit bunten Teppichböden, rosafarbenen Türen und türkisfarbenem Mobiliar. Lounge im Afrika-Stil, Pflanzen, nettes Publikum. EZ 30 €, DZ 40 €. Sadri Alışık Sok. 19, ✆ 0212/2527685, ℻ 2430084.

Nördlich und südlich des Goldenen Horns – wo rund 2000 Jahre Geschichte aufeinander treffen

Hisar Otel (11), nahe dem Fischmarkt und mitten im Trubel. Sehr empfehlenswertes, gepflegtes Mittelklassehotel mit freundlichen, farbenfrohen Zimmern. Im Erdgeschoss ein beliebtes Restaurant. DZ mit Frühstück 29 €. Kameriye Sok. 46/1, ✆ 0212/2928052, 📠 2928044.

Hotel Devman (33), 2001 eröffnet und in seiner Preisklasse bislang eine gute Empfehlung. Freundliche Zimmer mit Fliesenböden und türkisfarbenem Kaufhausmobiliar, gute Bäder, zudem TV und Kühlschrank. Nur das Frühstück im gruseligen Kellersalon lässt zu wünschen übrig. DZ 25 €. Asmalımescit Sok. 52, ✆ 0212/2456212, 📠 2927250.

Chill Out (31), Hotel und Café. Bunte Unterkunft für junge Leute. Freundlicher, auch deutschsprachiger Service. Einfache Zimmer. Ohne Bad pro Person 6 €, DZ mit Bad 16 €. Balyoz Sok. 17, ✆ 0212/2494784, hansplatz@yahoo.com.

• *Kadıköy (asiatische Seite)* Alle hier aufgeführten Unterkünfte in Kadıköy befinden sich nahe der Fähranlegestelle. Einfach nachfragen – irgendein freundlicher İstanbuli weist Ihnen bestimmt den Weg.

Kent Otel, ein Tipp in der mittleren Preisklasse. In Downtown Kadıköy inmitten des bunten Markttreibens. Gut geführtes, sympathisches 23-Zimmer-Haus. Mit Geschmack eingerichtete, kleine und farbenfrohe Räume mit Steinböden. Schöne Lobby, gemütlicher Frühstückssalon (offenes Bufett!) und Klimaanlage. Sehr sauber, freundlich-familiärer Service. DZ mit Frühstück 33 €. Serasker Cad. 8, ✆ 0216/3362453, 📠 4491693.

Konak Otel, nahe der Fähranlegestelle, jedoch etwas zurückversetzt von der Uferfront. 2000 eröffnet, alles noch neu, ordentlich und gepflegt. Standard-Hotelzimmer, die rund um Taksim gut das Dreifache kosten. Jedoch z. T. etwas dunkel. Freundlicher Service. Für zwei Personen 27 €. Recaizade Sok. 12, ✆ 0216/3466996, 📠 3465540.

Otel Aktaş, kleine, saubere Unterkunft in einem alten, aber restaurierten osmanischen Haus. Unter den preiswerten Herbergen Kadıköys die wohl beste Adresse. Gepflegte Zimmer mit Bad. Freundlicher Service, aber ohne Fremdsprachenkenntnisse. EZ 9 €, DZ 14 €. Misakı Milli Sok. 15, ✆ 0216/3450012, 📠 3466501.

Camping

Camper haben schlechte Karten. Die wenigen Plätze, mit denen İstanbul aufwarten kann, liegen ganz im Westen der Stadt und sind damit rund 20 km von den touristisch interessanten Stadtteilen entfernt. Sie sind allesamt nicht das, was man als Idylle im Grünen bezeichnen könnte.

Ataköy Camping, im Stadtteil Ataköy an der Rauf Orbay Cad., der Küstenstraße. Großer, schattiger Platz direkt am Meer, das hier aber eine stinkende Kloake ist. Baden unmöglich! Direkt am Ufer auch ein Restaurant mit gemütlicher Terrasse – sofern ablandiger Wind herrscht. Im Sommer sind die Sanitäranlagen schnell überlastet. Ganzjährig geöffnet. Hunde erlaubt. Erwachsene 5 €, Kinder 3 €, Zelt 4 €, Auto 4 €, Wohnwagen 6 €, Wohnmobil 9 €, Strom 2 €. ✆ 0212/5596014, 📠 5600426. Von Eminönü mit Ⓑ 81, von Taksim mit Ⓑ 72 T und 71 T. Die Bushaltestelle befindet sich ca. 300 m entfernt zwischen ein paar hohen Häuserblocks, fragen Sie den Busfahrer, wo Sie aussteigen müssen. Danach muss man nur noch eine mörderische Straße überqueren.

Florya Tourist Camping, direkt am Meer im Stadtteil Florya. Leider recht laut. Eigener Sandstrand, Schatten spendende Bäume, Restaurant und Minimarkt. 2001 war der Platz allerdings geschlossen und seine Zukunft ungewiss. Für Infos kann man sein Glück unter ✆ 0212/5740000 versuchen. Vom Bahnhof Sirkeci/Eminönü erreicht man Florya mit der Vorortbahn. Tickets gibt's im Bahnhof rechter Hand, auf die Beschilderung "Banliyö" achten.

İstanbul rund ums Jahr

• *Januar* **Tage der modernen türkischen Literatur** – verschiedene Veranstaltungsorte im Stadtzentrum.

• *März* **Weltmusik-Tage** – zwei Tage Ethno in den angesagten Clubs der Stadt

• *April* **Internationales İstanbuler Filmfestival** – einer der größten Events der Stadt. Gezeigt werden zwei Wochen lang rund 150 Filme aus aller Welt in diversen Kinos.

• *Mai* **Internationales Theaterfestival** – die Hauptveranstaltungsorte des Festivals, das bis Mitte Juni andauert, sind das Atatürk-Kulturzentrum und das Kenter-Theater. Fast die einzige Möglichkeit, fremdsprachiges Theater in der Stadt zu sehen.

Internationales Marionettentheaterfestival – im Kenter-Theater zeigt man Puppen-, Marionetten- und Schattenspiel. Ein Spaß für Kinder.

• *Juni* **Internationales İstanbuler Musikfestival** – dauert bis in den Juli hinein und bietet rund 30 (vornehmlich klassische) Konzerte, zudem Ballettaufführungen. Ausgetragen wird das Festival z. T. an Orten, die der Öffentlichkeit sonst nie zugänglich sind, wie z. B. der Kirche Hagia Eirene (→ Topkapi-Palast, S. 121).

• *Juli* **Sommerkonzerte in Rumeli Hisarı** – Rock- und Popmusik fast jede Nacht, den traumhaften Bosporusblick gibt es gratis dazu.

• *September* **İstanbuler Kunstbiennale**– in allen ungeraden Jahre von September bis November. Europäische Avantgardeszene trifft hier Kunst am Bosporus. Ausgestellt wird in der ganzen Stadt, u. a. an historischen Orten wie der Yerebatan-Zisterne oder dem Beylerbeyi-Palast.

• *Oktober* **Akbank-Jazzfestival** – zweiwöchiges Festival mit Konzerten und begleitenden Filmen überall in der Stadt. Jamsessions im Club Babylon.

Eurasia-Marathon – die Teilnehmer laufen über die Bosporusbrücke, die sonst für Fußgänger gesperrt ist.

• *November* **Internationales Festival mystischer Musik** – religiöse Gesänge, Sufi-Musik etc. im Cemal-Reşit-Bey-Konzertsaal.

• *Dezember* **Mevlana-Festival** – vom 17. bis 24. Dezember tanzen im ehemaligen Mevlevi-Kloster (→ Galata und Karaköy, S. 153) Sufi-Anhänger zu Ehren des berühmten Klostergründers.

Sultanahmet

Sultanahmet, das Herz der historischen Altstadt, ist ein einzigartiges Freilichtmuseum. Auf wenigen Quadratkilometern konzentrieren sich die größten Sehenswürdigkeiten der Stadt, darunter die Hagia Sophia und die Blaue Moschee. Ihre Silhouetten prägen das İstanbul der Bildbände und Postkarten. Kunstliebhaber könnten ganze Wochen hier verbringen, ohne auch nur einen Schritt in einen anderen Stadtteil zu tun. Allein die Besichtigung des Topkapı Sarayı - wegen seiner Vielzahl an Sehenswürdigkeiten als eigenes Kapitel aufgeführt - kann zum Tagwerk ausarten. So wundert es auch nicht, dass Sultanahmet ganz im Zeichen des Tourismus steht: 2.500 Jahre Geschichte treffen hier auf Millionen Besucher. Türken begegnet man hier vornehmlich als Kellner, Taxifahrer, Portiers und Schlepper. Letztere begrüßen Sie mit einem freundlichen "Hello my friend, where are you from?" und lassen Sie – wenn Sie nicht aufpassen – mit einem Teppich im Arm oder einem Zehnerpack falscher Krokodil-Socken zurück. Abseits der touristischen Highlights lässt sich aber auch in Sultanahmet das İstanbul der İstanbulis entdecken. Einen Abstecher wert ist das geschäftige Presseviertel Cağaloğlu im Norden Sultanahmets mit seinen vielen Redaktionen, Verlagen und Druckereien. Beschaulich sind die Viertel Cankurtaran und Kadırga südlich der großen Sehenswürdigkeiten am Marmarameer. Besten Fisch und jede Menge Trubel bietet das Viertel Kumkapı (→ Kasten, S. 119).

Verbindungen: Sultanahmet erreichen Sie von Taksim mit Ⓑ T 4, die Linie verkehrt jedoch nicht allzu häufig. Eine andere Möglichkeit besteht darin, von Beyoğlu mit der Tünel-Bahn nach Karaköy zu fahren, von dort über die Galatabrücke zu laufen und von Eminönü mit der Straßenbahn bis Sirkeci (Bahnhofsviertel), Gülhane oder Sultanahmet zu fahren. In die Viertel Cankurtaran und Kumkapı gelangt man, will man nicht laufen, mit der Vorortbahn von Sirkeci. Tickets (0,50 €) gibt's im Bahnhof (auf die Aufschrift "Banliyö" achten).

Yerebatan-Zisterne (Yerebatan Sarnıcı): Zu Recht wird der geheimnisvolle unterirdische Wasserspeicher, eine der beeindruckendsten Sehenswürdigkeiten İstanbuls, auch "Versunkener Palast"genannt. Im 6. Jh. wurde die Zisterne unter Kaiser Justinian gebaut. Sie fasste 80.000 Kubikmeter Wasser, das über Aquädukte aus dem Belgrader Wald kam. Ihr einstiger Grundriss war größer als der der Hagia Sophia. Zwei Drittel der Anlage können heute besichtigt werden, der Rest verschwand im 19. Jh. hinter Mauern. Laufstege führen durch das geheimnisvoll gurgelnde Halbdunkel, das bis 1987 nur mit Booten zugänglich war. 336 Säulen, jede acht Meter hoch, stützen die Zisterne. Wasser tröpfelt von der Decke, und am Boden schimmert es silbern. Dezente klassische Musik verstärkt die reizvolle Atmosphäre. Auch für Kinder lohnenswert.

Adresse/Öffnungszeiten Yerebatan Cad. Tägl. 9–18 Uhr. Eintritt 5,40 €, erm. 2 €.

Hagia Sophia (Aya Sofya Müzesi): Erst Kirche, dann Moschee, heute Museum – aber zu allen Zeiten beeindruckend: die Hagia Sophia, die "Heilige Weisheit". Anfang April des Jahres 532 wurde unter Kaiser Justinian mit dem Bau der Kirche begonnen. Ende Februar desselben Jahres war ihr Vorgängerbau abgebrannt.

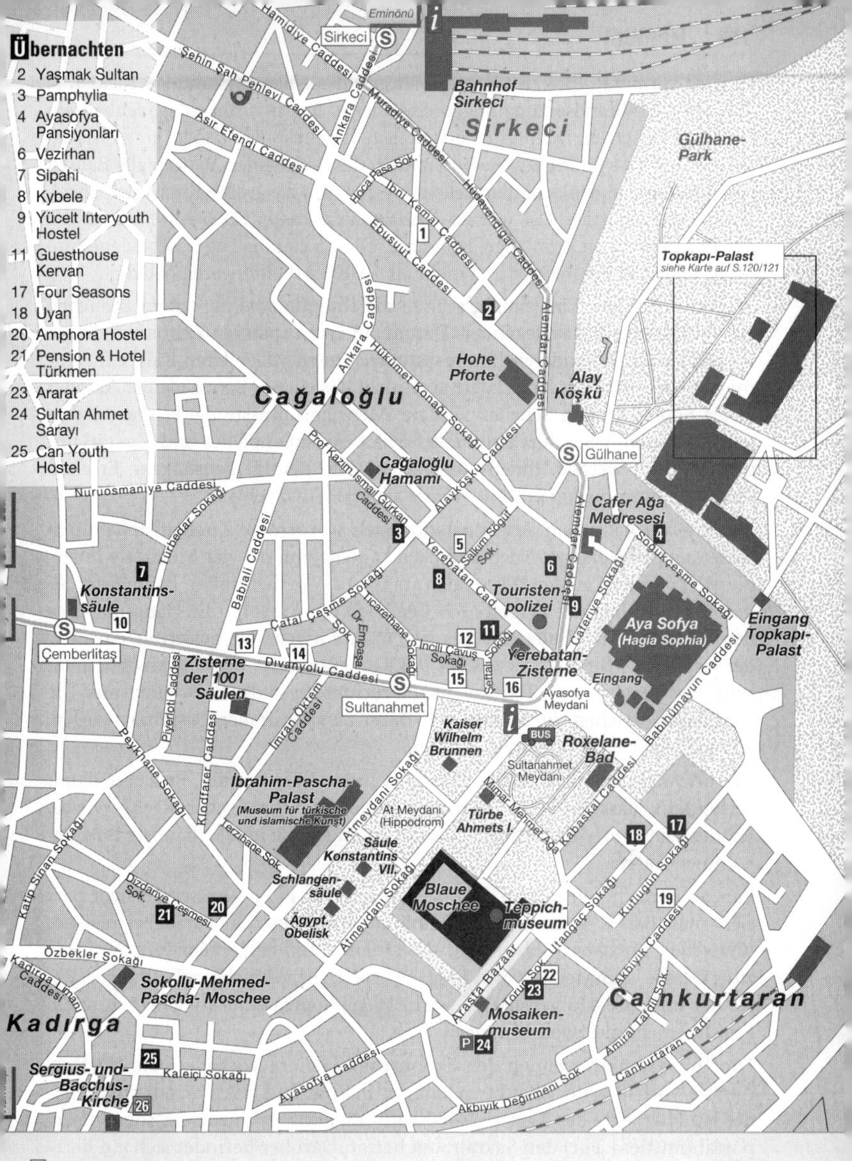

Essen & Trinken

1 Özler
5 Antique Restaurant
10 Cennet
12 Enjoyer Café
13 Amedros
14 Karadeniz Pide ve Kebap Salonu
15 Sultanahmet Köftec Selim Usta
16 Pudding Shop
19 Cheers
22 Rami

Einkaufen

26 Hattat Kâmil Nazik

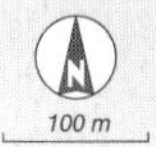

Sultanahmet

Es wird vermutet, dass der Kaiser während des Nika-Aufstand (→ Kasten, S. 115) deren Inbrandsetzung angeordnet hatte, um sich mit dem Neubau ein Denkmal zu setzen. Denn es ist erstaunlich, dass Justinian bereits einen Monat später die Pläne für die Kirche bereit hielt, die nach seinen Worten alle Bauten des Altertums in den Schatten stellen und zugleich die größte Kirche der Christenheit werden sollte. Das war sie dann auch für knapp 1.000 Jahre, bis sie von der Peterskirche in Rom abgelöst wurde. Die Bauzeit betrug bescheidene fünf Jahre, über 100 Baumeister und mehr als 10.000 Arbeiter waren beteiligt.

20 Jahre nach der Einweihung stürzte die Hauptkuppel bei einem Erdbeben ein. Viele Legenden verlegen das Datum auf einen späteren Zeitpunkt, da der Einsturz eines vollendeten Bauwerks unter einem vollendeten Kaiser für unmöglich gehalten wurde. Es sollte aber nicht das einzige Beben bleiben, das der Hagia Sophia großen Schaden zufügte. Mehrmals musste die Kirche wiederaufgebaut und dabei durch zusätzliche klobige Außenpfeiler und Verstärkungen gesichert werden. Ihnen verdankt sie ihre heutige gedrungene Erscheinung – in ihrer Jugend präsentierte sie sich rank und schlank.

Unmittelbar nach dem Fall Konstantinopels wurden die Kirchenbänke durch Gebetsteppiche ersetzt. Nach und nach kamen dann die vier Minarette hinzu, die zwei dickeren an den Westenden stammen vom berühmten Baumeister Sinan. Bis zum Bau der Blauen Moschee blieb die Ayasofya die Hauptmoschee der Osmanen. Fünf Sultane ließen sich in ihrem Schatten beisetzen, darunter der legendäre Murat III., der es auf 103 Kinder brachte. Auch Selim der Säufer ruht hier. Tragisch sein Tod: Betrunken rutschte er in der Badewanne aus. Die Türben, in welchen die Sultane mit ihren Lieblingsfrauen bestattet wurden, können leider nicht besichtigt werden.

Atatürk wandelte die Hagia Sophia 1934 in ein Museum um. Er wollte damit verhindern, dass sie zum Zentrum reaktionärer islamischer Kreise wurde. Seitdem sind auch die Mosaiken wieder zu sehen, die im 18. Jh. unter Putz gekommen waren.

Für gewöhnlich betritt man die Hagia Sophia auf ihrer Westseite. Zuvor passiert man den 1740 errichteten **Reinigungsbrunnen**, ein Paradebeispiel des türkischen Rokoko: fröhlich-bunt die Ornamentik, bemerkenswert die Liebe zum Detail. Unmittelbar vorm Eingang linker Hand brachten Grabungen Reste der im Jahre 415 geweihten "alten" Hagia Sophia zum Vorschein, u. a. ein Friesfragment mit zwölf Lämmern.

Fünf Bronzetüren trennen den **Exonarthex** (äußere Vorhalle) vom **Narthex** (innere Vorhalle), der über 60 m lang, 11 m breit und mit Marmor ausgekleidet ist. Hier legte der Kaiser seine Krone ab, bevor er durch das sog. Kaiserportal (mittlere Tür) den Sakralraum betrat. Darüber befindet sich ein herrliches Mosaik, das Christus auf einem juwelengeschmückten Thron darstellt. Ihm zu Füßen kniet reumütig Kaiser Leo IX., der aufgrund seiner vier Eheschließungen gegen damaliges Kirchenrecht verstoßen hatte. Rechter Hand (heute als Ausgang gekennzeichnet) liegt die **Vorhalle der Krieger** – in diesem Raum wartete die Garde auf den Kaiser, bis er aus dem Gottesdienst zurückkam. Den Durchgang ziert ebenfalls ein schönes Goldgrundmosaik mit der heiligen Maria im Zentrum. Das Gros der noch heute existierenden

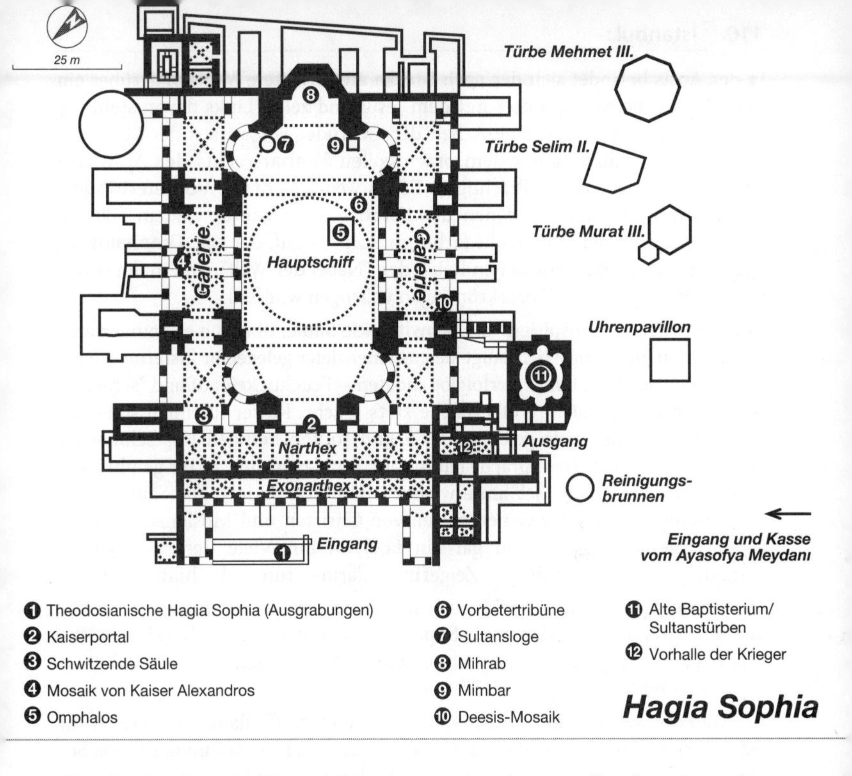

Mosaiken entstand übrigens zwischen 850 und 1000, alle älteren wurden später zerstört. Am entgegengesetzten Ende des Narthex betritt man die **Galerien** (s.u.).

Das **Hauptschiff,** knapp 80 m lang und 56 m hoch, ist einer der gewaltigsten Räume, die je von Menschenhand geschaffen wurden. Gekrönt wird es von einer Kuppel, welche scheinbar jeglichen Gesetzen der Statik spottet. Sie hat einen Durchmesser von 33 m und schwebt förmlich im hellen Licht ihrer 40 Fenster, zumal sie sich über tiefer gelegene Halbkuppeln erhebt. Stellt man sich darunter, wird man die Absicht der Architekten erkennen: Gott ist groß, und der Mensch ist klein.

Es gibt viele Legenden über den Bau der Kirche und deren Kuppel. Eine erzählt, dass man, um ein Gerüst zu sparen, den Innenraum mit Erde auffüllte, in welche Goldstücke gemischt waren. Nach Vollendigung des Baus halfen die Bürger freiwillig mit, die Erde wieder wegzuschaffen, denn jeder, der ein Goldstück fand, durfte es behalten.

In Wirklichkeit wurde die Kuppel natürlich mit Gerüst gebaut. Als man dieses demontierte, flutete man die Kirche meterhoch, damit die herabstürzenden Balken das Bauwerk nicht erschütterten. Das Material für den Bau der Kirche wurde übrigens aus dem ganzen Reich zusammengetragen. So stammen z. B. die vier großen Hauptsäulen aus grüner Breccie aus einem Gymnasion von Ephesus.

In der Apsis befindet sich der nach Mekka ausgerichtete **Mihrab,** darüber ein Mosaik, das die Muttergottes mit dem Jesuskind zeigt. Links davon steht die hochbeinige Sultansloge, eine Arbeit der Gebrüder Fossati aus der Mitte des 19. Jh. Sie konkurriert mit dem prachtvollen **Minbar** rechts der Apsis, ein Geschenk Süleymans des Prächtigen. Etwas weiter steht die **Vorbetertribüne,** vier Marmorpodeste, von denen der Koran gelesen wurde. Zudem fällt ein quadratisches Bodenmosaik aus farbigem Porphyr auf, der sog. **Omphalos.** Er symbolisierte im Byzantinischen Reich den "Nabel der Welt", und man vermutet, dass genau hier die Kaiserkrönungen vollzogen wurden.

In der Nordecke "transpiriert" die **Schwitzende Säule,** über die es wundersame Geschichten gibt. Angeblich saugt sie aus einer tiefer gelegenen Zisterne – nach der verschiedene Grabungen erfolglos suchten – Feuchtigkeit auf und "schwitzt" sie wieder aus. So ist ihre Oberfläche stets feucht. Kaiser Justinian soll einst seine Stirn an die Säule gelehnt haben und so von heftigen Kopfschmerzen befreit worden sein. Das sprach sich herum. Blinde wurden zu ihr geführt und konnten wieder sehen, Gelähmte wieder laufen und so fort. Die Säule wurde zum "Heiligtum", an das Generationen von Christen und Moslems ihre Stirn legten. Irgendwann entstand gar ein Loch in ihr. Viele Besucher bohren heutzutage unwissend mit dem Zeigefinger darin herum – das hilft nichts.

Das große, vasenförmige Gefäß aus Marmor in der Nähe – insgesamt befinden sich zwei davon in der Hagia Sophia – ließ Sultan Murat III. (1574–1595) aus Pergamon überführen. Es ist aus einem Stück gefertigt, fasst über 1.200 Liter Wasser und diente rituellen Waschungen.

Die **Galerien,** welche die Längsseiten des Hauptschiffs flankieren, waren für die Frauen bestimmt, die in byzantinischer Zeit den Hauptraum der Hagia Sophia nicht betreten durften. Von allen Goldgrundmosaiken (die einstige Gesamtfläche betrug 16.000 qm) sind hier die schönsten zu finden: In der Nordgalerie zählt dazu ein bestens erhaltenes Mosaik von Kaiser Alexander, welches er vermutlich selbst anbringen ließ. Es zeigt den Kaiser in seiner Kleidung, die er zur Prozession am Ostersonntag anlegte. Die vier Medaillons rings um ihn enthalten die Inschrift: "Gott, helfe deinem Diener, dem rechtgläubigen und getreuen Kaiser Alexander." Gott half ihm nicht: Seine Regentschaft dauerte nur 13 Monate, dann stürzte er bei einer Art Polospiel betrunken vom Pferd und starb.

In der Südgalerie findet man das berühmte **Deesis-Mosaik,** von dem jedoch nicht viel mehr als drei Köpfe übrig sind, diese aber in wundervoller Ausarbeitung: in der Mitte Jesus mit voller Haarpracht im Strahlenkranz, umgeben von Maria und Johannes dem Täufer. Gegenüber liegt übrigens das **Grabmal Enrico Dandolos,** eines Dogen, der 1204 die Kreuzfahrer maßgeblich zur Plünderung von Byzanz anstiftete.

Die acht überdimensionierten runden, mit Kamelleder überzogenen und mit Goldkalligraphien versehenen Holztafeln, welche auf Höhe der Galerien in das Hauptschiff der Kirche blicken, wurden ebenfalls von den Gebrüdern Fossati angebracht. Sie sind mit den Namen Allahs, des Propheten Mohammed, der ersten vier Kalifen sowie der Märtyrer Hasan und Hussein versehen.

Adresse/Öffnungszeiten Ayasofya Meydanı. Tägl. (außer Mo) 9–16.30 Uhr. Eintr. 10 €, erm. 3,30 €.

Blaue Moschee (Sultanahmet Camii): Die Gebetsstätte, unverwechselbar durch ihre sechs Minarette, gehört wie die Hagia Sophia zu den "Weltwundern" der Stadt. Der offizielle Name der İstanbuler Hauptmoschee geht auf ihren Stifter Sultan Ahmet I. zurück, der in jungen Jahren den Thron bestieg. 1609 gab er den Auftrag zum Bau der Moschee, die gewaltiger als die Hagia Sophia werden und ihn unvergessen machen sollte. Mit dem ehrgeizigen Projekt beauftragte er den erfahrenen Baumeister Mehmet Ağa, einen Schüler Sinans (→ Kasten, S. 112). Sieben Jahre dauerten die Arbeiten. Wenige Wochen nach der Fertigstellung der Moschee starb der Sultan im Alter von 27 Jahren. Das Ziel, die Hagia Sophia zu übertreffen, wurde – zumindest was die Ausmaße angeht – nicht ganz erreicht. Dennoch entstand mit der Sultanahmet-Moschee einer der schönsten und berühmtesten Sakralbauten der Welt.

Kein Gold, aber sechs Minarette

Die Blaue Moschee – ein Traum aus 1001 Nacht. Und wie ein orientalisches Märchen klingt auch die Geschichte ihrer sechs Minarette: Als Baumeister Mehmet Ağa dem Sultan seine ersten Entwürfe vorlegte, zeigte sich dieser begeistert. Nur forderte er anstelle von vier steinernen Minaretten vier goldene. Mehmet Ağa wusste, dass sich mit den vorhandenen finanziellen Mitteln der ehrgeizige Plan nicht verwirklichen ließ. Andererseits wollte er den Herrscher nicht vor den Kopf stoßen – um den eigenen zu schonen. Also verstand er seinen Bauherrn absichtlich falsch und baute sechs Minarette (türk. *altı* = sechs) statt vier goldene (türk. *altın* = golden). Als die Moschee fertig war und sechs Minarette weithin von der Größe Allahs und des edlen Spenders kündeten, vergaß der Sultan seine einstige Forderung. Doch der Bau einer Moschee mit sechs Minaretten wurde in der islamischen Welt als Anmaßung gegenüber der Harem-i-Şerif-Moschee in Mekka aufgefasst. So musste sich Sultan Ahmet I. verpflichten, der heiligsten islamischen Gebetsstätte ein siebtes zu spendieren, um deren exponierten Status zu dokumentieren.

Der Name Blaue Moschee ist im Türkischen unbekannt, für Ausländer jedoch der gebräuchlichere. Betritt man die Moschee, dann weiß man auch, warum. Bis zur Höhe der Fenster sind die Wände mit blau-grünen Fayencen aus der letzten Blütezeit der İznik-Kachelkunst (→ Kasten, S. 139) verkleidet. Sie tauchen alles in einen blauen Farbton. Früher, als dazu noch alle Fenster der Moschee buntes, insbesondere blaues Glas hatten, war das noch ausgeprägter. Der Blick hinauf zur mächtigen Hauptkuppel (Höhe 43 m, Durchmesser 22 m), umgeben von aufsteigenden Halbkuppeln, ist von großartiger Harmonie. Der marmorne **Mihrab** ist mit kostbaren Steinen, u. a. mit einem Stück der Kaaba in Mekka, geschmückt. Die fein gemeißelte, weiße Marmorkanzel rechts davon, von welcher der Imam die Freitagspredigt hält, ist eine exakte Kopie des Minbar der Moschee von Mekka.

Auch der elegante **Vorhof** der Anlage beeindruckt. Er besitzt in etwa dieselben Ausmaße wie die Moschee. Weit geschwungene Kolonnadengänge säumen ihn. In der Hofmitte erhebt sich der sechseckige **Reinigungsbrunnen,** heute ist er nur noch Schmuckwerk, die Fußwaschung findet außen an den Längsseiten des Vorhofs statt. Das Ritual befolgt jeder Moslem, leider kein christlicher Tourist: Die Blaue Moschee ist die einzige Moschee İstanbuls mit z. T. stechendem Fußgeruch.

Zur **Külliye** der Sultanahmet-Moschee gehörten einst auch ein Hospital und eine Karawanserei. Beide wurden abgerissen. Erhalten sind die **Armenküche,** heute Teil der Technischen Hochschule, und die große **Türbe von Ahmet I.** Hier ruht der Erbauer der Moschee – er starb vermutlich an Krebs – zusammen mit seiner Frau Kösem (von einem Eunuchen erdrosselt), seinem Sohn Osman II. (durch Zerquetschung seiner Hoden hingerichtet) und seinem Bruder Murat IV. (Todesursache ungewiss). Murat IV. lynchte übrigens noch vor seinem Tod seinen Bruder Beyazıt, der nun neben ihm liegt. Nicht schön, aber so geht man in die Geschichte und Literatur ein – das Schicksal Beyazıts wurde von Jean Racine in der gleichnamigen Tragödie aufgegriffen. Diese wiederum wurde Grundlage für Ruggiero Leonacavallos Oper "Bajazzo" (1892).

Adresse/Öffnungszeiten Sultanahmet Meydanı. Touristen betreten die Moschee von der Westseite. Türbe tägl. 9.30–16.30 Uhr. Im Sommer steht die Moschee allabendlich im Mittelpunkt einer Lightshow, dazu wird die Geschichte İstanbuls erzählt. Eine Anschlagtafel informiert über die Zeiten und Tage, an welchen die Show in deutscher Sprache vonstatten geht.

Baumeister Sinan – ein bescheidenes Genie

Koca Mimar Sinan, der "altehrwürdige Baumeister Sinan", wie ihn die Türken nennen, kam um 1490 als Kind christlicher Eltern in einem Dorf nahe Kayseri zur Welt. Die *devşirme,* eine jährliche Einberufung junger Christen zum Militärdienst, führte ihn in den Dienst des Sultans. Nachdem er in der Palastschule zum Muslim erzogen worden war, trat er den Janitscharen als Militäringenieur bei. Auf Feldzügen durchstreifte er das Osmanische Reich und studierte dessen Moscheen ebenso wie die Pyramiden von Gizeh und die Aquädukte des Balkans. Unterwegs hatte er in vielen Ländern Gelegenheit, großen Architekten über die Schulter zu blicken. Als er für einen persischen Feldzug jene Schiffe baute, welche das Heer über den Van-See in Ostanatolien bringen sollten, wurde Sultan Süleyman I. auf ihn aufmerksam.

Sinan, schon über 50 Jahre alt, wurde sein Haus- und Hofarchitekt. All jene Pracht, die mit dem Sultan in Verbindung gebracht wird, fand erst durch Sinans geniale Architektur ihren Ausdruck. In den folgenden Jahrzehnten arbeitete er mit schier unglaublichem Fleiß. Zu seinen 477 (!) Bauwerken – darunter auch Medresen, Mausoleen, Aquädukte und Hamams – gehören allein 42 Moscheen in İstanbul. Noch mit 85 Jahren beendete er eines seiner Meisterwerke, die Selimiye-Moschee in Edirne. Auch die Kuppelrestaurierung der allerheiligsten Moschee Harem-i Şerif in Mekka wurde unter seiner Leitung durchgeführt.

Bis zu seinem Tod im Alter von 97 Jahren blieb der großartigste Architekt der osmanischen Periode ein bescheidener Mensch. In einer schlichten, von ihm selbst entworfenen Türbe nahe dem Süleymaniye-Komplex liegt er begraben – wohl wissend, dass sein Werk ihn um Jahrhunderte überleben und sein Name ohnehin nie in Vergessenheit geraten würde.

Die Silhouette von Sultanahmet – die meistfotografierte İstanbuls

Teppichmuseum (Halı Müzesi): Das wenig frequentierte Museum in einem alten Sultanspavillon im Schatten der Blauen Moschee beherbergt von Motten zerfressene, ausgebleichte und abgetretene Teppiche aus sämtlichen Ecken der Türkei – dennoch allesamt erlesen. Die ältesten stammen aus dem 16. Jh., das Gros davon lag noch bis vor wenigen Jahren in Moscheen. Das Gebäude besitzt übrigens einen direkten Zugang zur Blauen Moschee und ermöglichte Sultan Ahmet I. und seinen Nachfolgern, ungestört der Freitagspredigt lauschen zu können.

Adresse/Öffnungszeiten Blaue Moschee, Sultanahmet Meydanı. Tägl. (außer So) 9–12 und 13–16 Uhr. Eintritt 1,30 €, erm. die Hälfte.

Mosaikenmuseum (Büyüksaray Mozaikleri Müzesi): Highlight dieses kleinen, aber feinen Museums ist ein imposantes Bodenmosaik, das einst den byzantinischen Großen Palast (→ Geschichte, S. 82) zierte und vermutlich aus dem 6. Jh. stammt. Bei Ausgrabungsarbeiten in den 1950ern kam es zu Tage. 15 Jahre lang war ein österreichisch-türkisches Forscherteam damit beschäftigt, das Mosaik extern zu konservieren, bis es wieder an seinen ursprünglichen Fundort südöstlich der Blauen Moschee zurückgeführt werden konnte. Unter einem modernen Schutzdach schaut man es heute aus luftiger Höhe an – die Fundamente des alten Palastes lagen einige Meter tiefer. Tierfabeln, Jagdbilder und Szenen aus dem Landleben und der Mythologie sind die Hauptmotive.

Adresse/Öffnungszeiten Arasta Bazaar, Kabasakal Cad. Tägl. (außer Mo) 9.15–16.30 Uhr. Eintritt 1 €, erm. 0,40 €.

Ehem. Sergius-und-Bacchus-Kirche (Küçük Ayasofya Camii): Im Jahre 527 wurde die kleine Kirche, die zu den bedeutendsten noch erhaltenen byzantinischen Sakralbauten der Stadt zählt, unter Kaiser Justinian fertig gestellt und den Heiligen Sergius und Bacchus geweiht, den Schutzpatronen der christlichen

Soldaten in der römische Armee. Anfang des 16. Jh. erfolgte die Umwandlung in eine Moschee. Die Türken nennen sie seither "Kleine Hagia Sophia" – über eine Ähnlichkeit mit der "großen Schwester" kann man sich jedoch streiten.

Reiz verleiht dem Bauwerk sein konfuser Grundriss – ein möglicher Hinweis darauf, dass die Kirche einst zwischen anderen Gebäuden eingequetscht war. Die ausladende Mittelkuppe wird von einem unregelmäßigen Säulenachteck gestützt. An einigen Kapitellen sind noch Monogramme von Justinian und seiner Frau Theodora zu erkennen. Neben der Kirche lädt ein idyllisches Gartencafé auf eine Pause ein.

Adresse Küçük Ayasofya Cad.

Sokullu-Mehmed-Pascha-Moschee (Sokullu Mehmet Paşa Camii): 1572 ließ Sokullu Mehmed Pascha die Moschee errichten. Er galt als einer der fähigsten Politiker seiner Zeit, war Großwesir unter Selim dem Säufer, bis er von einem irren Soldaten ermordet wurde. Die Moschee selbst zählt zu den schönsten kleineren Gebetsstätten des Baumeisters Sinan und beherbergt grandiose türkisblaue İznik-Fayencen. Die kleinen schwarzen Steinchen an der Wand über dem Eingang, an Mihrab und Minbar entstammen dem Hadschra, dem heiligen Schwarzen Stein der Kaaba in Mekka. Angeblich sollen sich die Marmorsäulen nahe dem Mihrab schon bei der kleinsten Erschütterung drehen – falls es stimmt, ein geniales Erdbebenwarnsystem.

Adresse Şehit Çeşmesi Sok.

Pferdeplatz (At Meydanı)/ehem. Hippodrom: Auf dem freundlichen, begrünten Platz, den die İstanbulis schlicht Sultanahmet Meydanı (Sultanahmet-Platz) nennen, erstreckte sich bis ins 15. Jh. das Hippodrom der Stadt, das die Osmanen dem Erdboden gleichmachten. Nur zwei Obelisken und eine Säulen, um welche die Pferde hetzten, sind übrig geblieben und erinnern nicht mal mehr vage an die einstigen Massenspektakel à la "Ben Hur". Den Rennparcours der Pferdewagen, im Jahre 203 von Septimius Severus errichtet und rund 130 Jahre später von Konstantin ausgebaut, zeichnen die Straßen drum herum jedoch bis heute fast exakt nach.

Am südlichen Ende des At Meydanı steht der **Ägyptische Obelisk.** Die elegante Nadel, rund 1.500 Jahre älter als der Beginn unserer Zeitrechnung und ältestes Monument auf dem Boden İstanbuls, stammt von den Ufern des Nils. Wie und warum man den einst 60 m hohen und 800 t schweren Obelisken im 4. Jh. nach İstanbul schipperte, steht in den Sternen. Tatsache ist, dass ihn Theodosius II. später aufstellen und sich und seine Familie auf dem marmornen Sockel bis in alle Zeiten verewigen ließ.

Nur wenige Meter weiter nördlich befindet sich die rund 2.500 Jahre alte **Schlangensäule.** Sie stand einst vor dem Apollontempel von Delphi. Kaiser Konstantin ließ sie im 4. Jh. nach İstanbul bringen. Zahlreiche Legenden ranken sich um die fehlenden Köpfe der drei ineinander verschlungenen Tiere. Am häufigsten wird die Geschichte eines betrunkenen polnischen Gesandten erzählt, der die Köpfe in einer Aprilnacht des Jahres 1700 abgeschlagen haben soll. Der Oberkiefer eines Kopfes tauchte Mitte des 19. Jh. wieder auf und befindet sich heute im Archäologischen Museum.

Blut und Spiele – das Hippodrom

So wie die Hagia Sophia in byzantinischer Zeit als Mittelpunkt des religiösen Lebens angesehen wurde, galt das Hippodrom als Zentrum profaner Aktivitäten. Bis zum 12. Jh. waren Wagenrennen das Massenspektakel schlechthin. Jeder vierte Einwohner suchte die gigantische Rennbahn auf, die 100.000 Menschen fasste und um einiges größer war als das riesige Giuseppe-Meazza-Fußballstadion in Mailand. Die Herrscherfamilie saß in der mächtigen Kaiserloge. Da das Hippodrom der einzige Ort war, an dem Volk und Herrscher zusammentrafen, kam es hier des Öfteren auch zu politischem Aufruhr. Am blutigsten war der sog. Nika-Aufstand im Jahre 523: Die zwei mächtigsten gesellschaftlichen Gruppierungen der Stadt waren nicht nur Rivalen um die politische Macht, sondern auch auf der Rennbahn. Es waren die "Blauen" und die "Grünen", benannt nach den Farben ihrer Wagenlenker im Hippodrom. Als Kaiser Justinian ein Verbot beider Parteien erwog, kam es zum Aufstand. Unter dem Schlachtruf "Nika, nika!" ("Sieg, Sieg!") äscherten sie innerhalb weniger Tage die halbe Stadt ein. Nach Verhandlungen ließen sich die "Blauen" bestechen und räumten das Feld. 30.000 überraschte "Grüne" wurden im Hippodrom eingekesselt, niedergemetzelt und nach alter Tradition an Ort und Stelle begraben.
Auch nach dem Abriss des Hippodroms behielt der Platz seine Rolle als Schauplatz blutiger Auseinandersetzungen bei. 1826 ließ hier Sultan Mahmut II. im Zuge seiner "Militärreform" 30.000 Mitglieder des aufständischen Elitekorps der Janitscharen umbringen. Wer heute über das Gelände spaziert, läuft also über ein Massengrab.

Unbestimmten Alters ist die 32 m hohe **Säule Konstantins VII. Porphyrogennetos.** Der aus Kalksteinquader gemauerte Obelisk ist benannt nach dem Kaiser, der ihn im 10. Jh. restaurieren und mit Bronze verkleiden ließ. Sein schmuckes Kleid wurde von den Kreuzrittern zwei Jahrhunderte später entfernt und eingeschmolzen. Etliche Amateurakrobaten, die über Jahrhunderte hinweg ihren Mut beweisen wollten, sind verantwortlich für den schlechten Zustand des Obelisken.

Der **Kaiser-Wilhelm-Brunnen** am nördlichen Ende des At Meydanı hat ganz und gar nichts mit dem antiken Hippodrom zu tun. Der mit Mosaiken geschmückte und von vier Säulen getragene Brunnen war ein deutsches Geschenk für Sultan Abdül Hamit II. Die meisten Teile wurden in Deutschland vorgefertigt und erst in İstanbul montiert.

İbrahim-Pascha-Palast (İbrahim Paşa Sarayı)/Museum für türkische und islamische Kunst: Der Bau auf der Westseite des At Meydanı gilt als einer der größten Paläste des Osmanischen Reiches. İbrahim Paşa, der Großwesir Süleymans des Prächtigen, ließ ihn 1524 errichten. Jahrelang genoss der Großwesir die Hochachtung Süleymans. Doch dann wurde er ihm zu mächtig. 1536, nach einer letzten gemeinsamen Mahlzeit, ließ ihn der Sultan im Schlaf ermorden. Später diente der Palast als Internat für Pagen, als Kaserne für unverheiratete Janitscharen, als Textilfabrik und Gefängnis.

Istanbul
Karte S. 90/91

Heute wird hier islamische Kunst aller Perioden präsentiert – die Ausstellung mit über 40.000 Exponaten aus dem 7.–20. Jh. zählt zu den weltweit größten dieser Art. Zu sehen gibt es u. a. persische und türkische Miniaturen, Koranhandschriften, Glaslämpchen, Keramik-, Bronze-, Holz- und Steinarbeiten. In der Teppichsammlung kann man ein paar der ältesten Exemplare der Welt bewundern. Die ethnographische Abteilung dokumentiert u. a. das Leben der Yörüks, der anatolischen Nomaden. In diesem Zusammenhang wird ein Zelt aus schwarzem Ziegenhaar gezeigt, wie es noch heute als Behausung gebraucht wird. Ganz nebenbei: Vom Balkon des Innenhofs genießt man einen schönen Rundblick auf den At Meydanı.

Adresse At Meydanı. Tägl. (außer Mo) 9.30–17.30 Uhr. Eintritt 1,60 €, erm. 0,90 €.

Konstantinssäule (Çemberlitaş): Die von Tauben bevölkerte Säule ragt – dem Mast eines untergehenden Schiffes gleich – am Divan Yolu traurig in die Höhe. Die İstanbulis nennen das von Eisenringen gestärkte Monument *Çemberlitaş* ("Reifenstein"). In byzantinischer Zeit bildete die Säule den Mittelpunkt des Konstantinforums. Das Kapitell mit einem bronzenen Kaiserstandbild obenauf fiel vor rund 900 Jahren einem Erdbeben zum Opfer. In ihrem Inneren sollen sich allerhand Reliquien befinden, u. a. Nägel und Splitter vom Kreuze Christi, Brotreste von der Speisung der Zehntausend und die Axt, mit der Noah seine Arche baute.

Der Divan Yolu selbst ist übrigens eine der bekanntesten und ältesten Straßen İstanbuls. In osmanischer Zeit führte der *yol* (dt. "Weg") vom Diwan im Topkapı-Palast zu den weiter westlich gelegenen Palästen der Minister. Zahlreiche Moscheen, Medresen, Bibliotheken und Sultans-Türben zeichnen noch immer ein eindrucksvolles Bild von der einstigen Prachtstraße. Heute gehört der Divan Yolu, der Trampelpfad zwischen Basarviertel und Hagia Sophia, den Touristen und der stets überfüllten Straßenbahn.

Essen & Trinken

Rami (22), kleines, gediegenes Restaurant in einem osmanischen Haus bei der Blauen Moschee. Das Innere könnte als Kulisse für einen Film aus dem Beginn des letzten Jahrhunderts dienen. An den Wänden Bilder des aus Ankara stammenden Malers Rami Uluer, daher auch der Name. Zudem schöne Dachterrasse – am Abend mit Blick auf die Lightshow der Blauen Moschee. Serviert werden türkische Standards, die auch auf der Karte jedes Kebabsalons stehen, jedoch um einiges feiner angemacht. Hauptgerichte ab 10 €. Utangaç Sok. 6.

Antique Restaurant (5), mitten im touristischen Zentrum. Das Interieur lässt hier die Herzen aller Orientfreaks höher schlagen: kunterbunte Lämpchen an der Decke, dicke Teppiche an der Wand, insgesamt eine sehr warme, gemütliche Atmosphäre. Mi, Fr und Sa Livemusik. Das Fixmenü für 16 € beinhaltet Meze, Hauptgerichte, Obst und unbegrenzte (türkische!) Getränke. Reservierung empfohlen, ✆ 0212/ 5124262. Salkım Söğüt Sok. 18.

Amedros (13), gepflegt-gemütlich: Dielenböden, dezente Musik und eine Orchidee auf jedem der kleinen Holztische. Dazu türkisch-osmanische Küche auf hohem Niveau. Probieren Sie die originellen Fisch- und Meeresfrüchtevariationen! Hauptgerichte 5–11 €. Hoca Rüstem Sok. 7.

Cennet (10), Touristenrestaurant/-café mit viel Spaß und Show. Gegessen und getrunken wird an kniehohen Tischchen um eine Feuerstelle, an der Frauen Gözleme zubereiten. Abends spielt eine Folklorekapelle auf und animiert die zuvor mit einem Fes (mindestens) oder Kaftan (besser) ausgestatteten Gäste zur Kerzenlichtprozession oder zum Tanz. Das Essen wird dann zur Nebensache. Divan Yolu 90.

Kumkapı – die Adresse für Fisch

Das einstige Fischerviertel Kumkapı im Südwesten Sultanahmets ist ein Tipp für alle Fischfans. Rund um den Kumkapı Meydanı, den pittoresken alten Dorfplatz mit einem Springbrunnen in der Mitte, und in den davon abzweigenden Gassen reiht sich Fischrestaurant an Fischrestaurant. Zu den Favoriten zählten zum Zeitpunkt der Recherche das **Minas** (**1**, direkt am Platz, Samsa Sok. 7), das **Üçler** (**3**, Ördekli Bakkal Sok. 3) und das **Deniz** (**2**, gleiche Straße Nr. 12). Auch das **Havuzbaşı** (**4**, Kennedy Cad. 15) am Hafen beim Fischmarkt ist zu empfehlen – zudem sitzt man hier direkt am Marmarameer. Die Preise unterscheiden sich insgesamt kaum, Hauptgerichte ab 4,50 €, komplettes Menü ca. 20–35 € pro Person.

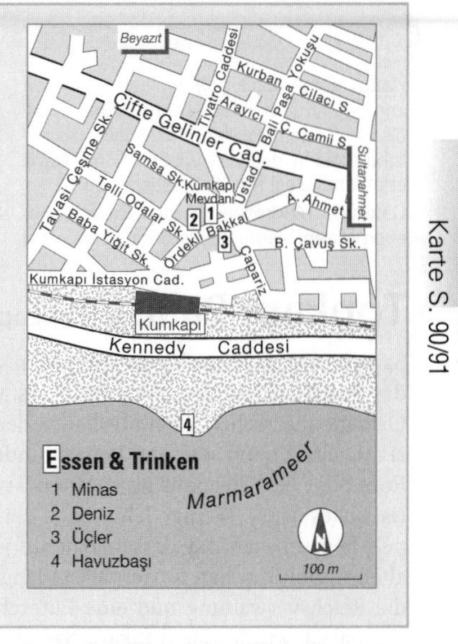

İstanbul Karte S. 90/91

Özler (1), derbes, männerlastiges Arbeiterlokal, in das sich jedoch zuweilen auch der eine oder andere Tourist verirrt. Schulter an Schulter sitzt man da, lautstark läuft die Fußballübertragung im Fernsehen. Im Sommer stehen Tische auf der Straße. Ein großer Teller Gegrilltes mit allem Drum und Dran um die 4 €. İbni Kemal Cad., Sirkeci.

Sultanahmet Köfteci Selim Usta (15), das alteingesessene Original – nicht mit den namensähnlichen Kopien in der Nachbarschaft verwechseln! Berühmtes Hackfleischbällchen-Lokal, die Portion Köfte gibt's für 1,30 €. Neben Touristen finden sich zur Mittagspause jede Menge İstanbulis ein. Kein Alkohol. Divan Yolu 12.

Karadeniz Pide ve Kebap Salonu (14), gute und billige Adresse mitten in Sultanahmet. Hier essen die Händler. Hacı Tahsin Bey Sok.

• *Café/Bar* **Enjoyer Café (12)**, gemütliches kleines Café in einem lustig angemalten Haus. Zahlreiche Teesorten. Auf den bequemen Ottomanen kann man Wasserpfeifen ausprobieren. Empfehlenswert für einen verregneten Nachmittag. İncili Çavuş Sok. 25.

Cheers (19), kleine Musikkneipe zwischen Backpacker-Hostels. Dementsprechend das Publikum – jung und international. Das Bier fließt in Strömen. Akbıyık Cad. 20.

Pudding-Shop (16) – eine Legende überlebt sich

Schade, dass keiner der weißhemdigen Kellner des Restaurants Lale, so der offizielle Name des Pudding-Shops, mehr von den turbulenten 60ern zu erzählen weiß. Von den langhaarigen Freaks und leicht beschürzten Mädchen, die sich mit dem Daumen in den Wind gen Südosten aufmachten. Goa, Karatschi oder Kabul hießen ihre Ziele, Pudding-Shop ihr Zwischenstopp. Hier, am Divan Yolu (Nr. 18) in Sultanahmet (schräg gegenüber der Blauen Moschee und nicht zu verfehlen), gab es die besten und billigsten Puddings İstanbuls. Hier tauschte man Infos und Kontakte aus, hierher ließ man sich die Post von zu Hause schicken, und hier konnte man – davon will die Geschäftsleitung heute nichts mehr wissen – auch billigen Shit kaufen. Ein paar verblasste Zeitungsartikel an den Wänden erinnern an die glorreiche Zeit des Kultlokals. Heute speisen hier ältere japanische und amerikanische Herrschaften. Die Traveller essen ums Eck – mindestens genauso gut und um die Hälfte billiger.

Einkaufen

Hattat Kâmil Nazik (26), wollten Sie schon immer einmal wissen, wie Ihr Name in arabischen Lettern aussieht? Im kleinen, freundlichen Laden des Kalligraphen Kâmil Nazik erfahren Sie es. Küçük Ayasofya Cad. 86.

Caferağa Medresesi, in den Zellen einer ehemaligen Medrese aus dem 16. Jh. wird heute ein eigenartiger Zweiklang aus Kunsthandwerksschule und -verkauf betrieben. Wer sich mit Silberschmuck, Porzellan, Glas, Keramik und Ähnlichem eindecken will, kauft hier garantiert keinen Schund. Im Innenhof ein nettes Café. Caferiye Sok. 5.

Topkapı-Palast (Topkapı Sarayı)

Sarayburnu, die Serailspitze, umgeben von den Wassern des Goldenen Horns, des Bosporus und des Marmarameers, war drei Jahrhunderte lang der Sitz der Osmanenherrscher. Sie hinterließen den Topkapı Sarayı, eine gewaltige Palaststadt, ein Traum wie aus tausendundeiner Nacht. Wie die Peterskirche zu Rom oder die Akropolis über Athen ist auch İstanbuls Topkapı-Palast ein touristisches Muss. Wenige Jahre nach der osmanischen Eroberung Konstantinopels begann man mit dessen Bau auf jener Landspitze Sultanahmets, wo die alten byzantinischen Kaiserpaläste langsam verfielen. Anfangs beherbergte er die Reichsverwaltung und eine Eliteschule für angehende Beamte. Zum Sultanspalast wurde der Topkapı Sarayı 1540 mit dem Einzug Süleymans des Prächtigen. Unter ihm und seinen Nachfolgern wurde an- und umgebaut, jeder Herrscher drückte dem Palast seinen Stempel auf. Es entstand ein verschachtelter Komplex, eine 70 ha große Stadt in der Stadt und mit dem Harem eine Stadt in der Stadt in der Stadt, ein Sammelsurium aus Gebäuden der verschiedensten Epochen, die eines gemeinsam haben: alles vom Feinsten.

Mahmut II. (1808–1839) war der letzte Sultan, der den Topkapı Sarayı bewohnte. Seine Nachfolger kündigten diese Tradition auf und zogen in europäisch angehauchte Paläste nördlich des Goldenen Horns. Mit dem Bau des Bahnhofs Sirkeci, der Zuglinie dahin und der Uferstraße rund um die Serailspitze veränderte der Topkapı-Palast im späten 19. Jh. sein seeseitiges Gesicht. Es verschwand u. a. das von zwei Türmen flankierte Kanonentor (türk. *topkapı*) an der Spitze der Landzunge, das dem Palast seinen Namen gab.

Als Museum ist der Palast heute jedermann zugänglich. Mehrere Tausend Exponate, verteilt auf verschiedene Sammlungen, machen einen Besuch zu einem unvergesslichen Kulturerlebnis. Ein zusätzliches Bonbon ist das inmitten der einstigen Palastgärten gelegene *Archäologische Museum* (→ Sehenswürdigkeiten in Palastnähe), eines der angesehensten seiner Art weltweit.

Tickets und Öffnungszeiten: Der Topkapı Sarayı ist tägl. (außer Di) von 9 bis 17 Uhr geöffnet. Ab dem zweiten Hof ist der Besuch des Palastes gebührenpflichtig: Eintritt 10 €, erm. 3,30 €. Das Ticket berechtigt zur Besichtigung der meisten Ausstellungen und Palasttrakte. Ein zusätzliches Ticket jeweils zum gleichen Preis muss jedoch für die Schatzkammer und den Harem gelöst werden. Abweichende Öffnungszeiten gelten für den Harem (10–12 und 13–16 Uhr, Führungen alle 30 Min.) und die Quartiere der Hellebardiere (nur Mo und Do 10–16 Uhr).

Touristen aus aller Welt treffen sich im Open-Air-Esszimmer der Sultane

Das Haupttor zum ersten Hof des Palastes liegt östlich der Hagia Sophia. Vom Ayasofya Meydanı führt die Bab-ı Hümayun Caddesi darauf zu. Die Sehenswürdigkeiten sind so angeordnet, dass Sie diese in einem Rundgang abgehen können.

Brunnen Ahmets III. (Sultan Ahmet Çeşmesi): Noch bevor Sie den Palast betreten, steht rechter Hand vor dem Haupttor der Brunnen Ahmets III., der wohl schönste und stattlichste Straßenbrunnen İstanbuls. 1728 ließ ihn der Sultan im osmanischen Rokoko erbauen. Beeindruckend ist seine verspielte Eleganz, die liebevoll herausgearbeiteten Reliefs mit Blumenornamenten unter einem breiten, vorschwingenden Dach. Ein goldfarbenes Schriftband auf blaugrünem Grund preist das Quellwasser. Die Inschrift in arabischen Lettern endet jedoch mit den Worten: "Des Sultans Mauer schloss hier Wasser ein – erstaunt lässt selbst die Flut ihr Strömen sein!" Wie wahr, die Quelle des Brunnens ist heute versiegt.

"Tor des vom Paradiesvogel beschatteten Kaisers" (Bab-ı Hümayun): Das Haupttor mit dem exotischen Namen wird von der Jandarma bewacht. In der Regierungszeit Selims II. (1566–74) muss der Weg durchs Tor grauenerregend gewesen sein, denn damals blickten die Besucher in die leeren Augen unliebsam gewordener Staatsbeamter, nachdem der Henker ihre Köpfe in Nischen des Tores platziert hatte.

Erster Hof: Der erste Hof, ein weites, parkähnliches Gelände, wird auch "Hof der Janitscharen" genannt, denn die Elitetruppe der Sultane hatte hier ihre Domäne. Einem feudalen Palastanwesen gleicht dieses Areal aber noch nicht. Hinter den Mauern rechter Hand lagen einst ein Spital, eine Bäckerei, Werkstätten

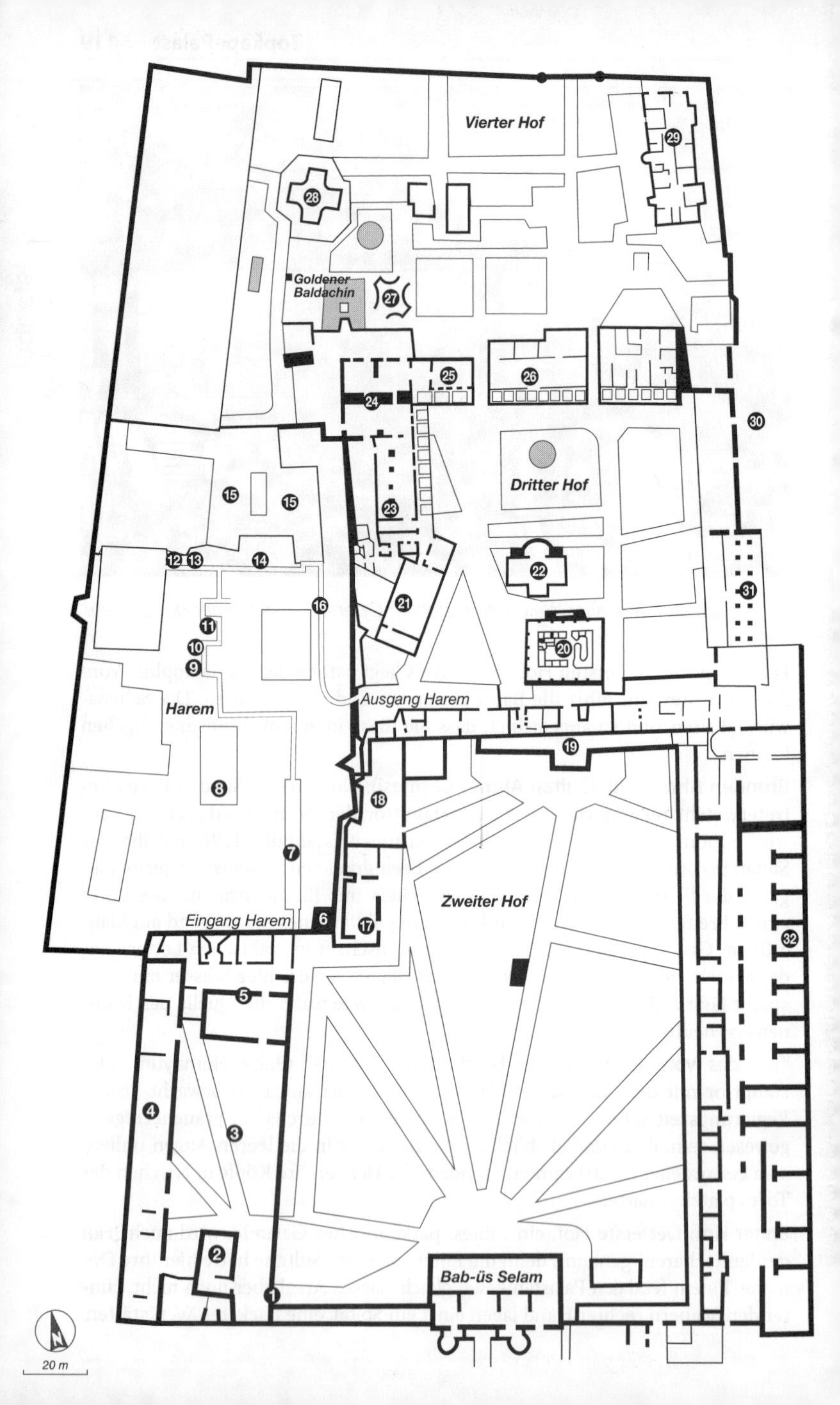

Vierter Hof
Goldener Baldachin
Dritter Hof
Ausgang Harem
Harem
Eingang Harem
Zweiter Hof
Bab-üs Selam
20 m

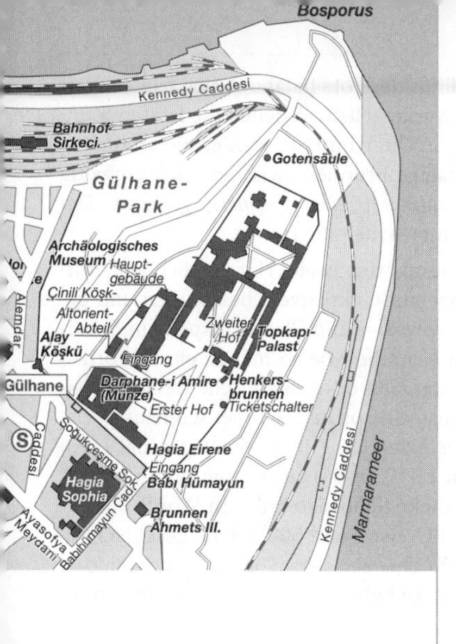

1 Totentor
2 Beşir-Ağa-Moschee
3 Hof der Hellebardiere
4 Ehem. Stallungen
5 Quartiere der Hellebardiere
6 Turm der Gerechtigkeit
7 Hof der schwarzen Eunuchen
8 Innenhof der Sultansfrauen
9 Gemächer der Sultansmutter
10 Sultansbad
11 Saal des Sultans
12 Bibliothek Ahmets I.
13 Salon Murats III.
14 Doppelpavillon
15 Hof der Favoritinnen
16 Goldener Weg
17 Diwan
18 Sammlung Waffen und Rüstungen
19 Bab-üs Saadet
20 Audienzsaal
21 Ağalar-Moschee
22 Bibliothek
23 Porträtsammlung
24 Sammlung des Hl. Mantels des Propheten
25 Uhrensammlung
26 Miniaturenausstellung
27 Revan-Pavillon
28 Bagdad-Pavillon
29 Mecidiye-Pavillon
30 Schatzkammer
31 Sammlung der Sultangewänder
32 Sammlungen Palastküchen

Topkapı-Palast (Sarayburnu)

und Unterkünfte für Wachen und Bedienstete. Das Gros der Gebäude war jedoch aus Holz errichtet und fiel Bränden zum Opfer. Linker Hand verbirgt sich schüchtern hinter Bäumen die Hagia Eirene, eine der ältesten christlichen Heiligtümer der Stadt.

Hagia Eirene (Aya İrini Kilisesi): Vermutlich wurde die Kirche kurz nach der Einnahme von Byzanz im Auftrag Kaiser Konstantins errichtet. Bis zum Bau der Hagia Sophia diente sie als Patriarchensitz. Mehrmals wurde die Kirche durch Brände, Aufstände und Erdbeben verwüstet, mehrmals musste sie wieder aufgebaut werden. Nach der Einnahme Konstantinopels durch die Osmanen wurde der Bau den Janitscharen als Arsenal übergeben. Heute ist das Innere der dreischiffigen Basilika leer und bis auf ein großes Apsismosaik – ein Kreuz – kahl. Dennoch besitzt sie etwas Anmutiges und bildet einen würdevollen Rahmen für Konzerte und Ausstellungen – leider ist sie auch nur dann geöffnet. Ein paar Schritte weiter schließt die alte *Münzprägeanstalt (Darphane-i Amire)* an. Seit Jahren diskutiert man darüber, dort ein Museum einzurichten. Unmittelbar dahinter zweigt ein gepflasterter Weg hinab zum Archäologischen Museum ab, der auch zum Eingang des *Gülhane-Parks* führt (→ Sehenswürdigkeiten in Palastnähe, S. 131).

"Tor der Begrüßung" (Bab-üs Selam): Das mit Zinnen bestückte Tor der Begrüßung führt in den gebührenpflichtigen Teil des Serails. Nur dem Sultan war der Durchritt erlaubt, alle anderen mussten von ihrem Pferd steigen. Heute finden hier Kontrollen wie auf einem Flughafen

Istanbul Karte S. 90/91

statt. In den Wachtürmen rechts und links des Tors befanden sich früher Warteräume für Gesandte, aber auch jene Kerkerzellen, in denen die letzten Stunden der zum Tode Verurteilten schlugen. Die Hinrichtungen erfolgten unmittelbar vor dem Tor. Der kleine, unauffällige Brunnen zwischen Ticketschalter und Tor wird daher auch *Henkersbrunnen (Cellat Çeşmesi)* genannt. Der Scharfrichter wusch sich hier nach getaner Arbeit die Hände.

Zweiter Hof: Anders als der erste Hof besitzt der zweite Hof wirklichen Palastcharakter. Rasenflächen, so gepflegt wie auf Golfplätzen, bestimmen und geradlinige Wege durchschneiden ihn. Zypressen und Platanen spenden Schatten. Rechter Hand liegen die Palastküchen, die, wie so manch ein Historiker augenzwinkernd anmerkt, mit zum Untergang des Osmanischen Reiches beigetragen haben: Die Palast-Cuisine muss ein solcher Gaumenschmaus gewesen sein, dass sie die Sultane von der Erledigung ihrer Staatsgeschäfte abhielt. So ließ sich z. B. Sultan Mahmut I. (1730–54) gerne mehr als 70 Gänge auffahren. In Stoßzeiten rauchten 20 dicke Schornsteine zum Wohle der Palastbewohner, täglich wurden hier 100 Ochsen und 500 Schafe geschlachtet. An Festtagen standen bis zu 1.200 Köche vor den Töpfen und kreierten Speisen für bis zu 15.000 Hungrige. Heute beherbergen die Palastküchen diverse Sammlungen.

Sammlungen in den Palastküchen (Mutfaklar): Die *Porzellansammlung* zählt zu den bedeutendsten der Welt. Der Schwerpunkt (mehrere Tausend Objekte!) liegt auf chinesischem Porzellan. Über die Seidenstraße gelangten die Stücke an den Bosporus. Bei Hof wurde chinesisches Porzellan aus Celadon (10.–13. Jh., Sung-Periode) bevorzugt, angeblich verdunkelt sich seine eigentümliche lindgrüne Farbe in Verbindung mit vergifteten Speisen. Ausgestellt ist nur ein Bruchteil der Sammlung, die u. a. auch japanische und europäische Porzellanarbeiten umfasst, darunter Stücke von Manufakturen aus Meißen, Sèvres, Wien usw.

Die *Silbersammlung* ist reich an filigran gearbeiteten Stücken aus dem 16.–19. Jh. Sofern sie am Hofe hergestellt wurden, tragen sie das Monogramm des jeweiligen Sultans. Viele Stücke der Sammlung waren jedoch Geschenke ausländischer Gesandter. In der *Glassammlung* dominiert böhmisches Kristall, insbesondere Stücke aus der Karlsbader Manufaktur Moser, zu deren Kundschaft noch heute Königshäuser aus aller Welt gehören. Die *Sammlung alter Küchengeräte* zeigt Bronzekessel und andere Küchenutensilien, die hier einst Verwendung fanden. Weitere Räumlichkeiten sind wechselnden Ausstellungen vorbehalten.

Hof der Hellebardiere (Baltacılar Avlusu): Die den Palastküchen gegenüberliegende Seite des zweiten Hofes säumt ein Kolonnadengang. Links davon führt das *"Totentor" (Meyyit Kapısı)* durch welches man früher die Leichname der im Palast Verstorbenen heraustrug, in den tiefer gelegenen Hof der Hellebardiere. In dem Gebäude an der Westseite des Hofes befanden sich einst die *Stallungen* für die schnellsten und edelsten Pferde des Sultans. Passend dazu wurde hier lange Zeit eine Sammlung mit Kutschen, Zaumzeug und Pferdegeschirr präsentiert. Zum Zeitpunkt der Recherche fanden in den Räumlichkeiten jedoch wechselnde Ausstellungen statt, es wurde aber darüber diskutiert, die Equipagensammlung wieder einzurichten.

Quartiere der Hellebardiere (Baltacılar Koğuşu): Wieder im zweiten Hof, rechts des Kolonnadengangs im Schatten des sog. *"Turms der Gerechtigkeit" (Divan Kulesi)*, liegt der Eingang zu den Quartieren der Hellebardiere. Die Hellebardiere waren die Garde des Palastes. Ihr Name leitete sich von der Waffe ab, die sie trugen: eine Art Lanze mit mehreren Eisenzacken. Da sie des Öfteren Heizholz in den Harem zu schaffen hatten, hingen von ihren Hüten zwei Quasten herab, die ihre Sicht behindern sollten. Dieser Quasten wegen nannte man sie auch "Schmachtlock-Hellebardiere" (türk. *zülfülü baltacılar*). Ihre Quartiere sind jedoch nicht ganz so blumig wie der Name. Gleich neben dem Eingang zu den Quartieren der Hellebardiere befindet sich der Eingang zum Harem.

Harem: Eine Stadt in der Stadt in der Stadt – ein verwirrendes, immer wieder umgebautes und vergrößertes Labyrinth aus schmalen Gängen und Treppen, dunklen Korridoren und Höfen, aus über 300 verschachtelten Räumen, Hospitälern, Bibliotheken, Schulen, Bädern usw. Der auf mehrere Etagen verteilte Harem hatte eine Fläche von insgesamt 6.700 qm. 70 dunkelhäutige Eunuchen, meist Sklaven aus Afrika, schirmten den Komplex rund um die Uhr ab. Das Wort *harem* kommt aus dem Arabischen und heißt "unzugänglich". Die einzigen Männer, die ihn außer den Eunuchen betreten durften, waren der Sultan und seine Söhne. Erbaut wurde der Harem in der Mitte des 16 Jh. unter Süleyman I. Die letzte Frau verließ ihn 1909.

Im Harem

Heute ist der Harem seiner Teppiche und Tücher beraubt, seiner Kissen und Schleier, seiner Düfte und Musik, seines Zaubers und seiner Macht. Kein Funken mehr von Erotik oder Exotik. Touristengruppe folgt auf Touristengruppe, und die Litanei der Fremdenführer hallt von den Wänden wider.

Die Standardtour – wegen Restaurierungsarbeiten kommt es immer wieder zu Änderungen – beginnt beim sog. Equipagentor, dem ehemaligen Liefereingang. Durch düstere, aber schön gekachelte Wachräume gelangt man in den schmalen *Hof der schwarzen Eunuchen*. Linker Hand, hinter den Arkaden, lagen ihre Quartiere. Danach betritt man den Kernbereich des Harems. Es folgt der etwas größere steinerne *Innenhof der Sultansfrauen*. Gegenüber der dortigen Arkade wohnte die *Kâya kadın*, die rechte Hand der Sultansmutter. Ihre Privatgemächer sind nicht immer zugänglich.

Der Rundgang führt weiter in die *Gemächer der Sultansmutter*. Erstaunlicherweise verfügte die uneingeschränkte Herrscherin des Harems über relativ kleine Räumlichkeiten. Jedoch sind sie mit herrlichen Fayencen und goldverzierten Decken ausgeschmückt.

Nächste Station ist das ganz in Marmor gehaltene *Sultansbad*. Es war der einzige Ort im ganzen Serail, in dem der Sultan alleine war. Um ihn auch hier vor Attentaten zu schützen, wurde das Bad mit Eisengittern gesichert.

Danach geht es in den *Saal des Sultans*, nicht nur der größte Raum des Harems, sondern auch einer der imposantesten. Hier thronte der Sultan gemütlich unter einem Baldachin und folgte den tänzerischen Darbietungen seiner Haremsfrauen. Die musikalische Begleitung kam von einem Orchester auf der Empore. Die barocken Ausschmückungen im unteren Teil des Saales stammen aus der Zeit Osmans III. (1754–57). Der Kuppelbereich wurde im 19. Jh. mit Delfter Kacheln ausgestattet.

Keine Entführung aus dem Serail – der Harem

Darüs Saadet, "Ort der Glückseligkeit", wurde der Topkapı-Palast gerne genannt, nicht zuletzt aufgrund seines Harems. Aber nur für die Sultane sollte sich der Harem als ein solcher Ort erweisen, nicht für die Frauen darin. Für sie war der Harem ein Gefängnis, in der Regel auf Lebenszeit. Die bekannte "Entführung aus dem Serail" war schlichtweg unmöglich.

Die Frauen des Harems, bis zu 500 an der Zahl, waren Sklavinnen aus allen Teilen des Reiches, Geschenke an den Sultan. Dabei zählten sie gar nicht zu den teuersten Präsenten, die besten Frauen waren nicht wertvoller als fünf gute Pferde. Da man keine muslimischen Frauen versklaven durfte, handelte es sich in der Regel um Christinnen oder Jüdinnen, die erst im Harem islamisiert wurden.

Der Harem war hierarchisch aufgebaut: Die mächtigste Frau war die *Valide Sultan*, die Mutter des Sultans. Direkt unter ihr kam die *Kâya kadın*, die Verwalterin des Harems. *Kadınlar* nannten sich die vier Hauptfrauen des Sultans, die ihm das islamische Recht zugestand. Gefiel ihm eine nicht mehr, tauschte er sie gegen eine seiner Favoritinnen aus. Als *İkballar* bezeichnete man jene Frauen, mit denen der Sultan schon ein Abenteuer hatte. Die *Gözdeler* hingen warteten noch darauf. Sie waren zugleich die Einzigen, die unter besonderen Umständen in die Freiheit entlassen wurden. Unter ihnen allen herrschte Neid. Wer sich zu großen Unmut zuzog, endete nicht selten in einem mit Steinen beschwerten Sack auf dem Grunde des Bosporus. Wer hingegen Favoritin des Sultans wurde und ihm einen Sohn gebar, hatte Chancen auf Heirat und konnte damit später selbst *Valide Sultan* werden. Doch die Chancen waren gering. Murat III. (1574–1595) brachte es im Harem z. B. auf über 100 Kinder. Und um Thronstreitigkeiten auszuschließen, war man stets damit beschäftigt, die Kleinen zu erdrosseln.

Nun betritt man ein kleines, verschwenderisch ausgekacheltes Vorzimmer. Linker Hand schließt der *Salon Murats III.* an, einer der beeindruckendsten

Räumlichkeiten des Harems. Tiefblaue Fayencen mit Kalligraphien wechseln sich reizvoll mit roten Blumenmustern ab. Die Kuppel gilt als ein Meisterwerk Sinans. Das Plätschern des Brunnens verhinderte hier – wie im Diwan –, dass vertrauliche Gespräche belauscht werden konnten. Der dahinter liegende Raum war die *Bibliothek Ahmets I.*; Bücher sieht man darin keine mehr, jedoch jede Menge kostbarer İznik-Fayencen. Daran grenzt das sog. *Früchtezimmer* aus dem 18. Jh., ein Paradebeispiel der Tulpenperiode. Die Wände sind über und über mit Obst- und Blumenmotiven dekoriert. Sultan Ahmet III. (1691–95) pflegte hier seine Speisen einzunehmen. Er war ein schwacher Esser, die Bilder sollten seinen Appetit anregen.

Von dem oben bereits erwähnten Vorzimmer führt rechter Hand ein Durchgang zum Hof der Favoritinnen. Dabei passiert man den Zugang zu einem Doppelpavillon, der häufig auch *Trakt der Kronprinzen* genannt wird. Anfangs vermutete man, dass hier die Brüder der jeweiligen Kronprinzen gefangen gehalten wurden. Aber es ist nicht anzunehmen, dass man diesen so feudal ausgestattete Räume zugestand. Immerhin zählt der farbenprächtige Fayenceschmuck zu den schönsten des gesamten Serails.

Der *Hof der Favoritinnen* ist einer der größten Höfe des Harems. Die Wohnungen der Favoritinnen lagen oberhalb der Arkadengänge. Die Sultane sollen hier gerne gesessen und dabei über ihre Stadt geblickt haben. Manchen Herrschern wurde der Hof aber auch zum Verhängnis, drei Sultansmorde sah der Ort.

Von hier führt der *Goldene Weg* zum Ausgang. Angeblich erfreuten die Sultane nach der Rückkehr aus Schlachten die hier auf sie wartenden Haremsfrauen mit Goldstücken, die sie auf den Weg streuten. Durch das sog. *"Vogelhaus-Tor"* verlässt man den Harem und gelangt in den dritten Palasthof (s.u.).

Hinweis: Falls Sie den Harem besichtigen wollen, kümmern Sie sich sofort nach Betreten des Palastes um ein Ticket. Im Sommer sind die Führungen oft schnell ausgebucht.

Diwan (Divan) mit Waffensammlung: Rechter Hand des Eingangs zum Harem ragt ein von Arkaden umsäumter Komplex in den zweiten Hof, der Diwan. Gleich im ersten Raum tagten früher viermal wöchentlich die höchsten Würdenträger des Imperiums. Der Großwesir saß gegenüber der Tür. Oberhalb seines Platzes befindet sich ein mit einem ornamentalen Gitter versehenes Fenster. Von dort lauschte der Sultan gelegentlich heimlich den Beratungen. In den angrenzenden Räumen im Stil des türkischen Rokoko befanden sich bis in die Mitte des 17. Jh. die Amtsräume des Großwesirs. Gleich nebenan war die Finanzverwaltung untergebracht. Die Steuern und Tribute aus allen Provinzen des Reiches flossen hier zusammen. Damit wurden vierteljährlich die Gehälter der Beamten und Janitscharen bezahlt. Was übrig blieb, sackte der Sultan selbst ein.

Heute befindet sich hier eine Waffensammlung, gezeigt werden Schwerter, Kettenhemden, Pistolen, Helme, Äxte, Lanzen und Ähnliches mehr. Sie stammen aus Palastbeständen, teils auch aus dem persönlichen Besitz der Sultane. Darunter sind auch Beutestücke und Geschenke aus Europa, Asien und

Touristenrummel vor dem Diwan

Afrika. Wer sich für dergleichen interessiert, sollte auch das Militärmuseum in Harbiye besuchen (→ S. 149).

Dritter Hof: Wer den dritten Hof nicht über den Harem betritt, gelangt dahin durch das *"Tor der Glückseligkeit" (Bab-üs Saadet).* Sein Rokokodekor erhielt es im 18. Jh. Unter dem ausladenden Baldachin saß bei Krönungsfeiern und Ordensverleihungen der Sultan. Alljährlich dient es nun während des Internationalen İstanbuler Musikfestivals als Hintergrundkulisse für Mozarts "Entführung aus dem Serail".

Gleich hinter dem Tor steht der private *Audienzsaal (Arz Odası),* ein intimes, kleines Gebäude mit einem weit ausladenden, schattenspendenden Dach. Durch ein vergittertes Fenster kann man hineinblicken. Unter einem Baldachin prunkt der Thron, der zu gegebenem Anlass mit smaragdbestickten Brokaten drapiert wurde. Hier schenkte der Sultan ausländischen Gesandten Gehör. Bis ins 19. Jh. war es dabei üblich, dass der Großwesir die Konversation führte, denn der Sultan sprach nicht mit Nichtmuslimen. Das Plätschern des Waldbrunnens sorgte dafür, dass die Gespräche vertraulich blieben.

Ungefähr in der Mitte des dritten Hofes befindet sich die *Bibliothek (Kütüphane),* die Ahmet III. 1719 errichten ließ. Einst beherbergte sie rund 13.000 griechische, arabische und türkische Handschriften – heute steht sie leer. Das Gros der Manuskripte verstaubt in der benachbarten *Ağalar-Moschee (Ağalar Camii),* die nicht zugänglich ist.

Die Gebäude rund um den Hof gehörten früher größtenteils zur Palastschule, in der junge Knaben auf den Dienst für den Sultan vorbereitet wurden. Heute beherbergen sie diverse Sammlungen. Im Uhrzeigersinn:

Porträtsammlung der Sultane (Portreler): Linker Hand (nach dem Ausgang des Harems und der Ağalar-Moschee) befindet sich die Porträtsammlung der Sultane – von Mehmet dem Eroberer über Süleyman den Prächtigen bis zu den letzten Herrschern des Osmanischen Reiches sind alle vertreten. Außerdem werden deren Stammbäume und Porträts berühmter Feldherren gezeigt. Auch wenn viele der Exponate Kopien sind (die Originale befinden sich in großen europäischen Museen), zeigt die Sammlung einen recht interessanten Querschnitt der verschiedenen Modestile des Osmanischen Reiches – man beachte die Bartkunst, die Kopfbedeckungen, die Kaftans und die Uniformen.

Istanbul
Karte S. 90/91

Sammlung des Heiligen Mantels des Propheten (Hırka-i Saadet Dairesi): An die Porträtsammlung schließt in fünf Kuppelsälen, den einstmaligen Privatgemächern Mehmets des Eroberers, die Sammlung des Heiligen Mantels des Propheten an, eine der interessantesten Ausstellungen des gesamten Palastes. Den ganzen Tag zitieren hier Geistliche Passagen aus dem Koran. Dieser Ort ist zugleich eine muslimische Pilgerstätte, denn hier werden mit die heiligsten islamischen Reliquien aufbewahrt (bitte mit Respekt betreten). Kostbarstes Stück ist der Mantel Mohammeds. Des Weiteren sind sein Handsiegel, seine zwei Schwerter, ein paar seiner Barthaare, ein Fußabdruck und einer seiner Zähne zu sehen. Nach der Einnahme Kairos 1517 unter Sultan Selim I. kamen die Reliquien nach Konstantinopel. Zu der Sammlung gehören ferner die Schwerter der vier ersten Kalifen und der legendenumwobene erste Koranband (aus Gazellenleder), in dem Osman, der Gründer des Osmanischen Reichs, gerade geblättert haben soll, als er ermordet wurde.

Uhrensammlung (Saatler): Gleich ums Eck von der Sammlung des Heiligen Mantels des Propheten tickt die Uhrensammlung. Sie besteht aus ca. 350 Exemplaren, von denen etwa die Hälfte zu sehen ist. Die meisten Uhren stammen aus dem 16.–19. Jh. und waren Geschenke, wie z. B. die sphinxförmige Brillantuhr, ein Präsent von Zar Nikolaus II. Unter anderem tickt hier auch eine Wanduhr aus dem Schwarzwald. Blieb eine Uhr stehen, mussten nicht selten Uhrmacher aus Europa zur Reparatur anreisen. Ließ sich eine defekte Uhr aus dem Harem nicht heraustragen, waren sie mit die Einzigen, die ihn mit einer Sondergenehmigung betreten durften. Ihre Berichte gehören zu den wichtigsten Zeugnissen vom Leben im Harem.

Hinweis: Nicht immer sind alle Abteilungen und Sammlungen geöffnet, auch werden die Exponate von Zeit zu Zeit umgestellt, vertauscht oder vorübergehend an Museen weltweit verliehen.

Miniaturensammlung (Minyatürler): Das nächste Gebäude hinter der Uhrensammlung beherbergt die Miniaturensammlung. Unter künstlerischen Gesichtspunkten zählt sie zu den wertvollsten des Palasts. Von den rund 13.000 Manuskripten aus der Bibliothek Ahmets III. sind ungefähr 600 mit winzigen Bildern verziert, von denen hier ein Bruchteil präsentiert wird. Faszinierend sind die mit surrealistischer Phantasie dargestellten Szenen aus der Welt der Dämonen des Malers Mehmet Siyah Kalem (12. Jh.). Aber auch die leicht erotisch angehauchten Darstellungen von Tänzerinnen des Malers Levnîs (18. Jh.)

sind beachtenswert. Ferner sind schöne Exemplare arabischer Kalligraphien zu sehen, kunstvolle Koranausgaben, reich verzierte Dekrete und Schreibutensilien.

Schatzkammer (Hazine): Das bunte Sammelsurium an Kostbarkeiten ist einer der Höhepunkte des Palastrundgangs. Die Sultane horteten unermessliche Reichtümer. Ein kleiner, aber erlesener Teil ihrer Schätze – Beutegut, Geschenke ausländischer Regenten, Gaben des Volkes und käuflich erworbene Stücke – wird in vier Sälen präsentiert. Die wichtigsten Exponate im Überblick: Prunkstücke im *ersten Saal* sind der Baldachin-Thron Ahmets I. (reich verziert mit Edelsteinen, Elfenbein und Schildpatt) und der sog. İsmail-Thron (mit mehr als 20.000 Perlen geschmückt), den Selim I. 1514 als Kriegsbeute aus Persien mitbrachte. Im *zweiten Saal* dominieren Orden und Medaillen, überraschend sind hier Reliquien (Arm und Schädel) von Johannes dem Täufer. Highlights des *dritten Saals* sind zwei hüfthohe goldene Kerzenständer, die mit 6.666 (!) Diamanten bestückt sind. Die prächtigsten Stücke gibt es jedoch im *vierten Saal* zu bewundern: Dort befindet sich der weltberühmte Star aus dem Film "Topkapi" (mit Peter Ustinov), der Topkapıdolch (18. Jh.). Knauf und Goldscheide sind über und über mit Smaragden und Diamanten besetzt. Die kunstvoll gearbeitete Waffe sollte ein Präsent für den Schah von Persien sein. Er bekam es jedoch nie, denn bevor der Sultan sein Geschenk überreichen konnte, wurde der Schah bei einem Aufstand umgebracht. Eine weitere Kostbarkeit ist der sagenumwobene Löffler-Diamant, 86 Karat schwer und damit der fünftgrößte Diamant der Welt. Der arme Fischer, der den Riesenklunker fand, soll ihn gegen drei Löffel eingetauscht haben.

Sammlung der Sultansgewänder (Seferli Odası): An die Schatzkammer schließt sich die Sammlung der Sultansgewänder an, die letzte Ausstellung des Palastes. Über 1.300 Gewänder verstorbener Sultane lagern im Serail, aber nur ein paar sind ausgestellt. Die kostümgeschichtlich und textilkünstlerisch interessantesten Stücke sind die älteren Gewänder im Kaftanschnitt. Aus Satin, Seide oder Samtbrokat wurden sie in leuchtenden Farben und mit phantasievollen Mustern gewebt. Die ausgestellten Gewänder werden immer wieder gewechselt, an einigen klebt noch Blut – nicht wenige Herrscher starben eines gewaltsamen Todes.

Vierter Hof: Den vierten Hof erreicht man über eine Passage nahe der Schatzkammer. Er ist streng genommen gar kein Hof, sondern mehr ein terrassenförmig angelegter Garten mit Pavillons. Im Türkischen heißen sie *köşkler* (Sing. *köşk*), woraus sich übrigens das deutsche Wort "Kiosk" ableitet. Der Garten wird auch Tulpengarten genannt, da hier zu Zeiten Ahmets III. (1703–1730) die berühmten Tulpenfeste stattfanden, die einer ganzen Epoche ihren Namen gaben (→ Geschichte, S. 86). Unter Mahmut II. (1808–39) verkam der vierte Hof zu einem Obst- und Gemüsegarten, in dem Himbeeren, Melonen und Gurken wuchsen. Letztere liebte der Sultan übrigens überaus. Als ihm eine davon gestohlen wurde und sich niemand zur Tat bekennen wollte, ließ er die Bäuche seiner Pagen der Reihe nach aufschlitzen, bis man beim siebten ein paar Gurkenreste im Magen fand.

Ganz im Osten des vierten Hofes liegt, mit Blick über den Bosporus, der *Mecidiye-Pavillon* (Mecidiye Köşkü) aus der ersten Hälfte des 19. Jh. Die Architektur dieses Baus zeigt mehr europäische Stilelemente als orientalische. In den vornehmen Räumlichkeiten bedient das preisgekrönte Restaurant Konyalı Staatsgäste aus aller Welt. Für Touristen gibt es eine teure Selfservice-Theke mit herrlicher Terrasse.

Auf der gegenüberliegenden Seite des Tulpengartens stehen die schönsten Pavillons des vierten Hofes, der *Revan-Pavillon* und der *Bagdad-Pavillon*. Ersterer wurde von Murat IV. 1635 zur Erinnerung an die Eroberung Eriwans gebaut. Der zweite und größere entstand drei Jahre später nach der Einnahme Bagdads. Beide zeigen in ihrem Innern herrliche Fayencen. Dazwischen steht ein Baldachin, 1640 von Sultan İbrahim errichtet. Unter dem goldverkleideten Bronzedächlein speiste der verrückte Sultan (→ Kasten) im Ramadan nach dem langen Fastentag in der Abenddämmerung und verdaute mit Blick über das Goldene Horn.

İbrahim "der Verrückte" (1640–1648)

Es bedarf keiner großen Phantasie, um zu erraten, weshalb Mehmet II. "der Eroberer" genannt wurde oder Selim II. "der Säufer". Auch Sultan İbrahims Beiname lässt Rückschlüsse auf seine Person zu, jedoch weniger auf sein Handeln. Verrückt nannte man ihn z. B. deshalb, weil er gerne mit der Armbrust vom Alay Köşkü (→ S. 131) wahllos auf Passanten schoss. Doch der Sultan hätte auch noch ganz andere Beinamen verdient: Aufgrund fehlender Manneskraft begab er sich kurz nach seiner Inthronisierung in die Obhut eines Mannes namens Cinci Hoca, der den Ruf eines "Wunderdoktors" hatte und diesem auch gerecht wurde. Schon bald erlebte der Harem einen wahren Kindersegen. Aber damit nicht genug. Als ob er nun als Kraftprotz der Sinneslust in die Geschichte eingehen wollte, soll İbrahim später damit begonnen haben, seine Potenz auch vor Zuschauern unter Beweis zu stellen. Ein legendärer Held ist er für viele Türken in vertrauten Männergesprächen auf jeden Fall noch immer. Der nicht nur verrückte, sondern auch jähzornige und ungerechte Sultan wurde nach achtjähriger Herrschaft von einer aufgebrachten Menge auf dem At Meydanı gelyncht.

Sehenswürdigkeiten in Palastnähe

Archäologisches Museum (Arkeoloji Müzesi): Das Archäologische Museum İstanbuls – nicht ein einzelnes Gebäude, sondern ein ganzer Komplex – zählt zu den weltweit angesehensten seiner Art. Mehrere Tage könnte man darin verbringen, um sich den Kulturen längst vergangener Zeiten zu nähern. Die tatsächliche Verweildauer verkürzt sich jedoch schon allein deswegen, weil aufgrund von Renovierungen stets mehrere Abteilungen geschlossen sind, und das schon seit Jahren.

Gleich links hinter dem Eingangstor zum Museumskomplex flankieren zwei hethitische Löwen (14. Jh. v. Chr.) das Gebäude der einstigen Kunstakademie des Osmanischen Reiches, in der heute die **Altorientalische Abteilung** (Eski Şark Eserleri Müzesi) untergebracht ist. Funde aus Ninive, der einstigen

Hauptstadt des Assyrerreichs, aus Lagasch, einer altsumerischen Königsstadt, aus Nippur, einer einst bedeutenden Handelsstadt, aus Babylon und Assur (allesamt im heutigen Irak) sowie aus Ägypten werden hier präsentiert. Darunter sind über 5.000 Jahre alte Figuren und Töpferarbeiten. Am eindrucksvollsten sind die Keilschrifttafeln aus Ton – über 75.000 Stück lagern hier in den Archiven. Die berühmteste Tafel ist der Vertrag von Kadesch, der erste bekannte schriftlich fixierte Friedensvertrag der Menschheit. Geschlossen wurde er zwischen den Ägyptern und den Hethitern im Jahr 1269 v. Chr. Dieser garantierte sogar politischen Flüchtlingen bei ihrer Heimkehr Amnestie.

Hinter dem Museumsgarten steht das **Çinili Köşk** (Fayencenschlösschen), das in der zweiten Hälfte des 15. Jh. unter Mehmet dem Eroberer errichtet wurde. Von der luftigen, verspielten Vorhalle verfolgte der Sultan gewöhnlich das Treibballspiel *Cırıt,* eine Art Polo. Das Spielfeld lag da, wo heute das neoklassizistische Hauptgebäude steht. Im Innern werden seldschukische und türkische Fayencen aus verschiedenen Epochen gezeigt. Bedeutendstes Ausstellungsstück ist der prächtige Mihrab aus der İbrahim-Bey-Moschee (İbrahim Bey Camii) im zentralanatolischen Karaman, ein Werk aus der Blütezeit der İznik-Keramik.

Betritt man das Erdgeschoss des **Hauptgebäudes** durch den Eingang gegenüber dem Çinili Köşk, liegt linker Hand gleich jener Saal, der eines der berühmtesten Exponate des Museums beherbergt, den Alexandersarkophag vom Ende des 4. Jh. v. Chr. Der Name ist ein wenig verwirrend, denn der Leichnam Alexanders des Großen befand sich nie darin. Man vermutet, dass ein phönizischer Prinz in ihm beigesetzt wurde. Die faszinierenden Reliefs des Marmorsarkophags zeigen jedoch Alexander den Großen bei der Jagd und in der siegreichen Schlacht über die Perser.

Beachtenswert ist auch der "Sarkophag der Klagefrauen" aus der Mitte des 4. Jh. v. Chr. Die Reliefs – sitzende und stehende Frauen, durch kleine Säulchen getrennt – stehen denen des Alexandersarkophags in nichts nach. Beide Sarkophage wurden von Osman Hamdi Bey, dem Wegbereiter der türkischen Archäologie, 1887 in Sidon (im heutigen Libanon) eigenhändig ausgegraben – er selbst wird ebenfalls mit einer kleinen Ausstellung im Gebäude geehrt.

Das *Erdgeschoss* beherbergt des Weiteren Skulpturen aus archaischer und hellenistischer Zeit, attische Figuren und Reliefs, Büsten von römischen Kaisern, von Alexander dem Großen usw. Ein Saal zeigt zudem Funde aus Aphrodisias (→ S. 285).

Aufmerksamkeit erregt auch die im vorderen Eingang des Hauptgebäudes grimmig grüßende Kolossalstatue des altägyptischen Halbgottes Bes, der eine enthauptete Löwin an den Hintertatzen hält. Zwischen seinen Lenden klafft ein Loch – einen Brunnen zierte bzw. füllte die Statue jedoch nie. Da der Halbgott zugleich Kraft und Fruchtbarkeit symbolisierte, ist anzunehmen, dass dort etwas anderes Großes steckte.

Eine Besonderheit ist die ebenfalls im Erdgeschoss eingerichtete Abteilung für Kinder. Auf spielerische Art und Weise versucht man hier, Kindern vergangene Kulturen zugänglich zu machen. Das Trojanische Pferd können sie z. B. von innen kennen lernen, und die Vitrinen haben eine Höhe, dass selbst der zur Familie gehörende Foxterrier Freude an der Archäologie entwickeln könnte.

Die *erste Etage* beherbergt eine mit "İstanbul im Wandel der Zeit" betitelte Ausstellung. Gezeigt werden Skulpturen und Architekturfragmente aus dem Stadtgebiet, darunter der bronzene Schlangenkopf der Schlangensäule vom At Meydanı (→ S. 114) und Teile der Eisenketten, mit welchen die Byzantiner einst feindlichen Schiffen die Einfahrt ins Goldene Horn verwehrten.

Die Säle der *zweiten Etage* widmen sich der Geschichte Anatoliens von der Altsteinzeit bis zur Eisenzeit. Im Mittelpunkt steht die Kultur Phrygiens. Ein rekonstruiertes königliches Grabmal bildet dabei die Attraktion. Bei den Ausgrabungen entdeckte man, dass der König samt seinem Haushalt (mit Geschirr und Schränken!) beigesetzt wurde. Des Weiteren werden hier Funde aus den verschiedenen Besiedlungsphasen Trojas gezeigt. Die wertvollsten Grabungsfunde schaffte jedoch der deutsche Archäologe Heinrich Schliemann außer Landes.

In der *dritten Etage* kann man sich die Ausstellung "Nachbarkulturen Anatoliens" anschauen. Gezeigt werden Grabungsfunde aus Syrien, dem Libanon, Israel, Palästina und von der Insel Zypern.

Adresse/Öffnungszeiten Zwischen Gülhane Park und Topkapı Sarayı in einer namenlosen Gasse, vom ersten Hof des Topkapı Sarayı ausgeschildert. Tägl. (außer Mo) 9–17.30 Uhr. Eintritt für den gesamten Komplex 2,70 €, erm. die Hälfte.

Gülhane-Park, Alay Köşkü und Hohe Pforte (Bab-ı Ali): Östlich des Topkapı-Palastes erstreckt sich der Gülhane-Park. Er ist einer der beliebtesten Picknickparks im Zentrum İstanbuls. In ihm findet man einen kleinen, abschreckenden Zoo (Zukunft ungewiss) und ein paar einladende Teehäuser. Letztere liegen bei der sog. *Gotensäule,* einem 15 m hohen Monolithen aus Granit mit korinthischem Kapitell aus dem 3. Jh. Sie erinnert an den Sieg Ostroms über die Goten und war bis zum Fall Konstantinopels ein Wahrzeichen der Stadt.

An der äußeren Serailmauer im Südwesten des Parks ragt ein kleiner Erkerturm, der *Alay Köşkü,* über der Alemdar Caddesi hervor. Von hier aus konnte der Sultan das Kommen und Gehen an der Hohen Pforte (Bab-ı Ali) schräg gegenüber beobachten. Die Pforte, ein saharagelber Portalbau im Rokokostil mit schön geschwungenem Dach, führte zum Amtssitz des Großwesirs. Für die internationale Diplomatie war ihr Name das Synonym für das Osmanische Reich schlechthin. Heute hat dahinter die İstanbuler Provinzverwaltung ihren Sitz.

Adressen/Öffnungszeiten Parkeingang an der namenlosen Gasse, die von der Alemdar Cad. (vorbei am Archäologischen Museum) in den ersten Hof des Topkapı Sarayı führt. Eintritt 0,50 €. Alay Köşkü und Hohe Pforte an der Alemdar Cad. nahe der Straßenbahnhaltestelle Gülhane.

Soğukçeşme Sokak: Im Rücken der Hagia Sophia, entlang der Außenmauer des Topkapı Sarayı, verläuft von der Alemdar Caddesi zum Bab-ı Hümayun die Soğukçeşme Sokak, eine der wenigen Gassen, die noch an die frühere pittoreske Beschaulichkeit Sultanahmets erinnern. Pastellfarben gestrichene, restaurierte Holzhäuser säumen die kopfsteingepflasterte Gasse, die schon mehrmals als Filmkulisse diente und ein beliebtes Motiv für Künstler jeder Art ist. Längst verschwunden sind jedoch ihre früheren Anwohner. In den Häusern befinden sich gehobene Unterkünfte (→ Übernachten, S. 101) und Restaurants.

Sehenswertes im Basarviertel

Der Große Basar und die Märkte drum herum sind İstanbuls Epizentrum der Geschäftigkeit. Das Basarviertel erstreckt sich in einem breiten Streifen vom Beyazıt-Platz hinab nach Eminönü. Es ist ein quirliges Durcheinander, ein Tohuwabohu aus verwinkelten Gassen und orientierungslosen Menschen. Gleichzeitig zählt es zu den ältesten und malerischsten Ecken İstanbuls. Nirgendwo besser kann man in İstanbul die Gerüche orientalischer Geschäftigkeit schnuppern.

Verbindungen: Falls Sie von Sultanahmet das Basarviertel – egal ob von Norden oder von Süden – her erkunden wollen, am einfachsten gelangen Sie mit der Straßenbahn dahin. Auch zu Fuß ist man zu keiner der hier angegebenen Sehenswürdigkeiten länger als 20 Min. unterwegs. Von Taksim gelangen Sie mit Ⓑ 46 H, 54 E, 66, 69 E oder 70 nach Eminönü (Achtung: Die Busse nach Eminönü fahren in der Regel nicht vom Busbahnhof, sondern von der Cumhuriyet Cad. ab). Eine andere Möglichkeit besteht darin, von Beyoğlu mit der Tünel-Bahn nach Karaköy zu fahren und über die Galatabrücke nach Eminönü zu laufen.

Beyazıt-Platz (Beyazıt Meydanı): Zu byzantinischen Zeiten erstreckte sich weit über den heutigen Beyazıt Meydanı hinaus das Forum Tauri, der "Platz des Stieres". In dessen Mitte stand ein kolossales stierförmiges Bronzegefäß, in dem Opfertiere und angeblich auch Verbrecher verbrannt wurden. Im 4. Jh. ließ Theodosius II. das Forum umgestalten und mit einem überdimensionalen Triumphbogen versehen. Fragmente davon fand man bei Bauarbeiten in den 50er Jahren. An der Ordu Caddesi stehen sie heute verloren am Straßenrand. Mit dem Bau der Beyazıt-Moschee (s.u.) im frühen 16. Jh. bekam der Platz sein heutiges, umtriebiges Gesicht. An jeder Ecke preisen fliegende Händler ihre Waren an: Brillen, Socken, Bügeleisen, Aktenkoffer und ausgetretene Hausschuhe. Dazwischen flattern Tauben – ganze Schwärme.

Pickende Schicksalsträger – die Tauben von Beyazıt

Es lässt sich schwer entscheiden, ob es auf dem Beyazıt-Platz mehr Tauben oder Menschen gibt. Auf jeden Fall sind es so viele Tauben, dass die Beyazıt-Moschee auch "Güvercin Camii" (Taubenmoschee) genannt wird. Einer Legende nach stammen alle Tauben des Platzes von einem Taubenpaar ab, das Sultan Beyazıt II. einst einem armen Mann vor der Moschee abgekauft und selbstlos in die Freiheit entlassen hatte. Um alle Zeit an die gute Tat des Sultans zu erinnern, vermehrten sich die Tauben fortan über die Maßen.

Was in anderen Städten als Plage bezeichnet wird, genießt in İstanbul das Wohlwollen der Bevölkerung. Viele Menschen sind überzeugt, das Schicksal gütig stimmen zu können, wenn sie die Tauben mit Körnern oder Brotstücken füttern.

Der maurisch anmutende, monumentale Torbau auf der Nordseite des Platzes führt auf den Campus der *İstanbul Üniversitesi*, mit rund 75.000 Studenten die größte Universität des Landes. Dort steht auch der *Beyazıt-Turm (Beyazıt*

Kulesi), eine markante Nadel in der İstanbuler Skyline (nur nach Vereinbarung unter ✆ 0212/5214123 zugänglich).

Beyazıt-Moschee (Beyazidiye): Die älteste noch heute bestehende Sultansmoschee wurde 1506 für Beyazıt II. fertig gestellt. Das architektonische Vorbild war wie bei vielen Moscheen dieser Zeit die Hagia Sophia: Im Inneren umringen Halbkuppeln die ausladende Hauptkuppel. Bemerkenswert ist die Sultansloge aus Marmor. Gelungen ist der marmorgepflasterte quadratische Vorhof mit einem eleganten überkuppelten Reinigungsbrunnen in der Mitte. Die Säulen der ihn umgebenden Arkaden sind aus edelstem Gestein wie Verde Antico, rotem Porphyr oder Rosengranit aus Ägypten. In osmanischer Zeit wurde alljährlich während des Ramadan ein Markt im Vorhof abgehalten, heute verkauft man hier Ansichtskarten und bunte Kopftücher an Touristen.

Kalligraphiemuseum (Türk Vakıf Hat Sanatları Müzesi): Das Museum auf der Westseite des Beyazıt-Platzes ist in der ehemaligen Medrese der Beyazıt-Moschee untergebracht. Die Kalligraphie zählte einst zu den höchsten islamischen Künsten. Heute scheint sich kein Mensch mehr für sie zu interessieren: Die Zahl der Aufseher im Museum übersteigt für gewöhnlich die der Besucher. Zu sehen gibt es Kalligraphien auf Holz, Stoff oder Glas, zudem Koranausgaben aus dem 13.–16. Jh. Der Niedergang der Kunstform ist übrigens nicht zuletzt mit der Westorientierung des Landes verbunden. Das Interesse an der Kalligraphie ließ nach, nachdem die lateinische Schrift eingeführt worden war und Künstler sich mehr und mehr für das Porträtieren von Personen interessierten, was während der osmanischen Periode verboten war. Lediglich Sultane setzten sich bisweilen darüber hinweg.

Adresse/Öffnungszeiten Beyazıt Meydanı. Di–Sa 9–16 Uhr. Eintritt 1,30 €, erm. die Hälfte. Nur türkische Erläuterungen.

Bücherbasar (Sahaflar Çarşısı): Der Bücherbasar in einem z.T. von Weinreben überrankten Hof ist einer der ältesten Märkte İstanbuls, auch wenn hier Bücher erst seit 1894 angeboten werden. Zuvor waren an gleicher Stelle Turbanmacher und Graveure ansässig. Bis zu Anfang des 18. Jh. durften im Osmanischen Reich übrigens lediglich Handschriften verkauft werden, gedruckte Bücher galten als sittenverderbende Werke von Ungläubigen. Heute erinnert inmitten des Marktes eine Büste an İbrahim Müteferrika, der um 1730 die ersten türkischen Werke druckte. Antiquarisches wird leider kaum mehr geboten, Kunst- und Lehrbücher sowie Reiseführer dominieren.

Adresse/Öffnungszeiten Sahaflar Çarşısı Sok., Beyazıt. Tägl. 8–20 Uhr.

Großer Basar (Kapalı Çarşı): Durch das farbenprächtige, überdachte Labyrinth aus schmalen Gassen und Straßen wuseln tagtäglich eine Million Menschen. Der Große Basar, auch "Gedeckter Basar" genannt, ist eine kleine Stadt für sich – über 4.000 Geschäfte auf einer Fläche von 200.000 qm. Die Geschichte des osmanischen Shoppingcenters par excellence reicht bis in die zweite Hälfte des 15. Jh. zurück. Obwohl durch Erdbeben und Brände – der letzte 1954 – mehrmals schwer in Mitleidenschaft gezogen, blieb die ursprüngliche orientalische Struktur seit Jahrhunderten nahezu unverändert.

Im Zentrum steht der *Eski Bedesten*, der älteste Teil des Basars, ein von Kuppeln bedeckter Bau. Da dieser separat abgeschlossen werden kann, beherbergt

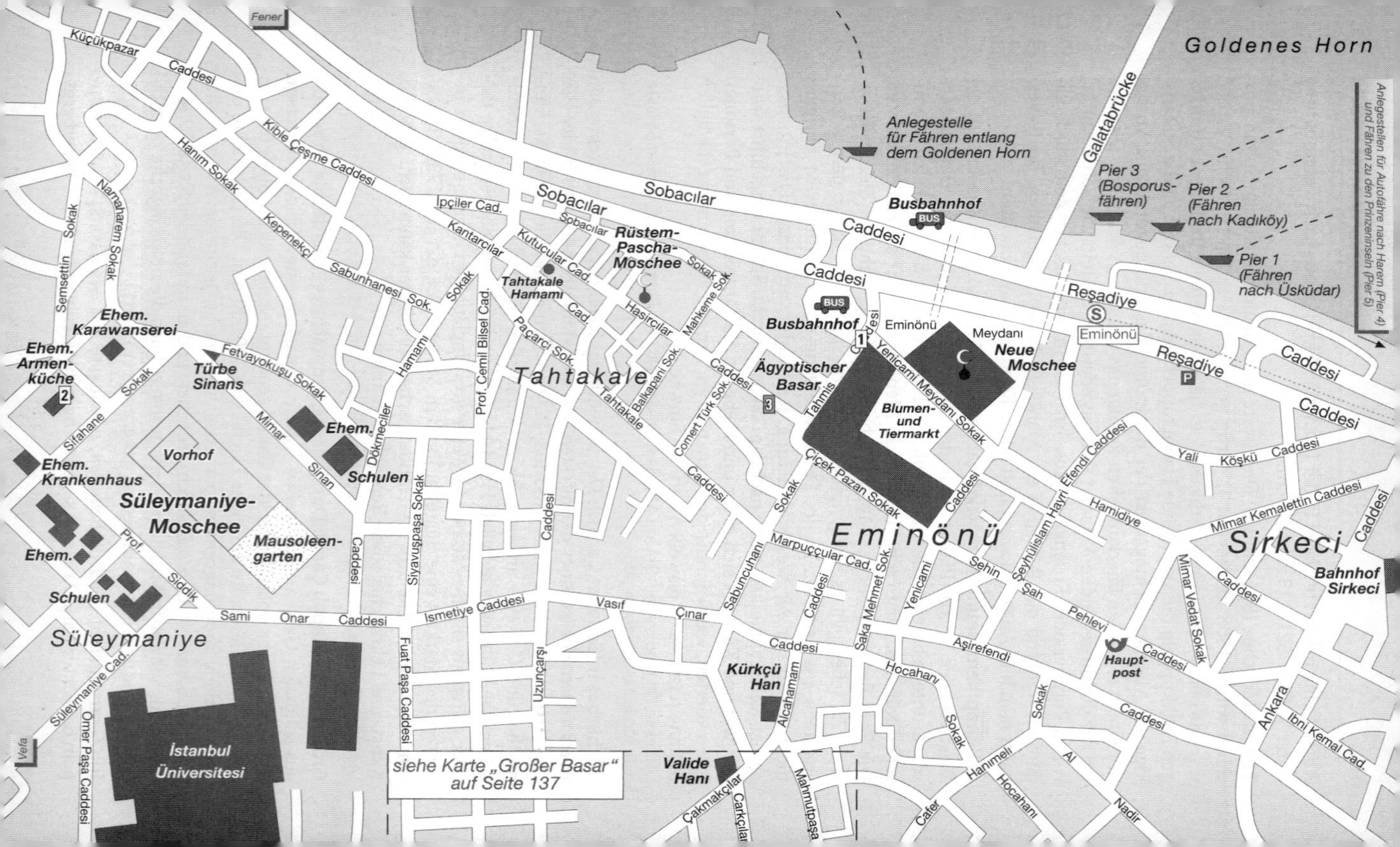
Goldenes Horn
Anlegestellen für Autofähre nach Harem (Pier 4) und Fähren zu den Prinzeninseln (Pier 5)
Galatabrücke
Pier 3 (Bosporus-fähren)
Pier 2 (Fähren nach Kadıköy)
Pier 1 (Fähren nach Üsküdar)
Anlegestelle für Fähren entlang dem Goldenen Horn
Busbahnhof
Fener
Küçükpazar Caddesi
Sobacılar Caddesi
Reşadiye Caddesi
Eminönü
Eminönü Meydanı
Neue Moschee
Busbahnhof
Ägyptischer Basar
Blumen- und Tiermarkt
Yenicami Meydanı Sokak
Tahmis
Çiçek Pazan Sokak
Rüstem-Pascha-Moschee
Tahtakale Hamamı
Tahtakale
Eminönü
Sirkeci
Bahnhof Sirkeci
Haupt-post
Kible Çeşme Caddesi
Hanım Sokak
Kepenekçi
Sabunhanesi Sok.
İpçiler Cad.
Kantarcılar
Kutucular Cad.
Hasircılar
Mahkeme Sok.
Paçarcı Sok.
Balkapani Sok.
Comert Türk Sok.
Prof. Cemil Bilsel Cad.
Hamamı
Dökmeciler
Fetvayokuşu Sokak
Türbe Sinans
Ehem. Karawanserei
Ehem. Armenküche
Ehem.
Schulen
Mimar Sinan
Vorhof
Süleymaniye-Moschee
Mausoleen-garten
Ehem. Krankenhaus
Ehem.
Schulen
Prof. Siddik Sami Onar Caddesi
Süleymaniye
Süleymaniye Cad.
Ömer Paşa Caddesi
Vefa
İstanbul Üniversitesi
Siyavuşpaşa Sokak
Fuat Paşa Caddesi
Uzunçarşı Caddesi
Ismetiye Caddesi
Vasıf Çınar Caddesi
Sabuncuhanı Sokak
Marpuççular Cad.
Saka Mehmet Sok.
Yenicami Caddesi
Kürkçü Han
Alcahamam
Valide Hanı
Çakmakçılar
Carkçılar
Mahmutpaşa
siehe Karte „Großer Basar“ auf Seite 137
Hocahanı Sokak
Hanımeli
Hocahanı
Cafer
Al
Nadir
Aşirefendi Caddesi
Şehin Şah Pehlevi Caddesi
Şeyhülislam Hayri Efendi Caddesi
Hamidiye Caddesi
Yali Köşkü Caddesi
Mimar Kemalettin Caddesi
Mimar Vedat Sokak
Ankara Caddesi
Ibni Kemal Cad.
Sifahane Sokak
Namaharem Sokak
Semsettin Sokak

Das Basarviertel
Essen & Trinken
1 Pandeli
2 Darüzziyafe
4 Subaşı Lokantası
5 Erenler
Nachtleben
6 Orient House
Einkaufen
3 Kurukahveci Mehmet Efendi
100 m
Beyazıt
Beyazıt Meydanı
Beyazıt-Moschee
Beyazıt-Turm
Teegarten
Tor
Kalligraphie-Museum
Bücherbasar
Sahaflar Çarşısı
Architektur-fragmente des Theodosius-forums
Nuruosmaniye-Moschee
Konstantins-säule
Çemberlitaş
Çemberlitaş Hamamı (Türk. Bad)
Gedikpaşa Hamamı (Türk. Bad)
Laleli
Sultanahmet
Yeniçeriler Caddesi
Divan Yolu
Fuat Paşa Caddesi
Mercan Caddesi
Ömer Paşa Caddesi
Bakırcılar Caddesi
Çadırcılar Caddesi
Orücüler Caddesi
Tığcılar Sokak
Acıçeşme Sok.
Aynacılar Sok.
Tarakçılar Caddesi
Sultan Yokuşu
Tarakçı Mektebi Sokak
Türkocağı Caddesi
Ankara Caddesi
Kazım İsmail Gürkan Caddesi
Molla Fenarı Sokak
Ceride Hane Sok.
Mahmut Paşa Sokak
Kılıçolar Sokak
Nuruosmaniye Kapısı Sok.
Şeref Ef. Sokak
Nuruosmaniye Caddesi
Vezir Hanı Caddesi
Tavuk Pazarı Sokak
Kürkçüler Pazarı Sok.
Ağa Camii Sokak
Müsevyin
Çarşıkapı Caddesi
Bileyciler Sokak
Turbedar Sokak
Babıali Caddesi
Hoca Rüstem Mek Sok.
Çatal Çeşme
Dr. Emin Paşa Sok.
Divan-i Ali Sokak
Gedikpaşa Camii Sokak
Gedikpaşa Caddesi
Emin Sinan Hamamı Sokak
Dönem Sokak
Evkaf Sok.
Taşdibek Çeşmesi Sok.
Boyacı Ahmet Sok.
Peykhane
Öktem Caddesi
Yahya Paşa Sokak
Pehlivan Sok.
Karakol Sokak
Tiyatro
Beyazıt Sokak
Tatlı Kuyu Hamamı Sok.
Tatlı Kuyu Sokak
Direkli Camii Sokak
Mithatpaşa Caddesi
Yeni Devir Sokak
Fermanlı Sok.
Turanlı Sokak

er die Geschäfte mit den wertvollsten Waren: handgefertigte Kunstschmiedearbeiten, antiker Schmuck und Edelsteine. Teppiche ersteht man am besten im *Sandal Bedesteni* aus dem 16. Jh. ganz im Osten des Basars, wo jeden Mittwoch um 13 Uhr Teppichversteigerungen stattfinden – ein Spektakel.

Hinweis: Sonntags haben die Basare und die meisten Geschäfte geschlossen!

Geschäfte mit ähnlichem Warenangebot sind wie so oft im Orient in denselben Gassen angesiedelt – ein kundenfreundliches System, das den besseren Preisvergleich ermöglicht. Die Benennung der Gassen erfolgte einst nach den dort ansässigen Berufsständen – bei manchen wäre es jedoch an der Zeit, die Namen zu ändern: In der Kalpakçılar Caddesi, der einstigen "Straße der Fellmützenverkäufer", setzen heute Juweliere jährlich 100 t Gold um. In der Yağlıkçılar Caddesi, der "Straße der Taschentuchverkäufer", gibt es von imitierten Levis-Jeans bis zu Teegläsern so ziemlich alles zu kaufen.

Das Angebot ist überwältigend. Doch ist nicht alles Gold, was glänzt, auch wenn Ihnen gute Händler widersprechen mögen – und das auf bis zu 25 Sprachen nahezu fließend. Alle Händler stimmen übrigens darin überein, dass der erste Kunde am Morgen Glück bringt, sodass ihm die Ware zu einem günstigeren Preis verkauft wird.

Adresse/Öffnungszeiten Östlich der Beyazıt-Moschee. Mo–Sa 9–19 Uhr.

Hane – Hostels der osmanischen Händler

Wie Perlen an einer Schnur reihten sich einst Hane rund um den Großen Basar. Über Jahrhunderte hinweg waren sie die Herbergen der Händler, die aus allen Teilen des Osmanischen Reiches über die Karawanenstraßen nach İstanbul kamen. Drei Tage durften sie darin meist umsonst nächtigen (Mahlzeiten, Futter für die Kamele und die Kerze für die Nacht inklusive), ihre Waren lagern und verkaufen. Die meisten großen Hane waren um einen Innenhof mit einer kleinen Moschee in der Mitte angelegt. Manche waren auch direkt an einen Moscheenkomplex angegliedert und hießen dann *kervansaray* (Karawanserei). Heute kommen die anatolischen Teppich- und Gewürzhändler mit dem Bus oder Kleinlaster und übernachten in den Billighotels von Laleli. In die alten Hane sind kleine Läden und Handwerksbetriebe eingezogen. Viele davon verfallen zusehends. Der größte Han der Stadt war der *Valide Hanı* nördlich des Großen Basars an der Ecke Çakmakçılar Yokuşu/Tarakçılar Caddesi. Die Sultansmutter Valide Kösem ließ ihn kurz vor ihrer Ermordung (→ S. 112) im 17. Jh. errichten. Ältester Han der Stadt ist der *Kürkçü Han* am Mahmutpaşa Yokuşu 125–127 nordöstlich des Großen Basars. Er stammt aus dem 15. Jh. und war einst erste Adresse von Pelzhändlern – heute verkauft man hier Wolle. Sein Zustand ist erbärmlich.

Nuruosmaniye-Moschee (Nuruosmaniye Camii): Die "Lichtmoschee des Hauses Osman", eine wuchtige Einkuppel-Moschee, wurde 1748 von Mahmut I. in Auftrag gegeben und 1756 unter seinem Bruder Osman III. fertig gestellt. Fünf

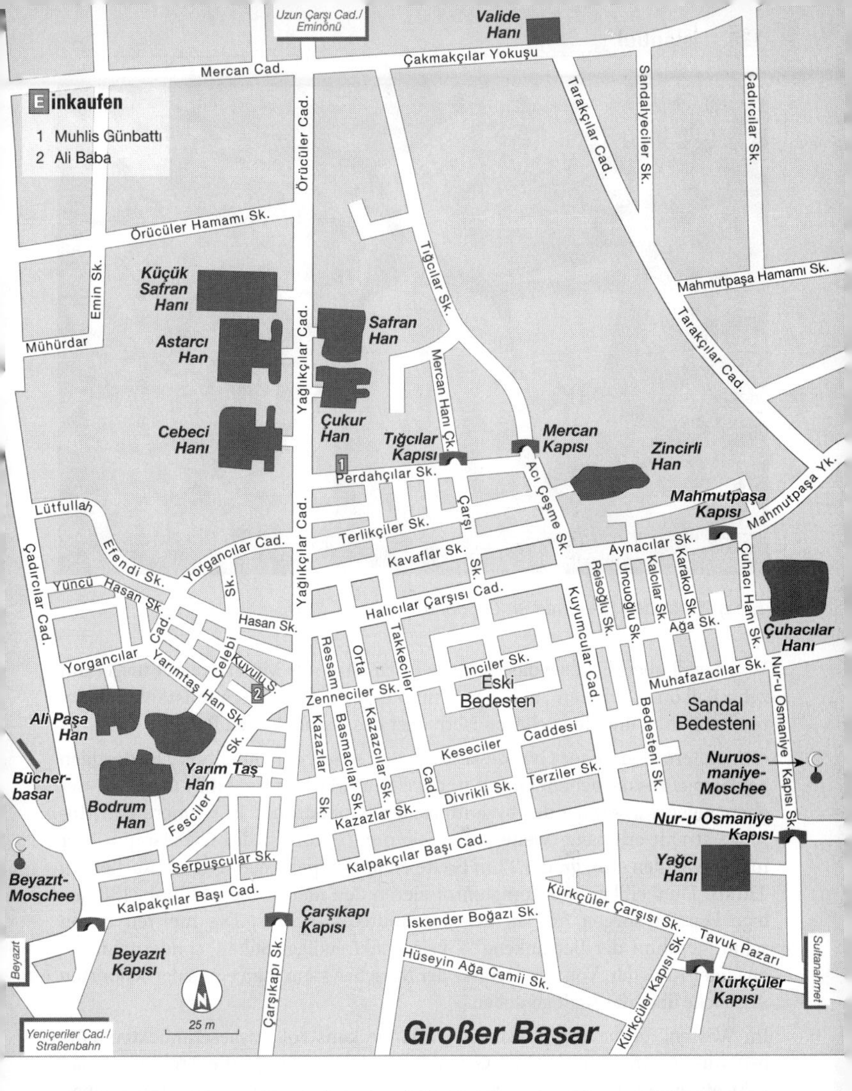

Fensterreihen sorgen für ein lichtdurchflutetes Inneres. Als erste Moschee der Stadt war sie architektonisch am europäischen Barockstil orientiert. Sie besitzt einen hufeisenförmigen, von Platanen und Kastanienbäumen gesäumten Hof. Er ist einzigartig in İstanbul – ihm fehlt nämlich der klassische Reinigungsbrunnen.
Adresse Vezirhanı Cad., Çemberlitaş.

Süleymaniye-Moschee (Süleymaniye Camii): Sultan Süleyman der Prächtige gab den nach ihm benannten Stiftungskomplex zu Mitte des 16. Jh. in Auftrag. Ausgeführt wurde er von Sinan in siebenjähriger Bauzeit; von allen İstanbuler Bauten des berühmten Architekten gilt die Moschee als sein Meisterwerk.

Ein glänzendes Geschäft im Großen Basar

Würdevoll überblickt sie das Goldene Horn. Ihre vier Minarette mit insgesamt zehn Balkonen rühmen Süleyman symbolisch als den vierten in İstanbul regierenden Sultan und den zehnten Herrscher des Osmanischen Reiches.

Von außerordentlicher Grandesse zeigt sich schon der Innenhof. Die dortigen Säulen aus rosafarbenem Granit und weißem Marmor entnahm man z. T. der ehemaligen Kaiserloge des byzantinischen Hippodroms. Das Innere der Moschee strahlt erhabene Weite aus: 3.500 qm (!) groß ist der Gebetsraum, vier massive Säulen stützen die 27 m breite Hauptkuppel. Feinste İznik-Kacheln in Türkis, Dunkelblau und Tomatenrot zieren den marmornen Mihrab. 138 farbige Fenster sorgen für ein lichtdurchflutetes Inneres. Die meisten davon schuf "İbrahim der Betrunkene" – kein trinkfreudiger Sultan, sondern ein begnadeter Künstler. Von der Terrasse der Moschee kann man einen der schönsten Ausblicke über die Stadt genießen.

Im Westen, hinter der Moschee, stehen die kunstvoll ausgeschmückten Türben von Süleyman und seiner Gemahlin Roxelane. Der große Architekt Sinan ruht etwas abseits des Komplexes an der nach ihm benannten Mimar Sinan Caddesi in einer schlichten Türbe. Zu dem großen Stiftungskomplex gehörten einst auch mehrere Schulen, ein Krankenhaus, eine Karawanserei und eine Armenküche, in der man rund 1.000 Bedürftige am Tag mit Suppe versorgte. Heute werden dort ganze Busladungen mit osmanischer Küche verköstigt (→ Essen & Trinken).

Adresse/Öffnungszeiten Prof. Sıddık Sami Onar Cad., Süleymaniye. Über die Prof. Cemil Bilsel Cad. von Eminönü in ca. 15 Min. zu Fuß zu erreichen. Türben tägl. 9.30–16.30 Uhr.

Rüstem-Pascha-Moschee (Rüstem Paşa Camii): Wie auf einem Hochsitz überblickt die Moschee das Marktreiben. Auf überdachten, verwinkelten

Treppchen steigt man zu ihrem Vorhof auf. Die Moschee, 1561 fertig gestellt, ist ein Werk Sinans. Auftraggeber war der Schwiegersohn Süleymans des Prächtigen, Rüstem Pascha, ein korrupter, intriganter und raffgieriger Großwesir. In ihrem Innern begeistert ein reicher Fayencenschmuck an Wänden, Säulen, Mihrab und Minbar – eine Augenweide auch für Laien. Ihr kuppelartiger Unterbau beherbergt kleine Läden.

Adresse Ecke Uzun Çarşı Cad./Kutucular Cad., Eminönü.

Istanbul
Karte S. 90/91

Keramikträume werden wahr: İznik-Fayencen

Bunte Kacheln aus İznik sind nicht nur für die Pracht vieler Bauten in İstanbul verantwortlich. Im ganzen Orient waren sie begehrt, und selbst den Felsendom von Jerusalem schmücken sie. Die ersten Fayencen aus dem kleinen Städtchen südlich der Bosporusmetropole entstanden im 15. Jh. Sie besaßen schlichte kobaltblaue Muster auf weißem Untergrund, später kamen die Farben Gelb und Grün hinzu. In der zweiten Hälfte des 16. Jh. erlebte die Fayencenkunst ihre blühendste Periode, in der die schönsten und edelsten Produkte gefertigt wurden. Die Technik brachten persische Kunsthandwerker mit, die nach den Feldzügen Sultan Selims I. nach Westanatolien verschleppt worden waren. Ihre Fayencen wiesen ein kräftiges Tomatenrot auf, das vom armenischen Bolus, einer durch Eisenoxide gefärbten Tonerde, herrührte. Wunderschöne Beispiele davon schmücken die Rüstem-Pascha-Moschee. Die schweigsamen persischen Künstler nahmen ihr rotes Geheimnis aber mit ins Grab. Spätere Kopien lassen sich an ihrem schmutzigbräunlichen Rotton leicht erkennen. Die Blaue Moschee markiert sowohl den letzten Höhepunkt als auch den Niedergang der İzniker Kachelkunst. Denn während der siebenjährigen Bauzeit durften die Kunsthandwerker nur Kacheln für die Blaue Moschee produzieren. Der Lohn dafür war gering, und andere Aufträge anzunehmen war ihnen verboten. Um nicht zu verhungern, packten viele von ihnen ihr Bündel und zogen von dannen – z. B. ins westanatolische Städtchen Kütahya, das seitdem für Keramikkunst bekannt ist. In İznik versucht man heute, wieder an die alte Tradition anzuknüpfen.

Ägyptischer Basar (Mısır Çarşısı): Mit Steuergeldern, die das Osmanische Reich aus Ägypten erhielt, wurde der Bau des Basars im 17. Jh. finanziert – so zumindest eine Erklärungsvariante für die Herkunft des Namens. Seine inoffizielle Bezeichnung "Gewürzbasar" bedarf keiner Erklärung, hat man auch nur einen Blick in das L-förmige Gebäude geworfen: Ein verführerisches Potpourri aus exotischen Gewürzen, Tee, orientalischem Naschwerk, Käse und Fleisch wartet hier auf den Besucher. Kenner schwören übrigens auf den Kaviar aus Persien und Aserbaidschan. Aphrodisiaka werden ebenfalls angeboten – ein Relikt aus osmanischer Zeit, als hier noch vorrangig Kräuter, Elixiere und sonstige Arzneien zu erstehen waren. Lediglich ein paar Jeans- und T-Shirt-Läden stören die 1001-Nacht-Atmosphäre. Um den Blumen- und Tiermarkt zwischen den beiden Flügeln des Basars machen Tierfreunde besser einen Bogen. Der Anblick von Husky-Welpen in Plastikeimern stimmt nicht gerade fröhlich.

Adresse/Öffnungszeiten Südwestlich der Neuen Moschee, Eminönü. Mo–Sa 8–19 Uhr.

Neue Moschee (Yeni Cami): Der Blickfang am Ufer Eminönüs stammt aus dem Jahre 1663. "Neu" wurde die Moschee genannt, weil sie eine ältere Brandruine ersetzte. Von ihren zwei schlanken Minaretten mit jeweils drei Balkonen erschallte früher der Gebetsruf von sechs Muezzinen gleichzeitig. Heute hat man dafür, wie bei den meisten Moscheen, Tonbänder und Lautsprecher. Zwar bereichert die Moschee die Silhouette des Stadtteils, zu den architektonisch wertvollen zählt sie jedoch nicht. Ihr Inneres ist nicht unbedingt sehenswert. Spannender als ein Besuch der Moschee ist das Treiben an den Fähranlegestellen von Eminönü: Im nie enden wollenden Gewusel spielen Blinde Liebesschnulzen, bieten Loseverkäufer das Glück feil und werben Fischbräter auf ihren schaukligen Bötchen lautstark um Kundschaft.

Adresse Yeni Cami Meydanı, Eminönü.

Galatabrücke (Galata Köprüsü): Die Brücke ist eine deutsch-türkische Koproduktion aus dem Jahr 1992. Ihr Vorgänger, ein Werk von MAN, wurde in Gedichten gefeiert. Fischlokale reihten sich im Unterbau der alten Brücke aneinander und sorgten für ein buntes, fröhliches Treiben. Versuche, auch die neue Brücke derartig zu beleben, schlugen fehl. Oben bevölkern dafür Angler das Geländer.

Essen & Trinken

Pandeli (1/S. 134/135), griech.-türk. Traditionsrestaurant, gegründet 1926, seit 1955 am Nordausgang des Ägyptischen Basars. Allein die Ausstattung ist schon einen Besuch wert: İznik-Kacheln verzieren die Räumlichkeiten. Entscheiden Sie sich für Fisch (Seebarsch oder Schwertfisch) oder das berühmte Hühnchen. Hauptgerichte um die 11 €. Reservierung empfehlenswert, v. a., wenn man einen der Tische mit Panoramablick auf das Goldene Horn ergattern will. ✆ 0212/5273909. Nur mittags geöffnet, So geschlossen.

Darüzziyafe (2/S. 134/135), in der einstigen Armenküche der Süleymaniye-Moschee. Billige Ausstattung, aber herrlich in einem von Arkaden umgebenen Innenhof gelegen. Ausgefallene türkisch-osmanische Küche. Die Spezialitäten des Hauses sind *Hünkâr beğendi* (Fleischstückchen auf Auberginenpüree) und *Yuvkalı Darüzziyafe Köfte* (Hackfleischbällchen in weichem Teig). Ab 3,40 € is(s)t man dabei. Şifahane Cad. 6, Süleymaniye.

Subaşı Lokantası (4/S. 134/135), nahe dem Großen Basar. Seit 1959 hat sich hier die Speisekarte nicht mehr verändert! Noch immer zählt die kleine Lokanta mit den rostigen Stühlen und dem sandigen Boden zu den Händlerfavoriten. Zeitungsartikel an der Wand berichten von der Popularität des Lokals. Hardliner kosten die Kuttelflecksuppe mit Gemüse. Gut und günstig. Çarşıkapı Nuruosmaniye Kapısı Sok. 48, Çemberlitaş.

• *Snacks* Die besten **Snacks** werden auf den kleinen Booten an den Fähranlegestellen von Eminönü gebrutzelt. Sardinen oder Thunfisch mit Salat im Brot für 0,70 €.

• *Cafe* **Erenler (5/S. 134/135)**, mit dem Slogan "Mystic Waterpipes" versucht man, Touristen zu locken. Trotzdem wird dieser ruhige Teegarten im schattigen Hof einer alten Medrese noch immer vornehmlich von Studenten besucht. Ein Stück Orient zu günstigen Preisen. Yeniçeriler Cad, Beyazıt.

Einkaufen

Wo anfangen, wo aufhören in İstanbuls größtem Marktbereich? Souvenirs kauft man am besten im Großen Basar, Gewürze im Ägyptischen, exquisite Knüpfwaren und Designer-Juwelen in der Nuruosmaniye Cad., einer kleinen, gepflegten Fußgängerzone nahe der gleichnamigen Moschee. Ein paar Extra-Tipps:

Ali Baba (2/S. 137), im Großen Basar. Bauchtanzutensilien. Entgegen seinem Namen eine durchaus seriöse Adresse, von der sich auch türkische Showstars ausstatten lassen. Alle Farben, Größen und Preise: Je nach Qualität kostet das komplette Set 50–1000 (!) €. Fesciler Sok. 110–121, Beyazıt.

Kurukahveci Mehmet Efendi (3/S. 134/135), der kleine Straßenverkaufsladen hat den Ruf, den besten Kaffee der Stadt zu rösten. Die nie enden wollende Schlange davor beweist nichts anderes. In der Hasırcılar Cad. beim Eingang zum Ägyptischen Basar – immer der Nase nach und Sie werden den Laden nicht verfehlen.

Emin Sinan Hamamı Sokak, eine der besten Adressen İstanbuls, um Schuhe zu kaufen. In der Gasse reiht sich Schuhgeschäft an Schuhgeschäft, die Auswahl ist riesig. Das Gros der Ware wird in den Seitengassen in kleinen Werkstätten gefertigt.

Muhlis Günbattı (1/S. 137), im Großen Basar. Neben Teppichen und Kelims auch kunstvoll bestickte oder gewebte Decken, Tücher, Wandbehänge und Überzüge aus Baumwolle und Seide. Seit über 50 Jahren im Geschäft. Perdahçılar Cad. 48, Beyazıt.

Weitere Sehenswürdigkeiten südlich des Goldenen Horns

Valens-Aquädukt (Bozdoğan Kemeri): Das über den Atatürk Bulvarı verlaufende Postkartenmotiv ist nach dem gleichnamigen oströmischen Kaiser benannt. In der zweiten Hälfte des 4. Jh. wurde der imposante zweigeschossige Arkadenbau errichtet, um die Stadt mit Wasser aus dem Belgrader Wald zu versorgen. Einst war der Aquädukt über einen Kilometer lang, rund 600 m sind noch erhalten. Durch seine unteren Torbögen fädelt sich heute der Verkehr.

Verbindungen Von Taksim passieren Sie den Valens-Aquädukt mit Ⓑ 83 oder 83 0. Von Sultanahmet bringt Sie die Straßenbahn nach Laleli – von dort zu Fuß dem Atatürk Bul. gen Norden folgen (ca. 15 Min.).

Prinzen-Moschee (Şehzade Camii): Süleyman der Prächtige stiftete die Moschee Mitte des 16. Jh. zu Ehren seines liebsten, jung verstorben Sohnes, des Prinzen Mehmet. Als Architekten verpflichtete er den damals noch unbekannten Sinan. Mit dem Bau der Moschee – er selbst bezeichnete sie als sein "Lehrlingsstück" – gelangte er zu erstem Ruhm. Prinz Mehmet wurde in einer Türbe im Mausoleengarten beigesetzt. Über deren Eingangsportal geben persische Verse sein Todesdatum nach dem islamischen Kalender an. Das Innere zieren pastellfarbene Fayencen, über dem Grabmal prunkt ein Nussbaumbaldachin mit Elfenbeinschnitzereien. Auch die nahe gelegenen Türben der Großwesire Rüstem Paşa, İbrahim Paşa und Destari Mustafa Paşa sind mehr Kunstwerke als Totenstätten. Man sagt, sie seien die schönsten Mausoleen İstanbuls, dennoch schaut sie sich kaum jemand an.

Adresse/Verbindungen Şehzadebaşı Cad., Saraçhane. Von Taksim passieren Sie den Valens-Aquädukt mit Ⓑ 83 oder 83 0 – dort aussteigen. Von Sultanahmet bringt Sie die Straßenbahn nach Laleli – von dort zu Fuß dem Atatürk Bul. gen Norden folgen. Wenn sie den Valens-Aquädukt sehen, nach rechts der breiten Şehzadebaşı Cad folgen (ca. 15 Min.).

Tulpenmoschee (Laleli Camii): Mustafa III. ließ das Meisterwerk des osmanischen Barock (auch *Lale Devri,* Tulpenzeit, genannt) zu Mitte des 18. Jh. errichten. 1765, zwei Jahre nach ihrer Fertigstellung, fiel die Moschee einem Erdbeben zum Opfer und musste wieder aufgebaut werden. Ihre Pracht entfaltet die Moschee im Innern: Über 100 längliche Ornamentglasfenster, teilweise mit Opalen und Smaragden geschmückt, werfen buntes Licht auf die Porphyrwände und offenbaren die künstlerische Annäherung an das damalige barocke Abendland. Faszinierend ist zudem die "Unterwelt" der Moschee: eine pfeilergestützte Halle mit einem Springbrunnen in der Mitte, drum herum ein

Teehaus und Ladenpassagen. Neben der Moschee steht an der Ordu Caddesi die gemeinsame Türbe des Stifters und seines ermordeten Sohnes Selim III.

Zur Moschee gehörte einst der *Taş Hanı* zwei Straßenblöcke weiter nördlich. Heute befindet sich darin ein Basar. Von der Spitzenunterwäsche für heiße Abende bis zu Fellmützen für den sibirischen Winter ist hier alles zu bekommen. Wie im gesamten Viertel Laleli mit seinen möchtegernschicken Hotels und unzähligen Bekleidungsgeschäften kaufen auch hier in erster Linie Russen, Bulgaren, Rumänen, Iraner, Iraker und Ukrainer ein – seltenst Einzelstücke, meist ganze Kollektionen für den heimischen Markt.

Adresse/Verbindungen Ordu Cad., Laleli. Von Sultanahmet bringt Sie die Straßenbahn nach Laleli – Halt vor der Moschee

Haliç – das Goldene Horn

Das Goldene Horn ist keine Landmasse wie das Kap Horn, sondern ein 11 km langer und bis zu 400 m breiter Meeresarm, der die europäische Hälfte der Stadt durchschneidet. *Haliç* ("Meerbusen") nennen ihn die Türken. Von Gold keine Rede. Nur in der westlichen Welt bezeichnet man ihn als Goldenes Horn, und nur eine Legende weiß, warum: Angeblich haben die Byzantiner kurz vor der Einnahme Konstantinopels ihr Vermögen in den Meeresarm geworfen, damit es nicht den osmanischen Eroberern in die Hände fiel. Golden habe das Meer danach geschimmert. Sollte etwas Wahres dran sein, so liegen die Schätze heute meterdick begraben unter all dem Müll und Dreck, der über Jahrhunderte hinweg mit den Abwässern der Stadt ins Horn gespült wurde und es zu einer stinkenden Kloake werden ließ. Erst in jüngster Zeit hat sich die Wasserqualität wieder verbessert. Dazu trug der Bau von Kläranlagen bei, der Niedergang der hiesigen Werften und Fabrikanlagen und die neue Galatabrücke, die einen besseren Wasseraustausch ermöglicht.

Moschee Mehmets des Erobereres (Fatih Camii): Einst stand hier eine Apostelkirche, die den byzantinischen Kaisern als Begräbnisstätte diente. Mitte des 15. Jh. wurde sie abgerissen und durch einen Moscheenkomplex ersetzt, der an Pracht und Größe im gesamten Osmanischen Reich kaum seinesgleichen fand. Ihr Auftraggeber war Mehmet der Eroberer, ihr Architekt Atik Sinan. Beide liegen im Garten der Moschee begraben, Letzterer deswegen, weil Ersterer ihn hinrichten ließ. Der Grund: Sein Bauwerk erreichte nicht die Höhe der Hagia Sophia.

Ursprünglich erstreckte sich die Anlage über eine nahezu quadratische Fläche von über 90.000 qm. Angegliedert waren u. a. eine Armenküche, ein Hospital, eine Karawanserei, eine Bibliothek und acht Medresen, in denen ca. 1.000 Theologiestudenten wohnten. 1766 zerstörte ein Erdbeben weite Teile der Anlage. Im Geiste des türkischen Barock wurde die Moschee wieder aufgebaut. An ihre einstige Pracht konnte sie aber nicht mehr anknüpfen. Böse Zungen vergleichen ihren Kachelschmuck gar mit Fliesen öffentlicher Bedürfnisanstalten.

In den Straßen rund um die Moschee findet mittwochs ein großer Wochenmarkt statt, einer der lebendigsten und schönsten İstanbuls.

Adresse/Verbindungen Macar Kardeşler Cad., Fatih. Nach Fatih gelangt man von Eminönü mit Ⓑ 336 E, von Taksim mit Ⓑ 72 T. Der Bus hält vor dem Moscheenkomplex, hinter einer Fußgängerüberführung aussteigen.

Sultan-Selim-Moschee (Selim I. Camii): Seit 1522 trägt die Moschee, die im Volksmund auch Yavuz Selim Camii heißt, zum Minarett- und Kuppelpanorama İstanbuls bei. Süleyman der Prächtige widmete sie seinem Vater Selim I., der den Beinamen "der Grausame" (= Yavuz) nicht zu Unrecht trug. Um auf den Thron zu kommen, ließ er all seine Brüder ermorden. Während seiner achtjährigen Regierungszeit eroberte er Ägypten und Syrien und orderte nebenbei die Enthauptung acht seiner Großwesire an. Zum Ausgleich verfasste er Gedichte in Persisch. Heute ruht er in einer Türbe im Moscheengarten. Die Moschee selbst, ein einfacher Kuppelbau, ist verglichen mit ihrem Vorhof recht klein. Sie ist mit kunstvollen İznik-Kacheln ausgeschmückt. Die Teppiche sind farblich bestens darauf abgestimmt. Mihrab und Minbar aus fein behauenem Marmor setzen weitere gelungene Akzente. Von der Terrasse der Moschee genießt man herrliche Ausblicke auf das Goldene Horn.

• *Adresse/Verbindungen* Yavuz Selim Cad., Fener. Türbe tägl. außer Mo 9.30–16.30 Uhr. Nach Fener gelangt man am einfachsten mit dem Fährboot, das von Eminönü (westlich der Galatabrücke und nahe dem Busbahnhof) ablegt, achten Sie auf die Beschilderung "Haliç Hattı" (7–20 Uhr). Die einfache Fahrt kostet 0,35 € und dauert ca. 20 Min. Für den Weg von Taksim nach Eminönu → Verbindungen Taksim.

Griechisch-orthodoxes Patriarchat (Ortodox Patrikhanesi): Seit 1601 hat es seinen Sitz im Stadtteil Fener. Auch wenn es sich gerne als das geistige Zentrum aller Ostkirchen betrachtet, so erstreckt sich die irdische Verfügungsgewalt heute nur noch auf die griechische Gemeinde İstanbuls, einige anatolische Orte und die Inseln des Dodekanes. Die *Patriarchatskirche Hagios Georgios* stammt aus der ersten Hälfte des 18. Jh. Die sehenswerten Ikonen, Madonnenbilder und Mosaiken in ihrem Inneren sind jedoch größtenteils erheblich älter. Der Thron rechts vom Mittelschiff soll der Stuhl des Hl. Johannes

Chrysostomos gewesen sein, der 397–404 als Patriarchen von Konstantinopel amtierte. Unter den heute in der Kirche verwahrten Reliquien befinden sich u. a. die Gebeine der Hl. Euphemia von Chalkedon, der Schutzpatronin der Schneiderinnen. Zweimal im Jahr pilgern İstanbuler Näherinnen nach Fener. Im dann geöffneten Sarg der Heiligen befinden sich zwei Schalen: eine gefüllt mit gesegneten Nadeln, die andere leer. Aus der vollen entnehmen die Pilgerinnen eine Nadel, in die leere legen sie eine von zu Hause mitgebrachte hinein.

Zum Patriarchat gehört auch eine Bibliothek. Leider befinden sich große Teile ihres Bestands heute in den Athosklöstern. Zu den wertvollsten noch vorhandenen Manuskripten zählt eine Abschrift (10. Jh.) der "Methode zur Behandlung mechanischer Probleme" des antiken Mathematikers und Physikers Archimedes.

Adresse/Verbindungen Sadrazam Ali Paşa Cad. 35, Fener. Mo–Fr 8–17 Uhr, Sa/So 8–16 Uhr. Zugang zur Bibliothek nur bei besonderem Interesse. Für Verbindungen → Sultan-Selim-Moschee.

Ehem. Marienkirche Pammakaristos (Fethiye Camii): Anlässlich der Eroberungen Georgiens und Aserbeidschans ließ Murat III. die "Marienkirche der vollkommen Glücklichen" 1591 in eine islamische Gebetsstätte umwandeln. Fortan wurde sie "Moschee der Eroberung" (türk. *fethiye* = Eroberung) genannt. Die vermutlich im 10. Jh. errichtete Kirche gehörte anfangs zu einem Männer-, später zu einem Frauenkloster und war auch vorübergehend Sitz des Griechisch-orthodoxen Patriarchats. Aufwendige Restaurierungsarbeiten brachten in der sog. Michaelskapelle kostbare Mosaiken und Fresken zu Tage.

Adresse/Verbindungen Fethiye Cad., Fener. Besichtigung der Michaelskapelle nur nach Absprache (✆ 0212/ 5221750) mit der Altertümerverwaltung möglich. Für Verbindungen → Sultan-Selim-Moschee.

Stadtmauer: Vom Goldenen Horn bis zum Marmarameer zieht sich die 6 km lange, größte mittelalterliche Stadtmauer Europas. Weite Abschnitte des noch heute imposanten Bollwerks entstanden in der ersten Hälfte des 5. Jh. unter der Herrschaft von Theodosius II. – aus diesem Grund wird die Befestigungsanlage auch "Theodosianische Landmauer" genannt. 1.000 Jahre lang, bis zur Eroberung Konstantinopels durch die Osmanen, galt sie als unüberwindlich. Ein 20 m breiter Graben, der bei Gefahr geflutet werden konnte, bildete das erste Hindernis vor der äußeren Vormauer und der bis zu 5 m dicken inneren Hauptmauer. Beide waren mit jeweils 96 trutzigen Türmen von bis zu 20 m Höhe versehen. Heute präsentieren sich weite Abschnitte des Befestigungswerkes in einem ruinösen Zustand. Seit Jahrzehnten finden Rekonstruktionsarbeiten statt – recht lieblos, meinen Kritiker.

Hinweis: Ein längerer Spaziergang entlang der Stadtmauer ist zwar möglich (Abschnitte davon können direkt auf dem Befestigungswall zurückgelegt werden), mörderische Verkehrsschneisen und die stark befahrene Westtangente lassen im Ganzen jedoch wenig Freude aufkommen. Allein reisende Frauen sollten von einem Spaziergang ganz absehen. So manche Viertel an der Stadtmauer gelten als nicht besonders sicher.

Das bekannteste ehemalige Stadttor ist das *Topkapı* (Kanonentor) auf Höhe des gleichnamigen Stadtteils (nicht zu verwechseln mit dem Palast auf der Se-

An der Stadtmauer

railspitze). Den Namen erhielt es während der osmanischen Belagerung, als es mit der bis dahin größten Kanone der Welt gestürmt wurde: 50 Paar Ochsen und 700 Mann waren nötig, um sie in Bewegung zu bringen. Allein eine Kugel brachte ein Gewicht von zwölf Zentnern auf die Waage.

• *Verbindungen* Das südliche Mauerende (Yedikule-Kastell) erreicht man von Taksim mit Ⓑ 80 T, von Sirkeci/Eminönü mit der Vorortbahn (Station Yedikule). Tickets gibt's im Bahnhof rechter Hand, auf die Beschilderung "Banliyö" achten, 0,50 €. Zum nördlichen Mauerende gelangen Sie am besten mit dem Fährboot, Station Ayvansaray. Boote legen von 7 bis 20 Uhr im Stundentakt von Eminönü westlich der Galatabrücke (nahe dem Busbahnhof) ab. Achten Sie auf die Beschilderung "Haliç Hattı", 0,35 €.

Yedikule-Kastell (Yedikule Müzesi): Ende des 4. Jh. ließ Theodosius I. am südlichen Ende der Stadtmauer einen Triumphbogen errichteten, das sog. *Goldene Tor (Altın Kapı)*, durch das die siegreichen Herrscher auf der Heimkehr von ihren Feldzügen in die Stadt ritten. Noch in byzantinischer Zeit wurde daraus eine Festung mit vier Türmen. Sultan Mehmet II. fügte der Anlage kurz nach der osmanischen Eroberung drei weitere Türme hinzu, und ihr Name war geboren: *Yedikule* – "Sieben Türme". Im 17. Jh. diente Yedikule schließlich als Gefängnis und Hinrichtungsort. Im Turm links des seit Jahrhunderten zugemauerten einstigen Goldenen Tors wurde 1622 der 17-jährige Sultan Osman II. grauenvoll hingerichtet – angeblich deswegen, weil er mit Pfeil und Bogen auf Pagen geschossen hatte. Gegenüber im Ostturm kerkerten die Osmanen ausländische Gesandte ein. Viele kritzelten ihre Leidensgeschichte auf die Wände, weswegen der Turm auch "Inschriftenturm" (Yazılı Kule) genannt wird. Die jahrhundertealten "Graffitis" sind heute jedoch mehr schlecht als recht zu erkennen. Dafür sind die Ausblicke vom Kastell phantastisch. "Mir ist kein Werk der Natur vor Augen gekommen, das auf mich den gleichen Eindruck machte wie die Aussicht von beiden Seiten der Sieben-Türme-Festung", schwärmte schon Lord Byron (1788–1824).

Adresse/Verbindungen Yedikule Meydanı Sok., Yedikule. Tägl. außer Mi 9–16.30 Uhr. Eintritt 0,70 €, erm. die Hälfte. Für Verbindungen → Stadtmauer.

Chora-Kirche (Kariye Camii): Erst Klosterkirche, dann Moschee, heute Museum. Der gegenwärtige Bau, von außen eher unscheinbar, stammt aus dem späten 11. Jh. Aber schon im 5. Jh. stand hier eine Kirche, die den Namen Chora trug, was so viel bedeutet wie "in den Feldern." Der Name der Kirche blieb bestehen, als Theodosius II. die Verteidigungsmauern nach Westen versetzte und die Kirche somit ins Stadtgebiet einschloss.

Äußerst sehenswert sind die vielfarbig glänzenden Mosaiken und Fresken im Stil der paläologischen Renaissance, die zu den bedeutendsten und schönsten Sakralzyklen weltweit zählen. Sie entstammen der Zeit zwischen 1315 und 1321. Der oder die Künstler sind unbekannt. Man weiß nur, dass der Theologe und Würdenträger Theodorus Metochites die Mosaiken in Auftrag gab. Er selbst sollte die letzten Jahre seines Lebens im Chora-Kloster verbringen, aber nicht freiwillig. Nach einer Revolte von all seinen Ämtern entmachtet, war er dorthin verbannt worden. Nachdem die Kirche im frühen 16. Jh. in eine Moschee umgewandelt worden war, kamen die Mosaiken und Fresken unter Putz oder wurden übertüncht. In der Mitte des 20. Jh. wurden sie wieder freigelegt und restauriert.

Die Mosaiken zeigen Szenen der biblischen Geschichte von den Vorfahren Jesu bis zum Weltgericht. Die bedeutendsten darunter sind "Maria im Gebet mit dem Christuskind, flankiert von den Erzengeln Michael und Gabriel" (A), "Christus Pantokrator" (B), "Christus als Weltherrscher" (C; in den Kannelüren

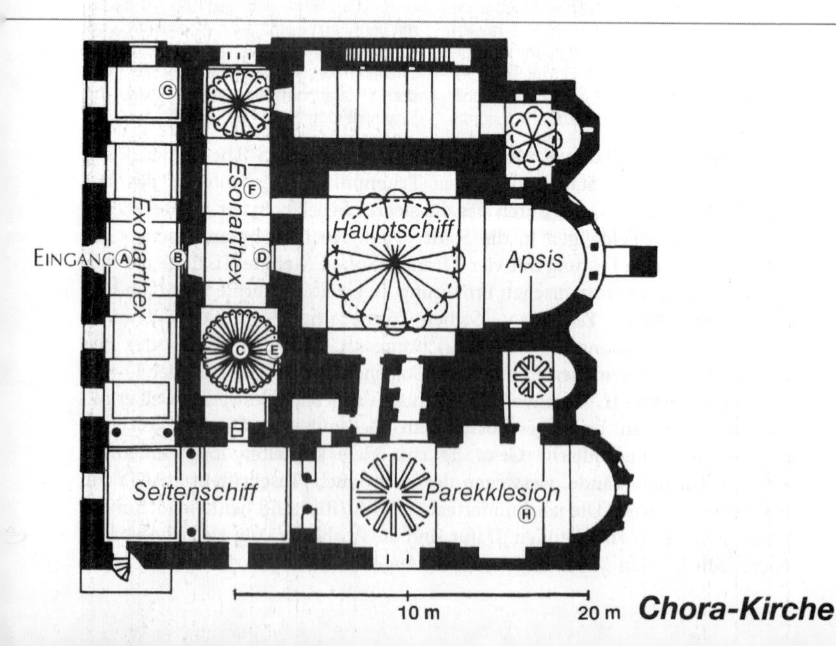

Chora-Kirche

drum herum seine Stammväter), "Theodorus Metochites übergibt Christus die Kirche" (D), die "Deesis" (E; Darstellung von Christus und Maria), der gesamte Zyklus aus dem Leben der gebenedeiten Jungfrau Maria (F) und "Josef und Maria bei der Volkszählung" (G). Die Fresken im Parekklesion (Grabkapelle) behandeln die Themen Tod und Auferstehung. Am eindrucksvollsten ist dabei der Zyklus zum "Jüngsten Gericht" (H).

Verändern Sie übrigens beim Anblick der Mosaiken Ihre Position, verändert sich auch oft das Bild: Eine Hand wird größer, ein gestreckter Finger krumm, oder ein Ohr verschwindet gar vollständig. Dies hat mit Unebenheiten des Untergrunds und der leichten Schräglage vieler Steinchen zu tun.

• Adresse/Verbindungen Kariye Camii Sok., Edirnekapı. Von Eminönu mit Ⓑ 32, von Taksim mit Ⓑ 87. Am westlichen Ende der Fevzi Paşa Cad., sobald ein gelbes Schild mit der Aufschrift "Kariye" auftaucht, aussteigen und der Beschilderung folgen. Tägl. außer Mi 9–18 Uhr. Eintritt 3,30 €, erm. 1,30 €. Detaillierte Informationen über die Kirche bietet der Führer "Kariye. Die Chora-Kirche Schritt für Schritt" von Edda Weissenbacher, erhältlich z. B. in der Türkisch-Deutschen Buchhandlung in Beyoğlu (→ S. 152).

Eyüp: Kunstvolle Mausoleen und prächtige Moscheen, dazu unzählige von Zypressen beschattete Gräber prägen Eyüp, das "heiligste" Viertel İstanbuls. Muslime aus aller Welt pilgern hierher. Der Stadtteil ist benannt nach Eyüp Ensari, dem sagenhaften Bannerträger des Propheten. Der Legende nach fiel Eyüp als Heerführer während der ersten arabischen Belagerung Konstantinopels (674–678). Nachdem Sultan Mehmet II. acht Jahrhunderte später die Stadt erobert hatte, fand er durch eine wundersame Eingebung den noch immer unversehrten Leichnam – genau an jener Stelle, wo heute die *Eyüp-Sultan-Moschee* samt dem Mausoleum des Bannerträgers steht (von der Fähranlegestelle einfach den Pilgern hinterher, tägl. 8–16.30 Uhr). Für viele Türken kommt ein Besuch dieser heiligen Stätte gleich nach einer Pilgerreise nach Mekka und Medina. Eyüp wurde zudem zu einem Ort, wo sich fromme Muslime bevorzugt bestatten ließen: osmanische Würdenträger in aufwendigen Mausoleen nahe der heiligen Moschee, das Volk auf dem dahinter ansteigenden Hügel.

Nördlich der Eyüp-Sultan-Moschee führt die Karyağdı Sokak, ein schmaler, gepflasterte Fußweg, zum stilvollen *Pierre-Loti-Café (Piyer Loti Kahvesi)*. Der Weg ist ausgeschildert – ein herrlicher Spaziergang vorbei an Tausenden von Grabstelen. Von der Terrasse des Cafés (tägl. 8–24 Uhr) genießt man einen eindrucksvollen Panoramablick über das Goldene Horn. Das Café wurde benannt nach dem französischen Marineoffizier und Schriftsteller Pierre Loti (1850–1923), der in İstanbul mehrere Jahre seines Lebens verbrachte – viel Zeit davon angeblich genau hier. Der turkophile Franzose, der am liebsten mit Fes und Gebetskette auftrat, verfasste vorrangig in der Exotik angesiedelte Novellen. Er romantisierte Tahiti und den Senegal, schrieb aber auch über das Alltagsleben in İstanbul. Sein Liebesabenteuer mit der verheirateten Bosporus-Schönheit Aziyade verewigte er in dem gleichnamigen Roman.

• Verbindungen Nach Eyüp gelangt man am gemütlichsten mit den kleinen Fähren, die westlich der Galatabrücke nahe dem Busbahnhof in Eminönü im stündlichen Takt von 7 bis 20 Uhr ablegen. Achten Sie auf die Beschilderung "Haliç Hattı", die Stelle ist unscheinbar, 0,35 €. Zudem erreichen Sie Eyüp mit Ⓑ 55 von Eminönü und mit Ⓑ 99 von Taksim.

Was Grabstelen erzählen

Zu Kopf und zu Füßen beerdigter Muslime stehen Grabstelen. Sie tragen verschiedene Symbole, anhand derer man Geschlecht und Stellung der Verstorbenen erkennen kann. Viele sind z. B. mit einem steinernen Turban gekrönt, der u. a. durch seine Größe darüber Aufschluss gibt, ob der Selige Großwesir, Pascha, Ordensbruder, Eunuch oder Janitschar war. Ein zur Seite gedrehter Turban ist das Zeichen dafür, dass der Verstorbene enthauptet wurde. Die Scharfrichter hingegen bekamen meist einfache Steine ohne jegliche Verzierungen. Bei Frauen zieren nur selten Kopfbedeckungen den Abschluss einer Stele. Ihre Steine sind in der Regel mit einem einfachen Schal oder Blumenmotiven verziert. Dabei gilt: je mehr Blumen, desto mehr Kinder! Aber keine Rosen – Rosen bekamen nur ledig Verstorbene.

Sehenswertes in Taksim und Beyoğlu

Taksim, ein nie zur Ruhe kommender Stadtteil, gilt als der Nabel des modernen İstanbul. Er erstreckt sich um den gleichnamigen weiten Platz, den Taksim Meydanı. Im Südwesten schließt sich Beyoğlu an. In den schluchtartigen Gassen und Straßen dieses Stadtteils verbergen sich die ausgefallensten Clubs und Restaurants, Multiplexkinos, Theater, zudem unzählige Kunstgalerien, die alles zwischen türkischer Landschaftsmalerei und surrealistischen Videoinstallationen präsentieren, dazu Einkaufspassagen mit einem Angebot zwischen *Yves Saint Laurent* und *H & M*. Am pulsierendsten ist das Leben auf der İstiklal Caddesi, der "Straße der Unabhängigkeit", ein langer, enger Schlauch. Westliche Großstadtmoral bestimmt das Bild und die Menschen Beyoğlus.

Schon immer war die Atmosphäre hier freier als anderswo in İstanbul. Jahrhundertelang galt Pera, so der alte Name Beyoğlus, als der kosmopolitische Mittelpunkt des Osmanischen Reiches, als bevorzugtes Botschafts- und Wohnviertel der Europäer und nichtmuslimischen Minderheiten. Zurück blieben grandiose Gesandtschaften, die teils noch heute als Konsulate genutzt werden, eine Reihe von Kirchen und morbide Art-nouveau-Bauten.

Verbindungen: Zum Taksim-Platz bzw. dem nordöstlichen Teil der İstiklal Caddesi gelangt man von Sultanahmet mit Ⓑ T 4 (ca. alle 45 Min.), von Eminönü mit Ⓑ 46 H, 54 E, 66, 69 E und 70. Das südliche Ende der İstiklal Caddesi erreicht man, wenn man von Eminönü über die Galatabrücke spaziert und von Karaköy (Tershane Cad.) die Tünel-Bahn (7–22 Uhr) nimmt. Eine Straßenbahn (ebenfalls 7–22 Uhr) verbindet beide Enden der İstiklal Caddesi.

Taksim-Platz (Taksim Meydanı): *Taksim* heißt "Verteiler". In Anbetracht seiner Funktion als Drehscheibe im Getümmel der Millionenmetropole ist der Name des recht charakterlosen Platzes heute genauso passend wie im 18. Jh., als auf dem Taksim Meydanı Wasser aus dem Belgrader Wald in einem Reservoir gestaut und nach Pera weiterverteilt wurde. Rund um den Platz ragen ein paar Luxushotels in den Himmel. An seiner Ostflanke steht das *Atatürk-Kulturzentrum (Atatürk Kültür Merkezi)*, ein riesiger, dunkler Kasten und Dreh- und

Angelpunkt des İstanbuler Kulturlebens. Atatürk selbst ist auch vertreten. Das *Cumhuriyet Anıtı (Denkmal der Republik)* inmitten einer kleinen, kreisrunden Grünfläche zeigt ihn in heroischer Pose mit seinen einstigen Weggefährten, allesamt von Abgasen geschwärzt.

Militärmuseum (Askeri Müzesi): Das riesige Museum nördlich des Taksim-Platzes im Stadtteil Harbiye ist so groß, dass man sich darin verlaufen kann. Es zeigt in erster Linie Waffen aus verschiedenen Jahrhunderten: Krummschwerter, Pistolen, Gewehre, Lanzen, Dolche usw. Ganze Bataillone könnte man damit für historische Paraden ausrüsten. Aber auch vieles andere, was die Osmanen einst für ihre Feldzüge benötigten oder dabei erbeuteten, ist zu sehen: Trommeln, Fahnen, Kettenhemden, Pferderüstungen, Feldherrenzelte usw. Dazu gibt es Gemälde vergangener Schlachten zu Land und zu See; interessant dabei die Abteilung über den verlustreichen Stellungskrieg von Gallipoli (→ Kasten S. 173). Die Präsentation ist eher sachlich als kriegsverherrlichend.

Jeden Nachmittag finden zudem Mehter-Konzerte statt. Die Mehter-Kapelle zog einst mit dem Sultan in die Schlacht, als erste Militärkapelle der Welt. Ihre bombastische Musik, unterlegt mit heroischen Texten, hatte Einfluss auf europäische Komponisten wie Mozart (Türkischer Marsch) und Beethoven (Opus 13) und war ausschlaggebend dafür, dass die Kesselpauke (türk. *kös*) Eingang in westeuropäische Orchester fand. Die Musiker treten in den Uniformen der Elitetruppe des Osmanischen Reiches auf.

Adresse/Öffnungszeiten Vali Konağı Cad., Harbiye. Tägl. (außer Mo und Di) 9–17 Uhr, Mehter-Konzerte 15–16 Uhr. Eintritt 0,60 €. Vom Taksim-Platz der Cumhuriyet Cad. gen Norden folgen, das Museum befindet sich rechter Hand.

İstiklal Caddesi ("Straße der Unabhängigkeit"): Eine nostalgisch herausgeputzte Straßenbahn fährt auf İstanbuls Promeniermeile hoch und runter. Vor allem am Abend, wenn die Straße zum Magneten der Flaneure wird, lohnt sich ein Spaziergang. Unzählige Bars, Cafés, Clubs und Restaurants bestimmen das Bild der Straße und ihrer Seitengassen. Die "Grand Rue de Péra", wie die İstiklal Caddesi früher hieß, war in osmanischer Zeit die Nobelmeile der vornehmen Europäer mit französischen Patisserien, Cabarets und zahlreichen Theatern. Nachdem die Ausländer Beyoğlu verlassen hatten, galt die Straße – noch bis in die 1980er – als unsicher und verrucht. Billige Lokantas, zwielichtige Räuberhöhlen und Pornokinos säumten sie. Der Ruf Beyoğlus wendete sich erst wieder in den 1990ern zum Guten, als man die İstiklal Caddesi für den Verkehr sperrte und Cafés und Galerien die schmierigen Amüsierbetriebe ablösten. Den schmuddeligen Charme von einst konservieren so manche Gassen dennoch bis heute.

Fischmarkt und Blumenpassage: Der Fischmarkt (Balık Pazarı) von Beyoğlu ist ein schillerndes überdachtes Gässchen, in dem nicht ausschließlich Fisch, sondern auch Obst, Gemüse und allerlei Snacks verkauft werden. Nicht versäumen sollte man einen Blick in die Seitenpassagen des Marktes, allen voran in die Blumenpassage (Çiçek Pasajı). Das Gebäude im Rokoko-Stil stammt aus dem Jahre 1876 und beherbergte einst neben vielen Blumenläden auch einen Schweinefleisch-Metzger und einen Wiener Bäcker. Heute servieren in dem herrlichen Ambiente zweitklassige Restaurants zu erstklassigen Preisen. İstanbulis trifft man kaum noch darin.

Adresse Sahne Sok., Galatasaray.

Essen & Trinken

Beşinci Kat (23), der "Fünfte Stock" befindet sich über dem populären Schwulenclub **Bar Bahçe (43).** Elegantes Bar-Restaurant mit extravagantem Interieur und dementsprechendem Publikum. Zum "Huhn Marbella" gibt es Traumblicke über den Bosporus und die nächtliche Stadt – im Preis selbstverständlich mit eingerechnet. Beste Adresse für einen unvergesslichen Sundowner. So Ruhetag. Soğancı Sok. 7.

Rejans (21), in den 1920ern von russischen Emigranten gegründet, zählte es damals zu den bevorzugten Adressen Atatürks. Noch heute hat der gediegen-gepflegte Saal Charme, die russisch-türkische Küche (Meze, Borschtsch, Piroggen, Beluga-Kaviar und Boeuf Stroganoff) ist ordentlich, aber etwas überteuert. Einfache Hauptgerichte 6 €. Probieren Sie den Zitronenwodka. So Ruhetag. Olivo Geçidi 15.

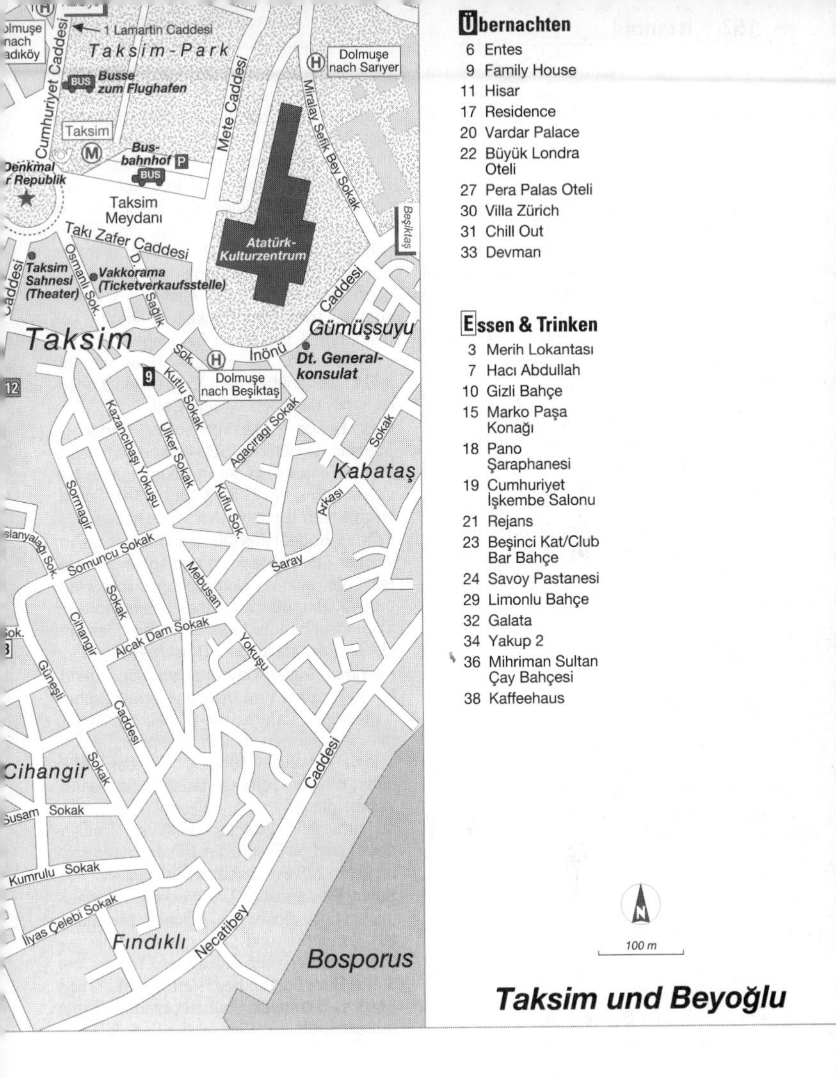

Galata Restaurant (32), eine wirklich gute Adresse für Livemusik-Nächte. Gepflegtes Restaurant mit verspielt-romantischer Einrichtung in mittelalterlichem Gemäuer. Essen wie Musik erstklassig, allerdings satte Preise. So Ruhetag. Orhan Adlı Apaydın Sok. 11, Beyoğlu.

Haci Abdullah (7), Traditionslokal, das auf eine über 120-jährige Geschichte zurückblicken kann. Hier schmeckte es Necmettin Erbakan – für viele ein Grund zum Boykott. Dennoch: feine türkisch-osmanische Küche. Spezialität ist Eingelegtes in allen Variationen, das in kunterbunten Vitrinen zu bewundern ist. Gediegen-orientalische Einrichtung, Hauptgerichte um die 4 €. Kein Alkohol. Sakızağacı Cad. 17.

Yakup 2 (34), rauch- und Rakı-geschwängert ist die Luft dieses innerhalb der linksalternativen Kunst- und Politszene hochgeschätzten Lokals. Fotos von alten Stammgästen aus Journalisten- und Literatenkreisen hängen an den Wänden. Wer Glück hat, kann hier Ahmet Bey, Öcalans Verteidiger, beim Abendessen treffen. Hervorragende Meze – lassen Sie sich den Octopussalat keinesfalls entgehen. Mittlere Preisklasse. Asmalımescit Cad. 35.

Marko Paşa Konağı (15), draußen warten Stoffesel auf Ihr Kommen, drinnen bereiten ländlich gekleidete Frauen mit bunten Kopftüchern Gözleme zu. Sehr verspieltes, auf türkisch-authentisch gemachtes Drei-Etagen-Lokal. Probieren Sie Mantı, es gibt sie in drei Variationen. Für 2 € haben Sie hier gut getafelt. Kein Alkohol. Sadrı Alışık Sok. 8.

Nevizade Sokak, populäre Restaurantgasse, die an die Rakı-Tafel ruft. Jedes der dortigen Restaurants serviert hervorragende Meze der mittleren Preisklasse. Je nach Lokal mit armenischem oder griechischem Einschlag. Tipp für ein fröhliches, ungezwungenes Abendessen. An Freitag- und Samstagabenden ist jedoch kaum ein Platz zu bekommen.

Merih Lokantası (3), unser Lokanta-Favorit in Beyoğlu. Zwei gekachelte Neonlicht-Räume, Fernseher. Zu gegrillten Hähnchen, Meze, Fisch und leckeren Topfgerichten laufen Bier und Rakı in Strömen. Eigentlich eine Männerdomäne, doch Frauen sind ebenfalls willkommen. Schneller Service. Ein reichliches Abendessen mit einem Bier kommt auf 2,60 € pro Nase. Kalyoncu Kulluğu Cad. 15-A.

Cumhuriyet İşkembe Salonu (19), im Fischmarkt, kaum zu verfehlen. Innereien-Lokanta mit der besten Kuttelflecksuppe (0,80 €) Beyoğlus. Duduodaları Sok.

• *Bars* **Limonlu Bahçe (29)**, ein herrliches Plätzchen und *der* Tipp für den Sommer. Lauschiges Gärtchen mit weichen Polstern unter Zitronenbäumen, dazu dezenter Drum 'n' Bass. Cocktails und Wein, aber kein Bier. Zeitgemäße Küche, Brunch, satte Preise. Unauffälliger Eingang an der Yeniçarşı Cad.

Pano Şaraphanesi (18), 1898 von einem Griechen gegründetes Weinlokal mit viel Charme. Ebenfalls ein Tipp. Im Erdgeschoss drängt man sich dicht an dicht an Stehtheken, im Keller kann man an gemütlichen Tischen die gute Küche des Lokals kosten. Tolle Räumlichkeiten, immer voll bis überfüllt. Hinter der Bar stapeln sich die Weinflaschen, die Flasche Hauswein ab 3,30 €. Gegenüber dem Englischen Konsulat in der Kalyoncu Kulluğu Cad. 4.

Gizli Bahçe (10), "Versteckter Garten" – überaus gemütliche Sofa-Kneipe mit netter kleiner Terrasse. In der Restaurantgasse Nevizade Sokak, Nr. 27 im 2. Stock. Kein Schild. Nach einem Türsteher Ausschau halten.

• *Cafés* **Kaffeehaus (38)**, kein Kaffeehaus im Wiener Stil, sondern ein trendig eingerichtetes Café, in dem sich "Schönschickschlau" trifft. 2000 eröffnet, kleines internationales Zeitungsangebot, Pinnwand mit Plakaten aktueller Ausstellungen. Tünel Meydanı 4.

Mihriman Sultan Çay Bahçesi (36), jugendliches Pendant zum traditionellen türkischen Kaffeehaus. Offene, weite Räumlichkeiten mit verschlissen-antikem Mobiliar, wechselnde Fotoausstellungen. Auf der herrlichen, ruhigen Terrasse rauchen Studenten Wasserpfeife. Kein Alkohol. Türkische Kunstmusik in dezenter Lautstärke. Traditionell-türkisches Essen, das Mittagsmenü kostet keine 2,70 €. Kumbaracı Yokuşu 145.

Savoy Pastanesi (24), Schleckermäuler aufgepasst, in dieser freundlichen Mischung aus Konditorei und Café gibt's mit die besten Kuchen und leckersten Torten der Stadt! Dazu auch gutes Gebäck und deftige Snacks. Die ideale Frühstücksadresse mit Außenbestuhlung. Sıraselviler Cad. 181.

Einkaufen (siehe Karte S. 150/151)

Çukurcuma, in diesem Viertel südöstlich des Galatasaray Lisesi findet man Antiquitäten und Trödel: Türrahmen, Leuchter, ausgediente Staubsauger, Schmuck, Kleinkram, Plakate usw. Etliche Trödler gibt es insbesondere in den Gassen Turnacıbaşı, Çukurcuma, Altı Patlar und Faik Paşa.

Paşabahçe (26), hier wird das bekannte Bosporus-Glas verkauft, hergestellt im gleichnamigen Ort auf der asiatischen Seite: Wasserpfeifen, Väschen, Gläser, Karaffen etc. İstiklal Cad. 314.

Türk-Alman Kitabevi (Türkisch-Deutsche Buchhandlung) (37), beste Adresse für deutsche Literatur, dazu die deutsche Monatszeitung *Türkische Allgemeine*. Am Eingangsbereich gibt es auch eine Pinnwand, an der sich arbeitslose Deutschlehrer, Wohnungssuchende und dergleichen verewigen. Freundliches Personal. İstiklal Cad. 481.

Denizler Kitabevi (28), schönes Antiquariat mit langer Tradition, die Einrichtung ist eine Augenweide. Neben antiquarischen Büchern in allen Weltsprachen auch ein beachtlicher Fundus an alten Filmplakaten. İstiklal Cad. 395.

Danışman Geçidi, wollten Sie sich schon immer Ihr Faschingskostüm schneidern lassen, klimpernde Pailettenaccessoires kaufen oder sich mit Federboas eindecken? Die originelle Passage finden Sie (von Taksim kommend) kurz hinter dem Galatasaray Lisesi an der İstiklal Cad. rechter Hand.

Gün Can (8), das Sportgeschäft hält für Fans und Sammler die Trikots der drei İstanbuler Erstligisten bereit: Galatasaray, Fenerbahçe und Beşiktaş. İmam Adnan Sok. 3.

Asrı Turşucu (25), 1938 gegründet. Hier ist alles eingelegt, von der Gurke über den Knoblauch und das Ei bis zur Roten Beete. Knatschbunte Schaufensterfront. Nicht jedermanns Geschmack, aber garantiert vitaminreich und eine Kostprobe wert ist ein Gläschen Gemüseessig. Ecke Altı Patlar Sok./Ağa Hamamı Sok.

Sehenswertes in Galata und Karaköy

Von Touristen werden die beiden Stadtteile nördlich der Galatabrücke meist links liegen gelassen oder auf dem direktesten Weg nach Beyoğlu durchquert. Was man dann von ihnen sieht, ist wenig spannend, beschränkt sich auf ein bisschen buntes Treiben am Fährhafen und ein paar Sträßchen mit Fastfood-Läden und kleinen Handwerksbetrieben. Karaköy und Galata haben aber dennoch ihre Reize: In versteckten Winkeln mit morbidem Charme und steil aufsteigenden Gassen liegen nicht nur Moscheen, sondern auch Kirchen und Synagogen. Letztere sind eine Hinterlassenschaft der Ausländer und nichtmuslimischen Minderheiten, die beide Stadtteile über Jahrhunderte hinweg prägten. In Galata und Karaköy lebten und arbeiteten Genuesen, Araber und Juden, Griechen und Armenier.

Verbindungen: Die beiden hier aufgeführten Sehenswürdigkeiten sind in einem gemütlichen Spaziergang vom südlichen Ende der İstiklal Caddesi in Beyoğlu zu erreichen. Von Sultanahmet nimmt man Ⓑ T4 (Haltestelle Karaköy). Galata und Karaköy sind zudem in ca. 10 Min. zu Fuß von Eminönü über die Galatabrücke zu erreichen. Die Tünel-Bahn verbindet Karaköy (Tershane Cad.) mit der İstiklal Cad. in Beyoğlu (7–22 Uhr, 0,35 €).

Mevlevi-Kloster (Mevlevi Tekkesi): Der Mewlewija-Orden gehörte einst zu den bedeutendsten Derwischorden und hat seine Ursprünge im 13. Jh. Ins Leben rief ihn Celaleddin Rumi (→ Konya, S. 650), sein Ehrentitel war Mevlana ("unser Meister"). Lehren und Anschauungen der Derwische beruhen auf dem Sufismus, der islamischen Mystik, die – ähnlich wie ihr christliches Pendant – ein unmittelbares Erleben Gottes anstrebt, das über die Auslöschung des Ichs letztlich zur Vereinigung mit Gott führen soll. Durch geistige Versenkung, asketische Übungen, Musik und rituelle Tänze strebte man einen Zustand der Ekstase an, in dem sich dieser Vereinigungsprozess vollziehen sollte. Da sich die Derwischorden den sozial-politischen Reformen der neuen türkischen Republik widersetzten, wurden sie 1924 verboten. Die Riten der Brüder leben z. T. aber bis heute fort. Im ehemaligen Mevlevi-Kloster (1492 gegründet) finden sonntagnachmittags gelegentlich Sufimusik-Konzerte mit Tanzvorführungen statt. Ein Dutzend Sufi-Anhänger dreht sich dann mit wirbelnden weiten Röcken zu aufwühlender Musik.

Darüber hinaus kann man sich im Kloster eine Ausstellung anschauen, die sich vorrangig mit der Diwanliteratur, der klassisch-osmanischen Versdichtung, beschäftigt (für Besucher ohne Kenntnisse der arabischen Schrift uninteressant). Zu sehen gibt es außerdem Derwisch-Kleider, antike Musikinstrumente, Gebetsketten, Gebetsteppiche und Koran-Ausgaben. Zentrum der Anlage ist das achteckige hölzerne Tanzhaus aus dem späten 18. Jh., in dem die oben erwähnten Tanzvorführungen der "Bruderschaft der wirbelnden Derwische" stattfinden.

Adresse/Öffnungszeiten Galipdede Cad. 15. Tägl. (außer Di) 9.30–16.30 Uhr. Eintritt 0,70 € erm. 0,40 €.

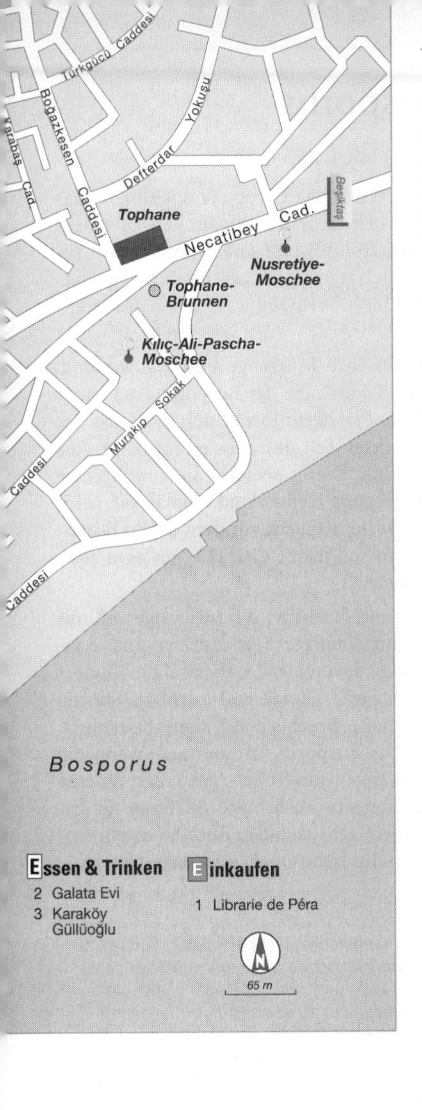

Galata-Turm (Galata Kulesi): Das 62 m hohe, imposante Befestigungswerk ist eine Dominante im hiesigen Stadtbild. 1348 entstand der massive Rundbau als höchster Turm der genuesischen Festungsanlage. Einen Verteidigungszweck erfüllte er jedoch nie. Genutzt wurde der Turm als Gefängnis für Kriegsgefangene, astronomisches Observatorium, Unterkunft für die Mitglieder der osmanischen Militärkapelle und Absprungstelle für den angeblich ersten fliegenden Menschen der Welt: Der Abenteurer Hezarfen Ahmet Çelebi soll im frühen 17. Jh. mit angeschnallten Flügeln vom Galataturm bis auf die asiatische Seite gesegelt sein. Unter dessen kegelförmigem Dach befinden sich ein Panoramabalkon und ein Nachtclub. Die Aussicht von hier ist herrlich.

Adresse/Öffnungszeiten Büyük Hendek Sok. Tägl. 9–20 Uhr. Eintritt 3,30 €, montags die Hälfte. Keine Studentenermäßigung.

Essen & Trinken

Galata Evi (2), im alten Gefängnis der englischen Kolonie untergebracht, sehr charmant. Mehrere kleine Räume mit Wohnzimmeratmosphäre und Antiquitäten. Gemütlicher Innenhof. Serviert werden georgische und russische Spezialitäten wie Borschtsch oder Wachtel in Koriander. Hauptgerichte ab 3 €. Tägl. (außer Mo). Galata Kulesi Sok. 61.

Karaköy Güllüoğlu (3), der Tipp für klebriges Baklava im Schnellcaféambiente. Hier gibt es die stadtbesten Variationen, auch Baklava Light (zuckerfrei). Zudem erstklassige Böreks. Mumhane Cad. 171 (im Erdgeschoss eines Parkhauses).

Einkaufen

Librarie de Péra (1), antiquarische Bücher. Das Angebot konzentriert sich thematisch auf İstanbul und die Türkei, aber auch alte Stiche, Drucke und Schillers gesammelte Werke in deutscher Sprache sind zu finden. Inhaber Püzanz Akbaş ist zudem ein guter Ansprechpartner bei der Suche nach schon lange vergriffenen Büchern. Galipdede Cad. 22.

Galipdede Caddesi, hier werden Musikinstrumente verkauft. Von der Flöte über die Saz bis zum Schlagzeug ist in den unzähligen Läden alles zu bekommen.

Sehenswertes am Bosporus (europäische Seite)

Der Bosporus, die Seele İstanbuls, trennt Asien von Europa und verbindet das Schwarze Meer mit dem Marmarameer. An seinem europäischen Ufer liegt der trubelige Stadtteil *Beşiktaş* mit dem *Dolmabahçe-Palast* und einem sehenswerten *Marinemuseum*, weiter nördlich reihen sich beschauliche Fischerdörfer und vornehme Villenorte aneinander – bevorzugte Adressen der İstanbuler Highsociety.

Boğaz (= Schlund) nennen die İstanbulis ihre Meerenge etwas abwertend. Nicht viel besser ist die Bezeichnung "Kuh-Furt", die der Bosporus nach einer antiken Legende erhielt: Die jungfräuliche Priesterin Io zog sich den Hass der Göttergattin Hera zu, weil sie die Aufmerksamkeit des Zeus erregt hatte. Aus Eifersucht verwandelte Hera Io in eine Kuh. Dieser schickte sie eine Bremse hinterher, auf dass die Kuh immer in Bewegung bleiben und niemals ein ruhiges Stelldichein mit Zeus haben sollte. Auf ihrer Flucht vor dem Insekt durchschwamm die Kuh auch den Bosporus. Io soll damit die Erste gewesen sein, die über den Bosporus die Kontinente wechselte.

Heute tun das tagtäglich Millionen. Tag und Nacht ist die Meerenge voll mit Fähren, Frachtern, Öltankern, Kreuzfahrtsschiffen, Fischkuttern und Ausflugsbooten. Im Winter haben nicht wenige davon mit der tückischen Wasserstraße zu kämpfen, die an ihrer engsten Stelle gerade 660 m misst. Stürme peitschen dann die See auf, und meterhohe Brecher sind keine Seltenheit. Lieblich hingegen zeigen sich die Ufer des Bosporus im Sommer. Wenn die Stadt unter der Hitze stöhnt, bleibt es hier angenehm frisch – beste Zeit für eine Dampferfahrt. Die Bosporusdörfer sind übrigens auch beste Adressen für frischen Fisch: Egal ob als Sandwich von einem schaukelnden Boot, in einem einfachen Lokal oder einem Nobelrestaurant – für hohe Qualität ist stets gesorgt.

Tipps zur Bosporusfahrt: Billigste und schönste Möglichkeit, den Bosporus kennen zu lernen, ist eine Fahrt mit dem Linienschiff, das zwischen 10 und 15 Uhr mehrmals täglich (im Winter reduzierte Fahrten) von Eminönü startet. Achten Sie an der Anlegestelle (Pier 3) auf die Aufschrift "Boğaz Hattı". Meist versuchen davor private Schiffseigner, Sie zu einer Tour zu überreden – diese sind in der Regel kürzer und teurer. Die Route des Linienschiffs ändert sich des Öfteren, je nachdem, welche Anlegestellen gerade mal wieder restauriert werden. Zum Zeitpunkt der Recherche wurden Beşiktaş, Kanlıca (asiatische Seite), Yeniköy, Sarıyer, Rumeli Kavağı und Anadolu Kavağı (asiatische Seite) angesteuert. In Anadolu Kavağı hat man mindestens zwei Stunden Aufenthalt, bevor das Schiff zurückfährt. Eine Hin- und Rückfahrkarte kostet 2 €.

Dolmabahçe-Palast (Dolmabahçe Sarayı): In welch pompösem Luxus die osmanischen Herrscher lebten, demonstriert der Dolmabahçe-Palast am Bosporusufer in Beşiktaş besser als der Topkapı Sarayı. Seine Räumlichkeiten stehen nämlich nicht größtenteils leer oder beherbergen irgendwelche Sammlungen, sondern zeigen noch weitgehend ihr ursprüngliches Interieur. Darunter befinden sich über 280 Vasen, 150 Uhren, 4.500 qm seidene Hereke-Teppiche, exakt 36 Kronleuchter, 58 Kristallkerzenständer und Ähnliches mehr.

In Auftrag gab den Palast Sultan Abdül Mecit I. Mitte des 19. Jh., da ihm der Topkapı Sarayı nicht mehr zeitgemäß erschien. Verantwortlich für den Bau waren der armenische Architekt Karabet Balyan und sein Sohn Nikoğos. Obwohl man das Osmanische Reich zu jener Zeit schon als "Kranken Mann am Bosporus" bezeichnete, schien Geld für den Bau des Palastes keine Rolle zu spielen: Mehr als 14 t Gold und 40 t Silber ließ der Sultan allein für die Palastdekoration verarbeiten. Kunsthistoriker haben trotz des Prunks wenig Gefallen an dem Bau. Für die meisten von ihnen ist der weiße Marmorpalast, ein Stilmix aus Neorenaissance und -klassizismus, ein geschmackloser, aufgeblasener Klotz.

Wer den Palast besichtigen möchte, muss sich einer Führung anschließen. Zwei Touren stehen zur Auswahl: Die spannendere führt durch den *Mabeyn-i Hümayun* (Dauer: ca. 70 Min.), jenen Teil des Palastes, wo vorwiegend Gesandte empfangen wurden und zeremonielle Empfänge stattfanden. Der große Festsaal, ein majestätischer Kuppelsaal am Ende der Tour, bildet dabei den Höhepunkt. In ihm schwebt ein riesiger Lüster (4,5 t schwer, 750 Kerzen) über einem aufwendigen Parkettboden (ein Quadratmeter besteht aus 120.000 Holzteilen), unter dem sich eine flächendeckende Fußbodenheizung befindet. Aber auch die anderen Räume und Salons auf dieser Tour sind feudal ausgestattet. Den Roten Salon beispielsweise, den ersten Raum, den man betritt, zieren Deckenmalereien italienischer und französischer Künstler. Selbst das Sultansbad, verkleidet mit edelstem ägyptischem Marmor, ist sehenswert. Die Badewanne ist aus einem Stück Alabaster gehauen, und die Decke darüber weist kubistische Züge auf.

Die zweite Tour führt durch den *Harem* (Dauer: ca. 45 Min.), vorbei an den Schlafgemächern der Sultansfrauen, deren Gemeinschaftsräumen und den Privatgemächern des Sultans. Die Böden hier sind größtenteils mit geflochtenen Strohmatten bedeckt – im Harem trug man keine Schuhe. Einer der Höhepunkte ist das Zimmer (eines von insgesamt knapp 300 Räumen!), in welchem Atatürk im Alter von 57 Jahren verstarb. Unmittelbar nach seinem Tod am 10. November 1938 um 9.05 Uhr wurde die Uhr angehalten und nie mehr wieder aufgezogen. Heute steht die ganze Türkei jedes Jahr an diesem Tag und zu dieser Minute in Gedenken an ihn still.

Umgeben ist der Palast von einem gepflegten Garten. Ein elegant geschwungener Marmorgitterzaun, verschlossene Prunktore und steife Gardesoldaten schützen ihn vor ungebetenen Gästen. Alle zwei Stunden wird die Wache in einem etwas theatralischen Akt abgelöst. An der Zufahrtsstraße zum Eingang befindet sich ein hübscher barocker Uhrturm und etwas weiter die *Dolmabahçe-Moschee (Dolmabahçe Camii)* mit den schlanksten Minaretten İstanbuls.

• Adresse/Öffnungszeiten Palast an der Dolmabahçe Cad., Moschee an der Meclisi-i Mebusan Cad. (gleiche Straße, nur anderer Name). Tägl. (außer Mo und Do) 9–16 Uhr, letzter Einlass 15 Uhr. Eine Tour 4 €, für beide Touren 7 € (keine Studentenermäßigung). Die Zahl der Eintrittskarten pro Tag ist auf 1.500 limitiert, man muss also im

Sommer früh kommen. Fotografieren 3,50 €, Video/Film 7 €. Nach Beşiktaş gelangen Sie von Eminönü mit Ⓑ 30 D, von Taksim mit Sammeltaxis. Die Abfahrtsstelle in Taksim befindet sich in der İnönü Cad. nahe dem Deutschen Konsulat.

Marinemuseum (Deniz Müzesi): Nahezu alles, was mit der Seefahrt in Verbindung gebracht werden kann, wird hier ausgestellt: egal ob es ein Rosenthal-Service ist, das als Schiffsgeschirr Verwendung fand, oder ein paar rostige Metallreste, die von überallher stammen könnten, aber zu einem gesunkenen U-Boot gehören. Dennoch, das Museum ist sehenswert, sofern man sich für die Schifffahrt interessiert.

Die erste Abteilung ist mit "Geschichte der türkischen Seefahrt" überschrieben und beherbergt Schiffsglocken, Navigationsinstrumente, Geschütze, Taucherausrüstungen, Logbücher, Treibminen, Modellschiffe (mit bis zu 4 m Länge), Uniformen, alte Seekarten, darunter die legendäre Amerika-Karte des Admirals Piri Reis von 1513, Gemälde vergangener Seeschlachten usw.

Die zweite Abteilung heißt "Barken der Sultane" und ist in einem separaten Gebäude untergebracht. Sie zeigt Kajiken, jene Prunkboote, mit denen sich die Sultane über das Goldene Horn oder auf dem Bosporus zu ihren Schlösschen rudern ließen. Prachtstück ist das riesige 40-Meter-Boot von Mehmet IV. (1648–1687), auf dem 144 Ruderer die Riemen strapazierten.

Adresse/Öffnungszeiten Nahe dem Fähranleger. Eingang von der Beşiktaş Cad., Beşiktaş. Mi–So 9–12.30 und 13.30–17 Uhr. Eintritt 0,50 €, erm. 0,20 €, Fotografieren oder Filmen 6 €. Verbindungen → Dolmabahçe-Palast.

Was Europa und Asien verbindet – die Bosporusbrücken

Zwei gewaltige Brücken überspannen den Bosporus. Die Atatürk-Brücke zwischen Ortaköy und Beylerbeyi, die längste Brücke Asiens und die fünftlängste der Welt, wurde 1973 fertig gestellt. Umgerechnet über 75 Millionen Euro kostete das Bauwerk, eine deutsch-englische Gemeinschaftsproduktion. 55.000 m^3 Stahlbeton, 7.000 t Kabel und 17.000 t Stahl wurden für die sechsspurige, 1.622 m lange Brücke verarbeitet. Heute befahren sie täglich mehr als 160.000 Fahrzeuge – Brückenzoll wird übrigens nur in Richtung Asien erhoben. Vier Jahre nach ihrer Einweihung hatte sich das Werk amortisiert, und auch die sechs Spuren reichten nicht mehr aus. An der engsten Stelle des Bosporus, zwischen Rumeli Hisarı und Anadolu Hisarı, wurde 1988 eine zweite Brücke, die Mehmet-Fatih-Hängebrücke, errichtet. Auch sie ist mittlerweile überlastet. Eine dritte Brücke ist daher in Planung.

Ortaköy: Das "Dorf der Mitte" duckt sich im Schatten der Bosporusbrücke. Was mit dem Begriff "Mitte" im Ortsnamen gemeint war, wussten vielleicht noch die Griechen, Armenier und Juden, die einst hier wohnten, heute aber niemand mehr. Die geographische Mitte des Bosporus konnte es auf jeden Fall nicht sein, diese ist weit entfernt. Ortaköy ist ein lebenslustiger Stadtteil. Zahlreiche Kneipen und Galerien, einladende Restaurants und gemütliche Cafés findet man rund um die Piazza bei der barocken Moschee nahe der Fähranlegestelle. Der Platz ist einer der beliebtesten İstanbuler Sommer-Nightspots. Lohnenswert ist ein Ausflug nach Ortaköy nicht nur am Abend, sondern auch sonntags tagsüber, wenn ein bunter Markt abgehalten wird.

Am Hafen von Tarabya

Arnavutköy: Pastellfarbene Holzvillen im Zuckertortenstil säumen die Uferfront von Arnavutköy. Ein Hauch von Mittelmeer liegt über dem Hafen, einem der schönsten am Bosporus. Das pittoreske kleinstädtische Zentrum ist berühmt für seine hervorragenden Fischlokale. Eine andere kulinarische Spezialität findet sich heute leider nur noch in wenigen Privatgärten: Die kleine, hellrosafarbene Arnavutköy-Erdbeere wurde bis ins 20. Jh. auf weiten Feldern rund um den Ort kultiviert und erfüllte das gesamte Gebiet mit einem zarten Duft. Namenspatronen des Dorfes waren übrigens Albaner (türk. *Arnavut*), die Mehmet der Eroberer nach einem Feldzug im 15. Jh. hier ansiedelte.

Verbindungen: Von Taksim (mit Ⓑ 40) und Eminönü (mit Ⓑ 25 E) bestehen zu den Bosporusdörfern gute Busverbindungen. Die Busse fahren die Küste entlang und halten in allen beschriebenen Städtchen.

Bebek: Wer hier wohnt, hat ein buntes Cabrio in der Garage, eine schnittige Jacht am Hafen und einen unfolgsamen Golden Retriever an der Leine. Bebek zählt zu den vornehmsten Adressen der Stadt. Der İstanbuler Jetset hat hier seine Domizile. Gepflegte Grünflächen verleihen Bebek gar etwas von einem Kurort, dementsprechend sind auch die Restaurants und Cafés. Das Bosporusufer und die bewaldeten Hügel sind gespickt mit prächtigen Villen – fast alle mit grandioser Aussicht.

Europäische Festung (Rumeli Hisarı): Die trutzige Festung an der engsten Stelle des Bosporus ließ Mehmet der Eroberer 1452 innerhalb von nur vier Monaten bauen, um gemeinsam mit der Burg Anadolu Hisarı (→ S. 163) auf der asiatischen Seite die Wasserstraße für byzantinische Schiffe zu sperren.

Nach dem Fall der Stadt hatte die Festung in ihrer militärischen Funktion ausgedient. Der nördliche der drei imposanten Türme wurde – ähnlich wie das Yedikule-Kastell (→ S. 145) – fortan als Gefängnis für missliebige ausländische Gesandte genutzt. In Innern der Festung existierte einst auch ein Dorf, das in den 50er Jahren Restaurierungsarbeiten zum Opfer fiel. Dafür gibt es dort heute einen netten Park samt Freiluftbühne (→ "İstanbul rund ums Jahr", S. 105).
Öffnungszeiten tägl. (außer Mi) 9–16 Uhr, Eintritt 1,30 €, erm. die Hälfte.

Emirgân: Benannt ist der Ort nach Emir Khan, einem persischen Prinzen, der die Stadt Eriwan im frühen 17. Jh. kampflos an das Osmanische Reich abtrat und danach an den Bosporus geriet. Hier wurde er zum liebsten Trinkgenossen Murats IV. Der Sultan, der seinen Untertanen Alkohol, Tabak und sogar Kaffee strengstens verbot, hielt es mit seinen Gesetzen weniger genau. Berühmt ist Emirgân heute wegen seines weitläufigen, schattigen Parkgeländes, das herrliche Blicke auf den Bosporus ermöglicht. Die hiesigen Tulpengärten, in denen über 1.000 verschiedene Sorten gezüchtet werden, lohnen vor allem im Frühjahr einen Besuch.
Öffnungszeiten tägl. 8–22 Uhr.

Yeniköy und Tarabya: Zwei noble Orte. Die Uferfront säumen feudale Yalıs (→ Kasten) – von See aus beeindruckend, von Land sieht man sie kaum, denn sie verstecken sich meist hinter hohen Mauern. Viele berühmte Persönlichkeiten des Landes verfügen hier über Sommerresidenzen. Aber auch die hohe Diplomatie ist hier ansässig. Das österreichische Konsulat z. B. befindet sich in einem herrlichen Palast in Yeniköy, während es sich die deutschen Kollegen in den heißen Monaten in ihrem Sommersitz weiter nördlich kurz vor Tarabya gemütlich machen.

Das Wort *tarabya* ist übrigens griechischen Ursprungs und bedeutet "Therapie", vielleicht eine Anspielung auf das angeblich sehr gesunde Klima des Ortes, das auch viele arabische Touristen anlockt. Im Sommer bevölkern sie das Grandhotel Tarabya, einen hässlichen, zehnstöckigen Klotz, der die schöne Bucht des Ortes ein wenig verschandelt. Verwaist ist heute hingegen der Ministrand im Süden Tarabyas, der noch bis in die 1980er als einer der vornehmsten rund um İstanbul galt.

Yalıs – Bosporusvillen der Hautevolee

Im 17. Jh., als die hohen osmanischen Würdenträger die Ufer des Bosporus als Sommersitze entdeckten, entstanden die ersten Yalıs – prächtige Holzvillen, nahe oder direkt am Wasser gebaut, mit einem eigenen Kai oder Bootshaus ausgestattet, damit man per Kajik sein Domizil ansteuern konnte. Später kamen Yalıs im Stil der verschiedensten Epochen hinzu. Mit Jugendstilelementen verziert ist z. B. der Yalı des ägyptischen Konsulats nahe dem Fähranleger von Bebek. Insbesondere die Uferseiten der meist weiß- oder pastellfarben gestrichenen Palästchen sind besonders herausgeputzt. Yalıs dürfen übrigens nicht abgerissen werden, sie stehen unter Denkmalschutz.

Büyükdere: Im Norden des eleganten Villenortes liegt das *Sadberk-Hanım-Museum (Sadberk Hanım Müzesi)*, dessen Fundus der Sammelleidenschaft Sadberk Hanıms, der Gattin des Unternehmers Vehbi Koç, zu verdanken ist. Viele Exponate erstand sie auf İstanbuler Märkten. Das Museum, das sich über zwei Yalıs aus dem frühen 20. Jh. erstreckt, beherbergt im Hauptgebäude Silberarbeiten, Porzellan, Schmuck, Kostüme usw. Spannender ist jedoch die archäologische Abteilung im Nebengebäude: Zu sehen gibt es anatolische Gebrauchskeramik aus dem Neolithikum und der Bronzezeit, umfangreiche Münzsammlungen aus Athen, Tarsus und Aspendos, Amphoren aus byzantinischer Zeit und Ähnliches mehr.

Öffnungszeiten tägl. (außer Mi) 10–18 Uhr, im Winter nur bis 17 Uhr. Eintritt 1,40 €, erm. 0,40 €.

Sehenswertes auf der asiatischen Seite

Bis in die 1970er lag das asiatische Bosporusufer – abgesehen von den Stadtteilen Kadıköy und Üsküdar – im vergessenen Abseits des Einzugsgebiets der Millionenmetropole. Dies änderte sich mit dem Bau der Bosporusbrücken. Beschaulichkeit ist hier jedoch noch immer Trumpf. Das Ufer nördlich von Üsküdar ist heute eine bevorzugte Adresse der Schönen und Reichen, die hier in luxuriösen Yalıs weilen.

Mehr zum Bosporus, Tipps zu einer Dampferfahrt über die Meerenge sowie Informationen zu den Anlegestellen auf der asiatischen Seite erfahren Sie auf S. 156.

Kadıköy: Kadıköy ist der pulsierendste Stadtteil auf der asiatischen Seite. Kleine bunte Gassen, lustige Studentenkneipen, farbenfrohe Basarzeilen und schicke Boutiquen zeichnen das Bild dieses modernen Stadtteils, der auf ein paar gemütliche Schlenderstunden einlädt – insbesondere dienstags, wenn der größte İstanbuler Wochenmarkt veranstaltet wird (von der Fähranlegestelle bergauf den Massen hinterher). Kadıköy ist westlich geprägt – ganz im Gegensatz zum benachbarten konservativen Üsküdar, für das Moscheen und im wahrsten Sinne des Wortes zugeknöpfte Frauen charakteristisch sind. Wer hingegen in Kadıköy Moscheen sucht, wird Kirchen finden. Sie sind das Erbe der Armenier, heute die größte nichtmuslimische Minderheit İstanbuls. Im 18. Jh. ließen sie sich hier nieder.

Besiedelt war die Gegend um Kadıköy jedoch schon viel, viel früher, nämlich bereits im 7. Jh. v. Chr., also noch vor der Gründung Byzantions. Damals hieß es Chalkedon. Erst im 16. Jh. erhielt das Dorf seinen heutigen Namen: Süleyman der Prächtige übergab es seinem obersten Richter (türk. *kadı*), und so wurde aus dem "Land der Blinden" (→ Geschichte, S. 81) ein "Dorf des Richters".

• Verbindungen Von Eminönü mit der Fähre von Pier 2 (7–21 Uhr alle 20–30 Min., 0,40 €). Von Taksim nimmt man ein Dolmuş bis Beşiktaş (rund um die Uhr, Abfahrt von der İnönü Cad. nahe dem Deutschen Konsulat) und setzt dort mit der Fähre (7–21 Uhr alle 20–30 Min., 0,40 €) über. Oder man fährt von Beyoğlu mit der Tünel-Bahn (7–22 Uhr, 0,35 €) hinab nach Karaköy und setzt von dort mit der Fähre (7–23 Uhr alle 20–30 Min., 0,40 €) über.

Kız Kulesi – ein Turm wie für Legenden geschaffen

Aus den dunklen Fluten des Bosporus ragt vor Üsküdar eines der lieblichsten Wahrzeichen İstanbuls hervor, der kleine, festungsartige Kız Kulesi ("Mädchenturm"), wie die Türken ihn nennen. Einer Legende zufolge wurde einem König einst prophezeit, dass seine Tochter jung an einem Schlangenbiss sterben werde. Zu ihrer Sicherheit errichtete der König den Turm im Bosporus – fernab aller Schlangen. Umsonst: In einem Obstkorb, der dem Mädchen gesandt wurde, hatte sich eine Natter versteckt, und die Prophezeiung wurde wahr. Die Legende hört man in der Türkei übrigens nahezu überall, wo es eine kleine küstennahe Insel mit einem Turm bzw. einer Burg darauf gibt (→ z.B. Kızkalesi, S. 562).
Auf eine andere Legende geht die überwiegend von Ausländern verwendete Bezeichnung "Leanderturm" zurück. Sie handelt von dem sagenumwobenen Liebespaar Hero und Leander, das sich nur nächtens sehen konnte, da die Liebe geheim gehalten werden musste. So durchschwamm Leander stets in der Dunkelheit das Meer, um zu Hero zu gelangen. Zur Orientierung stellte sie ihm eine Kerze in eines der Turmfenster. In einer stürmischen Winternacht ging die Kerze aus, Leander ertrank, und Hero stürzte sich aus dem Fenster. Leider Humbug: Das traurige Schicksal von Hero und Leander, das u. a. Ovid (43 v. Chr. bis 17 n. Chr.) überlieferte, soll sich nicht am Bosporus, sondern an den Dardanellen zugetragen haben (→ Kasten, S. 168)
Seit jüngster Zeit könnte der Turm auch "Elektraturm" genannt werden, denn er ist um eine Geschichte reicher geworden. Diese handelt von der bösen Elektra, die ihn als Versteck nutzt – alles weitere im James-Bond-Film "The World is not enough". Tatsache ist, dass das gegenwärtige Türmchen aus dem 18. Jh. stammt und u. a. als Leuchtturm und Zollstation diente. Heute beherbergt es ein Restaurant.

Üsküdar: Der geographische Vorteil des Stadtteils, auf dem gleichen Kontinent zu liegen wie die sterblichen Überreste des Propheten, führte einst dazu, dass osmanische Würdenträger hier bevorzugt Moscheen stifteten. Deshalb weist Üsküdar eine der höchsten Moscheendichten İstanbuls auf. Genau aus dem gleichen Grund ließen sich viele Muslime hier auch mit Vorliebe bestatten. So erstreckt sich in Üsküdar mit dem Karaca-Ahmed-Friedhof die größte muslimische Begräbnisstätte der Welt.

Üsküdar ist ein überaus konservativer Stadtteil und außer an Moscheen nicht gerade reich. Insbesondere ostanatolische Übersiedler ließen sich in den letzten Jahrzehnten hier nieder. Zweckmäßigkeit prägt das Erscheinungsbild. Wer nach Üsküdar übersetzt, kann einen Blick in die malerisch am Bosporus gelegene *Şemsi-Pascha-Moschee* südwestlich (rechts) der Fähranlegestelle werfen. 1580 entwarf Sinan, bereits in hohem Alter, die zierliche Einkuppelmoschee aus hellem Marmor für den Wesir und Dichter Şemsi Ahmed Pascha. Die Uferpromenade davor ist ein beliebter Treffpunkt von Anglern. Imposanter ist die *Hafenmoschee* auf einer terrassenförmigen Anhöhe links der Fähranlegestelle mit einer weit ausladenden Vorhalle. Auch diese Moschee aus dem Jahre 1547 schuf Sinan, dieses Mal für Mihrimah, die Lieblingstochter Sultan Süleymans.

• *Verbindungen* Von Eminönü mit der Fähre, Abfahrt östlich der Galatabrücke von Pier 1 (von 6.30 bis 23 Uhr alle 15–20 Min, 0,35 €). Von Taksim/Beyoğlu mit dem Dolmuş (Abfahrt an der İnönü Cad. nahe dem Deutschen Konsulat) nach Beşiktaş und von dort weiter mit der Fähre, ebenfalls von 6.30 bis 23 Uhr alle 20 Min., 0,35 €.

Beylerbeyi-Palast (Beylerbeyi Sarayı): Bei dem gleichnamigen Dorf, im Schatten der Bosporusbrücke, liegt dieses prächtige Palais. Sultan Abdül Aziz ließ es zwischen 1861 und 1865 als Sommerresidenz und Gästehaus errichten. Unter anderem nächtigten hier Kaiser Franz Joseph von Österreich, König Edward VIII. und Kaiserin Eugénie von Frankreich. Letzterer gefiel der Aufenthalt so gut, dass sie sich ein Fenster ihres Gästezimmers für den eigenen Palast in Paris kopieren ließ.

Heute führt eine rund 20-minütige Tour durch die Räumlichkeiten, vorbei an japanischen und chinesischen Vasen, böhmischen Lüstern, seidenen Teppichen, einer 60 kg schweren Uhr (ein Geschenk des Zaren Nikolaus II.) usw. Auffallend sind die Lehnen der Polsterstühle und Sofas im Empfangsraum. Sie haben einen nahezu rechten Winkel, damit die Besucher in angemessen steifer Haltung vor dem Sultan zu sitzen kamen. Nach der Besichtigung laden gemütliche Fischrestaurants an der Fähranlegestelle von Beylerbeyi zum Verweilen ein.

• *Adresse/Verbindungen* Çayırbaşı Cad. Tägl. (außer Mo und Do) 9.30–16.30 Uhr. Nur mit Führung (auf Türkisch und Englisch). Eintritt 2,30 €, Fotografieren 3,30 €, Videokamera 6,70 €. Von Eminönü oder Taksim zuerst nach Üsküdar (→ S. 163), von dort weiter mit Ⓑ 15 (Bushaltestelle bei der Hafenmoschee nahe der Fähranlegestelle).

Anatolische Festung (Anadolu Hisarı): Ähnlich wie Rumeli Hisarı auf der anderen Bosporusseite trägt auch dieses pittoreske Dörfchen den Namen seiner Festung. Die kleine, unspektakuläre Verteidigungsanlage wurde um 1390 von Sultan Beyazıt I. als Vorposten gegen Byzanz errichtet. Zu ihren Füßen findet man ein paar gemütliche Restaurants und Cafés.

Der Fluss Göksu nebenan und das weiter südlich gelegene Flüsschen Küçüksu – heute mehr eine Kloake – wurden einst als die "süßen Wasser Asiens" bezeichnet. Die Wiesen zwischen den beiden Wasserarmen waren beliebte Picknickplätze der osmanischen Oberschicht. Hier ließ sich Sultan Abdül Mecit im Jahre 1856 einen marmorverkleideten Sommerpalast, den *Küçüksu-Palast (Küçüksu Kasrı)*, errichten, der heute als Museum zu besichtigen ist. Eine geschwungene Doppeltreppe führt in das luxuriöse Gebäude: Lüster aus Murano-Glas, erlesene Hereke-Teppiche, herrlich gemusterte Parkettböden, für die bis zu vier edle Holzsorten verwendet wurden, und andere Schätze sind zu bestaunen.

• Öffnungszeiten/Verbindungen Eine Besichtigung der Anatolischen Festung war zum Zeitpunkt der Recherche aufgrund von Restaurierungsarbeiten nicht möglich. Der Palast ist tägl. (außer Mo und Do) von 9 bis 16.30 Uhr zu besichtigen. Eintritt 1,30 €, erm. 0,35 €. Verbindungen → Beylerbeyi-Palast. Wer den Palast besichtigen will, steigt an der Haltestelle Küçüksu aus, ansonsten fährt man weiter bis Anadolu Hisarı.

Anadolu Kavağı: Die letzte Station der Bosporusdampfer lebt vom Geschäft mit den Touristen. Frischer Fisch wird in unzähligen Lokalen angeboten. Obwohl im Sommer recht überlaufen, macht der Ort im Ganzen einen freundlichen Eindruck: Hähne krähen, während die Katzen auf Abfälle warten. Wer den Picknickkorb dabei hat, kann zu einer *genuesischen Festung (Yoros Kalesi)* aus dem 14. Jh. aufsteigen. Die 20 schweißtreibenden Minuten belohnen mit Panoramablicken auf die Mündung des Bosporus ins Schwarze Meer.

Verbindungen Endstation fast aller Busse von Üsküdar (→ S. 163) ist Beykoz. Wer weiter nach Anadolu Kavağı will, ist entweder auf Ⓑ 15 A von Üsküdar angewiesen (fährt nur im eineinhalbstündigen Rhythmus) oder steigt in Beykoz auf ein Dolmuş um.

Ausflug auf die Prinzeninseln (Kızıl Adalar)

Die Prinzeninseln sind das mit Abstand schönste und empfehlenswerteste Tagesausflugsziel in der Umgebung İstanbuls. Aufgrund ihres rötlichen Gesteins nennen die Türken die Inseln im Marmarameer Kızıl Adalar ("Rote Inseln"). Der ausnahmslos von Ausländern benutzte Begriff "Prinzeninseln" stammt aus byzantinischer Zeit, als Verschwörungen gang und gäbe waren und die neun abgeschiedenen Inseln Verbannungsorte für unliebsame Prinzen, Prinzessinnen und Patriarchen waren. Während des Osmanischen Reiches lebten hier vor allem Griechen, Armenier und Juden. So ist es kein Wunder, dass die Zahl der Kirchen und Synagogen die der Moscheen bei weitem übersteigt.

Im 19. Jh. entdeckte die İstanbuler Oberschicht die Inseln als Erholungsort, und von Abgeschiedenheit kann seither keine Rede mehr sein. Viele İstanbulis besitzen eine Zweitwohnung auf den Inseln, und so wächst in den Sommermonaten die Einwohnerzahl sprunghaft an. Auf **Kınalı Ada** z. B., der ersten Insel, die das Fährschiff anläuft, leben im Winter gerade 1.500 Menschen, im Sommer sind es 15.000.

Die nächste Station des Kursschiffes ist der malerische Hafen von **Burgaz Ada**, einer Insel mit ausgedehnten Pinienwäldern. Über dem Hafen erhebt sich die griechisch-orthodoxe Kirche, die von schönen alten Villen umgeben ist. Das kleine, dem Hafen gegenüberliegende Inselchen mit nur einem einzigen Haus heißt **Kaşık Adası.** Es gehört Ali Dinçkök, einem der reichsten Männer İstanbuls.

Das Kursschiff lässt die Insel jedoch links liegen und steuert nun **Heybeli Ada** an. Wegen der guten klimatischen Verhältnisse wurde hier 1938 das erste Sanatorium der Türkei eröffnet, es existiert noch heute. Ein schöner Spaziergang führt zum Hagia-Triada-Kloster (Aya Trias Manastırı), das landschaftlich reizvoll in einem Sattel zwischen zwei Hügeln im Norden liegt. Bis 1970 befand sich darin die Theologische Hochschule des Griechisch-orthodoxen Patriarchats. Heute wird über eine Neueröffnung diskutiert. Beliebt ist die Insel auch wegen ihres einladenden, schattigen Picknickgeländes Değirmen Burnu, zu dem ein Strand gehört.

Als letzte Insel wird **Büyük Ada** angelaufen, die größte der Inselgruppe und zugleich deren administratives Zentrum. Wie keine andere lockt sie Tagesausflügler an. Wer hier wohnt, ist reich und liebt Diskretion, Ruhe und Sauberkeit. Selbst die Kutscher sind verpflichtet, den Kot ihrer Pferde mit Plastiksäcken aufzufangen. Büyük Ada besteht aus zwei von Kiefern- und Pinienhainen überzogenen Höhenrücken, die in der Mitte von einem breiten Tal durchschnitten werden. Auf der südlichen Erhebung, dem Yüce Tepe (202 m), steht das Sankt-Georg-Kloster (Ayayorgi Manastırı) mit traumhaften Ausblicken. Auf dem nördlichen Hügel İsa Tepesi (163 m) befindet sich das Kloster der Verklärung Christi (Hristos Manastırı). In dessen Nähe liegt die auffällige Ruine des griechischen Waisenhauses (Eski Rum Yetimhanesi). Stumm bezeugt der noch immer gewaltige, am Ende des 19. Jh. und zu Beginn des 20. Jh. aus Holz errichtete Bau die Größe und den Niedergang der griechischen Gemeinde İstanbuls. Für gewöhnlich besichtigt man Büyük Ada mit der Kutsche. Die Insel lässt sich aber auch herrlich zu Fuß erkunden – leuchtend weiße Villen mit gepflegten Gärten lassen die verpasste Ausgabe von *Schöner Wohnen* vergessen. Als einer der schönsten Strände Büyük Adas gilt der Yörükali Plajı im Westen der Insel.

Die restlichen vier Inseln sind in Privatbesitz, Militärgebiet oder unbewohnt und werden vom Kursschiff nicht angelaufen. Ein trauriges Ereignis spielte sich auf **Sivri Ada** ab, einem unbewohnten, knapp 90 m aus dem Meer aufsteigenden Felsriff: 1910 wurden alle herrenlosen Hunde İstanbuls hier ausgesetzt und gingen jämmerlich zugrunde.

Yassı Ada diente nach Militärputschen wiederholt als Internierungslager. Das große Gebäude darauf errichtete man 1960/61 eigens für den Schauprozess gegen Ministerpräsident Menderes und seine Gefolgsleute – in der Nacht vom 16. auf den 17. September 1961 wurden er und zwei Minister hier gehenkt. Ganz nebenbei: Der PKK-Chef Abdullah Öcalan sitzt nicht hier ein, sondern auf der Gefängnisinsel Imralı viel weiter südlich im Marmarameer.

- *Verbindungen* Von 7 bis 21 Uhr bestehen fast stündliche Fährverbindungen ab Eminönü/ Sirkeci (Pier 5, auf die Beschilderung "Adalar İskelesi" achten), einfach 1,20 €. An Sommerwochenenden lange Warteschlangen. Angesteuert werden die Inseln in der bereits erwähnten Reihenfolge, bis zur ersten dauert es ca. eine Stunde. Schneller, jedoch recht unregelmäßig verkehren zudem die Deniz Otobüsleri ab Eminönü.
- *Transport vor Ort* Wer die Inseln erkunden will, kann dies per pedes, mit der Kutsche (Touren für bis zu 4 Pers. 4–9 €) oder mit dem Fahrrad tun (pro Tag ca. 4 €).

Feierabend am Meer

Nordägäis

Zwischen weiten Baumwollplantagen, Tabakfeldern, Olivenhainen und Ferienanlagen liegen griechisch geprägte Bilderbuchdörfer und einige der berühmtesten Ausgrabungsstätten der Türkei.

Die fruchtbare und landwirtschaftlich intensiv genutzte Region zwischen den Dardanellen und dem Tal des Großen Mäander ist ein uraltes Siedlungsgebiet. Davon zeugen die Ruinen der antiken Metropolen *Troja*, *Pergamon* und Ephesus, die alljährlich Millionen kulturbegeisterter Urlauber anlocken. Das Gebiet ist überaus buchtenreich, von weit vorspringenden Halbinseln und tiefen Meerbusen geprägt. Mit *Çeşme* besitzt die Nordägäis jedoch nur einen einzigen internationalen Ferienort, ansonsten machen hier vorrangig Türken Urlaub. Ihre riesigen uniformen Ferienhaussiedlungen verschandeln leider viele Buchten zwischen Çanakkale und İzmir. Doch keine Sorge – es gibt noch so manch idyllischen Badeort zu entdecken, und im Hinterland die alten griechischen Bergdörfer. Dort entstehen mehr und mehr kleine, stilvolle Unterkünfte – Toscanafeeling trifft Orientflair.

Nordägäis – die Highlights

Reif für die Insel: Die einzigen türkischen Ägäisinseln Bozcaada und Gökçeada haben sich unter ausländischen Urlaubern noch immer nicht herumgesprochen. Malerische Pflastergassen in idyllischen Bergdörfern zeugen von der Zeit, als die Eilande noch griechisch waren. Schöne Strände und gemütliche Unterkünfte warten hier auf Sie.

Troas: nennt sich der Landstrich zwischen Troja und Assos mit seiner überaus buchtenreichen Küste. Viele holprige Sträßlein und Feldwege enden an einsamen Stränden.

Assos: eine Empfehlung für alle, die neben antiken Trümmern auch eine intakte westanatolische Dorfstruktur kennen lernen wollen. Genießen Sie die superbe Aussicht vom Burgberg mit der Vorfreude auf ein leckeres Fischessen am Hafen.

Kaz Dağları: Die Kaz Dağları ("Gänseberge"), ein waldreicher Höhenzug am Golf von Edremit, bieten herrliche Unterkünfte in alten, ursprünglich griechischen Bergdörfern. Tiefe Täler und Berge bis zu 1.800 m laden zu ausgedehnten Streifzügen ein. Wer nicht so hoch hinaus will, findet etliche idyllische Picknickplätze auch schon weiter unten.

Pergamon: Hier erfahren Sie die Ursprünge des Pergaments und des Äskulapstabs, spazieren durch imposante Ruinen und bekommen mit Bergama noch ein reizendes, ursprüngliches Landstädtchen als Zugabe.

Ephesus: ein heißer Tipp und ein unvergessliches Erlebnis. Ephesus war schon Weltstadt, als Athen noch tiefste Provinz und Rom nicht einmal gegründet war.

Nordägäis
Karte S. 169

Çanakkale

(ca. 80.000 Einwohner)

Die Provinzmetropole an der engsten Stelle der Dardanellen ist eine bedeutende Fährstation und zugleich ein guter Standort für Ausflüge zum 30 km entfernten Troja und auf die Halbinsel Gallipoli. Charme besitzt Çanakkale jedoch wenig.

Nur 1.244 m trennen Çanakkale von Thrakien, dem europäischen Teil der Türkei. Am Fährhafen, dem Herz der Stadt, spucken dickbauchige Schiffe im Stundentakt Blechlawinen aus und warten Autos, Busse und LKWs in langen Reihen aufs Einschiffen. Sehenswürdigkeiten gibt es wenige, romantische alte Viertel ebenfalls nicht, dafür sorgte ein Erdbeben im Jahre 1912. Neben viel Beton bietet die junge und moderne Stadt jedoch auch ein paar nette Ecken. Der Jachthafen nördlich der Fähranlegestelle gab Anlass zum Bau einer ausgedehnten Uferpromenade mit Cafés und Restaurants. Zum Schlendern laden auch die kleinen Gassen rund um den *Saat Kulesi Meydanı* ein, einen kleinen Platz südöstlich des Fährhafens. Er wird von einem osmanischen *Uhrturm* aus dem frühen 20. Jh. beherrscht, dem Wahrzeichen der Stadt. Im dortigen Einbahnstraßenchaos verlieren ortsunkundige Selbstfahrer leicht die Nerven.

Çanakkale ist alles andere als ein Urlaubsort für mehrere Wochen. Touristen gibt es dennoch viele. Es sind überwiegend Australier und Neuseeländer – Pilger auf den Spuren eines der traurigsten Kapitel ihrer Geschichte (→ Kasten, S. 173).

Geschichte

Die Gegend rund um Çanakkale war seit eh und je ein bedeutender Brückenkopf zwischen Europa und Asien, zudem strategisch wichtig, um den Schiffsverkehr zwischen der Ägäis und dem Marmarameer zu kontrollieren. Um seine Heere über die Meerenge schicken zu können, ließ der persische König Xerxes 480 v. Chr. gar zwei riesige Brücken bauen. Alexander der Große hatte rund 150 Jahre später solchen Respekt vor der Meerenge, dass er Wein aus goldenen Bechern ins Meer kippen ließ, um Poseidon gütig zu stimmen.

Lange Zeit war die Gegend Zankapfel verschiedener Königreiche, zudem stets bedroht von Piraten. Die Siedlung an der Meerenge wurde aber auch regelmäßig von all jenen geplündert, die mit ihren Schiffen in feindlicher Absicht gen Byzanz und später Konstantinopel segelten. Erst als im 15. Jh. unter den Osmanen mächtige Festungen gebaut wurden, wurde das Leben an den Dardanellen sicherer; die Stadt begann sich zu entwickeln. Den Namen Çanakkale ("Topfburg") erhielt der Ort wahrscheinlich aufgrund seiner Keramikproduktion, die noch heute ein kleines Standbein der lokalen Wirtschaft ist. Im Ersten Weltkrieg waren die Dardanellen Schauplatz blutigster Auseinandersetzungen, als die Alliierten den Durchstoß durch die Meerenge zu erzwingen suchten (→ Kasten, S. 173).

Heute lebt die Stadt vom Fährgeschäft und einer florierenden Lebensmittelindustrie, die Produkte des bäuerlichen Hinterlandes verarbeitet. Auch die auffallend vielen Kasernen des Militärs zur Sicherung der Meerenge tragen zum Wohlstand bei. Sonntags scheint die Bedrohung geringer – das Straßenbild Çanakkales wird dann von unzähligen Marinesoldaten geprägt, die ihren freien Tag in der Stadt verbringen.

Mythos Dardanellen

Die Meerenge zwischen dem europäischen und dem türkischen Teil der Türkei war von der Antike bis ins Mittelalter als *Hellespont* bekannt. Ihren heutigen Namen hat sie von Dardanos, einem Sohn des Zeus, der hier der Mythologie nach eine Stadt gegründet hatte. Die Türken nennen die Meerenge übrigens einfach *Çanakkale Boğazı*, "Schlund von Çanakkale."

Zahlreiche Legenden ranken sich um die angeblich Verderben bringende Meerenge. Wohl die bekannteste ist jene von Hero und Leander, die sich nur nächtens sehen konnten, da ihre Liebe geheim gehalten werden musste. So durchschwamm Leander von der asiatischen Seite stets in der Dunkelheit die Meerenge, um zu seiner Hero nach Europa zu gelangen. Zur Orientierung stellte sie ihm eine Kerze ans Fenster. In einer stürmischen Winternacht ging die Kerze aus, Leander ertrank und Hero stürzte sich aus dem Fenster. Das Thema des unglücklichen Paars wurde von Ovid und anderen Dichtern verewigt.

Von Leanders Tod bis 1807 galt das Durchschwimmen der Meerenge als unmöglich. Erst der englische Dichter Lord Byron, ein zu jener Zeit durch unorthodoxe Ansichten berühmt-berüchtigter Exzentriker, bewies das Gegenteil. Seitdem finden sich immer wieder Nachahmer.

Information/Verbindungen/Ausflüge

- *Telefonvorwahl* 0286.
- *Information* **Tourist Information**, freundlich, hilfsbereit und kompetent, je nach Schicht Auskünfte in Englisch oder Deutsch. Im Sommer Mo–Fr 8–19 Uhr, Sa/So 10.30–18.30 Uhr, im Winter am Wochenende geschlossen. Beim Fährhafen, İskele Meydanı 67, ✆/℻ 2171187.
- *Verbindungen* **Bus**: Busbahnhof 1 km östlich des Zentrums an der Atatürk Cad. Häufige Verbindungen nach İstanbul (6 Std.) und gen Süden über Ayvalık (3,5 Std.) nach İzmir (5 Std.), Nachtbus nach Antalya (12 Std.).
  Dolmuş: Dolmuşe nach Güzelyalı, Dardanos und Troja starten südöstlich des Zentrums an der Atatürk Cad. bei der Brücke über den Sarı Çay.

Nordägäis und
Hinterland
Gökçeada
Aydıncık
Kilitbahir
Eceabat
Alçıtepe
Gallipodi
Nationalpark
Abide
Çanakkale
Dardanos
Güzelyalı
Okçular
Biga Çayı
Çan
Gönen
Gönen Çayı
210
Astyra
Tevfikiye
20 km
Yeniköy
Papaz
Plajı
Troja
555
Yenice
Gönen
Barajı
Biga Yarimadasi
989
550
Bozcaada
Yükyeri
İskelesi
Geyikli
Odunis-
kelesi
Ezine
Bayramiç
Argiza
Dalyan
Alexandria
Troas
Tavaklıiskele
Kestanbol
Kaplıcaları
(Therm.-qu.)
Kaz-Dağları-Nationalpark
1767
Sütüven-
Wasserfall
Baliya
937
672
Ayvacık
Pınarbaşı
Camlıbel
Yeşil-
yurt
Altınoluk
Tahta-
kuşlar
Edremit
230
İvrindi
Gülpınar
Chryse
Babakale
Bektaş
Assos
Adatepe
Küçükkuyu
Akçay
Ören
İskele
Bademli
Behramkale
Kadırga-Bucht
Golf von Edremit
Burhaniye
984
Mólivos
(Mithímna)
Skalá
Sikaminéas
Alibey
Adası
Ayvalık
550
Savaştepe
Pétra
Şeytan
Sofrası
Camlık
Sarımsaklı
Cytonium
Kalloní
Sigri
Lésbos
Altınova
Apollonia
Tatlısu-
Feriensdlg.
Pergamon
Soma
Akropolis
240
Asklepieion
Mytilíni
Agiássos
968
Olympos
Variá
Dikili
Bergama
Kınık
Kırkağaç
Bakır
1111
Vatera
Melínda
Hayıt-
Limanı-
Bucht
Bademli
Bakır Çayı
Plomári
Ag. Isídoros
Denizköy
Zeytin-
dağ
Çandarlı
GRIECHEN-
LAND
Aliağa
Güzelhisar
Barajı
565
Kosava-
Bucht
Hanedan-
Strand
Yenifoça
550
Saruhanlı
Halbinsel
Karaburun
Taşkule
1092
250
Kara-
burun
Foça
Gediz Nehri
250
MANİSA
Gediz-
Delta
Menemen
Relief der
Kybele
Chíos
Mármaro
Küçük-
bahçe
Kaynarpınar
Ulucak
Spil-Dağı
Turgutlu
Nationalpark
Volissós
Mordoğan
Çamaltı
300
Karşıyaka
Balıklıova
Alsancak
Kemalpaşa
Chíos
Erythrai
Çeşmealtı
İZMIR
Bağyu
Néa Moni
Dalyan
Ildır
Armutlu
Ören
Balçova
Balçova
Dağı
Urla
Çeşme
Ilıca
Sifne
300
Karfás
Çiftlik
0-32
1040
Gaziemir
Mésta
Alaçatı
Pyrgí
Altınkum-
Strand
Pırlanta-
Strand
Alaçatı-
Bucht
550
Menderes
Bayındır
0-31
Sigacık
Seferihisar
Akkum-
Bucht
Teos
Torbalı
310
Ancona, Brindisi - Çeşme
Değirmendere
Ürkmez
Kolophon
Gümüldür
Klaros
Tire
Özdere
Belevi
Ahmetbeyli
Notion
Selçuk
Pamucak
0-31
Baradan-Bucht
Denizpınarı-Bucht
Şirince
İncirliova
Ephesus
Sámos
Moní
Zoodochou
Pigís
Meryemana
Kuşadası
Çamlık
Ortaklar
Germençik

• *Schiffsverbindungen* rund um die Uhr nahezu stündl. **Fähren nach Eceabat** am gegenüber liegenden Dardanellenufer (Dauer ca. 30 Min.). Pro Person 0,50 €, Motorrad 0,90 €, Auto 4,10 €, Wohnmobil 8,80 €. **Fähren zur Festung Kilitbahir** einige Kilometer südlich von Eceabat ebenfalls tagsüber nahezu stündl., ähnliche Preise. **Fähren zur Insel Gökçeada** (Dauer ca. 4 Std.) fahren im Sommer tägl. um 17 Uhr (Stand 2002). Pro Person 1,80 €, Auto 9,50 €.

• *Organisierte Touren* **Troy-Anzac Tours**, Saat Kulesi Meydanı 6, ✆ 2175849, 📠 2170196. Die Spezialisten (englischsprachig) in Sachen Führungen durch Troja (pro Person ca. 15 €) und Besichtigungstouren auf die Halbinsel Gallipoli (pro Person ca. 20 €).

Adressen/Baden/Sonstiges

• *Ärztliche Versorgung* Privatkrankenhaus **Özel Çanakkale Hastanesi** an der Atatürk Cad. südöstlich des Zentrums, ✆ 2177461.

• *Autoverleih* **Gezgin Rent a Car**, nahe dem Cumhuriyet Meydanı in der Tekke Sok. Preiswertester Wagen ab 35 € pro Tag. ✆ 2128392.

• *Baden* Vor Ort schlechte Karten. Besser, aber auch nicht der Hit, sind die Strände des rund 15 km entfernten Retortenferienorts **Güzelyalı**.

• *Einkaufen* Fr **Wochenmarkt** am großen Marktgelände an der Atatürk Cad. östlich des Zentrums. Kunsthandwerk bekommt man im **Yalı Han** (→ Essen & Trinken).

• *Geld* EC-Automaten und Geldwechselmöglichkeiten an der Fähranlegestelle.

• *Polizei* an der İnönü Cad., ✆ 2175260.

• *Post* neben der Polizei an der İnönü Cad.

• *Tauchen* zwischen Schiffswracks vor der Halbinsel Gallipoli ist in den letzten Jahren recht populär geworden. Zwei Tauchgänge kosten rund 80 €, vermittelt werden diese z. B. über **Troy-Anzac Tours** (s.o.).

• *Türkisches Bad (Hamam)* **Yalı Hamamı**, das historische Bad im Zentrum ist leider etwas schmuddelig, getrennte Eingänge für Männer und Frauen. Eintritt 1,80 € ohne Massage. Çarşi Cad.

• *Veranstaltungen* Viel Tanz, Musik und kulturelle Veranstaltungen jeder Art bringt das einwöchige **Çanakkale Truva Festivalı** Mitte August. Zum Platzen voll und zu meiden ist die Stadt rund um den historischen **Anzac Day** am 25. April, wo Nepper und Schlepper sich schlagartig vermehren und Hotelpreise astronomisch ansteigen.

Übernachten/Camping

In Çanakkale findet man Unterkünfte für jeden Geldbeutel. Wirklich schöne sind nicht darunter, das Gros ist lediglich zweckmäßig. Achtung: Für die Tage um den *Anzac Day* (25. April) ist eine Reservierung, am besten schon Monate vor der Reise, unumgänglich.

******Hotel Akol (13)**, das Tophotel der Stadt, ein Kasten nördlich des Hafens. Kühler Marmor in der klimatisierten Empfangshalle, Swimmingpool, Wäscherei, Disco, Bar und Restaurant. 138 der Sternenanzahl entsprechende Zimmer mit allem Komfort, aber ohne Flair. EZ 60 €, DZ 90 €. Kordonboyu, ✆ 2179456, 📠 2172897.

*****Hotel Truva (14)**, an der Promenade nördlich des Fährhafens. Gepflegtes Mittelklassehotel, das auch einen Stern mehr haben könnte. 66 ordentliche Zimmer mit guten Bädern (Badewannen!), davon rund die Hälfte mit Balkon. DZ 60 €, EZ 48 €. Akif Ersoy Cad. 2, ✆ 2171024, 📠 2170903.

****Hotel Anafartalar (9)**, großes Hotel direkt am Hafen. Altbacken ausgestatte Zimmer, auf der Vorderseite aber mit tollem Blick auf die Meerenge . Sauber und für den Preis durchaus okay: DZ 32 €, EZ 18 € mit Frühstück. İskele Meydanı, ✆ 2174455, 📠 2174457.

***Hotel Temizay (12)**, für ein Ein-Sterne-Haus überraschend gut. Sehr kitschiges Dekor. 43 akzeptable Standardzimmer mit TV, nur ganz wenige mit Balkon. Leider an einer recht befahrenen Straße. EZ 12 €, DZ 21 €. Cumhuriyet Meydanı 15, ✆ 2128760, 📠 2175885.

Yellow Rose Pension (11), 50 m vom Uhrturm entfernt. Travellerabsteige junger Aussis und Kiwis mit Bookexchange, Laundryservice, Infos über Gallipoli, Tischtennis usw. Ruhige Lage, nette Terrasse. Leider klitzekleine, teils recht muffige Zimmer, dafür mit Dusche/WC. Pro Person 6 €, Frühstück 1,50 € extra. Yeni Sok. 5, ✆ 2173343, www.yellowrose.4mg.com.

Anzac House (10), ebenfalls eine Travellerabsteige, ebenfalls winzige Zimmer, jedoch auf besserem Niveau als die der Yellow Rose Pension. Laundryservice, Internetecke. Organisiert werden Ausflüge nach Gallipoli (21 €) und Troja (14 €). DZ mit Bad 12 €,

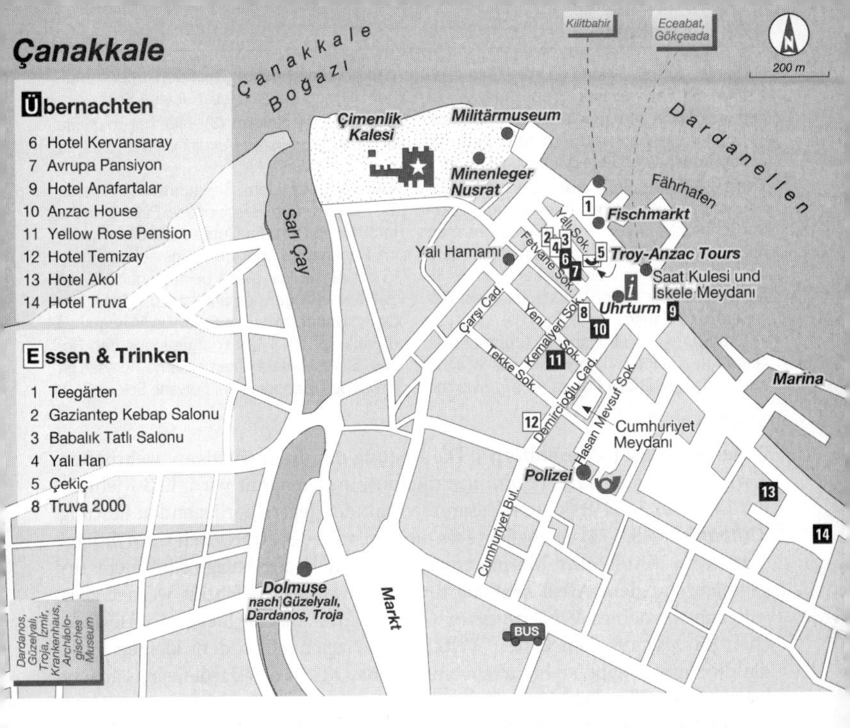

ohne Bad 9 €. Cumhuriyet Meydanı 61, ✆ 2315969, www.anzachouse.com

Hotel Kervansaray (6), schönes altes Haus mit einem idyllischen, hübsch begrünten Innenhof. Jedoch spartanische Zimmer (mit und ohne Bad) für Anspruchslose. Alkohol verboten! DZ mit Bad (ohne Frühstück) 12 €, ohne Bad 9 €. Fetvane Sok. 13, ✆ 2178192.

Avrupa Pansiyon (7), typisch türkische Stadtpension ohne besonderes Flair. Dafür saubere Zimmer mit Balkon. Mitten im Zentrum und zugleich nur 50 m vom Meer. DZ 9 € ohne Frühstück. Matbaa Sok., ✆ 286244084.

• *Außerhalb* **IDA Kale Resort Hotel**, in Güzelyalı ca. 14 km südlich von Çanakkale. Ein guter Standort für Ausflüge nach Troja, zudem liegt ein netter Strand direkt vor der Tür. Gepflegte Anlage mit 80 sehr gut ausgestatteten (Klimaanlage, Minibar, TV usw.), aber etwas biederen Zimmern auf 7 Gebäude verteilt. Einladender Pool. Ausgeschildert. DZ 52 €, ✆ 2328332, ℻ 2328832.

• *Camping* An der Meerenge südlich von Çanakkale findet man eine ganze Reihe von Campingplätzen, zu hohe Ansprüche sollte man aber an keinen von diesen stellen. Ganz akzeptabel ist noch **Sun San Camping** in Dardanos, rund 11 km südlich von Çanakkale (von der Nationalstraße 550 ausgeschildert). Eigener Sandstrand, Restaurant und recht schattig. 2 Pers. mit Zelt oder Wohnmobil 3 €. Vermietet werden zudem simple Bungalows mit eigenem Bad zu 6 € für 2 Pers. ✆ 2470337.

Essen & Trinken/Nachtleben

Gute Fischrestaurants befinden sich südlich des İskele Meydanı. Eine süße Spezialität Çanakkales ist das mit Käse angereicherte *Peynirli Helva*. Mit Pizza und Hamburger bedient man zudem den Geschmack der vielen Australier. Ein Tipp sind die gemütlichen, schattigen Teegärten bei der Fähranlegestelle nach Kilitbahir.

Çekiç (5), das beliebteste Fischlokal (wirbt mit "Fres Fish") an der Uferfront westlich des İskele Meydanı. Neben delikatem Meeresgetier auch eine gute Mezeauswahl. Ein Abendessen mit einem Getränk kommt auf 10–15 €.

Gaziantep Kebap Salonu (2), nahe dem Uhrturm in der Fetvane Sok. Große Auswahl an Kebabs. Alles andere als ein langweiliger 08/15-Salon, serviert wird in gemütlicher Hinterhofatmosphäre. Stets gut besucht, billig.

Truva 2001 (8), direkt beim Uhrturm. Sehr freundliche Lokanta mit jeder Menge leckerer Schmorgerichte, auch abends hat man noch eine große Auswahl. Zuvorkommender Service – nach dem Essen gibt es in der Regel eine kleine Obstschale als Geschenk des Hauses.

• *Café/Snacks* **Yalı Han (4)**, urgemütliche schattige Kneipe im Innenhof einer alten Karawanserei. Drum herum wird gewerkelt und Keramik verkauft. Treffpunkt der trendigen Jugend Çanakkales. Fetvane Sok.

Babalık Tatlı Salonu (3), hier hat man die beste Möglichkeit, *Peynirli Helva* (s.o.) zu kosten. Yalı Sok. 43.

• *Nachtleben* Dem Bierdurst australischer Traveller werden verschiedene Pubs gerecht. In Strömen läuft der Gerstensaft allabendlich im **Rockhouse** über dem Restaurant Çekiç. In der **Alesta Bar** gleich beim Uhrturm in der Yalı Sok. 4/A geht es ähnlich zu, Musik aus Down Under (Midnight Oil, Kylie Minogue ...) dröhnt hier bis 4 Uhr morgens aus den Boxen. Eine ebenfalls unterhaltsame Adresse ist die **Depo Discobar** in der Fetvane Sok.

Sehenswertes

Çimenlik Kalesi ("Wiesenburg"): Die Festung mit ihren trutzigen, wehrhaften Türmen, die auch *Kale-i Sultaniye* (Sultansburg) genannt wird, ließ Mehmet der Eroberer 1454 errichten. Zusammen mit der gegenüberliegenden Festung *Kilitbahir* (→ S. 174) ermöglichte sie die Kontrolle des strategisch so wichtigen Tores vom Mittel- zum Marmarameer. Weite Teile der Anlage sind nicht zugänglich, auf dem Areal sitzt die türkische Marine. Besichtigt werden darf lediglich ein kleines *Militärmuseum (Askeri Müze)*, das die hiesigen verlustreichen Kämpfe aus dem Ersten Weltkrieg nachzeichnet. In dem kleinen Park, der die Burg umgibt, steht zudem ein Nachbau des in der Dardanellenschlacht kriegsentscheidenden Minenlegers *Nusrat.*

Öffnungszeiten tägl. (außer Mo und Do) 9–12 und 13.30–17.30 Uhr. Eintritt 0,60 €, erm. die Hälfte.

Archäologisches Museum: Die trojanischen Exponate beschränken sich auf zusammengeflickte Schüsseln und Krüge. Am sehenswertesten sind die Grabbeigaben – überwiegend Goldschmuck – des unversehrt aufgefundenen sog. *Dardanos-Tumulus* (11 km südlich von Çanakkale), dessen moderner Name sich auf den mythischen, gleichnamigen Stadtgründer bezieht. Daneben sind gut erhaltene Funde aus Bozcaada, Assos und Gülpınar ausgestellt sowie die obligate Münz- und Amphorensammlung.

Adresse/Öffnungszeiten Das Museum liegt ca. 2 km südöstlich des Zentrums an der 100 Yıl Cad., von der Straße nach Troja ausgeschildert. Die Dolmuşe nach Güzelyalı passieren es. Tägl. (außer Mo) 9–12 und 13–17 Uhr. Eintritt 0,60 €, erm. die Hälfte.

Für Troja und die Troas südlich von Çanakkale → ab S. 177

Halbinsel Gallipoli (Gelibolu Yarımadası)

Pinienwälder und Sonnenblumenfelder prägen die unverbaute, sanfthügelige Halbinsel, dazu riesige, bedrückende Friedhöfe und Gedenkstätten. Die schmale, 60 km lange Landzunge war Schauplatz einer der fürchterlichsten Schlachten des Ersten Weltkriegs (→ Kasten). Aus diesem Grund wurde sie zu einem "Historischen Nationalpark" erklärt. Aus Respekt vor den Gefallenen ist mancherorts Schwimmen und Sonnenbaden untersagt. Schöne Badestrände finden sich dennoch, z. B. an der Südspitze der Halbinsel und an deren Westküste.

Wer es den vielen Australiern und Neuseeländern gleich tun und die Halbinsel erkunden will, besucht am besten zunächst das bunkerartige *Informationszentrum Kabatepe* im Westen der Halbinsel, in dem u. a. Waffen, Munition, Knöpfe und Gürtelschnallen, Briefe der Soldaten sowie ein von einer Kugel durchlöcherter Schädel ausgestellt sind (tägl. 8.30–18 Uhr, Eintritt 0,60 €). Weitere kleine Museen mit ähnlichen Exponaten liegen über die gesamte Halbinsel verstreut. Dort werden auch Broschüren und Bücher mit allen Details über den Stellungskrieg verkauft. Das gigantischste Mahnmal der Halbinsel ist das 42 m hohe, steinerne, tischähnliche *Çanakkale Şehitleri Abidesi* ganz im Süden Gallipolis. Es wurde zum Gedenken an alle Türken erbaut, die an der Schlacht teilnahmen.

Hinweis Da die Gedenk-, Ex-Schlacht- und Mahnplätze auf der Halbinsel für Nichtmotorisierte auf eigene Faust kaum zu erreichen sind, empfehlen sich geführte **Tagestouren** von Çanakkale oder Eceabat. **Dolmuşe** verkehren im Halbstundenrhythmus lediglich zwischen Eceabat und Kabatepe.

"Gallipoli" und seine Folgen

Um das wilhelminische Deutschland schneller in die Knie zu zwingen, hielten hohe englische und französische Generäle im Kriegswinter 1914/15 eine zweite Angriffsfront von Südosten her für notwendig. Dafür bedurfte es des Zugangs zum Schwarzen Meer, den jedoch die mit den Deutschen verbündeten Osmanen kontrollierten. Mit einer Einnahme İstanbuls wären die Karten neu gemischt worden. Ein Plan, der scheiterte.

Der erste Versuch der Alliierten am 18. März 1915, die Dardanellen mit einer Schiffsattacke zu durchstoßen, wurde zum Desaster. Noch in der Nacht davor war es dem türkischen Minenleger *Nusrat* gelungen, eine unüberwindbare Barriere zu schaffen, auf die ein um das andere Schiff auflief. Was auf dem Seeweg nicht gelingen wollte, sollte eine Invasion erreichen, an der sich neben französischen und englischen Einheiten auch die sog. ANZACS (= Australien and New Zealand Army Corps) beteiligten. Am 25. April 1915 landeten die Truppen auf der Halbinsel Gallipoli, um von dort über Land nach İstanbul vorzustoßen. Dies war der Beginn eines grauenvollen neunmonatigen Stellungskrieges. Rund eine Million Soldaten waren beteiligt, zwischen 150.000 und 250.000 fielen. Als Held ging Mustafa Kemal, der türkische Divisionskommandant und spätere Staatsgründer, aus der Schlacht hervor. "Ich befehle Euch, nicht anzugreifen! Ich befehle Euch, zu sterben!" hieß seine viel zitierte Parole, um Stellungen zu halten, bis Verstärkung nachrücken konnte. Im Januar 1916 gaben die Alliierten ihr Vorhaben auf und zogen sich zurück. Erst 1918, als der Weltkrieg vorbei war, kehrten einige von ihnen auf das Schlachtfeld zurück, um ihre gefallenen Kameraden auf insgesamt 31 Friedhöfen vor Ort zu bestatten. Nur noch ein Bruchteil konnte identifiziert werden. Auch wenn heute kaum mehr Kriegsveteranen leben, kommen dennoch alljährlich am 25. April, dem sog. *Anzac Day*, tausende Australier und Neuseeländer zum Gedenken an ihre gefallenen Groß- oder Urgroßväter auf die Halbinsel. Die Türken hingegen feiern – am 18. März jeden Jahres ihre erfolgreiche Verteidigung der Dardanellen.

Eceabat und Kilitbahir

Eceabat, der Fährhafen gegenüber von Çanakkale, ist ein charakterloses 5.000-Einwohner-Städtchen ohne Sehenswürdigkeiten, aber wie Çanakkale als Ausgangspunkt für die Erkundung der Gallipoli-Halbinsel geeignet. Rund 5 km südlich steht die osmanische Sperrfestung *Kilitbahir*, zu dessen Füßen sich das gleichnamige, hübsche Dorf erstreckt. Das 1462 errichtete, frei zugängliche Bollwerk ist das europäische Pendant zur Çimenlik Kalesi in Çanakkale. In einem seiner imposanten Rundtürme befindet sich das kleine *Harp Eserler Müzesi* – wie sollte es auch anders sein, ein Kriegsmuseum (geöffnet nach Lust und Laune, Eintritt 0,60 €).

- *Verbindungen* Regelmäßige **Dolmuş**verbindungen zwischen Eceabat und Kilitbahir, von Eceabat zudem halbstündl. nach Kabatepe sowie stündl. nach Gelibolu. Für **Fähren** von Eceabat und Kilitbahir nach Çanakkale siehe dort unter Verbindungen.
- *Organisierte Touren* über die Halbinsel inkl. Badestopps bietet die Agentur **TJs**, zum gleichnamigen Hostel gehörend (s. u.).
- *Übernachten/Camping* **Tjs Hostel**, in Eceabat nahe der Fähranlegestelle. Gut geführt, netter Service. Regelmäßige Grillparties mit trinkfreudigen Australiern auf der hübschen Dachterrasse. Waschservice und alles, was Traveller sonst noch brauchen. Leider nur abstellkammergroße, für Klaustrophoben ungeeignete Zimmer, dafür sauber. DZ 11 € mit Bad, Frühstück extra. Cumhuriyet Cad. 5, ✆ 0286/8143122, www.anzacgallipolistours.com.

Hotel Kum, ca. 20 km südwestlich von Eceabat, an der Westküste der Halbinsel, von der Straße zwischen Kabatepe und Abide ausgeschildert. 72 ordentliche Zimmer mit bunten Wänden, Fliesenböden und Terrasse bzw. Balkon. Zudem gepflegtes Campergelände auf einem schönen, schattigen Wiesenplatz. Pool. Privater Strand mit gemütlicher Bar. Sportangebote. Viel italienisches und holländisches Publikum. Campen pro Person 4,10 €, Wohnwagen 9 €, DZ mit HP 41 €. ✆ 0286/8141455, otelkum@superonline.com. Spartanische Campingmöglichkeiten bestehen zudem nahe der Fähranlegestelle von Kabatepe.

Gelibolu

(48.000 Einwohner)

Im Norden der gleichnamigen Halbinsel, an einer wild zerklüfteten Steilküste, liegt das Fischerstädtchen Gelibolu, das schon mehrmals in seiner Geschichte Schauplatz bedeutender historischer Ereignisse war: U.a. schlug hier 405 v. Chr. die spartanische Flotte Athen und trug den Sieg im Peloponnesischen Krieg davon. 1357 wurde die Stadt als erste in Europa von den Türken erobert. An die abwechslungsreiche Vergangenheit des Städtchens erinnert z. B. der zentral an der Hafenbucht gelegene, byzantinische *Festungsturm*, der früher als Gefängnis diente. Heute ist darin ein kleines *Museum* untergebracht, das sich u. a. dem osmanischen Admiral und Geograph Piri Reis aus dem 15. Jh. widmet (tägl. außer Mo 8.30–12 Uhr und 13–17 Uhr, Spende wird erwartet). Im Norden des Städtchens nahe dem Leuchtturm kann man zudem den *Azebeler Namazgahı* entdecken, einen offenen Gebetsplatz mit Marmor-Mihrab aus dem frühen 15. Jh. Interessanter ist für viele aber ein Besuch des *Fischmarktes* nahe dem urigen Hafen mit seinen kleinen Restaurants. Gelibolu ist bekannt für Sardinen *(sardalya)*, die es in bunten Konservendosen vor Ort eingelegt zu kaufen gibt. Ein Fest zu Ehren des kleinen Fisches wird alljährlich Ende Juli abgehalten.

Verbindungen Stündl. **Dolmuş**verbindungen über Eceabat nach Kilitbahir. Nahezu stündl. (bis Mitternacht) verkehren **Fähren** von Gelibolu auf die asiatische Seite nach Lapseki, ähnliche Preise wie von Çanakkale nach Eceabat.

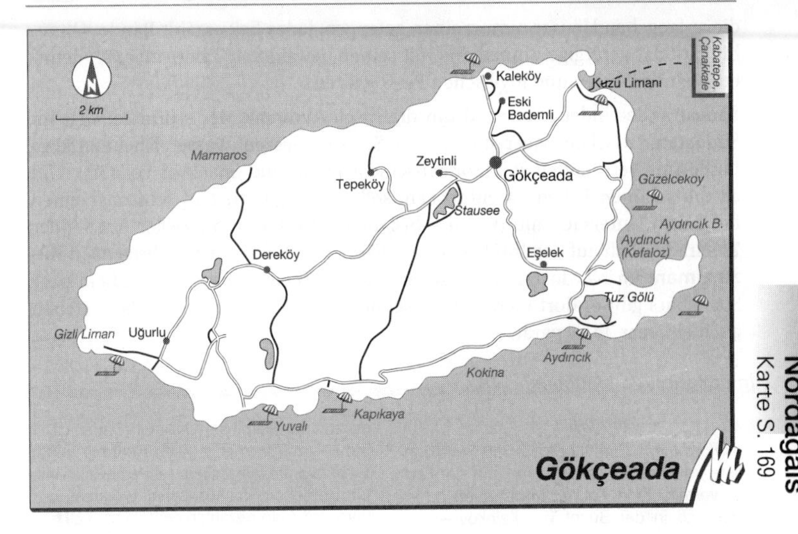

Karte S. 169

Gökçeada (Insel)

Abgeschiedene Buchten, alte griechische Dörfer und ein wildromantisches Binnenland - die größte Insel der Türkei bietet alles für geruhsame Urlaubstage.

Die ehemals griechische Insel *Imbros* wurde 1923 durch den Lausanner Vertrag der Türkei zugesprochen – unter der Bedingung, dass die griechischen Einwohner vom Bevölkerungsaustausch verschont blieben. Im Lauf der Jahrzehnte wanderten sie dennoch ab. Man schätzt, dass unter den 10.000 Insulanern gerade noch 250 (ältere) Griechen das Eiland ihre Heimat nennen. Wie seit Jahrhunderten lebt man auf Gökçeada vorrangig vom Fischfang und der Landwirtschaft. Der Tourismus hat noch immer einen untergeordneten Stellenwert: Wetterbedingt dauert die Saison auf der Insel nur drei Monate, zudem steht Gökçeada erst seit den 1980ern Ausländern genehmigungsfrei offen.

Genau das aber macht die rund 20 km lange und 13 km breite Insel reizvoll. Abseits des unattraktiven Hauptortes **Gökçeada** (auch **Merkez** = Zentrum genannt) in der Inselmitte erwartet den Besucher pastorale Beschaulichkeit. Die meisten Urlauber, vorrangig begüterte İstanbulis, zieht es nach **Kaleköy**, dem "touristischen Zentrum" im Nordosten der Insel – immerhin gibt es hier mehrere Restaurants und Unterkünfte sowie eine 300 m lange Uferstraße, die allabendlich für den Verkehr gesperrt und zur Flaniermeile wird. Zudem soll bis 2004 eine Marina entstehen. Die wenigen anderen Küstenorte sind noch immer verschlafene Bauernweiler.

Einen Besuch wert sind die malerischen Bergdörfer, die die griechische Bevölkerung zum Schutz vor Piraten gründete, allen voran **Eski Bademli, Tepeköy** oder **Zeytinli**. Fast vollständig verlassen ist **Dereköy** – ein Spaziergang durch die aufgegeben Häuser nimmt einen gefangen, jedes Eck erzählt Bände. Ohnehin lädt das gebirgige Binnenland mit seinen bewaldeten Tälern zu ausgedehnten Wandertouren und idyllischen Picknicks ein.

Badestrände findet man rund um die Insel. **Aydıncık**, der schönste, liegt im Südosten zwischen Meer und einem Salzsee, dessen Wasser Rheumatikern Linderung verschaffen soll (Sonnenschirmverleih und Snackbar vor Ort). Um all die schönen Ecken zu entdecken, sollte man gut zu Fuß sein oder einen fahrbaren Untersatz mitbringen – bislang existiert kein offizieller Auto- oder Zweiradverleih auf der Insel. Mit dem Fährschiff kommen Sie übrigens in **Kuzu Limanı** im Nordosten der Insel an. Außer einem Anlegesteg und ein paar Snackbars gibt es dort nicht viel, es sei denn, die Fähre läuft ein: Dann stehen auch ein paar Taxis parat.

Information/Verbindungen

• *Telefonvorwahl* 0286.

• *Information* Eine Inselkarte mit Pensionsliste und Preisen wird bei Ankunft der Fähre verteilt. Eine **Tourist Information** befindet sich in der Bucht von Kaleköy – nett und hilfsbereit, jedoch nur minimale Englischkenntnisse. Nur im Sommer tägl. 10–1 Uhr. ✆ 8874642.

• *Schiffsverbindungen* Tägl. um 8 Uhr (Stand 2002) eine **Fähre nach Çanakkale** (→ Çanakkale/Verbindungen, S. 170). Häufigere **Fährverbindungen von und nach Kabatepe** auf der Halbinsel Gallipoli (Dauer ca. 1 Std.) – im Sommer je nach Andrang mind. 3-mal tägl. Im Winter nur sehr eingeschränkter Betrieb (z. T. nur 2-mal wöchentl.). 2 Pers. mit Auto bezahlen einfach ca. 7,50 €.

• *Verbindungen* Halbwegs regelmäßige **Dolmuş**verbindungen bestehen auf der Insel nur zwischen dem Hafen und Gökçeada-Stadt sowie zwischen Kaleköy und Gökçeada-Stadt. Nur Fr und Mo fahren Dolmuşe vom Hauptort nach Tepeköy und Dereköy.

Adressen/Sonstiges

• *Ärztliche Versorgung* **Krankenhaus** im Hauptort an der Straße nach Kaleköy, ✆ 8873003.

• *Einkaufen* Wein von **George Zarbozan**! Der nette Grieche kehrte nach einer Karriere in İstanbul in sein Heimatdorf Tepeköy zurück, managt dort nun eine Taverne mit Pension (→ Übernachten) und keltert Wein. Der einfache, aber süffige Tropfen kostet 3 € pro Flasche.

• *Geld* **T.C. Ziraat Bankası** mit EC-Automat im Hauptort an der Abzweigung zum Hafen.

• *Polizei* im Hauptort an der Straße nach Kaleköy, ✆ 8873012.

• *Post* zentral im Hauptort.

• *Veranstaltungen* Ein fröhliches **griechisches Festival** wird alljährlich am 15. August in Tepeköy abgehalten. Vom **Gökçeada-Filmfestival** Ende August sollte man sich nicht allzu viel erwarten.

Übernachten/Camping/Essen & Trinken

Auf der Insel gibt es viele Unterkünfte – wer irgendwo ein leer stehendes Zimmer hat, vermietet es. Die schönsten befinden sich in den Bergdörfern und in Kaleköy direkt am Meer.

Poseidon Otel, die schönste Bleibe der Insel, in Eski Bademli oberhalb von Kaleköy. Wahnsinnsaussicht von der Terrasse. 9 sehr komfortabel ausgestattete Zimmer mit Parkettböden in einem modernen Natursteinhaus. Ganzjährig geöffnet. DZ 59 €. ✆ 8874619, www.poseidonotel.com.

Barba Yorgo Pansiyon, freundliche Pension in der beschaulichen Atmosphäre des Dorfes Tepeköy – Ruhe garantiert. 19 einfache, aber gepflegte Zimmer, z. T. mit offenem Kamin, sehr sauber. Zufriedene Stammkundschaft. Nur April–Sept. DZ 29 €. ✆ 8873592, www.barbayorgo.com.

Kale Motel, an der Uferpromende von Kaleköy, 20 Zimmer, z. T. mit Meeresblick und Balkon, dafür abends laut. Frühstücksbüfett. Gutes Restaurant angeschlossen. DZ 24 €. ✆ 8874404, www.kalemotel.com.

Kalimerhaba Motel, nur ein paar Schritte vom Kale entfernt. Ungefähr auf dem gleichen Niveau wie das Kale, nur kostet das DZ 6 € weniger. Ebenfalls mit gutem Restaurant. ✆ 8873648.

• *Camping* Schlichte Campingmöglichkeiten bestehen am **Strand von Aydıncık**.

• *Essen & Trinken* Hervorragede Meze und Fischgerichte (ab 3,50 €) bieten die Lokale an der Uferfront in Kaleköy – an Sommerabenden ist hier die Hölle los. Sehr empfehlenswert ist zudem die gemütliche Dorftaverne **Barba Yorgo** (→ Übernachten) in Tepeköy. Fisch und Fleisch zu 1,80–3,50 €, gute Stimmung wird allabendlich gratis mitgeliefert.

Troja (Truva, antike Stadt)

Nordägäis
Karte S. 169

Troja ist die bekannteste türkische Ausgrabungsstätte. Doch auf 5.000 Jahre Geschichte treffen hier alljährlich Millionen enttäuschte Besucher.

Grund für die weltweite Berühmtheit Trojas ist Homers Epos "Ilias". Dem gewaltigen Werk mit 16.000 Versen entsprang der Mythos des Trojanischen Krieges, der seit der Antike Einfluss auf Dichtung und bildende Kunst genommen hat. Ob es jedoch jemals einen Kampf um Troja gab, und wenn ja in welcher Form, ist nicht nachgewiesen. Genauso wenig weiß man, ob der gewaltige Achilles, der mächtige Agamemnon, der listenreiche Odysseus, der vor Gram gebeugte Priamos oder die schöne Helena jemals reale Personen waren. Selbst die Existenz Homers ist umstritten.

Troja – für Laien eher eine Enttäuschung

Einer, der die "Ilias" las und an der Existenz des Kriegsschauplatzes Troja keine Zweifel hatte, war der deutsche Kaufmann und Abenteurer Heinrich Schliemann (1822–1890). Er vermutete unter dem Ruinenhügel Hisarlık den sagenhaften "Schatz des Priamos". Zu jener Zeit war das Interesse der Weltöffentlichkeit an der Archäologie gering, die Feldforschung steckte gar noch in den Kinderschuhen. Schatzsucher Schliemann sorgte dafür, dass sich das änderte, auch wenn er an wissenschaftlichen Grabungstechniken nicht interessiert war. 1870 begann er den Hügel mit Sondierungsgräben so gründlich zu zerpflügen, dass ganze Generationen nachfolgender Ausgräber entnervt Schippchen und Hacke ins Feld warfen.

Schliemann fand, was er suchte, bzw. was er dafür hielt – mit der Datierung und Einordnung von Funden nahm man es damals noch nicht so genau. Den Schatz brachte er illegal nach Berlin, wo sich ihn die Russen am Ende des

Zweiten Weltkrieges schnappten. Jüngst zog Schliemanns Schatz als erfolgreiche Wanderausstellung durch die großen Museen der Welt und nährte so weiter die Faszination am Mythos Troja. Traurig, aber wahr: Im Gegensatz zu dieser Exposition versetzt das Ruinengelände vor Ort außer Archäologen so gut wie niemanden ins Staunen. Kein Hauch von Achilles. Ein plumpes 20 m hohes, für einen Fernsehfilm nachgebautes Holzpferd ist der einzige Blickfang. Vom ruhmreichen Troja Homers zeugen nur spärlichste Reste.

Und von allen anderen Trojas auch. Es gab nicht weniger als neun an der Zahl, alle übereinander, da auf den Trümmern der jeweils älteren Stadt immer wieder eine neue erbaut wurde. Archäologen versehen sie zur einfacheren Unterscheidung mit römischen Zahlen. **Troja I**, die unterste, eine von einer Wehrmauer umfasste Siedlung, datiert aus den Jahren 2920–2600 v. Chr. Darauf folgte **Troja II** (2600–2450 v. Chr.), mittlerweile ein Fürsten- oder Königssitz, der mehrmals durch Brände verwüstet wurde. In jener Siedlungsschicht entdeckte Schliemann seinen "Schatz des Priamos" – nur trennten Troja II noch über 1.000 Jahre von dem angeblichen Troja des Priamos.

Denn zunächst kommen noch **Troja III–V** (2450–1700 v. Chr.), in deren Verlauf sich das Siedlungsgebiet auf 18.000 m² ausdehnte. Während **Troja VI** (1700–1250 v. Chr.) wurde daraus eine bedeutende Handelsstadt mit Palästen und hohen Befestigungsmauern, die jedoch ein Erdbeben zerstörte. Erst jetzt machte sich das glorreiche, sagenumwobene Troja breit, das mit Priamos und Homers Trojanischem Krieg enden sollte – **Troja VIIa** (1250–1150 v. Chr.), nachweislich immerhin durch einen Brand zerstört.

Was nach **Troja VIIb** (bis Anfang des 10. Jh. v. Chr.) passierte, weiß man nicht – es gibt Annahmen, dass die Stadt aufgegeben wurde. **Troja VIII** (700–85 v. Chr.) war vermutlich eine Neugründung der Äoler, die die Stadt nun *Illion* nannten. 547 v. Chr. verleibte sie der Perserkönig Kyros in sein Reich ein, danach Alexander der Große. Ilion war berühmt für seinen Athenatempel, das Fundament existiert noch heute.

Zuletzt garnierten die Römer den Hügel mit Prunkbauten, **Troja IX** nennt sich ihr Überguss. Troja profitierte zu jener Zeit von dem Ruf, die Vaterstadt des Romgründers Aeneas zu sein. Mäzenhaft wurde sie gefördet, 40.000 Menschen lebten vermutlich innerhalb der Stadtmauern. Der späten Blüte setzten die Goten 262 n. Chr. ein Ende. Zurück blieb ein gigantischer Schutthaufen, über den nur noch der Wind pfiff, bis Schliemann zu buddeln begann.

Und so steht in der brettflachen Küstenebene heute ein zerfledderter Grabungshügel aus neun Siedlungsschichten, von dem Archäologen mehr als fasziniert sind. Wo sonst lassen sich 3.000 Jahre Geschichte mit der Schaufel peu à peu abtragen? Für den Laien ist dessen Anblick jedoch enttäuschend: Da eine Mulde mit ein paar Quadern aus Troja VI, daneben eine kniehohe Mauer aus Troja II usw. Das Weltkulturerbe Troja kann zwar begeistern, niemals aber bei einem kurzen Besuch.

• *Anfahrt/Verbindungen* Troja liegt beim Dorf Tevfikiye, von der Nationalstraße 550 ausgeschildert. Regelmäßige **Dolmuş**verbindungen von Çanakkale nach Tefvikiye. Mit dem **Taxi** geht es wesentlich schneller, ist aber entschieden teurer (40 € retour).

• *Öffnungszeiten* im Sommer tägl. 8–19 Uhr, im Winter 8–17 Uhr. Eintritt 6 €, erm. 2,40 €.

• *Organisierte Touren* Das Reisebüro **Troy-Anzac Tours** (→ Çanakkale/Organisierte Touren, S. 170) in Çanakkale hat die meiste Erfahrung mit Trojaführungen.

• *Übernachten* Am besten übernachtet man in Çanakkale oder Güzelyalı. Vor Ort bestehen nur bescheidene Möglichkeiten: Das **Hisarlık Otel** gleich beim Eingang zum Gelände bietet anständige, jedoch überteuerte Zimmer mit Terrasse. DZ 30 €, Dreier 45 €. ✆ 0286/2830026. Die **Deniz Pansiyon** im Ortskern von Tevfikiye (ausgeschildert) genügt nur sehr bescheidenen Ansprüchen. Ein Zelt kann man für 3 € pro Person im Hinterhof des **Restaurants Priamos** nahe dem Hisarlık Otel aufschlagen. Steinharter Boden, alles andere als idyllisch. Wer hier sein Wohnmobil parkt, bekommt Wasser und Strom für das gleiche Geld.

Hinweis: Die Überreste Trojas gleichen nicht im Ansatz denen von Ephesus oder Pergamon, wo man auch als Laie vieles erkennen kann. Je spärlicher die Reste, desto mehr Informationen bedarf es, um einen spannenden Rundgang zu erfahren. Kein Reiseführer kann diese aus Platzgründen liefern – auch wenn es viele versuchen. Wir verweisen daher ausdrücklich auf den hilfreichen **"Führer durch Troja"**, verfasst von der Grabungsleitung unter Prof. Dr. Manfred Korfmann (Universität Tübingen 2001). Er ist in deutscher Sprache vor Ort erhältlich, bebildert und mit Plänen versehen. Am Eingang zum Grabungsgelände wird zudem über den aktuellen Stand der allsommerlich stattfindenden Grabungsarbeiten informiert. Unterstützt werden diese u. a. durch die Daimler Chrysler AG – Kultursponsoring einmal anders.

Die Troas

Weitestgehend einsame Landschaften, vergessene Strände, kleine Dörfer und immer wieder Ruinenreste prägen die Troas. Monotone Feriensiedlungen wie man sie vielfach an der Nordägäis findet, sind hier eher die Ausnahme. Dafür sorgte der Kalte Krieg: Bis 1992 waren weite Abschnitte der Troas militärisches Sperrgebiet.

Troas nennt sich die fruchtbare, nur mit wenigen Kleinstädten und Dörfern durchsprenkelte Region zwischen Assos und Troja westlich der Fernstraße Çannakale-İzmir. Das kaum frequentierte Küstensträßlein ist eng und holprig, im nördlichen Abschnitt um das Kap Kum Burun gar nur noch eine Schotterpiste. Tomatenplantagen und goldene Weizenfelder wagen sich nahe ans Meer heran, Kiefernwälder säumen die Hügel, und Wiesen voller wilder Blumen machen einen Ausflug vor allem im Frühjahr erlebnisreich. Um die liebliche Landschaft zu genießen, ist ein eigenes Fahrzeug empfehlenswert, Dolmuşe fahren die Strecke nur äußerst selten ab.

Zwar hat der unkontrollierte Ferienhausbau mittlerweile auch die Troas erreicht, doch steht er hier noch in keinem Vergleich zu manch anderen türkischen Ägäisabschnitten. Immer wieder führen Stichstraßen, oft nur holprige Feldwege, zu versteckten Buchten – gehen Sie fröhlich schaukelnd auf Entdeckungsfahrt. Schöne, leicht erreichbare Sandstrände findet man bei Tavaklıiskele, bei Yeniköy (Tipp: der Papaz Plajı 2 km westlich) sowie zwischen Oduniskelesi und Dalyan. Wer hier unterkommen will, muss in der Regel auf einen der unzähligen einfachen Campingplätze ausweichen. Mancherorts werden auch schlichte Zimmer vermietet. Neben Badefreuden bietet die Gegend das alte Piratennest *Babakale* und selbstverständlich diverse antike Ruinen.

Papaz Plajı bei Yeniköy

Alexandria Troas (antike Stadt): Die noch nicht ausgegrabene antike Stadt wurde um das Jahr 310 v. Chr. vom Diadochen Antigonos gegründet. Ursprünglich hieß sie auch *Antigoneia*, wurde jedoch später zu Ehren Alexanders des Großen umbenannt. Die Ruinen der einst bedeutenden Hafenmetropole, in der Apostel Paulus auf seiner zweiten Missionsreise predigte und die Kaiser Konstantin im 4. Jh. gar zu seiner Hauptstadt machen wollte, dösen verborgen zwischen Feldern, Gestrüpp und Steineichen.

Viel der einstigen Bausubstanz wurde in byzantinischer und osmanischer Zeit abgetragen, angeblich sollen Steine aus Alexandria Troas auch beim Bau der Blauen Moschee in İstanbul verwendet worden sein. Zu den wichtigsten Ruinen gehören einige Abschnitte der *Stadtmauer*, Teile des *Theaters* und Reste der *Thermen*. Vor Ort finden Sie einen Orientierungsplan, zudem Hinweisschilder auch mit deutschen Legenden. Einen Extratrip sind die Ruinen Alexandria Troas nicht wert, eine atmosphärische Pause in der Einsamkeit aber allemal.

Apropos Thermen: Rund 3 km südlich von Alexandria Troas befindet sich das kleine, etwas schmuddelige *Thermalbad Kestanbol Kaplıcaları* mit über 70°C warmem Wasser (Eintritt 1,20 €). Es soll Rheuma, Frauen- und Nierenkrankheiten lindern.

• *Anfahrt* Die Ruinen von Alexandria Troas liegen nahe dem Dörfchen Dalyan neben der Küstenstraße. Ausgeschildert.

• *Camping* An der Küstenstraße südlich von Alexandria Troas befinden sich mehrere, meist sehr einfache Campingplätze und Pensionen, besonders in Tavaklıiskele, das einen schönen Sandstrand besitzt. Am schönsten ist **Camping Akkaya II** in Tavaklıiskele direkt am Meer. Der Platz, der z. Z. der Recherche leider verkauft werden soll, erfüllte bislang so ziemlich alle europäischen Normen: Sanitäranlagen für Behinderte, Rampe für Rollstuhlfahrer, Minimarkt, Restaurant. Angeschlossen ein Motel. Bleibt der Platz standardgleich, ist er ein guter Tipp.
Sehr schlichte Campingplätze finden Sie zudem nördlich von Alexandria Troas, zwischen Dalyan und Odunıskelesi, meist direkt an der Straße mit terrassenartig angelegten Stellplätzen.

Gülpınar: Das unspektakuläre Örtchen liegt an der Stelle des antiken *Chrysa,* das bekannt für seinen Apollonkult war. Am unteren Ortsrand (ausgeschildert) sind Reste des ionischen *Apollon-Smintheius-Tempels* aus dem 2. Jh. v. Chr. zu sehen – für den Laien insgesamt aber wenig spannend (tägl. 8.30–19 Uhr, Eintritt 1,80 €, erm. die Hälfte). Anders aber das 9 km lange Sträßlein von Gülpınar zum gemütlichen Fischerdorf *Babakale* – eine tolle Strecke.

Babakale: Das Dorf mit seinem kleinen Fischerhafen liegt fotogen über dem Meer, garniert von den bröseligen Mauern einer alten Festung, die einst den westlichsten Punkt der kleinasiatischen Küste sicherte. Erst im 17. Jh. konnte das Osmanische Reich das Piratennest erobern. Rund um den staubigen Dorfplatz herrscht die Stille eines vergessenen Fleckchens Erde, die sich am angenehmsten im "Teegarten" am Hafen genießen lässt. Ein paar einfache Unterkünfte und ein kleiner Kiesstrand sind vor Ort vorhanden.

Verbindungen Bis zu 3-mal tägl. **Dolmuşe** von Gülpınar über Assos nach Ayvacık, regelmäßige Verbindungen zwischen Gülpınar und Babakale.

Nordägäis Karte S. 169

Bozcaada (Insel)

Eine Insel, ein Städtchen, beide beschaulich und ursprünglich. Ein großes Tohuwabohu wird hier für Urlauber nicht inszeniert, eine ausreichende touristische Infrastruktur ist dennoch vorhanden.

Das Leben auf der nur 6 km langen, überaus reizvollen Insel ist beschaulich. Exakt 2.536 Einwohner hat das Eiland. Die Freundlichkeit der Insulaner, die vorrangig als Fischer und in den Weinbergen ihre Brötchen verdienen, sucht ihresgleichen. Unter ihnen leben noch heute einige ältere Griechen – Bozcaada, das alte *Tenedos,* kam erst 1923 zur Türkei, seine damaligen Bewohner wurden vom Bevölkerungsaustausch ausgenommen. Noch immer ist die Insel unverkennbar griechisch geprägt, im einzigen Ort Bozcaadas säumen schneeweiße Erkerhäuschen blumenprächtige Pflastergassen. Neben jungen Bohemiens aus İstanbul zieht es mittlerweile auch den einen oder anderen Ausländer in die Idylle – erst 1993 wurde eine lästige Genehmigungsprozedur für ausländische Touristen eingestellt.

Ein Aufenthalt auf der Insel steht ganz im Zeichen der Erholung und des Strandurlaubs. Anzuschauen gibt es lediglich eine wuchtige *mittelalterliche Festung,* die aussieht, als wäre sie erst gestern errichtet worden. Sie ist heute als Museum zugänglich, auf dem Gelände kann man u. a. alte Werkstätten, Kasernen, das Lazarettgebäude und eine Moschee besichtigen (tägl. 10–13 und 14–19 Uhr, Eintritt 0,60 €).

Verbindungen/Ausflüge

- Telefonvorwahl 0286.
- Verbindungen **Fähren** vom Festland legen in Yükyeri İskelesi ab, ca. 5 km westlich von Geyikli, mit "Bozcaada" ausgeschildert. Von Çannakale fahren **Dolmuşe** nach Geyikli, dort muss man auf ein Dolmuş zum Fährhafen umsteigen. Abfahrt der Fähren im Sommer (Stand 2002): Hinfahrt 10, 14, 19 und 21 Uhr (Fr–So auch 24 Uhr), Rückfahrt 7.30, 12, 17.30 und 20 Uhr (Fr–So auch 23 Uhr). Pro Person retour 1,70 €, Auto 4,70 €, es wird nur bei der Hinfahrt kassiert.
- Bootsausflüge Touren rund um die Insel bietet das **Restaurant Kandilli** am Hafen. Halbtagestrip mit Fischessen 10,50 €.

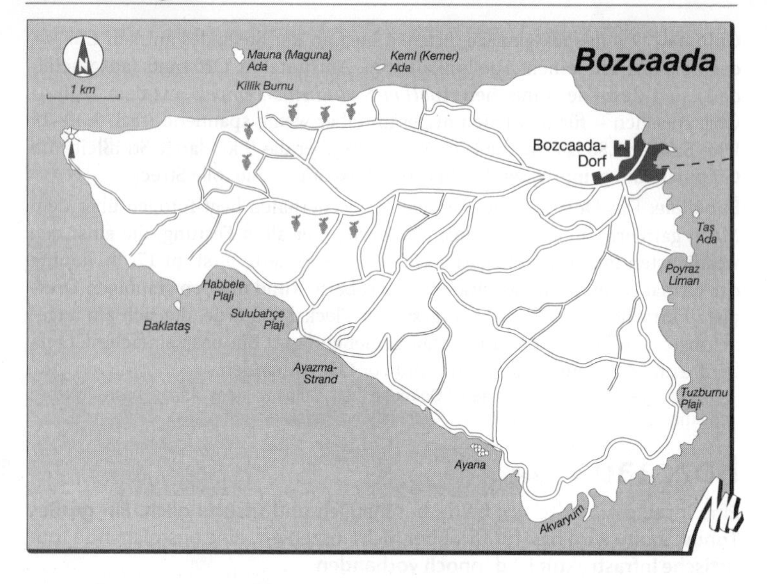

Adressen/Einkaufen/Sonstiges

• *Ärztliche Versorgung* Eine **Krankenstation** befindet sich etwas zurückversetzt vom Hafen an der 20 Eylül Cad., ✆ 6978129.

• *Baden* Schönster Strand des Eilands ist der **Ayazma** im Inselsüden. Zu erreichen alle 30 Min. mit dem Dolmuş ab dem Hauptplatz.

• *Einkaufen* **Wein**! Die Insel besitzt drei Winzereien, von denen jede behauptet, die größte zu sein: Ataol, Talay und Çamlıbağ. Der Wein ist schlicht und okay, Flaschenpreis 1,50 €–4,10 €. Die Verkaufsstellen der Winzereien sind im Ort bei einem Spaziergang nicht zu verfehlen.

• *Geld* Geldwechsel in der **T.C. Ziraat Bankası** am Hauptplatz möglich. Achtung: Es gibt auf der Insel keine Bankomaten, die ausländische Karten akzeptieren. Der nächste EC-Automat befindet sich in Ezine ca. 18 km östlich der Fähranlegestelle Yükyeri İskelesi.

• *Polizei* an der Straße von der Fähranlegestelle zum Hauptplatz, ✆ 6978010.

• *Post* am Hauptplatz.

• *Veranstaltungen* Ehemalige griechische Inselbewohner und ihre Nachkommen treffen sich alljährlich in der letzten Juliwoche beim **Ayazma-Fest**. Das **Weinlesefest Bağ Bozumu Festivalı** steigt Ende August.

• *Zweiradverleih* Fahrräder leiht man im **Ada Café** am Hauptplatz nahe der T.C. Ziraat Bankası. Pro Std. 1,90 €, pro Tag 4,40 €.

Übernachten/Essen & Trinken

Die meisten Unterkünfte befinden sich im Hauptort. Zimmeranbieter und Pensionsbesitzer machen teils schon bei Ankunft der Fähre auf sich aufmerksam. Das Angebot ist gut, dennoch kann es an Sommerwochenenden zu Engpässen kommen. Noch ein Tipp fürs Essen: Der vor Ort gefangene Fisch gilt als einer der besten der Ägäis. Kosten Sie ihn in einem der Lokale rund um den Hafen, allesamt gemütlich und empfehlenswert.

Hotel Kaikias, eine der schönsten Adressen der Insel. Stilvolles kleines Hotel im Gassenwirrwarr nordwestlich der Festung. Große, ockerfarben gestrichene Räume, dunkler Dielenboden, Himmelbett mit Moskitonetz. 16 Zimmer, pro Person 21 € inkl. Frühstück. ✆ 6970250, www.kaikias.com.

Lüfer Pansiyon, über dem gleichnamigen Restaurant direkt am Hafen. Nur 3 Zimmer, 2 davon mit Balkon und schöner Aussicht auf das Treiben am Hafen. Gemütlich und freundlich eingerichtet, Dielenböden. Für die Lage zahlt man mit, pro Person 15 €. Yalı Cad. 8, ✆ 6970415.

Rengigül Konakevi, in einem romantischen alten Stadthaus nordwestlich der Fähranlegestelle. Vermietet werden 6 liebevoll eingerichtete, dennoch schlichte Zimmer. Ein tolles Frühstück für alle wird am großen Tisch im herrlichen Gärtchen serviert. Galerie angegliedert, sehr freundliche, familiäre Atmosphäre. DZ 24 €. Emniyet Sok. 24, ✆ 6978601. Kein Schild am Eingang, Erkennungszeichen sind trompetende Engel in einem gusseisernen Herzen.

Tuna & Deniz Pansiyon, einfaches Haus, das durch einen idyllischen, lauschigen Garten und eine äußerst liebenswürdige Wirtin besticht. Viel junges Publikum aus İstanbul. Simple Zimmer mit und ohne Bad, das DZ ab 18 € mit Frühstück. Lale Sok. 20, ✆ 6978262.

Assos/Behramkale

Assos, gekrönt von einer mächtigen Akropolis, wurde bereits in der Antike gerühmt. Heute lockt der Ort zwischen Ruinen und kristallklarem Wasser die türkische Highsociety an.

Assos, der Name einer längstens untergegangenen Stadt, steht noch immer für ein hübsches Dorf hoch über der Küste, das heute eigentlich *Behramkale* heißt. Wegen der noch relativ intakten Dorfstruktur gehört es zu den schönsten Standorten der nordägäischen Küste. Nicht umsonst zählt der Ort heute rund 80 deutsche Residenten. Spektakulär ist die Aussicht vom Burgberg in luftiger Höhe über das hügelige Hinterland und über das tiefblaue Meer hinüber nach Lésbos. Abgesehen vom noch heute gewaltigen Stadtwall sind die verbliebenen Ruinen der antiken Stadt in und um Behramkale wenig Aufsehen erregend.

Assos steht aber auch für einen malerischen Hafen *(İskele)*, durch ein 1,2 km langes, steiles Sträßlein mit Behramkale verbunden. Zahlreiche zu touristischen Zwecken umfunktionierte Natursteinhäuschen kleben dort wie Vogelnester an den Felsen. Im Sommer ist er eine bevorzugte Adresse türkischer Großstadt-Schickimickis, denn hier macht Erholung Spaß: gepflegte Unterkünfte, gepflegtes Essen und türkisblaues Wasser direkt vor der Haustür. Wem der Strand zu schmal ist, der kann zur schönen Badebucht *Kadırga* 4 km weiter östlich ausweichen. Rund um Assos begeistern zudem noch ein paar im touristischen Abseits gelegene Unterkünfte.

Geschichte

Bereits in der Bronzezeit war die Gegend rund um Assos besiedelt. Die Stadtgründung erfolgte jedoch erst zwischen dem 7. und 9. Jh. v. Chr., aus Lésbos verdrängte Äolier zeichneten dafür verantwortlich. Im 4. Jh. v. Chr. wurde Assos zu einem geistigen Zentrum. Fürst Hermias, ein Schüler Platons, ermutigte Aristoteles zur Gründung einer philosophischen Schule – der große Denker blieb drei Jahre und heiratete Hermias Adoptivtochter. Doch im gleichen Maße wie das neu gegründete *Alexandria Troas* (→ S. 180) zur Metropole aufstieg, rutsche Assos in dessen Schatten ab. Der Besuch des Apostel Paulus im Jahre 58 bei seiner großen Missionsreise sollte das letzte erwähnenswerte Kapitel der Stadtchronik werden. Im Römischen Reich (ab dem 2. Jh.) konnte sich Assos noch behaupten, im Byzantinischen nicht mehr: es verkam zum Dorf – was es bis heute blieb.

Verbindungen/Baden/Sonstiges

• *Telefonvorwahl* 0286.

• *Verbindungen* Im Sommer stündl. **Dolmuşe** nach Ayvacık sowie ca. 7-mal tägl. nach Küçükkuyu, Dolmuşverbindungen zudem zwischen Dorf und Hafen. **Bus**verbindungen entlang der Westküste nur von Ayvacık und Küçükkuyu.

• *Baden* Assos selbst verfügt nur über einen kleinen Kiesstrand am Hafen, auf Holzstegen gelangt man ins Wasser. Beliebter ist die weit geschwungene, schöne Bucht von **Kadırga** ca. 4 km östlich von Assos. Den Sand-Kies-Strand säumen einige Hotels und Campingplätze. Unregelmäßige Dolmuşverbindungen, jedoch auch zu Fuß von Assos-Hafen zu erreichen.

• *Einkaufen* Auf dem Weg zur Burg wird *Macun* verkauft, ein klebriges Zuckergelee in verschiedenen Geschmackssorten. Es gilt als Glücks- und Energiebringer, zudem als Aphrodisiakum. Fr wird im 19 km entfernten Ayvacık ein bunter **Wochenmarkt** abgehalten.

• *Geld* Achtung – keine Bank und keine Geldwechselmöglichkeit in Assos!

• *Veranstaltung* **Internationales Kulturfestival** mit Theatervorstellungen, Workshops etc. im Sept.

Übernachten/Essen & Trinken

Assos' Hafen ist vom Geheimtipp zum oft ausgebuchten Wochenendtreffpunkt vermögender İstanbulis avanciert. Stilvolle gehobene Hotels liegen unten am Hafen, hinzu kommen einige überteuerte Pensionen – am Wochenende wird ein Zuschlag von rund 10 % verlangt. Ruhiger und günstiger wohnt man am Burgberg, meist in restaurierten Natursteinhäusern. Camper finden Plätze am Hafen, zudem viele einfache Anlagen an der Straße nach Küçükkuyu (s. dort) und in der Bucht von Kadırga.

• *Am Hafen* **Nazlıhan Hotel**, eine empfehlenswerte Adresse für stilvolles Wohnen in erster Reihe. 40 sorgfältig dekorierte Zimmer, handbemalte Fliesen in den Bädern. Alle Zimmer mit Klimaanlage, Föhn, Minibar. Zudem diverse Wassersportangebote und eigener Parkplatz. Pro Person mit HP 41 €. ✆ 7217385, www.assosedengroup.com.

Plaj Pansiyon, bei den Campingplätzen östlich der Hotelansammlung. Vermietet werden 6 einfache, äußerst kleine Holzhütten mit eigenen Bädern. Herrliche Terrasse direkt am Meer. Das DZ mit HP kostet 30 €. ✆ 7217193.

Dr. No Antik Pansiyon, im Zentrum der Häuseransammlung am Hafen. Einfache 7-Zimmer-Pension, das DZ zu 30 € mit obligatorischer HP. Den Meeresblick ersetzt ein Fernseher im Zimmer. ✆ 7217101.

• *Am Burgberg* **Eris Pansiyon**, im ruhigen Abseits, ausgeschildert. Geführt von einem New Yorker Ehepaar, das zuvor in İstanbul gelebt hatte. Schöne luftige Terrasse, auf der zum Nachmittagskaffee hausgemachter Kuchen serviert wird. 4 sehr saubere Zimmer (mit Heizung). DZ 35 €, Vierer 50 € mit großem Frühstück. ✆ 7217080, www.assos.de/eris.

Tekin Pension, am Ortseingang von Behramkale. 2001 eröffnet – alles noch recht neu und gut in Schuss. 8 DZ mit Bad, Ventilator und Frühstück für 15 €. Jedes Zimmer mit Terrasse. ✆ 7217099

Sidar Pension, preiswerteste Unterkunft vor Ort, gleich neben der Tekin. 16 ordentliche Zimmer mit gefliesten Böden und privaten Badezimmern, gespart wird mit Handtüchern und Klopapier. Große Dachterrasse. Organisiert werden auch Ausritte zu Pferd in die Umgebung. DZ mit Frühstück 12 €. Für die Hälfte der Zimmer ist Klimatisierung geplant, ✆ 7217047.

Timur Pansiyon, im oberen Dorfbereich von Behramkale nahe dem Athenatempel. Terrasse mit dem gigantischsten Ausblick, den man in Assos haben kann – schon allein deswegen äußerst empfehlenswert. Verwinkelte kleine Anlage, gutes Restaurant angegliedert. Das gemütliche kleine DZ mit Bad kostet 24 €. ✆ 7217449, www.assos.de/timur-pansiyon.

• *Außerhalb* **İmbat Motel**, 22 km westlich von Assos, mitten im Nirgendwo. Herrliche Lage am Wasser, traumhafter Uferbereich mit zwei Holzstegen ins Meer, Liegestühle. Schöne Terrasse mit Blick auf Lésbos. 20 ordentliche Zimmer ohne

Schnickschnack. DZ mit Klimaanlage und HP 47 €, ohne Klimaanlage 41 €. Gute Küche. Überwiegend jung gebliebenes, intellektuelles Publikum. April bis Sept. ☏ 7370101, ✉ 7370102. Ca. 800 m westlich des Dorfes Bademli ist die Abzweigung zum Motel ausgeschildert. 5 km geht es von dort auf einer steilen, gerade noch zumutbaren Schotterpiste hinab zum Meer.

Hotel Berceste, ca. 10 km westlich von Assos in ländlicher Einsamkeit – ein Tipp für absolut Ruhebedürftige. 1999 eröffnetes, märchenschlossartiges Gebäude mit herrlichen Ausblicken auf die hier noch weitestgehend unverbaute nordägäische Küste. Neun angenehm warm eingerichtete Zimmer (viel Holz) und eine Terrasse zum Träumen. Ca. 2 km weiter ein kleiner Fischerhafen mit unspektakulärem Kiesstrand. Ganzjährig geöffnet. Pro Person mit HP 15 €, zum Abendessen wird u. a. frischester Fisch serviert. Netter Service. ☏ 7234616, www.assos.de/berceste. An der Straße von Assos nach Gülpınar im Dörfchen Bektaş ausgeschildert. Die letzten 2,5 km sind unbefestigt, aber zu bewältigen.

Troas Motel, ca. 4 km östlich von Assos. Herrliches Plätzchen abseits jeglichen Trubels. Einziges Motel in einer stillen Bucht. 18 sehr freundliche, rustikal eingerichtete Zimmer in einem alten Natursteinhaus direkt am Meer. Schöne Terrasse und eigener Strandabschnitt. Alle Zimmer mit Heizung, ganzjährig geöffnet. DZ mit HP im Juli u. Aug. 21 € pro Person, sonst 18 €. Büyükhusun Koyu Altı, ☏ 7640279, ✉ 7640281. Von der Straße Assos-Küçükkuyu ausgeschildert, ab der Abzweigung noch ca. 700 m auf einem Schotterweg.

• *Camping* Von den einfachen Campingplätzen östlich der Hafens kann der **Assos Camping** auch mit Wohnmobilen angesteuert werden. Wie die meisten anderen Plätze terrassenartig angelegt, etwas Schatten, Restaurant. Campen pro Person (mit eigenem Zelt oder Wohnmobil) 3 €, mit gemietetem Zelt 4,40 €. ☏ 7217013.

• *Essen & Trinken* Romantisch und recht teuer isst man unten im Hafengelände, rustikaler und billiger oben in Behramkale, wo mehrere einfache Etablissements den Gaumen bedienen. Unser Tipp dort: **Öğretmenin Yeri Restaurant**, am kleinen schrägen Platz am Burgberg. 7 Tische unter einem Strohdach. Spezialität ist *Mantı*, eine türkische Ravioli-Variation. Freundlich, die glückliche Lage am Touritrampelpfad zur Burg mündet nicht in Nepp. Hauptgerichte 1–2,70 €.

Schäferstündchen auf der Akropolis von Assos

Sehenswertes

Steigt man im Dorf Behramkale stets bergauf, erreicht man automatisch den Eingang zum Ausgrabungsgelände. Nahebei steht eine imposante frühosmanische *Moschee*, die u. a. aus Steinquadern einer byzantinischen Basilika erbaut wurde (an der Oberschwelle des Eingangsportals ist ein Christusmonogramm zu erkennen). Etwas unterhalb dem höchsten Punkt der *Akropolis* (228 m) liegen die Ruinen des gegen 530 v. Chr. errichteten *Athenatempels*, des einstigen

Haupttempels von Assos. Teile des reliefverzierten Architravs schlummern heute in Museen von İstanbul, Paris und Boston. Ein paar dorische Säulen (ursprünglich sechs auf der Breit- und zwölf auf der Längsseite) wurden wieder aufgerichtet. Sie sind ganz nett anzusehen. Grandios aber ist der Gesamtanblick der Tempelruine in dieser einmalig schönen Lage, den Burgberg dominierend und mit dem Meer im Hintergrund – ein herrlicher Ort für einen rotweingeschwängerten Sonnenuntergang.

Die antike Stadt Assos lag zu Füßen des Tempels, zur Seeseite hin. Wer bergab steigt, findet in dem Ruinenfeld die insgesamt spärlichen Reste einer *Agora*, eines *Gymnasions*, eines *Bouleuterions*, eines *Theaters* und von *Thermen*. Die dicken Mauern und Türme der hellenistischer *Befestigungsanlage* – ein einstmals ca. 3 km langer kreisförmiger Wall, der das 2,5 qkm große Stadtareal umgab – haben die vielen Jahrhunderte am besten überstanden.

Als weiteres schönes, noch gut erhaltenes Bauwerk liegt eine osmanische *Bogenbrücke* (14. Jh.) ca. 1 km außerhalb von Assos an der Straße nach Ayvacık.

• Öffnungszeiten im Sommer tägl. ab 8 Uhr bis zum Sonnenuntergang, im Winter 9–17 Uhr. Eintritt 1,80 €, erm. 0,60 €. Neben dem Eingang auf der Akropolis gibt es noch einen zweiten Eingang am einstigen Westtor an der Straße zum Hafen. Ohne einen großen Höhenunterschied bewältigen zu müssen, besichtigt man von dort die Stadtgrabungen.

Der Golf von Edremit

Der Golf von Edremit, eine riesige Einbuchtung des Ägäischen Meeres, war in der Antike von Seeleuten wegen seiner wechselnden Winde gefürchtet. Der Wind hat sich gedreht: Heute ist der Golf überaus beliebt, insbesondere bei türkischen Urlaubern.

Der Golf von Edremit wird wegen der endlosen, silbrig-grün schimmernden Olivenhaine, die die Region prägen, auch gerne als die "Olivenriviera" bezeichnet. Leider haben vielerorts an der Küste: gigantische Ferienkonglomerate die einst herrliche Landschaft ihres Charmes beraubt. Schöne Ecken findet man insbesondere abseits der Küste in den *Kaz Dağları*, dem antiken Idagebirge (→ Kasten, S. 191), das die Region von der kühleren Marmaragegend abschirmt. Hier erwarten Sie neben einer intakten Natur alte griechische Dörfer mit herrlichen Unterkünften.

Küçükkuyu

Herrlich ist das Hinterland von Küçükkuyu, in der Umgebung warten romantische, ehemals griechische Bergdörfchen, die langsam für den Fremdenverkehr aufbereitet werden. Küçükkuyu selbst, von Apartment- und Ferienhäusern umzingelt und dazu noch direkt an der Fernstraße Çanakkale-İzmir gelegen, wirkt hingegen wenig einladend. Dennoch, der Kern des 3.000-Seelen-Ortes rund um den sauber herausgeputzten Hafen ist ganz nett. Hier schaukeln mehr Fischtrawler als Ausflugsboote. Auf der rund 400 m langen Promenade dahinter flaniert die urlaubende türkische Mittelschicht zwischen behördlich angelegten Blumenrabatten, Restaurants und Teegärten. Freitags findet in zweiter Reihe der großer Wochenmarkt statt.

Nordägäis
Karte S. 169

Am Hafen von Küçükkuyu

Auch ein kleines Museum besitzt das Städtchen, ein Museum im Zeichen der Olive. Es ist das *Adatepe Zeytinyağı Müzesi* an der Straße nach Edremit (tägl. 9–19 Uhr, Eintritt frei). Hier kann man alte Gerätschaften zur Gewinnung des grünen Öls bestaunen und darüber hinaus auch einkaufen: Olivenöl natürlich und alles, was man darin einlegen kann.

Schöne Badeplätze findet man entlang des Küstensträßchens nach Assos. Der Hausstrand von Küçükkuyu ist hingegen recht felsig und wenig einladend; das Gleiche gilt für den kilometerlangen, streckenweise recht verschmutzten Sand-Kies-Strand parallel zur Straße nach Altınoluk.

Verbindungen/Übernachten/Essen & Trinken

- *Telefonvorwahl* 0286.
- *Verbindungen* Alle **Dolmuşe** und **Busse** halten an der Durchgangsstraße, der Fernstraße Çanakkale-İzmir. Mehrmals tägl. Busverbindungen nach Çanakkale und İzmir. Ständig Dolmuşe die Küste entlang nach Edremit. Direkter Minibus zudem mehrmals tägl. nach Assos, selten nach Adatepe.
- *Bootsausflüge/Organisierte Touren* können an der Promenade gebucht werden. Preise und Angebote wie in Akçay (→ S. 190).
- *Übernachten/Camping* Vor Ort nur wenig Ansprechendes. Stilvoll wohnt man in den Bergdörfchen Adatepe und Yeşilyurt (→ Umgebung). Camper finden einfache, aber nette Plätze am Küstensträßchen Richtung Assos, meist mit einem schmalen Kiesstrand oder Stegen ins Meer. Entscheiden Sie sich für eine Anlage, auf der noch ein Plätzchen direkt am Wasser zu haben ist.

Cengizhan Motel, in Küçükkuyu direkt am Hafen. Sehr sauber. 12 freundliche Zimmer mit Bad/WC und Klimaanlage. Gemütliche Cafebar mit Korbstühlen auf dem Dach. DZ 24 € inkl. Frühstück. ✆ 7525468.

Hamburgplatz Motel & Camping, ca. 14 km westlich von Küçükkuyu, der schönste und gepflegteste der über 10 Campingplätze auf der Strecke nach Assos. Freundlicher Service, man spricht Deutsch. Viel Schatten, sauber. 2 Pers. mit Auto und Zelt bezahlen

6 €. Vermietet werden auch Zimmer (für max. 4 Pers.) in einer Bungalowreihe mit eigener kleiner Terrasse, für 2 Pers. mit HP 36 €, Kinder frei. ✆ 7640156, www.einfachurlaub.de.

• *Essen & Trinken* Eine der besten Adressen für Fisch ist in Küçükkuyu das **Fora Balık Restaurant**, an der Uferpromenade. Unter der strohgedeckten, schattigen Veranda isst man an hübsch gedeckten Tischen. Gute Auswahl an Meeresfrüchten für günstige 2–3,50 €. Etwas einfacher, aber ebenfalls gut ist das **Yengeç Balık Evi** etwas weiter westlich an der Promenade. Ebenfalls schöne Terrasse, täglich frischer Fisch, auch Muscheln.

Umgebung von Küçükkuyu

Adatepe: Das malerische Bergdorf an den Ausläufern der *Kaz Dağları* liegt ca. 5 km nördlich von Küçükkuyu. Als alternativ-komfortable Ferienadresse ist Adatepe vor allem bei jungen Intellektuellen aus İstanbul populär. Viele der alten, restaurierten griechischen Häuser sind heute Hotels oder zu Ferienapartments ausgebaut. Die ehemalige Dorfschule dient Sommerseminaren zu philosophischen, literarischen und kunsthistorischen Themen. Am Dorfeingang macht ein Schild auf den "Zeus Altarı" (Zeusaltar) aufmerksam, ein 10-minutiger Fußweg führt von dort zu einem sarkophagähnlichen Relikt aus römischer Zeit. Wie der Göttervater von hier bis nach Troja geblickt und den Kämpfen zugesehen haben soll, ist mehr als fraglich. Einen herrlichen Blick über den Golf von Edremit hatte er in jedem Falle.

• *Verbindungen/Anfahrt* Schlechte **Dolmuş**verbindungen nach Küçükkuyu. Selbstfahrer folgen von der Küstenstraße zwischen Altınoluk und Küçükkuyu der Beschilderung zum "Zeus Altarı" landeinwärts.

• *Übernachten* **Hünnap Han**, 16 äußerst geschmackvoll und individuell eingerichtete Zimmer mit Dielenböden in einem 250 Jahre alten Landsitz. In der Mitte ein gemütlicher Garten. Vom Dorfplatz ausgeschildert. DZ mit HP 60 €. Reservierung empfohlen, ✆ 7526581, ℻ 7522066.

Pansiyon Eliz, direkt am Dorfplatz. Kleine Drei-Zimmer-Pension in einem alten Steinhaus mit gemütlichem Innenhof. Die Zimmer sind einfach, aber sehr freundlich eingerichtet. Gemeinschaftsküche und -bad. Ganzjährig geöffnet. 15 € pro Person mit Frühstück. ✆ 7526588, elizpans@hotmail.com.

Yeşilyurt: Das Dörfchen ca. 3 km nordwestlich von Küçükkuyu ist mindestens so idyllisch wie Adatepe, dabei etwas größer und zum Bummeln besser geeignet. Auch Yeşilyurt, das sich rühmt, die sauerstoffreichste Luft der Welt zu haben, ist seit einigen Jahren niveauvolles Rückzugsgebiet wohlhabender Großstädter. In holprigen Pflastergassen gibt es ein paar stilvolle Cafés, ein Lädchen und jede Menge restaurierte Natursteinhäuser, von denen übrigens noch einige zu kaufen sind. Die Kirchen der einst vornehmlich griechischen Einwohner sind leider recht verfallen.

• *Anfahrt/Verbindungen* Von Küçükkuyu der Straße nach Ayvacık folgen, dann ausgeschildert. Mit dem Dolmuş leider kaum zu erreichen.

• *Übernachten* **Öngen Country Hotel**, eines der schönsten Beispiele des in der Türkei langsam erwachenden "Ökotourismus". Wie ein Adlernest sitzt dieses feine Hotel am oberen Ortsende Yeşilyurts. Herrliche Terrasse, sehr angenehme Zimmer in Naturtönen, zudem ein paar Haustiere und eigenes Gemüsegärtchen. Im Ort ausgeschildert, extrem holprige Anfahrt. DZ mit HP 81 €. ✆ 7522434, ℻ 7522436.

Manici Kasrı, im Dorf ausgeschildert, 2002 eröffnet. In dem feudalen Landsitz werden zehn komfortable Zimmer vermietet. Terrasse mit dem Über-Blick auf die bizarre Berglandschaft. Ein eigener Beachclub an der Straße nach Assos. Im Sommer oft ausgebucht, besser reservieren. DZ mit HP unter der Woche 59 €, am Wochenende 88 €. ✆ 7521731, www.manicikasri.com.

Bauwahn am Meer: "Türkischer Traum" oder Alptraum?

Viele Buchten der türkischen Nordägäisküste erinnern an ein Monopoly-Spielbrett im späten Stadium – völlig zugebaut. Extrem betroffen ist der Küstenabschnitt zwischen Küçükkuyu und Akçay, vor allem rund um die Retortensiedlung Altınoluk. Mitauslöser für diesen Bauwahn war die galoppierende Inflation der 1990er. In einer Zeit, in der die Lira von Woche zu Woche weniger wert war, galt die Immobilie als verfallsichere Kapitalanlage. Zudem war und ist ein Ferienhaus am Meer in der Türkei nicht nur eine Investition, sondern auch ein Statussymbol. Jeder, der es sich irgendwie leisten kann, versucht sich den Traum vom Zweitwohnsitz an der Küste zu verwirklichen.

So entstanden tausende kolonieartige Feriendörfer. Als Bauherren traten meist Kooperativen auf, in die man solange einzahlte, bis das Kapital für den Erwerb eines Grundstückes und für den Baubeginn zusammen war. Leider ging mancher Kooperative auch mal das Geld aus, wie viele traurige Rohbauruinen beweisen.

Der große Ferienhausboom ist mittlerweile abgeflaut, nicht zuletzt wegen der schlechten wirtschaftlichen Situation des Landes. Der eindeutige Gewinner war die Bauindustrie – verloren hat die türkische Küstenlandschaft.

Akçay

Gleich vorweg: Für Lido-di-Jesolo-Atmosphäre, wie ihn der 8.000-Einwohner-Ort bietet, braucht man nicht extra bis in die Türkei zu fahren. Auch die Strände vor Ort, ein Kies-Sand-Stein-Gemisch, sind wenig attraktiv. Da hilft auch nicht, dass das Meer davor eine kleine Überraschung bietet: sprudelnde Süßwasserquellen! Ein altes Sprichwort besagt gar, dass der, der beim Trinken von Akçay-Wasser ein schönes Mädchen erblickt, für immer von ihr verzaubert sein wird.

Insbesondere Familien aus dem versmogten İstanbul und İzmir machen Akçay allsommerlich zu einem Hotspot. Sie genießen die hiesige Luft, die durch die bewaldeten Berghänge im Hinterland extrem sauerstoffhaltig ist. Zur türkischen Ferienzeit sind das Strandband (Eintritt 0,30 €) und die lang gezogene Uferpromenade mit ihren schattigen Teegärten hoffnungslos überlaufen. Die wenigen ausländischen Touristen, die von hier Ausflüge in die Kaz Dagları unternehmen, fallen kaum auf.

Information/Verbindungen/Ausflüge

- *Telefonvorwahl* 0266.
- *Information* Kleines Büro am Barbaros Meydanı, dem zentralen Platz. Mit Fremdsprachen hapert's meist. Mo–Fr 8.30–12.30 Uhr und 13.30–17.30 Uhr. ✆/📠 3841113.
- *Verbindungen* **Bus**bahnhof ca. 2 km außerhalb des Zentrums nahe der Fernstraße Çanakkale-İzmir. Büros der Busgesellschaften, oft mit Zubringerservice, findet man im Zentrum bei der Moschee. Gute Verbindungen nach İzmir und Çanakkale.

Die Strandpromenade von Akçay lädt zum Flanieren ein

Dolmuşe nach Edremit (ständig) und Zeytinli (Sütuven-Wasserfall, seltener) fahren an der Ausfallstraße zur Fernstraße ab, **Minibusse** nach Altınoluk und Küçükkuyu direkt an der Fernstraße.

Im Sommer vom Steg am Hauptplatz nahezu stündlich **Boot**sverbindungen über die Bucht von Edremit nach Ören, 1,50 €. Dort werden auch ganztägige Bootsfahrten in den Golf von Edremit offeriert, mit Lunch ca. 6 €.

• *Organisierte Touren* bucht man am besten bei **Demre Tour**. Sahnebonbon des Angebots ist eine Jeepsafari in die Kaz Dağları, bei der man auch in Berggebiete kommt, die auf eigene Faust nur schwer erreichbar sind. Pro Person 18 € inkl. Lunch und Getränke. Organisiert werden zudem Ausflüge nach Bergama (15 €), Assos und Troja (ebenfalls 15 €) sowie Trekkingtouren (18 €, Minimum 10 Pers.). Nahe dem Hotel Öge, einem unübersehbaren Kasten östlich des Hauptplatzes. Memiş Kaptan Meydanı 2, ✆ 3848586, demretour@hotmail.com.

Übernachten/Essen & Trinken

Zahlreiche Unterkünfte, insbesondere Hotels der unteren Mittelklasse, Apartments sowie Pensionen über Pensionen. Leider hebt sich so gut wie nichts aus der Masse ab.

Yavuz Otel, ca. 200 m östlich des Hauptplatzes. Gepflegtes Haus direkt am Meer. 15 schlichte, aber anständige Zimmer, alle mit Terrasse. In den nächsten Jahren sollen noch mehr hinzukommen. DZ 21 € mit Frühstück, EZ 12 €. Leman Akpınar Cad. 3, ✆/℻ 3843380.

Sahra Motel, ca. 150 m östlich des Hauptplatzes, ebenfalls direkt am Meer. 1994 eröffnet, 2002 erweitert. 17 Zimmer – im neuen Bereich sehr sauber und angenehm, im alten Bereich mit Terrasse zum Meer. Pro Person 9 € inkl. Frühstück. Leman Akpınar Cad., ✆ 3847814.

• *Essen & Trinken* Eine der besseren Adressen Akçays ist das **Dost Restaurant** östlich des Hauptplatzes nahe dem Sahra Motel. Schön am Meer gelegen, reichliche Vorspeisenauswahl, zivile Preise. Hinzu kommt eine kleine Kuriositätensammlung im Restaurant.

Nationalpark Kaz Dağları – Mythologie trifft Natur

Der über 21.000 ha große Nationalpark *Kaz Dağları* ("Gänseberge") erstreckt sich im Norden des Golfes von Edremit. Seine höchste Erhebung ist der *Sarıkız Tepesi* ("Berg des Blonden Mädchens") mit 1.767 m. Die Namen von Gebirge und Gipfel sind eng mit einer Legende verknüpft: Demnach fand ein armer Bauer nach der Rückkehr von einer Pilgerreise seine blond gelockte Tochter im Techtelmechtel mit der Dorfjugend vor. Um sie von dieser fernzuhalten, brachte er sie in die Berge, wo sie Zeit ihres Lebens Gänse hütete und übernatürliche Fähigkeiten entwickelte. Eine Statue von ihr kann man an der Uferpromenade von Akçay bewundern.

Als "Idagebirge" war der Höhenzug in der Antike bekannt, und auch die Mythologie kennt eine Geschichte dazu. Sie erzählt von der ersten Misswahl aller Zeiten, die hier ausgetragen wurde. Den Wettbewerb inszenierte Paris, der schöne Sohn des trojanischen Königs Priamos. Als Siegerin ging die Göttin der Liebe hervor: Aphrodite. In Anlehnung daran findet noch heute alljährlich im August eine Beautycontest in den Kaz Dağları statt.

Erst seit neuestem versuchen geschäftstüchtige Reiseveranstalter in den Küstenorten des Golfes von Edremit, Profit aus ihrem grünen, gebirgigen Hinterland zu schlagen. Tiefe Täler und Canyons laden zu ausgiebigen Wandertouren ein. Hinzu kommen idyllisch gelegene Picknickplätze wie **Pınarbaşı** (ca. 6 km nordöstlich von Akçay) und romantische Forellenlokale wie jenes am kleinen **Sütuven-Wasserfall** (von der Küstenstraße zwischen Akçay und Edremit ausgeschildert). Um das Leben der Bergbevölkerung zu dokumentieren, hat man im Dorf Tahtakuşlar zudem ein **Ethnographisches Museum** eingerichtet (Richtung İdaköy Çiftlik Evi, dann ausgeschildert).

Wandern: Am besten nimmt man sich einen örtlichen Führer, den z. B. die Tourist Information in Akçay oder die Parkverwaltung unter ✆ 0266/3731480 vermittelt. Achtung: Für die Besteigung des Sarı-Kız-Gipfels ist eine spezielle Genehmigung erforderlich, die ebenfalls die Parkverwaltung erteilt. Organisierte Trekkingtouren und Jeepsafaris ins Gebirge bietet das Reisebüro Demre Tour in Akçay (s.o.) an.

Übernachten: İdaköy Çiftlik Evi, im Bergdörfchen Çamlıbel, ca. 7 km nordwestlich von Akçay. Ein Tipp für alle, die absolute Ruhe dem Strandtrubel vorziehen. In einem gemütlichen Landhaus vermietet der pensionierte, englischsprachige Anwalt İskender Azatoğlu zusammen mit seiner Frau Sema sieben schlichte aber freundliche, blitzsaubere Zimmer mit Dielenböden, fünf davon mit eigenem Bad. Schöne Terrasse, Dorfidylle drum herum. Im Zimmerpreis inbegriffen sind (auf Wunsch) professionelle Trekkingtouren, Kulturfahrten in die Umgebung und Diaabende, zudem klassische Musik statt Fernseher und gutes Essen mit Produkten der Region. Rauchverbot. Reservierung erforderlich. DZ mit HP 47 €. ✆/℡ 3873393, www.idakoy.com. An der Küstenstraße zwischen Altınoluk und Akçay ausgeschildert.

Edremit

(55.000 Einwohner)

Das Städtchen inmitten einer fruchtbaren Schwemmlandebene ist das wirtschaftliche Zentrum des gleichnamigen Golfes. Außer Oliven werden hier vor allem Mais, Getreide und Feigen geerntet. Was sonst noch auf den Feldern gedeiht, erfährt man mittwochs auf dem großen Wochenmarkt, der im Zentrum mit seinen traditionellen, leider recht heruntergekommenen Holzhäusern stattfindet. An allen anderen Tagen geht es in dem Städtchen recht geruhsam zu, wenn nicht gerade der Muezzin vom Minarett der *Kurşunlu Cami*, einer Seldschukenmoschee aus dem frühen 14. Jh., zum Gebet ruft. Sehenswertes gibt es außer der Moschee nur wenig: Von der antiken Vorgängersiedlung *Andramytteion* ist nichts erhalten. Wer will, kann am Rande des schönen Stadtparks noch das 2001 eröffnete, liebevoll eingerichtete *Ethnographische Museum* besichtigen: Trachten, ein paar Waffen aus dem Befreiungskrieg und natürlich Teppiche sind die wesentlichen Exponate (Di–So 8.30–12 Uhr und 13.30–17.30 Uhr, Eintritt 0,30 €). Meist jedoch sind Sie der einzige Besucher. Das Meer ist rund 10 km entfernt und die meisten Urlauber kommen nur für einen kurzen Einkaufsbummel nach Edremit. Lediglich zum Olivenfestival im August, einer Gemeinschaftsveranstaltung mit der Gemeinde Akçay, sieht der Sachverhalt anders aus.

• *Verbindungen* **Bus**bahnhof 5 Fußminuten westlich des Zentrums. Da Edremit Verkehrsknotenpunkt der Region ist, bestehen Verbindungen in alle Richtungen. **Dolmuşe** nach Akçay (regelmäßig bis spät in die Nacht) und Zeytinli (Sütuven-Wasserfall, selten) fahren nahe dem Busbahnhof ab, lassen Sie sich die Stelle zeigen. Südlich der Stadt liegt der einzige zivil genutzte **Flughafen** der Nordägäis. Momentan fliegen ihn nur THY-Maschinen an, es gab aber auch schon Charterflüge. Das Terminal ist winzig, Verbindungen bestehen nur mit dem Taxi.

• *Essen & Trinken* Der traditionsreiche, günstige **Cumhuriyet Kebap Salonu** im Zentrum steht für die besten Fleischberge am Golf von Edremit. Jeder wird Ihnen den Weg weisen können.

Ören

Die gepflegte, mit Villen durchsetzte Ferienkolonie besitzt einen herrlich-langen und breiten Sandstrand, der zu den schönsten der nördlichen Ägäis gehört. Eine Riesenrutsche führt dort ins kristallklare Wasser. Wer einen ruhigen Badeurlaub mit Kindern verbringen will, ist in Ören bestens aufgehoben. Gepflegte Blumenbeete, schattige Teegärten und ein parkähnlicher Küstenbereich lassen vergessen, dass man sich in einem künstlich angelegten Ferienresort befindet. Einen alten Ortskern sucht man vergebens, auch irgendeine Form von orientalischem Flair, selbst auf dem donnerstäglichen Wochenmarkt. Dafür bietet sich ein Ausflug ins 5 km entfernte Landstädtchen **Burhaniye** an. Der 27.000-Einwohner-Ort mit seinem freundlichen Zentrum ist Umschlagplatz eines bäuerlichen, wohlhabenden Einzugsgebiets. Nicht erschrecken – die Küste südlich und nördlich von Ören ist nahezu komplett verbaut.

Information/Verbindungen/Ausflüge

• *Telefonvorwahl* 0266.

• *Information* Ein kleines Büro in Ören-Mitte. Mo–Fr 8.30–12.30 Uhr und 13.30–17.30 Uhr. Auch deutschsprachig. Ören Mah. Karakol Yanı, ✆ 4163500, 📠 4165674.

Die Festung von Canakkale (jg) ▲▲

Einsame Bucht in der Troas (mb) ▲▲

Hitzefrei in Ayvalık (mb) ▲

Der Trajanstempel in Pergamon (jg)

Abendstimmung (mb)

• *Verbindungen* Intercity-Busbahnhof im 5 km entfernten Burhaniye (Verbindungen z. B. nach İzmir oder Edremit). Von dort **Dolmuşe** nach Ören. In Ören starten die Dolmuşe nahe der Tourist Information.

Im Sommer mehrmals tägl. **Bootsfähren** über die Bucht von Edremit nach Akçay (Dolmuşprinzip, einfache Fahrt ca. 1,50 €). Abfahrt unterhalb der Post am Holzsteg am Strand.

Taxis findet man am Hauptplatz. Eine Fahrt nach Burhaniye kostet 4,20 €.

• *Bootsausflüge* zu den vorgelagerten Inseln vom Vorort İskele, ca. 2 km. südlich von Ören, dahin keine Dolmuşverbindung. Tagestour pro Person mit Mittagessen ca. 6 €.

• *Organisierte Touren* Anbieter mit improvisierten Ständen findet man am Hauptplatz: Preisbeispiele von **Zefira Tour**: Assos und Troja 14 €, Ephesus und Kuşadası 15 €, Kazdağı-Gebirge 10 €, Pamukkale 21 €. ✆ 4125205, zefira@ixir.com.

Übernachten/Camping/Essen & Trinken

Das Gros der Urlauber wohnt in Motels und Apartmenthäusern am Strand südlich und nördlich des "Zentrums". Viele einfache Pensionen, meist auf türkische Familien zugeschnitten, findet man in dritter und vierte Reihe rund um die Tourist Information. Hier gibt es auch hübsche Ferienhäuser mit Gärten zu mieten (auf die Beschilderung "Kıralık yazlık" achten). Camper aufgepasst: In Ören befindet sich der wohl schönste Platz der Nordägäis!

Altın Camp/Park Motel, von der Straße Burhaniye-Ören vor Ören rechts ab (beschildert). Ein weites Gelände und eine wahre grüne Oase mit aufwendigen Blumenanlagen und viel Schatten direkt am schönen Sandstrand. Tennis, Tischtennis, Volleyball, Ruderboote. Mehrsprachige Rezeption, SB-Restaurant, gute Sanitäranlagen, Camperküche, trinkbares Hahnenwasser. Das gibt eine zufriedene Stammkundschaft (z. T. schon seit 25 Jahren). Das angeschlossene **Park Motel** bietet zudem 18 große freundliche Zimmer mit gepflegten Bädern, Balkon oder Terrasse. DZ mit HP 48 €, Dreier 63 €. Campen (Rabatte für Müller-Leser!) für 2 Pers. mit Zelt 8,50 €, mit Wohnmobil 11 € inkl. Strom. Ganzjährig geöffnet. ✆ 4163732, www.altincamp.com.

Hotel Club Orient, gemütliche Bungalowanlage am nördlichen Ortsende von Ören, direkt am Strand neben dem Altın Camp (ausgeschildert). Rühriges, deutsch-türkisches Management. Kinderbetreuung, großer Pool, Tennisplatz, Kanus, Mountainbikes, Surfschule und -verleih. Apartments für bis zu 5 Pers., pro Person mit HP (obligatorisch) 35 €, Kinder bis 12 Jahre frei. ✆ 4163445, www.club-orient.de.

Club Hotel Fiord, beim Hauptstrand nahe der großen Rutsche (ausgeschildert). Freundliche Anlage, sattes Grün rund um die ockerfarbenen Unterkunftsbauten. 56 recht einfache Zimmer mit Balkon und Meeresblick. Eigener Strandabschnitt mit Bar, zudem Pool. Pro Person 24 € mit HP. ✆ 4163879, ℻ 4163318.

Pekcan Motel, in zweiter Reihe, aber keine 3 Min. zum Strand. Vermietet werden 6 ordentliche, saubere Zimmer, das DZ zu 18 € mit Frühstück. Schöne Terrasse. Die Vermieter sprechen nur türkisch. Bahar Sok. 11, ✆ 4163180.

• *Essen & Trinken* **Selina Restaurant**, in erster Reihe oberhalb des Strandes nahe der Wasserrutsche. Gepflegtes Restaurant mit ebensolcher Terrasse, wo die Tische auf einer fein rasierten Wiese aufgestellt sind. Meze, Gegrilltes und Fisch, empfehlenswert in erster Linie jedoch wegen der herrlichen Lage.

İda Çörük Çadırı, gemütlich-provisorisches Restaurant unter schattigen Bäumen. Strohballen, Polster und alle möglichen Accessoires, um ein wenig türkische Dorfstimmung aufkommen zu lassen. Zu essen gibt es in erster Linie *Gözleme*, die türkische Pfannkuchenvariante. In Strandnähe südlich des Hauptplatzes.

Durchblick: Mytilíni vom Kastell aus gesehen

Ausflug auf die Insel Lésbos (Griechenland)

Vor dem Golf von Edremit liegt Lésbos, die drittgrößte Insel Griechenlands. Vom Massentourismus blieb das Eiland bislang weitestgehend verschont und damit auch seine vielen abgeschiedenen Buchten. Im Sommer bestehen regelmäßige Fährverbindungen von Ayvalık.

Eines vorweg: Wer sich zu den schönen Buchten aufmachen will, sollte einen mehrtägigen Lésbos-Aufenthalt einplanen. Die Insel ist groß, die Küstenlänge beträgt 370 km. Leider lädt genau der Küstenabschnitt rechts und links des Hauptortes Mytilíni, wo die Fähre anlegt, zum Baden weniger ein. Dafür aber hat die lebendige, moderne und im innergriechischen Vergleich fast großstädtisch wirkende Hafenstadt einiges an kulturhistorischen Sehenswürdigkeiten zu bieten. Dazu gehört eine weitläufige *byzantinisch-genuesische Festung (Kástro)* am Stadtrand auf einem pinienbewachsenen Hügel; viele der hohen, zinnenbekrönten Mauern stehen noch (Di–So 8.30–15 Uhr; Eintritt 3 €, über einen holprigen Pflasterweg von der Odós 8. Noemvriou zu erreichen). Aber auch Museen laden zu einem Besuch ein, wie z.B. das *Museum byzantinisch-sakraler Kunst* mit einer sehenswerten Ikonensammlung (Mo–Sa 9–13 Uhr, Eintritt 2 €, gegenüber der *Kirche Ágios Therápon,* an ihrer silberglänzenden Kuppel leicht zu erkennen). Die archäologischen Schätze der Insel sind gleich auf zwei Museen verteilt: auf das *Alte Archäologische Museum,* untergebracht in einer klassizistischen Villa auf der Rückseite des Fährhafens, und das *Neue Archäologische Museum* nicht weit vom Eingang des Kastells (für beide: Di–So

8.30–15 Uhr, Eintritt 3 €). Farbenfroh und herrlich zum Durchschlendern ist der *Odós Ermoú*, die Basarstraße der Stadt.

Information/Verbindungen/Sonstiges in Mytilíni

• *Telefonvorwahl* internationale Landesvorwahl für Griechenland ✆ 0030.

• *Information* **Directorate of Tourism**, unweit des Fährhafens. Hilfreich. Mo–Fr 9–13 Uhr. Tzeims Aristarchou, ✆ 2251042511.

• *Verbindungen auf Chios* Die **Stadtbusse** (z.B. nach Variá) fahren küstennah im südlichen Stadtgebiet ab (durchfragen, im Sommer alle 30 Min.). Die **Überlandbusse** starten an der Südostecke des Stadtparks. Mehrmals tägl. nach Plomári, Mólivos, Pétra Kalloní, Agiássos, Kalloní-Eressós, Políchnitos und Mandámados (z.T. weiter nach Skála Sikaminéas).

• *Fährverbindungen in die Türkei* → Ayvalık/Verbindungen, S.202.

• *Auto- und Zweiradverleih* Zweiräder sind teuer und nicht gerade zahlreich vorhanden. Autos verleihen **Europcar**, Kountouriótou-Str. 87 (beim Hotel Blue Sea), ✆ 2251043431, und **Egeon**, klein und zuverlässig in einer Seitengasse der Prokymaía nahe der Sappho-Statue, Chiou-Str., 2251029820.

• *Touristenpolizei* an der Nordwestseite des Fährhafengebäudes. ✆ 2251022776.

Übernachten/Essen & Trinken in Mytilíni-Stadt

• *Übernachten* **Hotel Lesvion**, mitten im Trubel. Bäder etwas eng, sonst okay. Bar mit Hafenblick im 1. Stock. DZ (größtenteils mit Klimaanlage) 55–65 €. Kountouriotou-Str. 27, ✆ 2251028177, lesvion@otenet.gr.

Hotel Erato, im südlichen Stadtbereich. Ein optisch unschöner Kasten an einer lauter Kreuzung, Zimmer aber recht gut. Freundliches Personal und angenehme Atmosphäre. DZ/Bad 40–55 €. Vostaní-Str. 2, ✆ 2251041160, ℻ 2251047656.

Domátia Vazakas Bajakas, solider Privatvermieter im Zentrum, recht ruhig. Freundliche Familie, 10 blitzsaubere, moderne Zimmer. DZ/Bad 25–35 €. Bizaniou-Str. 17, ✆ 2251026360. Etwas versteckt: Etwa in der Mitte der Odós Ermoú östlich in die Ágios Theodorou-Str. einbiegen, dann nochmals rechts.

• *Essen & Trinken* **Psarotavernas**, das halbe Dutzend Fischtavernen an der Südseite des Südhafens liegt etwas abseits der Hektik der Hafenstraße und ist somit der angenehmste Platz, um in Mytilíni im Freien zu essen. Bei allen gibt es nicht nur Fisch, sondern auch Fleisch und Standardgerichte; die Preise liegen in erträglichem Rahmen.

Restaurant Achiwada, außerhalb, im Nobelvorort Variá. Das Restaurant an der Uferstraße ist das Nobelrestaurant Mytilínis. Exzellentes Essen und gehobene, aber noch bezahlbare Preise.

Die schönsten Ausflugsziele der Insel

Gemäldesammlungen von Variá: Zwei Gemäldesammlungen, wie man sie auf Lésbos kaum erwarten würde, begeistern im 5 km südlich von Mytilíni gelegenen Nobelvorort Variá: Das *Theophilos-Museum* zeigt über 100 Gemälde des lokalen Malers, dessen Themenbogen von der griechischen Götterwelt bis zum Alltag seiner Landsleute reichte (Di–So 9–17 Uhr, Eintritt 1,50 €). 1934 starb Theophilus, der erst posthum Anerkennung und den Weg ins Louvre fand. Entdeckt wurde er von dem Kunstkritiker und Verleger Teriade (1897–1983), dessen Werk ebenfalls ein Museum gewidmet ist. In den "Grand Livres" publizierte Teriade Texte bekannter Autoren mit Illustrationen nicht minder bekannter Künstler (Miró, Chagell, Picasso, Matisse, Le Corbousier, Gris usw.; Di–So 9–14 Uhr, Eintritt 2 €). Die Museen sind in Variá ausgeschildert.

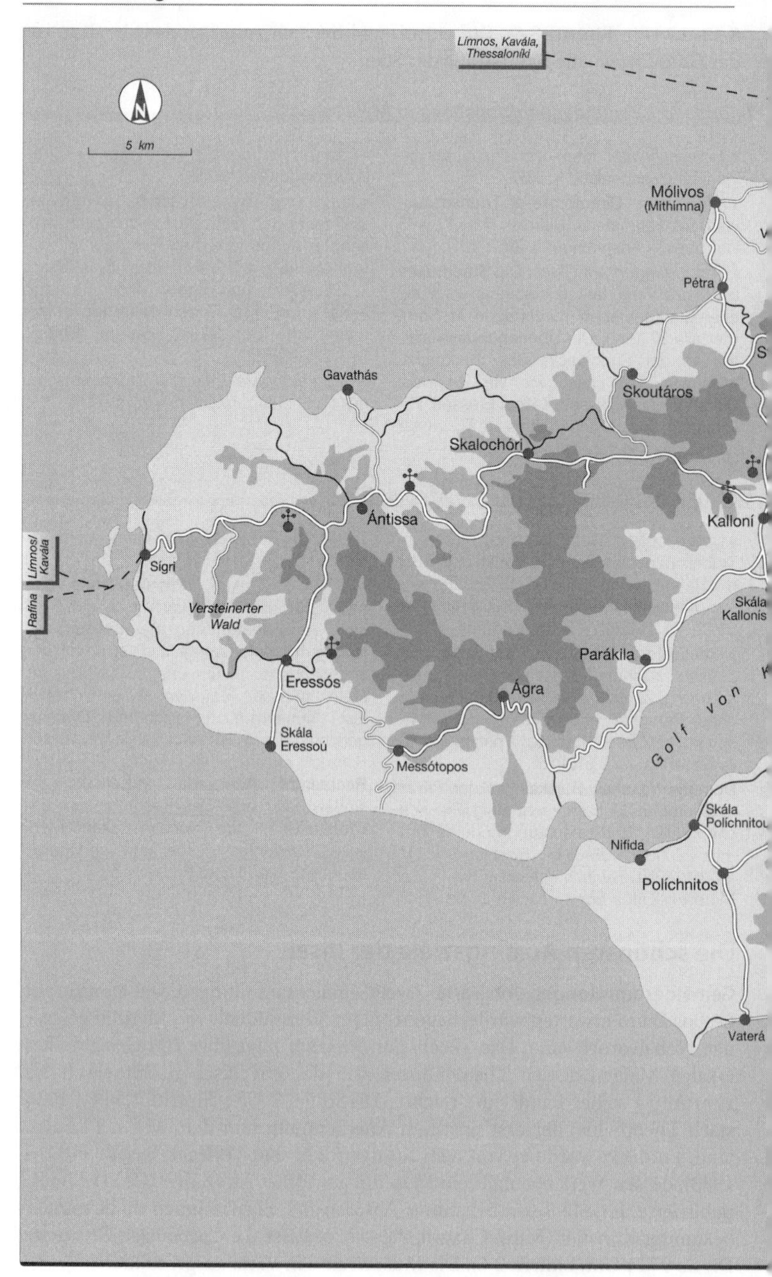

Límnos, Kavála, Thessaloníki
N
5 km
Mólivos
(Mithímna)
Pétra
Gavathás
Skoutáros
Skalochóri
Ántissa
Kalloní
Límnos/ Kavála
Rafína
Sígri
Versteinerter Wald
Skála Kallonís
Parákila
Eressós
Ágra
Golf von
Skála Eressoú
Messótopos
Skála
Nífida
Políchnitos
Vaterá

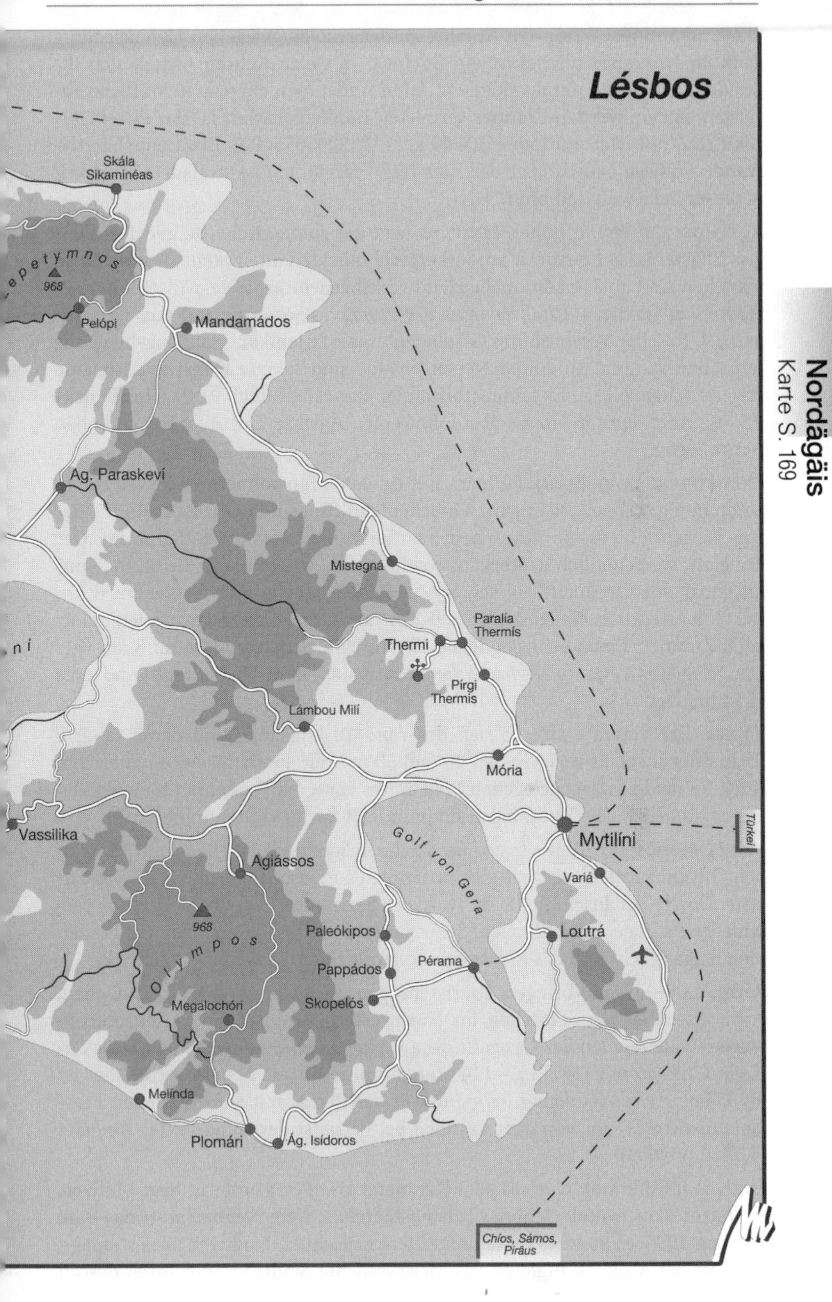

Nordägäis Karte S. 169

Skála Sikaminés: Schon die Anfahrt zu der reizvoll gelegenen Hafensiedlung ganz im Norden der Insel ist ein Erlebnis: In vielen Kehren windet sich die Straße hinab. Rund um den kleinen Hafen findet man ein paar gemütliche Tavernen, zudem werden Zimmer vermietet. Empfehlenswert ist das *Hotel Gorgona* (DZ mit Marmorboden 30–40 €, ✆/℻ 2253055400). Etwa eine Viertelstunde Fußweg östlich liegt der Kiesstrand *Kagia*, die beste Bademöglichkeit in dieser Ecke weit und breit.

Agiássos: Am 968 m hohen Olympos liegt das romantische Bergdorf mit engen Pflastergassen gesäumt von erkergeschmückten alten Steinhäusern. In so manchen sind noch traditionelle Handwerksbetriebe ansässig. Mittelpunkt des Städtchens ist die *Wallfahrtskirche der Panagia* (Gottesmutter) aus dem frühen 19. Jh. Hier verehren die Gläubigen eine Marienikone, die angeblich aus Jerusalem stammt. In einem Nebengebäude sind sakrale Kunst und skurrile Pilgergeschenke (u.a. Elefantenstoßzähne) ausgestellt (tägl. 9–19 Uhr, Eintritt 0,50 €). Auch der *Olympos* selbst lohnt einen Ausflug: Der Ausblick von oben ist großartig.

Plomári und Umgebung: Plomári, mit ca. 4.000 Einwohnern das zweitgrößte Städtchen der Insel, ist in ganz Griechenland für seinen Oúzo berühmt. Vier Destillerien gibt es hier, in denen man auch preiswert einkaufen kann. Der Ortskern ist freundlich, Unterkünfte sind vorhanden, nur sind die Strände unmittelbar vor Ort nicht die schönsten. Baden lässt es sich besser im 6 km westlich gelegenen Weiler *Melínda* (Kiesstrand), drei Tavernen vermieten dort auch Zimmer. Einen sehr gepflegten Strand findet man zudem im 3 km östlich gelegenen Ferienort *Ágios Isídoros*, dazu auch Bars, Diskotheken und viele Skandinavier.

Vaterá: Bei Vaterá erstreckt sich der rund 10 km lange und damit längste Strand der Insel. Er ist zwischen 40 und 50 m breit, Ferienhäuser säumen ihn. Auch im landeinwärts gelegenen Políchnitos kann man baden: in radioaktiven Thermalquellen. Die Kuranlagen sind mit "Hot Springs" ausgeschildert.

Moní Limonos: Im grünen Inselinnern nahe Kalloní und umgeben von 13 Millionen Olivenbäumen – so viele gibt es nämlich auf Lésbos – liegt das interessanteste Kloster der Insel. Im 16. Jh. wurde es gegründet, heute beherbergt es verschiedene soziale Einrichtungen. Sehenswert sind die *Klosterkirche* (für Frauen nicht zugänglich) und das *Klostermuseum* mit einer wertvollen Bibliothek.

Pétra: Gute Strände bringen Touristensegen, weshalb aus dem freundlichen, einst verschlafenen Städtchen im Nordwesten der Insel ein Ferienzentrum wurde. Wahrzeichen des Ortes ist die auf einem Felsklotz stehende *Kirche Panagía Glykofiloúsa* (18. Jh.) – 114 Stufen führen hinauf. Sehenswerter aber ist die kleine *Ágios-Nikoláos-Kirche* (unweit der Platía) mit gut erhaltenen Fresken aus dem 16. Jh. Von den Stränden bei Pétra ist der ruhigste der *Ambélia* (5,5 km westlich).

Mólivos (Mithimna): Nur ein paar Kilometer von Pétra entfernt liegt Mólivos, ein pittoreskes, wunderschönes Küstenstädtchen. Kein Neubau stört das Bild, seit den 1950ern steht der Ort unter Denkmalschutz. Und weil alles so malerisch ist, ist Mólivos zugleich das meistbesuchte Städtchen der Insel, dessen

Gassenwirrwarr zum Verlaufen einlädt. Gekrönt wird der Ort von einem gut erhaltenen *Kastell*, das in byzantinischer Zeit entstand und unter den Genuesen erweitert wurde (Di–So 8–15 Uhr, Eintritt 2 €). Der beste Badeplatz in der Nähe ist der *Eftaloú-Strand* (Kies) etwa 4 km östlich.

• *Übernachten* **Hotel Olive Press**, Schmuckstück am Ortsstrand. Die ausgediente Ölmühle ist stilvoll restauriert, Service und Ambiente sind vom Feinsten. DZ/Bad 65–90 €. ✆ 2253071205, ✆ 2253071647.

Hotel Sea Horse, hübsches Steinhaus mit 13 Zimmern am malerischen Hafen, z.T. mit Balkon. Auf der Vorderseite schöner Blick, aber auch laut. DZ/Bad 50–60 €. ✆ 2253071630, tekes@otenet.gr.

• *Essen & Trinken* **The Captains's Table**, Restaurant der Australierin Melinda. Offeriert wird griechische Küche mit Schwerpunkt Fisch, auch einige vegetarische Gerichte. Flinker Service. An der Tavernenmeile am Hafen.

Taverne To Chtapodi, in einem alten Steinhaus, 1978 gegründet. Das "Oktopus" ist eine der urigen Kneipen am Hafen.

Skála Eressoú: Skála Eressoú im kargen Westen der Insel lohnt vor allem wegen des kilometerlangen Strandes einen Besuch. Zugleich ist der Ort seit über zwei Jahrzehnten ein Wallfahrtsort der auf Sapphos Spuren wandelnden Frauenwelt. Obwohl architektonisch nicht gerade schön, eignet sich Skála Eressoú dennoch für ein paar Strandtage.

• *Übernachten* **Hotel Galini**, mitten im Ort, ein paar Gassen landeinwärts der Platia, östlich der Zufahrtsstraße. Recht komfortables Quartier mit 20 Zimmern (Klimaanlage und Balkon). DZ/Bad 40–50 €. ✆ 2253053138, galinogr@otenet.gr.

Lésbos – Insel der Sappho

Die legendäre Sappho, geboren 612 v. Chr. auf Lésbos, ist noch heute, mehr als 2.500 Jahre nach ihrem Tod, lebendig. Fährschiffe, Denkmäler und Straßen werden nach ihr benannt. Sie gilt als die erste Lyrikerin der Geschichte, und für Plato war sie die zehnte Muse. In Versfragmenten überliefert ist ihre Neigung zu Frauen, die der lesbischen Liebe ihren Namen gab.

Sígri/Versteinerter Wald: Am westlichsten Zipfel Lésbos liegt das kleine Küstendorf Sígri inmitten einer rauen, fast baumlosen Felslandschaft. Es ist ein ruhiger, in sich gekehrter Ort. Individualisten mit Sinn für wilde Romantik werden die einst rein türkische Siedlung lieben. Oberhalb der Straße nach Sígri thront, trutzig auf einem Vulkankegel, das *Kloster Moní Ipsiloú*. Es bietet herrliche Ausblicke und ein kleines Museum mit Ikonen, alten Handschriften, Priestergewändern usw. (Eintritt frei). Wegen dem nahe gelegenen Militärstützpunkt ist fotografieren verboten.

5 km südlich des Klosters kann man den sog. *Steinernen Wald* besuchen. Für das in Europa einmalige Naturphänomen ist ein Vulkanausbruch vor 15–20 Mio. Jahren verantwortlich. Die Wälder von Lésbos versanken damals unter einem Ascheregen. Das Wasser heißer Quellen tränkte die Stämme mit Mineralien, die Zelle um Zelle ersetzten. Im Laufe der Zeit verwandelte sich so die Holzstruktur zu Stein (ausgeschildert mit "Petrified Forest", tägl. 8–16 Uhr, Eintritt 1,50 €).

Der schönste Strand bei Sígri liegt übrigens rund 3 km nördlich, fragen Sie nach dem Weg zum *Faneroméni-Strand*.

Ayvalık

(ca. 30.000 Einwohner)

Das Schönste liegt nicht selten im Verborgenen: Im Gegensatz zu manch anderem Ägäisort zeigt Ayvalık seine Reize nicht direkt an der Uferfront, sondern im chaotischen Gassenwirrwarr dahinter. Wie vor 100 Jahren klappern dort noch Pferdefuhrwerke über das Pflaster.

Ayvalık liegt an einer zerlappten Küstenlandschaft, eingerahmt von duftenden Pinienwäldern. Das hört sich schön an, doch fährt man in das Städtchen, wirkt es auf den ersten Blick ein wenig enttäuschend. Ayvalıks Charme versteckt sich abseits seiner Durchgangsstraße, der lauten und nüchternen *İnönü Caddesi.* Ziel- und orientierungslos lässt es sich dort herrlich bummeln. Glauben Sie dabei nur keinem Stadtplan. Kreuz und quer kriechen die engen krummen Pflastergässchen wie Regenwürmer durch das alte Zentrum den Hang hinauf. Farbenfrohe klassizistische Stadtpalais mit leprösen Fassaden und hohen Portalen wechseln mit niederen einfachen Wohnhäusern und Werkstätten ab – stumme Zeugen der griechischen Vergangenheit.

Neben seiner pittoresken Altstadt bietet Ayvalık 23 vorgelagerte Inseln mit paradiesischen Buchten. Nur unmittelbar vor Ort fehlt es an Bademöglichkeiten. Kein Wunder also, dass Ayvalık für viele Urlauber lediglich abendliches Ausflugsziel ist. Die touristischen Zentren findet man südlich des Städtchens, z.B. im ursprünglich 4 km entfernt gelegenen Dorf *Çamlık*, das durch eine Vielzahl an Pensionen und Hotels heute mit Ayvalık fast zusammengewachsen ist. Noch 3 km weiter wurde am langen Strand von *Sarımsaklı* gar ein riesiges gesichtloses Hotelkonglomerat aus dem Boden gestampft. Keine Angst – die zerklüftete Küste um Ayvalık bietet zum Glück auch noch Badeplätzchen für ruhige Naturen.

Geschichte

Das heutige Ayvalık liegt im Siedlungsgebiet des antiken *Kydonia*, von dem spärliche Reste auf der nahen Insel Alibey ausgegraben wurden. Kydonia machte keine großen Schlagzeilen in der Geschichte, Ayvalık tat es ihm nach. In dem durch und durch griechisch geprägten Küstenort lebte man Jahrhunderte lang vom Fischfang und der Olivenölproduktion, zudem vom Handel mit der Insel Lésbos. Das brachte den Einwohnern neben Piraten – die vorgelagerten Inselchen boten genügend Verstecke – einen beachtlichen Wohlstand. Durch einen *Ferman* (Sultanserlass) verfügte Ayvalık als einzige osmanische Stadt im 18. Jh. über eine Kommunalverfassung mit weitgehender Autonomie. Bereits Anfang des 19. Jh. besaß die Stadt eine Akademie, eine Druckerei und florierende Industriebetriebe wie Gerbereien oder Raffinerien. Die wirtschaftliche Entwicklung Ayvalıks wurde 1821 für einige Jahre unterbrochen, als eine aufgebrachte Menge, durch den griechischen Freiheitskampf emotionalisiert, zwei türkische Schiffe vor der Küste kaperte und in Brand setzte. Zur Strafe wurden die Bewohner fast vollständig ins anatolischen Hochland verbannt.

Nach dem Ersten Weltkrieg mussten die griechischen Einwohner im Rahmen des Bevölkerungsaustauschs ihre Heimatstadt verlassen. Viele von ihnen sie-

Fast wie vor 100 Jahren – Gasse in Ayvalık

delten nach Lésbos über, Türken aus Kreta übernahmen ihre Häuser. Auch wandelten sie christliche Gotteshäuser in islamische Gebetsstätten um. Daran erinnern im Gassendschungel noch heute die *Çınarlı Cami* (ehem. *Agios-Yorgis-Kirche*) und die *Saatli Cami* (ehem. *Agios-Yanis-Kirche*), die "Uhrenmoschee", deren Kirchenglocke seit einem Erdbeben im Jahre 1944 schweigt. Lediglich die *Taxiyarchis-Kirche* aus dem 19. Jh. bekam nie ein Minarett aufgeklebt. Zum Zeitpunkt der Recherche fanden umfangreiche Restaurierungsarbeiten an ihr statt, nach der Wiedereröffnung wird man im Inneren auf Fischhaut gemalte Bilder bewundern können.

Die ersten Jahrzehnte unter türkischer Regie waren von Armut geprägt, schleichend verfiel die alte griechische Bausubstanz. Heute kehrt sich das Blatt langsam wieder. Ayvalık ist ein aufstrebender Küstenort, ohne jedoch an die Blüte von einst anknüpfen zu können. Zu den alten Erwerbszweigen Fischerei und Olivenölproduktion (rund 7.000 t jährlich) gesellt sich der Fremdenverkehr. Die Stadtverwaltung hat das touristische Potential der alten griechischen Stadthäuser erkannt, mittlerweile wird fleißig restauriert.

Information/Verbindungen/Ausflüge

• *Telefonvorwahl* 0266.

• *Information* Kiosk für knappe Auskünfte nahe den Ausflugsbooten am Hafen. Informativer ist die **Tourist Office** stadtauswärts Richtung Çamlık auf der linken Seite, leicht zu übersehen. Leider ohne Fremdsprachenkompetenz. Mo–Fr 8.30–18 Uhr, Sa 10–16 Uhr. ✆/℻ 3122122.

• *Verbindungen* **Bus**bahnhof 1,5 km nördlich des Zentrums an der Durchgangsstraße. Über Burhaniye nach Edremit alle 20 Min., nach İzmir (3,5 Std.) oder Çanakkale (3,5 Std.) etwa stündl., ebenfalls stündl. nach Bergama (45 Min.), mehrmals tägl. nach Balıkesir (2 Std.) und Bursa (4–5 Std.). Gute Verbindungen zudem nach İstanbul

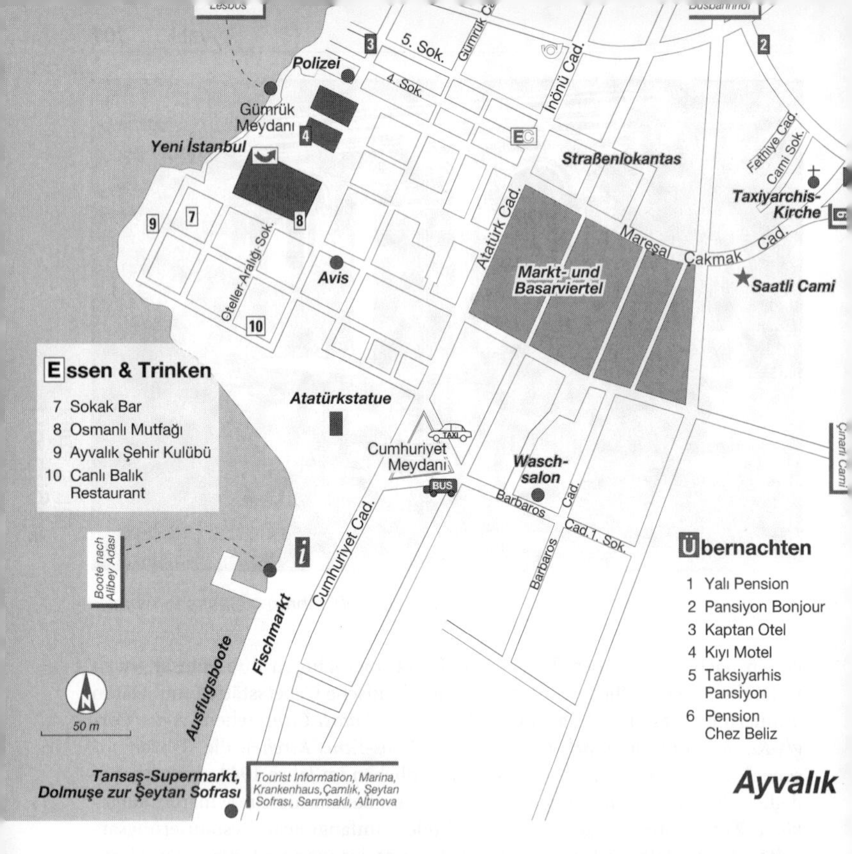

(mind. 6 Std.) und einige Male pro Tag nach Ankara (11 Std.). Buchungsbüros befinden sich rund um den Cumhuriyet Meydanı.

> **Achtung Anreise**: Nicht alle Busse, die entlang der Küste unterwegs sind, steuern den Busbahnhof von Ayvalık an. Manche Gesellschaften lassen ihre Fahrgäste mehrere Kilometer landeinwärts an der Fernstraße İzmir–Çanakkale/Abzweigung Ayvalık aussteigen. Von dort gelangen Sie mit dem Dolmuş ins Zentrum. Erkundigen Sie sich diesbezüglich am besten vorm Kartenkauf.

Stadtbus/Dolmuş: Stadtbusse verbinden den Busbahnhof mit dem Zentrum und fahren bis nach Çamlık, zudem besteht eine Stadtbusverbindung vom Zentrum zur Alibey Adası (Abfahrt vom Cumhuriyet Meydanı). Die Minibusse nach Sarımsaklı (6–23 Uhr) und am Abend zur Şeytan Sofrası starten einige hundert Meter südlich des Cumhuriyet Meydanı beim Tansaş-Supermarkt. Die Minibusse nach Bergama (tagsüber im Stundentakt, 2 €) fahren noch weiter südlich nahe der Marina ab.

Taxi: Standort am Cumhuriyet Meydanı. Auf die Alibey Adası (Hauptort) 7 €, nach Bergama (Tagestour) 60 €.

• *Schiffsverbindungen* **Boote zur Alibey Adası** starten tagsüber jede volle Stunde am Kai zwischen Infokiosk und Fischmarkt. Für die drei Seemeilen brauchen die Schiffchen knapp 30 Min.

Fähren nach Lésbos: 2 Gesellschaften bedienen die Strecke. Im Sommer nahezu tägl. Verbindungen, im Winter mehrmals wöchentlich. Abfahrt in Ayvalık meist nachmittags, zurück kommt man erst am nächsten Tag. Pro Person 40 € einfach (retour 50 €), Auto 40–60 € (retour 70–90 €), Motorrad 25 € (retour 40 €). Dauer je nach Schiff 90–120 Min. Für die Rückfahrt werden in Griechenland 9 € Hafensteuer erhoben. Reservierung ein Tag im Voraus. Nähere Infos bei **Jale Ferry Boat Agency**, Gümrük Cad. 24, ✆/℻ 3122740 oder **Yeni İstanbul**, Gümrük Meydanı 9/7, ✆ 3126123.

• *Bootsausflüge* Tagestouren mit Badestopps zu den Stränden der vorgelagerten Inseln, pro Person mit Mittagessen 4,50 €. Verhandelt wird am Kai nahe dem Infokiosk. Abfahrt i.d.R. um 10 Uhr.

• *Organisierte Touren* Wenig Auswahl, da in Ayvalık vorrangig Türken Urlaub machen. Tagesausflüge nach Pergamon, Troja, Bursa oder Ephesus können dennoch in diversen Reisebüros im Zentrum gebucht werden. Die Preise sind von der Gruppengröße abhängig.

• *Parken* Entlang der Durchgangsstraße herrscht Parkverbot. Parkplätze sind mit "Otopark" ausgeschildert. Suchen Sie besser nicht auf eigene Faust einen Platz in den Gässchen abseits der Uferstraße – dort geht es verdammt eng zu.

Adressen/Einkaufen

• *Ärztliche Versorgung* **Krankenhaus** auf Höhe der Marina an der Straße nach Çamlık. Englischsprachig. ✆ 3121744.

• *Autoverleih* Ein Büro von **Avis**, dem einzigen internationalen Anbieter in Ayvalık, befindet sich in der Talatpaşa Cad. 677/B, ✆ 513353, ℻ 5119496. Inkl. Versicherungen ab 50 € pro Tag. Günstiger die zahlreichen lokalen Anbieter entlang der Durchgangsstraße, das preiswerteste Fahrzeug ist hier ab 30 € (allerdings ohne Vollkaskoversicherung) zu bekommen.

• *Einkaufen* Tägl. am Hafen Fisch- und, überdacht im Zentrum, Gemüsemarkt. Großer **Wochenmarkt** zudem jeden Do im Zentrum. Die Auswahl an Leder-, Teppich- und Schmuckgeschäften ist beschränkt. Das lokale Olivenöl zählt zu den besten der Ägäis.

• *Geld* **T.C. Ziraat Bankası** mit EC-Automat an der İnönü Cad. 25.

• *Polizei* in der Mareşal Çakmak Cad. nahe dem Zoll (Gümrük), ✆ 3129500.

• *Post* an der İnönü Cad., der Hauptdurchgangsstraße.

• *Waschsalon* Einen Self-Service-Waschsalon gibt es nicht. Eine **Reinigung** (Kuru Temizleme) befindet sich in der Barbaros Cad. 1 Sok. Abgerechnet wird nach Stückzahl.

• *Zweiradverleih* Obwohl die Umgebung dazu einlädt, mit dem Fahrrad oder Moped erkundet zu werden, existiert kein Zweiradverleih in Ayvalık. Der nächste Anbieter befindet sich in Sarımsaklı: **P&M Motorbike**, Atatürk Bul. 36/A, ✆ 3246445.

Übernachten/Camping

Große sternengeschmückte Hotels gibt es in Ayvalık nicht, es überwiegen einfachere Quartiere, darunter jedoch einige wirklich schöne Pensionen. Die vielen Hotels an der Straße nach Çamlık sind laut und daher auch nicht zu empfehlen. Für weitere Unterkünfte in der Umgebung → Alibey Adası, S.205.

Kaptan Otel (3), kleines Hotel nahe der Post, von der Durchgangsstraße ausgeschildert. Ordentliche Standardzimmer, DZ mit Klimaanlage 27 €, ohne 21 €. Schöne Terrasse direkt am Meer, eigener Parkplatz. Balıkhane Sok. 7, ✆ 3121271, ℻ 312118.

Pansiyon Bonjour (2), etwas versteckt in einem schönen alten Steinhaus im engen Gassenwirrwarr hinter der Uferstraße. Eingangsbereich mit Antiquitäten, die 7 Zimmer nicht mehr ganz so prunkvoll, aber mehr als okay. Schöner Innenhof, Gemeinschaftsküche. DZ mit Frühstück 20 €. Çeşme Sok. 5, ✆ 3128085. Ab der Post beschildert.

Chez Beliz (6), eine charmante Unterkunft, geführt von der liebenswerten ehemaligen Filmschauspielerin Beliz İşlek, ebenfalls im Gassenwirrwarr hinter der Uferstraße. Vermietet werden 5 einfache, aber sehr freundliche Zimmer, zudem 3 Bungalows. Hübsches Gärtchen, tolles Frühstücksbüfett und auf Wunsch ein herrliches Abendessen von Beliz höchstpersönlich (8 €). Saubere Gemeinschaftsbäder, Waschservice, Fahrradverleih. EZ ab 10 €, DZ ab 20 €, Dreier ab 28 €. Mareşal Çakmak Cad. 28, ✆ 3124897, chezbeliz@hotmail.com. Von der Post zunächst der Beschilderung zur

"Pansiyon Bonjour" folgen, dort rechts halten. Etwas weiter dann beschildert.

Pansiyon Taksiyarhis (5), Topptipp unter den Billigunterkünften. Stilvoll restauriertes Haus, mit viel Liebe eingerichtet. Gemütliche Zimmer (meist mit mehreren Betten), sehr saubere Gemeinschaftsbäder. Gärtchen mit Hängematte, Terrasse mit Wahnsinnsblick, jede Menge Bücher, Waschmaschine und Internet. Obwohl 95 % der Gäste aus dem Ausland kommen, spricht das nette Wirtsehepaar leider keine Fremdsprache. Pro Person ohne Frühstück 8 €. Maraşal Çakmak Cad. 71, ✆ 3121494, ℻ 3122661. Anfahrt wie bei Chez Beliz.

Yalı Pension (1), in Postnähe. Nur durch die hauseigene Gartenterrasse (herrlich!) vom Meer getrennt. 8 einfache Zimmer mit hohen Wänden in einem über 200 Jahre alten Gebäude. Etagentoilette. Pro Person 9 € inkl. Frühstück. PTT arkası 25, ✆ 3122423.

Kıyı Motel (4), akzeptable Billigunterkunft, 8 sterile kleine Zimmer, die ein bisschen rosa Stuck auflockert. Private Sanitärs, 2 Zimmer mit Meeresblick. Pro Person keine 3 €. Gümrük Meydanı 8, ✆ 3126677.

• *Außerhalb* ****Ayvalık Beach**, ca 8 km südlich von Ayvalık an der Straße zur Şeytan Sofrası. Gepflegte Bungalowclubanlage direkt am Meer in einem Pinienwald. Pool und eigener Strandabschnitt. DZ 100 €, EZ 75 €. ✆ 3245300, ℻ 3245304.

• *Camping* **Çamlık Camping**, ca. 200 Stellplätze auf einem terrassierten Hügel nahe der Straße nach Sarımsaklı, ca. 4 km südlich von Ayvalık. Schöner Platz mit viel Schatten, einfacheren sanitären Anlagen und Bungalowvermietung. 2 Pers. mit Zelt und Auto zahlen 3,50 €, Bungalows 6–7,50 €. ✆ 3122286.

Ein weiterer Platz namens **Çamlık Orman İçi Dinlenme Yeri** befindet sich auf dem Weg von Çamlık zur Şeytan Sofrası. Einfacher, aber nicht viel billiger.

Essen & Trinken/Nachtleben (siehe Karte S. 202)

Gute und schattige Straßenlokantas findet man nördlich der Mareşal Çakmak Cad., fast alle schenken auch Bier aus. Die Fischrestaurants nahe der Atatürkstatue sind allesamt gut, aber auch nicht billig – wählen Sie am besten das mit dem schönsten freien Tisch. Preiswerten Fisch (auch als Snack im Brot) bekommt man in den Imbisslokalen beim Fischmarkt. Äußerst beliebt sind übrigens auch die Fischlokale auf der Alibey Adası. Zahlreiche Pide- und Kebabsalons findet man entlang der Durchgangsstraße und ihren Seitengassen

Canlı Balık Restaurant (10), bietet neben Fisch auch eine große Auswahl an Topfgerichten und Meze. Für ein Abendessen sollte man mit rund 15 € pro Person rechnen. Bei der Atatürkstatue an der Uferfront.

Ayvalık Şehir Kulübü (9), am Rande des großen Trubels. Gemütliche Terrasse am Wasser. Über 30 verschiedene Meze zur Auswahl – der ideale Ort für einen längeren Abend mit viel Rakı. Hervorragende Fisch- und Fleischgerichte. Preislich okay, Hauptgerichte 2–4 €. Belediye Sok.

Osmanlı Mutfağı (8), einfaches, aber stets gut besuchtes Restaurant mit einer großer Auswahl an Topfgerichten, zudem Pide und leckere Spieße vom Grill. Preiswert. Die Adresse für mittags! Talat Paşa Cad.

• *Außerhalb* **Cennet Koyu Şahin**, in Çamlık gleich neben dem Çamlık Camping an der Straße nach Sarımsaklı. Gepflegte Lokalität in einem kleinen apricotfarbenen Bau abseits des Trubels und direkt am Meer. Geboten werden originelle Meze, auch mit Meeresfrüchten (0,90–2,40 €), und Gegrilltes zu 1,50–3,50 €.

Belediye Gazinosu, in Çamlık an der Durchgangsstraße nach Sarımsaklı. Urgemütliche, von Pinien beschattete Mischung aus Teegarten und Restaurants. Nur einfache Gerichte wie Gözleme, Köfte oder Suppe, sehr preiswert.

• *Nachtleben* Mit international renommierten Ferienorten wie Bodrum oder Kuşadası kann Ayvalıks Nightlife selbstverständlich nicht mithalten, ein paar nette Anlaufpunkte hat man zwischen Hafen und Fährhafen dennoch. Einer davon ist die **Sokak Bar (7)** in der Gazinolar Sok. 11, eine lustigverspielt eingerichtete Kneipe mit kleiner Terrasse am Meer und gelegentlicher Livemusik. Getanzt wird gleich nebenan im **Kytaro Club**.

Baden/Tauchen

• *Baden* Wie bereits gesagt, gibt es in Ayvalık selbst keine Bademöglichkeiten. Am besten per Bootsausflug zu den Badebuchten der vorgelagerten Inseln. Strände findet man ferner auf der **Alibey Adası** (s.u.) und in **Çamlık.** Der Knoblauchstrand von **Sarımsaklı** (türk. *sarımsak* = Knoblauch) ist rund 7 km lang und 200 m breit, im Siedlungsbereich allerdings mit Sonnenschirmen und Liegestühlen vollgepflastert und teilweise von den anliegenden Hotels reserviert.

• *Tauchen* **Körfez Diving Center**, eine der wenigen Tauchbasen in der ganzen Region. Bietet Ausfahrten für erfahrene Taucher und Kurse. 2 Bootstauchgänge mit Equipment ca. 35 €. Bei den Ausflugsbooten am Hafen. ✆ 0532/22663589 (mobil).

Umgebung von Ayvalık

Alibey Adası (Insel Alibey): Insel oder Halbinsel – der Status ist nicht ganz klar, da das Eiland rund 8 km nordwestlich von Ayvalık über Brücke und Damm trockenen Fußes erreicht werden kann. Die früheren Bewohner, Griechen, nannten ihre Heimat "Insel des Duftes". Heute zieht vor allem der Duft der zahlreichen Fischbratereien des Hauptortes über die Insel – allabendlich lädt die dortige Uferpromenade mit ihren vielen Fischlokalen zum Schlemmern und Flanieren ein. Tagsüber wirkt der beschauliche 2.000-Seelen-Ort mit seinen alten griechischen Häusern wie ausgestorben. Mit Schlagseite legen am Vormittag die Ausflugsboote ab, erst am späten Nachmittag kommen sie von der Badetour zurück. Eine kleine Attraktion ist die im Verfall begriffene, nur noch als Skelett existierende *griechisch-orthodoxe Kirche.*

Den Reiz der Insel entdecken seit Jahren mehr und mehr wohlhabende Türken – alte Häuser werden herausgeputzt, neue gebaut. So ist leider auch Alibey Adası, schlicht "Cunda" genannt, von uniformen Ferienhaussiedlungen nicht verschont geblieben. Doch finden sich abseits des Hauptortes noch etliche ruhige Fleckchen und nette, von Pinienwäldern umrahmte Sandbuchten. Bei kleinen Wanderungen kann man zudem Ruinen alter Klöster entdecken. Tipp: Hinauf zu den Buchten im recht unberührten Norden der Insel! Dahin aber gelangt man nur zu Fuß oder mit einem Mietfahrzeug.

• *Verbindungen* Regelmäßige **Bus**- und **Boots**verbindungen (→ Ayvalık/Verbindungen, S. 202).

• *Bootsausflüge* gleiches Angebot wie in Ayvalık.

• *Einkaufen* **Günaydın Tekel**, in dem lustigen kleinen Laden im Zentrum von Alibey-Dorf (notfalls fragen) wird bizarrer Wein verkauft, z.B. mit Schokoladen- oder Bananengeschmack – eine Adresse für Aspirinfreaks.

• *Übernachten* ***Ortunç**, ganz im Westen der Insel, rund 4 km von Alibey-Dorf entfernt. Laut Prospekt ein "verstecktes Paradies", und dem kann man nur zustimmen. Gemütliche, von einem Pinienhain umgebene Bungalowanlage abseits jeglichen Trubels. Sehr gepflegt, der Rasen hat Golfplatzniveau. Eigener Strand. Betreiber Orhan Tunç ist übrigens ein ehemaliger Opernsänger. Pro Person 31 € inkl. Frühstück. ✆ 3271120, 📠 3272082. Nicht mit öffentlichen Verkehrsmitteln zu erreichen.

Altay Pansiyon, im Zentrum von Alibey-Dorf ein paar Reihen hinter dem Meer. Empfehlenswert. Vermietet werden 9 blitzeblanke Zimmer auf äußerst hohem Niveau: Fliesenböden, Kühlschrank, Ventilator und Fön im Bad. Leider etwas hellhörig. Gemeinschaftsküche und kleiner Hinterhof zum Frühstücken. Ein Swimmingpool ist in Planung. DZ mit Frühstück 18 €. ✆ 3271024, 📠 3125438.

Atün Pansiyon, einfache, aber ordentliche Unterkunft in zweiter Reihe nahe der Anlegestelle für Ausflugsboote in Alibey-Dorf. Das alte, rot-weiße Steinhaus schlägt zum Teil das Niveau so mancher Unterkunft in der ersten Reihe und kostet nicht einmal die Hälfte. DZ mit Bad und ohne Frühstück 12 €. ✆ 3271554.

• *Camping* **Ada Camping**, rund 4 km westlich des Inselhauptortes. Großer Familienplatz in ruhigster Lage zwischen Olivenbäumen. Einfache, saubere Sanitäranlagen, Camperküche, Minimarkt. Eigener Kiesstrand in einer kristallklaren Bucht. Gutes Terrassenrestaurant. Jan. und Febr. geschlossen. Pro Person 3 €, Auto oder Motorrad 1,20 €, Zelt je nach Größe 1,20–3,50 €. Wer nur den Strand benutzen will, bezahlt 2,50 €. ✆ 3271211, 📠 3272065. Beschildert, nicht mit öffentlichen Verkehrsmitteln zu erreichen.

• *Essen & Trinken/Nachtleben* Alibey besitzt um die 20 gute Fischlokale am Hafen, wo man angeblich aus 118 Sorten Fisch (!) wählen kann. Das **Saki Kaptan** gilt als eines der besten in der höheren Preisklasse. Gleich in der Nähe befindet sich der **Dinosaur Club** für den Absacker hinterher. Gemütliche Kneipe mit niederen Tischen in altem Natursteingemäuer, regelmäßig Livemusik.

Şeytan Sofrası: Der Beelzebub bittet zu Tisch. Şeytan Sofrası ("Teufelstafel") nennt man eine tischförmige Gesteinsformation auf der Sarımsaklı-Halbinsel rund 10 km südwestlich von Ayvalık. Hier kann man den Teufel bestechen und eine Münze in einen Spalt am Tischrand werfen – jeder Wunsch geht so in Erfüllung, heißt es. Der Grund für die allabendlichen Massenversammlungen zum Sonnenuntergang ist jedoch weniger das Loch im Felsen als die traumhafte Aussicht über die zerklüftete Küstenlandschaft. Ein paar Lokale laden hier zum Sundowner der Extraklasse ein.

• *Anfahrt/Verbindungen* Die Şeytan Sofrası ist auf dem Weg von Çamlık nach Sarımsaklı ausgeschildert. **Dolmuşe** (stets überfüllt) fahren nur am Abend dorthin (→ Ayvalık/Verbindungen). Man kann jedoch auch ein Dolmuş nach Sarımsaklı nehmen und von dort loswandern – schöne Ausblicke sind garantiert.

Zwischen Ayvalık und Bergama verläuft die Nationalstraße 550 weitestgehend in einem größeren Abstand zur Küste und führt durch eine weite, baumlose Schwemmlandebene, die landwirtschaftlich intensiv genutzt wird. Nach ca. 15 km passieren Sie das Landstädtchen Altınova. Folgt man dort der Beschilderung "Sahil sitelerine gider", gelangt man in die Feriensiedlung *Tatlısu*. Deren Sandstrand ist zwar kilometerlang, die bis zu 30-reihigen Apartmentblocks dahinter aber leider noch länger. Erst auf Höhe des wenig attraktiven Badeortes Dikili schwenkt die D 550 ins Landesinnere nach Bergama, dem antiken Pergamon ab.

Dikili

In osmanischer Zeit war Dikili der Ausfuhrhafen von Bergama, heute machen hier in erster Linie Kreuzfahrtsschiffe für den Landgang "Pergamon" fest. Ansonsten ist das 12.000-Einwohner-Städtchen fest in der Hand türkischer Urlauber. Dikili ist gepflegt, aber gesichtslos. Nicht nur der im Sommer gnadenlos überfüllte, wenig aufsehenerregende Stadtstrand, der sich vom Hafen gen Westen zieht, lässt an eine türkische Ausgabe von Jesolo oder Caorle denken. Auf der breiten Uferpromenade reiht sich Café an Café und in den recht schattigen Straßen dahinter ersteht man Luftmatratzen und Sonnenschirme. Eine Prise Orient vermag nicht einmal der dienstägliche Obst- und Gemüsemarkt zu verschaffen.

• *Verbindungen* **Bus**bahnhof in Hafennähe. Gute Anschlüsse nach Ayvalık, Richtung İzmir und nach Bergama, zudem **Dolmuşe** nach Çandarlı und Bademli. Achtung: Viele Busse auf der Strecke Ayvalık–İzmir lassen ihre Passagiere an der Fernstraße ca. 4 km nordöstlich des Zentrums aussteigen. Erkundigen Sie sich am besten im Voraus, welche Busgesellschaften Dikili direkt ansteuern.

• *Übernachten* Von der einfachen Pension bis zum Vier-Sterne-Hotel ist alles vorhanden, Unterkünfte mit Flair sind nicht darunter. Unsere Adresse für "Gestrandete":

Antur Motel, große Anlage mit 60 Bungalows. Lassen Sie sich einen in erster Reihe mit Terrasse direkt am Strand geben. Die Bungalows selbst sind leider nicht mehr auf dem neuesten Stand: z.T. zwar noch schön geflieste Böden, aber schon weniger schön geflieste Bäder. Eigener Parkplatz. DZ 15 €, Dreier 21 €. Direkt am zentralen Kreisverkehr nahe dem Busbahnhof, ✆/℻ 0232/6714103.

Pergamon/Bergama

Alltägliches versus Prunk, Provinznest versus Weltstadt, Gegenwart versus Antike – alles vereinigt in Bergama, dem einstigen Pergamon.

Rund 60.000 Einwohner zählt Bergama, eine Provinzstadt mit reizvollem Marktviertel. Sie liegt inmitten der fruchtbaren Ebene des *Bakır Çayı* auf den Ruinen des römischen Pergamon und zu Füßen jenes Berges, von dessen Akropolis die Attaliden zuvor ein Weltreich regierten. Die meisten Besucher sind Tagestouristen. In Bergama kann man dank einiger guter Unterkünfte aber auch längere Zeit verweilen. Wer alle Sehenswürdigkeiten auf eigene Faust entdecken will, braucht mindestens einen Tag. Pergamon ist kein kleines kompaktes Ausgrabungsgelände, die Highlights liegen kilometerweit verstreut.

Nordägäis Karte S. 169

Orientierung: Wer von der Westküste nach Bergama fährt, gelangt über die İzmir Caddesi geradewegs ins Zentrum. Die Straße ist zugleich auch die Hauptachse des Städtchen, nahezu alle öffentlichen Einrichtungen liegen an ihr oder sind von ihr ausgeschildert. Sie ist mehrere Kilometer lang, das Zentrum beginnt auf Höhe des *Archäologischen Museums*. Etwas weiter nördlich ändert die İzmir Caddesi ihren Namen in Bankalar Caddesi. Sie endet in der geschäftigen Altstadt um die riesige Ruine der *Kızıl Avlu (Rote Halle)*. Hier schmiegen sich windschiefe Backsteinbauten eng aneinander, durch die verschlungenen Gassen passen oftmals nur noch Mopeds.
Die zwei größten Attraktionen Pergamons liegen außerhalb des Zentrums: das *Asklepieion* im Südwesten der Stadt (ca. 30 Gehminuten vom Archäologischen Museum, ausgeschildert), die *Akropolis* in entgegengesetzter Richtung (zu Fuß auf den Burgberg bedarf es mindestens 90 Min.). Es gibt keine öffentlichen Verkehrsmittel zur Akropolis oder dem Asklepieion. Den Transport besorgen Taxis, zur Akropolis 4,10 €, zum Asklepieion 2,40 €, eine 2- bis 3-stündige Tour zu beiden Sehenswürdigkeiten 15 €.

Geschichte

Funde bezeugen, dass die Umgebung Pergamons bereits seit der Bronzezeit besiedelt ist. Erste Befestigungen auf dem Burgberg, übrigens ein alter Vulkanschlot, entstanden vermutlich im 7.–6. Jh. v. Chr. Geschichte begann Pergamon jedoch erst nach dem Tod Alexanders des Großen zu schreiben. Dessen bedeutendster Feldherr Lysimachos hatte sich in Thrakien und Kleinasien einen eigenen Herrschaftsbereich geschaffen und aus vielen Eroberungszügen ein Vermögen von rund 9.000 Talenten angeeignet. 1 Talent entsprach einem 20 kg schweren Silberbarren – Lysimachos saß also auf einem Berg Silber von rund 180.000 kg! Bevor Lysimachos in die Schlacht gegen den Syrerkönig Seleukos zog, ließ er den Schatz nach Pergamon bringen und dort von seinem Eunuchen Philetairos bewachen. Lysimachos kam nie aus der Schlacht zurück – er fiel 281 v. Chr.

Der reich gewordene Eunuch Philetairos schwang sich zum Herrscher von Pergamon auf – die Geburtsstunde eines neuen Reiches. Seinem Adoptivsohn Eumenes gelang es, durch die siegreiche Schlacht gegen die Syrer bei Sardes 262 v. Chr. den Herrschaftsbereich weiter auszudehnen. Dessen Nachfolger, sein Neffe Attalos, triumphierte über die Kelten in der Schlacht bei den Kaikos-Quellen 230 v. Chr. Daraufhin nahm er den Königstitel an und wurde als Attalos I. erster Regent des pergamenischen Königshauses. Pergamons Ruhm verbreiteten sich daraufhin im ganzen hellenistischen Kulturraum. Es folgte der Bau der berühmten *Bibliothek*, des *Athenatempels* und etlicher Denkmäler.

Attalos I. schloss zudem eine Allianz mit Rom. Seinem Sohn Eumenes II. gelang mit Hilfe des mächtigen Verbündeten 190 v. Chr. in der Schlacht von Manisa (→ S. 227) ein weiterer Sieg gegen die Syrer. Nach dem Motto "Divide et impera!" ("Teile und herrsche!") überließen ihm die Römer den größten Teil der neu gewonnenen Gebiete. Während seiner Regierungszeit avancierte Pergamon zur Weltstadt. Die Akropolis wurde mit einer Stadtmauer versehen, das *Gymnasion* gebaut, die *Theaterterrasse*, die *Untere Agora* und der berühmte *Zeusaltar*. Intellektuelle und Künstler aus der ganzen antiken Welt zog es auf den Burgberg.

133 v. Chr. starb Attalos III., der letzte König von Pergamon. Er soll ein sonderbarer Mann gewesen sein, der seinen Palast aus Verfolgungswahn selten verließ und sich vorrangig dem Studium von Giftpflanzen widmete, die er an Verbrechern testete. Der schnell aufeinanderfolgende Tod seiner Mutter und seiner Frau brach ihm schließlich das Herz. In seinem Testament zeigte er jedoch wie seine Vorgänger politische Weitsicht: Um einer stabilen Politik willen vermachte er sein ganzes Reich den Römern.

So kam einer der menschenreichsten und wohlhabendsten Landstriche der damals bekannten Welt als *Provinz Asia* zu Rom und aus dem Reich wurde ein Imperium. Die Stadt selbst profitierte davon und erlebte ihre größte Blüte. Vom Burgberg bis in die weite Ebene dehnte sie sich nun aus, die Einwohnerzahl stieg auf 150.000 an. Unter dem Arzt Galenos entwickelte sich das *Asklepieion* zu einer der berühmtesten Heilstätten der Antike. Zudem besaß Pergamon aufgrund seiner großen christlichen Gemeinde auch noch eine der sieben apokalyptischen Kirchen.

Nach dem Goteneinfall 262 n. Chr. begann Pergamons Stern zu sinken. In byzantinischer Zeit verlor die Stadt so an Bedeutung, dass sich die Einwohnerzahl auf 8.000 reduzierte. Das Stadtgebiet verlagerte sich wieder auf den Burghügel, wo man sich besser gegen einfallende Turkstämme schützen konnte. Erst als die Osmanen im 14. Jh. den Landstrich eroberten, verließen die Bewohner den Burgberg wieder. Am Fuß des Hügels legten sie, über den Ruinen der römischen Blütezeit, den Grundstein zum heutigen Bergama.

1873 entdeckte der deutsche Ingenieur Carl Humann nahe Bergama im Stroh eines Ochsenkarrens eine mit Reliefs verzierte Marmorplatte. Er kaufte sie dem Bauern für einen Pfennigbetrag und schickte sie an jenes Museum in Berlin, das heute als *Pergamon-Museum* bekannt ist. Fünf Jahre danach begannen unter Humanns Leitung die Ausgrabungen der antiken Weltstadt Pergamon.

Was hier einst stand, befindet heute in Berlin

Die wertvollsten Fundstücke verschwanden schnell in Berlin, so der einzigartige *Fries des Zeustempels*. Humann ließ sich übrigens nahe dem einstigen Zeustempel bestatten. Heute leitet das Deutsche Archäologische Institut İstanbul die Ausgrabungen vor Ort.

In den letzten Jahren machte Bergama vor allem durch den Widerstand lokaler Bauern gegen den Abbau von Gold mit hochgiftigem Zyanid Schlagzeilen. Über Gerichtsentscheidungen zu Gunsten der Goldabbaugegner setzte sich die türkische Regierung immer wieder hinweg. In diesen Konflikt gerieten 2002 auch die deutschen Konrad-Adenauer-, Friedrich-Ebert-, Friedrich-Naumann- und Heinrich-Böll-Stiftungen sowie das Deutsche Orient-Institut in İstanbul. Die türkische Staatsanwaltschaft ermittelte wegen Spionageverdachts und Geheimbündelei. Als "Tarnadressen des BND" sollten die Stiftungen Vertreter der örtlichen Bürgerinitiative unterstützt haben. Es kam zu einem Strafprozess, einem mysteriösen Mord in den Reihen der Staatsanwaltschaft und im März 2003 zum Freispruch für die parteinahen Stiftungen. Europäische Diplomaten sahen in dem Prozess einen Versuch türkischer EU-Gegner, die deutsch-türkischen Beziehungen zu belasten.

Information/Verbindungen

- *Telefonvorwahl* 0232.
- *Information* An der Hauptdurchgangsstraße, ausgeschildert. So inkompetent, dass selbst das Herausfinden der eigenen Telefonnummer 10 Min. dauert. Mo–Fr 8.30–17.30 Uhr. Yeni Hükümet Konağı, B Blok Zemin Kat., ✆/℻ 6312851.
- *Verbindungen* **Bus**: Der Busbahnhof liegt an der İzmir Cad, ca. 500 m südlich des Zentrum in einem neueren Stadtteil Bergamas. Von hier bestehen Direktverbindungen nach Ayvalık (45 Min.), Dikili (30 Min.) und İzmir (2,5 Std.), zudem ein Nachtbus über Bursa nach İstanbul (9 Std.). **Achtung**: Nicht

alle Busse auf der Strecke Çannakale–İzmir steuern den Busbahnhof an, manche lassen ihre Fahrgäste an der Schnellstraße bei der Abzweigung nach Bergama aussteigen. Von dort gelangen Sie mit dem Dolmuş ins Zentrum, mit dem Taxi darf die Strecke nicht mehr als 3 € kosten. Erkundigen Sie sich am besten vorher, ob die jeweilige Busgesellschaft Bergama direkt anfährt.

Adressen/Einkaufen/Sonstiges

- *Ärztliche Versorgung* **Krankenhaus** nahe dem Museum, ausgeschildert. ✆ 6323990.
- *Einkaufen* **Teppiche** aus Bergama zählen zwar zu den besten der Türkei, Qualitätsstücke aber werden als Auftragsarbeiten fast ausschließlich in İstanbul oder Europa verkauft. **Onyx**, der in Bergama bearbeitet wird, kann problemlos in jeder Menge erworben werden. Souvenirs und diversen Krimskrams bekommt man im **Kapalı Çarşı**, dem Gedeckten Basar. Ein großer bunter **Wochenmarkt** findet stets Mo im alten Zentrum statt.
- *Festival* **Bergama Festival** stets Anfang Juni. 7 Tage volles Programm mit türkischen Folkloregruppen und Schlagergrößen, dazu Paraden, archäologische Konferenzen, Tagungen etc.
- *Geld* Etliche Banken entlang der Bankalar Cad., darunter auch die **T.C. Ziraat Bankası** mit EC-Automat.
- *Türkisches Bad (Hamam)* **Çarşı Hamamı** in der Bankalar Cad. nahe dem Gedeckten Basar. Das angeblich schönste Bad der Stadt ist so besonders auch nicht. Normalerweise nur für Männer, bei Touristengrüppchen macht man Ausnahmen. Tägl. 7–21 Uhr. Eintritt ohne Massage 1,80 €.
- *Polizei* nahe der TI an der Hauptdurchgangsstraße, ✆ 6312908.
- *Post* im Zentrum an der Hauptstraße.

Übernachten

Anil Hotel (9), eine gute Option im Zentrum. Lila gestrichenes, 2000 eröffnetes Haus, dementsprechend gut in Schuss. 12 Zimmer, bei denen mit Farben nicht gespart wurde, alle mit Klimaanlage, TV und Fön. Schöne Dachterrasse, auf der im Sommer gegrillt wird, freundlicher Service. EZ 37 €, DZ 50 €, Dreier 65 €. Hatuniye Cad. 4, ✆ 6311830, www.anilhotel.com.

*****Hotel Berksoy (12)**, der Sternenzahl nach das bislang beste Haus der Stadt, ca. 3 km außerhalb des Zentrums an der Straße nach İzmir. 60 freundliche Zimmer mit TV und leicht ausgefransten Teppichböden. Zentralheizung, Tennisplatz und Swimmingpool. DZ inkl. Frühstücksbüfett 40 €, EZ 30 €. ✆ 6329609, 📠 6335346.

Böblingen Pension 10), nach der Partnerstadt von Bergama benannt, am Abzweig zum Asklepieion. Sehr gepflegte Zimmer mit und ohne Bad, größtenteils mit Stein- oder Dielenböden. Restaurant, lustige Cafébar unterm Dach, schöne Terrasse zum Frühstücken. Die nette Wirtsfamilie spricht Deutsch. Lesertipp. DZ ab 12 € inkl. Frühstück. Asklepion Cad. 2, ✆ 633 2153.

Pergamon Pension (8), ein 150 Jahre altes Haus an der Hauptstraße. Einfachste Zimmer mit schmuddeligen braunen Teppichböden, rosa Wänden, grüner Decke, z.T. mit Stuck. Empfehlenswertes Restaurant angeschlossen (s.u.). DZ 12 €. Bankalar Cad. 5, ✆ 6334343.

Pension Athena (1), unser Pensionstipp in Bergama. Angenehme Unterkunft in einem alten restaurierten osmanischen Haus. Zufriedenes Publikum, und das aus guten Gründen: freundliche hilfsbereite Inhaber (englischsprachig), gemütliche relaxte Atmosphäre, dazu ein kleiner Innenhof zum Frühstücken, Trinken und Plaudern. Waschmaschine. DZ mit Bad und 5-Sterne-Frühstück 15 €, ohne Bad 12 €. İmam Çıkmazı 5 (von der Hauptdurchgangsstraße im Norden des Zentrums ausgeschildert). ✆ 6333420, www.athenapension8m.com.

Acroteria Pension (7), nahe dem Hamam und ebenfalls sehr einfach. Großer Innenhof, Dachterrasse. DZ mit Bad 12 €, ohne Bad 8,50 €. Bankalar Cad. 10, ✆ 6332469, 📠 6331720.

• *Camping* **Bergama Caravan Camping (11)**, 3 km außerhalb des Zentrums an der Straße nach İzmir. Rasengelände, das mit jedem Jahr etwas schattiger wird, und ein Swimmingpool mittendrin. Sehr ordentliche Sanitäranlagen – Warmwasserduschen, sauberer Waschraum, Waschmaschine. Restaurant mit "türkischer Küche zum Camperpreis", so der gut Deutsch sprechende Besitzer. 2 Pers. zahlen mit Auto und Zelt 5,30 €. ✆ 6333902, 📠 6331792.

Das Hotel **Berksoy** (s.o.) bietet ebenfalls einige Stellplätze. Nachteil: Das ständige Kommen und Gehen der Bustouristen, die für ein Mittagessen oder eine Nacht bleiben. 2 Pers. mit Zelt zahlen 10 €.

Essen & Trinken

Pergamon Restaurant (8), eine der gemütlichsten Adressen der Stadt. Mit Geschmack eingerichtetes, dennoch einfaches Restaurant mit Steinboden, Säulen und Brunnen in der Mitte. Ab und zu Livemusik. Auf der Karte stehen Meze und Gegrilltes zu gemäßigten Touristenpreisen. Bankalar Cad. 5.

Bergama Balık Evi (4), besseren Fisch bekommt man im Landesinneren selten. Einfaches Ambiente, gute und billige Sardinen. Ein Fisch im Brot kommt auf 0,60 €! Nahe dem Dolmuşbahnhof in der Eski Elektrik Fabrikası Cad.

Meydan Restaurant (3), nahe der Pension Athena an einer Verbreiterung der Hauptstraße. Ordentliches Kleinstadtrestaurant für Einheimische und Touristen. Hervorragende Meze und gute Grillgerichte zu vernünftigen Preisen. İstiklal Meydanı 4.

Sarmaşık Lokantası (6), freundliche einfache Lokanta im alten Zentrum. Gute Auswahl an leckeren Topfgerichten, eine Empfehlung auch für Vegetarier. Am besten mittags kommen, schließt abends früh. Bankalar Cad.

Pala (5), das älteste Restaurant Bergamas. Beste Adresse für Köfte und *Piyaz* (Salat aus weißen Bohnen). Ums Eck vom Sarmaşık in einer Seitengasse.

Arzu (2), hier serviert man die beste Pide der Stadt. Einfaches Ambiente. Nahe dem Restaurant Meydan.

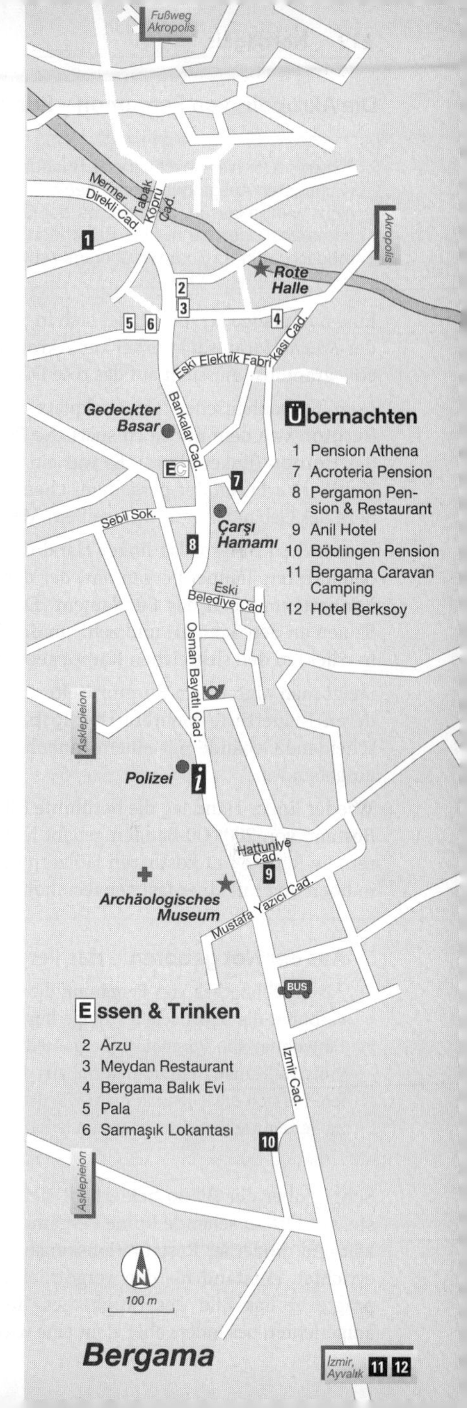

Die Akropolis von Pergamon – Rundgang durch die Oberburg

Hinweis Der hier beschriebene Rundgang durch die Oberburg führt Sie zu den wichtigsten Ausgrabungen. Er beginnt auf der Akropolis. Das Taxi brauchen Sie nicht warten lassen, da man von der Oberburg durch die Unterstadt nach Bergama absteigen kann. Eine Besichtigung in entgegensetzter Richtung ist zwar möglich, aber im Sommer überaus schweißtreibend.

Eine 6 km lange Straße windet sich in Serpentinen vom Zentrum Bergamas an der *Roten Halle* (s.u.) vorbei zur Akropolis. Oben angekommen, genießt man eine grandiose Aussicht auf das rote Dächermeer der Provinzstadt.

Vom Kassenhäuschen am Parkplatz führt ein Weg bergauf zum einstigen **Burgtor**, von dem nur noch spärliche Reste erhalten sind. Dabei passiert man das **Heroon** (linker Hand). Es war ein großer, um einen Säulenhof angelegter Kultbau zu Ehren der pergamenischen Könige. In römischer Zeit war das Innere des Gebäudes ganz mit weißem Marmor ausgekleidet.

Hinter dem Burgtor lag linker Hand der **Heilige Bezirk der Athena**. Doch an den ältesten Tempel Pergamons, der der siegreichen Stadtgöttin geweiht war, erinnert nur noch das Fundament. Das Bauwerk war flankiert von je sechs Säulen an den Schmal- und zehn an den Längsseiten. Reliefs und Statuen verherrlichten den siegreichen Kampf gegen die Gallier.

Steigt man hinter dem Burgtor weiter bergauf, reihen sich zur Rechten die niederen Mauerreste mehrerer **Königspaläste** aneinander. Es waren recht bescheidene Gebäude mit einem Innenhof, der von einer Säulenreihe (Peristyl) umgeben war.

Wieder linker Hand lag die berühmte **Bibliothek** von Pergamon. Sie soll einen Bestand von 200.000 Bänden gehabt haben. Zum Schutz vor Feuchtigkeit waren die Räume mit kostbaren Hölzern getäfelt. Der große Lesesaal war über 5 m hoch und mit einer fast genauso hohen Athena-Statue geschmückt.

Aus der Not geboren – das Pergament und das Buch

Als die Bibliothek von Pergamon die von Alexandria zu überflügeln drohte, verboten die ägyptischen Könige kurzerhand die Ausfuhr von Papyrus. Die Einwohner von Pergamon (Pergament!) besannen sich daraufhin auf die alte ionische Kunst, Schreibmaterial aus dünn geschabten Tierhäuten herzustellen. Da sich diese jedoch nicht wie das Papyrus rollen ließen, schnitt man sie zu Seiten und band sie in einem ledernen Deckel zu einem Buch.

Schräg über der Bibliothek erhebt sich das **Trajaneum**, heute die imposanteste, vor Ort zu sehende Ruine Pergamons – ein Triumph römischer Baufertigkeit und moderner Restaurationskunst. Der Tempel, ganz aus weißem Marmor errichtet, entstand für den vergöttlichten Kaiser Trajan. Zu römischer Zeit prägte er das Bild des Burgberges. Teile der Säulenhallen wurden wieder aufgerichtet, besonders aber zieht eine wieder erstellte, korinthische Giebelecke

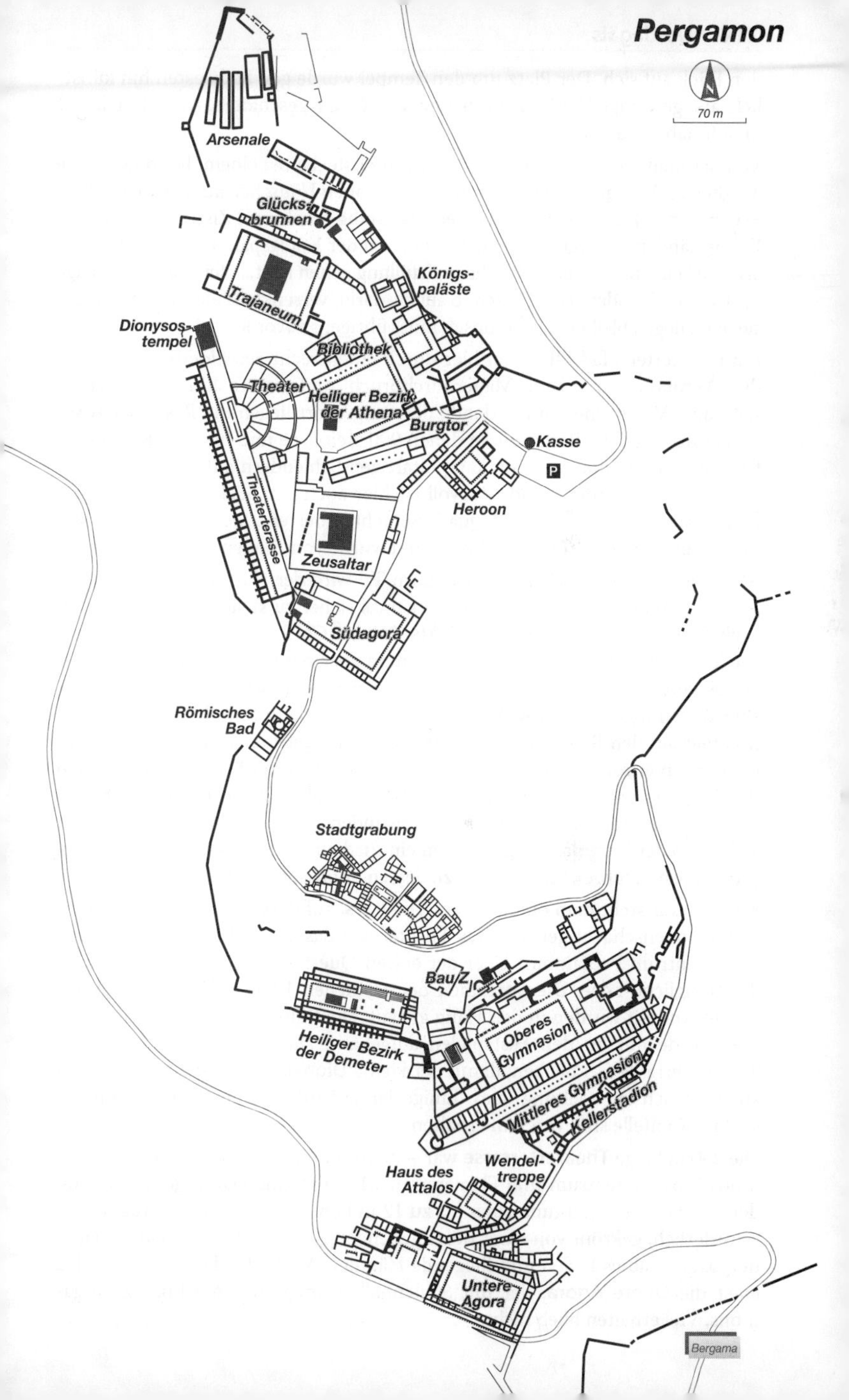
Pergamon
70 m
Arsenale
Glücksbrunnen
Königspaläste
Trajaneum
Dionysostempel
Bibliothek
Theater
Heiliger Bezirk der Athena
Burgtor
Kasse
P
Theaterterasse
Heroon
Zeusaltar
Südagora
Römisches Bad
Stadtgrabung
Bau Z
Heiliger Bezirk der Demeter
Oberes Gymnasion
Mittleres Gymnasion
Kellerstadion
Wendeltreppe
Haus des Attalos
Untere Agora
Bergama

den Blick auf sich. Der Platz um den Tempel wurde gen Südwesten hin künstlich auf gewaltigen Stützmauern und Gewölben geschaffen. Von dort blickt man hinab auf das Theater (s.u.).

Verlässt man das Trajaneum an seiner Nordostecke bei einem Torso über eine Treppe, und steigt von da weiter zu einem grauen Häuschen auf (ein ehemaliger Feuerausguck), gelangt man zu einer vollständig erhaltenen Zisterne, von einem Eisengeländer umringt. Sie gehörte zu einem der Königspaläste. Heute dient sie als **Glücksbrunnen**, der Wünsche in Erfüllung gehen lässt, sofern Sie in der Lage sind, hintereinander drei Münzen so auf die darin "versenkte Säule" zu werfen, dass sie oben liegen bleiben. Der Wunsch muss übrigens zuvor festgelegt werden.

Ein markierter Pfad führt von hier durch einen recht verwilderten Abschnitt der Akropolis zu einem Mauerdurchbruch und weiter hinaus auf einen schmalen Vorsprung am Nordende der Burg. Dort liegen die Reste der **Arsenale**, fünf längliche Baracken, in denen 900 steinerne und bleierne Kugeln gefunden wurden, die einst von katapultartigen Schleudern auf nahende Feinde abgeschossen wurden. Eindrucksvoll ist hier auch der Blick auf die **Nordostmauer**, die noch heute aus 32 Quaderschichten besteht. Sie stammt aus hellenistischer Zeit, war früher viel höher und wurde von Zinnen abgeschlossen.

Aber auch der Fernblick ist imposant. Im Tal wird der Flusslauf des *Bakır Çayı* gestaut, um die Wasserversorgung Bergamas sicher zu stellen. Dort lassen sich auch Reste eines römischen **Aquädukts** (2. Jh. n. Chr.) ausmachen. Eine künstliche Trinkwasserversorgung hatte Pergamon aber schon rund 400 Jahre früher. Dabei wurde von dem 45 km nördlich gelegenen Berg *Madra Dağı* Wasser über eine dreisträngige, aus 240.000 Einzelteilen gefertigte Tonrohrleitung in eine Kammer auf den Bergrücken gegenüber der Burg geleitet. Von dort gelangte es in einer unterirdisch verlegten Druckleitung aus Blei mit bis zu 20 atü auf den Burgberg. So wurde ein Höhenunterschied von über 200 m nur durch Eigendruck, ohne eine einzige Pumpe überwunden. Von den Arsenalen verläuft außerhalb der Burgmauern gen Süden ein Pfad auf die Terrasse des Trajaneum. Im Südwesten führen Stufen hinab zu dessen imposantem Unterbau.

Kurz darauf steht man oberhalb des **Theaters**, auf dessen Ränge man über einen Treppenschacht gelangt. Das Theater war das kulturelle und gesellschaftliche Zentrum Pergamons. Über der ersten Querreihe lag, ganz aus Marmor, die königliche Loge. Die Sitzreihen der restlichen 10.000 Plätze aus vulkanischem Andesit wurden in den Hang gebaut. Die Bühne bestand ganz aus Holz und wurde nur zu den Festspielen aufgebaut. Die restliche Zeit sollte die Theaterterrasse frei bleiben, damit der kleine **Dionysostempel** direkt daneben auch optisch zur Geltung kam. Einige lange Säulentrommeln und wunderschöne Kapitelle sind von ihm erhalten.

Die 250 m lange **Theaterterrasse** war – heute kaum mehr zu erahnen – Pergamons Einkaufszentrum und Flanierstraße. Die extreme Hanglage machte auf der Talseite die Errichtung einer bis zu 12 m hohen, dreistöckigen Stützmauer erforderlich, gekrönt von einer durchgehenden Säulenhalle. Auf beiden Seiten der Straße gab es Läden und fliegende Händler. Am Südende der Terrasse lag einst die **Obere Agora**, der mit Säulenhallen umgrenzte Marktplatz Pergamons. Viel erhalten blieb nicht.

Auf der Akropolis von Pergamon

Darüber markieren heute zwei prächtig gewachsene Pinien den Standort des riesigen **Zeusaltars** (34 x 34 m). Nur noch seine Fundamente sind vorhanden. Den Rest kann man als Nachbau mit den Originalfriesen im Berliner *Pergamon-Museum* bewundern. Ohne Zweifel wäre er hier schöner platziert – zu Recht wird die Rückgabe gefordert. Steigt man nun weiter bergauf, gelangt man am Heroon vorbei wieder zum Parkplatz. Wer mag, kann aber auch durch die Unterstadt nach Bergama absteigen – einfach wieder ein paar Schritte zurück zur Oberen Agora und los kann es gehen.

Öffnungszeiten im Sommer tägl. 9–19 Uhr, im Winter tägl. 8.30–12 und 13–17.30 Uhr. Eintritt 3,50 €, erm. 0,90 €. Die Orientierung auf dem Gelände fällt leicht, zumal mehrsprachige Schautafeln vor allen wichtigen Ausgrabungen zusätzliche Informationen vermitteln.

Durch die Unterstadt nach Bergama

Von der Oberen Agora führt ein markierter Weg auf einer antiken Straße, deren Pflaster z.T. noch zu erkennen ist, an den Grundmauern eines **römischen Bades** vorbei zur sog. **Stadtgrabung**. Unter Leitung des deutschen Archäologen Wolfgang Radt versuchte man hier, Einblicke in die Lebensweise des einfachen Volkes zu erhalten.

Man stieß auf eine kleine **Garküche** und einen **Verkaufsladen** für Wein und Öl, erkennbar an den halbrunden Löchern, in denen die großen Tongefäße eingelassen waren. Neben schiefen, aus unbehauenen Steinen errichteten Wohnhäusern fand man auch Reste repräsentativer Bauten, die mit denen der Akropolis jedoch nicht konkurrieren können. Dazu gehörte z.B. ein **Heroon** für Diodoros Pasparos, ein Wohltäter der Stadt. Es bestand aus einem Kultsaal und einem Odeion mit gemeinsamer Vorhalle. Leider ist es nicht zugänglich – wie so viele Ausgrabungen dieses Komplexes. Das Gleiche gilt bislang auch für

Im Asklepieion

den sog. **Bau Z**, einst ein Peristylhaus. Vermutlich beherbergte es das Prytanaion, wo der Rat der Stadt tagte. Die drei Mosaiken darin zählen zu den prächtigsten, die je in der Türkei entdeckt wurden. Nach Fertigstellung des Schutzdaches sollen sie der Öffentlichkeit zugänglich werden.

Der markierte Weg führt weiter zum nahe gelegenen **Heiligen Bezirk der Demeter**, eine 100 x 45 m große Terrassenanlage, bestehend aus Tempel, Altar, Säulenhallen, einem Opferschacht für den Hades und einer neunstufigen Tribüne. Bei nächtlichem Fackelschein feierten hier Priesterinnen Kultfeste zu Ehren der Göttin der Feldfrüchte, die zu Fruchtbarkeit und einem Leben nach dem Tode verhelfen sollten.

Dem Demeterbezirk gegenüber lag der riesige Komplex des **Gymnasions**, die größte weltliche Anlage Pergamons, die sich über drei Terrassen erstreckte. Der Gebäudekomplex der obersten Terrasse, der Jugendlichen über 16 Jahren vorbehalten war, war der schönste. Er besaß einen theaterförmigen Saal für Vorträge und Konzerte, einen Ehrensaal und eine Badeanlage. Auf der mittleren Terrasse für pubertierende Epheben befand sich eine Rennbahn, das sog. Kellerstadion (210 m lang), das heute offen zutage liegt. Die unterste Terrasse war eine Art Spielplatz für Kinder. Über eine noch vollständig erhaltene, überdachte Wendeltreppe gelangt man nun hinab zum **Haus des Attalos**, ein typischer Peristylbau (mit Säulenhallen um einen Hof), dessen schöne Mosaiken heute mit einem Schutzdach gesichert sind. Es gehörte einst einem römischen Konsul.

Es folgt die **untere Agora**, von der weniger als nur spärliche Reste erhalten sind. Einst waren hier Inschrifttafeln aufgestellt, die u.a. über Gesetze des öffentlichen Lebens informierten (z.B. zum Wege- und Hausbau oder zur Pflege der Zisternen).

Asklepieion

Am westlichen Stadtrand von Bergama liegt, inmitten einer weitläufigen Kasernenstadt (z.T. Fotografierverbot!), das Ruinenfeld des Asklepieions, das neben Epidauros auf dem Peloponnes eines der berühmtesten Heilstätten der Antike war. Im 4. Jh. v. Chr. wurde es gegründet, in römischer Zeit erlebte es unter dem Arzt Galenos (129–199) seine größte Blüte, selbst Kaiser suchten es auf.

Asklepios und die antiken Behandlungsmethoden

Asklepios, Sohn von Apollon und Koronis, war in der Antike der Gott der Heilkunst. Seinen Tod bewirkte Zeus, der ihn mit einem Donnerkeil erschlug, weil er es gewagt hatte, Tote lebendig zu machen. Schlangen waren dem Asklepios heilig, und man sagte, er habe sich in ihnen verkörpert. Auf Asklepios geht der Askuläpstab zurück. Mit einer um einen Stab gewickelten Schlange symbolisiert er den ärztlichen Stand.

Das Asklepieion von Pergamon war in der Antike nicht das einzige seiner Art, es gab mehr als 200 solcher Stätten. Sie waren keine reinen Kultorte, sondern eine Art Kurbad mit Tempel, Wohn- und Krankenkomplex, Theater, Bibliothek u.v.m. Die Heilsuchenden verbrachten hier im Schnitt mehrere Monate. Behandelt wurden Leib und Seele gleichermaßen. Grundlage der Diagnose war oft die Inkubation (Schlaf im Tempel) bzw. die darauf folgende Traumdeutung durch Priester und Ärzte. Dementsprechend empfahlen sie dann Diäten, Bäder-, Honig- oder Kräuterkuren, körperliche Übungen, das Trinken von verdünntem Schierlingssaft, Kreidebrei oder ähnliches. Vieles über die Behandlungsmethoden weiß man aus den Aufzeichnungen von Galenos, dem nach Hippokrates wohl berühmtesten Arzt der Antike. Noch heute sind von Galenos, der u.a. auch Leibarzt Marc Aurels war, rund 180 Schriften erhalten. Der gute Arzt erreichte übrigens für die damalige Zeit das hohe Alter von 70 Jahren.

Nordägäis
Karte S. 169

Zum Asklepieion gelangte man früher über die *via tecta*, eine knapp 1 km lange Basarstraße, beidseitig von Arkaden und Geschäften gesäumt. Noch heute führt auf ihr der Weg vom Ticketschalter zum Asklepieion, nur zieren die einstige Prachtkolonnade lediglich Säulenstümpfe. An ihrem Ende führten Stufen durch ein Tor hinab zum Propylon; hier wurden die Patienten feierlich empfangen.

Etwas weiter macht rechter Hand ein Schild auf die **Bibliothek** aufmerksam – ohne dieses würde man die spärlichen Reste glatt übersehen. Von der Bibliothek führt die über 120 m lange **Nordgalerie**, einst eine Säulenhalle von fast 10 m Höhe, zum Theater. Einige wieder aufgerichtete Säulen lassen die einstige Pracht des Komplexes erahnen. Aufführungen in dem noch gut erhaltenen **Theater**, das annähernd 4.000 Zuschauer fasste, sollten für Zerstreuung sorgen und neue Lebensgeister wecken. Noch heute wird es gelegentlich für Veranstaltungen genutzt.

Von der **Westgalerie** steht nicht mehr viel und an die einst doppelstöckige **Südgalerie** erinnert so gut wie nichts mehr. In der Ecke, wo sich beide trafen, gab es übrigens, mit viel Phantasie noch zu erkennen, nach Geschlechtern getrennte Toiletten mit Wasserspülung.

Etwa in der Mitte des von den Galerien umrahmten Platzes plätschert bei einer großen Platane Wasser aus einem Metallrohr. Das angeblich einst heilwirksame Wässerchen hilft, so Untersuchungen aus neuerer Zeit, heute keiner Seele mehr. Wie dem auch sei – Sie können ruhig einen Schluck nehmen. In der Nähe davon führen Stufen hinab in einen 80 m langen unterirdischen Gang, in den durch Luken gespenstisches Licht einfällt. Er endet beim **Kurhaus**, gleichzeitig ein Tempel, in dem Wasserbehandlungen vorgenommen wurden. Treppen führen ins Obergeschoss, in jenen Trakt, wo die Patienten zum Träumen schliefen. Gleich daneben lag einst der Haupttempel des Bezirks, der **Asklepios-Tempel** – ohne ein Hinweisschild würde man auch dessen spärliche Reste kaum mehr ausmachen.

Adresse/Öffnungszeiten Von der İzmir Cad. im Süden des Zentrums ausgeschildert. Im Sommer tägl. 9–19 Uhr, im Winter 8.30–12 und 13–17.30 Uhr. Eintritt 3,50 €, erm. 0,90 €.

Weitere Sehenswürdigkeiten in Bergama

Kızıl Avlu (Rote Halle): Der Monumentalbau (60 x 60 m) aus roten Ziegeln, unter Kaiser Hadrian im 2. Jh. errichtet, diente der Verehrung des ägyptischen Gottes Serapis. Er enthielt eine 12 m hohe Kolossalstatue Serapis' und war ursprünglich komplett mit farbigen Marmorplatten verkleidet. In byzantinischer Zeit wurde die Halle in eine dreischiffige Johannesbasilika umgebaut und mit einer Apsis versehen – daher wird sie auch als "rote Basilika" bezeichnet. Zwei turmartige Rundbauten flankieren sie, in einem davon befindet sich heute eine Moschee.

Adresse/Öffnungszeiten An der Straße zur Akropolis, ausgeschildert. Im Sommer tägl. 9–19 Uhr, im Winter 8.30–12 Uhr und 13–17.30 Uhr. Eintritt 1,80 €, erm. 0,60 €.

Archäologisches Museum: Es wurde zwar neu restauriert, die Sammlung fällt im Vergleich zum Pergamon-Museum in Berlin dennoch etwas bescheiden aus. Wer aber noch nie im Berliner Museum war, kann hier zumindest ein kleines, etwas plump ausgefallenes Modell des Zeusaltars besichtigen. Zu den schönsten Exponaten gehören eine Kolossalstatue Hadrians aus der Bibliothek des Asklepieions und ein prächtiges Bodenmosaik mit einem Medusenkopf aus hellenistischer Zeit (beide im Hauptraum). Angegliedert ist eine ethnographische Sammlung.

Adresse/Öffnungszeiten İzmir Cad. Im Sommer tägl. 9–19 Uhr, im Winter 8.30–12 Uhr und 13–17.30 Uhr. Eintritt 1,80 €, erm. 0,60 €.

Zwischen Bergama und Foça: Der Bergama am nächsten gelegene Badeort ist Dikili, ein Städchen ohne Flair (→ S. 206). Um einiges gemütlicher sind die weiter südlich gelegenen Orte *Çandarlı* und *Bademli*. Zwischen diesen findet man auch mehrere schöne Buchten mit Blick auf die griechische Insel Lésbos. Wie lange es sie noch gibt, ist angesichts des hiesigen, alles zerstörenden Bauwahns fraglich. Etwas weiter südlich verschandelt und verschmutzt das Industriestädtchen *Aliağa* mit chemischen Fabriken und einer Ölraffinerie Landschaft und Meer. Zum Baden lädt wieder der buchtenreiche Küstenabschnitt zwischen *Yenifoça und Foça* ein.

Bademli

Bademli ist ein natürliches, bildhübsches Dorf mit niedrigen, weiß gekalkten Häusern wie es an der Nordägäis nur noch wenige gibt. Den Badetourismus nimmt man mit, ansonsten leben die rund 2.000 Einwohner traditionell von ihren Olivenhainen, die die Gegend prägen. Im gemütlichen Zentrum rund um die Dorfmoschee geht alles seinen gemächlichen Gang, die Teehäuser gehören Tavla spielenden Altherrenrunden. Hauptanziehungspunkt ist im Sommer der rund 1 km entfernte Strand, Schilder wie "Plajlar" oder "Sahile gider" weisen den Weg. Der von simplen Campingplätzen gesäumte Strand gehört zwar nicht zu den schönsten der Ägäis, Badefreunde der Gegend schwören jedoch auf die angenehmen Wassertemperaturen. Selbstfahrern sei die idyllische, bei Wildcampern beliebte Badebucht **Hayıt Limanı** einige Kilometer südlich von Bademli auf dem Weg nach Denizköy empfohlen (kleines Hinweisschild).

- *Verbindungen* Regelmäßige **Dolmuş**verbindungen zwischen Dikili und Bademli. Die Dolmuşe starten in Bademli am Strand.
- *Übernachten* Von der Küstenstraße führt 1 km nördlich von Bademli ein holpriger Schotterweg zum Meer (ebenfalls 1 km). An seinem Ende liegen zwei empfehlenswerte Unterkünfte für absolut Ruhebedürftige:

Pension Hannover, direkt am Strand (sehr schöner Abschnitt). Freundlicher deutschsprachiger Besitzer, schöner, blumiger Garten, nette Terrasse und viel deutsches Publikum. Geboten werden 17 äußerst gepflegte Zimmer, jedes davon mit Balkon. Pro Person 17 € mit HP, Kinder die Hälfte. Ostern bis Ende Okt. geöffnet. ✆ 0232/6778432, in Deutschland über ✆ 0511/6061447 buchbar, www.ozer.de.

Ohh Bee, direkt daneben, die einfachere Version für weniger Geld. 9 € pro Person inkl. HP. Ebenfalls freundlich. ✆ 0232/6778089.

- *Camping* Die Einfachstcampings am Ortsstrand von Bademli sind eng und schattenlos – insgesamt ein Graus. Unsere Empfehlung ist **Çam Camp** neben der Pension Ohh Bee (s.o.), ein idyllischer und sympathischer, aber recht einfacher Platz unter schattigen Pinien. Terrassenförmig angelegt. Nichts für große Gefährte. 2 Pers. mit Zelt zahlen ca. 3,50 €.
- *Essen & Trinken* Knapp 1 km südlich von Bademli an der Straßen nach Çandarlı liegt das idyllische Fischrestaurant **Sunar**. Schöne Terrasse direkt am Meer mit Blick auf eine vorgelagerte Halbinsel. Grillengezirpe zum Dinner. Fischgerichte 3–6 €.

Çandarlı

Çandarlı liegt auf einer schmalen Landzunge, beherrscht von einem fünftürmigen genuesischen Kastell aus der Zeit um 1300. Zum behäbigen westanatolischen Alltag im Örtchen gesellt sich zwischen Mai und September der Badetrubel. Der 5 m breite Ortsstrand auf der Westseite Çandarlıs ist dann restlos überlaufen. Abends gehen parallel dazu die vorrangig türkischen Urlauber aus den umliegenden Feriendörfern ihrer Lieblingsbeschäftigung nach, dem Promenieren. Von der "Masti Bar", einer beliebten Kneipe dort, hat man das Völkchen gut im Blick. Im Oktober finden hier Ölringkämpfe statt, wo sich lokale Aufschneider den Meistern aus Edirne stellen – ein sehenswertes Spektakel.

- *Verbindungen* Regelmäßige **Bus**verbindungen nach İzmir, zudem **Dolmuşe** nach Dikili und Bergama. Busbahnhof am Ortseingang (von Aliağa kommend) nahe dem Oststrand.
- *Übernachten* **Hotel Emirgan**, 36-Zimmer-Haus am Weststrand. Deutschsprachig, eigener Strandabschnitt und luftige Terrasse. Schönere Dreibett- als Zweibettzimmer, alle aber mit Balkon und Meeresblick. DZ mit HP (obligatorisch) 35 €. ✆ 0232/6732500, ✆ 6733277.

Philippi Pansiyon, in erster Reihe auf der Westseite, recht ruhige Lage nahe dem Hafen. 13 gepflegte Zimmer, 5 davon mit Meeresblick, 2 mit eigenem Bad, alle freundlich mit Massivholzmöbeln ausgestattet. Terrasse. Pro Person 12,50 €. ✆ 0232/6733053.

In der Küçükdeniz-Bucht

Foça

(ca. 15.000 Einwohner)

Das griechisch geprägte Foça ist ein herausgeputztes und gemütliches Städtchen. Das Leben spielt sich entlang seiner zwei natürlichen Häfen ab. Einst wurden hier stolze phokäische Schiffe für die lange Fahrt getakelt, heute dümpeln Fischerboote, Jachten und Ausflugsschiffe einträchtig nebeneinander.

Foça, etwa 70 km nordwestlich von İzmir, lebt vom Fischfang und dem Geschäft mit der schönsten Jahreszeit. Aber verhältnismäßig wenige Ausländer kommen bislang hierher, es scheint fast, als wisse nur der "Club Mediterranée" die Lage an der zerklüfteten Küste zu schätzen. Überwiegend Wochenendausflügler aus İzmir und betuchtere Türken zieht es in das halbwegs ruhige Fleckchen abseits des Trubels der international etablierten, ägäischen Badeorte. Was dort fast vergessen ist, ist in Foça noch zu finden: die sprichwörtliche türkische Gastfreundschaft.

Das Städtchen zieht sich entlang einer weiten Bucht, die durch eine schmale Landzunge in zwei kleinere unterteilt wird. Die nördliche nennt sich *Küçükdeniz* (Kleines Meer). Sie ist die malerischere von beiden: Ankerplatz kleiner Fischer- und Ausflugsboote, und gesäumt von einer Uferpromenade, die vorbei an unzähligen Restaurants zum Flanieren einlädt. In dem bunten Gassengewirr dahinter liegt Foças kleines Basarviertel. Die südliche und größere Bucht heißt *Büyükdeniz* (Großes Meer). Auch hier findet man Restaurants und Hotels, aber ohne den repräsentativen Charakter von Küçükdeniz.

Die Landzunge zwischen Büyük- und Küçükdeniz ist der älteste Siedlungsraum Foças. Fotogen stehen auf ihr die Reste einer mit Zinnen bestückten Festungsmauer samt zweier Türme namens *Beşkapılar* (Fünftore). Einst erhob sich hier ein Athene-Tempel. Heute wird die Landzunge von der *Fatih-Moschee* gekrönt, die älteste islamische Gebetsstätte des Ortes (15. Jh.).

Auf dass die See nicht vor die Hunde geht ...

Fok heißt im Türkischen "Seehund" und in den Gewässern vor Foça tummelt er sich seit Urzeiten. Schon die Phokäer kannten ihn und räumten ihm einen Platz auf ihrem Stadtwappen ein. Biologisch genau genommen handelt es sich dabei um die Mittelmeerrobbe *(Monachus monachus)*, eine Unterart der Mönchsrobbe *(Monachinae)*, die wiederum zur Familie der Hundsrobben gehört, deren lateinischer Begriff – und hier haben wir wieder eine Verbindung zu den Phokäern – Phocidae ist.

Ihr Bestand wird heute auf gerade noch 400 Exemplare geschätzt. Die Säugetiere sind 2–3 m groß, vereinzelt werden sie bis zu 4 m lang. Ihr Gewicht liegt bei 200–300 kg. Nach ungefähr 5 Jahren sind sie geschlechtsreif, die Schwangerschaft dauert bis zu 11 Monate. Neugeborene haben eine Größe von 80–110 cm, ihr Gewicht beträgt rund 20 kg. Seehunde sind Raubtiere, sie ernähren sich von Fischen, insbesondere Tintenfischen und Krustentieren, und tauchen dafür bis zu 200 m tief. Arg viel mehr weiß man bislang nicht über sie, doch das soll sich ändern.

Um die Robbe zu schützen, zu beobachten und zu erforschen, wurde Anfang der 1990er das "Foça Pilot Projekt" (FPP) mit Beihilfe des WWF gegründet, einer der ersten Vereine dieser Art in der Türkei. Heute ist der Küstenabschnitt zwischen Foça und Yenifoça Naturschutzgebiet. Hier darf nicht geankert, gefischt, gejagt und getaucht werden. Wildcampen ist an den Stränden verboten. Man ist stolz auf seine Robbe, wirbt gar mit ihr und setzt ihr Denkmäler.

Geschichte

Das heutige Foça, auch *Eskifoça* ("Altes Foça") genannt, liegt an der Stelle des antiken Phokäa, das im 8. Jh. v. Chr. gegründet wurde. Auf Anraten des Orakels von Delphi begannen die Phokäer im ausgehenden 7. Jh. v. Chr. mit ihren Schiffen das Mittelmeer zu erkunden und neue Siedlungen zu gründen. Eine davon wurde *Massilia,* heute bekannt unter dem Namen Marseille. Als Phokäa 540 v. Chr. nach erbittertem Widerstand der Bevölkerung persisch wurde, verließ das Gros der Bewohner die Stadt. In hellenistischer Zeit unterstand Phokäa erst den syrischen Seleukidenkönigen und später dem Königreich von Pergamon. Die Römer plünderten die Stadt und läuteten so deren Niedergang ein. Während der byzantinischen Epoche lagen die einst so stolzen Wälle von Phokäa schließlich in Schutt und Asche.

Im 11. Jh. gelangte Phokäa, zu jener Zeit nichts anderes mehr als eine heruntergekommene Siedlung, in den Besitz Genuas, das hier eine Handelsniederlassung gründete. In großem Stil begannen die Genueser in der Umgebung Alaunsalz abzubauen, ein im Mittelalter in der Färberei und Medizin begehrter Stoff. Die Genueser gründeten auch Yenifoça ("Neues Foça"), ca. 22 km nördlich der alten Stadt. 1455 eroberten die Osmanen den genuesischen Stützpunkt, fortan teilte er das Schicksal des großen Reiches. Nach dessen Untergang folgte 1923 die Zwangsumsiedlung der griechischen Einwohner, die bis dato die Mehrheit der Bevölkerung gestellt hatten.

Neben Touristen bevölkern heute vorrangig Soldaten die Straßen Foças. Das türkische Militär schult in der Gegend den Nachwuchs zu Wasser (Marine) und zu Land (Jandarma). Über 10.000 Mann sind rund um Foça stationiert.

Information/Verbindungen/Ausflüge

- *Telefonvorwahl* 0232.
- *Information* **Foça Turizm Danışma Müdürlüğü**, nahe dem Busbahnhof zwischen Küçük- und Büyükdeniz. Freundlich und hilfsbereit. Mo–Fr 8.30–12 Uhr und 13–17.30 Uhr. ✆ /℻ 81212 22.
- *Verbindungen* **Bus**: Busbahnhof zwischen den beiden Buchten. Busse alle halbe Stunde nach İzmir (*Yeni Otogar*). Wer weiter nach Norden, z.B. nach Bergama oder Ayvalık will, muss in Menemen umsteigen.

Dolmuş: Dolmuşe nach Yenifoça alle 2 Std., zum Hanedan-Strand (→ Baden) regelmäßig bis mitternachts alle 30 Min. Die Dolmuşe starten vom Busbahnhof.

Taxi: Taxis stehen am Busbahnhof parat. Nach Yenifoça z.B. 9 €.

- *Bootsausflüge* Es dominieren Fahrten zu den vorgelagerten Inseln, zur Badeinsel İncir Adası und/oder zu den Inseln der Sirenen. Preise inkl. Lunch 6 € pro Person. Im Angebot aber auch Mondscheinschippern, Zweitagesausflüge etc. Infos direkt bei den Ausflugsschiffen an der Promenade in der Küçükdeniz-Bucht.
- *Organisierte Touren* bietet z.B. **Kayar Turizm** in der 210 Sok. Tagesfahrten für 1–4 Pers. kosten nach Bergama z.B. 53 €, nach Ephesus 88 € und nach İzmir 29 €. Die Agentur offeriert zudem Flughafentransfers nach İzmir (ebenfalls 29 €). ✆ /℻ 8122288.

Adressen/Einkaufen/Sonstiges

- *Ärztliche Versorgung* Das örtliche **Krankenhaus** liegt an der Küçük Deniz Sahil Cad. nördlich des Zentrums, ✆ 8121429.
- *Autoverleih* **1bir**, einer der wenigen professionellen Verleiher vor Ort. Billigste Fahrzeuge ab 35 € inkl. Vollkasko. Im Zentrum in der Kıbrıs Şehitleri Cad. 45/3. ✆ 8125050.
- *Einkaufen* In der Antike hatte **Keramik** aus Phokäa einen guten Ruf und war im gesamten Mittelmeerraum geschätzt. Heute ist diese insbesondere auf den türkischen Urlaubergeschmack ausgerichtet. Neben viel Kitsch kann man aber auch ein paar nette Stücke erstehen.
- *Festivals* Das einst weit über die Grenzen des Ortes bekannte **Festival Foça Akdeniz Foku ve Çevre** wurde mangels Sponsoren eingestellt. Seit 2000 gibt es jedoch das **Rastkele-Festival**, ein Festival im Zeichen der Schifffahrt und Fischerei, das von diversen Aktivitäten begleitet wird.
- *Geld* **T.C. Ziraat Bankası** mit EC-Automat direkt an der Küçükdeniz-Bucht.
- *Polizei* an der Uferpromenade auf der Landzunge südlich der Festungsmauern, ✆ 8121150.
- *Post* im Zentrum nahe der Tourist Information.
- *Türkisches Bad (Hamam)* **Belediye Hamamı**, in der 115 Sok. 22. Auf Touristen eingestellt, bedient auch gemischte Gruppen. Tägl. 8–24 Uhr. Eintritt mit allem Drum und Dran 10 €.
- *Waschsalon* **Doğan çamaşir ve ütü evi**, mehr Reinigung und Bügelsalon, wäscht aber auch alles. Stückpreise. 190 Sok. 7.
- *Zweiradverleih* **Göçmen**, nahe dem Hamam. Viel Schrott, der erstaunlicherweise noch fährt. Wer früh kommt, hat noch Chancen auf eines der neueren Räder. Pro Tag Fahrräder 3 €, Mopeds 9 €. ✆ 8123743.

Übernachten/Camping

Der Standard der meisten Hotels und Pensionen im Zentrum ist recht hoch, kaum eine Unterkunft, die nicht zu empfehlen wäre. Exklusive Hotelanlagen findet man am Ortsrand ganz im Norden Foças.

****Club Phokaia**, beste Adresse der Gegend, ca. 3 km außerhalb Foças an der Straße nach Yenifoça. Gepflegtes, komfortables Haus. Interessante Architektur, bei der moderne und antike Elemente verschmelzen. 172 Zimmer mit allem Drum und

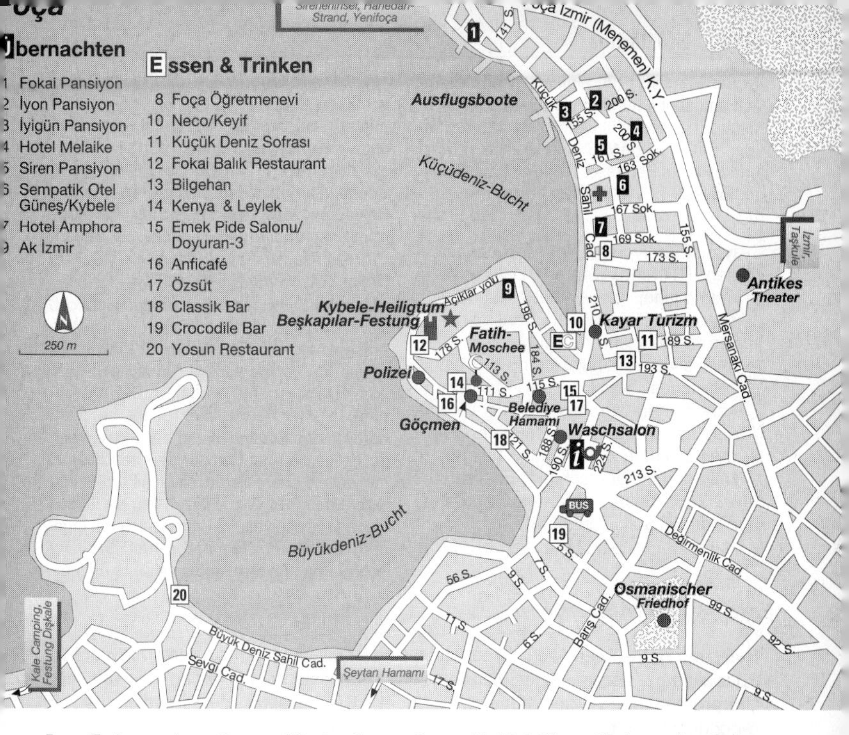

Dran. Zudem mehrere Bars und Pools, eigener Strandabschnitt, Animationsprogramm, Sportmöglichkeiten, Babysitting usw. DZ 118 € mit HP, EZ 88 €. ✆ 8128080, 📠 818090.

Hotel Melaike (4), freundlicher Familienbetrieb ein Stück landeinwärts in der Küçükdeniz-Bucht. 22 sehr freundliche, kleine aber helle Zimmer mit Balkon, Klimaanlage und Dusche/WC. Von den Obergeschossen z.T. Meeresblick. Terrasse, Bar, Frühstücksraum. 24-Stunden-Zimmerservice. DZ mit Frühstück 25 €. 200 Sok. 20, ✆ 8122414, 📠 8123117.

Hotel Amphora (7), 18 Zimmer, z.T. mit Balkon. Gutes Mobiliar aber weniger gute Teppichböden. Dennoch eine empfehlenswerte Adresse in dieser Preisklasse, schon allein wegen des Pools im Garten. DZ 24 €, EZ 15 €. 208 Sok. 7, ✆ 812806, focatamer@superonline.com.

Ak İzmir (9), unterhalb der Festungsmauern auf der Spitze der Landzunge. Von innen besser als von außen. 9 gepflegte Zimmer, 5 davon mit Balkon und tollem Meeresblick (als DZ 24 €) und daher auch ein Tipp. Die rückseitigen sind zwar billiger, aber ihr Geld im Vergleich zu anderen Unterkünften nicht mehr wert. Aşiklar Yolu 9, ✆ 8127102.

Sempatik Otel Güneş (6), in zweiter Reihe in der Küçükdeniz-Bucht. 16 ordentliche Zimmer mit Ventilator und Balkon (nur z.T. mit Meeresblick). Freundlicher Service, deutschsprachig. Ganzjährig geöffnet. DZ mit Frühstück 23 €, EZ 16 €, Dreier 33 €. 163 Sok. 10, ✆ /📠 8121915.

Fokai Pansiyon (1), an der Promenade in der Küçükdeniz-Bucht etwas stadtauswärts. 6 schlichte Zimmer mit Dusche/WC (4 davon mit Balkon), Küche und gemütliche Terrasse auf dem Dach. Der Besitzer übt sich fleißig in der deutschen Sprache. DZ 15 €. Kein Frühstück. 139 Sok., ✆ 8121765.

Siren Pansiyon (5), gemütliche Pension in zweiter Reihe in der Küçükdeniz-Bucht. Geführt wird sie von dem liebenswürdigen, hilfsbereiten und zugleich deutschsprachigen Herrn Dikbay. 14 angenehme Zimmer mit gutem Mobiliar, Dusche/WC. Jede Etage besitzt eine Küche mit Kühlschrank. Sonnige Dachterrasse. Pro Person 6 €, Frühstück 1,50 € extra. Auf Wunsch werden Besichtigungstouren und Bootsausflüge organisiert. 161 Sok, ✆ 8122660, 📠 8126220.

İyigün Pansiyon (2), einfach, doch ordentlich und sehr sauber in vorderster Promenadenfront an der Küçükdeniz-Bucht. 12 Zimmer mit Dusche/WC und Balkon. Küche und beliebte Terrasse. DZ 14 €, EZ die Hälfte. 155 Sok. 1, ✆ 8121182.

İyon Pansiyon (3), der Tipp unter den Billigunterkünften. Das gastfreundliche, pensionierte Lehrerehepaar Hüseyin und Barış Tutar vermietet mehrere sehr einfache, aber saubere Zimmer rund um ein idyllisches Gärtchen mit Mandarinenbäumen. Lockere Atmosphäre und nettes Publikum, saubere Gemeinschaftsdusche und -toilette. Man spricht Deutsch und Englisch. DZ 9 €, Frühstück pro Person 1,50 € extra. 198 Sok. 8, ✆ 8121415.

• *Außerhalb* **Club Pollen**, ca 15 km nördlich von Foça an der Straße nach Yenifoça. Vermietet werden einfache, schnuckelige Bungalows mit kleiner Terrasse auf einem hübschen, gepflegten Gelände mit privatem Strand. Gemütliche Frühstücksterrasse und Restaurant mit toller Aussicht. Privatdolmuşe nach Foça und Yenifoça bei Bedarf. Gutes Preis-Leistungs-Verhältnis. DZ 15 €, Dreier 21 €, Vierer 27 €. ✆ 8251025.

• *Camping* Ein gutes Campingeck ist Foça samt Umgebung nicht. Nahezu alle Plätze präsentieren sich als lieblose, funktionale Areale mit schlichten Sanitäranlagen. Am empfehlenswertesten sind noch **DI-BA Camping** an einer freundlichen Bucht, ca. 5 km nördlich des Städtchens an der Straße nach Yenifoça, und **Açar Camping**, ein paar Kilometer weiter, ebenfalls an einer netten Bucht samt Strandbar. Allen Plätzen gemein ist das niedrige Preisniveau: 2 Pers. zahlen mit eigenem Zelt oder Wohnmobil rund 3 €. Der Açar Camping vermietet auch Zelte für 6 €.

Essen & Trinken/Nachtleben

Rote und graue Meeräsche, Seebarsch und –brasse zählen zu den kulinarischen Spezialitäten Foças. Eine Vielzahl von Fischrestaurants finden Sie an der Uferpromenade in der Küçükdeniz-Bucht. Die Qualität der Restaurants ist durchgehend gut.

Fokai Balık Restaurant (12), das beste der vielen Fischrestaurant in erster Reihe am Meer rund um die Festungsmauern. Stets bestens besucht, Reservierung empfohlen (✆ 8122186). Meze ab 0,90 €, Hauptgerichte 3,50–5,50 €. Büyükdeniz-Bucht, Sahil Cad 25.

Bilgehan (13), untergebracht in historischem Gemäuer mit viel Atmosphäre. Tägl. wechselnde Gerichte, die stets frisch zubereitet werden. Keine Speisekarte. Niveauvolle türkische Musik, ab und zu auch live. Höheres Preisniveau, dem stilvollen Ambiente entsprechend. Tägl. ab 17 Uhr, Mo Ruhetag. 189 Sok. 2-B.

Kenya & Leylek (14), etwas versteckt nahe der Fatih-Moschee auf dem Burghügel. Fischlokal abseits der Uferpromenade mit 1a-Meze. Übrigens geht der Name des Lokals auf die Spitznamen der jungen Betreiber zurück: Leylek (dt. Storch) ist der größere und schlankere von beiden, Kenya hat die dunklere Hautfarbe. 121 Sok.8.

Yosun Restaurant (20), 10 Gehminuten vom Zentrums entfernt, am südlichen Ende der Büyükdeniz-Bucht. Sehr gemütlich, ein paar Tische direkt am Wasser unter einem Strohdach. Leckere Fleisch- und Fischgerichte vom Holzkohlegrill, gut und verhältnismäßig günstig. Der freundliche Inhaber Necati Demir war 30 Jahre in Deutschland.

Emek Pide Salonu (15), wirbt mit dem Slogan "Serving is an art, tasting is a happiness." Zu Recht: Hier kommt die beste Pide und der beste Lahmacun Foças auf den Tisch, und das seit mittlerweile 2 Jahrzehnten. Faire Preise. Sollte die von Efeu überdachte Terrasse voll sein: Auch das **Doyuran-3 (15)** gleich nebenan ist eine empfehlenswerte Lokantaadresse. Es bietet leckere Kebabgerichte rund um die Uhr. Zentral an der die beiden Buchten verbindenden Hauptstraße im Inland.

Küçük Deniz Sofrası (11), hinter der Promenade im Gassenwirrwarr der Küçükdeniz-Bucht. Grundehrliche türkische Hausmannskost in einfachem Ambiente. Kommen Sie mittags – abends ist die Vitrine meist schon leer geräumt. 187 Sok.

• *Cafés* Herrlich und dazu noch vor historischem Gemäuer sitzt man beim **Foça Öğretmenevi (8)** nahe den Ausflugsbooten in der Küçükdeniz-Bucht. Charme besitzt auch das terrassenförmig angelegte **Anficafé (16)** in der Büyükdeniz-Bucht. Die beste

Adresse für Süßes ist **Özsüt (17)**. Kalorienzähler sind hier völlig fehl am Platze. Unser Tipp: Karamellpudding. Im Zentrum an der Küçük Deniz Sahil Cad.

• *Nachtleben* Eine Diskothek besaß Foça zum Zeitpunkt der letzten Recherche nicht mehr, das kann sich aber wieder ändern. So war im Sommer 2002 der konkurrenzlose Treff der amüsierwilligen Jugend und jung gebliebenen Kneipengänger die **Crocodile Bar (19)** (22–4 Uhr) in der Nähe des Busbahnhofs. Etwas gediegener geht es in der **Classik Bar (18)** neben der Jandarmastation in der Büyükdeniz-Bucht zu. Gelegentlich gibt es hier Livemusik. Weitere angesagte Adressen sind zudem die gemütliche Cafébar **Kybele (6)** beim Hotel Sempatik Güneş sowie die nahe beieinander liegenden Bars **Neco (10)** (zapft Miller) und **Keyif** (mit Pizza und Fastfood) an der Küçükdeniz-Bucht.

Baden

Die Strände vor Ort sind nicht die tollsten – schmal, kiesig und besonders in der Hochsaison überlaufen. Schöner sind die Buchten der tief eingeschnittenen Küstenlandschaft nahe der Straße nach Yenifoça. Leider sind viele von Clubhotels oder Feriensiedlungen umrahmt, an manchen haben sich auch Campingplätze angesiedelt. Bei Letzteren darf man gegen eine Gebühr an den Strand, bei Erstgenannten nicht immer. Es gibt auch noch ein paar "einsame Buchten", nur hält dort auch niemand den Strand sauber. Die beliebtesten und schönsten Strände an diesem Küstenabschnitt sind problemlos mit dem Dolmuş zu erreichen:

Hanedan: 4 km nördlich von Foça gegenüber der Sireneninsel. Stets gut besucht, zumal Ferienanlagen den feinen Kiesstrand säumen. Trotzdem selten überlaufen. Gebührenpflichtig (0,60 €, Auto 1,80 €). Dafür bekommt man auch einen Sonnenschirm, findet Duschen und WCs.

Kosava-Bucht: ca. 1,5 km weiter, kurz hinter dem Club Mackerel Holiday Village, kein Schild macht auf sie aufmerksam. Beliebtes Ziel von Ausflugsbooten. Auch die darauf folgende **Garderesi-Bucht** ist einladend, von der Straße gelangt man auf schmalen Pfaden zu ihr hinab.

Alternativ dazu bietet sich auch ein Bootsausflug an (→ Verbindungen). Auf die Badeinsel **İncir Adası** gelangt man auch von der Landzunge namens *İngiliz Burnu* nordwestlich der Küçükdeniz-Bucht. Winken (oder grölen) Sie von dort zur Insel hinüber. Sieht bzw. hört sie Ferdi, der Chef des Inselcafés, so holt er Sie gegen eine kleine Gebühr ab.

Badespaß bei Foça

Sehenswertes

An die wechselvolle Geschichte der Stadt erinnert auf dem Gemeindegebiet Foças heute nur noch wenig. Und das Wenige ist so unspektakulär, dass es eine Überschrift "Sehenswertes" eigentlich gar nicht verdient. Ein paar Tipps für alle, die nach ein paar Strandtagen dennoch den Spuren der Phokäer oder Genueser folgen wollen:

Nahe der Ausfallstraße nach İzmir (Foça–İzmir Karayolu) findet man die kümmerlichen Überreste eines **antiken Theaters**. Es soll zwar zu den ältesten Anatoliens gehören, mehr als ein paar Sitzreihen wurden bislang jedoch nicht ausgegraben. Auf dem Hügel darüber liegen die Fundamente mehrerer **Windmühlen** und die Reste eines **Heiligtums**, das, so nimmt man an, der Fruchtbarkeitsgöttin Kybele gewidmet war. In den vielen Nischen standen vermutlich Öllämpchen und Statuen. Ein ähnliches Heiligtum, das ebenfalls der Kybele zugeschrieben wird, liegt unmittelbar an der Uferpromenade auf der Landzunge.

Die **Festungsmauern** dort, von Römern, Byzantinern, Genuesern und Osmanen verstärkt, sind Überreste der einst 5 km langen Stadtmauer des alten Phokäa. Weitere Abschnitte wurden zwischen Busbahnhof und osmanischem Friedhof ausgegraben – leider nicht im geringsten spannend. Weit außerhalb des Zentrums, auf einer Landspitze südwestlich der Stadt, ist die **genuesische Festung Dışkale** aus dem Jahre 1678 ganz nett anzusehen. Leider befindet sie sich heute in militärischem Sperrgebiet.

Schließlich besitzt Foça auch noch ein **Teufelsbad (Şeytan Hamamı)**. Mit einem Bad hat das Felsgrabmal aus dem 4. Jh. jedoch nichts zu tun. Es besteht aus einem 6 m langen Korridor und zwei Grabkammern. Sie können es zum Zeitvertreib am Hang über den Häusern im Süden der Büyükdeniz-Bucht suchen.

Wer brachte die Sirenen zum Heulen?

In der Antike bekannt und gefürchtet waren Sirenen, vogelartige Frauen, die so süß sangen, dass Schiffsbesatzungen, die ihre betörenden Stimmen vernahmen, an Land gingen und ewig – bis zum Tode – lauschten. Weiß sollen die Felsen gewesen sein von den bleichen Gebeinen der Seeleute.

Nur zwei Schiffen gelang es antiken Mythen zufolge, an Sirenen vorbeizusegeln. Das eine war jenes von Orpheus, der mit seiner Mannschaft selbst so lautstark zu singen begann, dass er die Gesänge der Sirenen übertönte. Das andere war das von Odysseus, der sich an den Mast seines Schiffes binden und die Ohren seiner Besatzung mit Bienenwachs vollaufen ließ. Beide sollen ihre Abenteuer aber nicht an der Ägäisküste, sondern in der Straße von Messina bestanden haben. Zur Strafe mussten sich in beiden Fällen die Sirenen heulend ins Meer stürzen, wo sie ertranken.

Von den Sirenenfelsen (*Siren Kayalıkları*), vor der Küste Foças auf Höhe des Clubhotels Phokaia gelegen, kehren heutige Bootsbesatzungen klaren Verstandes und ohne ein Singsang in den Ohren zurück. Somit stellt sich die Frage, welche Heldengestalt denn die Sirenen von Foça heulend ins Verderben schickte. Und wie? Vielleicht haben Sie eine Idee. Schreiben Sie uns – aber bitte nicht mehr als 10 Zeilen, der phantasievollste Einfall soll in der nächsten Auflage veröffentlicht werden.

Umgebung von Foça

Taşkule: Hinter diesem Namen (dt. Steinturm) verbirgt sich ein 6 m hohes Grabmomument, das aus einem Felsen gearbeitet wurde. Es wird auf das 4. Jh. vor Christus datiert. Ein wenig verloren steht es nahe der Straße nach İzmir in der Gegend. Die Bauweise zeigt lykische und lydische Elemente, zudem persischen Einfluss. Wer darin beigesetzt wurde, ist unbekannt.

• *Anfahrt* Halten Sie ca. 7,5 km hinter dem Ortsschild von Foça an der Straße nach İzmir linker Hand nach dem Grabmal Ausschau. Es ist von der Straße aus zu sehen, kein Hinweisschild. Das Gelände ist umzäunt und mit türkisch-englischen Hinweistafeln versehen. Ein Taxi zum Taşkule kostet ca. 2,50 €.

Yenifoça: Die Küstenstraße dahin passiert einladende Badebuchten. Der Ort selbst ist weniger schön. Zwar erinnern im alten Kern ein paar Häuser an die Zeit, als Yenifoça noch ein verträumtes griechisches Küstendorf war. Doch sein Charme verblasst mittlerweile unter den mehreren tausend Ferienhäusern drum herum. Man findet einige Teegärten, mehrere einfache Lokale und einen Strand, der für die vielen Erholungssuchenden kaum mehr ausreicht. Das schönste Eck ist noch der Hafen.

Verbindungen ca. alle 2 Std. ein **Dolmuş** nach Foça.

Von Norden kommend erreicht man über die Nationalstraße 550 die Bucht von İzmir. Die letzten Kilometer auf dem Weg dahin führen durch das fruchtbare Delta des *Gediz*, dessen Mündung ein kleines Vogelparadies ist. Flussaufwärts bietet sich ein Ausflug über Manisa nach Sardes an.

Manisa

(ca. 200.000 Einwohner)

Prächtige osmanische Moscheen neben schnell hochgezogenen Apartmentblocks, das ist Manisa. Die moderne Provinzhauptstadt liegt reizvoll am Fuße des über 1.500 m hohen Spil Dağı.

Manisa befindet sich nur 40 km nordöstlich von İzmir, aber Manisa und İzmir sind zwei Welten – quirlige Küstenmetropole versus verschlafene Provinzhauptstadt. Manisa, von İzmir durch einen 675 m hohen Pass getrennt, nennt man auch die "Stadt im Grünen": Zu ihren Füßen schlängelt sich der Fluss *Gediz* durch eine weite und fruchtbare Ebene, in ihrem Nacken steigt der bewaldete *Spil Dağı* steil an. Die Erträge des Umlands werden donnerstags auf dem farbenfrohen Wochenmarkt verkauft. Antike Bauten sind nicht erhalten, dafür umso mehr osmanische Moscheen, die schönsten und größten Gebetshäuser der Ägäis. Moscheen sind aber nicht jedermanns Sache und so verirren sich nur wenige Touristen nach Manisa.

Geschichte

Dass schon Hethiter in der Gegend siedelten, bezeugt ein rund 4.000 Jahre altes Felsrelief 7 km östlich von Manisa (→ S. 231). Doch bis zur Gründung von *Magnesia am Sipylos (*vermutlich um 1100 v. Chr.) sollten noch Jahrhunderte verstreichen und gar erst 190 v. Chr. machte die Stadt erste Schlagzeilen: Vor ihren Toren ereignete sich jene Epochenschlacht, bei der die Römer mit Unterstützung der Pergamener den syrischen König Antiochos III. besiegten.

Unter Rom erlebte Magnesia schließlich seine erste kleine Blüte. Große Zeugnisse sind aus jener Zeit nicht erhalten, lediglich ein paar Kleinfunde können im Museum von Manisa besichtigt werden.

Nach den Römern tut sich ein tausendjähriges Loch in der Stadtchronik auf. Das ändert sich erst wieder im 13. Jh.: Der byzantinische Kaiser Johannes Dukas III. machte Magnesia vorübergehend zu seiner Residenz. 1313 nahmen Ziegen und Seldschuken die Stadt bei einem nächtlichen Angriff ein. Um ein größeres Heer vorzutäuschen, hatte Seldschukengeneral Saruhan eine gewaltige Ziegenherde gesammelt, auf den Hörnern der Tiere brennende Kerzen befestigt und sie gegen die Stadt getrieben. Angesichts der vermeintlichen Übermacht gaben die Verteidiger auf.

1390 hielten die Osmanen Einzug. Sultansfamilien förderten durch großzügige Stiftungen den Bau prächtiger Moscheen. Mit dem Schicksal des Osmanischen Reiches eng verknüpft, versank Manisa Ende des 19. Jahrhunderts jedoch wieder in die Bedeutungslosigkeit. Beim Rückzug der Griechen wurde die historische Substanz der Stadt 1922 weitgehend zerstört. Lediglich die Moscheen konnten erhalten werden. Drum herum dominiert heute trister Zweckbau.

Information/Verbindungen

• *Telefonvorwahl* 0236.

• *Information* Versteckter geht es nicht. Wer den Weg findet, wird jedoch äußerst zuvorkommend beraten – mit etwas Glück vom liebenswerten Direktor Müslüm Oğuz, einem Schriftsteller mit rudimentären Englischkenntnissen. Mustafa Kemalpaşa Cad., im 6. Stock des Bürogebäudes Vakıf İş Hanı (kein Hinweisschild), ✆ 2312541, 📠 2327423.

• *Verbindungen* **Bus**: Busbahnhof in Laufnähe nordöstlich des Zentrums an der Fernstraße İzmir-Bursa. Häufige Verbindungen nach İzmir (45 Min.), Bursa (über Balıkesir), Afyon (4,5 Std.) und Denizli (5,5 Std.), zudem nach İstanbul (8 Std.), Sart (Sardes) und Salihli (1,5 Std.).

Zug: Bahnhof ca. 1 km nördlich des Zentrums. Mehrmals tägl. nach İzmir, seltener nach Balıkesir und Afyon.

Adressen/Einkaufen/Veranstaltung

• *Ärztliche Versorgung* Staatliches Krankenhaus **Devlet Hastanesi** in der Şehitler Cad. nordöstlich des Zentrums, ✆ 2314586.

• *Einkaufen* Zu einem Erlebnis für Ausflügler von der Küste kann das lebhafte **Basarviertel** werden, dass sich von der Muradiye-Moschee gen Osten zwischen Murat Cad. und Çarşı Bul. erstreckt. Gourmets halten sich hier an die Weintrauben bzw. Rosinen der Gegend, die türkeiweiten Ruf besitzen. Stöberer finden ein paar unterhaltsame **Trödelläden** bei der Çeşnigir-Moschee im Osten des Basarviertels.

• *Geld* Mehrere Banken mit EC-Automat entlang der Mustafa Kemalpaşa Cad.

• *Polizei* am Cumhuriyet Bul. etwas nördlich des Zentrums, Tel 2314601.

• *Post* Hauptpost etwas südlich der Mustafa Kemalpaşa Cad. im Geschäftsviertel.

• *Veranstaltung* → Kasten "Sirup fürs Volk ...".

Übernachten/Essen & Trinken

****Hotel Büyük Saruhan (1)**, komfortabelste Adresse rund um Manisa. Ca. 2 km außerhalb des Zentrums an der Straße nach İzmir, ausgeschildert. Alles, was vier Sterne bieten können, u. a. Pool, mehrere Restaurants, Sauna, Fitnesscenter etc. 84 Zimmer, das DZ zu 45 €, das EZ 35 €. ✆ 2330272, 📠 2332648.

Arma Oteli (2), erste Adresse im Zentrum. 53 angenehme, freundliche und 1999 neu renovierte Zimmer. Sehr sauber. EZ mit Frühstücksbufett 13,50 €, DZ 20 €. Doğu Cad., ✆ 2311980, 📠 2324501.

Günaydın Oteli (3), Billigabsteige im Zentrum, aber für kurze Zeit erträglich. Ähnlich

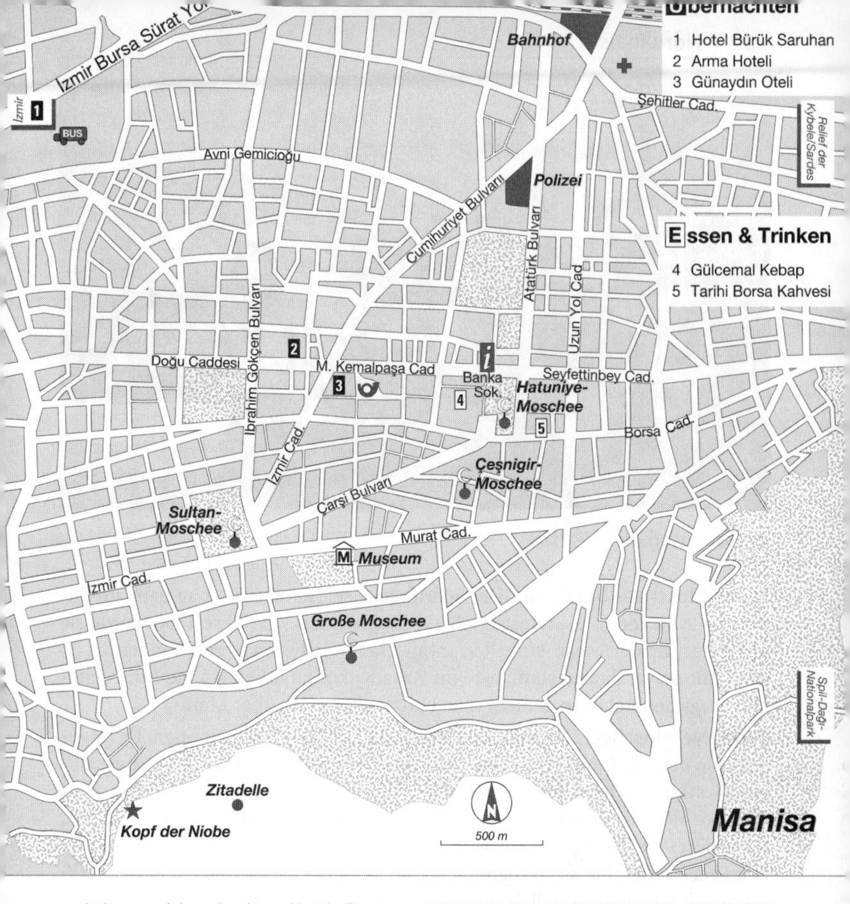

verhält es sich mit dem **Hotel Basran** gleich nebenan. DZ ca. 12 €. Sinema Park Cad. 14, ✆ 2312095.

• *Essen & Trinken* Örtliche Spezialität ist der *Manisa Kebap*, ein mit viel zerlassener Butter angereicherter Fleischberg. Kosten kann man ihn in den unzähligen Kebabsalons im Zentrum.

Gülcemal Kebap (4), ein Geheimtipp unter den Einheimischen. Beste Kebabs in einfachem Ambiente. Banka Sok. (nahe der Tourist Information).

Tarihi Borsa Kahvesi (5), unsere Empfehlung. Das traditionelle Kaffeehaus wurde 2001 zu einer für Manisa schon fast mondänen Lokalität umgewandelt. Altes, geschmackvolles Mobiliar und eine noch rudimentär erhaltene Schattenspielbühne. Serviert werden traditionelle Gerichte und Getränke, u. a. *Şira*, eine Art Traubenmost. Mittlere Preisklasse. Borsa Cad.

Sehenswertes

Liebhaber sakraler osmanischer Architektur können Tage in Manisa verbringen, alle anderen langweilen sich recht schnell. Die im Folgenden beschriebenen bedeutendsten Sehenswürdigkeiten lassen sich – mit Ausnahme des Niobekopfes – bequem nacheinander ablaufen.

Fotoshooting über Manisa

Große Moschee (Ulu Cami): Der gedrungene seldschukische Bau ganz im Süden der Altstadt ist die älteste Gebetsstätte Manisas. Im Jahre 1366 wurde sie nicht nur an der Stelle einer byzantinischen Kirche errichtet, sondern z. T. auch mit deren Bausubstanz, wie im Arkadenhof zu erkennen ist. Vom schönen Teegarten nebenan genießt man einen tollen Blick über Manisa.

Muradiye-Moschee: Die Moschee an der Murat Cad. ist über einen Treppenweg von der Ulu Cami erreichbar. Sie gilt als schönste Gebetsstätte der gesamten Westküste. Der große osmanische Baumeister Sinan, damals schon über 90 Jahre alt, konnte die Moschee 1583 noch entwerfen, nicht aber vollenden. Ihr Inneres ist überaus sehenswert: Für den Ornamentschmuck wurden 12 kg Gold verwendet, für das farbenprächtige Fliesendekor zeichnete die Manufaktur von İznik verantwortlich. Beachtung verdienen zudem der reich verzierte Mihrab und die kostbaren und mit größter Sorgfalt gepflegten Teppiche.

Museum: Das örtliche Museum ist stilvoll in Nebengebäuden der Muradiye-Moschee untergebracht. Die *archäologische Abteilung* in der Armenküche zählt zu den besseren Adressen der Türkei. Sie zeigt interessante Funde der Umgebung, u. a. große Mosaikstücke aus Sardes, Statuen (die ältesten von 3000 v. Chr), Gefäße, Schmuck und Grabsteine aus hethitischer, griechischer, römischer und byzantinischer Zeit. In der *ethnologischen Abteilung* (in der ehemaligen Medrese) sieht man u. a. gut erhaltene Teppiche aus dem 17. und 18. Jh., mit viel Liebe zum Detail ausgearbeitete Koranbände und eine kleine Waffensammlung.

Öffnungszeiten Das Museum war zum Zeitpunkt der Recherche wegen Restaurierung geschlossen, eine Wiedereröffnung war für 2003 geplant.

Sultan-Moschee: Der Stiftungskomplex schräg gegenüber der Muradiye-Moschee wurde 1522 im Auftrag von Ayşe Hafsa Sultan (→ Kasten "Sirup fürs Volk...") erbaut. Besonders gelungen sind die Vorhalle mit den fünf Spitzbögen und die Gebetsnische in ihrem Inneren. Zudem beherbergt die Moschee sog. "Drehsteine", die bei statischen Unruhen in Bewegung geraten – ein geniales

Erdbebenwarnsystem. Das Hamam des Komplexes, zu dem auch Armenküche, Hospital und Koranschule gehörten, ist noch heute in Betrieb. Die Moschee ist Schauplatz des alljährlichen Mesir-Festes.

Sirup fürs Volk – das Mesir-Fest

Das Mesir-Fest hat seine Ursprünge im 16. Jh. Damals erkrankte Ayşe Hafsa Sultan, die Frau Sultan Selims I., so schwer, dass kein Arzt in Stambul ihr helfen konnte. Als letzte Hoffnung galt Merkez Efendi, der Spitalleiter des von ihr in Manisa gestifteten Moscheenkomplexes. Aus 41 Kräuterchen mixte er der Kranken einen Sirup, die sog. Mesir-Paste und siehe da, sie erholte sich wieder. Nach ihrer Genesung ordnete Ayşe Hafsa Sultan an, die Wunderpaste einmal jährlich gratis an das Volk zu verteilen. Diese Tradition besteht bis heute und lockt alljährlich Ende März/Anfang April Scharen von Besuchern an. Vor der Sultan-Moschee wirft dann der Hoca eine zähe Süßigkeit unters Volk. Wer eines dieser Bonbons erwischt und isst, so heißt es, bleibt ein ganzes Jahr lang von Krankheiten, Insekten- und Schlangenbissen verschont.

Nordägäis
Karte S. 169

Hatuniye-Moschee: Man erreicht sie nach einem gemütlichen Spaziergang durch das Basarviertel am östlichen Ende des Çarşı Bulvarı. Die Moschee aus dem späten 15. Jh., die durch ihre verglaste Vorhalle recht modern wirkt, mag nur noch Moscheenfreaks interessieren. Alle anderen werden ein kühles Getränk in einem der hübschen Teegärten davor vorziehen. Und wer gar nicht genug haben kann: In den Gassen südlich der Hatuniye-Moschee versteckt sich die **Çeşnigir-Moschee**, ein kleiner verspielter Bau –ähnlich einer byzantinische Kirche – aus dem Jahre 1474.

Kopf der Niobe: Die Felsformation erinnert mit Phantasie an einen Frauenkopf in Trauerstellung, angeblich die zu Stein gewordene Niobe. Die Legende dazu – tausendmal interessanter als der Fels selbst – lautet so: Niobe war die Tochter des Königs Tantalos von Phrygien (dessen Qualen jedem Lateinschüler ein Begriff sind) und stolze zwölffache Mutter. Hochmütig verspottete sie die Göttin Leto, die nur zwei Kinder geboren hatte, immerhin jedoch die Zwillinge Apollon und Artemis. Im Namen ihrer beleidigten Mutter übten die olympischen Geschwister grausame Rache und töteten alle Kinder der Niobe. Aus Verzweiflung verwandelte sich Niobe in Stein, untrennbar verbunden mit zumindest einem ihrer Kinder: Der hinter dem Felsblock aufsteigende Berg wurde nach Niobes Sohn *Sipylos* benannt.

Anfahrt Vom Stadtzentrum ausgeschildert. Der Felsen liegt auf dem Weg zum Spil-Dağı-Nationalpark (s. u.).

Umgebung von Manisa

Relief der Kybele (Taş Suret): Das hethitische Felsrelief wurde ca. 2000 v. Chr. in eine senkrechte Felswand geschlagen. Mit Phantasie lässt sich eine sitzende Frau erkennen. Wahrscheinlich handelt es sich um die anatolische Muttergöttin *Kybele*, die von hier aus das Gediz-Tal überblickt und ihm Fruchtbarkeit schenken soll.

• *Anfahrt* Das Relief befindet sich ca. 7 km östlich von Manisa an der Straße nach Salihli beim "Dorf" Akpınar. Mit "Kybele" ausgeschildert, allerdings nur in Fahrtrichtung Salihli. Beim Schild (nahe einem geschlossenen Freizeitpark) anhalten und von dort den Berg ca. 200 m steil nach oben klettern.

Spil-Dağı-Nationalpark (Milli Parkı): Er erstreckt sich rund um den gleichnamigen, 1517 m hohen Berg, den die alten Griechen *Sipylos* nannten. Ein See, ausgedehnte Wälder und kühle, grüne Täler machen den Park zu einem optimalen Wandergebiet. Die schönsten Tulpen der İstanbuler Sultansgärten, die sog. *Spil-Tulpen*, wurden übrigens von hier importiert. Am Berg fleuchen und kreuchen u. a. Falken, Adler, Geier und Schakale. Auf der herrlichen Panoramastraße nach oben (man überwindet fast 1.200 Höhenmeter) passiert man mehrere Aussichtspunkte – an klaren Tagen ein Erlebnis.

• *Anfahrt* Der Eingang zum Nationalpark (ausgeschildert) liegt 24 km südlich von Manisa. Öffentliche Verkehrsmittel verkehren nicht dorthin, Trampen ist an Sommerwochenenden jedoch möglich. Im Park gibt es 2 oft geschlossene Cafés. Eintritt 0,60 €, Auto 0,90 €.

• *Übernachten/Camping* Die Parkverwaltung vermietet einfache **Holzhütten** für 4–8 Pers. Unter der Woche 8,80 € pro Hütte, Sa/So 12 €. Reservierung nötig! ✆ 0236/2371065, ✆ 2371542. Zudem befindet sich im Nationalpark ein schlichter **Campingplatz**. 2 Pers. mit Zelt oder Wohnmobil 2,50 €–3,50 €. Denken Sie an warme Kleidung, auch in den Sommermonaten!

Sardes (antike Stadt)

Sardes besitzt eine Geschichte voller Geschichten: Hier wurde das Geld erfunden, hier verwandelte sich alles, was König Midas berührte, zu Gold, und hier ging König Krösus dem Orakel von Delphi auf den Leim.

Die Ruinen der antiken Metropole liegen rund um das Landstädtchen *Sart*. Umgeben von Feldern, Wäldern und schroffen Felsspitzen sind sie auch nach über 2.000 Jahren noch außerordentlich reizvoll – nicht zuletzt deswegen, weil man hier im Gegensatz zu Pergamon oder Ephesus meist allein ist. Die nächstgrößere Stadt, **Salihli** mit 83.000 Einwohnern, liegt 8 km östlich. In dem zu groß geratenen Provinznest findet man mehrere Hotels und gute Restaurants.

Geschichte

Die Historie von Sardes steckt voller Legenden. Die erste berichtet von König Gyges (680–652 v. Chr.), der Sardes zu einer aufstrebenden Hauptstadt des Lydischen Reiches machte. Auf den Thron kam er durch die Ermordung seines Vorgängers Kandaulus. Aber nicht Machtstreben hatte ihn zu dieser Tat veranlasst. Heimlich hatte er Kandaulus' bezaubernde Frau bei der Abendtoilette beobachtet. Als sie dies bemerkte, stellte sie ihn vor die Wahl, entweder ihren Mann umzubringen und sie zur Frau zu nehmen oder selbst zu sterben – was mit Sicherheit der Fall gewesen wäre, hätte Kandaulus von dem Vorfall erfahren.

Gyges' Nachfolger bauten Macht und Stadt konsequent aus, wobei ihnen insbesondere die immensen Goldvorkommen im Fluss Paktolos *(Sart Çayı)* zugute kamen. Den Grund für das viele Gold im Paktolos erklärt eine andere Legende: Demnach hatte der phrygische König Midas einst von den Göttern die Gabe erbeten, dass alles, was er berühre, zu Gold würde. Der Olymp nahm ihn beim Wort. Auf die große Freude folgte Entsetzen, denn selbst jedes Stück Brot verwandelte sich in Midas' Fingern zu Gold. Schließlich erhörten die Götter die Klagen des Hungernden, und Midas durfte sich durch ein Bad im Paktolos von dem Fluch rein waschen – was dem Fluss neben Wasser pures Gold verlieh. Bei soviel Gold wundert es nicht, dass man in Sardes schon früh mit der Prägung von Münzen begann, die sogar erstmals "staatlich" gestempelt wurden.

Auf dem Höhepunkt des Lydischen Reiches bestieg König Croisos (Krösus) den Thron in Sardes, jener Herrscher, der noch heute in einem Atemzug mit Reichtum genannt wird. 546 v. Chr. befragte er das Orakel von Delphi nach den Chancen eines Feldzugs gegen die Perser. "Wenn Du die Grenze überschreitest, wirst Du ein großes Reich zerstören!" lautete die Antwort. Krösus zog los und zerstörte tatsächlich ein großes Reich – sein eigenes. Der Angriff auf das benachbarte Persien schlug fehl, im Gegenzug eroberte der persische König Kyros II. Sardes. Und auch dazu gibt es eine Legende: Nach der Einnahme der Stadt wollte der persische König den Krösus auf dem Scheiterhaufen verbrennen. Doch kaum loderten die Flammen, hatten die Götter Einsehen und schickten einen Platzregen.

Lydien war von der Weltbühne abgetreten, doch die Ex-Königsstadt Sardes, nun Sitz eines persischen Satrapen, florierte. Sie wurde Endpunkt der berühmten persischen Königstraße, einer 2.500 km langen befestigten Ader aus dem Herz des Reiches. Bis 334 v. Chr. konnten die Perser Sardes halten, dann zog Alexander der Große ein. Seine Nachfolger verloren die Stadt 188 v. Chr. an Pergamon. 17 n. Chr. wurde Sardes, nun römisch, durch ein mächtiges Erdbeben zerstört.

In byzantinischer Zeit entwickelte sich hier eine der ersten christlichen Gemeinden Kleinasiens. Nach mehreren Brandschatzungen im frühen Mittelalter verödete Sardes. Amerikanische Archäologen entdeckten 1910 den Artemistempel. Seit 1958 graben und restaurieren Teams der Harvard und der Cornell University. Neuere Fundstücke besitzt das Archäologische Museum in Manisa.

• *Anfahrt/Verbindungen* Sart liegt nahe der Hauptverbindungsstraße İzmir–Afyon und ist von dieser ausgeschildert. Um zum Artemisheiligtum zu gelangen, folgt man zuerst der Beschilderung "Sardes" und fährt in Sart an der "großen" Kreuzung bei der Moschee geradeaus weiter. Um zum Bad-Gymnasion und zur Synagoge zu gelangen, hält man sich bei der Kreuzung links.

Um per Bus **Sardes** anzusteuern, wählt man einen, der die Strecke Salihli-İzmir fährt und steigt unterwegs in Sart aus. In der Regel verlässt man den Bus an der Abzweigung von der Schnellstraße, von dort noch gut 15 Min. bis ins Dorf. Von Manisa fahren Dolmuşe direkt ins Dorf. Zudem bestehen mehrmals tägl. **Zug**verbindungen von und nach İzmir. Der Bahnhof von Sart befindet sich ca. 1 km nördlich der Fernstraße.

• *Öffnungszeiten* tägl. 8–18 Uhr. Eintritt für Artemistempel und Bad-Gymnasion jeweils 0,60 €, erm. die Hälfte.

• *Übernachten/Essen & Trinken* Die nächste Möglichkeit besteht in Salihli. Beste Adresse vor Ort ist das **Otel Berrak** nahe dem Busbahnhof (2 Sterne, sehr gepflegt, DZ 42 €, ✆ 0236/713145). In der Nähe auch billigere Unterkünfte wie z. B. schräg gegenüber das **Yener Oteli**, (einfach, aber okay, DZ 9 €). Mit der **Mithatpaşa Cad.** im Zentrum nahe dem Busbahnhof verfügt das Landstädtchen übrigens über eine ausgesprochen gute "Fressgasse". Spezialität sind *Odun Köfte*, lecker zubereitete Hackfleischbällchen.

Sehenswertes

Das griechische Sardes mit dem Artemistempel liegt getrennt vom römischen Sardes, repräsentiert von Gymnasion und Synagoge (→ Anfahrt/Verbindungen). Wer mehr als die hier beschriebenen Sehenswürdigkeiten entdecken möchte, findet an der alten Straße nach Salihli noch Reste eines römischen *Stadions*, einer *Agora*, einer *Basilika* und eines *Theaters*. Auf dem Weg zum Artemis-Tempel passiert man zudem *Pyramidengräber* (ausgeschildert).

Artemistempel: Man vermutet, dass mit dem Bau des imposanten Tempels kurz nach der Eroberung von Sardes durch Alexander den Großen begonnen wurde. Die Pläne sahen vor, dass er den monumentalen Tempeln von Ephesus und Didyma in nichts nachstehen sollte. Mit seinen fußballplatzgroßen Maßen (100 x 48 m, das Pantheon 31 x 70 m) reiht er sich noch heute unter die sieben größten aller griechischen Tempel. Die gut erhaltene Säulenreihe an seiner Ostseite – zwei Säulen stehen in voller Höhe (17,3 m) – lässt seine einstige Größe noch immer erahnen. Doch wie die Anlage von Didyma wurde auch dieser Tempel, der anfangs neben dem Artemiskult vermutlich auch der Zeusverehrung diente, nie vollendet.

Das Bad-Gymnasion von Sardes

Im 4. Jh. n. Chr., als der Tempel schon im Verfall begriffen war, errichtete man an seiner südwestlichen Ecke eine kleine byzantinische Kirche. Im 9. Jahrhundert verschwand der Tempel unter den Schlamm- und Gesteinsmassen eines riesigen Erdrutsches, der sich von der weiter östlich gelegenen Anhöhe löste. Auf dieser befand sich einst auch die Akropolis. Der Burghügel war dreifach ummauert und galt als uneinnehmbar – aber nicht als unvergänglich. Die paar Reste, die es noch gibt, lohnen nicht einmal die Konservierung. Wer den Aufstieg nicht scheut, wird mit einer herrlichen Aussicht belohnt.

Bad-Gymnasion und Synagoge: Das Bad-Gymnasion war ein Prachtexemplar antiker Körper- und Ertüchtigungsanstalten, ein typischer Prunkbau der späten römischen Kaiserzeit, vollendet 211 n. Chr. Rekonstruiert ist der 36 m breite Marmorhof, die sog. *Kaiserhalle.* Man betritt sie für gewöhnlich durch eine korinthische Säulenreihe und verlässt sie durch ein 8 m hohes Tor in der wieder aufgerichteten, etwa 25 m hohen Monumentalfassade. Dahinter lag der Kaltbaderaum, dessen Bassin noch samt hineinführenden Stufen erhalten ist.

Rund um das Bad-Gymnasion befanden sich einst kleine Geschäfte, die ehemalige *Palästra* (Übungsplatz der Ringkämpfer) und eine *Synagoge*, sehenswert wegen ihrer feinen Ausgestaltung. Die Mosaiken sind zwar nur Kopien (Originale in Manisa), aber das tut der Sache keinen Abbruch. Das quadratische Peristyl ist mit einem krugartigen Brunnen in der Mitte und einer umlaufenden Säulenreihe geschmückt. Die Synagoge wurde übrigens nie als solche gebaut, sondern entstand zusammen mit dem Bad-Gymnasion und war für andere Zwecke bestimmt. Irgendwann übernahm die jüdische Gemeinde von Sardes die Räumlichkeiten und gestaltete diese neu.

İzmir

(ca. 3–4 Mill. Einwohner)

İzmir ist ein türkisches Superlativ, überaus modern und zudem geschichtsträchtig. An die "Perle der Levante", wie man die Stadt noch zu Beginn des 20. Jh. nannte, erinnert jedoch wenig.

İzmir, nach İstanbul und Ankara die drittgrößte Stadt der Türkei, wuchert wild am *İzmir Körfezi*, dem 54 km langen und bis zu 24 km breiten Golf. Auf eine Ausdehnung von über 30 km hat es die Stadt bereits gebracht. Allein im letzten Jahrhundert hat sich die Einwohnerzahl weit mehr als verzehnfacht. Wie viele Menschen heute in İzmir leben, weiß keiner so genau.

İzmir ist Sitz des NATO-Hauptquartiers Südost. Raffinerien, Papierwerke und chemischen Kombinate sowie einer der umschlagstärksten Häfen der Türkei machen die Stadt zu einem bedeutenden Wirtschaftsstandort. Die wichtigste Industriemesse der Landes geht hier alljährlich über die Bühne. Boomtown İzmir verdankt ihren Aufschwung nicht zuletzt den vielen billigen Arbeitskräften, insbesondere Zuzüglern aus Inner- und Ostanatolien. Sie leben draußen in den Armutsgürteln der Stadt, ihre Tageseinnahmen entsprechen oft nur dem Betrag, mit dem andere in den mondänen Restaurants an der Uferpromenade die Rechnung aufrunden.

İzmir, das alte *Smyrna*, ist seit je her ein bedeutendes Handelszentrum. Doch an die Geburtsstadt von Homer und Aristoteles Onassis erinnert nicht mehr viel. Kriege und Brände haben ihre historische Substanz fast vollkommen zerstört. İzmir ist heute eine durch und durch türkische Großstadt mit Smogglocke, Verkehrslärm, Pressluftgehämmer und pausenlosem Sirenengeheul.

Doch es gibt auch adrette Ecken im Gewirr der Straßen, Plätze und Boulevards, und von Jahr zu Jahr werden es mehr. Die Stadtverwaltung restauriert alte Gassen und richtet von Palmen gesäumte Fußgängerzonen ein. Ein Ausflug in die Millionenmetropole verheißt ein abwechslungsreiches Erlebnis: Hier lässt sich türkischer Großstadtalltag erfahren – egal ob beim Shoppen auf dem Basar oder bei einem kalten Getränk in einer der gemütlichen Bars an der Uferpromenade.

Wohin im Moloch İzmir – zur Orientierung: Das Zentrum der Metropole bilden die Stadtteile Konak, Basmane und Alsancak samt den dazwischen liegenden Vierteln.
Das Herz von **Konak** ist der gleichnamige Platz, der *Konak Meydanı*, benannt nach dem *Hükümet Konağı*, dem Gebäude der Provinzregierung. Er ist einer der Dreh- und Angelpunkte İzmirs, zu allen Tageszeiten herrscht hier reges Leben. All zu schön ist der Platz jedoch nicht. Blickfang ist der *Saat Kulesi*, ein verspielter Rokoko-Uhrturm. Er wurde 1901 für Sultan Abdül Hamit II. anlässlich seines 25-jährigen Thronjubiläums errichtet – mit Geldern von dessen Amigo Kaiser Wilhelm II. In der Nähe des Turms erblickt man die hübsche kleine *Konak-Moschee* (→ Sehenswertes). Des Weiteren findet man rund um den Platz die *Konak İskelesi* (Schiffsanlegestation), das *Kaufhaus Karamürsel* (eines der bekanntesten der Türkei), das *Rathaus (Belediye)*, und das *Atatürk-Kulturzentrum (Atatürk Kültür Merkezi)*, ein gewagter Zweckbau mit Konzertsaal, Opernbühne und Konservatorium.
Vom *Konak Meydanı* verläuft die viel befahrene Atatürk Caddesi, auch *Kordon* genannt, in nördliche Richtung zum *Cumhuriyet Meydanı* ("Platz der Republik"), dem Renommierplatz İzmirs. Als großes Reiterstandbild blickt Atatürk hier auf die Büros der internationalen Fluggesellschaften und einige der teuersten Hotels der Stadt.
Vom Cumhuriyet Meydanı wiederum führt der *Kordon*, die abends für den Verkehr gesperrte Flaniermeile, weiter gen Norden in den Stadtteil **Alsancak**, ein nobles, modernes Eck mit teueren Boutiquen, Cafés, Bars und Restaurants. Hier lebt, wer zu İzmirs Upperclass gehört und nicht in einer Villa am Stadtrand wohnt. Hauptstraßen Alsancaks sind neben dem Kordon der *Cumhuriyet Bulvarı* und die *Kıbrıs Şehitler Caddesi*. Von Letzterer gehen einige Bilderbuchgassen mit alten Holzerkerhäuschen ab.
Schwenkt man vom *Konak Meydanı* landeinwärts, gelangt man entlang der Anafartalar Caddesi in das **Basarviertel**, das sich bis nach Basmane erstreckt. Ein Bummel durch das Labyrinth der kleinen Läden gerät zum bilderreichen Streifzug durch die quirlige Welt orientalischen Verkaufsalltags. Im Basarviertel befindet sich auch die restaurierte *Kızlarağası-Karawanserei* aus dem 18. Jh. Einst diente sie Kaufleuten als Herberge und Warenlager, heute wird darin allerlei Orientkitsch feilgeboten.
Das Zentrum von **Basmane** bildet der gleichnamige Bahnhof. Rund um ihn findet man preiswerte Hotels und Restaurants. Nördlich davon schließt der *Kulturpark* (→ Sehenswertes) an.

Geschichte

Keramikfunde im Stadtteil Bayraklı, ca. 7 km nordöstlich des Zentrums, lassen darauf schließen, dass die Bucht von İzmir bereits im 3. Jt. v. Chr. besiedelt war. Aber erst im 11. Jh. v. Chr. erfolgte an jener Stelle die Gründung *Smyrnas* durch äolische Siedler. Drei Jahrhunderte später wurde diese von ionischen Griechen erobert. Smyrna stieg zu einer wohlhabenden Stadt auf. Irgendwann zwischen 750 und 650 v. Chr. soll sie auch die Heimat Homers, des ersten epischen Dichters des Abendlandes gewesen sein. Ihm schreibt man die Epen "Ilias" und "Odyssee" zu.

575 v. Chr. nahmen die Lydier Smyrna ein und zerstörten es. Erst 334 v. Chr. ließ Alexander der Große die Stadt Smyrna auf dem Pagusberg neu aufbauen. Aus jener Zeit stammt die *Kadifekale*, die "Samtburg" auf der Spitze des İzmirer Hausbergs. Unter griechischer und römischer Herrschaft entwickelte sich Smyrna zu einem wichtigen Handelszentrum, im 2. Jh. zählte es bereits über

100.000 Einwohner. Mit der Verlandung des Hafens von Ephesus gewann Smyrna zudem an Bedeutung. Im 7. Jh., unter Byzanz, trotzte die Stadt noch erfolgreich den Arabereinfällen, danach aber wurde sie zum Zankapfel zwischen Seldschuken und Kreuzfahrern.

1426 gelang es den Osmanen, die Stadt in ihr Reich einzugliedern. Aus Smyrna wurde İzmir, die Bevölkerung aber blieb größtenteils griechisch. Kaum ein Jahrhundert sollte vergehen, ohne dass sie unter Erdbeben, der Pest oder Feuersbrünsten zu leiden hatte. Dennoch erfuhr die Stadt nach jeder Katastrophe einen umso größeren Aufschwung; İzmir entwickelte sich zum wichtigsten Handelstor gen Westen. 1915 schrieb der Völkerkundler Ewald Banse über İzmir: "Hier herrscht der Grieche mit dem Europäer, und von den rund 250.000 Einwohnern glaubt die Hälfte orthodox, betet nur der vierte Teil in den Formeln des Koran, und in den Rest teilen sich Spaniolen und Armenier, Levantiner und Europäer." Die Sitten waren in etwa so streng wie in Paris oder im Berlin der goldenen Zwanzigerjahre.

Das Gesicht der Stadt änderte sich bald darauf grundlegend. Mit der Zerschlagung des Osmanischen Reiches 1918 wurde İzmir von griechischen Truppen besetzt. Die türkische Befreiungsarmee unter Atatürk eroberte die Stadt 1922 zurück: Weit über 100.000 Griechen und Armenier verließen in Panik ihre Häuser und versuchten auf Schiffen zu entkommen. Ganze Stadtviertel wurden in diesen schrecklichen Tagen ein Raub der Flammen. Nach den Weltkriegen erlebte İzmir einen wirtschaftlichen Aufschwung wie nur wenige Städte des Landes. Heute gehört es zu den bedeutendsten Metropolen der Türkei.

Information/Verbindungen/Ausflüge/Parken

- *Telefonvorwahl* 0232.
- *Information* am Gazi Osmanpaşa Bul. 116 nahe dem Hilton. Sehr informiertes Personal. Auskünfte auf Englisch. Mo–Fr 8.30–18.30 Uhr, Sa/So 9–17 Uhr. ✆ 4457390, 📠 4899278.
- *Verbindungen* İzmirs **Flughafen Adnan Menderes** liegt ca. 20 km südlich der Stadt. Wer hier landet, hat (bevor er den Zoll passiert) noch die Möglichkeit, einen Duty-free-Einkauf zu tätigen; die Zigarettenpreise liegen erheblich unter denen deutscher Duty-free-Shops. Im internationalen Terminal, 200 m vom nationalen entfernt, finden Sie im Ankunftsbereich Geldwechselmöglichkeiten, EC-Automaten, Zweigstellen diverser Autoverleiher, eine Post und eine Tourist Information (tägl. 8.30–17.30). Mehrmals am Tag Flüge zu diversen deutschen und türkischen Städten.

Transfer vom und zum Flughafen: Um ins Zentrum zu gelangen, stehen verschiedene Möglichkeiten zur Auswahl: Teuerste und unkomplizierteste Variante ist das Taxi (ca. 15 €). Lässt man sich nur bis zur nächsten Bushaltestelle bringen, kommt man auf ca. 3 €. Bequem gelangt man für 3 € auch mit den Havaş-Bussen ins Zentrum. Sie fahren ca. 12-mal tägl. (immer zu den Ankunftszeiten der THY-Maschinen). Wer vom Zentrum auf diese Weise zum Flughafen möchte, steigt vor der Tourist Information zu. Nur ein paar Schritte weiter befindet sich am Gazi Osmanpaşa Bul. 1/F das THY-Büro, ✆ 4841220, 📠 4836281. Des Weiteren besteht die theoretische Möglichkeit, mit dem Zug vom Zentrum (Alsancak) zum Flughafen (Bahnsteig auf dem Flughafengelände) bzw. andersrum zu gelangen. Leider fahren nur äußerst selten Züge diese Strecke, zum Zeitpunkt der Recherche 1-mal morgens und 1-mal abends.

Bus/Dolmuş: İzmir hat 3 Busbahnhöfe, der wichtigste *(Yeni Otogar)* befindet sich ca. 12 km nordwestlich des Zentrums. Von dort fahren mehrmals tägl. Überlandbusse in alle größeren Städte der Türkei, nach Antalya (9 Std.), Bodrum (4 Std.), Pamukkale (4,5 Std.), İstanbul (8 Std.), Marmaris (6 Std.),

Selçuk (1,5 Std.), Konya (8 Std.) und Nevşehir (12 Std.). Tickets kauft man am besten bei den Buchungsbüros am Basmane-Bahnhof oder rund um den Cumhuriyet Meydanı bzw. in den davon abgehenden Straßen. Zweigstellen der Busgesellschaften Pamukkale, Ulusoy oder Varan finden Sie z. B. am Gazi Osmanpaşa Bul. Varan bringt Sie übrigens auch nach Deutschland.

Vom Yeni Otogar gelangt man am einfachsten mit einem Dolmuştaxi ins Zentrum (0,60 € pro Person, Dauer ca. 15 Min., im Busbahnhof der Beschilderung "Dolmuş" folgen und dann nach Taxis mit der Aufschrift "Otogar-Basmane" Ausschau halten). Etwas langwieriger ist die Fahrt mit Ⓑ 50 oder 54 (0,35 €, Dauer ca. 45 Min.). Die Abfahrtsstelle der Stadtbusse zum Otogar befindet sich im Zentrum am Halit Ziya Bul. Wer mit größeren Busgesellschaften an- oder abreist, gelangt mit deren Servicezubringern ins Zentrum bzw. zum Busbahnhof.

Busse nach Çeşme (1,5 Std.) und auf die Karaburun-Halbinsel fahren vom Busbahnhof am F. Altay Meydanı im Stadtteil Üçkuyular, 4 km westlich von Konak, ab. Ⓑ 169 fährt von Alsancak über den Cumhuriyet Bul., den Cumhuriyet Meydanı und Konak dorthin. Die Verbindung zwischen Yeni Otogar und Çeşme-Terminal stellt Ⓑ 605 her.

Dolmuşe nach Gümüldür oder Özdere (regelmäßig bis 21 Uhr) starten am Busbahnhof Gaziemir einige Kilometer südöstlich des Zentrums. Von Konak fährt Ⓑ 152 nach Gaziemir.

Zug: Wer mit dem Zug ankommt, steigt für gewöhnlich am Basmane-Bahnhof aus. Auf türkischen Fahrplänen und an den Bahnsteigen wird Basmane stellvertretend für İzmir angegeben. Züge nach Aydın oder Afyon – die beiden Hauptlinien – fahren 4-mal tägl. vom Basmane-Bahnhof ab. Von dort zudem 1-mal tägl. über Bandırma und weiter mit der Fähre nach İstanbul, 1-mal tägl. nach Ankara und Konya, 4-mal tägl. nach Eskişehir und Denizli. Informationen unter ✆ 4848638. Der Alsancak-Bahnhof dient vorrangig dem Lokalverkehr.

Schiff: Die Anlegestelle der großen Fähren befindet sich in Alsancak. Ein Schiff der Turkish Maritime Lines bedient von April–Okt. 1-mal wöchentl. die Strecke İzmir-İstanbul (meist So, Dauer ca. 20 Std.). Das TML-Büro befindet sich am Fährhafen in Alsancak, Atatürk Cad. 95, ✆ 4648864, 📠 4647834. Deckpassage 19 €, Kabinen 17–36 € pro Person, Motorrad 9 €, Auto 22 €, Wohnmobil 30–35 €.

Im Sommer 2002 gab es keine Fähren von und nach Italien. Sollte es sie wieder einmal geben, legen sie für gewöhnlich auch in Alsancak an bzw. ab.

Tipp: Um der Hektik und Hitze der Stadt zu entfliehen, bietet sich ein Ausflug mit der Fähre nach Karşıyaka an. Dabei durchquert man die weite Bucht von İzmir und genießt deren Skyline von See aus. Die Fähren legen von Konak, vom Cumhuriyet Meydanı (Pasaport İskelesi) und von Alsancak ab. Dauer einfach ca. 20–30 Min., Preis retour ca. 1 €.

• *Stadtverkehr* Das **innerstädtische Bussystem** funktioniert gut, geringe Wartezeiten, allerdings volle Busse, die nur selten einen Sitzplatz bieten. Eine Fahrt kostet 0,35 €. Bustickets, die beim Einstieg in einen Behälter beim Fahrer geworfen werden, kauft man an den Ticketschaltern der großen Bushaltestellen oder (etwas teuerer) bei Privatleuten an den Stopps.

Seit 2001 verfügt İzmir zudem über eine steril saubere, wenig benutzte **Metro**, die rund um die Uhr in Betrieb ist. Die einzige Linie führt vom Kazım Bekir Meydanı südlich des Zentrums über den Konak-Platz sowie die Stadtteile Çankaya und Basmane nach Nordosten. Eine Fahrt kostet 0,35 €.

Im Stadtteil Balçova ca. 7 km südwestlich des Zentrums gibt es auch eine **Seilbahn** *(teleferik)*. Von den dortigen Thermen (→ Baden) führt sie auf ein Plateau mit schönen Ausblicken samt Picknickplätzen und Teehäusern – ein netter Ausflug.

• *Organisierte Touren* Da nur wenige Touristen mehrere Tage in İzmir verweilen, hält sich auch die Anzahl der Anbieter in Grenzen. Man findet sie rund um den Cumhuriyet Meydanı und den Gazi Osmanpaşa Bul. **Yurtturu** am Şehit Nevresbey Bul. hat z. B. 2- und 3-Tagesausflüge nach Fethiye (95 €), Marmaris (85 €), Bodrum (90 €) und Antalya (100 €) im Programm, ✆ 4649599. Ein weiterer Anbieter ist **Opal Travel Agency** am Gazi Osmanpaşa Bul. 1–1/B neben der Tourist Information, ✆ 4456767, www.opalturizm.com.tr. Tagesausflüge nach Ephesus (55 €), Pamukkale (70 €) oder Pergamon (50 €). Anmeldung ein paar Tage im Voraus erforderlich, Fahrten finden nur statt, wenn größere Gruppen zusammenkommen.

Spaziergang am Kordon

• *Parken* Wer mit dem Auto ins Zentrum fahren möchte, folgt der Beschilderung in einen der genannten Stadtteile. Die sonst in der Türkei übliche "Şehir Merkezi"-Beschilderung (= Zentrum) fehlt. Bewachte und gebührenpflichtige Parkplätze *(Otopark)* findet man in diversen Baulücken. Ein Parkhaus befindet sich hinter dem Konak-Platz in der Milli Kütüphane Cad.

Adressen

• *Ärztliche Versorgung* **Ege Sağlık Hastanesi**, privates Krankenhaus in Alsancak mit deutsch- und englischsprachigem Personal. 1399 Sok., ✆ 4637700.

• *Autoverleiher* finden Sie in großer Anzahl in den vom Cumhuriyet Meydanı abgehenden Straßen. Die folgenden Agenturen verfügen auch über Zweigstellen am Flughafen. **Europcar**, Şehit Fethi Bey Cad. 122, ✆ 4415141, ℻ 4830031. **Avis**, Şair Eşref Bul. 18/D, ✆ 4414417, ℻ 4414420. **Budget**, Şair Eşref Bul. 22/1, ✆ 4419224, ℻ 4419375. Die preiswertesten Fahrzeuge der international renommierten Verleiher liegen bei rund 37 € pro Tag inkl. Vollkaskoversicherung, die der lokalen Anbieter rund 20 % darunter.

• *Diplomatische Vertretungen* **Deutschland** (Generalkonsulat), Atatürk Cad. 260, Alsancak, ✆ 4216995, ℻ 4637990. **Österreich** (Honorarkonsulat), Şehit Fethi Bey Cad. 41, Erboy İşhanı, ✆ 4254564, ℻ 4848127. **Schweiz** (Konsulat), 1380 Sok, Alyans Apt. B. Blok K:3 D:6, ✆ 4214239, ℻ 4220259.

• *Geld* Banken mit EC-Automat insbesondere rund um den Cumhuriyet Meydanı. Am Wochenende lässt sich Bargeld z. B. in der Wechselstube **Odak Döviz**, Gazi Bul. Ecke Gazi Osmanpaşa Bul. tauschen.

• *Polizei* am Konakplatz, ✆ 4890112.

• *Post* **Hauptpost** am Cumhuriyet Meydanı, rund um die Uhr geöffnet.

• *Reisebüro* **Opal Travel Agency** am Gazi Osmanpaşa Bul. Flüge innerhalb der Türkei, nach Deutschland und in alle Welt. Adresse → "Organisierte Touren".

• *Türkischkurse* Beste Adresse ist **Tömer**, das Sprachlehrzentrum der Universität Ankara. Kurse finden fast das ganze Jahr über statt, 4-Wochen-Kurse ab 240 €. Die Filiale İzmir befindet sich in der Kıbrıs Şehitler Cad. 55, ✆ 4640544, www.tomer.ankara.edu.tr.

• *Zeitungen* und Zeitschriften in deutscher Sprache finden Sie im **Altı Bookstore**, Cumhuriyet Bul./Ecke 1378 Sok.

Einkaufen (siehe Karte S. 243)

Verglichen mit vielen Küstenstädtchen, wo das Angebot in erster Linie den Bedürfnissen nach Markenimitaten gerecht wird, ist İzmir ein Shoppingparadies. In der Millionenmetropole bekommt man einfach alles. Gute Preise, gute Auswahl.

• *Basarviertel* Der İzmirer Basar rund um die Anafartaler Cad. ist einer der schönsten Basare der Türkei. Die Läden sind z. T. nach Warengruppen zusammengefasst, es wird lautstark gefeilscht, geflucht, präsentiert und demonstriert. Die Werkstätten liegen oftmals direkt hinter den Verkaufsständen. Eine gute Adresse ist hier **İlhan Nargile İmalathanesi**, die berühmteste Wasserpfeifenmanufaktur der Westküste. Sie befindet sich in Nachbarschaft der Kızlarağası-Karawanserei in der 906 Sok. 31. Die hier angebotenen *Nargiles* sind nicht nur Dekorationspfeifen – keine Kunststoffschläuche, sondern echtes Lammleder! Da der Zwischenhandel wegfällt, kauft man hier günstig, kleine Exemplare schon ab 17 €. Für Goldschmuck sucht man im Basarviertel den **Eski Çarşı (26)** ("Alter Basar") in der 1313 Sok. auf. So sind die Geschäfte übrigens geschlossen.

• *Sevgi Yolu* nennt sich ein gepflegtes, kopfsteingepflastertes und mit Palmen bestücktes Marktsträßchen nahe dem Hilton. An den Ständen werden vornehmlich CD-Raubkopien, Schmuck, Bücher und Alternativ-Accessoires verkauft – ein schöner Spaziergang.

• *Noch zwei Adressen für Feinschmecker*
Üzüm Şarap Evi (11), nach alten Holzfässern riechender Weinladen mit gängigen und weniger gängigen Tröpfchen aus der Türkei. Im Angebot sind u. a. zuckersüße Fruchtweine wie Kirsch oder Granatapfel. Şair Eşref Bul. 47, Alsancak.

Pierre's Gourmet Store (10), feine Teesorten, Weine von der Ägäis, allerlei Raucherbedarf etc. Auf einer kleine Terrasse kann man probieren. 1389 Sok., Alsancak.

Baden/Sport/Kultur

• *Baden* **İnciraltı** nennt sich der Hausstrand von İzmir im Südwesten der weiten Bucht, ca. 10 km vom Zentrum entfernt. Viele Restaurants, viel Rummel und an Sonntagen hoffnungslos überlaufen. Die Wasserqualität hat sich zwar verbessert, lässt aber dennoch zu wünschen übrig. Besser an die Sandstrände der Çeşme-Halbinsel ausweichen. Vom F. Altay Meydanı fahren Busse und Dolmuşe zum İnciraltı-Strand.

Empfehlenswerter sind die **Agamemnon-Thermen** (Agamemnun Kaplıcası) im Stadtteil Balçova ca. 7 km südwestlich des Zentrums. Das 30–40°C warme Wasser soll bei Nierenleiden helfen. Baden kann man im Balçova Termal Center, einem staatlichen Hotelkomplex mit Hallenbad, das für 4,40 € (am Wochenende 5,90 €) auch Nichtgästen offen steht. Ein Ausflug dorthin lässt sich zudem mit einer Seilbahnfahrt verbinden (→ Verbindungen). Busse nach Balçova fahren vom F. Altay Meydanı ab.

• *Fußball* Die Anhänger von **Altay İzmir** sind die Schalker der türkischen Liga. Gute Fußballstimmung ist also im Eintrittspreis enthalten. Gespielt wird im Stadion von Alsancak an der Şehitler Cad. Eintrittskarten über die Tourist Information. Man sollte sich bereits einige Tage vorher darum kümmern, da die Spiele oft ausverkauft sind.

• *Türkisches Bad (Hamam)* Als eines der besten Hamams der gesamten Türkei gilt das **Karataş Hamamı** in der Mithatpaşa Cad. 360 nahe dem Karataş Lisesi im gleichnamigen Stadtteil (ca. 1,5 km südwestlich des Konak-Platzes). Eintritt ca. 6 €, tägl. 6.30–23.30 Uhr. B* 169 bringt Sie vom Cumhuriyet Meydanı dorthin. Beliebt ist zudem das **Basmane Hamamı** nahe dem Bahnhof in der Anafartalar Cad. Gleicher Preis.

• *Kultur* Das **Atatürk-Kulturzentrum**, unübersehbar an der Mithatpaşa Cad. südlich des Konak-Platzes, ist Dreh- und Angelpunkt des städtischen Kulturlebens. Es bietet eine breite Palette an Veranstaltungen, Infos dazu in der Tourist Information.

Die **Staatsoper** (İzmir Devlet Opera) steht an der Milli Kütüphane Cad. östlich des Konak-Platzes. Geboten wird alles zwischen Theater, Jazzkonzerten und Flamencoabenden, und zwar vor allem an Wochenenden. Kartenvorverkauf im Haus, ✆ 4845445.

• *Veranstaltungen* Das **Internationale Filmfestival** im April bietet gute Möglichkeiten, junge sozialkritische Filme aus der Türkei zu sehen. Das **Internationale İzmir-Festival** findet jährlich von Juni–Aug. statt. Zu sehen und zu hören sind Theatervorstellungen, Konzerte usw. Schauplatz ist neben der Burg Kadifekale auch das Theater von Ephesus. Die **Industriemesse** Ende August/Anfang September wird von kulturellen Rahmenveranstaltungen begleitet.

Übernachten (siehe Karte S. 243)

Viele Hotels auf hohem Niveau für Geschäftsleute und viele Absteigen auf niederem Niveau für Arbeiter und Händler. Dazwischen gibt es wenig, da nur selten Touristen in der Stadt übernachten. Nette Pensionen wie in den Ferienorten an der Küste fehlen in İzmir. Hotelschwerpunkte sind der Gazi Osmanpaşa Bul., der obere Teil des Fevzipaşa Bul. (Richtung Bahnhof) und die Anafartalar Cad. mit ihren Seitengassen. Preiswerte Hotel findet man insbesondere in Basmane.

*******Hilton Izmir (19)**, ein grober Klotz, der die Skyline İzmirs dominiert und im Inneren tausendmal besser ist als die äußere Erscheinung verspricht. Sämtlicher Luxus, den man bei einem DZ-Preis für 290 € erwarten kann. Restaurant und Bar im 31. Stock mit tollem Blick über das abendliche Lichtermeer sind auch Nichtgästen zugänglich. Gazi Osmanpaşa Bul. 7, ✆ 4976060, izmhitwsal@hilton.com.

******Ege Palas (7)**, sehr gepflegtes, stilvolles, mit viel Marmor ausgestattetes Haus im Herzen des modernen İzmirs. 109 Zimmer und 3 Suiten mit jeglichem Komfort. Nichtraucheretage, österreichische Patisserie, Fitnesscenter und Pool auf dem Dach. DZ (mit Meeresblick) 99 €, als EZ 79 €, an Wochenenden Preisnachlässe bis 40 %. Cumhuriyet Bul. 210, Alsancak, ✆ 4639090, egepalas@egepalas.com.tr.

******Otel Marla (18)**, schon über 10 Jahre alt, doch dank guter Pflege immer noch bestens in Schuss. Gehobenes Haus mit interessanter Architektur. 68 Zimmer mit rosa (!) Möbeln und Türen. Freundlicher Service, für das Gebotene sehr günstig. EZ 41 €, DZ 47 €, Suite 61 €. Kazım Dirik Cad. 7, ✆ 4414000, ℻ 4411150.

Otel Antik Han (27), das einzige kleine stilvolle Haus der Stadt. Ein osmanischer Bau aus der Mitte des 19. Jh. Gemütlicher Innenhofbereich. Teils recht geräumige, stets komfortabel ausgestatte Zimmer. DZ 27 €, EZ 22 €. Nahe der Agora in der Anafartalar Cad. 600, ✆ 4892750, ℻ 4835925.

*****Hotel Hisar (25)**, neunstöckiges Haus nahe dem Basmane-Bahnhof. 63 möchtegernschicke Standardhotelzimmer mit Klimaanlage und TV. Laute Straße vor der Tür, dafür isolierte Fenster. Fazit: Drei-Sterne-Niveau für extrem wenig Geld: DZ 24 €, EZ 15 € inkl. gutem Frühstück. Fevzipaşa Bul. 153, ✆ 4845499, www.hotelhisar-izmir.com.tr.

****Otel Kaya (21)**, ähnlich wie das Hotel Hisar, auch wenn ein Stern (kein Grund ersichtlich) und ein Stockwerk weniger. Ebenfalls laute Straße vor der Tür. Am besten sind die Zimmer in der obersten Etage: Balkon und weniger Lärm. Freundlicher Service, gleiche Preise wie das Hisar. Gazi Osmanpaşa Bul. 45, ✆ 4839771, ℻ 4839773.

****Avşar Otel (23)**, 2001 eröffnet. Gepflegte Zimmer, moderne Bäder, jedoch billig gebaut. Für die nächsten 2 bis 3 Jahre sicherlich noch ein Tipp, da für das Gebotene äußerst günstig. DZ mit Klimaanlage und Frühstück 17 €, als EZ 10 €. 1364 Sok 8, Basmane, ✆ 8135422, ℻ 8133514.

Otel Çağla Pınar (1), eine der wenigen preiswerten und noch einigermaßen empfehlenswerten Adressen in Alsancak, das mit guten und günstigen Unterkünften alles andere als gesegnet ist. 16 abgewohnte Zimmer mit Teppichen, die anscheinend nur selten einen Staubsauger sehen. Dafür TV, Klimaanlage, Bar und Frühstücksraum auf der Galerie im ersten Stock. Nette Leitung. EZ 9 €, DZ 18 €. 1478 Sok. 3, ✆ 4639223, ℻ 4641028.

Çiçek Palas Oteli (22), buntes Haus nahe dem Basmane-Bahnhof. Weiße Decken, gelbe Wände, rosa Böden und Gänge. Kleine Zimmer, aber sauber und okay. DZ mit Bad 9 €, als EZ 6 €. 1368 Sok 10, ✆ 4469252.

Otel Işık (20), ebenfalls einfach und sauber, im Vergleich etwas farblos, dafür deutschsprachig. DZ mit Bad und abgetretenen Teppichböden 9 €, ohne Bad 6,50 €. 1364 Sok 11, Basmane, ✆ 4831029.

Huzur Oteli (24), billiger geht es kaum: EZ ab 3,50 €, DZ ab 6 €. Und dabei nächtigen Sie in einem alten, morbid-charmanten Stadtpalais unter 5 m hohen Decken. Einen Haken hat die Sache nicht, auch wenn es sehr spartanisch zugeht. Etagentoilette. Fevzipaşa Bul. 77, Çankaya, ✆ 4841065.

• *Camping* In İzmir selbst keine Möglichkeit, → Karaburun-Halbinsel (S. 256) oder Gümüldür (S. 262).

Essen & Trinken

Viele gute und preiswerte Lokantas, Döner- und Pidesalons rund um den Bahnhof Basmane und in der Kıbrıs Şehitler Cad. in Alsancak. Eine Vielzahl gehobenerer Fischlokale an der Uferpromenade von Alsancak – am Abend sehr gemütlich, wenn der Kordon für den Verkehr gesperrt ist. Je nach Lokal sollten Sie hier jedoch mindestens 30–50 € für ein Abendessen für zwei Personen inkl. Getränke einplanen. Preiswerter und legerer geht es in den Restaurants und Kneipen auf Höhe des Pasaport-Fähranlegers nahe dem Cumhuriyet Meydanı zu. Eine Reihe netter Tee- und Biergärten mit dem Über-Blick findet man rund um die Burg Kadifekale. Zu den Spezialitäten der Stadt gehören *Çipura* (Goldbrasse) und *İzmir Köfte* (Bouletten in Tomatensauce).

Deniz Restaurant (13), gilt als das beste und stilvollste Fischrestaurant der Stadt. Gediegenes Ambiente mit Korbmöbeln, unaufdringlicher, erstklassiger Service. Rechnen Sie mit 10–18 € für ein Abendessen (ohne Wein). Ebenfalls empfehlenswert ist gleich gegenüber das Restaurant **La Sera (12)** mit gigantischer Außenbestuhlung. Atatürk Cad./Ecke Vasıf Çınar Bul.

Smyrna Restaurant (16), ganz in Blau gehaltenes, gemütliches Lokal mit Griechenlandflair. Fast jeden Abend Livemusik. Eine Portion Goldbrasse mit Salat, Wein und Musik ca. 6 €. Leider ohne Terrasse, lediglich ein paar Tische draußen direkt an der verkehrsreichen Straße. Cumhuriyet Bul./ Ecke 1346 Sok.

Kemal'ın Yeri (4), ebenfalls eine empfehlenswerte Adresse für Fisch und Meeresfrüchte der mittleren Preisklasse. Außenbestuhlung, eher einfaches Ambiente. 1453 Sok., Alsancak.

Vejetaryen (14), in İzmirs einzigem "vegetarischen" Restaurant zählt auch Hühnchen zur fleischlosen Küche. Ansonsten interessante Speisekarte mit ökologisch korrekter Kichererbsensuppe, Sojagerichten, Falafel etc. Auch Diätkost. Rauchverbot. Hauptgerichte schon ab 1,60 €! 1375 Sok. 11, Alsancak.

Alibaba (15), eines von mehreren kleinen Lokantas in der 1379 Sok. in Alsancak, die auf *Kumpir*, lecker gefüllte Riesenkartoffeln, spezialisiert sind. Eine davon (ab 0,90 €) kann ein komplettes Essen ersetzen. Zudem frisch gepresste Fruchtsäfte.

> **Tipp**: In der **1444 Sokak**, einer hübschen Nebengasse der Kıbrıs Şehitler Cad. in Alsancak, reiht sich ein kleines Fischlokal ans nächste. Hier speisen Sie um einiges billiger als in den Fischrestaurants am Kordon. Eine Portion Fisch, Salat und ein Bier ab 3,50 €.

• *Biergarten/Cafés* **Saklı Bahçe (17)**, gemütlicher einfacher Biergarten mit den auch bei uns üblichen Sitzgarnituren, jedoch unter Palmen inmitten des Businesszentrums. Stadtpreise. Gazi Osmanpaşa Bul./Ecke Sevgi Yolu.

Otantik Café (8), mehrstöckiges Café mit alternativer Einrichtung: Räucherstäbchen, bunte Decken, zusammen gewürfelter Asia-Kitsch. Worldmusic. 1448 Sok., Alsancak.

Viran Gönüller (3), das Café "der gebrochenen Herzen". Gemütlicher Studententreff im ersten Stock. Versuchen Sie, einen Platz am Erkerfenster mit Blick auf die trubelige Fußgängerzone unter Ihnen zu ergattern. Kıbrıs Şehitler Cad./Ecke 1453 Sok. (leicht zu übersehen), Alsancak.

Sevinç Pastanesi (9), auch wenn es nicht danach aussieht, ist dies eine weit über die Grenzen İzmirs hinaus bekannte und beliebte Konditorei mit besten Kuchen und Torten, leckerem Eis und süßen Teilchen jeder Art. Talatpaşa Bul./Ecke Kıbrıs Şehitler Cad., Alsancak.

Nachtleben

Das Nachtleben spielt sich in den Clubs und Kneipen in Alsancak ab, genauer gesagt in den Seitengassen der Kıbrıs Şehitler Cad. Lebendig und vielseitig ist es im Winter, beschaulich im Sommer, da viele In-Clubs und mit ihnen die Nachtschwärmer dann auf die Çeşme-Halbinsel, nach Kuşadası oder Bodrum umziehen. Was gerade angesagt ist, erfährt man am besten von der Szene selbst. In den hier aufgeführten Adressen werden Sie schlauer. Wem der Sinn eher nach türkischer Livemusik und

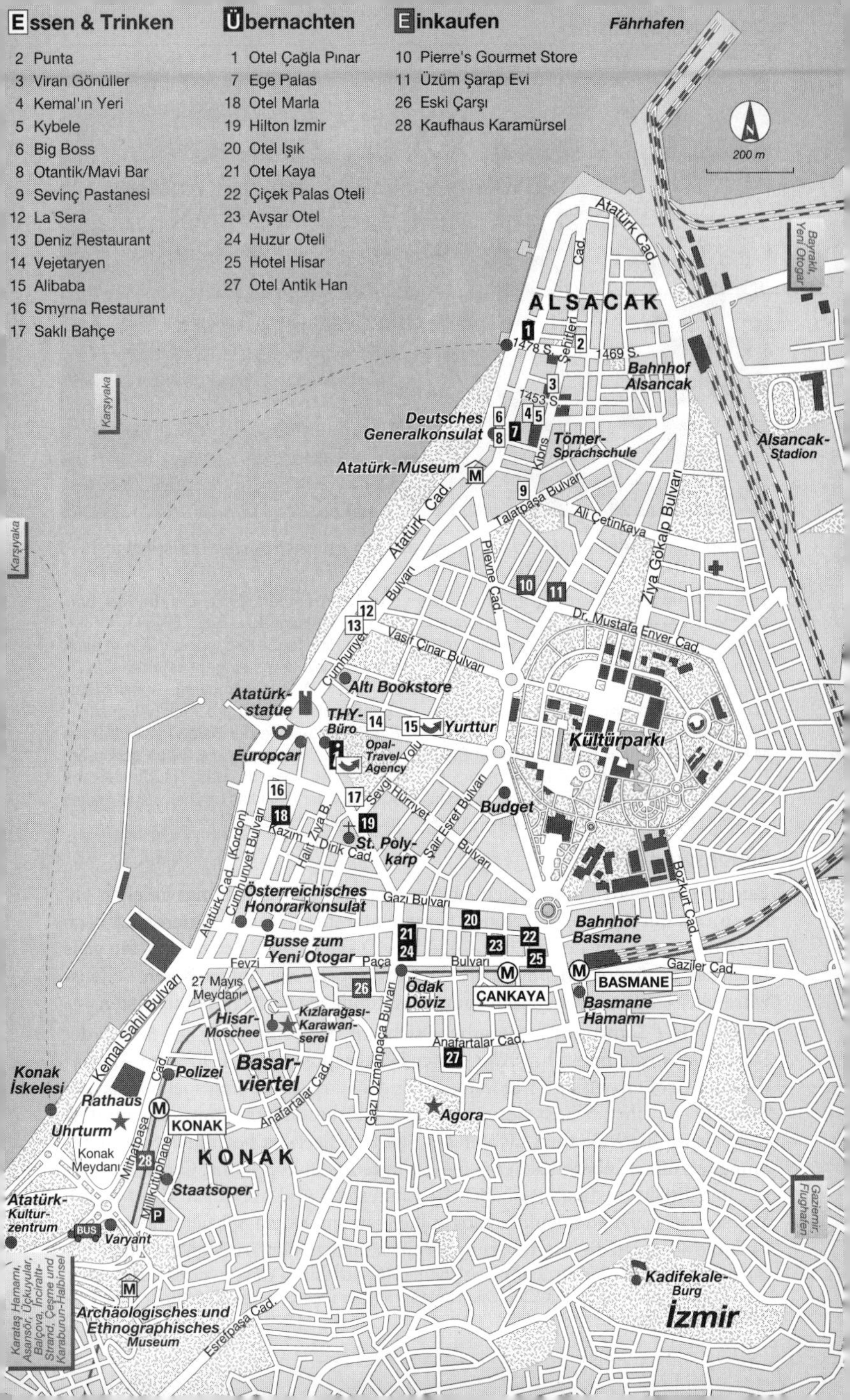
Essen & Trinken
2 Punta
3 Viran Gönüller
4 Kemal'ın Yeri
5 Kybele
6 Big Boss
8 Otantik/Mavi Bar
9 Sevinç Pastanesi
12 La Sera
13 Deniz Restaurant
14 Vejetaryen
15 Alibaba
16 Smyrna Restaurant
17 Saklı Bahçe
Übernachten
1 Otel Çağla Pınar
7 Ege Palas
18 Otel Marla
19 Hilton Izmir
20 Otel Işık
21 Otel Kaya
22 Çiçek Palas Oteli
23 Avşar Otel
24 Huzur Oteli
25 Hotel Hisar
27 Otel Antik Han
Einkaufen
10 Pierre's Gourmet Store
11 Üzüm Şarap Evi
26 Eski Çarşı
28 Kaufhaus Karamürsel
Fährhafen
200 m
Atatürk Cad.
Bayraklı, Yeni Otogar
ALSACAK
Bahnhof Alsancak
Alsancak-Stadion
Karşıyaka
Deutsches Generalkonsulat
Tömer-Sprachschule
Atatürk-Museum
Talatpaşa Bulvarı
Ali Çetinkaya
Ziya Gökalp Bulvarı
Plevne Cad.
Dr. Mustafa Enver Cad.
Vasıf Çınar Bulvarı
Cumhuriyet Bulvarı
Altı Bookstore
Atatürk-statue
THY-Büro
Yurttur
Kültürparkı
Europcar
Opal-Travel-Agency
Sevgi Yolu
Hürriyet
Şair Eşref Bulvarı
Budget
Kazım Dirik Cad.
St. Polykarp
Halit Ziya B.
Atatürk Cad. (Kordon)
Österreichisches Honorarkonsulat
Gazi Bulvarı
Bozkurt Cad.
Bahnhof Basmane
Busse zum Yeni Otogar
Fevzi Paşa Bulvarı
Gaziler Cad.
BASMANE
27 Mayıs Meydanı
Ödak Döviz
ÇANKAYA
Basmane Hamamı
Hisar-Moschee
Kızlarağası-Karawanserei
Kemal Sahil Bulvarı
Gazi Osmanpaşa Bulvarı
Anafartalar Cad.
Konak İskelesi
Polizei
Basarviertel
Rathaus
Uhrturm
KONAK
Agora
Konak Meydanı
Mithatpaşa
Millikütüphane
KONAK
Staatsoper
Gaziemir, Flughafen
Atatürk-Kulturzentrum
BUS
Varyant
Karataş Hamamı, Asansör, Üçkuyular, Balçova, İnciraltı-Strand, Çeşme und Karaburun-Halbinsel
Kadifekale-Burg
Archäologisches und Ethnographisches Museum
Eşrefpaşa Cad.
İzmir

Grillen auf dem Hügel Balçova: Entspannung für gestresste Großstädter

Varieté-Programmen steht, kann eines der *Gazinos* im Kulturpark aufsuchen. Abzuraten ist von den schmierigen, halbseidenen Amüsierbetrieben rund um den Basmane-Bahnhof.

Punta (2), ein Klassiker der Clubszene. Geht über mehrere Stockwerke samt Dachterrasse. Gelegentlich Livebands. 1469 Sok 26, Alsancak.

Mavi Bar (8), gemütliche Bierkneipe in Blau. Hin und wieder Partys und Livemusik (z. B. Salsa). Im Sommer eher langweilig, da man sich auf den dazu gehörenden Club in Bodrum konzentriert. Ecke Cumhuriyet Bul./ 1448 Sok., Alsancak.

Kybele (5), efeubewachsenes Haus in einer gemütlichen kopfsteingepflasterten Gasse. Livemusik, Außenbestuhlung – idealer Platz zum Peoplewatching. 1453 Sok., Alsancak.

Big Boss (6), eine der vielen Partyadressen am Kordon. Hier geht die Disco schon am Nachmittag los, da das Hauptpublikum, aufgedonnerte Girlies, früher nach Hause muss. Einfach lustig. Alsancak.

Sehenswertes

Es gibt zwar viel zu besichtigen, aber wenig, was man unbedingt gesehen haben muss. Ein Bummel durch den Basar, eine Fahrt mit dem Linienschiff nach Karşıyaka oder mit der Seilbahn über die Dächer von Balçova sind für viele Besucher schönere Erlebnisse als das Abklappern der aufgeführten Sehenswürdigkeiten. Diese lassen sich zudem als Rundgang schlecht kombinieren.

Kadifekale ("Samtburg"): Sie erhebt sich auf dem Pagusberg im Süden der Stadt und wurde im 4. Jh. v. Chr. unter Lysimachos, einem Feldherrn Alexanders des Großen, erbaut. Die Mauerreste der Burg sind wenig spektakulär, die Aussicht von ihr aber ist beeindruckend – insbesondere zum Sonnenuntergang, wenn die Millionen Lichter der Stadt zu flackern beginnen. Sofern der Smog es zulässt, überblicken Sie die gesamte Bucht von İzmir. Cafés, Biergärten und Freiluftrestaurants haben sich innerhalb und außerhalb der Mauern angesiedelt. Nach Sonnenuntergang sollte man von einem Spaziergang auf dem Gelände absehen, die Viertel drum herum zählen zu den ärmsten der Stadt.

Anfahrt/Öffnungszeiten Ⓑ 33 (Abfahrt von der Bushaltestelle Varyant südlich des Konak-Platzes) bringt Sie zur Kadifekale. Die Burg ist rund um die Uhr frei zugänglich. Eine Taxifahrt vom Zentrum kostet ca. 2 €.

Agora: Im Stadtteil Namazgah nahe dem Basar liegt die Agora, der in hellenistischer Zeit angelegte Markt- und Versammlungsplatz. Die heutigen Überreste stammen aus römischer Zeit; Marc Aurel ließ die Markthalle 178 n. Chr. nach einem Erdbeben neu errichten. Zu sehen gibt es auf der Westseite 13 gut erhaltene korinthische Säulen . Die Marmorfiguren des Poseidon und der Demeter, die die Agora einst schmückten, befinden sich im Archäologischen Museum (s. u.). Gegenüber dem Eingang (im Norden) stehen zudem noch die Überreste einer 160 m langen, dreischiffigen Basilika.

Adresse/Öffnungszeiten Ca. 150 m südlich der Anafartalar Cad., von dort ausgeschildert. Tägl. (außer Mo) 8.30–17.30 Uhr. Eintritt 1,80 €, erm. die Hälfte.

Archäologisches Museum: Es zählt zu den bedeutendsten Museen der Westküste. Die Sammlung umfasst vor allem Funde aus Klaros, Milas, Sardes, Pergamon, Milet, Ephesus und Didyma. Schwerpunkt des obersten Stockwerks sind Gefäße aus Ton und Terrakotta, darunter Exponate aus dem 3. Jt. v. Chr., zwei besonders schöne Tonkrüge aus hellenistischer Zeit (300–250 v. Chr.) und diverse byzantinische Teller. Des Weiteren beherbergt die Etage eine (nicht immer zugängliche) Abteilung mit Goldschmuck und Münzen. Im Erdgeschoss beeindrucken Skulpturen wie die archaischen Statuen Koren und Kuroi aus Klaros (5. Jh. v. Chr.) und ein schlafender Eros aus Ephesus (2. Jh.). Im Untergeschoss finden Sie neben Sarkophagen u. a. die Statue des liegenden Flussgottes Kaystros (ebenfalls aus Ephesus).

Im Archäologischen Museum

Adresse/Öffnungszeiten Am Birleşmiş Milletler Yokuşu, der Serpentinenstraße direkt oberhalb des Konak-Platzes. Tägl. (außer Mo) 8.30–17 Uhr. Eintritt 2 €, erm. die Hälfte. Achtung: Es gibt Pläne, das Museum in den Kültür Parkı zu verlegen!

Ethnographisches Museum: Es ist in der einstigen Quarantänestation für Pestkranke untergebracht. Fotos erinnern an das alte Smyrna. Traditionelle, z. T. ausgestorbene Handwerksberufe werden anschaulich vorgestellt, so z. B. die Produktion von *Boncuk*, den blauen Glasperlen, die vor dem "Bösen Blick" schützen sollen. Zudem erhält man Einblicke in großbürgerliches Familienleben osmanischer Zeit. Zu bewundern sind u. a. auch ein Nachbau der ersten türkischen Apotheke, das Modell eines Kamels in traditioneller Kampftracht und eine Waffensammlung.

Adresse/Öffnungszeiten gleich neben dem archäologischen Bruder. Gleiche Öffnungszeiten und Eintrittspreise.

Kulturpark: Zwischen den Stadtteilen Basmane und Alsancak erstreckt sich der *Kültür Parkı*, der Tivoli İzmirs, nach 1922 auf den Trümmern des abgebrannten

Nordägäis Karte S. 169

griechischen Viertels angelegt. Er umfasst 335.000 qm Grünfläche und beherbergt u. a. einen Lunapark mit Riesenrad, einen Aussichtsturm, einen kleinen Zoo mit den gängigsten Tierarten, einen Botanischen Garten, einen See zum Tretbootfahren, Sportplätze sowie viele Teegärten und Restaurants. Im Westteil des Parks befinden sich die Ausstellungshallen des Messebezirks. Die größte Messe der Stadt, die Industriemesse, zählt jährlich mehrere hunderttausend Besucher.

Öffnungszeiten tägl. 7–24 Uhr. Eintritt 0,30 €.

Moscheen und Kirchen: Die leichtfertige Griechenstadt Smyrna war nie ein religiöses Zentrum. Unter den vielen Moscheen der Stadt ist keine wirklich sehenswert; am schönsten sind noch die 1598 erbaute *Hisar-Moschee (Hisar Camii)* im Basarviertel und die 1754 vollendete und mit Fayencen aus Kütahya geschmückte *Konak-Moschee (Konak Camii)* am gleichnamigen Platz.

Auch die wenigen verbliebenen Kirchen lohnen kaum einen Besuch. Am interessantesten ist die *Kirche St. Polycarp,* etwas versteckt am Gazi Osmanpaşa Bul. nahe dem Hilton. Sie gehörte einst zu jenen sieben Kirchen, die in der Apokalypse des Evangelisten Johannes erwähnt wurden. Benannt ist sie nach dem ersten Bischof İzmirs, der im Jahre 155 als Märtyrer starb. Der heutige Bau stammt weitgehend aus dem 19. Jh. Sonntags werden hier katholische Messen abgehalten.

Atatürk-Museum: 13-mal besuchte der Staatsgründer İzmir, und stets bezog er dabei jenes Haus, in dem heute das Museum eingerichtet ist. Wie in nahezu allen Atatürk-Museen des Landes erinnern auch hier ein paar persönliche Habseligkeiten an den Vater der Türken, darunter einige Handtücher, eine Seife und sein privater Friseursalon.

Adresse/Öffnungszeiten Atatürk Cad. 248. Tägl. (außer Mo) 9–12 Uhr und 13–17 Uhr. Eintritt frei.

Asansör: Der Stadtteil ca. 1,5 km südwestlich von Konak beherbergt das alte jüdische Viertel mit ein paar herrlich restaurierten Gassen. Die schönste ist die Dario Moreno Sokağı, an deren Ende sich der *Asansör* befindet, ein im 19. Jh. gebauter Aufzug (frz. Ascenseur), der dem Stadtteil seinen Namen gab. Wie der Elevador Santa Justa in Lissabon zählt er zu den Wahrzeichen der Stadt. Er verbindet zwei übereinander liegende Straßen, der Höhenunterschied beträgt 51 m. Auf der Terrasse am höchsten Punkt befindet sich ein beliebtes schickes Café, das herrliche Ausblicke bietet.

Anfahrt/Öffnungszeiten mit Ⓑ 169 vom Cumhuriyet Meydanı zu erreichen, beim Karataş Lisesi aussteigen. Tägl. 10–21 Uhr, der Fahrpreis für den Asansör beträgt 1 €.

Bayraklı/Tepekule: Etwa 7 km nördlich des Zentrums liegt der Stadtteil Bayraklı. Hier entdeckten türkische und englische Archäologen die Reste einer ionischen Siedlungsanlage aus dem 7. Jh. vor Chr, *Alt-Smyrna* genannt. Bei den Grabungen stieß man auch auf Funde, die auf eine Besiedlung der Gegend bis ins 3. Jahrtausend vor Chr. schließen lassen. Was spannend klingt, muss vor Ort nicht spannend anzusehen sein: Lediglich die Grundrisse von Rundbauten und die spärlichen Reste eines Tempels können besichtigt werden. Die Ausgrabungsstätte wird im Türkischen "Tepekule" genannt.

Anfahrt/Öffnungszeiten Am einfachsten mit dem Taxi zu erreichen (ca. 6 €). Wer den Bus vorzieht, steigt in Konak oder Alsancak in einen der Busse nach Karşıyaka ein und verlässt diesen an der Fähranlegestelle (İskele) von Bayraklı. Von dort ca. 400 m landeinwärts, durchfragen. Tägl. 9–17 Uhr. Kein Eintritt.

Abkühlung am Altınkum-Strand

Çeşme-Halbinsel

Westlich von İzmir erstreckt sich die Halbinsel Çeşme. Sie markiert den Beginn der Kette der großen internationalen Ferienorte an der türkischen Mittelmeerküste.

Aus der einst kaum bevölkerten Çeşme-Halbinsel wurde in den letzten beiden Jahrzehnten ein Urlaubsziel aus der Retorte mit riesigen Hotelanlagen und vielen Feriendörfern. Wo im Winter gerade einmal 30.000 Menschen leben, quetschen sich im Sommer rund 350.000 Erholungssuchende. Darunter sind viele Städter aus İzmir und Manisa, die sich auf der Halbinsel ein Ferienhaus geleistet haben. Und damit diese in Windeseile ins Wochenende gelangen können, führt eine 90 km lange Autobahn von İzmir nach Çeşme am westlichsten Punkt der Halbinsel. Abseits der großen Ferienorte kann man zum Glück auch hier noch ein paar ruhige Plätzchen finden. Das gilt insbesondere für Karaburun, die "Halbinsel der Halbinsel".

Çeşme

(ca. 22.000 Einwohner)

Das ehemalige Fischer- und Handelsstädtchen gehört heute zu den großen internationalen Ferienorten der türkischen Ägäis. Neben seiner schönen Lage auf der Spitze einer Halbinsel locken vor allem die feinsandigen Strände der Umgebung.

Çeşme liegt am zweitwestlichsten Punkt Kleinasiens, nur 10 km trennen es von der griechischen Insel Chíos. Wahrzeichen des Städtchens ist die wuchtige, genuesisch-osmanische Festung am Hafen. Drum herum versprühen ein paar pittoreske Gässchen alten Charme. Zu viel erwarten sollte man aber nicht – Çeşme ist ganz ansehnlich, aber bei weitem kein Schmuckkästchen.

Das Treiben spielt sich entlang der Uferpromenade und in der autofreien Shoppingmeile İnkılap Caddesi ab. Hier geben sich türkische Familien und Pauschaltouristen aus den Bettenburgen der Umgebung ein allabendliches Stelldichein. Kommt dann noch eine Fähre aus Italien an und mit ihr Tausende von Deutschtürken auf dem Weg in den Heimaturlaub, ist in Çeşme die Hölle los.

Was Çeşme jedoch überhaupt nicht hat, das sind schöne Sandstrände vor der Haustüre. Damit aber ist die gleichnamige Halbinsel gesegnet. Und so wuchern die Ferienkomplexe dort ungezügelt. Mit dem 6 km entfernten Retortenort Ilıca ist Çeşme mittlerweile fast zusammengewachsen.

Geschichte

Als Hafen der ionischen Stadt *Erythrai*, deren Ruinen heute auf der Karaburun-Halbinsel zu sehen sind (→ S. 255), wurde Çeşme etwa 1000 v. Chr. gegründet. Die ersten Touristen kamen wegen der Thermalquellen der Umgebung bereits unter der Herrschaft Roms (ab 190 v. Chr.). Die heute so imposante Festung ließen Genueser, die ihre wirtschaftlichen Interessen an der Levanteküste mit allen Mitteln verteidigten, im 14. Jh. zur Sicherung der Meerenge zwischen dem Festland und Chíos errichten.

1770 waren die Bewohner Çeşmes Augenzeugen eines historischen Ereignisses: In einer Seeschlacht mit der russischen Kriegsmarine wurde die türkische Flotte fast vollständig versenkt. Cezayirli Gazi Hasan Paşa, den Befehlshaber über die osmanischen Schiffe, ehrt man trotz seiner Niederlage noch heute: Ein Denkmal vor dem Eingang zur Burg zeigt ihn in Pluderhosen und Turban zusammen mit einem Löwen, der seinen wilden und grausamen Charakter symbolisieren soll.

Bis zum Bevölkerungsaustausch 1923 lebten vornehmlich Griechen in Çeşme – neben ein paar wenigen klassizistischen Häuserfassaden erinnert heute nur noch eine Basilika (→ Sehenswertes) an sie. Ihre türkischen Nachfolger führten die traditionellen Erwerbszweige wie Oliven- und Traubenanbau, Fischfang und Mastixgewinnung (→ Essen & Trinken) fort. Lediglich als Handelshafen für Chíos verlor Çeşme an Bedeutung.

Die feinsandigen Strände der Umgebung wurden in der 1960ern und 70ern zunächst von wohlhabenden Familien aus İzmir entdeckt, die sich hier ihre Ferienvillen bauten. Mit dem Beginn des Massentourismus in den 1980ern erlebte Çeşme seinen größten Aufschwung. Noch ist diese Entwicklung nicht abgeschlossen. Seit 1996 verbindet eine sechsspurige Autobahn Çeşme mit İzmir, auf der an Sommerwochenenden ganze Blechlawinen ins Städtchen rasen. Eine Marina mit 400 Liegeplätzen zieht seit 1999 zudem auch betuchtes Seglerpublikum an.

Information/Verbindungen/Ausflüge/Parken

• *Telefonvorwahl* 0232.

• *Information* Bei der Festung am Hafen. Sehr zuvorkommend, je nach Schicht auch Auskünfte in Deutsch. Mo–Fr 8.30–17.30 Uhr, Sa/So 9–17 Uhr. İskele Meydanı 8, ✆/℻ 7126653.

• *Verbindungen* Der **Bus**bahnhof befindet sich 10 Gehminuten südlich des Zentrum nahe dem Turgut Özal Bul. Direktverbindungen nach İstanbul und Ankara, zudem auch zum Busbahnhof von İzmir – für die meis-

In Çeşme

ten Zielen im Reisegebiet muss man hier umsteigen. Wer nach İzmir will (halbstündlich, 3 €), muss nicht extra zum Busbahnhof laufen, sondern steigt am oberen Ende der Hauptstraße İnkılap Cad. zu.

Dolmuşe über Çiftlik zum Pırlanta- und Altınkum-Strand, nach Ilıca und Alaçatı starten unterhalb der Festung bei der Tourist Information. Wer nach Dalyan will, steigt in einen der Dolmuşe, die in der Dalyan Cad. nahe der İnkılap Cad. starten.

Taxis stehen am Cumhuriyet Meydanı und am Ende der İnkılap Cad. bereit. Zum Flughafen İzmir 56 €.

• *Schiffsverbindungen* Fähren nach **Chíos** in der Hochsaison 1-mal tägl., in der Nebensaison mehrmals wöchentl. Fahrtdauer ca. 1 Std., als Tagesausflug machbar, aber insgesamt nicht billig. Infos bei **Ertürk** gegenüber der Tourist Information, ✆ 7126768, info@erturk.com.tr. Pro Person einfach 35 €, retour am gleichen Tag 40 €, offenes Retourticket 50 €. Auto einfach 70–90 €, Motorrad 40 €.

Fähren nach **Italien**: Im Sommer herrscht reger Fährverkehr, die meisten Gesellschaften haben ein Büro entlang dem Turgut Özal Bul. zwischen Hafen und Busbahnhof, für Details → Anreise, S. 24.

• *Bootsausflüge* bucht man am besten bei den privaten Schiffseignern an der Mole. Angesteuert werden u. a. die nördlich von Çeşme gelegene "Eselsinsel" (auch Karaada) und die Thermalquellen von Ilıca. Pro Person ca. 9 € mit Lunch.

• *Organisierte Touren* Da in Çeşme-Zentrum zu einem großen Teil Türken Urlaub machen, die über ein eigenes Auto verfügen, ist das Angebot an organisierten Ausflugsreisen gering. Ein Anbieter ist z. B. Ertürk (→ Schiffsverbindungen). Mehr Auswahl im Hotelkonglomerat Ilıca. Tagestouren z. B. nach Ephesus (ca. 40 €) und Pamukkale (ca. 60 €).

• *Parken* Bewachter gebührenpflichtiger Parkplatz südlich der Tourist Information am Hafen, 0,60 €/Std., zudem bewachter und gebührenpflichtiger Parkplatz beim Hotel Kervansaray, 1,20 €/Std.

Adressen

• *Ärztliche Versorgung* **Krankenhaus** nahe der Straße nach İzmir ca. 2,5 km östlich des Zentrums, auch deutschsprachig. ✆ 7120077. Eine **Erste-Hilfe-Station** befindet sich am oberen Ende der İnkılap Cad.

• *Autoverleih* mehrere Anbieter. **Avis** z. B. in der Kutludağ Sok. 14/C. Billigstes Modell mit Vollkasko 59 € pro Tag, ab drei Tagen wird's billiger. ✆ 7126706, 📠 717029. Günstiger sind die lokalen Verleiher, z. B. **Sultan**

Rent a Car, İnkılap Cad. 68, ✆ 7127395, ℻ 7128259. Ab 43 € pro Tag inkl. Vollkasko.

• *Geld* **T.C. Ziraat Bankası** mit EC-Automat am Cumhuriyet Meydanı, dem Hauptplatz. Bargeld lässt sich selbst am Wochenende bis spät abends bei **Bamka Döviz** an der İnkılap Cad. 80 tauschen.

• *Polizei* neben der Tourist Information am İskele Meydanı, ✆ 7126627.

• *Post* an der Uferpromenade im Norden der Bucht. Im Sommer bis 24 Uhr geöffnet.

• *Waschsalon* Fehlanzeige, eine Reinigung namens **Aile Kuru Temizleme** befindet sich im "Shoppingcenter" Vakıf İş Hanı nahe dem oberen Ende der İnkılap Cad.

• *Zeitungen* und Zeitschriften in deutscher Sprache verkauft der Kiosk **Kocatürk Kardeşler** im Sommer am Cumhuriyet Meydanı schräg gegenüber dem Rathaus.

• *Zweiradverleih* bei **Sultan Rent a car** (→ Autoverleih) möglich. Scooter (Honda Kinetic) für 20 € pro Tag und Yamaha DT 125 für 24 € pro Tag.

Einkaufen/Sport/Sonstiges

• *Einkaufen* Auch wenn entlang der İnkılap Cad. der übliche Touristenkitsch samt Schmuck, Leder und Teppichen angeboten wird – Çeşme ist kein Einkaufsparadies. Besser zum Shoppen nach İzmir ausweichen! Ein bunter **Markt** wird 2-mal wöchentl. (Mi und So) in der Kiste Cad. nahe der İnkılap Cad. abgehalten. Noch ein Extratipp: In der Rumeli Pastanesi **(7)**, einem kleinen Laden an der İnkılap Cad., kann man sich mit der hiesigen **Harzkonfitüre** (→ Essen und Trinken) eindecken. Zudem noch viele weitere ausgefallene Konfitürevariationen, z. B. aus Feigen, Orangen und Pistazien.

• *Surfen* Die Halbinsel von Çeşme ist ein Eldorado für Surfer – dafür sorgen ständig wehende Winde und die auslaufende Strömung des Schwarzen Meers. Am Strand von Alaçatı haben sich diverse Surfclubs niedergelassen, die Bretter verleihen und Kurse anbieten. Eine gute Adresse ist **Planet Windsurfing** (→ Alaçatı, S. 255).

• *Tauchen* **Blue Bubble**, deutschsprachige Tauchschule in der Tütüncüoğlu Sok. 17 nahe dem Hamam. Schnuppertauchgänge für 30 €, CMAS-Anfängerkurse für 120 € (Dauer 2–3 Tage). Für Könner Bootstauchgänge (1 Tag, 2 Tauchgänge, inkl. Essen und Equipment 40 €). Ausfahrten in kleinen Gruppen, max. 12 Leute. Freundlich. ✆/℻ 7121396.

• *Türkisches Bad (Hamam)* Çeşmes historisches Hamam befindet sich nahe dem Hotel Kervansaray in der Beyazıt Cad. Bad mit Massage 14 €. Tägl. 8–3 Uhr.

• *Veranstaltungen* Diverse Konzerte finden den Sommer über im örtlichen Amphitheater südlich der İnkılap Cad. statt. Für das einst beliebte Internationale Musikfestival (Çeşme Uluslararası Festivalı) finden sich seit Jahren keine Sponsoren mehr. Vielleicht sieht das in Zukunft ja wieder einmal anders aus.

Übernachten

Im Zentrum findet man kleine Hotels und Pensionen, hoch über dem Ort an der Straße nach İzmir gesichtslose Mittelklassehotels. Luxushotels gibt es vor Ort nicht, dafür muss man nach Ilıca ausweichen. Wie überall gilt: je näher am Meer, desto teurer die Unterkunft. Bei der Zimmersuche hilft auch die Tourist Information weiter.

*****Hotel Kerasus (1)**, 2 km nördlich von Çeşme direkt am Meer, ausgeschildert. Mehrstöckige Hotelanlage mit privatem Strand, Pool, Restaurant, Hamam usw. Alle Zimmer mit Klimaanlage, TV und Meeresblick. DZ mit HP (obligatorisch) 83 €, als EZ 53 €. ✆ 7120506, www.kerasus.com.

Hotel Kervansaray (15), die charmanteste Herberge Çeşmes in den Gemäuern einer alten Karawanserei. 40 geschmackvolle Zimmer gruppieren sich um einen gemütlichen Innenhof. Ausstattung und Komfort sehr unterschiedlich, ein DZ kostet zwischen 24 und 59 €. Folklore-Nightclub angegliedert. Neben dem Kastell, ✆ 7127177, ℻ 7126492.

Hera Hotel (4), kleines ordentliches Mittelklassehotel in erster Reihe am Meer im Norden der Bucht. Freundlicher Service. Der Besitzer ist Zahnarzt, seine Frau spricht deutsch. DZ mit Klimaanlage, Meerblick und Frühstück 37 €, ohne Meerblick 32 €. Şaban Kaptan Sok. 4, ✆ 7126177, ℻ 7129198.

Pension Barınak (3), empfehlenswert. Blitzsaubere Zimmer von ausreichender Größe mit privaten Sanitärräumen. Der Hit aber ist die Dachterrasse mit Wahnsinnsblick über

die Bucht – ein Treff am Abend. Gemeinschaftsküche. Im Sommer oft ausgebucht. DZ mit Frühstück 21 €. Kutludağ Sok. 62, ✆ 7126670.

Sahil Pension (2), gleich in der Nachbarschaft. Ebenfalls gut geführt und gepflegt. Alle Zimmer mit Fliesen- oder Steinböden sowie eigenem Bad. Leider keine Dachterrasse, dafür alle Zimmer mit Balkon. DZ mit Frühstück 21 €. 3265 Sok. 3, ✆ 7126934.

Yalçın Hotel (14), im Gassengewirr oberhalb der Burg. Deutschsprachiger Familienbetrieb. Manchmal spielt der Chef im Salon auf seinem Keyboard. Von der Frühstücksterrasse schöner Blick über den Hafen. 18 kleine, doch ordentliche Zimmer mit guten Sanitäranlagen. Freundlich. DZ mit Frühstück 15 €, EZ 9 €. Kale Sok. 38, ✆ 7126981, www.yalcinhotel.freeservers.com.

U2 Pansiyon (8), von der Kirche in der İnkılap Cad. ausgeschildert. 4 Apartments, 4 Zimmer, alle neu restauriert. Gemeinschaftsküche und Terrassencafé mit gelegentlich türkischer Livemusik am Abend. Im Sommer oft voll. DZ (ohne Frühstück) 12 €, Apartment (für bis zu 6 Pers.) 30 €. Muharrem Sok., ✆ 7126381.

Yeni Kervan Pansiyon (17), oberhalb der Burg im idyllischen Gassenwirrwarr. Einfaches Haus mit 13 Zimmern (Du/WC), zwei davon mit herrlicher Aussicht. Lediglich die Teppiche sollte man mal austauschen. Nette Besitzer. DZ 12 €. Ahmet Şahinoğlu Sok. 56, ✆ 7128496.

Camping

In Çeşme selbst haben Camper schlechte Karten, dafür wartet die Umgebung mit zwei durchaus empfehlenswerten Plätzen auf:

Ve Kamp, ca. 3 km östlich von Ilıca in Richtung Şifne, ausgeschildert. Der größte Platz rund um Çeşme, rund 120.000 qm. Das mit Nadelbäumen und Palmen bewachsene, unübersichtliche Hügelgelände bildet mehrere Viertel. Der Besitzer meint, dass sich die türkische Form der Urlaubsgestaltung mit der europäischen beißt, so sind die Völker auf dem Platz getrennt! Gebadet und gefeiert werden darf jedoch zusammen. Nicht umwerfende, doch erträgliche sanitäre Anlagen, von denen es mehr geben könnte. Eigener Laden, Strand und eigenes Thermalbad. Campen pro Person im Zelt 3,30 €, im Wohnwagen 5,30 €. ✆ 7172224.

Tursite, 10 km südwestlich von Çeşme am Altınkum-Strand (→ Baden). Weiter, gepflegter Platz mit angeschlossenem Motelbetrieb. Kinderfreundlich, großes günstiges Restaurant und supergemütliche Strandbar. Selbst in der Hochsaison nicht überlaufen. Leider kein Supermarkt, das Allernötigste kann man sich jedoch bringen lassen. 2 Pers. mit Zelt zahlen 10 €, mit Wohnwagen 13 €. DZ mit Bad und Frühstück pro Person 10 €, mit HP 15 €. April–Okt. ✆/℻ 7221292. Am Strand von Altınkum befinden sich zudem weitere, einfachere Campingplätze.

Essen & Trinken (siehe Karte S. 251)

Die teuersten Restaurants befinden sich an der Uferpromenade, jede Menge billige Lokantas und Dönerbuden an der İnkılap Cad. und ihren Nebengassen. Für ein gemütliches Abendessen abseits der Touristenmassen lohnt zudem die Anfahrt nach Dalyan, Alaçatı und Ildır (→ Umgebung).

Mastix – Harz für den Harem

Rund um Çeşme gedeiht der immergrüne Mastixstrauch, der jenes Harz abgibt, das seit dem Altertum geschätzt wird: Im alten Ägypten verbrannte man es als Weihrauch, Ärzte der Antike behandelten damit Entzündungen und Schlangenbisse, und die Sultane verabreichten es den Haremsdamen als Kaugummi – ihm wird eine aphrodisierende Wirkung nachgesagt. Ob das stimmt, können Sie selbst testen. Örtliche Spezialität ist das *sakızlı dondurma*, Eis mit Mastixharz. Wer will, kann sich zudem mit *sakızlı reçel*, also Mastixkonfitüre eindecken (→ Einkaufen). Im Geschmack ähnelt Mastix der harzigen Note des griechischen Retsinas.

Körfez Restaurant (10), für viele das beste Restaurant an der Uferpromenade. Riesiges Angebot an leckeren Gerichten im Tontopf, Seafood, außergewöhnlichen Kebabvariationen und Steaks. Wer gut und abwechslungsreich essen will, is(s)t hier richtig. Gediegen-biedere Ausstattung (nicht vom 08/15-Ambiente abschrecken lassen!), aufmerksamer Service. Hauptgerichte 3,50–11 €.

Ebenfalls beliebt in erster Reihe an der Uferpromenade sind die nebeneinander liegenden Fischlokale **Deniz (5)** und **Rıhtım (5)** im Norden der Bucht. Küche bis spät in die Nacht, gehobeneres Preisniveau.

Fatih Pide Pizza Salonu (11), etwas versteckt hinter der Ayios-Haralambos-Kirche. Leckere Fleischspieße (ca. 2,30 €) und Pide (ab 1,20 €). Lauschiges Plätzchen unter Weinreben.

Kale Lokantası (13), hier verbringen die Einheimischen ihre Mittagspause: einfache Lokanta mit guter Auswahl an schmackhaften Topfgerichten. Eine der besten Adressen in der unteren Preisklasse. Ein Abendessen mit Getränk kommt auf ca. 2,30 €. Etwas versteckt in der Beyazıt Cad. gegenüber der Tourist Information. Nicht zu verwechseln mit dem Kale Mangal Restaurant nebenan!

Flamingo Otantik Köy Sofrası (16), wirbt mit authentischer Dorfküche. Fast interessanter jedoch sind die gemütlichen Ottomanen, auf denen man es sich bei Tee und Wasserpfeife so richtig gut gehen lassen kann. Gegenüber dem Hotel Kervansaray in der Beyazıt Cad.

Lezzet Aş Evi (12), billigste Lokanta an der Shoppingmeile İnkilap Cad. Vier Tische draußen, zwei drinnen. Drei bis vier einfachste Topfgerichte zur Auswahl, das war's. Eine Portion 0,60–1,50 €. Die Qualität entspricht zugegebenermaßen auch dem Preis.

Nachtleben

In und um Çeşme urlauben nicht nur Hinz und Kunz aus Deutschland, Holland oder England, sondern auch vergnügungssüchtige Oberschicht-Twens aus İstanbul, İzmir und Ankara. Auf diese anspruchsvolle Klientel hat Çeşme sein Angebot zugeschnitten, das sich sehen lassen kann. Rund um die Çeşme-Halbinsel verteilen sich etliche **Beachclubs**, die heiße Tanznächte am Meer versprechen. Zu den angesagtesten zählten bei unserem Besuch **Fly Inn**, **Barcelona**, **Joy**, **Polo** und **Seaside**, die Fluktuation der Clubs ist jedoch enorm. Für den Eintritt sollte man mit ca. 12 € rechnen, ein Freigetränk ist im Preis inbegriffen. Am besten fährt man mit dem Taxi an.

Beliebteste **Disco** im Zentrum von Çeşme ist der **Club Street (6)** in der İnkılap Cad.: dröhnende Musik querbeet bis auf die Straße. Kleiner Eingang, große Location. Die Zeit davor kann man sich bei ein paar Bier im **Moby Dick (9)** vertreiben, einer lustigen kleinen Kneipe hinter der Ayios-Haralambos-Kirche.

Baden

Çeşme selbst verfügt nur über einen Ministrand ganz im Norden der Bucht. Er gehört zum schicken Beachclub Coffeeco. Dieser kostet zwar offiziell keinen Eintritt, dafür zahlt man satte 3 €, um sich auf die coolen Kissen am Strand setzen zu dürfen. Für bessere Bademöglichkeiten muss man eine kleine Anfahrt (gute Dolmuşverbindungen zu allen Stränden) auf sich nehmen. Wirkliche Einsamkeit darf man nirgendwo auf der Çeşme-Halbinsel erwarten. Aufgrund des kühlen Schwarzmeerwassers, das durch die Dardanellen ins Mittelmeer strömt, ist das Meer um die Halbinsel übrigens recht frisch. Die Thermalquellen vor der Küste erwärmen es nur unwesentlich.

Altınkum-Strand: Der "Goldsand"-Strand zwischen Dünen und Meer ca. 10 km südwestlich von Çeşme ist der schönste und längste Strand der Halbinsel, zudem kaum bebaut. Tret- und Paddelbootverleih, einige einfache Kneipen. Anfahrt: Von Çeşme die breite Straße am Fährterminal vorbei Richtung Çiftlik nehmen, ca. 2 km nach Çiftlik mit "Tursite Altınkum" ausgeschildert. Gebührenpflichtiger Parkplatz am Strand (2,90 €).

Pırlanta-Strand, noch vor dem Altınkum-Strand. Beliebt bei all denjenigen, die kein großes Strandangebot zum Badeglück brauchen. Unverbauter, nicht überlaufener Kiessandstrand mit Volleyballfeld und Bar. Vorteile sind die Wellen und das etwas wärmere Wasser in der kleinen Bucht, nachteilig die immer wieder auftretende, im Prinzip vermeidbare Verschmutzung durch zurückgelassenen Müll. Anfahrt: Der Strand ist selbst nicht ausgeschildert. Von Çeşme die breite Straße am Fährterminal vorbei nach Çiftlik nehmen, knapp 2 km nach Çiftlik an einer Gabelung rechts ab (der Beschilderung zum Feriendorf "Meltem Tatil Köyü" folgen).

Weitere Bademöglichkeiten bestehen an den kinderfreundlichen Stränden von Boyalık und Ilıca (→ S. 254), in Dalyan (→ S. 254) und auf der Karaburun-Halbinsel (→ S. 255). Ein Tipp für Surfer ist zudem die Bucht von Alaçatı (→ S. 254).

Sehenswertes

Die wenigen Sehenswürdigkeiten Çeşmes sind schnell abgelaufen. Die in der Blütezeit des Osmanischen Reichs errichtete *Karawanserei* aus dem 16. Jh. kann man leider nur noch von außen bewundern: Nach einer umfassenden Restauration beherbergt sie heute ein charmantes Hotel (→ Übernachten). Bei einem Spaziergang durch die Stadt fallen zudem die vielen osmanischen *Brunnen* auf, nach denen Çeşme (dt. Brunnen) seinen Namen erhielt. Sie wurden von lokalen Würdenträgern gestiftet und werden größtenteils noch heute genutzt. Allerdings muss man seit einigen Jahren mit Tankwagen aushelfen, um den immens gewachsenen Wasserverbrauch der eigentlich wasserreichen Halbinsel zu gewährleisten.

Kastell: Alles beherrschend liegt das Wahrzeichen Çeşmes direkt am Hafen. Die Festung in Hanglage, von den Genuesern im 14. Jh. erbaut, wurde Anfang des 16. Jh. unter Sultan Beyazıt II. vergrößert, mit neuen Türmen versehen und mit einer kleinen Burgmoschee ausgestattet. Das Museum darin besitzt eine archäologische Sammlung mit Funden aus *Erythrai* (→ S. 255), zudem eine Ausstellung über Grabsteine, -platten und -stelen. Als Dreingabe zum Besuch bekommt man noch eine schöne Aussicht über die Bucht. Die Freilichtbühne im oberen Teil der Burg wird seit Jahren restauriert, ein Abschluss der Arbeiten ist erst für 2005 geplant. In der Anlage lädt ein hübsches schattiges Café zum Verweilen ein.

Öffnungszeiten im Sommer tägl. (außer Mo) 8.30–19 Uhr, im Winter nur bis 17.30 Uhr. Eintritt 1,80 €, erm. 1,20 €.

Ayios-Haralambos-Kirche: Jahrzehntelang stand die einzige Erinnerung an die griechische Bevölkerung von Çeşme leer und verfiel. Heute ist die Kirche aus dem 19. Jh. notdürftig geflickt. Der kahle Innenraum – ein trauriger Anblick – wird als Kunsthandwerksbasar, für Ausstellungen und Veranstaltungen genutzt.

Adresse İnkılap Cad.

Umgebung von Çeşme

Boyalık und Ilıca: Die zwei Ortschaften einige Kilometer östlich von Çeşme erinnern in nichts an die Türkei, umso mehr an die Teutonenstrände von Bibione oder Rimini. Die Buchten sind zubetoniert mit Hotelanlagen und Feriensiedlungen. Dazwischen schlendert man durch künstliche Marktstraßen, ersteht Luftmatratzen, Schwimmflossen oder ein gefälschtes Lacoste-Hemd und isst abschließend beim "Düsseldorfer Ahmet". Hier wohnen die meisten Urlauber, die aus dem Katalog gebucht haben. Das Plus der beiden nur durch eine kleine Halbinsel getrennten Touristenzentren sind ihre langen feinsandigen Strände. Aus den unterseeischen Thermalquellen von Ilıca (und übrigens auch weiter östlich in Şifne) sprudelt 40–50°C heißes Wasser, das gegen Rheuma, Leber-, Nieren- und Hauterkrankungen helfen soll – ein Badevergnügen der besonderen Art. Viele Hotels besitzen zudem Thermalpools, die auch Nichtgästen gegen Gebühr zugänglich sind.

Verbindungen Regelmäßige **Dolmuş**verbindungen von und nach Çeşme.

Dalyan: Das beschauliche, ehemalige Fischerdorf liegt 4 km nördlich von Çeşme. Vornehme Jachten säumen die Uferfront, die von Turgut Reis, dem großen osmanischen Seefahrer aus dem 16. Jh., überblickt wird. In den vielen Fischlokalen am Wasser lassen es sich vor allem Türken schmecken. Größter Beliebtheit erfreut sich dabei das "Dalyan Restaurant Cevat'ın Yeri" – bester Fisch der gehobeneren Preisklasse. Auf dem kleinen Strand von Dalyan, eingekesselt von Ferienanlagen und Beachclubs, drängen sich in der Hochsaison die Gäste.

Verbindungen Regelmäßige **Dolmuş**verbindungen von und nach Çeşme.

Alaçatı: Im Landesinneren, ca. 11 km südöstlich von Çeşme, liegt dieser gemütliche Ort, der seiner Ursprünglichkeit wegen so gar nicht auf die Halbinsel passen will. In dem unverändert griechisch geprägten Dorf mit seinen traditionellen Erkerhäuschen und kopfsteingepflasterten, grün überrankten Gässchen rinnt die Zeit vor sich hin: In den Teehäusern sitzen alte Herren bei einer Partie Tavla, auf dem Gemüsemarkt wird gemächlich gefeilscht, und selbst die eine oder andere Urlaubergruppe kann der Postkartenidylle kaum etwas anhaben.

Über dem Ort thronen vier abgetakelte Windmühlen. Ihre Zeit ist vorbei, der starke Wind gehört heute ganz allein den Scharen von Surfern, die sich in der tiefen *Bucht von Alaçatı* austoben. Diese liegt ganze 3 km südlich des Ortes. Der Strand mit seinen vielen Surfschulen und einem hässlichen Hotelklotz gehört leider nicht zu den schönsten der Halbinsel. Wer jedoch weiter nach Westen fährt, hat nach ca. 4 km, wenn die Straße ihre Teerschicht verliert, Zugang zu einsameren Buchten. Auf dem Weg liegen zudem zwei attraktive Beachclubs.

• *Verbindungen/Anfahrt* **Direktdolmuşe** von Çeşme nur bis Alaçatı-Dorf. Wer zum Strand will, muss hier umsteigen. Alaçatı ist von der alten Straße nach İzmir ausgeschildert.

• *Übernachten/Essen & Trinken* **Sailors Otel**, ein Tipp in Alaçatı-Dorf. 5 liebevoll eingerichtete Zimmer: helle Dielenböden, warme Farben. Hübsches Café im Tavernenstil angegliedert. DZ mit Frühstück 35 €. Zentral in der Kemalpaşa Cad. 66, ✆ 7168765, sailors@alacati.com.

OEV Gourmet, ebenfalls in Alaçatı-Dorf und ebenfalls ein Tipp. Ausgefallene französisch-türkische Haute Cuisine im idyllischen Gärtchen eines mit viel Stil restaurierten griechischen Steinhauses. Pool! Für ein Hauptgericht sollte man mit 10–18 € rechnen – es lohnt sich! Nur im Sommer geöffnet. In der Kemalpaşa Cad. nahe dem Sailors Hotel.

• *Surfen* **Planet Windsurfing**, renommierter Surfclub in der Alaçatı-Bucht. Surfbrettverleih, zudem Kurse. 4- bis 5-tägiger Anfängerkurs inkl. Campingmöglichkeit 175 €. Deutschsprachig, sehr freundlich. ✆ 7166611. Infos in Deutschland über planet allsports AG, ✆ 0881/9277117, c.b@planetallsports.com.

Halbinsel Karaburun

Die Halbinsel der Halbinsel bestätigt, was wir als Kinder schon in der Schule lernten: Der Westen ist besser als der Osten. Zu entdecken gibt es gemütliche Buchten und, als Schmankerl, die Ruinen des antiken Erythrai.

50 km lang und bis zu 20 km breit ist die Halbinsel, die sich gen Norden zieht und den Golf von İzmir abgrenzt. Bis 1922 war sie überwiegend von Griechen besiedelt. Viele ihrer Bergdörfer sind heute verfallen, die Natur erobert sie zurück. Im Süden der Halbinsel, besonders an der Ostküste, begegnet man den unausweichlichen uniformen Feriensiedlungen, doch das soll niemanden davon abhalten, das gebirgige "Schwarze Kap" (türk. *kara burun*) zu umrunden.

Als Einstieg bietet sich **Ildır** an, ein ursprünglich griechisches Dörfchen im Südwesten der Halbinsel. Die 22 km von Çeşme, eine fast nahtlose Aneinanderreihung von Urlaubsorten aus der türkischen Retorte, bringt man am besten schnell hinter sich. Oberhalb von İldır liegen die Ruinen des antiken *Erythrai*, ein beliebtes Ausflugsziel. Erythrai war eine der 12 Städte des Ionischen Bundes und erlebte ihre Blüte im 7. Jh. v. Chr. Aber noch im Neuen Testament wurde sie als lebendige, moderne Stadt erwähnt. 5 km lang soll einst die Stadtmauer zum Schutz der 30.000 Einwohnern gewesen sein. Von all dem ist recht wenig erhalten bzw. ausgegraben. Dazu haben Häuslebauer aus dem Steinarsenal der antiken Stadt geschöpft. So zieren in Ildır klassische Säulen schlichte Hauseingänge oder antike Reliefs die Fassade eines Ziegenstalls. Das, was übrig blieb, schlummert unaufgeräumt in der Hitze, und auf der *Agora* wachsen Tomaten, Melonen und Sesam. Zu sehen sind noch Relikte des *Theaters*, Teile

Nordägäis Karte S. 169

der alten *Stadtmauer* und auf dem höchsten Punkt der Akropolis die Überbleibsel eines *Tempels* (stets zugänglich, Eintritt 1,80 €, erm. die Hälfte).

An der Westseite der Halbinsel führt eine schmale Straße, teils in recht schlechtem Zustand, weiter gen Norden Richtung **Küçükbahçe,** einem ebenfalls ursprünglich griechischen Dorf. Entlang der Steilküste passiert man mehrere kleine schöne Badebuchten mit kristallklarem Wasser. Des Weiteren bietet die einsame Berglandschaft imposante An- und Ausblicke.

Karaburun ist mit rund 3.000 Einwohnern der größte Ort der gleichnamigen Halbinsel. Sein altes Zentrum liegt abseits des Meeres imposant am Berghang. Mittwochs wird hier ein farbenprächtiger Gemüsemarkt abgehalten – beste Zeit für einen Besuch. Rund um die winzigen Sand- und Kiesbuchten unten am Meer findet man neben den typischen Feriendörfern auch einige Hotels.

Kaynarpınar, ein Fischerdorf und das schönste Örtchen an der Ostküste, bietet nur eine einzige Pension (→ Übernachten), einen gemütlichen Teegarten und einen handtuchbreiten Strand, der den paar Gästen jedoch allemal genügt. Das alte Dorf **Mordoğan Köyü** liegt etwas abseits des Meeres im Landesinneren. Erst in den letzten Jahrzehnten bekam es einen Ableger an der Küste, der sich rund um den Hafen und Strand nun als recht verbaut präsentiert. Einfache Campingplätze und einladende Badebuchten, zu denen man z. T. noch ein Stück laufen muss, weisen den Weg nach **Balıklıova**. Ein schmales Sträßlein führt von hier quer über die Insel zurück nach Ildır.

• *Verbindungen* Unregelmäßige **Dolmuş**verbindungen von Çeşme lediglich nach Ildır. Ansonsten lässt sich nur die Ostseite der Halbinsel von İzmir mit Dolmuşen anfahren. Diese fahren über Mordoğan nach Karaburun-Stadt.

• *Übernachten* Das schmale Angebot konzentriert sich auf Karaburun.

*****Astoria**, in Karaburun. Leicht abgewohnter, dennoch recht gemütlicher Hotelkomplex mit 40 Teppichboden-Standardzimmern. TV, Fön, Zentralheizung und Meerblick von jedem Zimmer. Tolles Restaurant direkt am Meer, ein schöner Strand ist eine Fußminute entfernt. Disco und Hamam im Haus. Viel belgisches Publikum, netter Service. Ganzjährig geöffnet. DZ 35 € mit HP. Bodrum Koyu 44, ✆ 7312075, www.astoria-otel.com.

Hotel Narcissus, ebenfalls in Karaburun. Großer Mittelklasseklotz mit einem Touch Plastik-Antike. Schöne, dominante Lage an einem Felsstrandabschnitt. Pool, Sauna, Disco usw. DZ mit Klimaanlage und Balkon 35 €. ✆ 7312810, ℻ 7312718.

Pansiyon Kalyon, Billigunterkunft in Karaburun, als Mangel an Alternativen aufgeführt. Nur wenn's sein muss. 7 einfache Zimmer mit noch einfacheren Bädern und einem Hygieneanspruch, der jede deutsche Hausfrau zu Tode erschrecken ließe. DZ ohne Frühstück 6 €. ✆ 7313443.

Marina Pansiyon, typisch türkische Familienpension in der idyllischen Bucht von Kaynarpınar. 15 einfache Zimmer mit Teppichböden, tolle Terrasse. DZ mit Frühstück nur erstaunliche 5,50 €! ✆ 7381042.

• *Camping* An der Ostküste befinden sich einige äußerst spartanische Plätze. Einer davon ist der gemütliche, direkt am Meer gelegene **Huzur Kamp** (Mobiltelefon 0542/7852759) nördlich der Ortschaft Balıklıova. Hier kommt das Wasser noch aus dem Brunnen. Frauenlose Männer werden abgewiesen – sie könnten dem Nachwuchs der türkischen Familienclans zu nahe kommen. 2 Pers. mit Zelt 2,70 € pro Tag. Nur Juni bis Mitte Sept.

• *Essen & Trinken* Für ein opulentes Fischessen abseits des großen Touristenstroms eignet sich vor allem Ildır. Vor und hinter dem Ortskern finden sich einige Restaurants direkt am Wasser. Empfehlenswert ist das **İldır Balık Lokantası** kurz vor dem Ortsanfang (von Çeşme kommend). Einfaches Lokal ohne Schnickschnack, Wert wird auf guten Fisch gelegt. Die Tische stehen direkt am Meer.

Eine schöne Adresse ist zudem das **Dostlar Café** im Zentrum Karaburuns (kaum zu verfehlen). Spektakuläre Aussicht, knatschblaue Stühle unter schattigen Bäumen und ein bisschen Griechenlandflair. Kleine Auswahl an Speisen.

Nordägäis
Karte S. 169

Fast ein Jahrtausend alt: Kloster Néa Moní

Ausflug auf die Insel Chíos (Griechenland)

"Sakız", Mastix, nennen die Türken Chíos, eine der reichsten griechischen Inseln. Ihren Wohlstand verdankt sie bis heute dem Harz des Mastixstrauches. Als Ferieninsel spielt Chíos hingegen eine untergeordnete Rolle, erstaunlich, zumal ihre Landschaft, so heißt es, alle griechischen Landschaften vereinigt. Dafür aber ist die Insel touristisch nicht überlaufen.

Chíos, die fünftgrößte griechische Insel und fast in Schwimmnähe zum türkischen Festland, gehörte von 1566 bis 1912 zum Osmanischen Reich. In guter Erinnerung haben die Inselbewohner die Türken jedoch nicht. 1822 richteten diese nach einem gescheiterten Umsturzversuch ein entsetzliches Blutbad an, das als "Massaker von Chíos" in die Geschichte einging und Künstler wie Delacroix und Hugo inspirierte.

Der türkische Einfluss ist im Inselhauptort Chíos-Stadt (24.000 Einwohner), der auch Chora genannt wird, noch immer gegenwärtig – doch erst auf den zweiten Blick, denn am Hafen prägen gesichtslose, moderne Betonblocks das Bild. Schlendert man aber durch die Straßen und Gassen dahinter, sieht man inmitten des griechischen Kleinstadtlebens die Kuppel einer Moschee in den Himmel ragen, entdeckt man turbangeschmückte Grabsteine oder Brunnen mit arabischen Inschriften.

Die Altstadt Kastro, umgeben von den mächtigen Mauern und Türmen eines ursprünglich byzantinisch-genuesischen Kastells, ist das schönste Eck von Chíos-Stadt. Unter dem Zeichen des Halbmonds durfte übrigens kein Grieche innerhalb der Festungsmauern wohnen. Für gewöhnlich betritt man das Viertel durch die *Porta Maggiore*. Hinter dem Torbau führen Stufen zu einem spätgotischen Palast, der das kleine aber feine *Museum Giustiniani* mit byzantinischer Kunst beherbergt (Di–So 9–15 Uhr, Eintritt 1,50 €).

Treffpunkte sind die *Platía Plastira* etwas westlich des Hafens und selbstverständlich die Hafenstraße, die *Prokymaía.*

Information/Verbindungen/Sonstiges in Chíos-Stadt

• *Telefonvorwahl* internationale Landesvorwahl für Griechenland ✆ 0030.

• *Information* **EOT Chíos Tourist Office**, in der Kanari-Str. 18, einer Querstraße zwischen Hafen und Platía Plastira. Sehr hilfreich. Mo–Fr 7–14.30 Uhr, in der Hochsaison zudem 19.30–21 Uhr, Sa/So 10–13 Uhr. ✆ 2241044389.

• *Verbindungen auf Chíos* Die blauen Busse verkehren nur innerhalb von Chíos-Stadt. Zu den Ausflugszielen fahren grüne Busse von einer Seitenstraße beim Stadtpark ab. Häufige Verbindungen nach Karfas, nach Pyrgí 7-mal tägl., 5-mal davon über Emporió. Zudem fahren in der Hochsaison mehrmals wöchentl. Ausflugsbusse zum Kloster Néa Moní.

• *Fährverbindungen in die Türkei* → Çeşme/Verbindungen, S.249.

• *Touristenpolizei* Neorion-Straße 37, am Hafen unterhalb des Kastells. ✆ 2241044427.

• *Auto- und Zweiradverleih* diverse Anbieter, z. B. **Chíos Rent a Car**, Kountouriotou 2, südöstlich des Hafens, ✆ 2241021793. **Bois** bietet funktionstüchtige Zweiräder. Ladis 11, neben der OTE, ✆ 2241041578.

Übernachten/Essen & Trinken in Chíos-Stadt

Hotel Kyma, traditionsreiches Haus am südlichen Ende des Hafens. Freundliche Atmosphäre, gemütlicher Frühstücksraum mit Deckenfresko. Viele Zimmer mit Meerblick. DZ 35–45 €, ✆ 2241044500.

Hotel Filoxenia, relativ ruhig im Gassengewirr zwischen Hafen und Platía Plastira gelegen. Schöne Bausubstanz, luftige Architektur, Zimmer leider etwas veraltet. DZ mit Bad 20–25 €, ohne Bad etwas günstiger. Ecke Voupalou/Roidou, ✆ 22410 22813.

Pension Rooms Alex, von einem ehemaligen Kapitän geführte, kleine, freundliche Pension. Gemütliche Dachterrasse mit internationalem Publikum. DZ je nach Ausstattung (mit oder ohne Bad) ab ca. 20 € aufwärts. Südlich des Hafens, Livanou-Str. 48, ✆ 2241027433.

Hotel Perivoli, in Kámpos, einige Kilometer südlich der Stadt, von der Straße nach Neochori/Kallimasia beschildert. Viel Flair, in einem ehemaligen Herrenhaus. DZ ab 45 €. Odos Argenti 9–11, ✆ 2271031513.

• *Essen & Trinken* **Restaurant Marine Club,** im Gebäude des städtischen Jachtclubs. Wenig Charme, aber immer gut besucht. Die Küche gilt als die beste der Stadt. Terrasse. Zu suchen am südlichen Ende der Livanou-Straße.

Taverne O Hotzas, gemütliche Taverne mit lauschigem Garten; Essen traditionell und nicht teuer. Das Lokal ist nicht leicht zu finden: Folgen Sie von der Platía Plastira der Einkaufsstraße Aplotarias bis ans Ende, an der Gabelung halb rechts, dann geradeaus bis zu einer Kreuzung, hier rechts, nach 30 m auf der linken Seite. Sonntag Ruhetag.

Die schönsten Ausflugsziele der Insel

Auf Chíos gibt es so gut wie keine langen Sandstrände, dafür eine Vielzahl kleiner Buchten. Wer gerne wandert, kann sich insbesondere im kargen Nordteil der Insel einsame "Bays" erobern.

Karfas: Bislang noch ein überschaubarer Badeort mit schönem Sandstrand 7 km südlich der Inselhauptstadt. Neu entstandene größere Hotels weisen jedoch den Weg der künftigen Entwicklung. Karfas wird vor allem von Griechen besucht. Weitere kleine Strände gibt es bei *Megas Limonas* (2 km nach Thymiana, Asphaltstraße zum Strand).

Die Mastixdörfer im Süden: Kaum anderswo in Griechenland findet man solch urwüchsige Dörfer. Ein Muss ist der Besuch von **Pyrgí**. Wie ein grauer Fleck

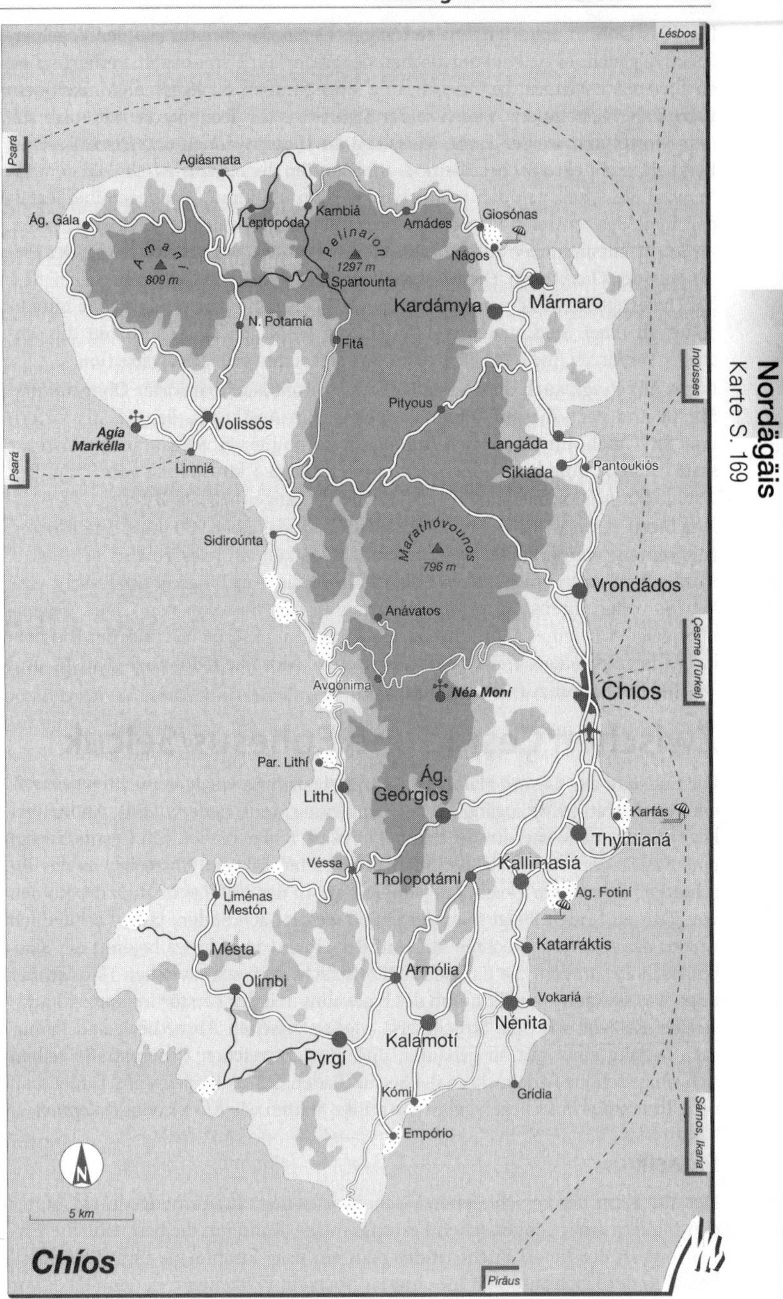

Nordägäis
Karte S. 169

liegt das Dorf in einer kargen, eintönigen Gebirgslandschaft, aus der Vogelperspektive gleicht es einem kubistischen Gemälde. Wer Pyrgí betritt, verliert schon nach wenigen Metern die Orientierung. Enge Straßen, Sackgassen, Winkel – ein Labyrinth. Nicht zuletzt wegen seiner Sgraffiti, einer Technik, die mit aufgeritztem Mörtel und weißer Farbe Mosaiken an Häuserwänden entstehen lässt, ist Pyrgí ein architektonisches Kleinod. Im Schatten der *Kimisis-Kirche* aus dem 17. Jh. wird die *Platía* von den schönsten Häusern umrahmt. Am gegenüberliegenden Ende des zentralen Platzes führt ein schmaler Durchgang zu einer weiteren, im 13. Jh. entstandenen Kirche mit schönen Fresken. Wenige Meter von der Platía liegt der *Fluchtturm*: Die Mastixdörfer wurden immer wieder überfallen, deshalb befestigte man sie seit dem 14. Jh.: Die Häuser am Dorfrand wurden miteinander zu einer Stadtmauer verbunden, die winkligen Gassen sollten die Angreifer verwirren und der Fluchtturm war die letzte Verteidigungsbastion.
Nicht nur Pyrgi, auch die ebenfalls sehenswerten Nachbardörfer **Olymboi** und **Mesta** sind nach diesem Schema angelegt. Ein Ausflug zu den Mastixdörfern lässt sich auch mit einem Badeaufenthalt kombinieren. Schwarze Kieselsteine statt weißem Sand bietet der Küstenort **Emporió** 5 km südlich von Pyrgí. Der dunkle Strand erinnert an die vulkanische Vergangenheit der Insel.
Nea Moni: 9 km westlich von Chíos-Stadt liegt das über 900 Jahre alte Kloster. Mit seinen wundervollen Fresken und Mosaiken zählt es zu den schönsten Kirchenbauten byzantinischen Stils in der Ägäis. Am Eingang überrascht eine Vitrine voller Totenschädel – Erinnerung an das Massaker von Chíos. Gegenüber zeigt ein kleines Museum sakrale Kunst. Im inneren Narthex der Klosterkirche beeindrucken meisterhaft ausgeführte Mosaike (Mo–Sa 9–13 Uhr und 16–20 Uhr, So nur zur Messe geöffnet).

Zwischen Çeşme und Ephesus/Selçuk

Die Südseite der Çeşme-Halbinsel ist mit Ausnahme weniger Buchten wie z.B. der von Alaçatı nicht zugänglich (→ Umgebung von Çeşme, S. 254). An ihr verläuft auch keine Küstenstraße. Erst bei Urla, ca. 50 km östlich von Çeşme, zweigt eine Straße gen Süden ab. Bei Seferihisar bietet sich ein Abstecher in das Fischerdorf *Sığacık* am gleichnamigen Golf an. In der Nähe sind auch die Ruinen von *Teos* zu finden. Folgt man der D 550 weiter nach Süden, taucht schließlich wieder das Meer zur Rechten auf. Auf der Höhe von Ürkmez beginnt ein Küstenabschnitt, an dem die türkische Mittelschicht dem schwäbischen Häuslebauer zeigt, was sie kann – ein Triumph des Bauwahns und der Zerstörung ganzer Landstriche. Reizvoll wird die Strecke erst wieder zwischen Ahmetbeyli und Pamucak: Entlang einer gut ausgebauten und aussichtsreichen Küstenstraße reihen sich einige schöne Badebuchten (→ Selçuk/Baden, S.275), landeinwärts findet man vom Tourismus links liegen gelassene antike Stätten wie *Klaros* oder *Kolophon*.

Sığacık

Der alte Kern des verschlafenen Fischerdorfes liegt zusammengedrängt hinter den Mauern einer genuesischen Festungsanlage. Rund um die beschauliche Hafenfront an der tiefen Bucht findet man ein paar Fischlokale und Pensionen. Selbst in der Hochsaison ist hier immer noch ein Plätzchen frei, denn da es vor

Ort an Bademöglichkeiten mangelt, bleiben die Massen aus. Sığacık ist vorrangig Stützpunkt für türkische Urlauber und Ausflügler aus İzmir.

Der nächste Strand, die schöne, von Olivenbäumen gesäumte Bucht von **Akkum**, befindet sich 2 km südwestlich. Hier geht es ebenfalls noch recht gemütlich zu, auch wenn sich hinter dem Strand eine große Clubanlage (vornehmlich französisches Publikum) befindet. Baden kann man auch am **Teos Ekmeksiz Plajı**, einer netten Bucht mit kleinen Sandstrand, gepflegten Sanitäranlagen und Umkleidekabinen, noch etwas weiter südwestlich (Eintritt 0,50 €, Auto mit unbeschränkter Personenzahl 2 €).

In der Akkum-Bucht

• *Verbindungen* häufig **Dolmuşe** ins 9 km entfernte Landstädtchen Seferihisar. Dort umsteigen nach İzmir, Selçuk oder Kuşadası. Keine Direktverbindungen nach Çeşme (über İzmir). Zudem Dolmuşverbindungen zwischen Sığacık und Akkum.

• *Anfahrt nach Akkum* Von der Festung in Sığacık die dem Hafen gegenüber liegende, bergauf führende Straße nehmen, dann immer geradeaus. Der Teos Emeksiz Plajı ist von der Strecke ausgeschildert.

• *Übernachten* **Club Resort Atlantis**, Bungalowanlage auf 10 ha in der Akkum-Bucht. Sehr gepflegt und stilvoll. Großes Sportangebot, u. a. Tennis, Surfen, Wasserski und Tauchen. Restaurants, Kinderbetreuung, Theater, Nightclub etc. Pro Person 59 € mit VP. Ausgeschildert. ✆ 0232/745770, atlantis@ispro.net.tr.

Teos Sunset Pension, im Norden von Sığacık zwischen Festungsmauer und Uferpromenade. Freundliche saubere Zimmer (7 davon mit Meeresblick) und gemütliche Gartenterrasse. Internetecke (ein Rechner). DZ mit Frühstück 12 €. Zuvorkommender Service, leider nicht fremdsprachig. ✆ 0232/7457463, ℻ 7457882.

Sahil Pansiyon, ebenfalls im Norden von Sığacık. Vom netten Ehepaar Keleş geführt, das lange Jahre in Hamburg lebte. 14 schlichte, aber ordentliche Zimmer, drei davon mit herrlicher Aussicht auf die Bucht vom Balkon. Süßes Gärtchen mit Hühnern, auf Wunsch wird auch lecker gekocht. EZ 4,50 €, DZ 9 €, Frühstück pro Person 1,80 € extra. ✆/℻ 7457741.

• *Camping* Schlichte Campingmöglichkeiten bestehen am **Teos Ekmeksiz Plajı**. Campen 2,60 € pro Person, egal ob mit Zelt oder Wohnmobil.

• *Essen & Trinken* **Şadırvan Pide Salonu**, neben all den mehr oder minder gleichartigen Fischlokalen rund um den Hafen von Sığacık ein abwechslungsreicher Tipp. Gemütliche Lokanta um einen alten Brunnen, der nun kitschig beleuchtet sein Gnadenbrot bekommt. Neben Pide sehr gute türkische Dorfküche – probieren Sie *Saç Kavurma* oder *Kiremitte Köfte* (Köfte im Tonpfännchen)! Günstig. Nahe der Pansiyon Burg am Hafen.

Teos (antike Stadt)

Die ionische Gründung aus dem 1. Jt. v. Chr. stand immer im Schatten Smyrnas. Lediglich nach dessen Zerstörung (6. Jh. v. Chr.) erlebte Teos eine kurze Blüte. Die damalige Hafenstadt war Geburtsort des Lyrikers Anakreon (ca. 580–

495 v. Chr.), der u. a. den Wein und die gleichgeschlechtliche Liebe besang. Passend dazu war Teos berühmt-berüchtigt für seinen Dionysoskult, den hier eine Gilde von Schauspielern und Musikern zu Ehren ihres Schutzgottes feierte.

Die Ruinen der aufgegebenen Stadt wurden als Steinbruch benutzt, sodass vieles verloren ging. Am eindrucksvollsten ist die Ruine des *Dionysostempels* – der größte je gebaute Tempel für den Gott des Weins – mit einigen wieder aufgerichteten Säulenstümpfen. Wer auf dem idyllischen Gelände weiter herumstreift, findet auf dem flachen Hügel nördlich der Anlage, der einst die Akropolis trug, u. a. Reste eines *Theaters*. Von oben genießt man eine großartige Aussicht auf die Olivenhaine, die Überreste der Stadt und die Küste.

• *Anfahrt/Öffnungszeiten* Über Sığacık (s.o.) zu erreichen. Von der Festung in Sığacık die dem Hafen gegenüber liegende, bergauf führende Straße nehmen und immer geradeaus fahren (alle Rechtsabzweigungen zur Küste hin ignorieren). Das Gelände ist frei zugänglich und kostet keinen Eintritt.

Von Ürkmez bis Özdere

Ürkmez, Gümüldür und Özdere – alle drei Ortschaften mittlerweile so gut wie zusammengewachsen – sind die Sommerfrischen der İzmirer Mittelschicht. Über viele Kilometer ziehen sich eintönige Retortensiedlungen die Küste entlang. Totenstill ist es hier in den kalten Monaten, restlos überlaufen zur türkischen Ferienzeit. Die stark befahrene Küstenstraße bietet keine Abwechslung – wo man hinschaut, ein Apartment- und Ferienhäusermeer. Poseidons Reich davor ist jedoch sauber und wird von langen Sandstränden flankiert. Unterkünfte und einfache Lokale sind vorhanden.

• *Verbindungen* In der Saison regelmäßige **Dolmuş**verbindungen nach İzmir und Selçuk.

• *Übernachten* **Taç Motel**, in Özdere in erster Reihe am Meer. 11 Zimmer, einfach ausgestattet, dafür mit schwäbischer Gründlichkeit geputzt: Der Besitzer wohnt in Tübingen. DZ 12 €. 23 Sok. 41, ✆ 0232/7975992. Buchbar auch in Deutschland über ✆ 07472/41935.

Melis Pansiyon, von Lesern empfohlene Unterkunft in Özdere, landeinwärts gelegen. Pool, Restaurant und Terrassenbar. Ordentliche DZ zu ca. 12 €. Çukuraltı Mah., Selvi Sok. 13, ✆ 0232/7979456. Von Kuşadası kommend kurz nach dem großen Tansaş-Supermarkt links ab, nächste Straße rechts.

Şah Pansiyon, am östlichen Ortsende von Özdere, von der Straße nach Selçuk ausgeschildert. 20 einfache Zimmer mit und ohne Bad, daneben ein Pool und jede Menge Mandarinen- und Olivenbäume. Netter Service und herrliche Terrasse direkt am Meer. DZ ab 8 € mit Frühstück. ✆ 0232/7975087.

• *Camping* **Hippocampus Denizatı**, Campingplatz für Verwöhnte. Riesige, schattige Vier-Sterne-Anlage in einem Pinienhain und mit allem Drum und Dran: 1a-Restaurant, Pool, eigener gepflegter Strandabschnitt, Kinderspielplatz, Disco, Animation usw. Sehr gute Sanitäranlagen. Pro Person 3 €, Zelt 2,30 €, Wohnmobil 3 €. Angenehme Bungalows für 53 € für 2 Pers. mit VP. Am östlichen Ortsausgang von Gümüldür. ✆ 0232/7989191, www.denizati-hv.com.

Kolophon (antike Stadt)

Oberhalb der Ortschaft Değirmendere, rund 20 km nördlich von Klaros im Landesinneren, liegen die bescheidenen Reste des antiken Kolophon, einst eine Stütze des Ionischen Bundes. Erhalten sind nur ein paar Mauern und die Fundamente mehrerer Türme, die deutsche Archäologen 1886 freilegten. Interessanter als ein Besuch der Ruinen ist die Geschichte der angeblich einst unsagbar reichen Stadt, deren Bewohner sich in parfümierte Purpurgewänder einzuhüllen pflegten. Ihren Namen – und ihr vieles Geld – verdankte die Stadt dem sog. "Kolophonium", einem Harz aus den Pinienplantagen der Umgebung. Berühmt war die Stadt aber auch wegen ihrer Pferdezucht (nur Könige konnten sich die stolzesten Hengste aus Kolophon leisten), wegen ihrer mächtigen Flotte, ihrer schlagkräftigen Armeen und – man mag es kaum glauben – einer gefürchteten Hundemeute. Der antike Geograph Strabo (63 v. Chr.–23. n. Chr.) berichtet von dem Ausdruck "Kolophon darauf nehmen", was im Altertum so viel bedeutete wie "kurzen Prozess machen".

• *Anfahrt* Um nach Değirmendere zu gelangen, folgt man von Ahmetbeyli (zwischen Pamucak und Özdere) der landeinwärts führenden Straße Richtung Menderes. Im Zentrum von Değirmendere müssen Sie sich stets bergauf halten, lassen Sie sich den Weg durch die Gassen zeigen. Es geht wirklich steil bergauf, die "Straße" ist für geländeuntaugliche Fahrzeuge nur schwer zu meistern – besser laufen.

Nordägäis
Karte S. 169

Klaros und Notion (antike Stätten)

Das antike Klaros war wie Didyma ein Apollonheiligtum. Gegründet wurde es bereits im 7. Jh. v. Chr., zerstört erst in christlicher Zeit durch ein Erdbeben. Heute liegen Säulentrommeln, Kapitelle und andere Architekturfragmente des einstigen Tempels kreuz und quer, darunter auch ein über 3 m langer Arm der einst ca. 8 m hohen marmornen Kultfigur des sitzenden Apollon. Restaurierungsarbeiten leitet seit mehreren Jahren die Ege-Universität İzmir, ein paar Säulen stehen schon wieder.

Aus Inschriften weiß man, dass Pilger aus dem gesamten Mittelmeerraum das Orakel aufsuchten. Dabei stellten sie angeblich keine Fragen, sondern teilten den Priestern nur ihre Namen mit. Diese zogen sich daraufhin zur "Heiligen Quelle" zurück, nahmen einen inspirierenden Schluck und kamen fröhlich orakelnd wieder zurück. Das Wasser war aber vermutlich nicht gesund, denn die meisten Priester starben jung. Die unterirdischen Orakelkammern können – sofern sie nicht unter Wasser stehen – noch heute besichtigt werden, von der einstigen Vorhalle sind sie über Treppen zu erreichen.

Die Pilger, die Klaros aufsuchten, liefen für gewöhnlich mit dem Schiff den Hafen von Notion an, um von dort auf einer heiligen Straße zum Orakel zu wandeln. Die heute spärlichen Überreste der antiken Stadt Notion liegen auf einem Hügel am östlichen Buchtende von Ahmetbeyli verstreut, u. a. das Fundament eines *Athenatempels*, einer *Agora* und eines *Theaters*. Ihre Erkundung versüßt ein Bad am Strand von Ahmetbeyli, ein beliebter Stopp von Ausflugsbooten aus Kuşadası.

• *Anfahrt* In Ahmetbeyli (zwischen Pamucak und Özdere) der landeinwärts führenden Straße nach Menderes folgen, nach ca. 500 m rechts ab (ausgeschildert). Die Ruinen erreicht man nach weiteren 1,5 km. Mit dem **Dolmuş** am einfachsten von Selçuk (auf die Aufschrift "Gümüldür" achten). Erst in Ahmetbeyli aussteigen (**nicht** am Strand Denizpinarı/Klaros!). Von da aus zu Fuß der Anfahrt folgen.

• *Öffnungszeiten* stets zugänglich. Eintritt 1,80 €, erm. die Hälfte.

Für Bade- und Übernachtungsmöglichkeiten bei Pamucak → Selçuk, S. 275. Für Bademöglichkeiten auf dem Weg Richtung Kuşadası → Kuşadası/Baden S. 303.

Ephesus (Efes, antike Stadt)

Ephesus war schon eine Weltstadt, als Athen noch tiefste Provinz und Rom noch nicht einmal gegründet war. In ihren besten Zeiten zählte die antike Metropole 250.000 Einwohner, für damalige Verhältnisse eine schier unvorstellbare Zahl. Heute gehört Ephesus zu den großen Attraktionen der Türkei. Organisierte Ausflüge hierher werden von allen Touristenzentren des Landes angeboten. Wer länger bleibt, übernachtet in der Regel im benachbarten Selçuk.

Ephesus war die reichste Stadt Kleinasiens und wurde auch als "Bank Asiens" bezeichnet. Der große Hafen war das Tor zu den Schätzen Anatoliens und Persiens. Aber nicht nur auf Geldgeschäfte verstanden sich die Epheser: Ihre Stadt galt als das Zentrum der Artemisverehrung und damit als Wallfahrtsort ersten Ranges. Das *Artemision*, der riesige Artemistempel, wurde zu den Sieben Weltwundern gezählt.

Doch Ruhm und Reichtum sind vergänglich. Der Hafen versandete, und die Stadt ging unter. Erst Ausgrabungen zwischen 1866 und 1922 brachten Ephesus zurück ans Tageslicht. Auch wenn vieles in Trümmern liegt – an nur wenigen Orten der Welt konnte eine derart intakte Stadtanlage ausgegraben werden. Sie wird in Spitzenzeiten von bis zu 15.000 Touristen täglich besucht. Auch rund um Ephesus warten einige Sehenswürdigkeiten auf den Besucher, z. B. das *Sterbehaus Marias* oder die *Johannesbasilika* in Selçuk, in der angeblich der Apostel Johannes begraben liegt.

Geschichte

Die Besiedlung der Gegend geht bis in das 2. Jt. v. Chr. zurück. Damals ließen sich Leleger und Karer auf dem Zitadellenhügel von Selçuk nieder, wo auch ein Heiligtum für die Fruchtbarkeitsgöttin Kybele stand.

Den Grundstein der Stadt Ephesus legten ionische Siedler im 11. Jh. v. Chr. Ihr Anführer war Androklos, der zuvor das Orakel von Delphi befragt hatte, wo die neue Stadt zu gründen sei. Die Antwort hatte gelautet: "Ein Fisch und ein Keiler werden Dir den Ort anzeigen." Mit dieser Weisung ausgestattet, zogen die Siedler los. Als sie eines Tages einen noch zappelnden Fisch über dem Feuer grillen wollten, sprang dieser vom Rost und setzte durch die mitgerissene Kohle einen Busch in Brand, aus dem ein Keiler sprang. Dieser machte sich auf und davon und kam erst an der Mündung des heute verlandeten *Kaystro-Flusses* zum Stehen. Hier errichteten die Siedler ihre Stadt – so zumindest die Legende.

Ephesus entwickelte sich dank seines Hafens und seiner günstigen Lage schnell zu einer ansehnlichen Stadt. Der griechische Artemiskult verschmolz mit der archaischen Verehrung der Kybele zur eigentümlichen ephesianischen Variante der Artemisverehrung, die ihren sichtbaren Ausdruck in einem riesigem Artemistempel finden sollte, mit dessen Bau im 6. Jh. v. Chr. begonnen wurde. Bis zu seiner Fertigstellung vergingen allerdings mehr als 200 Jahre.

Um 550 v. Chr. wurde die Stadt vom Lyderkönig Krösus angriffen. Die Bewohner wussten sich nicht anders zu helfen, als Tempel und Stadt mit einem Tau zu um-

Ephesus – vor der Celsusbibliothek

Nordägäis
Karte S. 169

spannen, um sich so symbolisch unter göttlichen Schutz zu begeben. Krösus zeigte sich daraufhin milde. Er schonte den noch nicht fertig gestellten Tempel und plünderte nur die Stadt. Knapp 200 Jahre später wurde der Tempel dann aber doch zerstört. 356 v. Chr. zündete Herostratos das gerade vollendete Bauwerk an, um seinen Namen unsterblich zu machen – was ihm damit auch gelang. Als Alexander der Große 334 v. Chr. sämtliche Baukosten für den Wiederaufbau des riesigen Tempels übernehmen wollte, lehnten die stolzen Epheser das Anerbieten ab. Sie finanzierten den prunkvollen Neuaufbau aus eigenen Mitteln und erweiterten den Bereich des Tempelasyls, in dem Gewaltanwendung verboten war. So amortisieren sich die Tempelkosten bald – manch reicher Geächteter rettete sich hierher und dankte der Göttin mit großzügigen Spenden.

Vermutlich ab 294 v. Chr. ließ Lysimachos, einer der Feldherren Alexanders des Großen und Herrscher von Pergamon, das Stadtgebiet, das sich bis dahin rund um den Artemistempel erstreckte, an den heutigen Standort verlegen. Außerdem wurde auf sein Betreiben ein neuer Hafen ausgehoben und die Stadt mit einer Schutzmauer von 9 km Länge umgeben.

133 v. Chr. fiel Ephesus an die Römer und wurde bald darauf Hauptstadt der Provinz Asia. Lange Zeit aber war Rom aufgrund hoher Steuerabgaben für viele Einwohner mehr Feind als Freund. 88. v. Chr. kam es im Zuge der Revolte des Mithridates von Pontus gegen die römische Herrschaft auch in Ephesus zum Aufstand: Bei der sog. Ephesischen Vesper wurden in ganz Kleinasien rund 80.000 Kaufleute, Steuereintreiber und andere römische Bürger getötet. Dennoch, unter Rom entwickelte sich die Stadt zu einer blühenden Metropole mit mehr als 250.000 Einwohnern, die meisten ausgegrabenen Sehenswürdigkeiten stammen aus dieser Zeit.

In die Zeit der römischen Herrschaft fällt auch der Besuch des Apostels Paulus, der auf seiner zweiten Missionsreise 55–58 hier weilte. Paulus' Predigten hatte einen solchen Zulauf, dass die alteingesessenen Devotionalienhändler kaum noch eine Artemis an den Mann brachten. Ein Silberschmied namens Demetrios mobilisierte daraufhin den Mob gegen die Christen – im Theater skandierten sie den viel zitierten Spruch: "Groß ist die Artemis der Epheser!" Nach den ersten Tumulten verließ Paulus die Stadt. Als weiterer Apostel soll der Evangelist Johannes in Ephesus gewirkt haben (→ Selçuk, S. 276).

262 n. Chr. verwüsteten die Goten Stadt und Tempel – der Wiederaufbau erfolgte in bescheidenem Rahmen. Der Hafen versandete, andere Handelsplätze liefen Ephesus den Rang ab. Im 7. Jh. wurde die Siedlung in der Ebene aufgegeben. Man zog sich auf den nahe gelegenen Zitadellenhügel (von Selçuk) zurück, in dessen Schutz das Christenstädtchen *Hagios Theologos* einige Jahrhunderte überdauerte, während die einstige Weltstadt nebenan langsam in Vergessenheit geriet. In der Mitte des 13. Jh. eroberten die Seldschuken Hagios Theogolos. Unter dem neuen Namen *Ayasoluk* erlebte die Zitadellenstadt im 14. Jh. als Handelsplatz und Residenz der Aydınoğulları noch einmal eine kurze Blütezeit, die mit der osmanischen Eroberung 1423 endete.

1866 entdeckte der Engländer *J. T. Wood* das *Artemision* und begann zu graben. Seit 1896 werden die Arbeiten unter der Regie des Österreichischen Archäologischen Instituts durchgeführt. *Ayasoluk* wurde 1914 in *Selçuk* umbenannt.

• *Verbindungen* → Selçuk, S. 271.

• *Öffnungszeiten* im Sommer tägl. 8.30–19 Uhr, im Winter tägl. 6.30–17.30 Uhr. Eintritt 7 €. Ein Besuch der Hanghäuser kostet weitere 7 € (Tickets im Grabungsgelände am Eingang zu den Häusern). Es lohnt sich, früh da zu sein, das Gros der Ausflugsbusse trifft nicht vor 9.30 Uhr ein.

• *Öffentliche Toieltten* kurz hinter dem unteren Eingang an der Arkadiane.

• *Touristenfalle* Das Grabungsgelände besitzt neben dem Haupteingang nahe der Straße nach Kuşadası einen zweiten Zugang an der Straße nach Meryemana. Findige Geschäftsleute sind auf die Idee gekommen, Touristen an einem der Zugänge freundlich anzubieten, sie am anderen abzuholen, sodass diese sich den Weg zurück durchs Ausgrabungsgelände (ohne Krücke dauert dieser gerade 15 Min.) sparen können. Willigen Sie ein, landen Sie garantiert bei einem Bruder oder einem sonstigen Anverwandten des Wohltäters, der zufällig einen Teppichhandel betreibt ...

Rundgang durch das (kostenpflichtige) Grabungsgelände

Im Abseits, etwas versteckt, stehen die Ruinen der *Marienkirche*, einer einst dreischiffigen Basilika. Man vermutet, dass sie im 4. Jh. aus einer Markthalle entstand. 431 fand darin das III. Ökumenische Konzil statt. Außer ein paar Mauerresten, Säulen und einem Taufbecken ist nicht mehr viel zu sehen. Wer sich davon überzeugen will, zweigt hinter dem Kassenhäuschen nach rechts auf einen schmalen Pfad ab.

Ansonsten folgt man der schattigen Allee, die vom Eingang direkt zur Arkadiane und dem Großen Theater führt. Rechts von ihr liegt der bislang noch nicht vollständig ausgegrabene *Verulansplatz,* ein 200 x 240 m großer Hof mit umlaufenden Arkadengängen; linker Hand tauchen nach wenigen Metern die Reste des *Theatergymnasions* auf.

Arkadiane: Die mehr als 500 m lange Prunkstraße führte vom Theater zum Hafen, heute endet sie im Dickicht. Unter Kaiser Arcadius wurde sie 400 n. Chr.

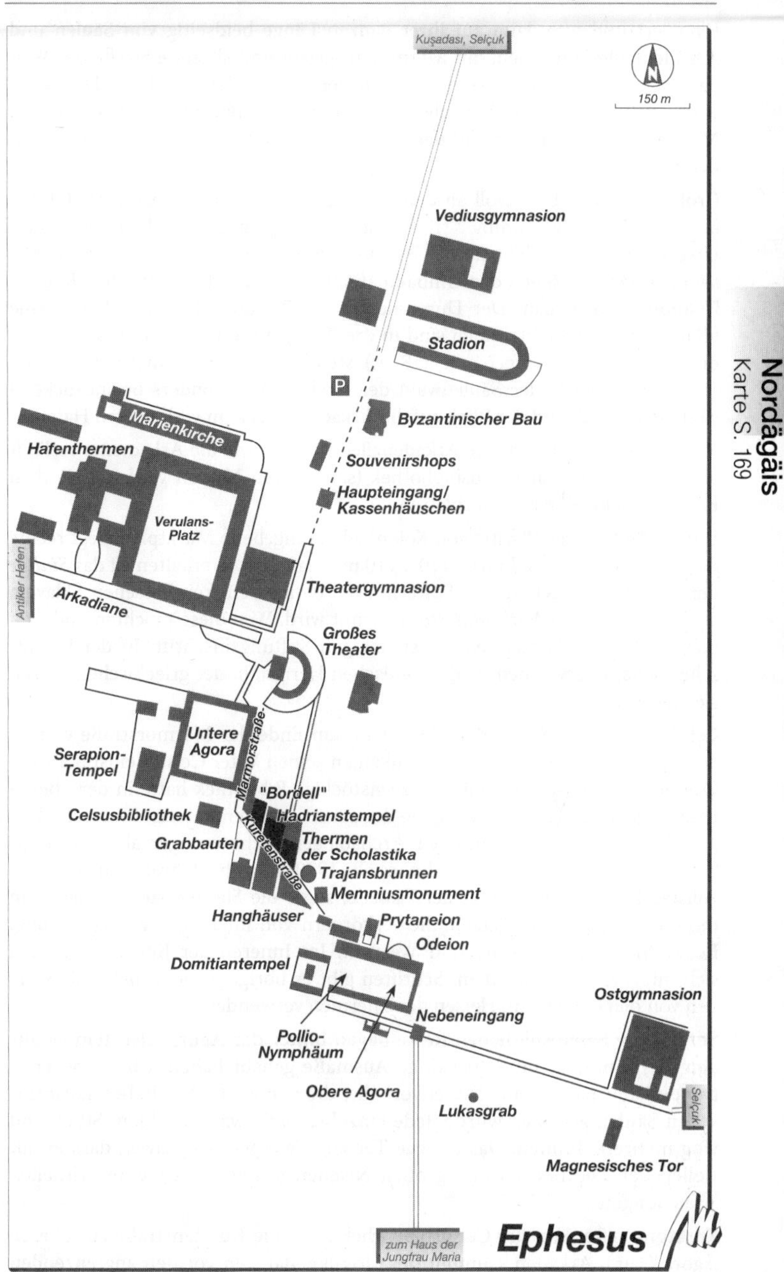

Nordägäis
Karte S. 169

renoviert und war dann auf ihrer ganzen Länge beidseitig von Säulen und Arkadenhallen umgeben, mit Marmor ausgelegt und als erste Straße der Welt nachts beleuchtet. Sie befindet sich in hervorragendem Zustand. Der Belag wurde rekonstruiert, viele Säulen wurden wieder aufgestellt. Um sie vor den Massen zu schützen, darf auf der Arkadiane allerdings nicht mehr gelustwandelt werden.

Großes Theater: Effektvoll an den Hang gebaut, bot das Theater 24.000 Zuschauern Platz. Im Sommer finden hier oft Pop- und Klassikkonzerte statt. Ursprünglich ein hellenistischer Bau aus der Zeit um 270 v. Chr., verdankt es sein heutiges Aussehen den Umbaumaßnahmen unter den römischen Kaisern Claudius und Trajan. Der Durchmesser des Theaters beträgt 130 m, seine Höhe 38 m, die 66 Sitzreihen sind in drei Ränge unterteilt. Vom ursprünglich dreistöckigen Bühnengebäude (18 m) stehen noch die Mauern des ersten Stockwerks, davor der Säulenwald der Orchestra. Besonders beeindruckend sind die Akustik und der Blick auf die Arkadiane bis zum verlandeten Hafen.

Marmorstraße: Die einstige Arkadenallee (ähnlich wie die Arkadiane) verläuft vom Theater bis zur Celsusbibliothek (s. u.). Ihren Namen verdankt sie dem Belag aus schweren Marmorplatten.

Untere Agora: Der allseitig von Kolonnaden umgebene Marktplatz liegt rechts der Marmorstraße und misst 110 x 110 m. Phantastisch erhalten ist das *Südtor* der Agora, das nach seinen Stiftern, zwei dankbaren freigelassenen Sklaven, auch *Mazeus- und Mithridatestor* genannt wird. Wen diese mochten und wen nicht, erfährt man aus der zweisprachigen Stiftungsinschrift: In der lateinischen Version erwähnen sie die römischen Herren, in der griechischen sparen sie diese aus.

Celsusbibliothek: Sie wurde 135 n. Chr. am Ende der Marmorstraße von einem gewissen C. Aquila zum Gedenken an seinen Vater Celsus, einst Statthalter der Provinz Asia, erbaut. Die zweistöckige Bibliothek hatte in der oberen Etage eine umlaufende Galerie, von der aus man in den unteren Lesesaal sehen konnte. Da die österreichischen Archäologen nicht weniger als 850 Originalbausteine fanden, gelang ihnen ab 1970 in acht Jahren Bauzeit eine vollständige Rekonstruktion der Fassade; sogar die Statuen stehen wieder an ihren ursprünglichen Plätzen. Sie verkörpern von links nach rechts Bildung, Rechtschaffenheit, Tugend und Weisheit. Im Inneren der Bibliothek finden sich informative Schautafeln. Schriften gibt es übrigens nicht mehr: Sie wurden von den Goten zum Heizen der Thermen verwendet.

Serapeion: Seine spärlichen Reste liegen hinter der Agora. Der Tempel aus dem 2. Jh. n. Chr. muss gewaltige Ausmaße gehabt haben. Über eine Freitreppe kam man in eine Säulenvorhalle, die von acht 14 m hohen korinthischen Säulen getragen wurde. Jede einzelne Säule war aus einem Stück und wog mehrere Tonnen. Das eiserne Tor zur Cella war so schwer, dass es auf Rollen lief. Die Becken und großen Nischen in der Cella dienten rituellen Waschungen.

Kuretenstraße: Von der Celsusbibliothek führt die Kuretenstraße zur oberen Agora (s. u.). Arkaden säumten sie, Mosaike glänzten vor den angrenzenden öffentlichen Bauten. Unter der Straße befand sich ein Kanalisationssystem. Gleich zu Beginn linker Hand glaubten Archäologen lange Zeit, ein *Bordell* entdeckt zu haben, da hier eine Figur des Gottes Priapos (ausgestattet mit einem Penis, den sich so mancher Mann und manche Frau wünschen würden) sowie das Bild einer abgetakelten Matrone gefunden wurden. Gegenüber befinden sich drei *Grabbauten*.

Hadrianstempel und Thermen der Scholastika: Es folgt linker Hand der imposante, weitgehend rekonstruierte Hadrianstempel (130 n. Chr.). Der Schlussstein des Architravs zeigt die Göttin Tyche, sie stand für das Glück der Stadt. Neben dem Tempel führt eine Treppe zu einer gut erhaltenen Latrine.

Über dem Hadrianstempel befinden sich die Ruinen der mehrgeschossigen Thermen der Scholastika. Die Statue der Stifterin ist bis auf den Kopf erhalten. Von den Thermen konnte man durch Glasfenster das Treiben auf der Straße beobachten. Gegenüber am Hang markiert ein futuristisches Schutzdach die sog. Hanghäuser.

Hanghäuser: Die neueste Attraktion von Ephesus wurde in einer mehrjährigen Grabungskampagne freigelegt, in deren Verlauf erstaunlich gut erhaltene Fresken und Mosaikböden gefunden wurden. Ein Besuch schlägt noch einmal extra zu Buche, ist aber spektakulär. Der Rundgang vermittelt hautnah, wie sich in der Antike die Oberen Zehntausend ihre Anwesen einrichteten, Fußbodenheizung, Thermalbad und fließend Wasser inklusive.

Trajansbrunnen und Memmiusmonument: Weiter aufwärts, ebenfalls an der Kuretenstraße linker Hand, liegt der gut erhaltene Trajansbrunnen, ein prächtiges Nymphäum, das 114 n. Chr. dem Kaiser Trajan gewidmet wurde. In den Nischen standen einst 12 Statuen und eine große des Kaisers darüber, ein Fuß erinnert noch an ihn. Es folgt ebenfalls linker Hand das Memmiusmonument, das später in einen Springbrunnen verwandelt wurde. Es war Gaius Memmius gewidmet, einem Enkel des römischen Feldherrn und Diktators Sulla, der die Stadt 84 v. Chr. zur Strafe für die Ephesische Vesper gebrandschatzt hatte.

Domitiantempel: Vorbei am *Pollio-Nymphäum*, das einst wie der Trajansbrunnen ebenfalls reich mit Statuen geschmückt war, gelangt man zum mächtigen Unterbau des Domitiantempels. In ihm fanden Archäologen das Haupt einer Monumentalstatue des im Jahre 96 ermordeten Kaisers Domitian. In die Geschichte ging er als Christenhasser ein. Er war es übrigens auch, der den Limes anlegen ließ. Im Keller befindet sich heute ein Inschriftenmuseum. Jeder gefundenen Steinplatte werden der lateinische Originaltext und die englische Übersetzung gegenüber gestellt.

Staatsagora, Prytaneion und "Odeion": Der 160 x 58 m große Platz war der politische Mittelpunkt der Stadt. Etwas nördlich davon stand das Prytaneion, ein Versammlungshaus. Hier brannte das ewige Feuer der Stadt, von Kureten (Priestern) und Vestalinnen (priesterliche Jungfrauen) gehütet. In diesem Gebäude fand man die überlebensgroße Artemisstatue, die heute im Museum in Selçuk steht. Durch einen Bogengang geht es hinüber zu einem Bau, in dem das Bouleuterion vermutet wird, das Rathaus. Seiner Form nach wird es "Odeion" genannt. Die Sitzreihen sind ausgezeichnet erhalten, auf 27 Rängen konnten etwa 1.400 Zuschauer die Ratsversammlungen verfolgen. Zwischen Rathaus und Staatsagora stehen die Säulenstümpfe der 160 m langen, nach ihren eigenartigen Kapitellen benannten *Stierkopfhalle*.

Außerhalb des (kostenpflichtigen) Grabungsgeländes

Was rund um Ephesus keinen Eintritt kostet, lohnt auch nicht unbedingt den Besuch. Hinter dem oberen Ausgang des Grabungsgeländes liegt rechter Hand der Straße das **Lukasgrab**, das Rundmausoleum eines unbekannten Toten aus dem 1. Jh., das in christlicher Zeit zu einer Kirche umfunktioniert wurde. Eine Zeit lang glaubte man, der Evangelist Lukas sei hier bestattet worden. Etwas weiter steht das **Magnesische Tor**, nordwestlich davon die spärlichen Überreste des **Ostgymnasions**, das nach den hier gefundenen Mädchenstatuen auch Mädchengymnasion genannt wird.

Nahe dem Parkplatz vor dem unteren Eingang stehen die Ruinen eines **byzantinischen Baus**, vermutlich ein Palast oder eine Bäderanlage, insgesamt wenig spannend. Auf dem Hügel über dem Parkplatz lag zudem das unter Kaiser Nero erbaute **Stadion** mit der klassischen Länge von 192 m. Erhalten ist nur noch ein monumentales *Eingangstor*. Alle Steintribünen wurden abgetragen und zum Bau des Kastells auf dem Zitadellenhügel verwendet. 100 m weiter, östlich der Zufahrtsstraße zum Grabungsgelände, befinden sich zudem die von einem Zaun umgebenen Trümmer des **Vediusgymnasions**, gestiftet von Publius Vedius Antonius, einem reichen Bürger der Stadt. Es besaß u. a. ein Bad mit Fußbodenheizung.

Von den Zufahrtsstraßen zum oberen und unteren Eingang ist ferner die **Höhle der Siebenschläfer** mit "Grotto of the Seven Sleepers" ausgeschildert. Während der Christenverfolgungen sollen sich sieben Jünglinge in diese Höhlen geflüchtet haben. Römische Soldaten, die dies bemerkten, vermauerten den Eingang. Darauf versanken die Flüchtlinge in einen 200 Jahre währenden Schlaf. Als sie durch ein Erdbeben erwachten, war das Christentum längst Staatsreligion geworden, die Verfolgungen Vergangenheit. Kaiser Theodosius II. soll später die Leichname der Jünglinge hier beigesetzt und darüber eine Wallfahrtskirche errichtet haben. Zum Zeitpunkt der Recherche war das Betreten der Höhle wegen Einsturzgefahr verboten, ohnehin sind nicht mehr als ein paar in den Fels gehauene Gräber zu sehen.

Artemision: Das einst so berühmte Artemision liegt auf halbem Weg an der Straße von Ephesus nach Selçuk. Antipatros notiert in seiner Abhandlung über die Sieben Weltwunder der Antike hingerissen: "Doch als ich dann endlich den Tempel der Artemis erblickte, der in die Wolken sich hebt, verblasste das andere. Ich sagte: Hat Helios' Auge außer dem hohen Olymp je etwas Gleiches gesehen?" Heute sieht Helios, der Sonnengott, zwar immer noch den Olymp, aber anstatt auf das Artemision blickt er nur noch auf eine kümmerliche Ruine. Die Überreste des Weltwunders sollen rekonstruiert werden, doch seit Jahren ragt nur eine einzige Säule einsam in den Himmel – nur für speziell Interessierte sehenswert.

Öffnungszeiten Das Gelände ist frei zugänglich. Gelegentlich wird Eintritt verlangt.

Selçuk

(20.000 Einwohner)

Drei Kilometer östlich von Ephesus liegt die Nachfolgesiedlung der antiken Weltstadt. Nach einem Jahrhunderte langen Dornröschenschlaf zehrt sie heute von der Vergangenheit.

Von seiner Zerstörung im 15. Jh. (→ Ephesus/Geschichte, S. 226) bis ins 20. Jh. war Selçuk ein kümmerliches Dorf. Erst der Bau der Eisenbahn und das Interesse an der Antike erweckten es zu neuem Leben. Heute ist Selçuk ein freundliches Landstädtchen, gekrönt von einer byzantinischen Zitadelle. Neben einem herausragenden Museum mit Funden aus Ephesus besitzt Selçuk auch einige sehenswerte Hinterlassenschaften seiner christlichen und seldschukischen Vergangenheit. Zu Ausflügen lädt das gebirgige Hinterland ein. Auch der *Pamucak*-Strand in zumutbarer Entfernung leistet seinen Teil, um eilige Tageskundschaft in Dauergäste zu verwandeln. Der Ort ist ein angenehmer Stützpunkt für nichtorganisierte Ephesusbesucher.

Orientierung: Das Zentrum Selçuks erstreckt sich zwischen Busbahnhof und Bahnhof. Das Leben spielt sich abends rund um den kleinen Platz am Ende der Namık Kemal Cad. ab. Die Reste des dortigen Aquädukts stammen übrigens aus byzantinischer Zeit.

Information/Verbindungen/Ausflüge/Parken

- *Telefonvorwahl* 0232.
- *Information* Gegenüber dem Museum. Je nach Besetzung freundlich, kompetent und hilfsbereit – Auskünfte in Englisch (gut) und Deutsch (mittel). Literatur zu Ephesus gibt es hier günstiger als am Grabungsgelände. Tägl. 8.30–17.30 Uhr. Efes Müzesi Karşısı 23, ✆ 8926328, 📠 8926945.
- *Verbindungen* **Bus**: Busbahnhof zentral an der Atatürk Cad. Wann der neue Busbahnhof etwas außerhalb des Zentrums an der Straße nach Aydın eröffnet werden soll, war z.Z. der Recherche noch fraglich, das Gebäude steht aber schon. Regelmäßige Verbindungen nach İzmir (1,5 Std.), İstanbul (9–10 Std.), Aydın (1,5 Std.) und Pamukkale (3,5 Std.), zudem gute Verbindungen entlang der Küste, egal ob gen Norden oder Süden.

Zug: Bahnhof im Zentrum. 4-mal tägl. nach İzmir, 3-mal tägl. über Aydın nach Denizli, jeweils 1-mal nach Afyon und Isparta. Information und Reservierungen unter ✆ 8926006.

Dolmuş: Alle Dolmuşe starten am Busbahnhof. Minibusse nach Kuşadası etwa halbstündlich (Dauer ca. 30 Min.), nach Şirince etwa stündlich (ebenfalls ca. 30 Min.), zudem regelmäßige Dolmuşverbindungen zu den Stränden der Umgebung (im Sommer) und nach Tire. Vom Busbahnhof werden im Sommer auch Tagesausflüge mit dem Minibus nach Priene, Milet und Didyma inkl. einem Badestopp angeboten. Reiner Fahrpreis ohne Eintritte 21 € pro Person.

Von und nach Ephesus: Drei Kilometer oder 30 Gehminuten trennen Selçuk von Ephesus. Dafür folgt man von der Kreuzung beim Busbahnhof, an welcher auch die Tourist Information liegt, dem Dr. Sabri Yayla Bul., der Zufahrtsstraße nach Ephesus. Parallel dazu verläuft ein schattiger Gehweg. Ewa halbstündl. verkehren auch **Minibusse** vom zentralen Busbahnhof zum Grabungsgelände. Eine Fahrt mit dem **Taxi** sollte einfach nicht mehr als 2 € kosten.

- *Organisierte Touren* bieten etliche Agenturen an. Rechnen Sie bei Tagesausflügen (z. B. nach Pamukkale oder Bergama) mit ca. 35 €. Mehrtagestrips, z. B. nach Kappadokien, ab 50 €.

• *Parken* Vom Benutzen der öffentlich ausgewiesenen Parkplätze am Museum und vor der Johannesbasilika raten wir ab: Wucherpreise. Es gibt genug anderweitigen Parkraum.

Adressen/Einkaufen/Veranstaltungen

• *Ärztliche Versorgung* Staatliches Krankenhaus **Devlet Hastanesi** an der Atatürk Cad. Richtung Aydın, ✆ 8927036.

• *Auto-/Zweiradverleih* Autos werden ab 35 € pro Tag von diversen Reisebüros vermietet, Scooters ab 21 €. Eine Adresse vor Ort ist **Ephesus Rent a Car** bei der Tourist Information. ✆/℡ 8928568. Ein größeres und besseres Angebot findet man jedoch in Kuşadası.

• *Einkaufen* Verglichen mit Kuşadası kochen Selçuks Souvenirhändler auf Sparflamme. Die Preise sind hier im Allgemeinen niedriger. Beliebt ist Wein aus Şirince (die Flasche ab 2,50 €), z. B. bei **Şirince Şarapçılık** an der Atatürk Cad. 1. Jeden Samstag großer **Wochenmarkt** nahe dem Busbahnhof.

• *Geld* **T.C. Ziraat Bankası** mit EC-Automat in der Cengiz Topel Cad.

• *Polizei* in der 1006 Sok. im Zentrum beim Hamam. Die **Touristenpolizei** befindet sich in einem Kiosk beim Busbahnhof. ✆ 8926004.

• *Post* an der Cengiz Topel Cad. im Zentrum.

• *Türkisches Bad (Hamam)* **Selçuk Hamamı** in der 1006 Sok., ausgeschildert. Damentag Fr 12–17 Uhr. Eintritt 3 €, Massage extra. Bis Mitternacht geöffnet.

• *Veranstaltungen* Mitte Januar die berühmten **Kamelkämpfe** von Selçuk. Von Ende April bis Anfang Mai im Großen Theater von Ephesus die **Ephesus-Festspiele**, eine beliebte Folklore- und Volkstanzveranstaltung. Das Theater ist im Juli und August auch Veranstaltungsort des **Internationalen İzmir-Festivals** (Pop- und Klassikkonzerte, oft mit Starbesetzung).

• *Waschsalon* **Pamukkale Laundry**, in der 1005 Sok. Reinigung und Wäscherei. Nicht billig.

• *Zeitungen* und Zeitschriften in deutscher Sprache an mehreren Kiosken in der Stadt, z. B. im **Sultan Dağı Market** an der Atatürk Cad.

Übernachten/Camping

Die einst bösen Abschleppsitten von Pensionsbesitzern am Busbahnhof haben sich dank einlenkender Hand von oben gebessert. Für Neuankommende existiert nun sogar nun ein kleines Vermittlungsbüro am Busbahnhof. Tipp: Wer weiß, wo er hin will, kann reservieren oder vom Busbahnhof aus anrufen: Fast alle Pensionen betreiben einen kostenlosen Abholservice. Ländlich idyllisch wohnt man im nahe gelegen Şirince (→ Umgebung).

****Hotel Kalehan (1)**, gehobene Unterkunft etwas außerhalb des Zentrums an der Straße nach İzmir. Altes, mit Geschmack restauriertes Haus. Stilvolle, urgemütliche Zimmer, dunkles Holz kombiniert mit weißen Wänden. Sehr gutes Restaurant, Bar, Sonnenterrasse, Swimmingpool. Nach hinten raus ruhig, die Zimmer zur Straße hin besitzen doppelverglaste Fenster. Klimaanlage in allen Räumen. DZ mit Bad 57 €. Atatürk Cad. 49 (gegenüber der Shell-Tankstelle), ✆ 8926154, ergirh@superonline.com.

Hotel Akay (3), gepflegtes Haus in ruhiger Lage gleich bei der İsa-Bey-Moschee. 16 Zimmer mit Bad um einen kleinen Innenhof, vorzügliches Dachrestaurant, Internetzugang. Der hilfsbereite Besitzer Etem Akay spricht Deutsch. Wie fast alle seiner Kollegen in Selçuk bietet er freien Transportservice vom/zum Busbahnhof und nach Ephesus. Gutes Preis-Leistungs-Verhältnis, EZ 15 €, DZ 26 €. Serin Sok. 3, ✆ 8918585, ℡ 8923142.

Hotel Nilya (6), eine der schönsten Unterkünfte der Stadt. 11 liebevoll ausgestattete Zimmer um einen begrünten, schattigen Innenhof. Von der Veranda der zweiten Etage schöner Blick. Familiäre Atmosphäre, sehr freundlich. Unser Tipp für Romantiker. DZ 50 €, EZ 30 €, mit Klimaanlage 10 % mehr. 1051 Sok. 7, etwas versteckt gelegen, von der Johannesbasilika ausgeschildert. ✆ 8929081, ℡ 8929080.

Diana Pension (4), geführt von dem charmanten und weltoffenen Hamdullah Akın, genannt Jessi. 9 sehr schöne, geschmackvoll eingerichtete Zimmer (2 davon mit Klimaan-

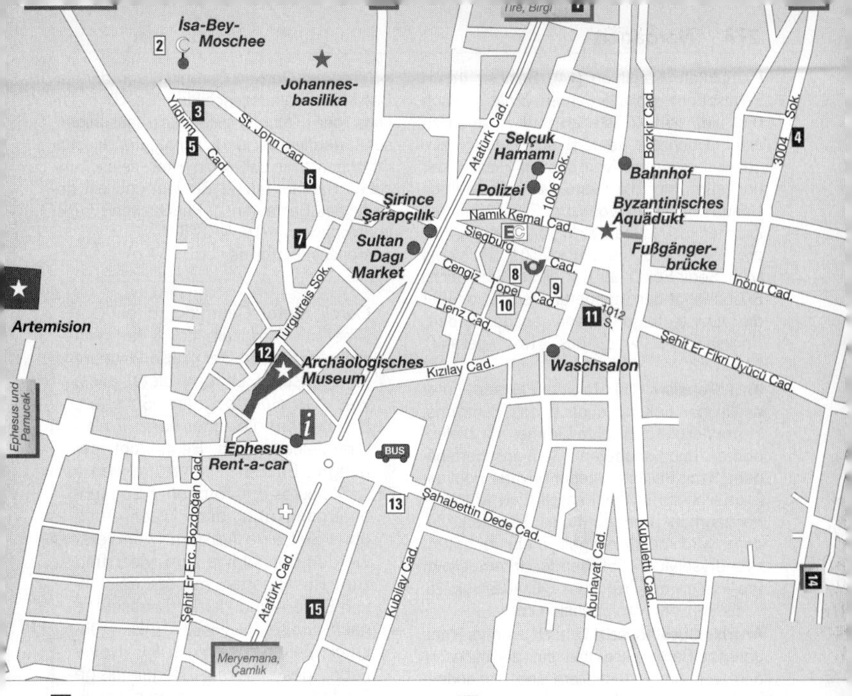

Übernachten

1 Kalehan Hotel
3 Hotel Akay
4 Diana Pension
5 Pension Amazon
6 Hotel Nilya
7 Pension Homeros
11 Artemis Guesthouse
12 Barım Pension
14 Pamukkale Pansiyon
15 Kiwi Pension

Essen & Trinken

2 Karameşe
8 Case Café und Bar
9 Okumuş Restaurant
10 Ekselans Bar
13 Selçuk Köftecisi

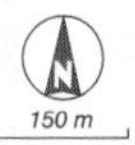

Selçuk

lage). Saubere Bäder. Auf der Dachterrasse mit Bar und gemütlicher Orientecke gibt es zum Panoramablick auf die Burg einmal pro Woche für alle Gäste ein gemeinsames Abendessen – auf Wunsch mit einer anschließenden Runde Wasserpfeife. Pro Person 7,50 € mit Frühstück, DZ mit Klimaanlage 30 €. Zafer Mah. 3004 Sok. 30, 5 Min. vom Zentrum, im Ostteil der Stadt (ausgeschildert). ✆ 8921265, jesseakin@hotmail.com.

Barım Pension (12), in Museumsnähe, ein altes Haus aus dem 18. Jh., auf dem Schornstein nistet ein Storch. Die Brüder Barım führen die saubere Pension diskret, freundlich und englischsprachig. 12 Zimmer, die meisten mit Du/WC, im Winter beheizt, gruppieren sich um den reich bepflanzten Innenhof. Entspannte internationale Atmosphäre. Pro Person 6 €, Frühstück (nach Lesermeinung leider eine Katastrophe) 2,50 €. Turgutreis Sok. 34, ✆ 8926923.

Pension Homeros (7), 8 Zimmer, klein aber ganz gemütlich. Mit Teppichen ausgelegte Dachterrasse – wunderschöner Blick zum Sonnenuntergang, zu dem ein Gläschen "homemade" Wein serviert wird. Auf Wunsch gibt es danach auch ein leckeres Abendessen für 4 €. Gute Etagenbäder, Übernachtung pro Person 6,50 €, bestens arrangiertes Frühstück 2,50 €. Atatürk Mah. Asmalı Sok. 17, im recht ruhigen Viertel oberhalb des Museums, ✆ 8923995, homerospension@yahoo.com.

Pension Amazon (5), einfach (Etagenbäder), aber gepflegt und stilvoll. Großer, lauschiger Garten, ruhige Lage. Die Zimmer heißen Zeus, Dionysos, Athene etc.: Herr Büyükkolançı ist Archäologe, arbeitet im Museum und hat selbst schon einiges über Ephesus veröffentlicht. Von Lesern empfohlen. Pro Person 6 €, Frühstück 2 €. Atatürk Mah. Serin Sok. 8, in der Nähe der İsa-Bey-Moschee, ✆ 8923215.

Pamukkale Pansiyon (14), Besitzer İrdem Bey spricht nach 15 Jahren BRD Deutsch und lädt seine Gäste ab und zu auch zu einer Hochzeit oder Beschneidung ein. Leser schwärmen von dessen Herzlichkeit und aßen hier die beste Marmelade ihres Urlaubs. Transfer vom/zum Flughafen, die Zimmer im Neubau sind mit Dusche/WC, pro Person inkl. Frühstück 7,50 €. 14. Mayıs Mah. Sedir Sok. 1, im Ostteil der Stadt (vom Busbahnhof der Şahabettin Dede Cad. über die Gleise folgen, dann ausgeschildert, Rucksacklern wird das Taxi gezahlt). ✆ 8922388.

Kiwi Pension (15), relaxte Pension unter englischer Leitung südlich des Zentrums. 11 freundliche, schlichte Zimmer mit Dielenböden und sauberen Gemeinschaftsbädern, 3 mit Balkon. Eigener privater Pool ca. 2 km abseits in der Pampa, von Mandarinenbäumen umringt (freier Transfer). Zudem wird noch einiges mehr geboten: Laundryservice, Grillabende, Internet etc. Pro Person mit Frühstück 6 €. 1038 Sok. 26, ✆ 8924892, www.kiwipension.com.

Artemis Guesthouse (11), auch Jimmy's Place genannt. Backpackerunterkunft, die insbesondere von Amis, Australiern und Engländern aufgesucht wird. Freundlicher Service. Innenhofrestaurant mit großem Garten und großen Portionen. Pro Person ohne Frühstück 5 €, egal ob im Schlafsaal oder im DZ (meist voll). 1012 Sok. 2, www.artemisguesthouse.com.

• *Camping* **Garden Camping,** von der İsa-Bey-Moschee ausgeschildert. Ca. 600 m abseits des Trubels gelegenes lauschiges, sehr gepflegtes und schattiges kleines Plätzchen. Mit dabei ein altes seldschukisches Hamam (außer Betrieb) und ein gemütliches Restaurant. 2 Pers. zelten für 7 €, im Wohnwagen 9 €. ✆ 8926165, garden@superonline.com.

Dereli Motel Camping, direkt am Meer in Pamucak, ca. 8 km von Selçuk entfernt. Der große Platz unter deutscher Leitung bietet alles, was das Herz begehrt: Schatten, blitzsaubere Duschen und Toiletten, kleiner Laden, Restaurant, gepflegter Strandabschnitt (Palmen à la Südostasien), fotogener Sonnenuntergang über dem Meer. Auch ohne Zelt eine Adresse: Vermietet werden Bungalows zum Meer und zum Rosengarten mit spiegelblanken Bädern und kleiner Terrasse; je nach Größe für 26–30 € inkl. Frühstück. Zelten für 2 Pers. 9 €. Nov.–Febr. geschlossen. Regelmäßige Direktdolmuşe vom Camping nach Selçuk. ✆ 8923636, www.dereli-ephesus.net.

Essen & Trinken/Nachtleben

Jede Menge Restaurants und Lokantas ringen allabendlich um Kundschaft. Spezialität der Gegend ist *Çöp Şiş* ("Abfallspieß"): Keine Sorge, kommt nicht frisch aus der Mülltonne, sondern besteht aus zarten kleinen Lammstückchen.

Kalehan Restaurant (1), im gleichnamigen Hotel (→ Übernachten) isst man in gemütlichen Räumlichkeiten zu angemessenen Preisen sehr gut. Auch tagsüber geöffnet.

Restaurant Akay (3), das Dachrestaurant des gleichnamigen Hotels (→ Übernachten). Gediegen essen im Schatten der İsa-Bey-Moschee, abseits des Getriebes der Innenstadt. Angenehme ruhige Atmosphäre, keine Riesenauswahl, aber ausreichend. Empfehlenswert der Fischspieß – butterweich auf den Punkt gebraten. Preislich in der Mittelklasse.

Okumuş Restaurant (9), bei der Post. Sehr freundlich und sehr gut. Erfrischender Hühnchensalat, exzellente Kalamares und ebensolche Lammkoteletts. Ein Menü mit Getränken kommt auf 7–10 €.

Selçuk Köftecisi (13), nahe dem Busbahnhof. Einfache Lokanta mit Außenterrasse, gut besucht und das in erster Linie von Einheimischen. Kleine Auswahl an leckeren Grillgerichten wie Köfte oder Çöp Şiş. Guter Salat und fantastisches *Çacık* (Zaziki) — viel mehr gibt es auch nicht. Äußerst faire Preisgestaltung, ein gutes Abendessen pro Person für ca. 2,70 €. Şahabettin Dede Cad.

Gaziantep Kebapçısı, einfache Küche aber äußerst freundlicher Service und ein hervorragender Kebab namens "Ali Nazik" – so berichten Leser. 1016 Sok. 6/C.

• *Unter Vorbehalt* **Karameşe (2)**, ein lauschiges Gartenlokal bei der İsa-Bey-Moschee. Z. Z. der letzten Recherche war es von der Gesundheitspolizei aufgrund hygienischer Missstände geschlossen worden. Wer und wann es wieder aufmacht, wissen wir nicht. Der Platz ist auf jeden Fall schön, geben Sie dem neuen Wirt eine Chance.

• *Außerhalb* **Dereli Camping Restaurant**, in Pamucak am Strand, ca. 8 km von Selçuk entfernt (→ Übernachten). Wunderschöne Lage am Meer, preiswertes gutes Essen – dieses Restaurant ist in jeder Hinsicht einen Ausflug wert.

• *Nachtleben* bierselig! Mehrere Bierkneipen, oft rustikal eingerichtet und voller trinkfreudiger Traveller aus Australien oder England, finden Sie entlang der Siegburg Cad. Empfehlenswert für einen feucht-fröhlichen Abend sind z. B. die **Ekselans Bar (10)** oder **Case Café & Bar (8)** gleich gegenüber.

Baden

Die nächste Badegelegenheit bietet sich am ausgedehnten Strand von **Pamucak** ca. 8 km westlich von Selçuk. Im Süden des weiten Strandes haben sich einige Clubhotels angesiedelt. Je weiter man gen Norden geht, desto schöner und leerer wird er.

An der von Pamucak gen Norden führenden **Küstenstraße nach Özdere/Menderes** wechseln ein paar einladende, nicht überlaufene Buchten mit von Feriendörfern belegten Stränden ab. Wollen Sie eine davon ansteuern, nehmen Sie ein Dolmuş mit der Aufschrift "Gümüldür". Der erste empfehlenswerte Strand befindet sich ca. 5 km nördlich der (von Selçuk kommend) Abzweigung nach Özdere/Menderes. Auch namenlos und ohne Hinweisschild ist der Strand nicht zu verfehlen, da man ihn von der Straße gut sieht. Nach weiteren ca. 6 km folgt die kleine gebührenpflichtige Badebucht **Denizpınarı (Klaros),** ausgeschildert. Schön und gepflegt, an Wochenenden jedoch oft von picknickenden Familien belagert. Einladend ist auch die schnuckelige **Baradan-Bucht** (ebenfalls gebührenpflichtig) mit Restaurant. Kein Hinweisschild. 700 m hinter der Denizpınarı-Bucht zweigt linker Hand ein holpriger Schotterweg ab. Kurz darauf parken. Über etliche Treppen geht es hinab.

Die Artemis von Ephesus, zu sehen im Museum von Selçuk

Nordägäis Karte S. 169

Sehenswertes

Alle hier aufgeführten Sehenswürdigkeiten lassen sich gemütlich zu Fuß erreichen. Nicht zugänglich ist die mächtige Zitadelle auf dem geschichtsträchtigen Ayasoluk-Hügel, im 6. Jh. unter den Byzantinern errichtet – militärisches Speergebiet.

Archäologisches Museum: Es zählt zu den angesehensten Museen seiner Art in der Türkei. In themenbezogenen Sälen wird eine Auswahl der schönsten Funde aus Ephesus aufbewahrt. Erster Höhepunkt ist der *Saal der Funde aus den Hanghäusern* (erster Raum links), in dem ein buntes Sammelsurium an Kostbarkeiten, die einst römische Edelvillen zierten, präsentiert wird: u. a. ein kleiner bronzener Eros, auf einem Delphin reitend, eine ägyptische Priesterstatuette aus dem 7. Jh. v. Chr., ein Marmorfresko des Sokrates, die Häupter von Venus und Zeus. Im folgenden *Saal der Monumentalbrunnen* beeindruckt v. a. die Figurengruppe des Pollio-Nymphäums, bei der Odysseus die Blendung Polyphems vorbereitet. Im *Garten* stehen ein paar Kapitelle, dazwischen werden Andenken verkauft. Sehenswert ist hier der große Sarkophag des Belevi-Mausoleums (→ Umgebung).

İsa-Bey-Moschee

Vorbei am *Saal der Grabobjekte*, der sich der antiken Sterbekultur und Grabbeigaben widmet, erreicht man den schönsten und beeindruckendsten Saal des Museums, den *Artemissaal:* Neben einer Artemisstatue ohne Kopf werden stimmungsvoll zwei römische Marmorkopien des uralten Artemiskultbildes präsentiert. Die größere Kopie ist 3,20 m hoch, das Original muss aus Holz gewesen sein. Das Brustgehänge der Artemis wird als Fruchtbarkeitssymbol gedeutet, wobei sich die Experten nicht einig sind, ob es Stierhoden, Brüste oder Eier darstellen soll.

Auch die *Ethnologische Abteilung* ist mehr als einen Blick wert: Zu sehen sind nicht nur das übliche Nomadenzelt und bäuerliche Arbeitsgeräte. Im Innenhof wurde eine Art kleines Marktviertel nachgebaut, darunter ein Berbersalon, eine Rosenwassermanufaktur und ein Hamam.

<u>Adresse/Öffnungszeiten</u> Im Zentrum schräg gegenüber der Tourist Information. Tägl. (außer Mo) 8.30–18 Uhr. Eintritt 3 €.

İsa-Bey-Moschee: Unter Emir İsa Bey wurde die Moschee 1375 am Südwesthang des Zitadellenhügels errichtet. Geschickt ergänzte der syrische Baumeister den Moscheentypus seiner Heimat um ein wunderbares *Stalaktitenportal* im Seldschukenstil und zwei osmanische Kuppeln, die innen mit türkisfarbenen und blauen Fayencen geschmückt sind. Bemerkenswert sind auch die kuppeltragenden *Granitsäulen* (aus den Hafenthermen von Ephesus) und der marmorne *Minbar*. Von den ursprünglich zwei Minaretten ist nur noch eines erhalten.

Johannesbasilika: Kaiser Justinian ließ die Kreuzkuppelbasilika auf dem Ayasoluk-Hügel im 6. Jh. über dem angeblichen Grab des Apostels Johannes errichten. Sie gehörte mit 130 m Länge und 40 m Breite zu den größten byzantinischen Kirchen. Um 1330 wurde die Basilika in eine Moschee umgewandelt, später in eine Markthalle, schließlich fiel sie einem Erdbeben zum Opfer und diente der Öffentlichkeit als Steinbruch. Bei einer Teilrenovierung wurden einige schöne Säulen und die südliche Langhausarkade wieder aufgerichtet.

Man betritt die Basilika durch ein wehrhaftes Tor, das wegen eines Reliefs über dem Torbogen (es zeigt den Achilleskampf) auch *Tor der Verfolgung* genannt wird. Sehenswert im Innern sind insbesondere das *Sanktuarium* und die *Taufkapelle*. Eine Steinplatte erinnert an den Besuch Papst Pauls VI. am 26. Juni 1967.

Öffnungszeiten tägl. 8–18.30. Eintritt 2 €. Mit "St. Jean" ausgeschildert.

Umgebung von Selçuk und Ephesus

Wohn- und Sterbehaus der Jungfrau Maria (Meryemana)

Über das Leben der Maria nach Jesu Geburt ist wenig bekannt, und so ist auch ihr Sterbeort unklar. War es der Berg Zion in Jerusalem oder der Berg Aladağ bei Ephesus? Für Letzteren spricht folgende Geschichte: Auf einer Vision beruhend fertigte die deutsche Nonne Katharina Emmerich (1774–1824) Aufzeichnungen über die Lage und das Aussehen des Wohn- und Sterbehauses Marias an. Die gute Nonne besuchte die Türkei niemals. Dennoch entdeckten 1891 Lazaristen-Mönche aus İzmir auf dem 7 km südlich von Selçuk gelegenen Aladağ ein Haus, das ihren Beschreibungen entsprach und daraufhin zur Pilgerstätte wurde. Es handelt sich um einen kuppelbedeckten Steinbau mitten im Wald. Durch ein Vestibül kommt man in den Hauptraum, in dessen Apsis ein Altar mit schwarzem Marienbild steht. Der Raum seitlich soll das Schlafzimmer der Maria gewesen sein. Direkt unter dem Haus entspringt eine Quelle, die hangabwärts zu Tage tritt und in einem Becken aufgefangen wird. Hier entnehmen Gläubige das Wasser, dem besondere Kräfte innewohnen sollen. Zu Mariä Himmelfahrt, wenn hier Gottesdienste abgehalten werden, kommen Pilger scharenweise.

- *Anfahrt* Vom Ortszentrum von Selçuk die Straße nach Aydın nehmen, nach etwa 2 km rechts ab (mit Meryemana ausgeschildert). Von da ab schlängelt sich die Straße noch etwa 6 km bis zum Haus.
- *Öffnungszeiten* tägl., keine festen Zeiten. Eintritt 3,50 €.
- *Wandertipp* Ein Leser empfiehlt, vom Parkplatzhäuschen den leicht ansteigenden Weg halb rechts zu nehmen, sich bei einem Haus auf der Bergkuppe wieder rechts zu halten und den Waldweg bis zur Straße Ephesus–Kuşadası an vielen Köhlerplätzen vorbei abwärts zu laufen – ein leichtes, aussichtsreiches Wandererlebnis. Dauer ca. 1,5 Std. Von der Verbindungsstraße mit dem Dolmuş zurück nach Selçuk oder Kuşadası.

Eisenbahnmuseum in Çamlık

Das "Railway Steam Engine Museum" wäre in England keine Überraschung, im Örtchen Çamlık aber wirkt es ziemlich exotisch. Neben der Bahnlinie İzmir–Aydın werden in einer liebevoll gestalteten Oldtimerschau etwa 20 blitzblank geputzte, restaurierte Loks präsentiert, die einst auf dem türkischen Schienennetz unterwegs waren. Die technischen Daten sind auch auf Englisch angegeben – u. a. Typ, Herkunftsland, Baujahr, Gewicht und Höchstgeschwindigkeit. Für (Hobby-)Eisenbahner/innen ein heißer Tipp, für alle anderen ein netter Ausflug, bei dem man z. B. die beeindruckende 2 C2 – h 2 der deutschen Firma Henschel kennen lernen kann, die ab 1925 auf der Strecke İzmir–Manisa dampfte – mit stattlichen 90 km/h.

• *Anfahrt* Çamlık liegt etwa 10 km südlich von Selçuk an der Straße nach Aydın, das Museum am Ortseingang an der Straße nach Kuşadası. Mit Aydın-**Dolmuşen** von Selçuk zu erreichen.

• *Öffnungszeiten* tägl. 9–17.30 Uhr. Eintritt 1 €.

Şirince

In dem ursprünglich griechischen Bergdorf lebten vor 100 Jahren noch rund 9.000 Menschen. Damals wurde Şirince von den türkischen Nachbarn, wohl aus Neid, "Çirkince" (= hässlich) genannt. Als die griechischen Einwohner im Rahmen des Bevölkerungsaustausches den Ort 1923 verlassen mussten, tauften zugezogene Türken ihre neue Bleibe in den passenderen Namen "Şirince" (= niedlich) um. Heute besitzt Şirince noch rund 400 feste Bewohner, zu denen sich in den Sommermonaten tausende von Touristen gesellen.

Das kleine Örtchen mit seiner anheimelnden griechischen Architektur samt zweier Kirchen, von denen die *Johanneskirche* restauriert wurde und nun zu besichtigen ist, gehört heute zum Ausflugs-Kernprogramm der Gegend. Und so findet man hier nun eine Vielzahl von Restaurants und sogar eine Basargasse, wo neben lokalen Weinen der übliche Krimskrams für Touristen angeboten wird. Viele, denen Selçuk zu groß oder zu kommerziell ist, suchen in Şirince auch eine Bleibe in "authentischer Atmosphäre." Wer hier übernachtet und tagsüber Ausflüge unternimmt, wird diese auch erleben. Am Morgen und am Abend ist die Welt noch friedlich – dazwischen sorgen Tourenbusse aus den Küstenresorts für internationalen Trubel.

• *Anfahrt* Rund 9 km entfernt, von Selçuk ausgeschildert. **Dolmuşe** mind. stündl. ab dem Busbahnhof.

• *Einkaufen* Wein! Fast jede Familie produziert ihren eigenen und die Qualität ist anständig. Neben Rot-, Weiß- und Roséwein werden auch diverse Sorten Beerenwein angeboten. Pro Flasche 2,50–3,50 €. Als beste Kellerei gilt **Kaplankaya Dereli** – beim örtlichen Weinfestival gewann sie 2002 immerhin den ersten Preis. Wein aus Şirince gibt es übrigens auch in Selçuk zu kaufen (→ Selçuk/Einkaufen, S. 272).

• *Übernachten* "Ein idealer Übernachtungsort", schwärmen Leser. Wohnen in Şirince ist jedoch grundsätzlich nicht billig.

Am komfortabelsten wohnt man in den **Şirince Evleri** (✆ 8983099, www.sirince-evleri.com) und den **Nişanyan Evleri** (✆ 8983208, nisanyan@nisanyan.com). Erstgenannte Adresse bietet 6 geschmackvolle, romantisch eingerichtete Zimmer in 2 schönen alten Häusern, die zweite 3 ganze Häuschen für bis zu 5 Pers., zudem aber auch mit viel Stil eingerichtete DZ – allesamt ein Traum! Wer seinen Urlaub ohne Pool, stattdessen mit Büchern und klassischer Musik verbringen will, ist hier richtig. Pro DZ mit Frühstück 71–85 €.

Erdem Pansiyonu, das herrliche alte Haus besitzt 5 gemütliche Zimmer mit knarrenden Holzböden, allesamt komfortabel mit Antiquitäten ausgestattet. Schöne Terrasse, auf der auch das üppige Frühstück (bester deutscher Kaffee!) serviert wird. Patron ist der freundliche Targu Nils Taylanlar, ein junger Deutsch-Türke, der München mit Şirince getauscht hat. Das DZ mit Frühstück je nach Ausstattung 30–35 €. ✆ 8983069.

Mehrere einfache Familienpensionen, mehr oder minder professionell geführt, stehen zudem zur Verfügung, DZ ab 22 €.

• *Essen & Trinken* **Artemis Restaurant**, in der alten restaurierten Schule gleich am Ortseingang mit lauschigem Garten und wunderschönem Blick über Şirince. Top-Service und köstliches Essen in reicher Auswahl – unsere Empfehlung ist der *Tandır Kebap* (im Tonkrug geschmortes Lammfleisch). Dazu gibt es Weine aus eigener Produktion. Für das Gebotene moderate Preise.

Gute türkische Dorfküche bekommt man zudem im **Greek Café**, im Ort leicht zu finden.

Belevi-Mausoleum

Das Mausoleum, oder was davon übrig blieb, befindet sich nahe dem gleichnamigen Dorf rund 11 km nordöstlich von Selçuk. Es gehört zu den bedeutendsten Grabmonumenten aus hellenistischer Zeit. Auf dem 12 m hohen Felsklotz erhob sich ursprünglich eine Stufenpyramide, zudem war das Mausoleum mit Statuen geschmückt. Archäologen der Österreichischen Akademie der Wissenschaften und des Österreichischen Archäologischen Instituts, die die Grabungsarbeiten leiten, vermuten, dass es die letzte Ruhestätte des Seleukidenherrschers Antiochus II. war. Dessen Sarkophag befindet sich heute im Museum von Selçuk. Für den Laien ist die Besichtigung des Steinhaufens ein recht langweiliges Unterfangen.

• *Anfahrt* Das Monument befindet sich 3 km östlich von Belevi direkt neben der Autobahn, im Ort ausgeschildert. Die Tire-**Dolmuşe** von Selçuk passieren es mehr oder weniger, sagen Sie dem Fahrer Bescheid. Das Gelände ist bislang noch umzäunt und abgesperrt, von außen aber gut einsehbar.

Tire

Ein Bummel durch die Altstadt macht Freude. Während sich das moderne Tire (ca. 35.000 Einwohner) unten im Tal des *Küçük Menderes* (Kleinen Mäanders) ausbreitet, steigen die Straßen und Gassen des alten Zentrums steil an und geben den Blick frei auf ein sympathisches anatolisches Provinzstädtchen zwischen Heute und Gestern. Mittelpunkt des Geschehens ist das Marktviertel mit seinen über 100 Läden, dem ein spendabler General Sultan Murats II. schon Mitte des 15. Jh. seinen letzten Schliff verlieh. Die architektonischen Höhepunkte sind seitdem die *Kapan-* (im Westen) und die *Kutu-Karawanserei* (im Norden). Als kunsthistorisch wichtigster Bau gilt die 1442 gebaute *Yahşi Bey Camii*. Das Minarett mit den in der Sonne glänzenden blauen Kacheln wurde erst später errichtet und ist einzigartig in der Region.

Anfahrt Von der Straße nach İzmir geht es nach ca. 12 km bei Belevi rechts ab (ausgeschildert), dann noch knapp 30 km. Regelmäßige **Dolmuş**verbindungen ab Selçuk.

Birgi

Die Ansammlung so vieler alter Häuser hat Seltenheitswert. Noch immer bestimmt osmanisch-türkische Architektur das Bild der 5.000-Seelen-Gemeinde rund 45 km nordöstlich von Tire. Das größte Gebäude vor Ort, der *Çakırağa Konağı*, wurde restauriert, die holzgetäfelten Wohnräume mit Wandmalereien im Stil des türkischen Rokoko können besichtigt werden. Ebenfalls sehenswert ist die *Ulu Cami*, von deren Minarett der Muezzin seit 1312 zum Gebet ruft. Die frühseldschukische Moschee gehört zu den ältesten der Ägäis. Prunkstück des Gebetsraumes ist der meisterlich geschnitzte Minbar.

Anfahrt Birgi liegt 9 km östlich des Provinzstädtchens Ödemis. **Bus** von Selçuk nach Ödemis, ab Ödemis Minibusverbindung.

Tipp: Wer noch weiter in die Geschichte zurück will, fährt von Birgi gleich weiter zur Ausgrabungsstätte Sardes (→ S. 232).

Das Tetrapylon von Aphrodisias

Im Tal des Großen Mäander

Ein Ausflug mit dem Höhepunkt zum Schluss: Der 200 km lange Trip ins Hinterland der Ägäis endet am "Baumwollschloss" Pamukkale. Für kurzweilige Zwischenstopps sorgen lebhafte Provinzstädtchen und antike Ruinen.

Vor über 2.000 Jahren blühten rund um das Tal des *Büyük Menderes*, wie der Fluss im Türkischen heißt, Wissenschaft und Kultur. Nicht umsonst wird es auch "Tal der Zivilisationen" genannt. Herausragendstes Beispiel ist *Aphrodisias*, die bekannte antike Stätte der Region. Ein Ausflug in das Tal des Großen Mäander lohnt aber nicht nur der Vergangenheit wegen: Wie wäre es mit dem Besuch eines Stierkampfs bei und einem Einkaufsbummel in *Aydın* vor der Besichtigung des Naturwunders *Pamukkale*?

Noch heute blüht es auf der fruchtbaren Ebene des Großen Mäander: Auf weiten Plantagen werden die besten Feigen des Landes herangezogen. Im Oktober sieht man überquellende Laster, die Baumwolle zu den weiter verarbeitenden Betrieben bringen. Zudem werden hier Grantäpfel, Zitrusfrüchte, Pfirsiche, Tabak, Oliven, Äpfel und Melonen angebaut.

Mäandertal – die Highlights.

Aphrodisias: stand ganz im Zeichen des Aphroditekults in der Antike. Und wer genau "hinfühlt", verspürt immer noch den Geist der Göttin der Liebe, der Schönheit und der Verführung

Pamukkale: Das Wunder der weißen Terrassen. Ein Bad darin gehört zwar der Vergangenheit an, ihr Anblick ist aber noch immer etwas Besonderes.

Aydın

(ca. 143.000 Einwohner)

Die Provinzhauptstadt am nördlichen Rand der fruchtbaren Ebene des Großen Mäander präsentiert sich lebhaft, modern und sauber. Alten Charme besitzt sie jedoch nicht. Dafür haben mehrere schwere Erdbeben gesorgt, zudem brannten die griechischen Besatzer die Stadt 1919 komplett nieder. Die antiken Stätten der Umgebung sind es, die Fremde hier Station machen lassen. Daneben bietet sich Aydın für einen nervenschonenden Shoppingnachmittag fernab des Trubels an der Küste an. Weder findet man hier die aufdringlichen Händler Kuşadasıs noch das hektische Gedränge İzmirs.

Orientierung: Die Nationalstraße 320, zugleich die Fernstraße nach Denizli, passiert die südlichen Stadtviertel Aydıns. Von ihr ist die Abzweigung ins Zentrum bei einem großen Kreisverkehr mit "Şehir Merkezi" ausgeschildert. Über den Adnan Menderes Bul., die Hauptgeschäftsstraße mit mehreren Hotels, gelangen Sie zum Atatürk Meydanı. Der sterile, weite Platz, der auch 9 Eylül Meydanı genannt wird, ist das Herz der Stadt. Unter dem Platz befindet sich ein Parkhaus. Etwas weiter nördlich liegt, links des Hükümet Bul., eine Fußgängerzone mit Restaurants.

Information/Verbindungen/Veranstaltungen

- *Telefonvorwahl* 0256.
- *Information* beim großen Kreisverkehr an der D 320, auf eine McDonald's-Werbung achten. Zwar fremdsprachig, aber überaus unwissend. Mo–Fr 8–12 und 13–17 Uhr. Yeni Dörtyol Mevkii, ✆ 2112774, 📠 2112861.
- *Verbindungen* **Bus**: Busbahnhof nahe der Tourist Information an der 320 südlich des Zentrums. Unproblematisch in alle größeren Städte des Landes.

Zug: Aydın liegt an der Strecke İzmir-Denizli-Afyon. Tägl. 4-mal nach İzmir, 2-mal nach Söke, 1-mal nach Isparta, 1-mal nach Nazilli, 1-mal nach Afyon und 4-mal nach Denizli. Der Bahnhof befindet sich im Stadtzentrum westlich des Atatürk Meydanı. Information und Reservierung unter ✆ 2251824.

Dolmuş: Dolmuşe nach Çine, Sultanhisar (Nysa) und (selten) nach Karpuzlu (Alinda) starten am Busbahnhof.

- *Veranstaltungen* **Stierkämpfe**! Die unblutigen Spektakel, die mit der Flucht eines Stieres enden, sind in den Dörfern rund um Aydın Tradition. Die Kämpfe finden an manchen Sommersonntagen statt. Am besten vor Ort erkundigen und nicht verpassen!

Übernachten/Essen & Trinken

Aydın besitzt nur wenige Hotels und die wenigen sind größtenteils nicht zu empfehlen – entweder muffeln sie gehörig, züchten Kakerlakenkolonien, bereichern ihre Waschbecken mit dem farbenfrohen Zahnpastasortiment der letzten 10 Gäste oder verlangen Ausländerzuschläge. Die im Folgenden beschriebenen Hotels haben lediglich den Nachteil "zur Straße hin laut". Umso mehr Pluspunkte bekommt dafür die lokale Küche.

****Turtay Otel**, ca. 3 km südlich von Aydın an der Straße nach Muğla. Das beste Haus der Stadt. 80 ordentliche Zimmer mit dem Komfort der Sternenzahl. Unbedingt eines nach hinten mit Blick auf Pool und/oder Palmengärtchen wählen! Tennisplatz, Fitnessraum. DZ mit Frühstück 35 €, EZ 27 €. ✆ 2260033, turtay@atay.com.tr.

Otel Özlü, südlich des Zentrums am Adnan Menderes Bul. (Nr. 77) nahe der TI. Helle, geräumige und ordentliche Zimmer, zudem die saubersten der Innenstadt. DZ mit Frühstück 18 €. ✆ 2253371.

Otel Ünlü, zentrale Lage nahe dem Atatürk Meydanı. Freundliche farbenfrohe Zimmer, teils recht geräumig. Einige Zimmer besitzen

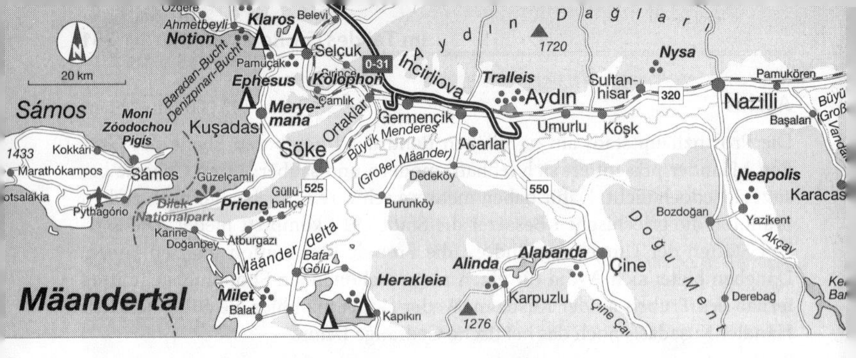

Balkon, Stuck an der Decke und sogar einen offenen Kamin. DZ ebenfalls 18 € mit Frühstück. Adnan Menderes Bul. 9, ✆ 2259237, 📠 2126833.

• *Essen & Trinken* Die **Çiçek Pasajı** von Aydın, eine Seitenpassage des Hükümet Bul., kann natürlich mit dem berühmten Istanbuler Pendant nicht mithalten. Immerhin findet man hier aber ein halbes Dutzend Esslokale, die meisten führen Tuborg im Schild. Gemütliches einfaches Ambiente, oft mit Livemusik. Meze, Grillgerichte und Rakı, nicht teuer.

Rifat Bey Konaği, nicht weit von der Çiçek Pasajı. Das hübsche alte Stadthaus mit nettem Gärtchen und gemütlichem Inneren wird vom hiesigen Folkloreverein gemanagt: Livemusik jeden Abend. Dazu gibt es billige Meze (0,60 €!) und Grillgerichte (1,80 €). Bier und Rakı fließen in Strömen. Özen Sok., eine Seitenstraße des Hükümet Bul.

Kumrucu Musti, der helle kleine Schnellimbiss serviert fantastische *Kumpir* (gefüllte Riesenkartoffel). Nehmen Sie eine "Gemischte" *(karışık)* für 1,80 € und Sie sind satt für die nächsten 2 Tage! Freundliches Personal, das sich über Ausländer immer freut. Junges schickes Publikum. Hükümet Bul. 10.

Sehenswertes

Museum: Das örtliche "Müze" wurde 2002 nach aufwendiger Restaurierung wieder eröffnet. In drei modern konzipierten Ausstellungsräumen werden u. a. Münzfunde aus Tralleis, Stelen und Büsten aus Milet und Nysa, zudem Funde aus Alinda und Alabanda gezeigt – die Umgebung gibt viel her. Wer schon andere türkische Provinzen besucht hat, kann sich die angeschlossene ethnographische Abteilung vorstellen.

Adresse/Öffnungszeiten Kızılay Cad., vom Atatürk Meydanı komplett ausgeschildert. Tägl. (außer Mo) 8–12 und 13.30–17 Uhr. Eintritt 0,60 €, erm. die Hälfte.

Tralleis: Die Ruinen des antiken Tralleis liegen inmitten von Olivenhainen auf einer Anhöhe im Norden Aydıns verstreut. Noch vor wenigen Jahren beschränkten sie sich auf nicht viel mehr als die drei gewaltigen Bögen des einstigen *Gymnasions*. Dank eines engagierten Ausgrabungsteams der hiesigen Adnan-Menderes-Universität lässt Tralleis heute tiefer blicken. Zu den beeindruckendsten Entdeckungen gehörten bislang die Reste eines zweistöckigen unterirdischen *Arsenals* sowie die Relikte des *Theaters*. Wie viel jedoch vom antiken Tralleis, das im 5. Jh. v. Chr. erstmals erwähnt wurde und vermutlich eine recht große und wohlhabende Stadt war, überhaupt ausgegraben werden kann, ist fraglich. Kopfzerbrechen bereitet den Archäologen das benachbarte Militärareal, unter dem noch etliche Bauwerke vermutet werden und die Tatsache, dass die Bauern der Gegend die antike Bausubstanz lange Zeit zur Kalkherstellung nutzten. Zu viel erwarten sollte man nicht, die Aussicht über Aydın und die fruchtbare Ebene des

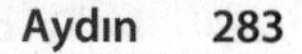

Großen Mäander ist jedoch alles andere als enttäuschend.

- *Anfahrt/Öffnungszeiten* Die Ruinen befinden sich ca. 2,5 km abseits des Zentrums (ausgeschildert). Wer nicht über ein eigenes Fahrzeug verfügt, muss laufen. Tägl. 8–17 Uhr. Eintritt für die wichtigsten Sehenswürdigkeiten 1,20 €, erm. die Hälfte. Fotografieren wegen des benachbarten Militärgeländes verboten. Alle Sehenswürdigkeiten auf dem Gelände sind ausgeschildert.

Adnan Menderes – Verbrecher oder Held?

Adnan-Menderes-Boulevard, Adnan-Menderes-Universität, Adnan-Menderes-Stadion, Adnan-Menderes-Grundschule ... Was Goethe für Weimar oder Kafka für Prag, ist Adnan Menderes für Aydın. Hier wurde er geboren, der spätere Mitbegründer der Demokratischen Partei (DP) und Ministerpräsident (1950–60). Die ersten Jahre seiner Amtszeit trug ihn eine Welle der Zustimmung. Doch die kippte um, als Menderes immer autokratischer regierte. Hinzu kamen wirtschaftliche und soziale Probleme im Land. Menderes versuchte, die sich verstärkende Opposition durch Unterdrückung der Meinungsfreiheit auszuschalten: Während seiner Regierungszeit wurden über 1.000 Journalisten strafrechtlich verfolgt, an die 300 zu Gefängnisstrafen verurteilt. Durch einen Militärputsch wurde Adnan Menderes 1960 gestürzt und wegen Verfassungsbruch zum Tode verurteilt. Er starb am 17. September 1961 durch den Strang.

In Aydın huldigt man ihm weiterhin. Warum, das weiß keiner so genau. Vielleicht ist man einfach nur stolz darauf, neben dem gleichnamigen Fluss vor der Haustür einen zweiten Büyük (= Großer) Menderes sein Eigen zu nennen ...

Umgebung von Aydın

Alinda: Die Reste der alten karischen Stadt präsentieren sich in eindrucksvoller Hanglage oberhalb des gemütlichen Landstädtchens Karpuzlu. Ausgräber waren hier noch nicht zugange, und auch der Massentourismus zieht an der Idylle vorbei. Bekannt wurde die Stadt einzig im Zusammenhang mit Ada, einer Schwester und Nachfolgerin des Mausolos (→ Bodrum/Geschichte, S. 332). Von ihrem jüngeren Bruder Pixodaros entmachtet, hatte sie hier Zuflucht gefunden. Als Alexander der Große 334 v. Chr. gegen die Perser und deren Statthalter Pixodaros aufmarschierte, offerierte die Dame dem Makedonier die Adoptivmutterschaft. Dieser nahm an, siegte glorreich über die Perser und übertrug seiner zur Königin gekrönten "Mutter" die Verwaltung des eroberten Karien. Hauptattraktion Alindas sind die bis auf eine Höhe von 15 m erhaltene, einst dreigeschossige *Agora* und das *Theater*. Weiter entdeckt man Fragmente eines *Äquadukts* und Reste der *Stadtmauer* – insgesamt eine Ruinenlandschaft von seltenem Reiz.

• *Anfahrt* Die **Dolmuşe** von Aydın nach Karpuzlu verkehren sehr unregelmäßig. Zügiger geht es nach Çine, von wo regelmäßige Minibusverbindungen nach Karpuzlu bestehen. Mit dem **Auto** fährt man Richtung Muğla und biegt nach ca. 30 km rechts ab (bereits mit "Karpuzlu/Alinda" beschildert), nach weiteren 26 km ist man am Ziel. Am Dorfplatz parken, dann 10–15 Min. zu Fuß den Berg hoch.

• *Öffnungszeiten* tägl. 8–19 Uhr. Eintritt 0,60 €, erm. die Hälfte.

• *Tipps zur Weiterfahrt* Wer von Alinda weiter nach **Alabanda** (s. u.) will, fährt erst ein Stückchen Richtung Milas und zweigt bei der Jandarma am Ortsende von Karpuzlu links auf das schmale Sträßchen gen Osten ab. Über einige Dörfer geht es bis zu den Ruinen in Doğanyurt. Auf der holprigen Straße nach Milas gelangt man nach ca. 18 km hingegen zur Ruinenstätte von **Labranda** (Umgebung/Milas, S. 328) – ein empfehlenswerter Abstecher.

• *Essen & Trinken* **Çetinkaya Restorant**, der freundliche Besitzer Kamil Çetinkaya freut sich stets über deutsche Besucher – er selbst hat sein Kochpraktikum bei Köln absolviert. Gute simple Kost zu Dorfpreisen. An der Hauptstraße.

Alabanda: Die Ruinenstätte 9 km westlich von Çine besitzt weder die imposante Lage von Alinda noch sonderlich gut erhaltene Bauwerke. Zwischen Baumwollfeldern und den Häusern des Dörfchens Doğanyurt finden sich neben den Resten eines *Apollotempels* Teile der *Stadtmauer*, der *Agora* und des *Theaters*. Die lebenslustige, wohlhabende Stadt, in der die Straßen voller harfenspielender Mädchen waren – so wenigstens wurde sie vom antiken Geographen Strabo (s. u.) beschrieben – vermag man sich heute nur mit viel Fantasie vorzustellen. Seit 1999 ist ein Ausgrabungsteam des Museums von Aydın am Werk.

• *Anfahrt* Von der Hauptdurchgangsstraße in Çine ausgeschildert. Nur für Selbstfahrer interessant.

• *Öffnungszeiten* stets zugänglich. Findet Sie der Wärter, müssen Sie 0,90 € Eintritt bezahlen.

Nysa (antike Stadt)

Hoch über dem Mäandertal, oberhalb des Dorfes Sultanhisar, liegen inmitten von Olivenhainen die vergessenen Ruinen des antiken Nysa. Strabo (64 v.–23 n. Chr.), dessen mehrbändige "Geographika" ein großartiges Zeugnis des Kenntnisstandes der Antike ist, verbrachte hier seine Studienjahre. Die meisten Überreste stammen aus römischer Zeit, als Nysa (gegründet 3. Jh. v. Chr.) zum wohlhabenden Wissenschaftszentrum avancierte.

Den wenigen Besuchern imponiert v. a. das *Theater*, das 12.000 Zuschauern Platz bot, die Überreste des *Stadions*, in das 30.000 Leute passten und ein gut erhaltenes *Bouleuterion*. Die noch nicht ausgegrabene *Bibliothek*, die neben der von Ephesus zu den schönsten der Antike gehörte, erobert die Natur zurück. Beeindruckend ist zudem ein ca. 110 m langer Tunnel (östlich des Theaters), er stammt aus dem 2. Jh. v. Chr. und diente als Wasserleitung. Der freundliche Wärter führt Sie für ein kleines Trinkgeld durch das weite, landschaftlich äußerst reizvolle Gelände. Ausgrabungen werden unter Leitung der Universität Ankara weitergeführt.

14 km östlich von Sultanhisar liegt der langweilige Megamarktflecken **Nazilli** (103.000 Einwohner). Wem eine Übernachtung in Sultanhisar zu langweilig ist, kann hier unterkommen. Zudem bestehen von Nazilli Busverbindungen in die meisten größeren Städte Westanatoliens sowie Dolmuşverbindungen nach Karacasu (Aphrodisias).

• *Anfahrt* Regelmäßige **Dolmuşe** nach Sultanhisar von Aydın und Nazilli (Busbahnhof etwas nördlich der Hauptdurchgangsstraße). Von Sultanhisar bis zur Ausgrabungsstätte sind es allerdings noch ca. 3 km den Berg hoch. Nysa ist von der Verbindungsstraße Denizli-Aydın beschildert.

• *Öffnungszeiten* im Sommer tägl. 8–20 Uhr, im Winter kürzer. Eintritt 0,90 €, erm. 0,30 €. Die Sehenswürdigkeiten sind bestens ausgeschildert. Für die weit verstreuten Ruinen sollte man sich einen halben Tag Zeit nehmen.

• *Veranstaltungen* Ende April/Anfang Mai zweitägiges **Nysa-Festival** mit Kunst und Kultur.

• *Übernachten* ****Hotel Metya**, in Nazilli einfach zu finden: direkt am Busbahnhof. Ordentliche Zimmer mit Massivholzmöbeln, Balkon und Klimaanlage. DZ mit Frühstück 14 € (die große Suitevariante kostet nur 2 € extra), EZ 9 €. ✆ 0256/3128888, ℻ 3128891.

********Hotel Nysa**, die einzige Möglichkeit in Sultanhisar, aber zugleich die beste weit und breit. Große Anlage, hoch über dem Ort mit Blick über die gesamte Ebene. 2002 eröffnet. 56 farbenfrohe, komfortable Zimmer mit Balkonen auf bunte Häuser verteilt. Tempelähnliches Restaurant für 600 (!) Pers., Wahnsinnsterrasse mit Barbetrieb, Pool und Tennisplätze. Das DZ mit Frühstück lächerliche 35 € – hoffentlich bleibt's dabei. ✆ 0256/3512222, ℻ 3514344.

Aphrodisias (antike Stadt)

"Stellen Sie sich vor, Sie kommen in eine Stadt, die so reich an archäologischen Schätzen ist, dass Ihnen Skulpturen vor die Füße rollen, Marmorköpfe aus Wänden fallen oder dicht an dicht in Bewässerungsgräben liegen!"

So enthusiastisch äußerte sich der 1990 verstorbene türkische Archäologe Kenan T. Erim, der die Erforschung von Aphrodisias zu seinem Lebenswerk gemacht hatte, im Magazin "National Geographic". Tatsächlich kann Aphrodisias zum unvergesslichen Erlebnis werden. Die Ruinen reichen zwar nicht an Ephesus heran, dafür hält sich aber das Besucheraufkommen noch in Grenzen. Zudem liegt Aphrodisias in einer zauberhaften Hügel- und Berglandschaft am Fuße des *Baba Dağı*. Die höchsten der umliegenden Gipfel sind bis in den Frühsommer mit Schnee bedeckt. Besonders reizvoll ist die Hochebene des *Geyre Çayı* im Frühling, wenn die Temperaturen noch nicht so schweißtreibend sind und zwischen den Ruinen Blumen blühen.

Aphrodisias war eine der Hauptstätten des Aphroditekults. Die Göttin der Liebe, der Schönheit und der Verführung drückte der Stadt ihren Stempel auf. Der Kult und die ihn begleitenden, z. T. ausschweifenden Festlichkeiten bescherten der Stadt viele Besucher, die massig Geld und gute Laune nach Aphrodisias brachten. Schließlich wurde die Göttin vom Christengott vertrieben, und die Stadt verfiel.

Geschichte

Der nahe Fluss Mäander und sein fruchtbares Tal zogen schon in grauer Vorzeit Menschen an. Erste Spuren einer dauerhaften Ansiedlung auf dem Boden Aphrodisias stammen aus dem 7. Jh. v. Chr. Der Ort war damals ein assyrisches Städtchen namens *Ninoe*. Im 2. Jh. v. Chr. wurde Ninoe durch einen Verwaltungsakt des Römischen Reichs in Aphrodisias umbenannt. Angeblich erhielt der römische Diktator Sulla vom Orakel in Delphi den Rat, der griechischen Göttin der Liebe zu huldigen, die die Römer als Venus verehrten. Von

Antike Kunst in Aphrodisias

nun an ging es mit Aphrodisias bergauf, zwischen dem 1. Jh. v. Chr. und dem 3. Jh. n. Chr. erlebte die Stadt ihre Blütezeit. Aphrodisias erhielt viele Privilegien, war unabhängig und so heilig, dass es bis ins 4. Jh. n. Chr. keine Stadtmauer benötigte. Doch nicht nur der Aphroditekult machte die Stadt in der späten Antike berühmt. Auch das literarische und wissenschaftliche Leben brachte bedeutende Ergebnisse hervor, zudem verbreitete sich der Ruhm der lokalen Bildhauerschule im ganzen Imperium. Das Rohmaterial, Marmor feinster Güte aus einem nahe gelegenen Steinbruch, wurde in der Stadt meisterhaft bearbeitet und überallhin verschickt. Skulpturen aus Aphrodisias wurden im griechischen Olympia wie im afrikanischen Leptis Magna aufgestellt, auch viele Plätze Roms waren mit ihnen geschmückt. Die aphrodisischen Künstler warben erfolgreich mit dem guten Ruf der Stadt, indem sie ihrem jeweiligen Vornamen den Künstlernamen "Aphrodisieus" anfügten.

Die Spaltung des Römischen Reiches leitete den Niedergang von Aphrodisias ein. Unter der Herrschaft von Byzanz wurde die Stadt Bischofssitz. Im 7. Jh. versuchten die Christen, die heidnische Vergangenheit zu übertünchen und tauften die Stadt in *Stauropolis* ("Stadt des Kreuzes") um. Später hieß sie *Karia,* dann *Geyre.* Mit den Eroberungsfeldzügen der Seldschuken im 11. und 13. Jh. sank das bereits vorher von Erdbeben in Mitleidenschaft gezogene Städtchen zur Bedeutungslosigkeit herab.

- *Telefonvorwahl* ✆ 0256.
- *Verbindungen/Anfahrt* **Organisierte Touren** nach Aphrodisias sind oft gekoppelt mit der Besichtigung von Pamukkale. Außerdem bieten Reisebüros von Pamukkale Tagesausflüge nach Aphrodisias an.

Wer mit dem **eigenen PKW** anfährt, zweigt (von Aydın kommend) ca. 16 km hinter Nazilli nach Karacasu ab. Von dort ist der Weg ins 12 km entfernte Aphrodisias ausgeschildert. Vor dem Gelände befindet sich ein bewachter, gebührenpflichtiger Parkplatz.

Gute **Bus**verbindungen von Selçuk (1,5 Std.), Pamukkale (1,5 Std.), Konya (8 Std.), İzmir (3 Std.), Antalya (6 Std.), Bodrum (4 Std.), İstanbul (12 Std.) und Kuşadası (2,5 Std.) nach Nazilli, von dort weiter per **Dolmuş** nach Karacasu. Von Karacasu verkehren im Sommer jedoch nur 3-mal tägl. Dolmuşe nach Aphrodisias.

• *Öffnungszeiten* Ausgrabungsgelände und Museum im Sommer tägl. 8.30–18.30 Uhr, im Winter 8–17 Uhr. Eintritt 3,30 €, Museum 3,30 € extra.

• *Übernachten/Essen & Trinken* Die wenigen Unterkünfte vor Ort genügen nur bescheidenen Ansprüchen und sind dafür unverschämt teuer – besser in Pamukkale oder bei Nazilli (Nysa, S. 285) übernachten. Ein paar Adressen für Gestrandete:

Aphrodisias Hotel, bei Geyre (an der Hauptstraße), unter französischer Leitung. Zwar noch die beste Adresse vor Ort, dennoch nichts Besonderes. 25 schlichte Zimmer mit nicht mehr ganz zeitgemäßer Ausstattung. Restaurant unterm Dach, das Menü für 6 €. Haarsträubende Preise für das Gebotene: EZ 20 €, DZ 30 €, Dreibettzimmer 40 €. Campingmöglichkeiten. ✆ 4488132, ℻ 4488422.

Pension Chez Mestan, bei Geyre (an der Hauptstraße). Die dem Ausgrabungsgelände am nächsten gelegene Unterkunftsmöglichkeit bietet 7 kleine DZ für 16 € mit Frühstück, die allerdings nicht groß der Rede wert sind. Erwähnenswert ist das Restaurant im Garten, in dem Busgesellschaften ab und zu für Stimmung sorgen. ✆ 4488046, ℻ 4488422.

Otogar Moteli, mitten im Busbahnhof von Karacasu, nicht zu übersehen. DZ 4,50 €, die äußerst einfache Variante für gestrandete Busreisende. ✆ 4412318.

• *Camping* **Altınuç Camping**, zwischen Karacasu und Geyre. Einfacher, relativ schattenloser Platz mit einem vernachlässigten Pool. Dafür hübsches, türkisch-authentisches, für Busgesellschaften konzipiertes Restaurant angeschlossen. Wer dort isst, zahlt nichts fürs Campen. ✆ 4412829, ℻ 4411342.

Zu den Ausgrabungen: Die Ruinen liegen innerhalb und in der nächsten Umgebung des alten Dorfes **Geyre**, dessen Bewohner in den 1960ern umgesiedelt wurden, weil sie den Ausgrabungen im Wege standen. Erste Ausgrabungen, besser: Plünderungen, unternahm 1904 der französische Eisenbahningenieur und Hobbyarchäologe Gaudin. Die dabei geborgenen Funde sind teils im Museum von İstanbul ausgestellt, teils auf verschlungenen Wegen in die Museen von Boston, Brüssel, Berlin und in andere Winkel der Welt gelangt. 1937 wurden Ausgrabungen unter italienischer Leitung durchgeführt. Stücke des prächtigsten Fundes – der mit geradezu lebensechten Gesichtern verzierte Fries des Tiberius-Portikus – befinden sich sowohl im Museumsgarten von Aphrodisias als auch im Museum von İzmir. Ab 1961 wurde Aphrodisias systematisch von einem türkisch-amerikanischen Team unter Kenan T. Erim erforscht, das jedes Jahr ein paar Säulen aufrichtete und herabgestürzte Kapitelle wieder in ihre alte Position hievte. Das Grab des berühmten Archäologen liegt gleich beim wiedererrichteten Tetrapylon. Die Grabungen werden heute von der New York University mit einem internationalen Team fortgesetzt.

Rundgang

Die Besucher sind gehalten, sich nur auf den angelegten Pfaden zu bewegen. Leider sind die Ruinen oft unnötig weiträumig abgesperrt. Der übliche Rundgang geht entgegen dem Uhrzeigersinn und beginnt, von der Kasse kommend, hinter dem Museum, das zum Schluss besichtigt wird.

Tetrapylon: Es handelt sich vermutlich um einen Teil eines großen, von vier Seiten zugänglichen Zeremonientores aus dem 2. Jh. Insgesamt bestand das Tor aus vier Viererreihen von Säulen, die – soweit möglich – samt Gebälk wieder aufgerichtet wurden. Besondere Aufmerksamkeit verdient die kunstvolle Spiralkannelierung der Säulen, eine Meisterarbeit der örtlichen Steinmetze.

Vielleicht war das Tor der Eingang zum heiligen Hain rund um den Aphroditetempel, dessen Säulen links im Hintergrund zu sehen sind.

Stadion: Es gilt als das besterhaltene antike Stadion im Mittelmeerraum und ist zugleich das eindrucksvollste Monument von Aphrodisias. Mit einem Fassungsvermögen von 30.000 Menschen kann es mit Bundesligastadien konkurrieren. Die 262 m lange und 59 m breite Anlage schließt an den Enden halbkreisförmig, sodass alle Zuschauer einen guten Blick hatten. Hier liegen auch die völlig intakten Eingangstunnel, durch die die Sportler ins Stadion einliefen. In der Mitte der nördlichen Seite pflegte der Kaiser in seiner Loge Platz zu nehmen. Ursprünglich überragte eine umlaufende Säulenreihe den oberen Teil des Stadions. In der Arena fanden hauptsächlich athletische Spiele, Gladiatorenkämpfe sowie Ring- und Boxkämpfe statt.

Tempel der Aphrodite: Vom berühmten Aphroditetempel, für Aphrodisias so wichtig wie das Artemision für Ephesus, stehen noch 14 Säulen und eine Stirnwand der Cellamauer. Ursprünglich war die Cella von je 13 Säulen an den Längs- und je 8 an den Schmalseiten umgeben. In byzantinischer Zeit riss man jedoch das Bauwerk nieder, baute an seiner Stelle eine christliche Kirche und ließ nur die umliegende Säulenhalle stehen. Grabungen brachten zudem Funde ans Tageslicht, die auf ein erstes Heiligtum aus archaischer Zeit schließen lassen. Nördlich des Tempels liegen die Trümmer der antiken Bildhauerschule.

Bischofspalast und Odeion: Südwestlich des Aphroditetempels finden sich die Reste eines als Bischofspalast bezeichneten, stattlichen Wohnhauses mit bemerkenswerten Säulen aus bläulichem Marmor. Über das Ostende des Bischofspalastes wurde im 2. Jh. n. Chr. das gut erhaltene Odeion gebaut. Überdauert haben von dem ursprünglich überdachten Gebäude die untersten 9 *Sitzreihen* (die oberen waren aus Holz) mit Löwenfüßen als Symbol der Macht, die *Orchestra* und die schmale *Bühne*. Die Marmorverkleidung, der Mosaikboden und die vielen Skulpturen des Odeions wurden ins Museum gebracht.

Agora: Südlich des Odeions und des Bischofspalastes erstreckte sich die Doppelagora der Stadt, zwei mit Säulenarkaden umgebene Plätze, die das Verwaltungs- und Wirtschaftszentrum von Aphrodisias bildeten. Die 205 x 120 m große nördliche Agora ist bisher nicht ausgegraben. Sie ist wohl der ältere Marktplatz, an den später im Süden ein zweiter, 212 x 69 m messender Platz angefügt wurde. Nach dem ihn einst umgebenden Säulengang, dem *Portikus des Tiberius*, trägt er auch den Namen Tiberiusagora. An seiner Westseite wurde das bekannte *Preisedikt Diokletians* gefunden. Mit überall im Reich öffentlich angeschlagenen Festpreisen versuchte der Kaiser, letztlich erfolglos, die schon damals galoppierende Inflation in den Griff zu bekommen.

Hadriansbäder: Die Thermen im Westen der Agora sind eine typische römische Badeanlage mit großem Kaltwasserbad, Warm- und Heißwasserräumen sowie Sauna. Bemerkenswert die beiden Marmorbecken des *Caldariums* (Heißwasserbad). Das *Agorator* am gegenüberliegenden Ende der Tiberiusagora wurde nach einem Erdbeben im 4. Jh. in ein *Nymphäum* umgebaut. Südlich der Tiberiusagora liegen die Reste einer *dreischiffigen Basilika* aus dem 3. Jh. n. Chr.

Theater: Der Hügel, an den sich das Theater schmiegt, ist ein *Höyük*, eine riesige Abfallhalde aus dem Schutt und den Trümmern uralter, bis 5800 v. Chr.

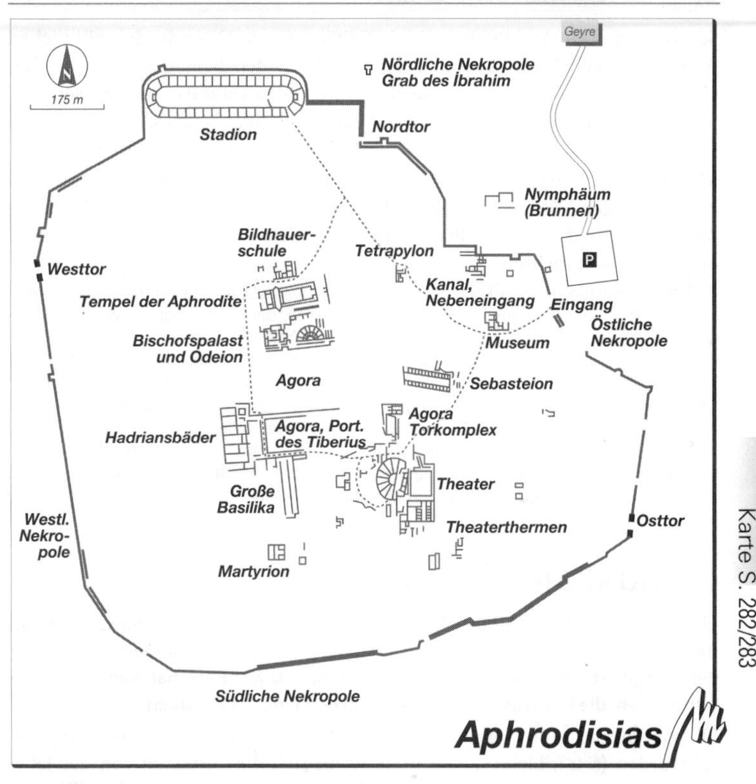

zurückreichender Siedlungen. Vom Theater (1. Jh. v. Chr.) sind die *Sitzreihen* fast vollständig erhalten, das *Bühnenhaus* ist in einem weniger guten Zustand. Von seiner Anlage her hellenistisch, wurde das Theater in römischer Zeit mehrmals umgebaut. Der *Zuschauerraum* mit Marmorsitzen wurde größtenteils in den Hang gegraben. Die halbrunde *Orchestra* wurde unter Mark Aurel vertieft und die unteren Sitzreihen abgerissen, um auch Gladiatoren- und Tierkämpfe aufführen zu können, ohne die Zuschauer zu gefährden. Durch einen Wassergraben konnte die Orchestra nach solchen Kämpfen zur Reinigung geflutet werden. Vor der Bühne errichtete man ein tunnelartiges Gewölbe, in dem Jäger und Gejagte auf ihren Auftritt warteten. Vom Bühnenhaus wurde nur der untere Teil und eine Halbsäulenreihe wieder aufgerichtet.

Tetrastoon und Theaterthermen: Nachdem sich die Aphrodisianer seit dem Beben des 4. Jh. auf ihrer Agora beständig nasse Füße geholt hatten, legten sie vor dem Theater einen neuen Marktplatz an, der auf allen vier Seiten mit einem Säulengang (Tetrastoon) umgeben war und im Süden mit einer älteren, basilikaähnlichen Halle verbunden wurde. An deren Westseite grenzen die bis in byzantinische Zeit benutzten Theaterthermen, deren Mittelpunkt ein bis heute erhaltener, fast 10 m hoher Rundbau war – ein *Caldarium,* der Schwitzraum des Bades.

Sebasteion: Die Architektur dieses Gebäudes am Ostende der nördlichen Agora wird von 80 m langen Säulengängen an den beiden Längsseiten bestimmt. In ihm wurde von Augustus bis Nero den vergöttlichten Kaisern der julianisch-claudischen Dynastie gehuldigt. Im 4. Jh., als das Christentum die Oberhand gewann, wurde die Kulthalle in ein Kaufhaus umgewandelt.

Museum: Im Eingangsbereich des Grabungsgeländes platzt das Museum schier aus allen Nähten. Überall wird deutlich, dass der Ruhm von Aphrodisias nicht zuletzt auf seiner Bildhauerschule gründete. Um den offenen Innenhof gruppieren sich mehrere Räume:

Kaisersaal: Büsten diverser Kaiser, Prinzen und Musen. Im anschließenden Gang stellt ein Relief aus dem 1. Jh. v. Chr. die Ehrung des verdienten Bürgers Zoilos durch die Stadt dar.

Melpomenesaal: Skulpturen der Tragödienmuse Melpomene und die große Apollstatue.

Odeionsaal: Statuen sitzender Dichter und Philosophen, die man im Odeion fand. Im angrenzenden Gang unfertige Skulpturen aus dem Bildhaueratelier.

Penthesileiasaal: Die zentrale Gruppe zeigt Achilles, der die sterbende Amazonenkönigin Penthesileia vom Schlachtfeld trägt. Außerdem zwei Versionen eines Satyrs, der den jungen Dionysos in den Armen wiegt.

Aphroditesaal: Kopie der Kultstatue der Aphrodite (Original nicht gefunden) aus ihrem Tempel. Weitere Skulpturen bedeutender Bürger und Bürgerinnen von Aphrodisias.

Pamukkale/Hierapolis

Eines vorweg: Wer sich nach Pamukkale aufmacht und in den Sinterterrassen Badende erwartet, wird enttäuscht sein. Im Gänsemarsch wandert man auf einem vorgegebenen Pfad durch die Terrassen, und wer Pech hat, kann die wenigen Becken, die mit Wasser gefüllt sind, an den Fingern abzählen.

Obwohl mittlerweile Maßnahmen zur Rettung des Naturphänomens eingeleitet wurden (s. u.), bleibt abzuwarten, wann sich die Terrassen von der Jahrzehnte langen, rücksichtslosen Vermarktung wieder erholen werden. Was immer auch in Zukunft geschehen wird, zur Zeit jedenfalls gehen die Meinungen über den Reiz der Touristenattraktion stark auseinander. Zur Entschädigung gibt es außer den Terrassen auch noch die darüber liegende antike Stätte Hierapolis zu besichtigen.

Die Entstehung der Sinterterrassen beruht auf einer einfachen chemischen Reaktion: Eine warme Quelle (53 °C) enthält große Mengen gelöstes Kalziumbikarbonat, das sich beim Abkühlen an der Oberfläche in Wasser, Kohlendioxyd und Kalziumkarbonat (Kalk) umwandelt. Das Kohlendioxyd entweicht, der Sinterkalk lagert sich ab und verstopft die Abflusskanäle des Wassers, das überquillt und sich fächerartig über die Abhänge ausbreitet und so die weißen Sinterterrassen formt: riesige, übereinander gestaffelte Bassins wie überdimensionale Badewannen. Von unten ähnelt der über 100 m hohe Abhang mit etwas Phantasie einem großen, vereisten Wasserfall.

Unterhalb der Sinterterrassen liegt **Pamukkale Köy**, eine Siedlung aus Pensionen, Hotels, Restaurants und Bars. Die nächstgrößere Stadt ist **Denizli** mit rund 275.000 Einwohnern, eine lebhafte, meist smogverhangene Provinzstadt 18 km südlich von Pamukkale. Für Touristen ist sie eher uninteressant, die historische Bausubstanz wurde durch mehrere Erdbeben zerstört.

Es war einmal ein Weiß ...

Pamukkale wird gerne, aber nicht unbedingt richtig mit "Baumwollschloss" übersetzt. Baumwolle ("pamuk") ist hier jedoch als Synonym für "weiß" zu verstehen (wie etwa "Schnee" im Deutschen), so dass man Pamukkale ("kale" = Schloss) sinngemäß am besten mit "schneeweißes Schloss" übersetzt. Mittlerweile steht "Pamukkale" auch in Deutschland als Synonym für reinstes Weiß, insbesondere bei Auto- bzw. Küchengeräteherstellern, die Pamukkaleweiß wie selbstverständlich neben Lindgrün und Rostrot in ihrer Farbpalette führen. Das herrliche Weiß sucht man an vielen Stellen der Terrassen heute allerdings vergebens. Die lange Zeit des respektlosen Umgangs mit dem Naturphänomen hatte Folgen. Zu viele Menschen liefen über die Terrassen, die meisten zogen nicht mal die Schuhe aus, und auch das große Verkehrsaufkommen rund um die Terrassen trug zu deren Verschmutzung bei. Die Hauptschuldigen waren jedoch die Hotels, die sich oberhalb der Terrassen auf dem Plateau angesiedelt hatten: Meist luxuriös ausgestattet, lockten sie Besucher mit hauseigenen Swimmingpools, die direkt aus der Quelle der Terrasse gespeist wurden. Zu viel kostbares Wasser wurde auf diese Weise abgeleitet, das in den Pools abkühlte und danach auf den Terrassen keinen Kalk mehr ablagerte. Zudem reichte die Ausstoßmenge der Quelle nicht mehr aus, um die Terrassen mit genügend Wasser zu versorgen. Das Resultat: Heute sieht man mehr schmutziges Grau als strahlendes Weiß, und stellenweise dominiert sogar Schwärze.
Erst Waschkörbe voller empörter Protestbriefe und der wachsende Druck örtlicher und internationaler Umweltschutzorganisationen haben dafür gesorgt, dass Pamukkale nicht ganz zur "Sehensunwürdigkeit" verkommt. Das gesamte Gebiet rund um die Sinterterrassen ist mittlerweile zum UNESCO-Monument und Nationalpark erklärt worden. Zwei neue Auffahrten ersetzen die alte Straße, die mitten durch die Terrassen führte, das letzte der fünf Hotels oberhalb der Terrassen wurde 2000 geschlossen und dem Erdboden gleichgemacht.

Geschichte

Seit Jahrtausenden kennen und schätzen die umliegenden Einwohner die Heilkraft der Quellen. Hethiter und Phryger errichteten hier Altäre, doch erst der pergamenische König Eumenes II. gründete an der Quelle die Stadt Hierapolis als Gegengewicht zum nahe gelegenen makedonischen Laodikeia. Die Rivalität der beiden Städte, deren Reichtum in der Wollverarbeitung gründete, war so groß, dass sie sich gegenseitig in ihrer Entwicklung behinderten. Erst mit der Eingliederung in die römische Provinz Asia erlangte Hierapolis größere Bedeutung.
Im Jahre 60 n. Chr. wurde die Stadt durch ein Erdbeben zerstört, aber kurz darauf wieder aufgebaut. Schon früh hatte sie eine starke christliche Gemeinde, und in byzantinischer Zeit wurde sie sogar Bischofssitz. Mit dem Eindringen der Seldschuken verödete die Stadt. Erste Grabungen unternahm 1887 der Pergamon-Entdecker Carl Humann, systematische Arbeiten führen seit 1957 insbesondere italienische Archäologen durch.

Information/Verbindungen/Ausflüge

• *Telefonvorwahl* ✆ 0258.

• *Information* Die **Tourist Information** findet man direkt am zentralen Parkplatz (nördliche Zufahrt) oberhalb der Sinterterrassen. Auskünfte nur auf Englisch. Im Sommer tägl. 8.30–12 Uhr und 13.30–18.30 Uhr, im Winter bis 17 Uhr, Sa/So geschlossen. ✆ 2722077, 📠 2722882.

• *Anfahrt/Verbindungen* mit dem **eigenen Fahrzeug** zwei Zufahrten. Die bequemere Variante führt von Pamukkale Köy in Richtung Karahayıt, knapp vor diesem Ort rechts hoch und durch die Nekropole zum zentralen Parkplatz oberhalb der Sinterterrassen. Die kürzere Zufahrt führt von Pamukkale Köy direkt zum Parkplatz am Südeingang von Hierapolis; von dort zu Fuß weiter durch das byzantinische Tor aus dem 5. Jh.

Dolmuş: ab Denizli (jede halbe Stunde) und Pamukkale Köy (nahezu alle 10 Min.).

Bus: von Pamukkale Köy und Denizli zu allen größeren Touristenorten der Südküste, z.B. Antalya, Bodrum oder Fethiye (jeweils 5 Std.), zudem nach Çanakkale (9 Std.), Nevşehir (10 Std.), İstanbul (12 Std.), İzmir (4 Std.), Konya (7 Std.), Selçuk und Marmaris (3,5 Std.). Die Busse ab Denizli sind nur unwesentlich preiswerter als die Direktbusse ab Pamukkale.

• *Organisierte Touren* Tagesausflug nach Aphrodisias für 8 € (ohne Eintritt). Mehrere Anbieter in Pamukkale Köy. Fürs gleiche Geld bieten Pensionen und Agenturen auch Ausflüge in die nähere Umgebung an.

Öffnungszeiten/Eintritt/Sonstiges

• *Öffnungszeiten* Das Gelände ist rund um die Uhr geöffnet, die archäologischen Stätten um das Theater werden nachts geschlossen. Museum tägl. (außer Mo) 8.30–12 und 13.30–18 Uhr.

• *Eintritt* Für die Sinterterrassen und das Ausgrabungsgelände Hierapolis werden 3,30 € kassiert, erm. 0,90 €. Das Ticket erlaubt den wiederholten Eintritt am Ausstellungstag. Mit gutem Zureden bekommt man am späten Nachmittag auch ein für den Folgetag noch gültiges Billett. Für das Museum werden 0,90 € Eintritt extra verlangt.

• *Erste Hilfe* Eine kleine Erste-Hilfe-Station befindet sich oberhalb der Sinterterrassen (nur in der Hochsaison geöffnet).

Übernachten/Camping

Vornehmlich auf ausländische Individualreisende eingestellt ist **Pamukkale Köy**. Gab es hier einst über 100 Unterkünfte, hat sich deren Zahl heute geradezu halbiert. Der Grund: Da die Terrassen an Attraktivität eingebüßt haben, kommen weniger Besucher, und die, die noch kommen, schließen sich in erster Linie organisierten Busreisegruppen an und bleiben meist nicht länger als 2–3 Std. vor Ort. Die Quartiere, die es noch gibt, kämpfen ums Überleben. Geld für teils dringend nötige Renovierungen fehlt. Viele Pensionen sind in einem miserablen Zustand. Mit den im Folgenden beschriebenen Unterkünften treffen Sie eine gute Wahl, doch ist es schwierig, bis zu einer von diesen vorzudringen – das Schleppertum ist so ausgeprägt wie fast nirgendwo sonst in der Türkei. Übrigens leitet fast jede Pension das Wasser durch einen Kanal in den eigenen Pool. Luxusherbergen findet man auf der Nordseite des Ruinenfeldes von Hierapolis am Ortsrand von **Karahayıt**.

Club Hierapolis, in Karahayıt. Von Pamukkale Köy kommend am Ortsbeginn rechter Hand. Mit sämtlichen Extras ausgestattetes Thermalresort mit moderner Thermalbadanlage, Nightclub usw. Die HP-Preise liegen bei 30 € pro Person, ✆ 2714100, 📠 2714143.

Pamuksu Hotel, etwas außerhalb des Ortskerns von Pamukkale Köy in ruhiger Lage. Gepflegter dreigeschossiger Bau mit Natursteinfassade, im Viereck um einen Wintergarten gebaut. Gut ausgestattete Zimmer mit grünem Mobiliar – nicht jedermanns Geschmack. Vorm Haus großer Pool, im Haus kleines Thermalbecken. DZ mit Frühstück 50 €, als EZ 38 €. ✆ 2722818, 📠 2722190.

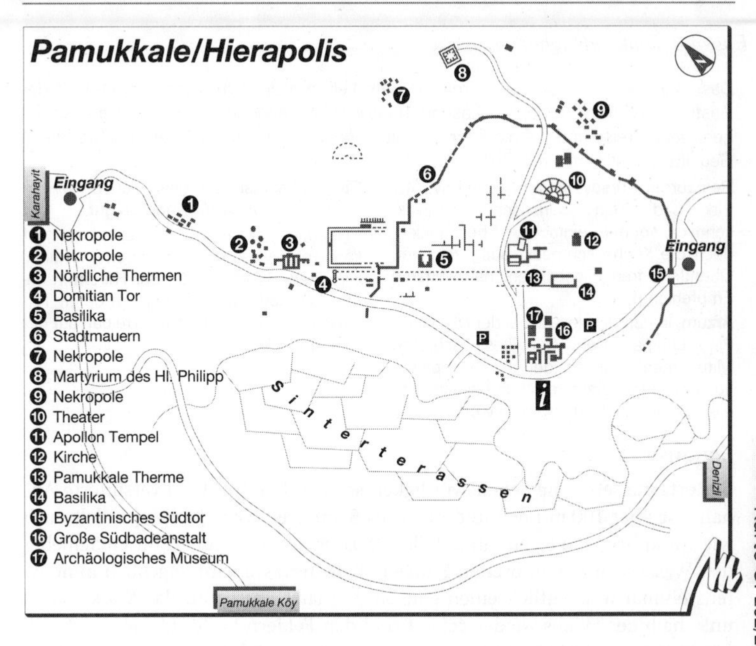

Koray Hotel, in Pamukkale Köy. Wirbt damit, dass es in allen Reiseführern erwähnt wird. Ob das Haus deswegen heute noch so voll ist, ist fraglich, denn vornehmlich Busgesellschaften steigen hier ab. Zumindest aber ist hier immer was los. 45 etwas abgewohnte, aber ordentliche Zimmer mit guten Bädern (Badewanne!) und Klimaanlage, alle rund um den angenehm begrünten Innenhof mit Pool. Freundlicher Service. EZ 17 €, DZ 21 € inkl. Frühstücksbufett, HP 21 € bzw. 29 €. ✆ 2722222, www.korayhotel.com.

Pansiyon Beyaz Kale, die Pension "Weiße Burg" liegt in Pamukkale Köy etwas östlich des Dorfplatzes. Alle Zimmer mit Du/WC, die meisten mit einer eigenen Tür zum Garten mit Pool. Mahlzeiten werden auf der großen Terrasse eingenommen. Leser loben die gute Küche und die Warmherzigkeit der Wirtsleute. DZ mit Frühstück 15 €. ✆ 2722064, ✆ 2722568.

Pansiyon Kervansaray, in Pamukkale Köy, schräg gegenüber der Pension Beyaz Kale. Seit über 10 Jahren von Besitzer Mevlüt Kaya und seiner Familie gut geführt. Von Lesern völlig zu Recht empfohlen. Erheblich bessere Zimmer als die "Weiße Burg", dafür ein kleinerer Pool. Von den Zimmern (alle mit Du/WC, Balkon und Heizung) z. T. Blick auf die Sinterterrassen. Sehr sauber. Gutes Restaurant auf dem Dach, internationales Publikum. DZ 13 €, EZ 7 €, mit HP 18 € bzw. 10 €. Wer diesen Reiseführer zeigt, bekommt 10 % Rabatt. Kostenloser Pickup-Service vom Busbahnhof, auch von Denizli. ✆ 2722209, wwwgeocities.com/kervansaray2tr.

Pansiyon Aspawa, ebenfalls nahe der "Weißen Burg". Freundlicher Familienbetrieb. 12 saubere Zimmer mit der für den Ort üblichen Teppichbodenstandardeinrichtung, Zentralheizung. Freier Internetzugang, Waschservice, Transfer. DZ mit Klimaanlage 15 €, ohne 12,50 €. Pool. ✆ 2722094, aspawa@mail.koc.net.

• *Camping* Bei vielen Pensionen, die über einen Garten verfügen, sind auch Camper willkommen. Viele davon liegen an der Hauptdurchgangsstraße. Wer es ruhiger haben will, kann im Garten des **Altın Yunuz Motel** sein Zelt aufschlagen. Familiäre Atmosphäre, liebenswürdige Inhaber, die leider keine Fremdsprache beherrschen. Vermietet werden auch schlichte, günstige Zimmer. Pool. ✆ 2722785.

Karte S. 282/283

Essen & Trinken/Nachtleben

Dass die meisten Gäste nur einmal in ihrem Leben nach Pamukkale kommen, ist der Gastronomie nicht förderlich. Lästige Türsteher, schleppender Service, kleine Portionen, hohe Preise und auf die Schnelle mit wenig Aufwand zubereitete Gerichte (meist Gegrilltes) bestimmen das Bild.

Restaurant Gürsoy, in Pamukkale Köy, Atatürk Cad. Kein touristischer Schnickschnack, sondern einfach und bescheiden, doch die Küche schmeckt ausgezeichnet. Obendrein freundliches Personal – unsere Empfehlung!

Arzum, in Pamukkale Köy bei der Moschee. Pide, Lahmacun und Gegrilltes, auch zum Mitnehmen. Abseits der Touristenpfade, auch noch von Einheimischen besucht. Für die örtlichen Verhältnisse preiswert.

Can Lokantası, ein paar Häuser weiter. Ähnlich wie das Arzum, ähnlich gut.

• *Nachtleben* Die Diskotheken vor Ort kann man allesamt der Kategorie "kläglich" zuordnen. Beliebt ist die **Bar Harem** in Pamukkale Köy, Atatürk Cad., von deren Terrasse man dem nächtlichen Treiben auf der Straße zuschauen kann.

Sehenswertes

Sinterterrassen – die Sehenswürdigkeit schlechthin. Der total versinterte Abhang ist über 100 m hoch und mehr als 5 km breit. Die Quelle sprudelt nach wie vor kräftig. Ein eigens angestellter Wassermeister reguliert durch Schieber den Wasserlauf in den breiten Kanälen. Jede Terrasse wird angeblich mindestens einmal wöchentlich einen ganzen Tag lang überspült, das Wasser wird unterhalb des Hangs wieder gefasst und den Feldern in der Ebene zugeführt. Einige Becken sind nachts beleuchtet. Ob tagsüber oder nachts, vor dem Spaziergang über die Terrassen gilt: Schuhe ausziehen!

Pamukkale-Therme: Da es mit dem Bad in den Sinterterrassen einstweilen vorbei ist, bietet sich als Entschädigung ein Bad in der Pamukkale-Therme an. Die heutige Hauptquelle liegt im offenen Innenhof des einstigen Pamukkale-Motels. Sie speist einen zwischen Palmen wunderschön angelegten Quellteich, in dem antike Säulen liegen. Das Baden im 35 °C warmen Wasser ist eine wahre Lust.

Öffnungszeiten tägl. 9–20 Uhr, im Winter bis 17 Uhr. Eintritt 4,20 €, erm. 1,70 €.

Hierapolis: Die Sehenswürdigkeiten der Antike liegen weit verstreut auf dem Plateau oberhalb der Sinterterrassen. Unübersehbar an der Straße zur Pamukkale-Therme stehen die Ruinen der *Großen Therme* von Hierapolis, deren wuchtige Gewölbe einst mit Marmor ausgelegt waren. Sie beherbergt heute das kleine, aber schöne und interessante *Archäologische Museum* mit Funden aus Hierapolis und Laodikeia, insbesondere reich verzierte Sarkophage, Statuen und Reliefs. Besuchenswert sind zudem:

Apollontempel und Plutonium: Vom Apollontempel ist nur das 2,5 m hohe Podest mit einer kleinen Freitreppe geblieben, einige Kapitellteile liegen noch verstreut an Ort und Stelle. Nebenan das Plutonium, eine Grotte, die Pluto, dem Gott der Unterwelt, geweiht war. Hier sprudelte ursprünglich die Quelle. In der großen Vorhalle verpesteten giftige Gase die Luft – unbefugte Eindringlinge, Vögel und selbst Ochsen starben. Nur die Priester konnten unbeschadet passieren: Sie krochen am Boden entlang und hielten die Luft an. Die Grotte ist weitgehend verschüttet, nur noch eine Kammer mit überwölbter Tür ist zu sehen. Der Eingang ist versperrt, denn noch immer strömen Schwefelgase aus.

Theater: Gut erhalten ist das nahezu vollständig ausgegrabene Theater (2. Jh. v. Chr.) mit über 100 m Seitenlänge, 20 Sitzreihen im ersten und 25 Sitzreihen im zweiten Rang. Acht Treppen führen nach oben. An die 10.000 Zuschauer fanden hier Platz. Marmorfriese und Statuen am behutsam restaurierten Bühnenhaus geben einen Eindruck von der einstigen Pracht.

Martyrium des Heiligen Philipp: Das Mausoleum des Diakons Philipp liegt 600 m nördlich des Theaters. Ein Grab hat man nie gefunden, und so ist nicht sicher, ob der Heilige hier wirklich bestattet worden war. Das höchst ungewöhnliche Gebäude wurde Anfang des 5. Jh. errichtet und kaum hundert Jahre später durch ein Erdbeben zerstört. Die Wälle sind teilweise noch mannshoch, deutlich ist der quadratische Grundriss auszumachen. An den Außenseiten liegen jeweils acht von außen zugängliche, rechteckige Kammern, die als Herberge für Pilger gedeutet werden. Einen Altar sucht man vergebens, doch die halbrunde Sitzreihe für den Bischof und die Gemeindeältesten ist noch zu erkennen.

Nekropole: Die antike Hauptstraße von Hierapolis führt von der Quelle bzw. der Pamukkale-Therme schnurgerade nach Norden. An den Grundmauern einer Kirche vorbei, passiert man das *byzantinische Stadttor*, die *Säulenstraße* und das unter der Herrschaft Domitians aufgestellte und diesem gewidmete *Domitiantor*. Die sich anschließenden nördlichen *Thermen*, im 5. Jh. zu einer gewaltigen *Basilika* umgebaut, liegen schon auf dem Gelände der Nekropole. Mehr als tausend Gräber aus verschiedenen Epochen sind hier zu finden: Steinsarkophage, Grabhügel, Grabkammern und Tempelchen, einige im Lauf der Zeit bis zur Hälfte in den Sinterkalk eingebettet, andere wie das geborstene Spielzeug eines Riesen regellos verstreut ...

Sehenswertes in der Umgebung von Pamukkale

Rote Quelle (Kırmızı Su): Die Rote Quelle sprudelt in Karahayıt ca. 5 km nördlich von Pamukkale Köy. Ihr stark eisenhaltiges Wasser überzieht die Felsen mit einer dunkelroten Ablagerung. Der einstige Weiler Karahayıt ist heute vollkommen kommerzialisiert und bietet außer seiner Quelle lediglich etliche Souvenirshops, Nobelhotels und Einfachstmotels mit angegliederten Pools.

Verbindungen Regelmäßige **Dolmuş**verbindungen von und nach Pamukkale Köy.

Laodikeia (antike Stadt): Der im 3. Jh. v. Chr. gegründete Ort entwickelte sich schnell zu einer der reichsten Städte der Region. Mit der Eingliederung ins Römische Reich wurde die Feindschaft mit dem benachbarten Hierapolis beigelegt. Im 6. Jh. n. Chr. wurde der Ort durch ein Erdbeben zerstört. Man baute ihn zwar wieder auf, doch seine ehemalige Bedeutung konnte er nicht zurückgewinnen. Leidlich erhalten ist das *Stadion* (350 m lang und 60 m breit, gebaut unter Vespasian), eines der größten Kleinasiens. Östlich davon erkennt man Reste einer *Thermenanlage*. Von den beiden *Theatern* und der *Akropolis* ist nicht viel übrig geblieben – insgesamt nur für speziell Interessierte einen Besuch wert.

Anfahrt von der Verbindungsstraße Denizli–Pamukkale ausgechildert. Kein Eintritt.

Kaklık-Höhle: Das "unterirdische Pamukkale", ca. 30 km östlich von Denizli, entdeckte man erst 1999. Die schneeweißen Kalksinterterrassen in einer Höhle, eine Art Miniaturausgabe des tatsächlichen Pamukkale, locken bislang nur wenige Touristen an. Zum Zeitpunkt der letzten Recherche planschten gerade ein paar Kinder im schwefeligen Thermalwasser. Jedoch befanden sich davor ein großer Parkplatz, Cafés und ein Swimmingpool im Bau. Sollten einmal ganze Busladungen die Höhle anfahren, ist deren Zauber dahin.

Anfahrt Von Denizli folgt man der Beschilderung nach Afyon. Nach ca. 26 km, kurz vor dem Ortsschild von Kaklık links ab, der Beschilderung "Kaklık Mağarasi" bzw. "Father Haydar's Cave" folgen. Eintritt 0,45 €.

Karte S. 282/283

Südägäis

Eine Küste "mit einer unerhörten Intensität, voller Sehnsucht, Schönheit und Schrecken" – so bezeichnete der Literat Cevat Şakir Kabaağaçlı die Südägäis in den 1930ern. Eine Aussage mit Weitblick.

Zwischen Kuşadaşı und Marmaris winken an der Küste etliche gemütliche Badeplätze und im Hinterland – in der abgeschiedenen karischen Bergwelt und inmitten silbriger Olivenhaine – die stummen steinernen Zeugen mehrerer Jahrtausende. Anders als die nordägäische Küste, die vorrangig vom Binnentourismus profitiert, zieht die Südägäis internationales Publikum an, und das in Massen. Die Hotspots sind *Kuşadası, Bodrum* und *Marmaris* – Städte, die ihre Einwohnerzahl in den Sommermonaten zuweilen verzehnfachen und von unschönen Betongürteln umgeben sind. Auch manch gemütliche Fischerörtchen haben ihr ursprüngliches Gesicht verloren und sind zu austauschbaren Hotelkonglomeraten geworden.

Doch zum Glück ist die südägäische Küste oft schwer oder gar nicht zugänglich, und so gibt es noch etliche Buchten, die unberührt sind und es aufgrund der geringen Infrastruktur auch erst einmal bleiben werden – ein Paradies für Segler. Wer seinen Badeurlaub mit ein paar Besichtigungstouren würzen will, hat die Qual der Wahl.

Südägäis – die Highlights

Dilek-Nationalpark: In diesem Nationalpark bei Kuşadası herrscht Bauverbot. Geboten werden vier Kies-Sand-Strände zwischen Kiefernwäldern und glasklarem Wasser.

Didyma, Milet und Priene: liegen im Mäanderdelta, nur einen Katzensprung auseinander. Die imposanteste Lage besitzt Priene, die spannendste Geschichte Milet, die eindrucksvollsten Ruinen Didyma.

Bafa-See: noch immer ein Geheimtipp unter Südägäisurlaubern. Im Nationalpark finden Sie ein zerklüftetes Bergmassiv, türkisfarbenes Wasser vor hellen Sandstränden, jede Menge Ruinen, ursprüngliches Bauernleben und nette Pensionen, die man ungern verlässt.

Gümüşlük: ist der idyllischste Fleck auf der Bodrum-Halbinsel. Wer will, kann sich hier einmieten und allabendlich einen der schönsten Sonnenuntergänge der Ägäis betrachten.

Die Buchten von Mazıköy: zwei Traumbuchten östlich von Bodrum am Golf von Gökova, einem der berauschendsten Abschnitte der gesamten türkischen Küste. In der Vor- und Nachsaison schauen Ihnen vielleicht Kühe beim Baden zu.

Hayıtbükü-Bucht: ein Geheimtipp unter Seglern auf der schönschroffen und dünn besiedelten Reşadiye-Halbinsel westlich von Marmaris. Die kleine idyllische Bucht besitzt Griechenlandflair ohne eine Spur von Massentourismus.

Die Taubeninsel vor Kuşadası

Kuşadası

(ca. 50.000 Einwohner)

Kuşadası ist der größte Urlaubsort der türkischen Ägäis und jedem Kreuzfahrer ein Begriff. Bis zu 800 Luxusliner legen hier jährlich an.

In der Hochsaison bevölkern in Spitzenzeiten rund 800.000 Menschen Kuşadası samt den angrenzenden Badebuchten und machen aus dem Küstenstädtchen eine Urlaubsmetropole. Hotelkomplexe, Feriendörfer und Clubanlagen wuchern wild, und ein Ende ist nicht abzusehen. Kuşadası gehört so zweifelsohne nicht zu den verträumtesten Flecken der Ägäis. Doch die Urlauber aus aller Herren Länder kommen gern.

Neben einer perfekten Infrastruktur bietet Kuşadası seinen Gästen eine passable Altstadt mit ein paar malerischen Gassen, Strände zum Sehen und Gesehen werden sowie ein turbulentes Nachtleben. Zudem gibt der Hafen mit seinen Ausflugsschiffen und Luxusjachten ein schönes Bild ab. Die Hauptattraktionen, wahre kulturhistorische Sahnebonbons, liegen jedoch in der Umgebung: Die beeindruckende Ruinenanlage von Ephesus ist nur einen Katzensprung entfernt, die Ausgrabungsstätten von Priene, Milet und Didyma sind in einem Tagesausflug zu erkunden.

Kuşadası selbst hat hingegen kaum Sehenswertes aufzuweisen. Zentrale Landmarke ist die alte *Karawanserei* am Hafen, im 17. Jh. von Großwesir Öküz Mehmet Pascha erbaut. Heute befindet sich darin ein charmantes Hotel (ein Blick ins Innere – oder zumindest in den begrünten Innenhof – wird auch Nichtgästen gewährt). Die schon von weitem sichtbare *Taubeninsel (Güvercin*

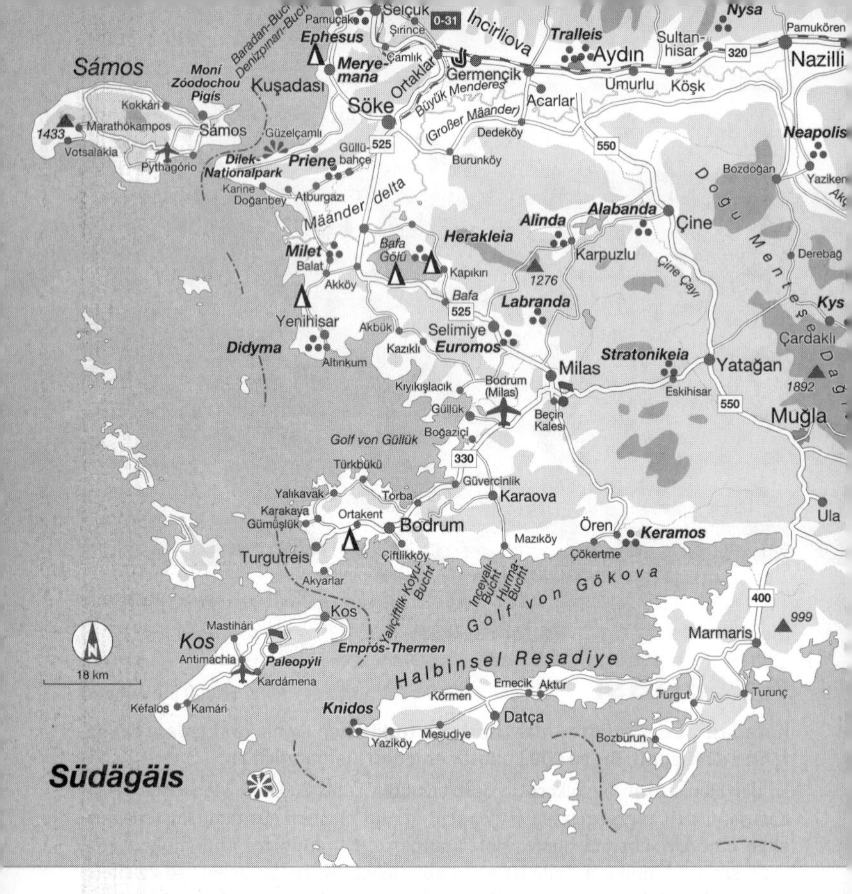

Ada), von der Kuşadası (dt. "Vogelinsel") seinen Namen erhielt, ist über einen Damm zu Fuß zu erreichen. In und auf den Überresten der dortigen genuesisch-osmanischen Burg befinden sich ein paar Cafés – nette Plätzchen für einen gemütlichen Sundowner.

Geschichte

Vom antiken *Phygela*, das an der Stelle des heutigen Kuşadası lag, ist nichts erhalten und nur wenig bekannt. Anders aber verhält es sich mit der Siedlung namens *Scala Nova* ("Neuer Hafen"), die hier im 13. Jh. von genuesischen und venezianischen Kaufleuten gegründet wurde, nachdem der verlandete Hafen von Ephesus unbrauchbar geworden war. Es existieren noch Reste der einstigen Stadtmauer, auch das geradlinige Straßennetz der Altstadt geht auf jene Zeit zurück. Im 15. Jh. eroberten die Osmanen den Ort und gaben ihm seinen heutigen Namen. Kuşadası entwickelte sich in der Folgezeit zu einem munteren Hafenstädtchen, das über Jahrhunderte hinweg enge und florierende Beziehungen zu Sámos unterhielt. Doch nach der Vertreibung seiner griechischen Einwohner 1923 rutschte es zu einem unbedeutenden Fischernest ab.

Das änderte sich in den 1970ern, als die ersten Kreuzfahrschiffe zum Ephesuslandgang anlegten. Einige Billighotels und Lokantas begannen zudem, abenteuerlustigen Reisenden für ein paar Lira Essen und Unterkunft zu bieten. Mitte der 1980er entdeckten schließlich britische Reiseveranstalter den Ort und bauten ihn zu einem Urlaubszentrum aus. An ihre "Pionierarbeit" erinnert noch die *Pub Lane*, ein fast schon historisches Sträßchen, an das sich Kneipen im englischen Stil reihen. Heute kommen Reisende aus aller Welt, zudem ist Kuşadası neben Çeşme *das* Wochenendausflugsziel für den Großraum İzmir.

Information/Verbindungen/Ausflüge

• *Telefonvorwahl* 0256.

• *Information* am İskele Meydanı, dem Platz vorm Hafen. Auskünfte auf Englisch und Deutsch. In der HS tägl. 8–19 Uhr, in der NS Mo–Fr 8–12 Uhr und 13–17.30 Uhr. ✆ 6141103, 📠 6146295.

• *Verbindungen* **Bus**: Busbahnhof ca. 2 km außerhalb an der Straße nach Söke, Dolmuşverbindungen ins Zentrum. Tagsüber alle 30 Min. nach İzmir (1,5 Std.), 3-mal tägl. nach İstanbul (10 Std.); mehrmals tägl. nach Bodrum (2 Std.) und Marmaris (3 Std.)/ Fethiye (5–6 Std.). Nach Denizli (Pamukkale, ca. 3 Std.) ebenfalls mehrere Busse tägl.

Dolmuş: Dolmuşe nach Söke (30 Min.) starten vom Busbahnhof, Dolmuşe nach Pamucak, Selçuk, Güzelçamlı und zum Dilek-Nationalpark vom Adnan Menderes Bul. Die Dolmuşe zum Kadınlar Plajı und zum Kuştur-Strand fahren entlang dem Atatürk Bul. ab.

Schiff: Mehrere Fähren tägl. nach Sámos, Tickets kauft man am Vortag bei einer Reiseagentur. Pro Person einfach 27 €, retour am selben Tag 40 €, Autos einfach 83 €. Fahrtzeit 1,5–2 Std.

• *Bootsausflüge* führen in die weite Bucht von Kuşadası. Buchungen direkt an den Anlegenstellen am Hafen oder bei einem Reisebüro. Tagesausflug pro Person ca. 13 € inkl. Lunch.

• *Organisierte Touren* Knapp 150 Anbieter kümmern sich in Kuşadası um alles und jedes – Flugtickets, Flughafentransfers, Hotelbuchungen, Esels-, Pferde- oder Jeepsafari, Türkische Nächte oder Ausflüge zu diversen Zielen. Für Touren nach Priene, Milet und Didyma empfiehlt sich der Anschluss an eine Reisegesellschaft, da Dolmuşfahrten mit zeitraubendem Umsteigen verbunden sind. Die meisten Fahrten dorthin starten am Mittwoch, dem Markttag in Söke, wo ein Zwischenstopp eingelegt wird.

Ein seriöses Unternehmen und eines der größten ist **Meander Travel** in der Nähe der Tourist-Info. Aus dem Angebot: Ephesus ganzer Tag 35 €, halber Tag 30 €; Priene-Milet-Didyma mit Lunch 26 €; Pamukkale mit Lunch 26 €. Kıbrıs Cad. 4, ✆ 6143859, www.meandertravel.com.

Gleich ums Eck liegt auch die alteingesessene Agentur **Ekol Travel**. Ähnliches Programm mit erheblichen Nachlässen für Studenten unter 23. Zudem: Flugtickets, internationale Busverbindungen, Fähren nach Griechenland bzw. Italien. Bayral Sok. 9, ✆ 6145591, www.ekoltravel.com.

• *Jachtcharter* Die Marina von Kuşadası zählt mit rund 600 Liegeplätzen zu den größten der Ägäis. 4-Tage-Törns auf Schiffen für 10–15 Pers. inkl. Vollpension pro Person ab 200 €, Wochentörns ab ca. 400 €. Buchbar z. B. über **Lokomotive Travel and Yachting Agency Ltd**. am Atatürk Bul., ✆ 6144113, www.lokomotivetours.com.

Adressen/Einkaufen/Veranstaltung

• *Ärztliche Versorgung* Staatliche Krankenhaus **Devlet Hastanesi** außerhalb des Zentrums an der Straße nach Kuştur, ✆ 6141026. Der Deutsch sprechende **Allgemeinarzt** M. Fahri Önder praktiziert über einem Friseurladen an der Sağlık Cad., ✆ 6143457.

• *Autoverleih* Die Anzahl der Vermieter ist groß, das Preisniveau ähnlich, Vergleiche lohnen dennoch. Internationale Verleiher wie **Avis** am Atatürk Bul. 26/A (✆ 6146400, 📠 6127601) verlangen z. B. für das billigste Auto pro Tag um die 55 €. Bei den lokalen Anbietern bezahlt man für ältere Fahrzeuge mit weniger Service 30–40 € pro Tag.

• *Deutsche Literatur* Zeitungen und Zeitschriften sind überall im Zentrum erhältlich. Deutschsprachige Bücher gibt's im **Kuydaş Kitabevi** am İnönü Bul. 8/B. Eine gute

Südägäis
Karte S. 298

Auswahl an deutschsprachigen Büchern über die Türkei und deren Küche hält auch **Art Kitabevi** in der Sağlık Cad. 57 bereit.

• *Einkaufen* ist neben Nahrungs- und Getränkeaufnahme die Hauptbeschäftigung der Kuşadası-Gäste. Die ganze Innenstadt steht im Dienst des Warengeschäfts, und die künstlichen Shoppingpassagen haben klangvolle Namen wie Grand oder Orient Basar. Man findet viel überteuerten Plunder.

• *Geld* **T.C. Ziraat Bankası** mit Automat am Barbaros Hayrettin Bul.

• *Polizei* am Atatürk Bul. schräg gegenüber dem Restaurant Ali Baba, ✆ 6141022.

• *Post* am Barbaros Hayrettin Bul.

• *Türkisches Bad (Hamam)* Ein historisches osmanisches Bad ist das **Kaleiçi Hamamı**. Touristen stellen das Gros der Besucher. Eintritt mit Massage 12 €, bis spät in den Abend geöffnet. Ecke Tuna Sok./7 Eylül Sok.

• *Veranstaltung* Alljährliches **Kuşadası-Festival** mit verschiedenen Aktivitäten im Juli.

• *Waschsalon* **Can Laundry**, Waschsalon und Reinigung. Pro Maschine waschen und trocknen 4,70 €. Özgür Sok. 8, eine Seitenstraße des Adnan Menderes Bul.

• *Zweiradverleih* Das Angebot ist schier unüberschaubar. Motorbikes der verschiedensten Klassen 16–70 € pro Tag. Kilometer frei, Vollkaskoversicherung inkl. Bei längerer Mietdauer sollten Sie über den Preis verhandeln.

Übernachten

Luxuriöse Mehr-Sterne-Clubanlagen findet man vorrangig an den Stränden südlich und nördlich von Kuşadası. Die gute Mittelklasse liegt zentral in erster Reihe, Pensionen sind oft unauffällig in den Gassen der Innenstadt versteckt. Ordentlich und günstig, aber stil- und charakterlos kommt man – falls noch etwas frei ist – in den landeinwärts rund um den Adnan Menderes Bul. gelegenen Bettenburgen der Pauschalurlauber unter.

******Hotel Kismet (5)**, eine der stilvollsten Unterkünfte vor Ort, auf einer Landzunge nördlich des Zentrums Richtung Selçuk. Geräumige Zimmer mit Terrasse und Meeresblick. Im Restaurant wird man lukullisch verwöhnt, am eigenen Strand wird allerhand Wassersport angeboten. Wer sich in die Besuchergalerie von Joan Baez bis Queen Elizabeth einreihen möchte, zahlt für ein DZ ab 100 €. Akyar Mevkii, ✆ 6142005, 📠 6144914.

Club Caravansérail (12), in der bereits angesprochenen Karawanserei von Kuşadası. Orientalische Atmosphäre paart sich hier mit unaufdringlichem Luxus. Vornehmlich Busgruppen. DZ mit Frühstücksbüfett 95 €, mit HP 130 €. ✆ 6144115, caravanserail@kusadasi.net

Villa Konak (10), stilvolle Unterkunft im Herzen der Stadt, untergebracht in einem vornehmen, nachgebauten osmanischen Stadthaus. 27 Zimmer um zwei Höfe, Pool. Gemütlicher Garten, gute traditionell-türkische Küche. DZ mit Frühstück 50 €. Yıldırım Cad. 55, ✆ 6146318, www.villakonakhotel.com.

*****Hotel İlayda (4)**, in vorderster Front am Atatürk Bul. Unter deutscher Leitung und mit allen Annehmlichkeiten seiner Klasse: 40 Zimmer mit Minibar, Klima, Fön und TV. Bar, Restaurant, Dachterrasse und Lobby mit Promenadenblick. DZ mit Frühstück ab 42 €. Atatürk Bul. 46, ✆ 6143807, 📠 6146766.

Captain's House Pension (3), empfehlenswerte, gehobenere Pension ganz im Zeichen der Seefahrt. Gemütliche Zimmer mit blauen Türen und gelben Fensterläden sind nach berühmten Seefahrern benannt, einige mit Balkon und Meeresblick ausgestattet. Kleiner Pool, freundlicher Service, im Erdgeschoss ein Café mit Wintergartenatmosphäre. DZ mit Frühstücksbüfett 24 €. İstiklal Cad. 3, ✆ 6121200.

Bahar Pension (8), zentraler geht es nicht. Sehr gutes Preis-Leistungs-Verhältnis. Wirbt mit "Home away from Home", und das kommt hin. Alles blitzsauber, ruhige Lage, Terrasse mit Meeresblick. In den Zimmern Ventilator, auf Wunsch kann die Klimaanlage angeworfen werden. DZ mit Frühstück 24 €. Cephane Sok. 12, ✆ 6141191.

Liman Hotel (16), zentral am Fischerhafen. Gehobenere Travellerherberge. 13 Zimmer unterschiedlichen Standards, auch Mehrbettzimmer, z.T mit Balkon und schöner Aussicht. Alle mit Klimaanlage. Laundryservice. Luftige Dachterrasse mit herrlichem Blick auf die Taubeninsel. Freundlicher Service. DZ mit Frühstück 20 €, EZ 15 €, Dreier 30 €. Buyral Sok. 4, ✆ 6147770, hasandegirmenci@usa.net.

Golden Bed Pension (14), im Gassengewirr auf dem Altstadthügel. Kleine, einfache, aber sehr saubere Pension mit ebenfalls urgemütlicher Aussichtsterrasse. Das Besitzer-

ehepaar ist türkisch (er) und australisch (sie) und betreut eine internationale Gästeklientel. Alle DZ mit Meeresblick, 22 € inkl. Frühstück. Bei Internetbuchung wird der Transfer arrangiert. Freier Transport nach Ephesus. Aslanlar Cad. Uğurlu 1. Çıkmazı 4, ✆/℻ 6148708, goldenbedanzac@hotmail.com.

Hasgül Pansiyon (19), 13 ordentliche Zimmer mit kleinem Balkon und Dusche/WC, dazu ein toller Blick von der Dachterrasse. DZ inkl. Frühstück 16 €. Hacı Feyzullah Mah. Bezirgan Sok. 53, ✆ 6143641.

Sezgin's Guest House (15), ebenfalls beliebte Backpackerunterkunft im Zentrum. Eigener Pool und Garten, orientalische Ecke. Freundlich und deutschsprachig. Waschservice und Bookexchange. Einfache, aber saubere DZ inkl. Frühstück 14 €, Restaurierung geplant. Ganzjährig geöffnet. Bei Anruf Pickup-Service vom Hafen oder Busbahnhof. Aslanlar Cad. 68, ✆ 6144225, www.sezginhotel.com.

Hotel Sammy's Palace (17), oberhalb der Tourist Information. Parties auf der Dachterrasse, Beziehungskrisen vor der Haustür – hier ist immer etwas los. Sammy's Palace ist der heißeste Tipp unter Jugendlichen, fast immer voll. Was zählt und über Mängel hinweg hilft, ist die internationale Atmosphäre. Witzige Crew, umtriebiges Management, das auf Wunsch vom Sámos-Ticket bis zum Eselsausflug alles organisiert. Die Zimmer sind einfach, aber sauber, alle mit Dusche/WC, nach vorne raus mit Balkon. Dachschlafplatz pro Person 2,50 €, Schlafsaal pro Person 5 €, DZ 18 €, Frühstück 2 €. Kibris Cad 14, ✆ 6122588, www.hotelsammyspalace.com.

Camping

Im Gegensatz zu manch anderem Ferienort an der türkischen Küste, wo neue Hotelanlagen alteingesessene Campingplätze nach und nach verschwinden ließen, haben Camper in Kuşadası noch ganz gute Karten. Rechnen Sie pro Nacht für 2 Pers. mit ca. 6–9 €. Unser Tipp liegt 12 km nördlich von Kuşadası am Strand von Pamucak (→ Selçuk/Übernachten, S.274).

Yat Camping (1), gegenüber dem Jachthafen. Die Infrastruktur des ADAC-Vertragsplatzes lässt keine Wünsche offen. Bungalowvermietung, DZ mit Frühstück 17 €. Atatürk Bul. 56, ✆ 6181516, 📠 6181560.

Önder Camping (2), gleich neben dem Yat. Gestufter Platz mit Bäumen. Einfacher und familiärer als der Nachbar, doch genauso zentral und laut. Es werden auch Zimmer vermietet, DZ mit privaten Sanitäranlagen 16 €. Atatürk Bul. 84, ✆ 6181590.

Essen & Trinken

Kuşadası verfügt über jede Menge Restaurants und Lokantas. Die meisten bieten internationale Kost, insbesonders britische. Das gängigste Menü besteht aus Tagessuppe, Chicken (oder Fish) and Chips, Salat und einem Bier. Wer ohne Enttäuschungen essen will, greift am besten auf gehobenere Restaurants (im Zentrum) oder kleine Lokantas mit türkischer Hausmannskost (stadtauswärts) zurück. In Letzteren sollte man die Preise besser vorab erfragen.

Ali Baba Restaurant (11), gepflegtes Restaurant am Fischerhafen. Große Auswahl an Fisch und Meeresfrüchten, köstlich zubereitet, tadellos serviert und im behaglichen Ambiente verzehrt. Ein Abendessen mit Wein kostet pro Person ab 15 € aufwärts. Balıkçı Limanı.

Ferah Restaurant (18), gutes Mittelklasserestaurant nahe dem Fährhafen. Große Karte, aufmerksamer Service. Zudem sitzt man herrlich direkt am Meer. Liman Cad. 10.

Paşa Restaurant (9), in der Cephane Sok., einer Parallelgasse zum Atatürk Bul. Schön begrünter, liebevoll dekorierter Innenhof eines alten osmanischen Hauses. Gute klassisch-türkische Küche – Meze (0,90–1,80 €) und diverse feine Kebabs (2,50–4,70 €). Empfehlenswert für ein romantisches Abendessen.

Saray Restaurant (7), nicht ganz billig, dafür gibt's erstklassige Meze, gegrillte Garnelen und zum Nachtisch beleuchtete Früchtetürme. In der Bozkurt Sok., einer schmucken Einkaufsgasse, die vom Barbaros Hayrettin Bul. abgeht.

Holiday Inn Restaurant (6), diverse Pide, Lahmacun, *Güveç*, Suppen, verschiedene Kebabarten (köstlich: *Vali Kebap*), dazu etliche gute Vorspeisen. Große Auswahl, freundlich, serviert wird an Tischen draußen, drinnen und im 1. Stock. Teuerstes Gericht 6,50 €. Kahramanlar Cad. 57.

Balıkçılar Aile Çay Bahçesi (13), einfaches, versteckt gelegenes Terrassenlokal direkt am Meer über dem Fischmarkt, wird vorrangig von Einheimischen frequentiert. Machen die Nachbarrestaurants marktschreierisch auf sich aufmerksam, muss man hier erst einmal den Eingang finden – halten Sie nach einer Treppe Ausschau und fragen Sie sich durch. Serviert wird in erster Linie Fisch – um einiges billiger als in den Restaurants nebenan, Preise dennoch vorher erfragen.

Nachtleben

Im Sommer ziehen viele Clubs und Kneipen aus İzmir nach Kuşadası um, und mit ihnen die Partygänger.

• *Clubs* Clubs in Kuşadası kommen und gehen so schnell, dass man diesen kaum mehr hinterher recherchieren kann. Bewährte Adressen im Zentrum sind schon seit mehreren Jahren das **Ecstacy** (Sakarya Sok.) und die **Another Bar**. Ersteres präsentiert überwiegend Techno, Zweitere alles zwischen Underground und der neuesten Chartmusik. Die besseren Clubs verlangen Eintritte zwischen 6 und 10 €. An Wochenenden besorgt ein Türsteher die Auswahl des Publikums.

Wer seine Abende lieber bei türkischer Folklore verbringt (umgeben jedoch von einem rein touristischen Publikum), geht in den Nachtclub des Hotels **Caravansérail** (→ Übernachten). Die "Türkischen Nächte" mit Bauchtanz erfreuen sich dort großer Beliebtheit und finden in der Hochsaison fast jeden Abend statt. Eintritt ohne Essen ca. 25 €, wer sich vom feudalen Büfett bedient, zahlt ca. 45 €.

• *Bars* Treffpunkt der internationalen Nachtschwärmer ist die **Barlar Sokağı**, die "Pub Lane" bzw. "Bar Street". Hinter dem gemütlichen Namen verbirgt sich eine brodelnde Amüsiermeile mit ohrenbetäubender Geräuschkulisse. Hier finden sich Clubs, Discobars und Pubs, vorrangig mit irischen Namen wie **Jimmy's Irish Pub**, **Molly Mallone's**, **The Killarney** oder **Kitty O'Shea**. Etwas aus der Reihe fällt das **Authentic**, mit Musik vom Plattenteller, die quer durch den Garten geht.

Baden/Sport

• *Aquaparks* nicht billig, aber der letzte Schrei und deshalb gut besucht. Rund um Kuşadası machen sich gleich zwei Anlagen Konkurrenz. **Adaland Aquapark** ist ein riesiges Erlebnisbad mit etlichen Schikanen ein Stück hinter dem Kuştur-Strand (10–19 Uhr, Eintritt 24 €, Kinder 17 €). Am Südende des Pamucak-Strandes befindet sich das **Aqua Fantasy**, eine Art Disney-Water-World mit Kitschburg und Piratenschiff. Ein Rutschbahnerlebnis erster Klasse und für Familien unbedingt empfehlenswert (10–19 Uhr, Eintritt 24 €, Kinder zwischen 4 und 9 Jahren 12 €).

• *Baden* Die zentrumsnahen Strände sind wenig prickelnd. Wer ruhige Buchten sucht, muss ein ganzes Stück fahren. Ein Überblick:

Südlich von Kuşadası: Recht schmal, mit Liegestühlen zugepflastert und dahinter verbaut ist der **Kadınlar Plajı** bzw. **Ladies Beach** (z. T. auch mit "Kadınlar Denizi" ausgeschildert) 2,5 km südlich von Kuşadası. Vom Surfbrettverleih bis zur Strandkneipe ist alles vorhanden, was der Urlauber sich wünscht. Südlich des Ladies Beach schließen sich die Sandkastenstrände **Green Beach** und **Sunrise Beach** an. Und noch etwas weiter südlich folgt ein kilometerlanger Sandstrand bis **Güzelçamlı**, der nahezu komplett verbaut ist: Stellenweise staffeln sich die Ferienhäuser in mehr als 50 Reihen! Damit jeder weiß, wo er ist, hat man diesen Strand in Abschnitte mit so klangvollen Namen wie "Love Beach" oder "Paradise Beach" unterteilt. Am besten ignoriert man diese und fährt durch bis zum **Dilek-Nationalpark** (→ S. 304): Die 4 traumhaften Strände 28 km südlich von Kuşadası sind mit Abstand das Beste, was die Gegend fürs Badevergnügen zu bieten hat.

Auf der Promenade von Kuşadası

Nördlich von Kuşadası: Beim 5 km nördlich von Kuşadası gelegenen **Kuştur** findet man einen für örtliche Verhältnisse recht sauberen Strand (nach dem unübersehbaren Hotel dort auch **Tusan-Strand** genannt). Auch hier sind Surfbretter und Kneipen vorhanden. Herrlich ist der ausgedehnte, recht leere Sandstrand von **Pamucak** ca. 12 km nördlich von Kuşadası. Für weitere Strände gen Norden → Selçuk/Baden, S. 275.

• *Tauchen* Die meisten großen Hotels haben Tauchbasen im Haus. Kurse und Tauchgänge sind auch über die Reisebüros vor Ort zu buchen. Eine alteingesessene Adresse ist **Galethee Dive Center** am Kadınlar Plajı, ✆ 6141410, koray71@yahoo.com. Geboten werden Schnuppertauchgänge, Tauchgänge für Erfahrene und Kurse. Vor Ort Kontaktaufnahme über die Balcı Pansiyon oder das Restaurant Sultan's Kitchen am dortigen Strand.

Dilek-Nationalpark (Dilek Milli Parkı)

Der 1966 auf der Dilek-Halbinsel eingerichtete Nationalpark rund um den 1.237 m hohen *Samsun Dağı* ist ein 11.000 Hektar großer Lichtblick in der verbrauchten und verbauten Natur rund um Kuşadası. Kiefernwälder bedecken ein Drittel des Parkareals und machen Wanderungen auch in der Sommerhitze erträglich. Wer leise ist, kann zahlreiche Vogelarten, Wildschweine und verwilderte Pferde zu Gesicht bekommen. Am schönsten aber sind die herrlichen Strände des Nationalparks – alle verfügen über Restaurants und Picknickbänke und sind bestens ausgeschildert. Als erstes kommt die Sandbucht *İçmeler*, zugleich der kleinste Strand; darauf folgt *Aydınlık* (Kies); dann der größte und frequentierteste Beach *Kavaklıburnu* und zum Schluss der *Karasu*-Strand (z. T. feiner Kies). Kleiner Wermutstropfen: Die Westspitze ist militärisches Sperrgebiet – Sámos ist keine 2 km entfernt, und die Soldaten möchten sich beim gegenseitigen Belauern nicht stören lassen.

Den Eingang zum Nationalpark erreicht man über **Güzelçamlı**, retortig an der Küste, fast bäuerlich-provinziell im dahinter liegenden Zentrum. 100 m vorm Eingang weisen Schilder zur "Zeus Mağarası", einer **Grotte** mit Bademöglichkeit. Das glasklare Wasser leuchtet je nach Lichteinfall in Grün- oder Blautönen. Um die Grotte ranken sich allerlei Legenden, u. a. soll hier einst die Jungfrau Maria gebadet haben. Seitdem soll das Wasser Schönheit verleihen.

• *Anfahrt* Regelmäßige **Dolmuş**verbindungen ab Kuşadası und Söke. Die Dolmuşe durch den Park fahren nur den Kavaklıburnu-Strand direkt an, zu den anderen Stränden muss man von der Durchgangsstraße noch ein paar Minuten laufen. Der Park ist von der Straße Kuşadası-Söke mit "Milli Park/Davutlar" ausgeschildert.

• *Öffnungszeiten* tägl. von 8 Uhr bis Sonnenuntergang. Eintritt 0,90 €, Auto 2,70 €, Motorrad 1 €, Wohnmobil 7,20 € (!). Grillen und Übernachten verboten.

• *Wandern* Es ist möglich, den Nationalpark von Nord nach Süd über den Gebirgszug des Samsun Dağı bis nach Doğanbey (s. u.) zu durchwandern. Herrliche Aussichten sind garantiert. Ein einheimischer Führer ist empfehlenswert, denn das Gelände im Park bietet mit seinen vielen Trampelpfaden wenig Orientierungspunkte. Lohnenswert ist auch der kurze Trip in die mit "Kanyon" ausgeschilderte größte Schlucht des Parks. Eine Orientierungstafel finden Sie am Eingang zum Park.

Tipp: Auch die strandlose Südseite des National-Parks (kein Eintritt) lohnt einen Abstecher. Von Kuşadası erreicht man sie über Söke. Ca. 15 km hinter Priene weist ein braunes Schild ins Innere der Halbinsel zu dem ehemals griechischen Dorf **Doğanbey** mit seinen malerischen alten Steinhäusern. Reiche Türken richten sie als Sommersitz wieder her. Eine touristische Infrastruktur gibt es nicht, nicht mal ein Teehaus. Die Weiterfahrt entlang der Küstenstraße, vorbei am Delta des Großen Mäander, in dem Fischzucht betrieben wird, endet nach weiteren 7 km in der Häuseransammlung **Karine** vor der militärischen Sperrzone. Direkt am Meer serviert dort das bestens besuchte "Sahil Restaurant" an ein paar Tischchen fangfrischen Fisch.

Die Posidónio-Bucht im Osten von Sámos

Südägäis
Karte S. 298

Ausflug auf die Insel Sámos (Griechenland)

Man könnte fast hinüberschwimmen – nur 1,2 km trennen das türkische Festland an der engsten Stelle von der Insel Sámos. Regelmäßig tuckern Fähren hin und her: in die eine Richtung Griechenlandurlauber, die Ephesus besuchen wollen, in die andere Türkeitouristen, die griechische Inselluft schnuppern wollen.

Das Eiland bietet neben einem vorzüglichen Wein eine unglaubliche landschaftliche Vielfalt: immergrüne Platanen- und Pinienwälder, mächtige Höhenzüge mit einsamen Bergklöstern sowie intime Badebuchten. Kein Wunder, dass Sámos die meistbesuchte Insel der Nordägäis ist. Lediglich dem Inselhauptort, geschützt in einer fjordartigen Bucht gelegen, fehlt das Flair eines griechischen Fischerstädtchens. Reizlose funktionale Bauten dominieren. Rund ein Fünftel der 30.000 Inselbewohner leben hier. **Sámos-Stadt** wird auch **Vathí** genannt, nach dem ältesten Viertel (Áno Vathí) ca. 15 Fußminuten vom Hafen entfernt oberhalb des neuen Zentrums. Ein Bummel durch das romantische Ensemble aus traditionellen Häusern mit bunten Blumenkanistern neben den Eingängen, dazwischen hübsche Kirchen und weinüberrankte Kafenions an steilen Treppengassen lohnt den Aufstieg. Das schönste *Museum* der Insel, das Archäologische, liegt ebenfalls in Sámos-Stadt; es belegt zwei Gebäude beim Stadtpark. Sehenswert darin ist insbesondere der lächelnde, kolossale *Kouros von Sámos* (fast 5 m hoch) aus dem 6. Jh. v. Chr. (Di–So 8–14.30 Uhr, Eintritt 2,50 €). Das zweite Museum der Stadt, das *Byzantinisches Museum* an der Straßenkreuzung Kalomiri und Areos, das überwiegend sakrale Kunstgegenstände zeigt, war zum Zeitpunkt der Recherche geschlossen.

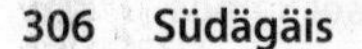

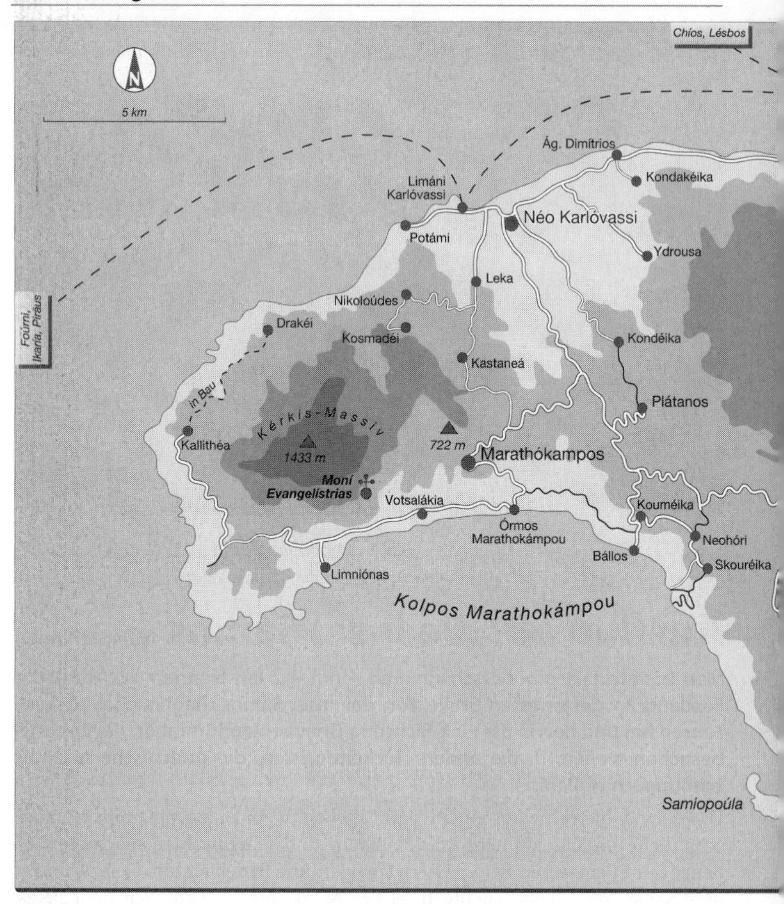

Information/Verbindungen/Adressen in Sámos-Stadt

- *Telefonvorwahl* internationale Landesvorwahl 0030.
- *Information* **EOT-Büro**, Odos 25. Martiou 4, in einer Seitengasse nahe der Platía Pythágoras. Stets wechselnde Öffnungszeiten (zuletzt Mo–Fr 8–15 Uhr). ✆ 2242028530.
- *Verbindungen auf Sámos* Die **Busse** starten nahe der Uferstraße an der Lekati 6. Im Sommer 1–2-mal tägl. zum Strand Psilí Ámmos, etwa alle 1–2 Std. nach Pythagório, z. T. fahren die Busse weiter nach Iraíon. Ebenfalls alle 1–2 Std. nach Kokkári. Nach Vourliotes nur 3-mal wöchentl.
- *Fährverbindungen in die Türkei* → Kuşadası/Schiffsverbindungen, S.299.

Hinweis: Von Kuşadası verkehren Fähren nach Sámos-Stadt und Pythagório. Wer Ausflüge über die Insel plant, sollte nach Sámos-Stadt schippern, dem Knotenpunkt des öffentlichen Transportsystems. Wer nur einen halben Tag griechische Luft schnuppern will, sollte Pythagório, dem schöneren der beiden Orte, den Vorzug geben.

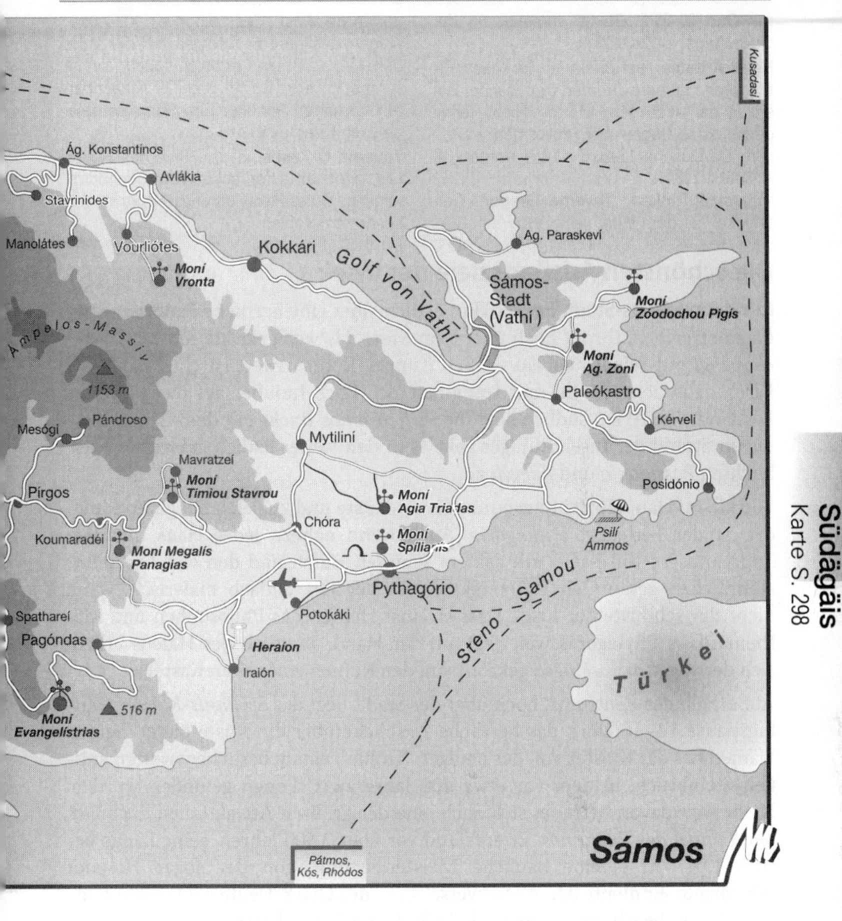

Südägäis Karte S. 298

• *Auto- und Zweiradverleih* diverse Anbieter an der Uferstraße Sofoúli, u. a. **Avis** (Nr. 101), ✆ 2242028568 und **Budget** (Nr. 31), ✆ 2242022502. Insbesondere für Zweiräder loben Leser **Pythágoras** (Nr. 69), ✆ 2242028801.

• *Touristenpolizei* Sofoúli 129, ✆ 2242081000.

Übernachten/Essen & Trinken in Sámos-Stadt

Hotel Aeolis, zentral an der Uferstraße; ein komfortables, hübsch eingerichtetes Hotel mit klassizistischen Anklängen. Zimmer z. T. mit schöner Aussicht und nachts weniger laut, als die Lage erwarten lässt; April–Okt. DZ mit Bad 45–60 €. Sofouli 33, ✆ 2242028904.

Hotel Sámos, ebenfalls an der Uferstraße und ebenfalls okay, was die nächtliche Lautstärke angeht. Auch hier Zimmer mit Blick und Balkon zur Bucht. DZ mit passablem Komfort kosten bescheidene 35–40 €. Sofouli 6, ✆ 2242028377.

Pension Avli, ein ehemaliges Nonnenkloster. Einfache, aber sehr saubere Zimmer. Gemütlicher arkadengesäumter und mit Bananenstauden begrünter Innenhof. Zuvorkommender, freundlicher Service. DZ mit Bad 20–25 €. Etwas versteckt in der Odos Arios, ✆ 2242022939.

Hotel Artemis, fast direkt an der Platía Pythagoras. Saubere Zimmer, freundlicher Besitzer, der nach dem Motto: "Nicht verzagen, Kostas fragen" bei Problemen weiterhilft. DZ/Dusche 15–20 €. Odos Kontaxi. 4, ✆ 2242027792.

• *Essen & Trinken* **Taverne Gregori**, Gartenlokal auf dem Weg nach Ano Vathi (vorbei an der Post). Fast schon ein Klassiker; wegen des großen Erfolges hat der Wirt, dem sein Essen sichtlich auch selbst schmeckt, sein Revier um die benachbarten Vorgärten erweitert. Im Sommer gelegentlich Livemusik.

Taverne O Tasos, in der Nähe des Hospitals, direkt am Ufer, schön zum Sonnenuntergang. Gutes-Preis-Leistungsverhältnis, von Lesern empfohlen.

Die schönsten Ausflugsziele der Insel:

Rund um Sámos-Stadt: Etwa 10 km östlich, über eine herrliche Panoramastraße zu erreichen, thront hoch über dem Meer das weißgekalkte *Kloster Zoodóchos Pigí* mit seiner hellblau-weißen Kuppel. Lohnenswert ist ein Besuch der Kirche aus dem 18. Jh. und traumhaft der Blick hinüber auf das türkische Festland. Ca. 10 km südlich liegt die *Psili-Ammos-Bucht* mit dem frequentiertesten Strand der Insel. Ruhiger geht es in den weiter östlich gelegenen Kiesbuchten *Possidonio* und *Kervéli* zu.

Südküste: Hauptanziehungspunkt der Südküste und zugleich ein guter Standort ist der Ferienort *Pythagório*. Auch wenn nahezu jedes Haus mit dem Tourismus zu tun hat – mit seinem schönen Hafen und den von Oleanderstämmchen gesäumten Pflastergassen ist der Ort einfach malerisch, wenn nicht der schönste der Insel. Dass er einst Heimat des Philosophen und Mathematikers Phytagoras war, liegt auf der Hand. Westlich des Hafens erhebt sich der sog. *Kástro-Hügel*, gekrönt von den Ruinen eines alten Kastells.

Außerhalb des Zentrums, hoch über der Stadt, liegt das *Spilianís-Kloster* (Mittagspause 14–16 Uhr), das herrliche Ausblicke über die Küste bietet. Seinen Namen hat das Kloster von der heiligen "Höhle", einem besuchenswerten antiken Steinbruch, in dem vor etwa 400 Jahre zwei Ikonen gefunden wurden. Nicht weit davon befindet sich auch eine der größten Attraktionen der Insel, der *Tunnel des Eupalinos*. Er entstand vor über 2.500 Jahren, seine Länge betrug 1.047 m – eine bauliche Meisterleistung, von der sogar Herodot schwärmte. Er diente der Wasserversorgung des Ortes. Heute sind davon noch rund 150 m begehbar (Di–So 8.15–14.30 Uhr, Eintritt 1,50 €).

Ca. 6 km westlich, einst durch eine "Heilige Straße" mit Pythagório verbunden, liegen nahe der kleinen *Strandsiedlung Iraíon* die Reste eines der Göttin Hera geweihten *Tempels* – nicht viel mehr als dessen Fundament samt einer Säule (Di–So 8.30–14.30 Uhr, Eintritt 2,50 €).

• *Information* **Municipal Tourist Office**, an der Hauptstraße. Nicht nur informativ: Geldwechsel, Fährticketverkauf usw. Mai–Okt. tägl. 8–22 Uhr. ✆ 2242061389.

• *Übernachten* **Hotel Samaina**, familiär geführtes, traditionsreiches Ferienhotel in der Odós Damos, einer der Gassen oberhalb der Platía. DZ 35–50 €, ✆ 2242061024.

Hotel Alexandra, freundliches Haus. Zimmer und Bäder recht eng, aber blitzsauber; Steinfußböden und kleine Balkone; vor der Tür ein hübscher Garten. April–Okt. DZ/Bad ca. 25 €. In der Metamorfosis Sotiros (auch: 6th of August), die kurz vor der Infostelle abzweigt. ✆ 22420 61429

Pension Despina, fast direkt an der Platía Irínis. Angenehm eingerichtete Zimmer, im hübschen Hinterhof lässt es sich gemütlich frühstücken. DZ (z. T. mit Küche) je nach Saison 20–30 €. ✆ 2242061677.

Einer der reizvollsten Ferienorte der Insel: Pythagório

Südägäis Karte S. 298

• *Essen & Trinken* **Taverne Plátanos**, an der Platía Irínis. Bodenständiges Lokal mit guter Hausmannskost zu ortsuntypisch zivilen Preisen.

Taverne Esperides, schöner Garten, freundlicher Service, gute Küche – das meinen viele Leser. Odós Despoti, Ecke Pythágora.

Südwesten: Zwar ist die Landschaft rund um das *Kerkis-Massiv* (1.433 m) etwas herber und auch nicht mehr ganz so grün, dafür lassen sich rund um die Küstensiedlung *Votsalákia* die schönsten Strände der Insel finden. Zentrum des Südwestens ist das ursprüngliche Bergdorf *Marathókampos*.

Nordküste: Der niederschlagsreichere Norden ist das Weinanbauzentrum der Insel. Idyllisch und einen Besuch wert sind die Bergdörfer *Vourliótes* und *Manolátes*. Der beliebteste Urlaubsort an der Küste ist *Kokkári*, ein Fischerstädtchen, das dem südlich gelegenen Pythagório in nichts nachsteht. Zwei felsige Halbinseln umrahmen die Bucht mit ihren malerischen Gassen und der tavernengesäumten Promenade. Zudem liegen rund um Kokkári schöne, ausgedehnte Kiesstrände, die reizvollsten sind *Lemonákia* und *Tsamadoú* westlich des Ortes. Kokkári ist touristisch voll erschlossen, dennoch ein empfehlenswerter Urlaubsort inmitten einer üppig-grünen, gebirgigen Küstenlandschaft.

• *Übernachten* **Hotel Lemos**, unweit der westlichen Halbinsel. Geschmackvolle Anlage, alle Zimmer mit Balkon zum Meer. DZ mit Bad je nach Saison 35–50 €. ✆ 2242092250.

Pension Elena, in der Nähe der Post in einem Gässchen. Einfach aber sauber. Jedes Zimmer mit privater Dusche oder Bad, teils jedoch außerhalb. Freundlich geführt von der deutschsprachigen Elena. Gemeinschaftsterrasse und Küche. DZ 25 €, ✆ 2242092164.

• *Essen & Trinken* Drei Tipps: **Taverne Nirefs** im Osten der Hafenbucht für Fisch und guten Hauswein. **Taverne I Bira** bei der Bushaltestelle war das erste Lokal des Ortes, das Bier ausschenkte (1925). Gute, preiswerte Tavernenküche. Die **Taverne Alkyoni** ist gleich ums Eck. Hier steht noch die Mama am Herd – beste Moussaká.

Zwischen Kuşadası und Milas

Rund 100 km trennen Kuşadası von Milas. Die Strecke ist – obwohl die Nationalstraße 525 weit abseits der Küste verläuft – landschaftlich reizvoll und abwechslungsreich. Über Söke gelangt man in die weite Schwemmlandebene des Großen Mäander (→ Kasten S. 314), danach führt der Weg weiter durch das wilde karische Bergland. Zwischen Kuşadası und Milas liegen eine Vielzahl antiker Stätten, darunter so hochkarätige wie *Priene, Milet* und *Didyma* (von Kuşadası kommend allesamt über Söke zu erreichen). Ebenfalls hochkarätig – im Hinblick auf landschaftliche Schönheit – ist die wildromantische Bergwelt am *Bafa-See.*

Söke

Die unverfälschte türkische Kleinstadt mit rund 60.000 Einwohnern bietet nicht viel mehr als seinen lebendigen Wochenmarkt (mittwochs), Treffpunkt der Landbevölkerung aus der Umgebung. Mittlerweile gibt es zu ihm auch organisierte Ausflüge von Kuşadası.

• *Verbindungen* In Söke starten Dolmuşe nach Priene, Milet und Didyma, zudem häufige Fahrten nach Kuşadası und Milas. Busverbindungen bestehen in alle größeren Städte der Westtürkei. Egal ob Bus oder Dolmuş, alle starten am großen Busbahnhof (ausgeschildert).

Priene (antike Stadt)

Hoch über der Schwemmlandebene des Büyük Menderes thront das antike Priene. Die Lage der Ausgrabungsstätte ist grandios, die Ruinen selbst sind es weniger, auch wenn Archäologen dem für gewöhnlich widersprechen: Denn in Priene dominiert – eine Seltenheit in der Ägäis – überwiegend unverfälschte griechische Bausubstanz, da die Stadt bereits in römischer Zeit nahezu bedeutungslos geworden war.

Das heute ausgegrabene Priene wurde zu Mitte des 4. Jh. v. Chr. neu gegründet. Die Reste der Vorgängerstadt, welche einst direkt am Latmischen Meerbusen lag und wegen Verlandung ihres Hafens aufgegeben wurde, ruhen irgendwo metertief unter der Schwemmlandebene. Die neue Stadt wurde terrassenförmig im Schachbrettmuster nach dem hippodamischen System (→ Milet/Geschichte, S. 316) angelegt. Sie war durch Längs- und Querstraßen in etwa 80 Parzellen von 35 x 47 m unterteilt. Auf jeder Parzelle hatten ca. vier Privathäuser Platz. Die befestigte Akropolis, von der nur noch spärliche, kaum sehenswerte Mauerreste erhalten sind, wurde nördlich der Stadt auf einem knapp 250 m hohen Felsblock errichtet.

Als das Stadtsäckel leer war, kam 334 v. Chr. zum Glück Alexander der Große vorbei: Er übernahm die Baukosten des Athenatempels. Eine kurze Blütezeit brach an. Doch schon 277 v. Chr. zerstörten die Galater die 5.000 Einwohner zählende Stadt. Nach dem erneuten Wiederaufbau geriet Priene in die Diadochenkämpfe und nahm durch Brände und Plünderungen großen Schaden. Unter römischer Herrschaft (ab 133 v. Chr.) herrschte zwar Friede, doch mit der zunehmenden Verlandung des Golfes und dem Verlust ihres Hafens sank Priene mehr und mehr in die Bedeutungslosigkeit ab. Byzanz schenkte der Stadt

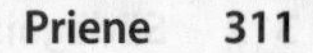

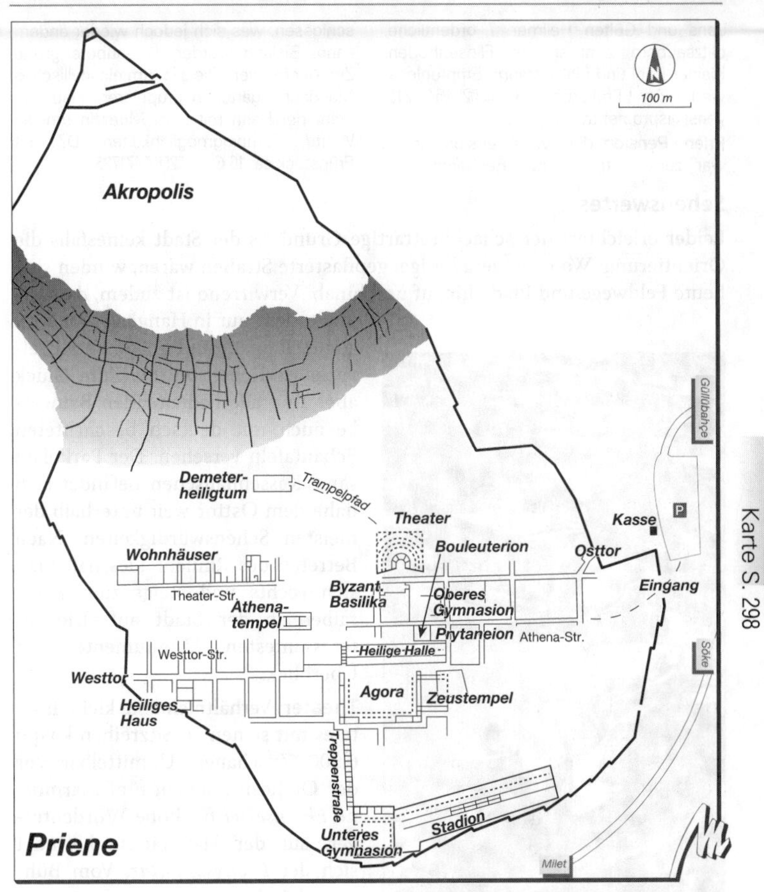

Südägäis
Karte S. 298

zwar noch einen Bischofssitz, doch Prienes Untergang tat dies keinen Abbruch. Im 14. Jh. verließen ihn die letzten Bewohner.

Erste Ausgrabungen erfolgten 1868 durch ein britisches Team. Zwischen 1895 und 1899 legte der Pergamon-Entdecker Carl Humann mit seinem Kollegen *Theodor Wiegand* die Stadt systematisch frei. Die bedeutendsten Skulpturen und Bauteile wanderten nach İstanbul, ins Britische Museum und ins Berliner Pergamon-Museum.

• *Anfahrt* Von Söke stündl. **Minibusse**. Von Kuşadası und Selçuk kann man an **organisierten Tagestouren** nach Priene, Milet und Didyma teilnehmen. Priene ist von der Verbindungsstraße Söke-Milas ausgeschildert. Die Ruinenstadt liegt oberhalb des Dorfes Güllübahçe und ist auf einem schmalen Sträßchen bequem zu erreichen.

• *Öffnungszeiten* tägl. 9–19.30 Uhr, im Winter kürzer, außerhalb der Öffnungszeiten frei zugänglich. Eintritt 0,90 €, erm. die Hälfte.

• *Übernachten/Essen & Trinken* In Güllübahçe finden sich einige Restaurants und 2 Pensionen:

Gülten Pension, 2002 eröffnet, unter Leitung des deutsch-türkischen Ehepaars

Jens und Gülten Hellmer. 7 ordentliche, blitzsaubere Zimmer mit Fliesenböden. Kleiner Pool und Fitnessraum. Empfehlenswert. DZ mit Frühstück 18 €. ✆ 0256/5471215, yens@ispro.net.tr.

Priene Pension, die zweite Pension vor Ort war zum Zeitpunkt der Recherche geschlossen, was sich jedoch wieder ändern kann. Bislang wurden 11 saubere große Zimmer offeriert, die sich um ein idyllisches Mandarinengärtchen gruppieren. Nebenan kräht der Hahn mit dem Muezzin um die Wette. Campingmöglichkeiten. DZ mit Frühstück ca. 16 €. ✆ 0256/5471725.

Sehenswertes

Leider erleichtert der schachbrettartige Grundriss der Stadt keinesfalls die Orientierung: Wo einst geradlinige, gepflasterte Straßen waren, winden sich heute Feldwege und Pfade hinauf und hinab. Verwirrend ist zudem, dass die Stadt nicht nur in Hanglage, sondern zugleich noch rund um einen Hügelrücken errichtet wurde. Zum Glück aber sind alle bedeutenden Bauwerke auch mit deutsch beschrifteten Schautafeln versehen. Der Parkplatz samt Kassenhäuschen befindet sich nahe dem Osttor weit unterhalb der meisten Sehenswürdigkeiten. Nach Betreten des Ruinenfeldes hält man sich rechts und steigt zum Zentralbereich der Stadt auf. Die interessantesten Monumente im Überblick:

Im Theater ...

Theater: Verhältnismäßig klein, fasste es mit seinen 50 Sitzreihen knapp 6.500 Zuschauer. Unmittelbar vor der Orchestra stehen fünf marmorne *Ehrensessel* für hohe Würdenträger, auf der Hauptachse befindet sich der *Dionysos-Altar*. Vom Bühnengebäude, in römischer Zeit renoviert, steht noch das Erdgeschoss, ebenso die gut erhaltene Säulenreihe der Vorhalle. Man nimmt an, dass zwischen die Säulen verzierte Holztafeln gesetzt wurden, die als Kulisse dienten. Zu Füßen des Theaters, unter Kiefern hinter dem Bühnengebäude, liegen die Reste einer *byzantinischen Basilika.* Von hier verläuft die Theaterstraße zum weiter westlich gelegenen Athenatempel. Ein kleiner Abstecher führt davor zum Demeterheiligtum.

Demeterheiligtum: Versteckt im Pinienwald oberhalb des Theaters liegen die spärlichen Reste des stark zerstörten Heiligtums. Ein Trampelpfad führt hin, den Einstieg findet man am obersten Theaterrang. Der Grundriss des der Göttin der Feldfrucht geweihten Heiligtums ist noch deutlich zu erkennen. Einst betrat man den ummauerten Bezirk von Osten. Gegenüber stand der Tempel, davor eine Säulenhalle. Hier fand man die Marmorstatue der

Oberpriesterin Nikesso; in Priene einst hoch geschätzt, verblasst sie heute im Berliner Pergamon-Museum.

Athenatempel: Der Architekt Pytheos (4. Jh. v. Chr.), der mit dem Mausoleum von Halikarnassos (→ Bodrum, S. 340) eines der sieben antiken Weltwunder entwarf, gab auch in Priene sein Bestes. Hier schuf er den Athenatempel, das einstige Hauptheiligtum der Stadt. Heute ist leider nur noch dessen Fundament erhalten, von dem fünf wieder aufgerichtete, ionische Säulen samt Kapitellen imposant in den Himmel ragen. Bevor der Tempel einem Erdbeben zum Opfer fiel, war er von einer Säulenreihe umgeben. Die Kultstatue der Athene darin war um die 6,5 m hoch. Ihr Abbild zierte u. a. römische Münzen. Das Bild des Tempel hoch über dem Golf von Latmos, vor der Kulisse einer schroffen, senkrecht aufsteigenden Felswand, muss beeindruckend gewesen sein.

... und am Athenatempel, dem Hauptheiligtum von Priene

Südägäis Karte S. 298

Agora und Heilige Halle: Eine Treppenflucht führt vom Tempel hinab zu einem Brunnen. Ein paar Schritte zur Linken stößt man auf die stattliche Agora (75 x 35 m), die einst das wirtschaftliche Herz der Stadt war. Auf dem Platz erkennt man noch die Sockel, auf denen die Statuen wohlverdienter Bürger standen. Zur Mäanderebene hin grenzt die Agora an eine Säulenhalle, auf der Ostseite finden sich die spärlichen Reste eines *Zeustempels*, auf den später ein byzantinischer Wehrturm gebaut wurde.

Direkt dahinter, zur Hangseite hin, liegen etwas erhöht die Ruinen der sog. Heiligen Halle (12,5 m tief, 116 m lang), ein zweischiffiges Gebäude mit einer äußeren Doppelreihe von 49 dorischen und einer Mittelreihe von 24 ionischen Säulen. Die rückwärtigen Kammern (an der Nordwand) dienten überwiegend als Archive. In der 9. (von Westen gezählt) wurde zudem Kaiser Augustus verehrt. Hier fand man auch diverse Inschriften zur Stadtgeschichte, u. a. über die Einführung des Julianischen Kalenders 9. v. Chr.

Wohnhäuser am Westtor: Die Hauptstraße zwischen Agora und Heiliger Halle führt gen Westen zu den privaten Wohnhäusern der Stadt. Sie bestanden meist aus einem rechteckigen Innenhof, um den sich eine Vorhalle sowie Schlaf- und Essgemächer gruppierten. Am wenigsten nagte der Zahn der Zeit am *Heiligen Haus*, in dem Alexander der Große gewohnt haben soll. Man findet noch ein Kieselmosaik und zwei Podien zur Götterverehrung. In anderen Häusern sind noch Reste von Fresken und Wasserbecken zu entdecken.

Bouleuterion: Nordöstlich der Heiligen Halle liegt das noch gut erhaltene Bouleuterion. Hier versammelte sich der Rat der Stadt. Es war ein kleines, quadratisches und fensterloses Gebäude mit Holzdach, das ungefähr 650 Leuten, rund einem Zehntel der Bevölkerung, Platz bot. Licht kam durch die offene Südseite hinein. Auf dem etwa 1 m hohen Altar vor der Tribüne wurde vor jeder Sitzung den Göttern ein Opfer gebracht.

Prytaneion: In dem Gebäude direkt neben dem Bouleuterion residierte der Magistrat. Erhalten sind ein Marmortisch, ein Wasserbassin im Hof sowie ein Herd in einem Nebenraum, vermutlich der Standort des Heiligen Feuers der Stadt.

Unteres Gymnasion: Hangaufwärts des Prytaneions lag das *Obere Gymnasion*, dessen steinerne Reste wenig sehenswert sind. Anders das Untere Gymnasion; das über eine Treppenstraße von der Agora zu erreichen ist. Der quadratische Innenhof war auf allen Seiten von dorischen Hallen gesäumt. Deutlich erkennt man noch den Baderaum mit Becken, in die Wasser aus einer umlaufenden Rinne mit putzigen Löwenkopfspeiern lief. Daneben lag der Ephebensaal, der den jüngeren Schülern als Unterrichtsraum diente. Diese waren auch nicht besser als heutige Schulpflichtige: Die marmornen Wände sind über und über mit Schülersprüchen, Namen und Kritzeleien bedeckt.

Stadion: Das Stadion, 191 m lang und 20 m breit, schließt östlich an das Gymnasion an. Im Westen sind – durch Pfeiler abgetrennt – die Startschwellen der Läufer gut erhalten. Gestartet wurde hinter einer Schranke, die vor allen Startboxen gleichzeitig hochschnellte – ähnlich der heutigen Startanlage bei Pferderennen. Die Hanglage ließ nur Zuschauerränge auf der Nordseite (= Hangseite) zu. Die *Steintribüne* im Mittelteil und der dahinter liegende *Porticus* sind gut erhalten.

Die Schwemmlandebene des Mäanderdeltas

Wo 494. v. Chr. in einer großen Seeschlacht die Mileter den Persern unterlagen, erstreckt sich heute eine weite Ebene von mehreren hundert Quadratkilometern. Die größten Baumwollplantagen der Ägäis sind hier zu finden. Sie bieten zur Ernte im Herbst Arbeit für tausende Pflücker, größtenteils Saisonarbeiter aus Ostanatolien, die unter teils erbärmlichen Bedingungen in Zeltlagern am Rande der Felder hausen. Die Schwemmlandebene schuf der *Büyük Menderes*, der die Küstenlinie durch seine starke Sedimentation im Laufe der Jahrhunderte so weit vorschob (im Schnitt 9 m pro Jahr), dass die antiken Hafenstädte Priene und Milet heute kilometerweit im Landesinnern liegen. Zwar führte die Verlandung letztendlich zum Untergang der Städte, war aber aufgrund des fruchtbaren Bodens anfangs auch ausschlaggebend für deren Aufstieg.

Im Mündungsgebiet des Großen Mäanders erstreckt sich heute eine schilfgesäumte Lagunenlandschaft, Brut- und Überwinterungsgebiet vieler Vögel – ein Paradies für Ornithologen. Pfeif- und Krickenten, Brachschwalben, Stelzenläufer, Pelikane, Spornkiebitze und sogar Flamingos können hier beobachtet werden.

Zwischen den Ruinen der größten ionischen Stadt weidet heute Vieh

Milet (antike Stadt)

80.000 Einwohner und vier Häfen zählte Milet, die größte aller ionischen Städte. Doch wo einst Handelschiffe in See stachen, liegen heute weite Baumwollfelder. Zwischen den Ruinen vergessener Monumentalbauten grasen Kühe und Schafe.

Wie Ephesus war auch Milet durch Verlandung seiner Häfen dem Untergang geweiht. Die Ruinen liegen heute rund 10 km abseits der Küste und lassen kaum mehr erahnen, dass die Stadt eine der bedeutendsten der griechischen Antike war. Wie keine andere gründete sie Kolonien und trieb einen lebhaften Seehandel. Und gäbe es heute noch einen Bürgermeister, würde er bei jeder Festrede die berühmten Söhne der Stadt rühmen: Da war zum einen Thales (625–645 v. Chr.), der erste abendländische Philosoph, der heute jedoch vor allem als Mathematiker bekannt ist – wer bei den Dreiecken in der Schule aufgepasst hat, der kennt ihn. Sein Schüler Anaximander erfand vermutlich die Sonnenuhr und erkannte als erster, dass die Erde frei im Weltraum schwebt. Dessen Schüler Anaximenes wiederum unterschied Planeten von Fixsternen und sah bereits das Mondlicht als Reflex des Sonnenlichtes an. Hippodamos von Milet war der einflussreichste Stadtplaner der Antike. In Milet wurde zudem das von den Phöniziern übernommene Alphabet vervollständigt. Und auch viel früher als anderswo hatte man hier begonnen, Münzen zu prägen und Gewichte festzulegen.

Geschichte

Man nimmt an, dass Milet im 16. Jh. v. Chr. durch kretische Siedler gegründet wurde. Nach dem Geschichtsschreiber Herodot eroberten im 11. Jh. v. Chr. Ionier die Stadt und töten alle Männer. Deren Frauen machten sie zu ihren eigenen – angeblich sollen diese aus Hass nie mit ihnen gesprochen haben.

Wie dem auch war, die Stadt entwickelte sich unaufhaltsam und milesische Kolonisten gründeten schon ab dem 8. Jh. v. Chr. am Mittelmeer und am Schwarzen Meer mehr als 90 Tochterstädte, von denen Constanza (Rumänien), Sinop, Samsun und Trabzon (Türkei) die bekanntesten sind. Unter dem Tyrannen Thrasybulos erreichte Milet im 6. Jh. v. Chr. seinen Zenit, wurde geistiges Zentrum, bevorzugter Hafen und Handelsplatz Ioniens. In jener Zeit begann man mit dem Bau des Tempels von Didyma.

Nach einem gescheiterten Aufstand gegen die persische Großmacht wurde Milet 494 v. Chr. geplündert, zerstört und ein großer Teil der Bevölkerung verschleppt. Doch schon 479 v. Chr. begann man mit dem Wiederaufbau der Stadt, diesmal nach dem sog. hippodamischen System, an dem sich fortan alle planmäßigen Stadtgründungen der griechischen Klassik und des Hellenismus orientierten: Nicht mehr in engen, verwachsenen Gassen sollten die Menschen leben, sondern in Rasterstädten mit Schachbrettmuster (siehe dazu auch Priene).

Auferstanden aus Ruinen erlebte die neue Stadt bald wieder wirtschaftlichen Wohlstand – Kleider und Mobiliar "made in Milet" waren im Mittelmeerraum sehr begehrt. Eine politische Führungsrolle kam den als prunksüchtig geltenden Milesern aber nicht mehr zu, vielmehr wurde die Stadt in den nächsten beiden Jahrhunderten zum Spielball verschiedener Mächte. Ruhe kehrte erst wieder unter der Herrschaft Pergamons ein. In jene Zeit fallen auch die "Milesischen Geschichten", erotische, novellenartige Erzählungen von Aristides von Milet. Unter Rom (ab 133 v. Chr.) erlebte die Stadt ihre letzte Blüte, Cäsar, Antonius und der Apostel Paulus statteten ihr einen Besuch ab.

In byzantinischer Zeit war es bereits still um Milet, obwohl die Stadt noch zu einem Bischofssitz erhoben wurde. Fortan pflegte sie ein Schattendasein in der Weltgeschichte. Im 14. Jh. erhielt sie als Hafenstadt des Menteşe-Emirats einen neuen Namen: Balat (Palatia). Irgendwann im 17. Jh. verlandete der Hafen und die ehemals so mächtige Hafenstadt verwandelte sich nun endgültig in ein langweiliges Provinznest. 1955 wurde Balat nach einem Erdbeben aufgegeben und ein paar Kilometer weiter südlich in typisch türkischer Dorfmanier wieder aufgebaut. Erste archäologische Untersuchungen unternahm 1899 Theodor Wiegand vom Berliner Museum. Noch heute erforscht das Deutsche Archäologische Institut die antike Stadt.

• *Verbindungen* **Organisierte Tagesausflüge**, meist in Verbindung mit dem Besuch von Priene und Didyma, werden von Bodrum, Kuşadası und Selçuk angeboten.

Theoretisch bietet sich auch eine Anfahrt mit dem **Dolmuş** an. Ca. 3-mal tägl. (nur am Vormittag) wird Milet mit einem Dolmuş von Söke angefahren. Da die Dolmuşe meist umgehend zurück fahren, hat man also kaum eine Chance, nach der Besichtigung ein Dolmuş vorzufinden. Alternativ dazu besteht auch die Möglichkeit, von Söke den Dolmuş nach Altınkum zu nehmen und unterwegs im Dorf Akköy auszusteigen. Von dort 5 km (!) zu Fuß zum Ruinengelände. Vor Ort großer gebührenpflichtiger Parkplatz und mehrere kleine Restaurants.

• *Öffnungszeiten* tägl. 8.30–18.30 Uhr (im Winter kürzer). Eintritt 0,90 €, erm. 0,30 €.

Sehenswertes

Mit Ausnahme des Theaters wirkt das Gros der weitgehend aus römischer Zeit stammenden Ruinen wenig spektakulär. Ein Besuch des Ausgrabungsgeländes gewinnt jedoch an Faszination, wenn man weiß, dass sich das antike

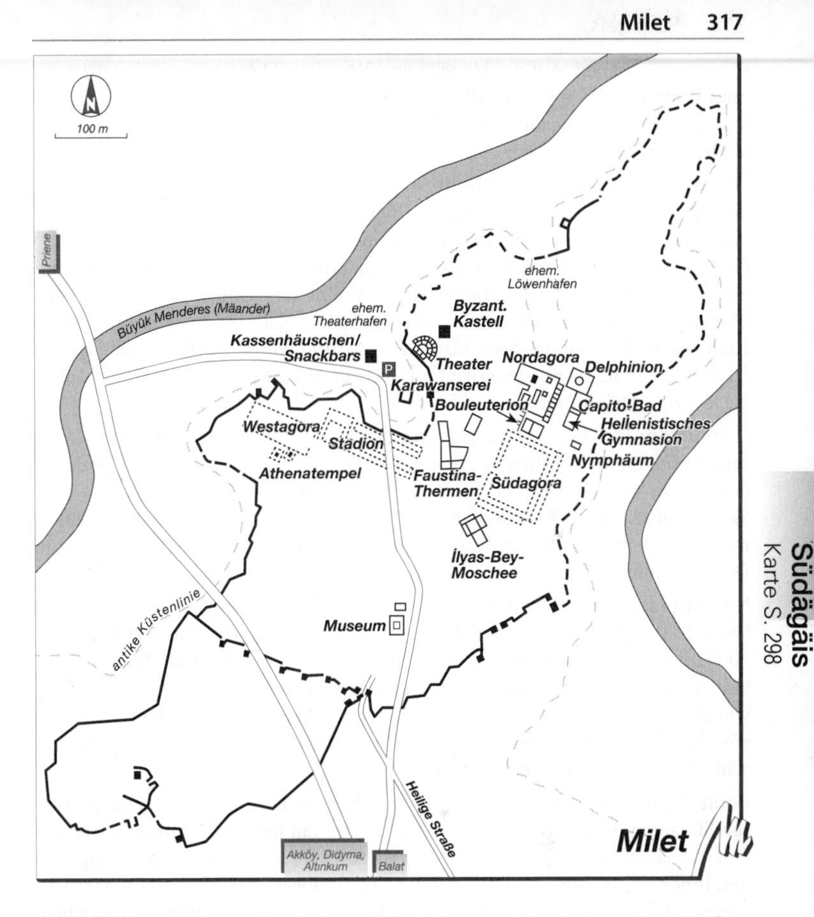

Südägäis
Karte S. 298

Milet auf einer rund 2,5 km langen Halbinsel erstreckte. So lag z. B. zu Füßen des Theaters der sog. *Theaterhafen*, in dem einst Handels- und Kriegsschiffe dümpelten und heute das Kassenhäuschen und ein paar Snackbars stehen. Die wichtigsten Bauwerke lassen sich in einem Rundgang besichtigen. Wer alle zu Fuß abklappern will, sollte mindestens einen halben Tag einkalkulieren, nach stärkeren Regenfällen sind Gummistiefel keine schlechte Idee.

Theater: Das eindrucksvolle Theater, eines der größten Kleinasiens, wurde unter Kaiser Trajan (97–117 n. Chr.) auf den Fundamenten eines hellenistischen Theaters errichtet. Die Vorderfront misst 140 m, der obere Umgang ist 500 m lang. Über 30 m ragt der imposante Bau aus der Ebene auf. Das gewaltige Theaterhalbrund fasste zwischen 15.000 und 25.000 Zuschauer – die Quellen sind sich uneins. Ausgezeichnet erhalten sind die 18 unteren Sitzreihen. Die beiden Säulen dort trugen einst einen Baldachin, unter dem der Kaiser Platz zu nehmen pflegte. Das Bühnengebäude war reich verziert mit Pilasterkapitellen, Statuen und Reliefs, es lohnt, sich die verstreut liegenden Architekturfragmente näher anzuschauen. Auf der Hügelkuppe über dem Theater thront – gewissermaßen als Zugabe – ein zerfallenes *byzantinisches Kastell* aus dem 8. Jh. Von ihm genießt man eine ausgezeichnete Aussicht über das weitläufige Ruinengelände inmitten der Mäanderebene.

Löwenbucht: Nördlich des Theaters lag der sog. Löwenhafen, dessen Einfahrt zwei große marmorne Löwenfiguren flankierten. An der inneren Spitze des Hafens stand das *Trophäum*, ein Hafenmonument, von dem noch der vierstufige Sockel (Durchmesser 11 m) mit einem Tritonenfries erhalten ist. Anfangs ehrte es wahrscheinlich Pompeius, der 63. v. Chr. das östliche Mittelmeer vorübergehend von der Piratenplage erlöste, später Kaiser Augustus für dessen ruhmreiche Taten in der Seeschlacht von Actium. Vom Trophäum führte eine 30 m breite Prachtstraße, die rechter Hand von einer *Kolonnadenhalle* gesäumt wurde, zum Delphinion.

Delphinion: Der Freilichttempel, von dem nur noch das pflanzenüberwachsene Fundament zu sehen ist, diente der Verehrung des Apollon Delphinios, des Gottes der Seeleute, Häfen und Schiffe. Der Komplex besaß einen von Säulenhallen umgebenen Innenhof mit einem kleinen Rundpavillon aus Marmor. Vor dem Delphinion begann die *Heilige Straße*, die nach Süden zum Didymaion führte.

Nordagora: Rechter Hand der heiligen Straße lag das nördliche Marktviertel (90 x 43 m), das ursprünglich allseits von Säulen umgeben war. Mit mehr als 200 Läden bildete es eines der bedeutendsten Handelszentren der Stadt. Heute ist der Platz von Tamarisken und Algen überwuchert, ein kleiner Teil der *Stoa* wurde rekonstruiert. Auf der anderen Seite der Heiligen Straße sieht man Reste einer römischen Thermenanlage, des sog. *Capito-Bades*, und daran anschließend Reste eines *hellenistischen Gymnasions.*

Bouleuterion: Um 170 v. Chr. wurde zwischen der Nord- und der noch größeren Südagora der Ratssaal der Stadt errichtet. Man betrat die Anlage durch einen Torbau an der Ostseite und gelangte in einen von Säulenreihen umgebenen Innenhof, in dem ein dem Kaiser Augustus geweihter Altar stand. Der Sitzungssaal dahinter bot, einem Theater gleich, auf 18 gut erhaltenen Sitzreihen etwa 1.200 Ratsmitgliedern Platz.

Nymphäum: Gegenüber dem Bouleuterion stand das einst prachtvolle Brunnenhaus mit einer dreigeschossigen Prunkfassade, gestiftet von Trajans Vater. In den Nischen der Hauptfassade waren 27 Götterfiguren aufgestellt, die z. T. auch als Wasserspeier dienten. Das Gebäude selbst enthielt öffentliche Toiletten und zwei Wasserreservoirs. Das unterste Stockwerk konnte weitgehend rekonstruiert werden.

Südagora: Sie lag südlich von Nymphäum und Bouleuterion und war mit rund 33.000 qm eine der größten der antiken Welt. Das imposante Nordtor wurde wieder aufgebaut – im Berliner Pergamon-Museum.

İlyas-Bey-Moschee: Noch weiter südlich steht die Ruine einer 1404 von Emir İlyas von Menteşe errichteten Moschee. Da zu jener Zeit schon viele Bauten der Stadt funktionslos waren, klaute man von diesen die Steine dazu. Nach einem Erdbeben 1955 wurde sie zwar notdürftig renoviert, innen aber ausgeräumt.

Im Theater von Milet

Faustina-Thermen: Auf dem Weg wieder zurück zum einstigen Theaterhafen, stößt man auf die Reste einer großen Thermenanlage, die im Jahre 164 n. Chr. von Faustina II., der Gattin Mark Aurels, gestiftet wurde. Es gab Kalt-, Warm- und Heißwasserbecken sowie Schwitzräume, die allesamt überreich mit Marmor ausgekleidet waren. Dahin ist dahin. Gut erhalten ist aber noch das *Frigidarium*, der Abkühlungsraum mit der intakten Skulptur des Flussgottes Mäander und jener eines Löwen.

Weiter westlich liegen in einer Grube die Fundamente eines **Stadions** und noch weiter westlich die spärlichen Reste der **Westagora**, an die sich südlich die Grabungsstelle des **Athenatempels** anschließt. Funde davon – heute in den Museen von İzmir und İstanbul– lassen vermuten, dass hier die älteste Siedlungsstätte Milets liegt. Mehr zu sehen gibt es von der restaurierten **Karawanserei** aus dem 15. Jh., dem wohl letzten großen Bauwerk Milets. Heute werden darin Teppiche verkauft. Etwas abseits – an der Straße nach Balat, aber noch immer innerhalb der alten Stadtmauern – liegt zudem ein kleines **Museum** mit Grabungsfunden.

Noch ein Badetipp: Mit den feinsten Stränden der Türkei ist der Küstenabschnitt zwischen Milet und Didyma nicht gesegnet, dennoch bietet sich auch hier ein Sprung ins kühle Nass an: Ca. 10 km nördlich von Didyma befindet sich ein schöner kleiner Sandstrand mit ein paar Sonnenschirmen und Liegen unterhalb des **Restaurants Kumsal**. Baden kann man auch (gegen einen kleinen Obolus) beim Picknickgelände **Tavşan Burnu** ca. 6 km nördlich von Didyma, ebenfalls an der Straße nach Milet: gepflegter Strand mit einem schattigen Wäldchen dahinter.

Didyma (antike Stätte)

Das Didymaion, die größte antike Tempelanlage der Türkei, beherbergte die bedeutendste Orakelstätte Kleinasiens. Im Ansehen rangierte diese unmittelbar hinter dem Orakel von Delphi.

Didyma war im Unterschied zu Milet oder Priene nie eine Stadt, sondern diente einzig dem Kult des Gottes Apollon. Verwaltet wurde der Tempelbezirk von Milet aus, mit dem er durch eine 16 km lange, statuengeschmückte *Heilige Straße* verbunden war. In der Antike umgab ein Hain den kolossalen Tempel, heute steht er inmitten des Städtchens Didim, einem ehemals griechischen Dorf, dessen Kirche in eine Moschee umgewandelt wurde. Rund um den Tempel haben sich ein paar Restaurants, Läden und Teppichverkäufer auf Touristen eingestellt.

Geschichte

Grabungsfunde lassen darauf schließen, dass es hier bereits im 11. Jh. v. Chr. ein Heiligtum gab, in dem die Erdmutter Gaia verehrt wurde. Zu jener Zeit bestand der heilige Ort aus nicht viel mehr als einem kleinen Kulttempel mit einer Quelle. Man nimmt an, dass die Mileter diesen Kult im 8. Jh. v. Chr. auf die Zwillinge Apollon und Artemis übertrugen. Sie glaubten, Didyma sei der Ort ihrer Zeugung gewesen.

Schon bald darauf leuchtete Didymas Stern hell am Orakelhimmel. Vom lydischen König Krösus bis zum ägyptischen Pharao Necho – jeder Pilger und Ratsuchende stiftete kostbare Gaben. Und so hatte das Priestergeschlecht der Branchiden, die das Heiligtum hüteten, schnell die Mittel zusammen, um dem Kult einen würdigen Rahmen zu verleihen. Ein monumentaler Tempel wurde gebaut. Doch 494 v. Chr., noch vor seiner Vollendung, plünderten die Perser das Heiligtum und brannten es nieder.

Nach der Vertreibung der Perser in der zweiten Hälfte des 4. Jh. v. Chr. plante man den Wiederaufbau der Kultstätte. Noch gigantischer sollte sie diesmal werden, die größte Kleinasiens. Dass auch dieser Tempel nie vollendet wurde, lag nicht zuletzt an den unermesslichen Kosten des Projektes: Aus Inschriften weiß man, dass allein eine der 20 m hohen Tempelsäulen rund 20.000 Arbeitstage erforderte – und der Plan sah einen Wald von 122 Säulen vor! Hinzu kam, dass die Arbeiten aufgrund kriegerischer Auseinandersetzungen immer wieder für Jahrzehnte ruhten.

Als das Christentum Staatsreligion wurde, stellte man die Arbeiten am Tempel nach über 600 Jahren Bauzeit endgültig ein. Die Ruine diente als Festung, das Adyton als Kirche, bis beide Ende des 15. Jh. nach einem Erdbeben aufgegeben wurden. Die Reste der antiken Bauruine sind jedoch noch immer überaus imposant. Erste Ausgrabungen fanden unter französischer Leitung 1872 statt. Zwischen 1905 und 1914 wurde der Tempel vollständig freigelegt. Heute leitet das Deutsche Archäologische Institut die Forschungsarbeiten vor Ort.

• *Verbindungen* **Dolmuşe** auf der Strecke Söke-Altınkum passieren den Tempel. **Organisierte Tagesausflüge** nach Didyma, meist in Verbindung mit dem Besuch von Priene und Milet, werden von Bodrum, Kuşadası und Selçuk angeboten.

Ein Ritt durch die Vergangenheit: (mb) ▲▲
Bei Datça (mb) ▲

▲▲ İnceyalı-Bucht bei Mazıköy (mb)
▲ Das mittelalterliche Kastell von Marmaris (mb)
▲ An der Uferpromenade von Marmaris (mb)

Selbst umgestürzt noch voller Eleganz: Ruinenansicht von Didyma

Südägäis
Karte S. 298

• *Öffnungszeiten* tägl. 8.30–18.30 Uhr, im Winter bis 17.30 Uhr. Eintritt 0,90 €, erm. 0,60 €. Wer noch mehr über Didyma erfahren möchte, dem sei der vor Ort erhältliche kleine Führer von Prof. Dr. R. Naumann empfohlen.

• *Übernachten* **Medusa House**, schmucke Pension in Tempelnähe. 4 freundliche Zimmer in einem alten Natursteinhäuschen. Davor ein uriges Gärtchen fürs stundenlange Frühstück. Die Besitzer (er türkisch, sie deutsch) besitzen ein Motorboot – für Abwechslung ist also gesorgt. DZ mit Frühstück 21 €. ✆ 0256/8110063, www.medusahouse.com, in Deutschland unter 0179/2089363.

Oracle Pension, direkt neben dem Tempel. Herrliche Terrasse mit toller Aussicht auf die Ruinen. Schlichte Zimmer mit und ohne Bad, das DZ zu ca. 15 €. ✆ 0256/8110270.

Orakçı Otel, ca. 3 km nördlich von Didyma, an der Straße nach Milet ausgeschildert. Von Lesern empfohlen. Kleines, ruhiges Hotel in einer Ferienhaussiedlung unter liebenswürdiger türkisch-schweizerischer Leitung. Pool, Hamam. Bezaubernder Mandarinengarten, den die freundlichen Vierbeiner Boncuk und Aslan bewachen. Strand ca. 800 m entfernt. 14 sehr saubere Zimmer mit Steinböden und Korbmöbeln. Gute Küche. Pro Person mit Frühstück 24 €, mit HP 34 €. ✆ 0256/8256465, 📠 8259453.

Unzählige Unterkünfte von Fünf-Sterne-Häusern bis zu einfachen Pensionen zudem im 5 km entfernten **Altınkum** (s. u.). Das Gros davon ist unpersönlich und/oder renovierungsbedürftig.

• *Camping* Campingmöglichkeiten bestehen auf dem Picknickgelände **Tavşan Burnu** ca. 6 km nördlich von Didyma direkt am Meer mit einem gepflegten Strand. Großer Platz unter Kiefern. Restaurant. Bis auf die Sanitäranlagen recht einladend. Am Wochenende viele Tagesgäste. Zelten für 2 Pers. pro Tag rund 3 €.

Besichtigung der Tempelanlage

Der riesige Tempel (51 x 110 m) kann auf seiner Ostseite über eine 13-stufige Freitreppe betreten werden – beeindruckend sind hier die gigantischen Säulenstümpfe mit einem Durchmesser von zwei Metern. Teils schmücken schöne Reliefs ihre Basen. Die ionischen Kapitelle zierten einst Stierköpfe und Gottheiten, der Fries des Architravs zeigte liegende Löwen, Akanthusranken und Medusenköpfe, darunter der heute wohl meistfotografierte Medusenkopf

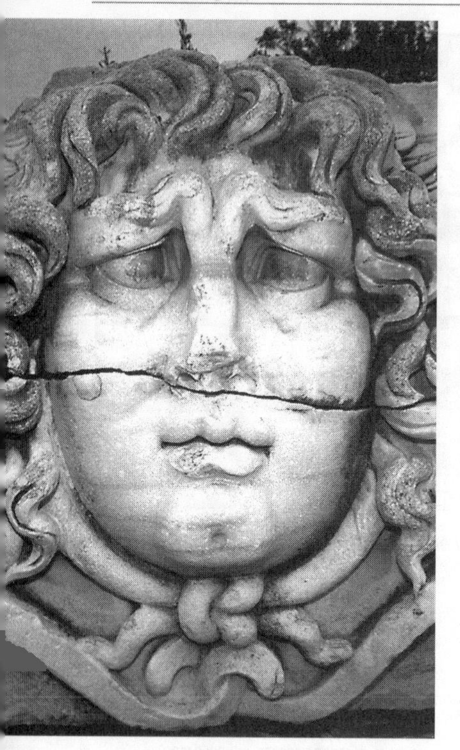

Wenn Blicke töten könnten – die Medusa von Didyma

der Welt, der nun gleich hinter dem Eingang zum Ausgrabungsareal aufgebahrt ist. Achtung: Der Blick der Medusa soll alle töten, die schlechte Absichten hegen!

Rund um die Tempelmauer war eine doppelte Säulenreihe geplant. Drei der 20 m hohen Säulen stehen noch bzw. wieder in ihrer vollen Pracht. Auf der Nordseite ist die doppelte Säulenreihe deutlich auszumachen, auf der Südseite blieb es vielfach bei deren Planung. Zwar finden sich hier Werkspuren, doch keine Säulenstümpfe. Auf der Westseite (Rückseite) bietet sich der Anblick einer umgestürzten, in einzelne Trommeln zerfallenen Säule.

An den *Pronasos*, die Tempelvorhalle, die einst auf weiteren 12 Säulen ruhte, schließt die höher gelegene *Orakelhalle* an. Diese war nur den Priestern zugänglich, und wurde vom Innenhof des Tempels betreten. Durch ein monumentales "Fenster" (6,63 x 14 m) leiteten die Priester hier die Orakelsprüche des Apollon an das Volk weiter. Die Marmorquader zu beiden Seiten des Fensters wiegen je 70 Tonnen.

Rechts und links davon befinden sich die zwei tunnelartigen Gewölbegänge zum *Adyton* (dt. "unzugänglich"), dem 54 x 25 m messenden Innenhof des Didymaions, den nur Priester betreten durften. Er war mit Lorbeerbäumen bepflanzt und von einer 26 m hohen Mauer umgeben, die noch bis zu einer Höhe von etwa 10 m erhalten ist. Hier stand auch der *Naiskos*, ein kleiner Tempel, in dem sich die bronzene Kultstatue des nackten Apollon befand. Eine gewaltige Freitreppe führt zudem vom Innenhof hinauf in die Orakelhalle. Je nach Lichteinfall kann man dort Architekturzeichnungen an den Wänden erkennen, zudem Inschriften, die über den Bau des Tempels Auskunft geben.

Altınkum und Umgebung

Der 5 km südlich von Didyma gelegene Badeort ist eine gesichtslose Ansammlung von Hotels und Pensionen, zugeschnitten auf türkische Gäste und britische Pauschalurlauber. Letztere dominieren, und so werden an jeder Ecke Full English Breakfast und Fish 'n' Chips angeboten – zu Preisen, die das Dreifache des Landesdurchschnitts überschreiten. Wem das nicht reicht: Im zentral gelegenen "Our Restaurant" serviert man aus England importierte "Pork Sausages with Heinz Beans" ... Etliche Discobars und Open-Air-Kneipen am südwestlichen Ende der Bucht sorgen für ein unterhaltsames Nachtleben. Das große Plus des Orts ist sein langer, gepflegter Sandstrand, der seinem Namen (*altın kum* = goldener Sand) alle Ehre macht. Und damit er im Hochsommer auch nicht ausbleicht, wird er täglich mit tausenden von Handtüchern abgedeckt.

An der fjordartigen Küste östlich von Altınkum gibt man sich – wie so vielerorts in der Türkei – alle Mühe, das Antlitz einer einst herrlichen Landschaft zu zerstören. *Akbük Limanı*, die erste große Bucht nach Altınkum, ist gespickt mit Ferienhaussiedlungen und Mehrsterne-Hotelanlagen. Zum Glück kann man zwischen viel Beton aber immer noch den einen oder anderen schönen Sandstrand entdecken. Weiter östlich, in der *Kazıklı Limanı*, wird u. a. Fischzucht betrieben. In ein paar urigen Lokalen direkt am Wasser werden die Köstlichkeiten serviert. Noch ein Hinweis: Die Gegend östlich von Altınkum ist schlecht beschildert. Zudem existiert die in vielen Karten eingezeichnete Küstenstraße von der Kazıklı-Limanı-Bucht nach Iasos nicht!

• *Verbindungen* Regelmäßige **Dolmuş**verbindung von Altınkum über Didyma nach Söke. Von dort gelangt man mit Bussen in den Rest der Türkei, Bustickets kann man jedoch bereits in Altınkum erstehen. Im Sommer zudem tägl. **Fährverbindungen** zur Bodrum-Halbinsel (→ Bodrum/Verbindungen, S. 334). Tagesausflügler von Bodrum, die Milet und Didyma besichtigen wollen, können in Altınkum für rund 30 € ein **Taxi** chartern.

Bafa-See (Bafa Gölü)

Türkisgrünes Wasser, drum herum Natur pur und ein romantischer Ruinenort in bizarrer Landschaft: Der traumhaft gelegene Bafa-See lohnt mehr als nur einen Tagesausflug.

Vor 2.000 Jahren gab es den Bafa Gölü noch gar nicht. Damals war hier eine Meeresbucht, der Latmische Meerbusen, in welchen der Große Mäander (s. "Die Schwemmlandebene des Mäanderdeltas", S. 314) mündete. Doch infolge der Abholzung der anatolischen Wälder und der damit verbundenen Erosion führte der Fluss immer mehr Schwebstoffe mit sich, die er im Mündungsgebiet ablagerte. So entstand die große Mäanderebene, die einen Teil des Golfes, den heutigen Bafa Gölü, vom neuen Küstenverlauf abtrennte.

Heute ist der 15 km lange und 5 km breite See, dessen helle Quarzsandstrände zum Baden einladen, samt seiner Umgebung ein Nationalpark. Das Südufer beherrschen riesige Olivenhaine, an seiner Nord- und Ostseite türmt sich das wild zerklüftete *Beşparmak*-Massiv auf (1.375 m, nach seinem höchsten Gipfel auch Latmosgebirge genannt). Es ist eine bezaubernde Felslandschaft, geprägt von gewaltigen Gneisbrocken – herrlich zum Wandern. Am Nordostufer liegt zudem das idyllische 300-Seelen-Dorf Kapıkırı mit mehreren Pensionen inmitten der Ruinen des antiken *Herakleia*. Die alte karische Stadt wurde noch am Latmischen Meerbusen gegründet. Sie war von einer 6,5 km langen Stadtmauer umgeben, die Häuser kletterten von der Küste die dahinter liegenden Hänge bis auf 500 m hinauf. Die größte Blüte erlebte Herakleia in hellenistischer Zeit. Sein Schicksal wurde durch die Verlandung des Latmischen Golfs besiegelt.

Verbindungen/Sonstiges

• *Telefonvorwahl* 0252.

• *Verbindungen* Die Südseite des Sees ist von Söke und Milas problemlos mit **Dolmuşen** zu erreichen, man steigt einfach unterwegs an der gewünschten Stelle aus. Ins Dorf Kapıkırı bestehen hingegen nur äußerst unregelmäßige Verbindungen. Am besten steigt man in Bafa-Dorf (an der Verbindungsstraße Söke-Milas) an der Abzweigung nach Kapıkırı aus und legt die restlichen 9 km per Anhalter oder mit dem Taxi zurück.

• *Eintritt* Sofern das Kassenhäuschen besetzt ist, zahlt man für die Besichtigung von Herakleia 1,80 €, erm. 0,60 €. Bezahlen Sie nur gegen Vorlage eines Tickets!

• *Bootsausflüge* werden von nahezu allen Unterkünften angeboten. Die Ziele richten sich nach den Wünschen der Teilnehmer. Pro Person ab ca. 2 €.

• *Baden* Sandstrände findet man beim Dorf Kapıkırı, mehrere Kiesstrände zudem am Südufer des Sees. Einsame Badebuchten liegen auf dem Weg zur Zwillingsinsel (→ Wandern). Für genügend Badespaß wird zudem bei einer Bootstour gesorgt.

• *Wandern* Das wildromantische Beşparmak-Massiv ist ein ideales Gebiet für halbwegs konditionsstarke und trittsichere Wanderer. Als Ziele locken Felsenklöster und Eremitagen. Eine beliebte Wanderung führt zum **Stylos-Kloster**, dauert einfach 4–5 Std. und sollte nur in Begleitung eines Führers unternommen werden, Infos in den Pensionen. Kaum verlaufen kann man sich hingegen bei einer kleinen Wanderung (ca. 3 Std.) von Kapıkırı zur byzantinischen Festung auf der **Zwillingsinsel** *(İkizada)* – einfach dem Nordufer des Sees gen Westen folgen und den letzten Abschnitt hinüber waten. Einwöchige Wanderprogramme (mit Übernachtung und Essen) bietet die Pension Agora (s. u.) ab 249 €.

• *Einkaufen* Hochwertiges, günstiges Olivenöl! Man ersteht es entweder von den Bauern in Kapıkırı oder direkt bei der Olivenölfabrik in Bafa am Südostufer des Sees.

Übernachten/Essen & Trinken

Die Motels und Campings zwischen See und Straße am Südufer sind bis auf eine Ausnahme leider nicht empfehlenswert – die LKWs rollen hier, so eine Lesermeinung, direkt über das Kopfkissen bzw. den Schlafsack hinweg! Als Standort bieten sich in erster Linie die einfachen Pensionen in Kapıkırı am Nordostufer des Sees an. Allen sind Restaurants angeschlossen, in denen neben schmackhafter türkischer Landküche auch Aal, Zander oder Weißfische frisch aus dem See auf den Teller kommen.

Club Natura Oliva, am Südufer des Sees in herrlicher Lage, ausgeschildert. Unter deutsch-türkischer Leitung. 34 Zimmer in einem weiten Olivenhain auf mehrere Gebäude verteilt. Klimaanlage, Zentralheizung, offener Kamin, Moskitonetze über dem Bett, fast alle Zimmer mit Terrasse und Seeblick. Eigener Seezugang, Bootsverleih. DZ mit HP (offenes Büfett mit Produkten aus ökologischem Anbau) 60 €. Organisiert werden auch Tagestouren ins Beşparmak-Massiv. Sehr freundlicher Service. ✆ 5191072, www.clubnatura.de.

Agora Pansiyon, populärste Pension Kapıkırıs, mitten im Dorf. Viel ausländisches Publikum, auch Gruppen. 12 angenehme Zimmer, z. T. in kleinen Holzbungalows, 6 davon mit privaten Sanitäranlagen. Freundlicher, familiärer Service, deutschsprachig. Bietet Führungen durch Herakleia oder hinauf ins Gebirge, zudem Bootstouren. Pro Person mit HP 15 €. ✆ 5435445, www.herakleia.com.

Selene's Pension, in Kapıkırı näher am See gelegen. Mehrere einfache Zimmer, auf verschiedene Gebäude verteilt, z. T. mit privaten Sanitäranlagen und Terrasse. Angeschlossen ein gemütliches Terrassenlokal. Campingmöglichkeiten. Pro Person mit HP 13 €. ✆ 5435221, www.bafalake.netfirms.com.

Pension Pelikan, ein Lesertipp am Ortseingang von Kapıkırı. Familiäre Pension mit hervorragender Küche, sympathisch geführt. Alle Zimmer mit Du/WC. DZ mit HP 26 €. ✆ 5435158.

Zeybek Pension, in Kapıkırı direkt am See und damit die schönstgelegene Unterkunft vor Ort. Herrliches Terrassenlokal mit guter Küche. Vermietet werden äußerst schlichte, passabel saubere Zimmer und Bungalows, das DZ mit Frühstück für 12 €. Auf der gemähten Wiese neben der Pension (direkt am Wasser mit schattigen Plätzchen und Na-ja-Sanitäranlagen) kann gecampt werden, pro Nacht für 2 Pers. 3 €. ✆ 5435441, www.bafagolu.com.

Endymion

Irgendwo in einer Höhle im Latmos-Gebirge schläft der schöne Jüngling Endymion seinen ewigen Schlaf. Um die mythologische Figur, vermutlich ein Enkel des Göttervaters Zeus, ranken sich viele Legenden. Die schönste erzählt von der Mondgöttin Selene, die sich in Endymion verliebte und ihn, aus Angst, ihn zu verlieren, in ewigen Schlaf versenkte. Nacht für Nacht suchte sie ihn daraufhin auf, versüßte seine Träume und gebar ihm insgesamt 50 Töchter. Das Thema wurde in der Literatur und Malerei vielfach behandelt. Über Jahrhunderte hinweg war Herakleia für seinen Endymionkult bekannt. In welcher Form er begangen wurde, ist heute jedoch vergessen.

Sehenswertes

Die Ruinen der antiken Stadt Herakleia in und um das Dorfes Kapıkırı sind bestens ausgeschildert. Weithin sichtbar ist der alles überblickende *Athenatempel,* dem nur das Dach und die Vorhalle fehlen. Auf der *Agora* steht heute ein Schulgebäude, das *Theater* ist nicht viel mehr als eine Mulde im Hang. Einen eindrucksvollen Einblick in hellenistische Militärarchitektur gibt die *Stadtmauer,* die sich zwischen Häusern und Gärten hindurch zieht. Auf dem Weg von der Ortsmitte Kapıkırıs zum See lässt das *Endymion-Felsheiligtum* jeden gemächlich vorbeitrabenden Esel von einer Mütze Schlaf des begehrtesten Langschläfers der Menschheit (→ Kasten) träumen. Am Ufer findet man noch Reste der alten *Nekropole* – viele Sarkophage stehen heute unter Wasser. Die Ruine auf der Halbinsel im See war einst ein befestigter, byzantinischer *Bischofssitz.*

In den schwer zugänglichen Bergen finden sich noch mehr christliche Relikte – der Latmos war ab dem 7. Jh. Refugium für Eremiten und kleine Mönchsgemeinschaften (→ Wandern). Ungestört von gottlosen Piraten und moslemischen Glaubenskämpfern führten sie in ihren versteckten Klöstern ein zurückgezogenes Leben.

Zeustempel von Euromos

Der römische Tempel aus dem 2. Jh. gehört zu den besterhaltenen antiken Bauten der Türkei. Von den ursprünglich 32 korinthischen Säulen steht noch die Hälfte. Der Tempel ist zugleich ein schönes Beispiel für das in der Antike beliebte Bau-Sponsoring: Noch heute, nach über 1.800 Jahren, erinnern Inschrifttafeln an den Säulen an die Namen der großzügigen Financiers. Die dazugehörige Siedlung Euromos, einst eine mit Mylasa eng verbundene Stadt, ist nur ansatzweise ausgegraben und wenig sensationell. Kümmerliche Reste der *Stadtmauer,* der *Agora* und des *Theaters* findet man in der Nähe des Tempels.

• *Anfahrt* Der Tempel ist von der Verbindungsstraße Söke–Milas ausgeschildert und mit den Dolmuşen auf dieser Strecke gut erreichbar.

• *Öffnungszeiten* offiziell tägl. 8–18.30 Uhr (danach frei zugänglich). Eintritt 1,80 €, erm. 0,60 €.

Milas

(ca. 30.000 Einwohner)

Milas ist das florierende, bäuerliche Zentrum einer landwirtschaftlich geprägten Umgebung. Besuchenswert ist das Basarviertel der Altstadt mit seinen engen, von osmanischen Häuschen gesäumten Gassen. Wer hindurch spaziert, kann Kleinhandwerkern bei der Arbeit zusehen, auch Frauen beim Teppichweben. Ihre Beschaulichkeit verliert die Altstadt dienstags zum Wochenmarkt, einem der schönsten der Ägäis. Dann kommen auch Zaungäste aus Bodrum zu einer Stippvisite. Rund um die Altstadt finden sich ein paar schön restaurierte Villen aus dem 19. Jh., hauptsächlich aber umgibt sie ein Gürtel mehrstöckiger Apartmenthäuser und überbreiter Straßen im typisch türkischen Provinzrenommierstil.

Geschichte

Heute erinnert nur noch wenig daran, dass *Mylasa* über Jahrhunderte hinweg eine bedeutende Rolle als Zentrum der antiken Landschaft Karien spielte. Als sich das persische Großreich im 6. Jh. v. Chr. Kleinasien einverleibte, setzte der persische König für Karien Regenten ein, sog. Satrapen, die in Mylasa residierten, bis der berühmte Mausolos (→ Bodrum/Geschichte, S. 332) im 4. Jh. den Regierungssitz nach Halikarnassos, dem heutigen Bodrum verlegte. Dennoch blieb Mylasa bis in die römische Zeit eine der führenden karischen Städte. In der Spätantike wurde sie Bischofssitz, ab dem 13. Jh. Hauptstadt des Emirats der Menteşe, einer turkmenischen Dynastie, die der Stadt einige schöne Moscheen hinterließ, darunter die Ulu Cami (→ Sehenswertes). 1391 wurde Milet ein erstes Mal von den Osmanen erobert. Deren Niederlage gegen Timur Lenk brachte die Menteşeoğulları nochmals auf den Thron, bis sie 1424 erneut von den Osmanen vertrieben wurden – seitdem macht die Geschichte einen großen Bogen um Milas.

Orientierung: Von Bodrum kommend, gelangt man für gewöhnlich über den Atatürk Bulvarı, die Hauptachse des Städtchens, ins Zentrum. Sie mündet beim Belediye Parkı (Stadtpark) in einen zentralen Kreisverkehr. Hier findet man einen Milas-Übersichtsplan. Zudem sind von hier auch das Museum und Gümüşkesen ("Gümüşkesen Mabedi") ausgeschildert. Die geschäftige Altstadt samt Rathaus *(Belediye)* erstreckt sich auf einem Hügel nordwestlich des Kreisverkehrs.

Information/Verbindungen/Einkaufen

• *Telefonvorwahl* 0252.

• *Information* Die örtliche **Tourist Information** an der Müştakbey Cad. nahe dem zentralen Kreisverkehr in einem Shoppingcenter (Richtung Gümüşkesen abbiegen) war z. Z. der Recherche wegen Personalmangels geschlossen.

• *Verbindungen* Der internationale **Flughafen DHMI Milas-Bodrum Hava Limanı** (→ Bodrum/Verbindungen, S. 333) liegt mit einer Entfernung von 18 km näher an Milas als an Bodrum. Ein Taxi zum Flughafen kostet 15 €.

Bus: Der Busbahnhof befindet sich an der Straße nach Söke ca. 700 m außerhalb des Zentrums. Es bestehen häufige Verbindungen nach İzmir, Aydın, Bodrum und Muğla. Dolmuşe fahren vom Busbahnhof ins Stadtzentrum.

Dolmuş: Dolmuşe nach Bodrum starten am Busbahnhof, nach Iasos, Güllük und Ören von der **Tabakhane Dolmuş Garajı** im Zentrum. In den Dolmuş nach Söke steigt man an der Cumhuriyet Cad. gegenüber der Atatürk-Grundschule (Atatürk İlk Okulu).

Markttag in Milas

Übernachten/Essen & Trinken

• *Übernachten* **Otel Sürücü**, am Atatürk Bul., der Ausfallstraße nach Bodrum. Bestes Haus der Stadt und unsere einzige Empfehlung: Ansonsten schläft man fürs gleiche Geld entweder schlechter oder für noch weniger Geld in schmutzigen Laken. 26 ordentliche Standardzimmer mit TV, Telefon und Balkon. DZ mit Frühstück 18 €, EZ 11 €. Atatürk Bul. 10, ✆ 5124001, ℻ 5122548.

• *Essen & Trinken* Keine feinen Restaurants, dafür zahlreiche gute Lokantas zum Sattwerden. Berühmt ist Milas für seine gebratenen Leberstückchen (*Çiğer*), die am besten und frischesten in der kleinen Lokanta **Adalılar Kebap Salonu** in der Kızılay Cad. nahe dem Rathaus im Basarviertel zu kosten sind. Für einen gemütlichen Nachmittagskaffee bietet sich der schattige Teegarten im **Belediye Parkı** beim zentralen Kreisverkehr an.

Sehenswertes

An die glorreiche Vergangenheit des antiken Mylasa erinnert wie gesagt kaum etwas. Landschaftlich reizvolle Ruinenstätte findet man in der Umgebung. Die bescheidenen Attraktionen der Stadt:

Museum/Baltalı Kapı: Das kleine archäologische Museum zeigt Funde der Umgebung, insbesondere aus Labranda und Euromos, insgesamt aber wenig Spannendes: ein paar Keramikstücke, Marmorstatuen und Säulenkapitelle. Zudem fällt hin und wieder der Strom aus, und dann bleibt der einzige Saal geschlossen.

Wer die Straße am Museum vorbei weiter gen Norden läuft, gelangt nach ca. 300 m zu dem römischen, mit korinthischen Kapitellen geschmückten *Baltalı Kapı* ("Tor mit der Axt"), ursprünglich Teil der Stadtmauer. Die Doppelaxt im Schlussstein des Torbogens ist Symbol des Göttervaters Zeus. Hier begann auch einst der Pilgerweg nach Labranda (→ S. 328).

Adresse/Öffnungszeiten Museum Şair Ülvi Akgün Cad., schräg gegenüber der Ulu Cami (ausgeschildert). Tägl. (außer Mo) 8.30–17.30 Uhr. Eintritt 0,60 €.

Gümüşkesen: Der zweistöckige marmorne Grabbau stammt aus dem 2. Jh. und kopierte das Mausoleum von Halikarnassos (→ S. 340). Auf der von Säulen umrahmten oberen Etage befindet sich ein Loch, durch das angeblich Wein auf die in der Grabkammer darunter liegenden Toten gekippt wurde, damit diese auch noch im Tod ihre Freuden hatten.

Adresse/Öffnungszeiten Gümüşkesen Cad., ca. 1 km westlich des Zentrums (ausgeschildert). Unregelmäßige Öffnungszeiten, von außen jedoch stets einsehbar. Gelegentlich wird ein kleiner Eintritt verlangt.

Moscheen: Zu den interessantesten Gebetsstätten von Milas zählt die *Große Moschee (Ulu Cami)* an der Şair Ülvi Akgün Cad., schräg gegenüber dem Museum. Sie wurde, noch ganz in der Tradition des byzantinischen Kirchenbaus, im Jahre 1378 unter den Menteşe-Fürsten gebaut. Die mit kunstvollen Ornamenten verzierte *Firuz-Bey-Moschee* aus dem Jahr 1397, also nach der osmanischen Eroberung, folgt schon ganz dem osmanischen Stil, wie er in Bursa gepflegt wurde. Wegen ihrer bleigedeckten Kuppeln wird die Moschee im Norden der Altstadt vom Volksmund auch *Kurşunlu Cami* ("Bleierne Moschee") genannt.

Beçin-Burg (Beçin Kalesi): Im 14. Jh. verlegten die Menteşeoğulları ihre Residenz auf ein 200 m hohes Karstplateau einige Kilometer südlich der Stadt. Die neue Festung wurde auf den Überresten eines antiken Tempels errichtet und war noch im 17. Jh. von offenbar vermögenden Menschen bewohnt – ein kürzlich geborgener, 30 kg schwerer Schatz aus 60.000 weitgehend osmanischen Münzen ist der bislang größte Münzfund auf dem Gebiet der Türkei. Von der Burg selbst ist nicht mehr allzu viel zu sehen, doch der Ausblick von oben über die weite Ebene ist herrlich.

Adresse/Öffnungszeiten Die Festung befindet sich ca. 5 km südlich des Zentrums an der Straße nach Ören (ausgeschildert). Ören-**Dolmuşe** passieren den Vorort. Tägl. bis zum Sonnenuntergang. Eintritt ca. 1 € (sofern jemand da ist).

Umgebung von Milas

Zeusheiligtum von Labranda: Auf 700 m Höhe in einer wildromantischen Bergwelt 14 km nördlich von Milas beeindrucken die archaischen Ruinen Labrandas, einst der bedeutendste Kultort Kariens. Der Name rührt daher, dass Göttervater Zeus hier mit einer Doppelaxt (= *labrys*) dargestellt wurde.

Früher führte von Mylasa ein gepflasterter Prozessionsweg zu diesem Bergheiligtum, heute ist die einsame Ruinenstätte über ein schmales Sträßlein zu erreichen. Auf vier künstlichen Terrassen erstreckt sich die imposante Anlage. Archäologen der schwedischen Universität Upsala, unter deren Leitung immer wieder Ausgrabungen stattfanden, vermuten, dass die ältesten Fundamente bis in das 7. Jh. v. Chr. zurückreichen. Die bedeutendsten Bauwerke stammen aus dem 4. Jh. vor Chr. und entstanden im Auftrag von Mausolos (→ Bodrum/Geschichte, S. 332) und dessen Bruder Idrieus. Mausolos, der in Labranda ein Attentat überlebt hatte, wollte damit den Göttern seinen Dank bezeugen. In römischer Zeit wurde die Anlage erweitert und umgebaut, nach einer schweren Brandkatastrophe im 4. Jh. gab man die Kultstätte auf.

Die wichtigsten Bauwerke sind mit Hinweistafeln versehen. Vom kleinen Parkplatz an der Straße steigt man für gewöhnlich zuerst zum *Propyläenbereich* im Südosten des Heiligen Bezirks auf. In der Antike betrat man hier

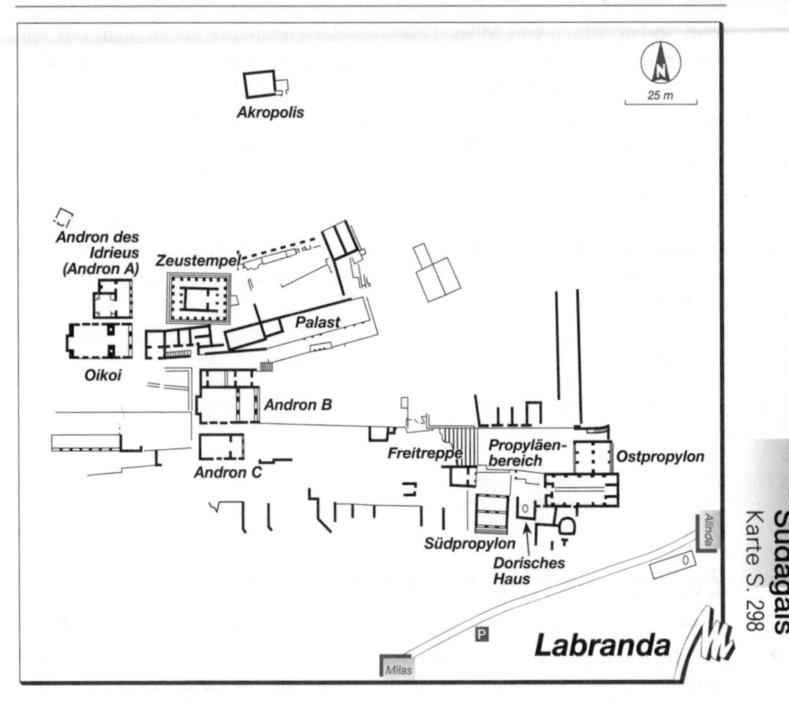

durch mächtige, mit Säulenhallen geschmückte Torbauten den Tempelbezirk. Die wenigen Reste des Ost- und Südpropylons lassen den alten Glanz kaum mehr erahnen.

Eine 12 m breite Freitreppe führt weiter in den westlichen Teil des Heiligen Bezirks, wo u. a. die *Andrones* ("Männergemächer") des Heiligtums lagen – Gebäude, in denen religiöse Zeremonien zu Ehren Zeus' stattfanden. *Das Andron des Idrieus* (Andron A) ist zugleich das besterhaltene Gebäude der gesamten Grabungsstätte. Das sog. *Oikoi* daneben diente als Archiv und gelegentlich auch für kultische Gelage.

Auf der obersten Terrasse stehen und liegen die Reste des *Zeustempels*, der dem Athenatempel in Priene ähnelte und daher auch dem gleichen Architekten zugeschrieben wird. Die Aussicht von hier begeistert nicht nur Trümmerfreaks.

• Anfahrt Keine Dolmuşanbindung, die Anfahrt ist nur mit dem eigenen Fahrzeug oder mit dem Taxi (retour ca. 24 €) möglich. Die Straße nach Labranda (im Norden von Milas ausgeschildert) ist vollständig geteert, durch starken LKW-Verkehr streckenweise jedoch mit Schlaglöchern übersät. Wer von Labranda weitere 18 km durch die Einsamkeit holpert, gelangt zur Ausgrabungsstätte Alinda im Dorf Karpuzlu (→ Umgebung Aydın, S. 283).

• Öffnungszeiten Das Gelände ist stets zugänglich, Tickets werden von der auf dem Ruinengelände wohnenden Familie verkauft. Eintritt 1,80 €, erm. 0,60 €.

Eskihisar mit Stratonikeia: Die Überreste der antiken Stadt Stratonikeia aus dem 3. Jh. v. Chr. liegen in und um Eskihisar verstreut, einem Geisterdorf rund 30 km östlich von Milas. Das Gros der Einwohner kehrte dem Ort vor etwa 20 Jahren den Rücken, als die riesigen Abraumhalden der angrenzenden Braunkohlemine bedrohlich nahe rückten. Lediglich neun Familien leben noch heute in dem verfallenen, ehemals türkisch-griechischen Dorf. Ein Spaziergang führt vorbei an der eingestürzten Moschee, dem aufgegebenen Teehaus und leer stehenden, unkrautumrankten Häusern. Dazwischen die antiken Ruinen Stratonikeias: Zu sehen sind u. a. noch Teile der *Stadtmauer* (ganz im Norden), des *Gymnasions* (im Westen), des *Zeustempels* und des *Theaters* (im Süden nahe der Straße nach Milas). Reste Stratonikeias überdauerten aber auch als Bausubstanz in den Häusern Eskihisars – es lohnt der Blick aufs Detail.

• *Verbindungen/Anfahrt* Von Milas mit dem **Dolmuş** Richtung Muğla und an der Abzweigung nach Eskihisar aussteigen. Die Ruinen (ausgeschildert) befinden sich ca. 800 m abseits der Straße. Kein Eintritt, stets zugänglich. Alles ist bestens ausgeschildert. Lediglich das Schild "Müze" weist nicht zum Museum, sondern zum Depot des türkischen Ausgrabungsteams.

Falls Sie von Milas über Eskihisar nach Muğla fahren, lesen Sie weiter ab S. 357. Unterwegs passieren Sie das Braunkohleabbaugebiet von Yatağan.

Zwischen Milas und Bodrum

Von Milas führt die gut ausgebaute Nationalstraße 330 vorbei am gleichnamigen Flughafen nach Bodrum. Als reizvoll kann man die Strecke nicht bezeichnen, unmittelbar links oder rechts der Straße gibt es kaum etwas zu entdecken. Wenn die Straße das Meer küsst, reihen sich große Apartmentsiedlungen aneinander, Ortschaften wie Güvercinlik, ein lang gezogenes Küstendorf, kann man guten Gewissens links liegen lassen. Einen Ausflug wert ist der *Golf von Güllük*, an dem nicht nur das gleichnamige Städtchen liegt, sondern auch *Iasos*, eine beliebte Station "Blauer Reisen".

Iasos (Kıyıkışlacık)

Kıyıkışlacık ist malerisch – nur wenige Orte der türkischen Ägäisküste haben ihre Beschaulichkeit so über all die Zeiten bewahrt. Die Gründe sind schnell gefunden: Der nächste Strand befindet sich im 7 km entfernt gelegenen Zeytinlikuyu. Zudem liegt Kıyıkışlacık in der Einflugschneise des Flughafens Milas-Bodrum. Ansonsten ist der Ort ein kleines, nahezu unberührtes Paradies, wo man noch gemütlich in einer der Tavernen an der idyllischen Hafenbucht sitzen und den Fischern beim Ausbessern der Netze zuschauen kann. Auch vom türkischen Bauwahn blieb der Ort weitestgehend verschont.

Bekannter als unter seinem Zungenbrechernamen ist Kıyıkışlacık als *Iasos*, so genannt nach der Altsiedlung auf der dem Hafen gegenüber liegenden Halbinsel. Italienische Archäologen, die jeden Sommer drei Monate aktiv sind, haben hier die Ruinen einer einst wohlhabenden karischen Stadt ausgegraben. Iasos, vermutlich im 9. Jh. v. Chr. gegründet, war von einer wehrhaften Mauer geschützt; eine Akropolis krönte die Halbinsel. Wer heute zwischen Olivenbäumen durch das Ausgrabungsgelände schlendert, stößt u. a. auf Reste eines *Zeustempels*, einer *Agora*, eines *Gymnasion*, eines *Bouleuterions* und einer *byzantinischen Basilika.*

Am eindrucksvollsten ist das herrlich restaurierte römische *Heroon* (außerhalb des Grabungsgeländes, mit "Balıkpazarı Açıkhava Müzesi" ausgeschildert). Bis vor nicht allzu langer Zeit nutzten die Einwohner den monumentalen Grabbau als Fischmarkt. Heute dient er als Museum für Funde aus Iasos, insbesondere Torsi und Fragmente.

• *Anfahrt* Im Sommer regelmäßige **Dolmuş**verbindungen nach Milas. **Bootsausflüge** werden nach Güllük angeboten. Von der Straße Milas-Bodrum und von der Straße Milas-Söke ausgeschildert.

• *Öffnungszeiten des Grabungsgeländes* tägl. 8.30–18 Uhr, im Winter eine Stunde kürzer. Eintritt 1,80 €, erm. 0,60 €. Im Ticket ist der Besuch des Museums inbegriffen. Ein Übersichtsplan des Geländes befindet sich neben dem Kassenhäuschen.

• *Übernachten* **Kaya Pension**, deutschsprachiger Familienbetrieb, hoch über dem Dorf (ab der Moschee ausgeschildert). 16 Zimmer, die neueren Datums sind rund um einen Pool gebaut. Freundlich mit Naturholzmöbeln, blauen Vorhängen und Deckenventilator ausgestattet. Herrliche Aussichtsterrasse. Von Lesern empfohlen. DZ mit Frühstück 18 €. ✆ 0252/5377439, www.kaya-pension.de.

Iasos Pension, am Hafen über der Jandarma-Station. Hier wohnt u. a. das italienische Ausgrabungsteam im Sommer. 7 schlichte, aber freundliche Zimmer mit eigenem Bad. Nette Etagenterrassen mit Blick über den Hafen. Sehr freundliche Wirtsleute. DZ ohne Frühstück 9 €. ✆ 0252/5377322.

Südägäis Karte S. 298

Güllük

Güllük, 18 km südwestlich von Milas, erstreckt sich über mehrere Buchten. Trotz mickriger, handtuchbreiter Strände – der akzeptabelste befindet sich in der nördlichsten Bucht – werden diese von Feriensiedlungen umrahmt. Die Hauptbucht nimmt eine Werft samt einer großen Mole in Anspruch, an der rostige Frachter festmachen, um im Hinterland abgebautes Bauxit aufzunehmen. Zu einem Touristenmagnet steigt man so nicht auf! Wer darüber hinweg sehen kann, findet hier jedoch eine lustige Mischung aus Urlaubern und Werftarbeitern, die es sich allabendlich in den Lokantas am Hafen gut gehen lassen. An der südlichsten Bucht steht ein Erholungsheim für Türk-Petrol-Angestellte.

• *Verbindungen/Bootsausflüge* Häufige **Dolmuş**verbindungen nach Milas; mehrmals tägl. im Sommer auch nach Bodrum. **Bootsausflüge** werden u. a. nach Iasos und Didyma angeboten, pro Person mit Mittagessen 10 €.

• *Übernachten* ****Corintha Güllük Hotel**, eines der zwei Corinthia-Hotels im Ort. 36 komfortable Zimmer. Mit dem Bruderhaus teilt man sich Disco, Pools, Hamam, Tennisplätze etc. Zudem ein hauseigener Beachclub am Meer – wer hier ins Wasser springt, könnte geradeso im Hafenbecken von İzmir baden. DZ mit Frühstück 90 €. ✆ 0252/5223748, www.corinthiahotels.com.

Özer Hotel, im Süden der Hauptbucht. Laut Prospekt heißt ein Urlaub im Özer "das Leben wieder entdecken". Leicht übertrieben, dennoch eine der schönsten Unterkünfte vor Ort. 38 geräumige Zimmer, alle mit Balkon, größtenteils mit gefliesten Böden. Schmaler Strandabschnitt. Große gemütliche Terrasse. DZ mit Frühstück 27 €. Gutes Preis-Leistungs-Verhältnis. ✆ 0252/5223377, 📠 5222742.

Motel Semra, 2002 eröffnete Herberge in der ersten Bucht nördlich der Hauptbucht. 12 schlichte, aber ordentliche Zimmer, einige davon mit Meeresblick (solange das brachliegende Grundstück vorm Haus noch nicht bebaut ist) und Balkon. Dachterrasse. DZ 12 €, kein Frühstück. ✆ 0252/5222684.

Bodrum

(40.000 Einwohner im Winter, ca. 250.000 im Sommer)

"St. Tropez" und "Ibiza", Noblesse und Nightlife – Bodrum bietet alles. Das weiße Zuckerwürfelstädtchen mit seinem großen Jachthafen zählt zu den beliebtesten Fotomotiven der Ägäis. Wahrzeichen der Stadt ist die Johanniterburg auf einer Halbinsel inmitten der malerischen Zwillingsbucht.

Bodrum ist die Perle der türkischen Westküste und viel besser als sein Ruf. Das weitgehend intakte und gepflegte Zentrum mit seinen weiß getünchten kubischen Häusern und palmengesäumten Promenaden macht den Reiz des Ortes aus. Verschlungene Gässchen mit blumenbewachsenden Villen und verwunschenen Gärten erinnern an die Zeit, als Bodrum noch griechisch war. Zum Glück hat man hier rechtzeitig erkannt, dass mit dem Bau klotziger Hotelburgen Image und Attraktivität Schaden nehmen.

Ansatzweise beschaulich ist das Städtchen jedoch nur noch in der Vor- und Nachsaison. Zwischen Juni und September herrscht in Bodrum rund um die Uhr Highlife. Touristen aus aller Herren Länder feiern hier mit der türkischen Jeunesse dorée die heißesten Partys des Jahres. Selbst die vom Nachtleben verwöhnten İstanbulis schwärmen in den Sommermonaten auf die Bodrum-Halbinsel. Lebenslustiger, freizügiger und ausgeflippter geht es in der Türkei kaum irgendwo zu.

Die Beliebtheit Bodrums als Urlaubsort und Zweitwohnsitz hat zufolge, dass sich die Stadt mehr und mehr ausdehnt – mittlerweile ist sie mit den Nachbarorten İçmeler im Süden und Gümbet im Westen zusammengewachsen. Gümbet bietet übrigens das, was Bodrum leider (oder zum Glück?) fehlt: einen langen Sandstrand. So ist die Stadt weniger Standort denn Ausflugsziel der Pauschaltouristen aus den Resorts der Umgebung.

Geschichte

Man nimmt an, dass das antike *Halikarnassos* in der heutigen Bucht von Bodrum auf eine dorische Gründung aus dem 11. Jh. v. Chr. zurückgeht. Die erste berühmte Persönlichkeit der Stadt war Artemisia I. von Halikarnassos, die 480 v. Chr. so tapfer und mutig auf Seiten des persischen Königs Xerxes kämpfte, dass dieser den bekannten Ausspruch tat: "Die Männer sind mir zu Weibern und die Weiber zu Männern geworden." Auch ihr Enkel Herodot (vermutlich 485–425 v. Chr.), der als "Vater der Geschichtsschreibung" gilt, schmückt die Stadtannalen. Zu einer der angesehensten und blühendsten Städte der Region entwickelte sich Halikarnassos im 4. Jh. v. Chr., als der persische Satrap Mausolos (376–353 v. Chr.) seinen Regierungssitz von Milas nach Halikarnassos verlegte. Dessen monumentaler Grabbau machte auch seinen Namen unsterblich (→ Sehenswertes).

334 v. Chr. traf Alexander der Große bei der Eroberung der Stadt auf heftigen Widerstand. Die erste Hälfte des hellenistischen Zeitalters bescherte mehrere kurzfristige Fremdherrschaften, unter denen sich Halikarnassos aber stets als bedeutendes Zentrum behaupten konnte. Erst als Rom 190 v. Chr. die Herrschaft über Karien gewann, begann der Stern der Stadt zu sinken. Und als Ver-

Blick über Bodrum

Südägäis
Karte S. 298

res, der Statthalter von Kilikien, auch noch alle Kunstwerke der Stadt raubte, rutschte Halikarnassos in die Bedeutungslosigkeit ab.

Das änderte sich erst wieder 1402, als die Osmanen gerade mit Timur Lenk beschäftigt waren und der Johanniterorden so ungestört Bodrum zu einer Festung ausbauen konnte. Rund 120 Jahre währte die Regentschaft der Ritter, dann eroberten die Osmanen Bodrum, und das Städtchen verschwand wieder aus den Geschichtsbüchern. Anfang des 20. Jh. brachten aus Kreta vertriebene Muslime den Bootsbau und die Schwammtaucherei nach Bodrum. 1923 mussten die mehrheitlich griechischen Einwohner im Rahmen des Bevölkerungsaustausches ihre Heimatstadt verlassen, eine zweite Welle aus Griechenland vertriebener Muslime übernahm ihre frei gewordenen Häuser.

Bescheiden lebte man weiterhin von den traditionellen Erwerbszweigen. Zu Besuch kamen lediglich unliebsam gewordene Künstler und Journalisten, die hierher verbannt wurden. Das änderte sich in den 1980ern. Der Tourismus entdeckte Bodrum und die dazugehörige Halbinsel. Innerhalb weniger Jahre wurde aus dem einfachen Fischerdorf der vielleicht exklusivste Ferienort der Türkei.

Information/Verbindungen/Ausflüge

- *Telefonvorwahl* 0252.
- *Information* Am Hafen vor dem Kastell. Ratsuchende werden mit Stadtplan und einer Broschüre abgefertigt. Im Sommer tägl. 8–12 Uhr und 13–17.30 Uhr, im Winter Sa/So geschlossen. ✆ 3161091, 📠 3167694.
- *Verbindungen* Der 1998 eröffnete **Flughafen DHMI Milas-Bodrum Hava Limanı** liegt ca. 35 km nordöstlich von Bodrum an der Straße nach Milas und fertigt jährlich ca. 600.000 Passagiere ab. Er besitzt einen nationalen und einen internationalen Terminal. Wer hier landet, hat (bevor er den Zoll passiert) noch die Möglichkeit, einen **Duty-free-Einkauf** zu tätigen; viele Waren sind günstiger als beim zollfreien Einkauf in

Deutschland oder an Bord. Im Ankunftsbereich des internationalen Terminals finden Sie einen EC-Automaten, eine Post, eine Tourist Information (✆ 5230101, ℻ 5230288, in der Regel nur zu den Ankunftszeiten der Flugzeuge besetzt) und ein Büro des Autoverleihers Avis. In der Hauptsaison mehrmals am Tag Flüge zu türkischen, deutschen, österreichischen und Schweizer Airports.

Transfer von und zum Flughafen: besorgen die sog. **Havaş-Busse** zu den Abflügen und nach Ankunft der THY-Maschinen. Abfahrt in Bodrum vom Busbahnhof (ca. 5 €), Auskünfte beim THY-Hauptbüro im Shoppingcenter Oasis (→ Einkaufen, ✆ 3171203, ℻ 3171211) oder in den zahlreichen THY-Vertretungen im Zentrum. Die Fahrt mit dem Taxi kostet rund 30 €. Vom Flughafengebäude bis zur dolmuşbefahrenen Verbindungsstraße Milas-Bodrum sind es ungefähr 1,5 km zu Fuß.

Bus/Dolmuş: Busbahnhof an der Cevat Şakir Cad., nur wenige Gehminuten vom Zentrum entfernt. Mehrmals tägl. nach Kuşadası (2–3 Std.), Antalya (10–12 Std.), Fethiye (5 Std.), Milas (1 Std.), İzmir (4 Std.), İstanbul (13 Std.), Ankara (14–15 Std.) und Pamukkale (7 Std.), zudem in die Ferienorte entlang der Küste und in die größeren Städte der Westtürkei. Vom Busbahnhof auch gute Dolmuşverbindungen zu allen Orten der Bodrum-Halbinsel und nach Milas.

• *Schiffsverbindungen* **Fähre nach Datça**, von Juni–Sept. 2-mal tägl., im Mai und Okt. nur 3-mal wöchentl., Fahrtzeit ca. 2 Stunden. Einfache Fahrt 7,50 €, Auto mit Fahrer 24 €, jede weitere Person 3 €. Reservierung unbedingt am Vortag! Das Schiff legt nicht in Datça selbst an, sondern in Körmen, an der Bodrum zugewandten Seite der Halbinsel Reşadiye. Dort steht ein Bus für die restl. 8 km bis Datça bereit (im Fahrpreis inkl.). Nicht als Tagesausflug zu empfehlen.

Fähre nach Didyma, von Ende Mai–Sept. 1-mal tägl., Fahrtdauer ca. 2 Stunden. Einfach Fahrt pro Person 8,50 €, Auto mit Fahrer einfach 29 €. Achtung: Diese Fähre legt nicht in Bodrum, sondern in Torba auf der Nordseite der Bodrum-Halbinsel ab!

Fähre nach Kós, in der Hochsaison 2- bis 3-mal tägl., ab Ende Okt. ca. 3-mal die Woche. Fahrtzeit 45 Min. Person einfach 15 € (retour 20 €), Auto (ohne Fahrer) retour 50 €.

Fähre nach Rhódos, mit dem Hydrofoilboot Mai–Sept. 3-mal wöchentl., retour 55 €, einfach 50 €. Fahrtzeit ca. 2 Std.

Tickets und Infos bei **Bodrum Ferryboat Association** am Hafen (✆ 3160882, www.bodrumferryboat.com), aber auch bei nahezu allen Tourenanbietern.

• *Bootsausflüge* Verschiedene Tagesfahrten zu verschiedenen Ankerplätzen, z. B. zur Karaada (Schwarzen Insel) mit heißen Quellen, zum Ortakent-Strand (→ S. 343) oder zum sog. "Aquarium", eine kristallklare Bucht zum Schnorcheln. Die Boote legen in der Salmakis-Bucht westlich der Burg in der Regel gegen 10.30 Uhr ab, Rückkehr 17 Uhr. Pro Person mit Mittagessen 10 €. Am besten in letzter Minute buchen, dann sehen Sie, wie überladen das Boot bereits ist.

• *Organisierte Touren* Dutzende Veranstalter bieten neben Bootsausflügen auch Trips ins Hinterland an. Angebote und Preise differieren nur wenig. Aus dem Programm von **Hi Tour (Merhaba Tour)** neben der Tourist Information (İskele Meydanı): Ausflug nach Pamukkale inkl. Mittagessen 20 €. Ephesus 30 €, Zwei-Tages-Tour nach Ephesus und Pamukkale 55 €, nach Milas 10 €, Jeepsafari rund 35 €. Zweigstelle in der Gümbet-Bucht gegenüber dem Otel Baba. ✆ 3169833, ℻ 3166518.

• *Jachtcharter* Die Küstengewässer um Bodrum sind ein Paradies für mehrtägige Jachttrips, dementsprechend gutes Charterangebot. Je nach Saison, Ausstattung und Größe (max. 12 Pers.) mit Crew 200–3000 € pro Tag. Verhandeln Sie direkt mit den Kapitänen am Jachthafen, oder wenden Sie sich dort an eine Agentur, z. B. **Admiraltour**, Neyzen Tevfik Cad. 78, ✆ 3161781, admiral@superonline.com.

Adressen/Einkaufen/Veranstaltungen

• *Ärztliche Versorgung* Gute deutschsprachige Betreuung in Zusammenarbeit mit dem Deutschen Krankenhaus in İstanbul bietet das **Universal Hospital Bodrum** an der Kavaklı Sarnıç Cad. weit oberhalb der Gümbet-Bucht, ✆ 3191515.

• *Autoverleih* Etliche Anbieter. Billigstes Fahrzeug bei lokalen Verleihern ca. 30 € pro Tag, bei den international operierenden Anbieter ca. 55 €. Ein paar Adressen: **Avis**, Neyzen Tevfik Cad. 92/A, ✆ 3161996, ℻ 3165880. **Europcar**, Hamam Sok. 1, ✆ 3165632, ℻ 3163776. **Sixt**, über das Reisebüro Borda, Neyzen Tevfik Cad. 48, ✆ 3137764, ℻ 3166198.

• *Einkaufen* Teppiche, Lederjacken, Keramik, Schmuck, Kitsch jeder Art – das Angebot ist riesig. Doch vergleichsweise günstig oder billig ist Bodrum nicht. Bei wem nicht nur Münzen in der Tasche klimpern, findet Schickes (Tommy Hilfinger, Diesel, Paul & Shark Yachting etc.) in dem noblen **Shoppingcenter bei der Marina** mit einer so sauberen Fußgängerzone, dass man glatt vom Boden essen könnte. Ein weiteres modernes Shoppingcenter ist das **Oasis** an der Kıbrıs Şehitlerı Cad., der Umgehungsstraße nördlich des Zentrums. Neben vielen Bekleidungsgeschäften auch jede Menge preiswerter und guter Restaurants.

• *Geld* Unzählige Banken und Wechselstuben im Zentrum, eine **Yapı Kredi Bankası** mit Automat finden Sie z. B. an der Müftü Yakup Öneş Cad., der Uferpromenade zur Tourist Information.

• *Polizei* neben der Tourist Information, ✆ 3168080.

• *Post* an der Cevat Şakir Cad.

• *Türkisches Bad (Hamam)* Ein 250 Jahre altes Bad befindet sich an der Omurca Dere Sok. in der Kumbahçe-Bucht östlich der Burg. Für Männer und Frauen zugänglich. Eintritt mit Massage und allem Drum und Dran satte 16 €. Bis spät in den Abend geöffnet. Ein weiteres Bad, das **Bodrum Hamamı** (ähnliche Preise und Öffnungszeiten) liegt an der Cevat Şakir Cad. gegenüber dem Busbahnhof. Separate Abteilungen für Männer und Frauen.

• *Veranstaltungen* Alljährlich Ende Oktober **Gulet-Regatta**. Zudem diverse Events im Sommer.

• *Waschsalon* Fast an jeder Ecke findet sich eine Laundry, z. B. **Minik Laundry** gegenüber der Marina an der Neyzen Tevfik Cad. Eine Trommel waschen und trocknen kostet 3 €.

• *Zeitungen* und Zeitschriften in deutscher Sprache findet man an fast jedem Kiosk im Zentrum.

• *Zweiradverleih* Diverse Anbieter von motorisierten Zweirädern an der Straße zum Busbahnhof. Beispielsweise **Flash Rental Service** bietet Scooter von 50 ccm (15 € pro Tag) bis 180 ccm (40 €), dazu Enduros mit 600 ccm (65 €) und Chopper bis 800 ccm (75 €). Cevat Şakir Cad. 28, ✆ 3169636, ℻ 3169637. Fahrräder werden kaum vermietet, den Verleihern bringen sie mehr Ärger als Umsatz.

Übernachten/Camping (siehe Karte S. 336/337)

Bodrum bietet 60.000 Hotelbetten und Unterkünfte in allen Kategorien. Wer sich fürs Zentrum entscheidet, sollte auch am Nachtleben teilhaben wollen – Ruhe gibt es nicht. Für Juli bis Anfang September ist eine Reservierung dringend empfohlen. Bei der Zimmersuche hilft auch die Tourist Information weiter.

Antik Tiyatro Oteli (1), eines der schönsten kleinen Luxushotels der gesamten Türkei. Dezent-elegant eingerichtet. 19 komfortable Zimmer und 2 Suiten verteilen sich auf Terrassen, alle mit begrüntem Außenbereich – superbe Aussichten über die Stadt! Pool. Erstklassiges Restaurant angegliedert. Ein Wermutstropfen ist die Lage an der stark befahrenen Umgehungsstraße, doch liegen alle Zimmer an der straßenabgewandten Seite. DZ mit Frühstück 150 € (EZ gleicher Preis), Suite 375 €. Kıbrıs Şehitlerı Cad. 243, ✆ 3166053, www.antiquetheatrehotel.com.

Golden Key (26), ganz im Osten der weiten Kumbahçe-Bucht abseits des großen Gewusels, aber nicht des hörbaren Trubels. Grandioser Blick von der Terrasse. 8 luxuriös ausgestattete Zimmer und ein Apartment mit 2 Schlafzimmern in der ehemaligen Sommerresidenz des Ex-Premiers Mesut Yılmaz. Das hauseigene Boot bringt die Gäste zu den Buchten der Umgebung. DZ mit Frühstück ca. 110 €. Şalvarağa Sok. 18, ✆ 3130304, ℻ 3134106.

******Hotel Marina Vista (12)**, beim Jachthafen. 85 Zimmer auf verschiedene Häuser um einen Pool verteilt. Ordentlich, klassisch-modern eingerichtet, mit Marmorwaschbecken, leider nur recht kleine Fenster. Fitnessraum, Sauna. Recht entspannte Atmosphäre. Die Gänge könnte man mal wieder streichen ... DZ mit HP 90 €, als EZ 70 €. Neyzen Tevfik Cad. 226, ✆ 3130356, marinavista@superonline.com.

Merve Park Hotel (22), sehr freundliches kleines Hotel mit Zimmern wie aus "Schöner wohnen". Viele Antiquitäten. Pool. Einziger Haken: die laute Atatürk Cad. vor der Haustüre. Hausnr. 73. DZ 90 €, ✆ 3161546, www.mervepark.com.

Su Otel (2), das kleine bunte 12-Zimmer-Haus vereint Komfort mit witzigem Design. Etwas verschachtelte Anlage um einen kleinen Pool, überwachsen mit Bougainvilleen. Mit Liebe zum Detail eingerichtete Zimmer. Relativ ruhige Lage, doch nur ein Katzensprung zum Zentrum. DZ mit Frühstück 85 €. 1201 Sok., ✆ 3166906, www.suhotel.net.

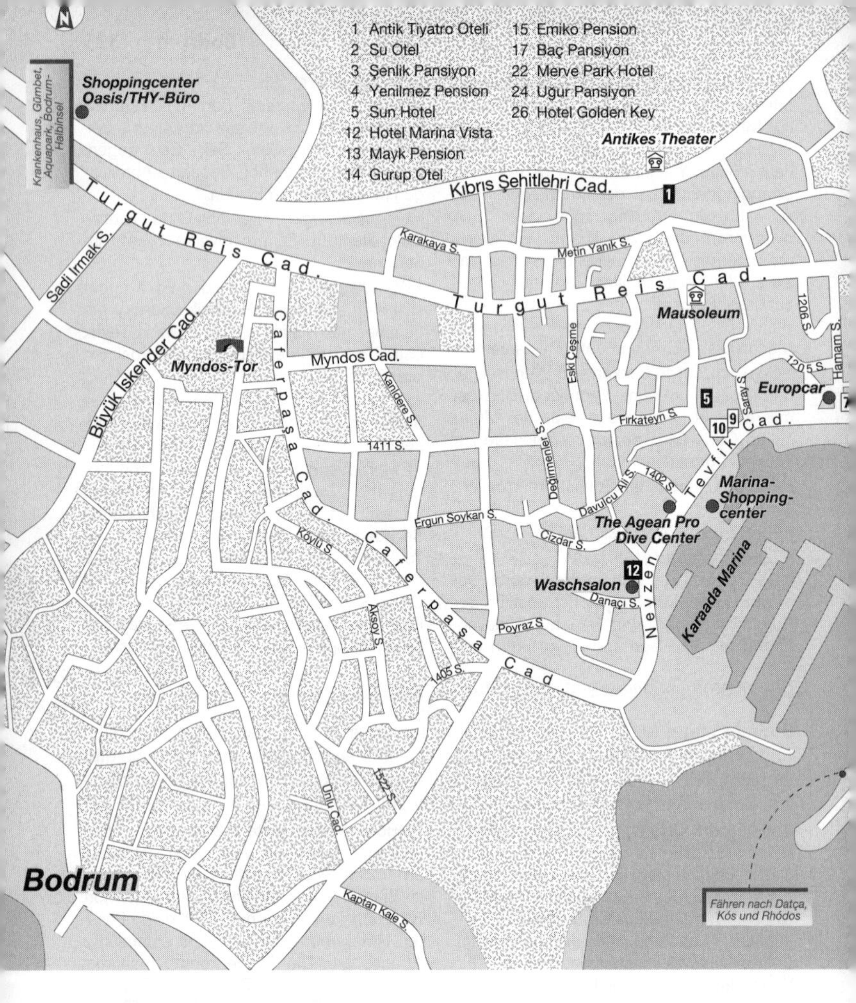

Baç Pansiyon (17), kleines gepflegtes und freundliches Haus in erster Reihe an der Kumbahçe-Bucht. 10 ansprechende Zimmer mit Klimaanlage und Marmorböden. DZ mit Balkon und Meeresblick 39 € (herrlich), zur Einkaufsmeile hinten raus 6 € weniger (langweilig). Cumhuriyet Cad. 14, ✆ 3161602, ℻ 3167917.

****Sun Hotel (5)**, ordentliche Mitteklasse in ruhiger Lage. 19 freundliche, gelb-rot gehaltene Zimmer mit schönen Bädern, teilweise ein bisschen dunkel. Schöne Frühstücksterrasse mit Blick über Burg und Hafen. DZ mit Frühstück 30 €, EZ 22 €. Fırkateyn 1406 Sok., ✆ 3162218, sunhotel@superonline.com.

Gurup Otel (14), zentraler geht's kaum. Am Belediye Meydanı über einem Teppichladen. Kleine Zimmer, jedoch mit Balkon (schmal), von dem sich das Treiben der Flaneure am Hafen hautnah mitverfolgen lässt. Insgesamt eine recht nette Adresse. Der Platz in der ersten Reihe kostet als DZ 25 €. Belediye Meydanı, ✆ 3161140, ℻ 3133151.

Emiko Pension (15), 2 blau-weiße Häuschen, die einen Hauch Griechenlandatmosphäre versprühen – dabei unter türkisch-japanischer Leitung. Schöner schattiger Garten. 7 sehr saubere DZ, einfach, aber okay und gemütlich. Inkl. Frühstück für 2 Pers. 20 €. Zentral in der Uslu Sok. 11, ✆ 3165560.

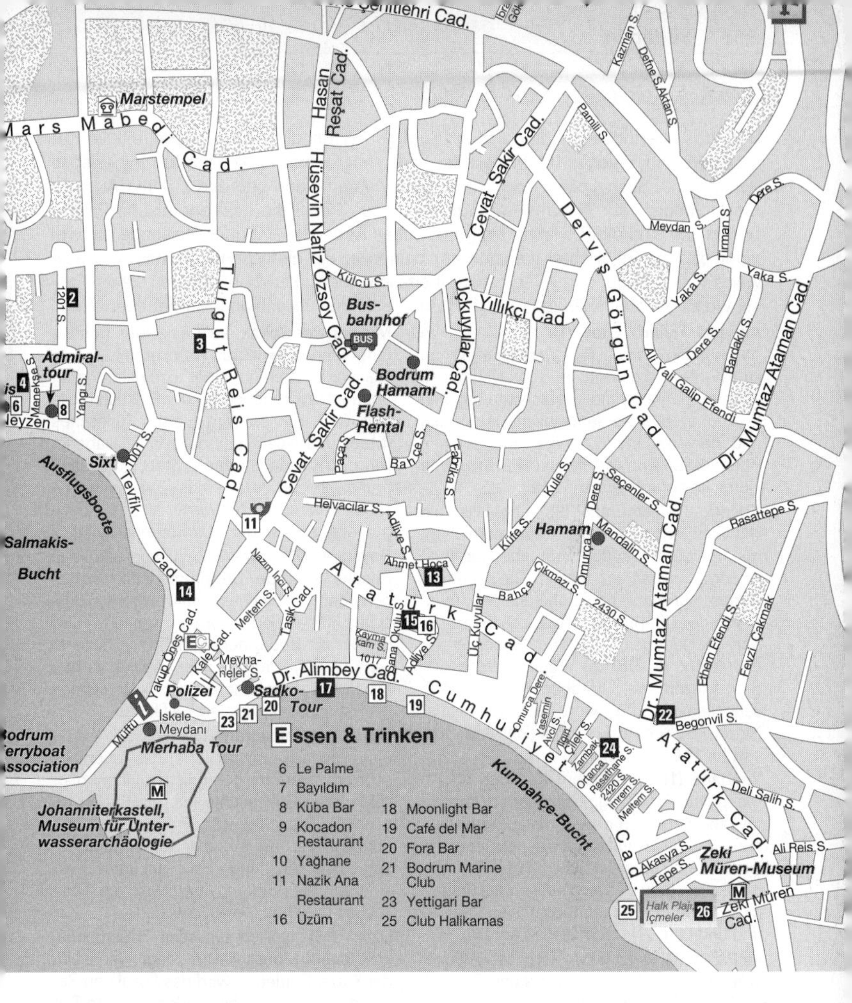

Şenlik Pansiyon (3), eine weitere gemütliche und zentrale Adresse in derselben Preisklasse. 10 saubere Zimmer mit Fliesenböden, ein netter Balkon, eine Dachterrasse. Relaxte, freundliche Atmosphäre. Heizung vorhanden. Türkkuyusu Cad. 115, ✆ 3166382.

Uğur Pansiyon (24), von Lesern empfohlen. Kein großer Komfort, dafür unweit des Zentrums und den angesagten Clubs. Terrasse mit Blick über die Bucht – am Morgen schön zum Frühstücken, am Abend gut für ein Bier (preiswert). DZ mit Dusche/WC 12 €. Rasathane Sok. 13, ✆ 3160362.

Yenilmez Pansiyon (4), 9 schlichte, sehr saubere Zimmer von unterschiedlicher Größe, alle mit privatem Bad. 4 Zimmer mit Balkon. Familiäre Atmosphäre, freundliche Wirtsfamilie. DZ 12 €. Kein Frühstück, dafür Gemeinschaftsküche. Menekşe Çıkmazı 30, ✆ 3162520.

Mayk Pension (13), etwas versteckt hinter der Atatürk Cad. Ruhig. Empfängt den Gast in einem weinumrankten Hohlweg, auch der Innenhof grün und freundlich. Zimmer im einfachen Standard. Fast ausschließlich türkisches Publikum. DZ mit Dusche/WC 10 €. Adliye Cad. 32, ✆ 3167315.

• *Camping* Der nächste Platz befindet sich in Gümbet (→ S. 343), einen weiteren schönen Platz finden Sie zudem am Yahşi-Strand (→ S. 344).

Essen & Trinken (siehe Karte S. 336/337)

Bodrums Ufermeile wandelt sich im Sommer allabendlich zum Präsentierteller der Schönen und Reichen. Nobelitaliener, indische, vietnamesische oder chinesische Restaurants, Sushi-Lokale, exquisite Fischrestaurants und und und ... – mit Ausnahme İstanbuls oder Ankaras ist nirgends in der Türkei die gastronomische Palette breiter und sind die Preise für ein gemütliches Abendessen höher. Reisende mit weniger dickem Geldbeutel weichen am besten in die einfachen Lokantas stadtauswärts aus. Um aber dort keine bösen Überraschungen zu erleben, erfragen sie die Preise, wo sie nicht aushängen oder die Gerichte nur in Türkisch angeschriebenen sind.

Antique Tiyatro Oteli (1), ein Dinner im gleichnamigen Hotel (→ Übernachten) kann zu einem unvergesslichen Bodrum-Erlebnis werden. Fantastische türkisch-internationale Küche, ebenso fantastische Ausblicke und hervorragender Service. Ein üppiges Abendessen kommt hier pro Person ohne Getränke auf mindestens 35 €.

Kocadon Restaurant (9), ebenfalls ein Highlight am Bodrumer Gastronomiehimmel. Beliebt bei in der Stadt lebenden Ausländern. Idyllischer, dezent beleuchteter Garten, nur durch eine hohe alte Steinmauer von der Uferpromenade abgeschirmt. 1a-Service. Nur abends geöffnet, Reservierung erwünscht (✆ 3163705). Täglich wechselndes Mezebüfett, Krabbencocktails, Artischocken etc... Preiswert die Tagesmenüs: Meze, Fisch- oder Fleischgericht und Dessert für 14 €. Saray Sok.1.

Yağhane (10), steht dem Kocadon an Atmosphäre nur wenig nach. Hier isst man in und zwischen den dezent restaurierten Ruinen einer alten Ölfabrik. Ausgefallene türkisch-internationale Küche: Forellensuppe mit Safran (2,70 €), Lammrücken auf Auberginenpüree (8,50 €), Jumbogarnelen (14,50 €) und und und... Neyzen Tevfik Cad. 170.

Le Palme (6), klingt französisch, serviert aber italienische Küche. Feine Pizza und Pasta in schönem Ambiente mit schmiedeeisernem Mobiliar, schneeweißen Tischdecken und wie geleckt aussehenden Kellnern. *Die* Abwechslung zwischen Pide und Kebab. Hauptgerichte 9–18 €. Neyzen Tevfik Cad. 90.

Meyhaneler Sokak, kein einzelnes Restaurant, sondern eine ganze Ansammlung von kleinen Lokalen in einer schmalen, grün überrankten Seitengasse der Einkaufsmeile Kale Cad. Serviert wird typisch Türkisches (Meze und Gegrilltes), dazu läuft allabendlich der Rakı in Strömen. Stets gute Stimmung, ab und zu Livemusik, viel einheimisches Publikum. Preiswerter als die Vorzeigerestaurants an der Uferpromenade.

Bayıldım (7), einfaches unspektakuläres Restaurant an der Uferpromenade, das neben dem Hühnchenschnitzel rein Türkisches (Kebab, Pide, Suppen) serviert – und das zu für Bodrumer Verhältnisse äußerst vernünftigen Preisen, der Adana Kebab z. B. 2,40 €. Empfehlenswert für ein schnelles Mittagessen. Neyzen Tevfik Cad. 122.

Nazik Ana Restaurant (11), türkische Küche ohne Schnickschnack und das ebenfalls sehr preiswert. Im gemütlichen Innenhoflokal werden Grillgerichte (ca. 1,80 €) und frische Topfgerichte (die Portion mit Reis ebenfalls ca. 1,80 €) serviert. Nur türkischsprachiger Aushang. Eski Hükümet Sok, eine schmale Seitengasse zwischen Türkkuyusu Cad. und Cevat Şakir Cad

Üzüm (16), typisch türkische Hausmannskost (super Moussaka!) mit tägl. wechselnder Karte. Betrieben wird das Lokal von Reha und seiner Frau, die beide auch eine Zeit lang in Deutschland lebten. So wissen sie auch Bratkartoffeln mit Spiegelei oder ein Schnitzel zu fabrizieren. Freundlich und gut, faire Preise. Netter Innenhof. Adliye Sok. 5.

Nachtleben (siehe Karte S. 336/337)

Bodrumer Nächte sind lang – nicht umsonst nennt man Bodrum das "Ibiza der Türkei". Denken Sie an ein dickes Make-up und an einen ebensolchen Geldbeutel und los kann es gehen. Übrigens herrscht vor ein Uhr nachts tote Hose. Die Zeit davor vertreibt man sich in den Bars an der Cumhuriyet und Dr. Alim Bey Cad. in der Kumbahçe-Bucht – englische Pubs, französische Bistros, feudale Treffs und einfachere Pinten wechseln sich kunterbunt ab. Die Fluktuation ist enorm und was heute in ist, kann morgen schon wieder out sein oder einen völlig anderen Namen haben – entdecken Sie selbst!

• *Clubs* **Halikarnas (25)**, Open-Air-Tanztempel für über 5.000 Partypeople, und das seit über 20 Jahren. Man zählt ihn zu den größten und (Eigenwerbung) gar zu den besten Discos der Welt. Auf jeden Fall kann er so manch europäische Großstadtdisco in die Tasche stecken. Bühne, Tribüne, Videoleinwände, Lasershows, Schaumpartys, Dachterrasse und riesige Tanzfläche. Musik zwischen Techno und Türkpop. Geöffnet bis zum Morgengrauen. Eintritt ca. 18 € mit 2 Freigetränken, Kinder bis 12 (!) halber Preis. Kumbahçe-Bucht.

Bodrum Marine Club (21), auf einem Katamaran, der in der Kumbahçe-Bucht am Fuße der Burg vertaut ist. Neben dem Halikarnas der angesagteste Club der Stadt. Bietet Platz für 2.500 Nachtschwärmer. Große Tanzfläche (Glasboden!), 8 Bars, dazu ein italienisches Restaurant. Im Sommer Preise wie das Halikarnas, in der Nachsaison oft kein Eintritt. Auch hier werden Türkpop, Techno und die Charts hoch und runter gespielt. Themenpartys. Ausfahrten mit Clubbetrieb sind leider selten. Dresscode! Ebenfalls bis zum Morgengrauen geöffnet.

• *Bars* **Yettigari Bar (23)**, nur ein paar Schritte vom Bodrum Marine Club entfernt. Gemütliche Bar am Fuße der Burg. Auch hier legen DJs auf (Musik quer durch den türkischen Garten), auch hier wird schon ein wenig getanzt. Chrommobiliar, nette Terrasse. Dr. Alim Bey Cad.

Fora Bar (20), nahe der Yettigari und mit ähnlich schöner Terrasse. Gusseiserne Bänke, kleine Tanzfläche. Dr. Alim Bey Cad.

Moonlight Bar (18), für alle, die es ein wenig romantischer mögen. Schöne Sonnenuntergangsadresse. Ein paar Tische direkt am Strand, Meeresrauschen und Blick auf die vor Anker liegenden Boote in der Bucht und die beleuchtete Burg. Etwas versteckt an der Cumhuriyet Cad. 60.

Café del Mar (19), ca. 100 m weiter. Ebenfalls ein paar Tische am Strand, dazu gemütliche Jazzmusik und neben wirklich gutem Kaffee auch allerlei Drinks. Richtig voll und lustig wird es hier weniger zum Sonnenuntergang als zum Sonnenaufgang, denn das Café del Mar ist zugleich eine gemütliche Afterhour-Bar – 24 Std. geöffnet. Cumhuriyet Cad.

Küba Bar (8), abseits der Barmeile in der Salmakis-Bucht. Topschick-modernes Ambiente unter schattigen Bäumen vor einem alten griechischen Haus. An der Neyzen Tefvik Cad.

Baden/Sport

• *Baden* In Bodrum sieht es wortwörtlich etwas trübe aus, auch wenn sich die Wasserqualität in den letzten Jahren verbessert hat – die gesamte Halbinsel bemüht sich um die "Blaue Flagge". Wenig reizvoll ist Bodrums öffentlicher Strand, der **Halk plajı** ganz im Süden der Kumbahçe-Bucht. Zum Baden weicht man besser auf die Strände der Bodrum-Halbinsel (→ S. 342) oder an die Küste östlich der Stadt (→ S. 354) aus – unser Favorit: Gümüşlük. Zudem bietet sich ein Bootsausflug mit Badestopps an.

• *Reiten* bietet u. a. **Sadko Tour** (deutschsprachig). Ein 3- bis 4-stündiger Reitausflug inkl. Mittagessen und Transfer vom Hotel führt in eine Bucht zum Baden, auf dem Pferd selbst verbringt man max. 90 Min. 30 €. Dr. Alim Bey Cad. 53, ✆ 3135235.

• *Spaßbad* **Club Aqua**, riesiger Aquapark mit einer Vielzahl an Rutschen etc. – eine Gaudi für Familien. Eintritt ca. 20 €, erm. die Hälfte. An der Straße nach Ortakent.

• *Tauchen* Mehrere Anbieter. Eine gute Adresse (englisch- und deutschsprachig) ist **The Aegean Pro Dive Centre** auf P.A.D.I.- und CMAS-Basis. Schnuppertauchgang inkl. Mittagessen 47 €. Fürs gleiche Geld werden auch zwei Bootstauchgänge für erfahrene Taucher angeboten (inkl. Equipment). Anfängerkurs P.A.D.I.-Open-Water 270 €. Neyzen Tevfik Cad. 212, ✆ 3160737, 📠 3131296.

Sehenswertes

Gleich vorweg: An das antike Halikarnassos erinnert nicht mehr viel, und das was erhalten blieb, ist weniger als unspektakulär und liegt über die ganze Stadt verstreut. Wer's nicht glauben will, kann z. B. an der Mars Mabedi Cad. oberhalb der Salmakis-Bucht die spärlichen Reste eines *Marstempels* suchen oder nahe der Büyük İskender Cad. auf dem Weg nach Gümbet die des *Myndos-Tores*, einst Teil der Stadtbefestigung. Zum *Theater (Antik Tiyatro)* aus dem 3. Jh.

v. Chr. an der vielbefahrenen Kıbrıs Şehitlerı Cad. hoch über der Stadt braucht man erst gar nicht aufsteigen: Ein Zaun verhindert den Zugang zur dilettantisch restaurierten Anlage. Noch die größte Attraktion des antiken Halikarnassos ist das Mausoleum.

Mausoleum: Das Mausoleum von Halikarnassos, ein monumentaler Grabbau, galt als eines der Sieben Weltwunder der Antike und wurde namensgebend für Grabstätten dieser Art. Fürst Mausolos ließ sein Grabmal bereits zu Lebzeiten entwerfen, nach seinem Tod wurde es unter Artemisia II., Schwester und Gattin in einer Person, fertig gestellt. Über 50 m hoch soll es gewesen sein, den Dachabschluss bildete eine Stufenpyramide, deren Spitze die Statuen von Mausolos und Artemisia mit einem Viergespann krönten. An der Ausschmückung des Grabbaus beteiligten sich die besten Künstler und Handwerker jener Zeit. Erdbeben und rücksichtsloser Steinraub beim Bau des Kastells führten dazu, dass heute nur noch Grundmauern vorhanden sind.

Erste Ausgrabungen am Mausoleum unternahm im 19. Jh. der Brite Charles Newton. Kostbare Funde wie Reliefs und Standbilder schenkte er dem Britischen Museum in London – für den Besucher von heute bleiben somit nur ein paar unspektakuläre Steine übrig.

Adresse/Öffnungszeiten Inmitten eines Wohnviertels, 100 m landeinwärts der Salmakis-Bucht, Turgutreis Cad. Tägl. (außer Mo) 8–17 Uhr. Eintritt 1,80 €.

Johanniterkastell St. Peter/Museum der Unterwasserarchäologie: Das mächtige Kastell errichtete der Johanniterorden in der ersten Hälfte des 15. Jh. auf den Fundamenten einer alten byzantinischen Festung. Zu jener Zeit besaß der Orden, der auf Rhodos einen souveränen Ritterstaat begründet hatte, eine gewaltige Flotte, mit der er islamische Handelsschiffe plünderte. Der Orden war in mehrere Landsmannschaften unterteilt, aufgrund der unterschiedlichen Sprachen auch "Zungen" genannt. Jede Zunge hatte ihre eigene Herberge und im Falle eines Angriffs einen Abschnitt der Festung zu verteidigen. Die Nationalitätenbezeichnungen der Türme stammen aus jener Zeit. 1523 wurden die Ritter aus der gesamten Ägäis vertrieben, ein paar Jahre später ließen sie sich auf Malta nieder. Während der osmanischen Zeit verlor das Kastell an Bedeutung, Ende des 19. Jh. wurde es in ein Gefängnis verwandelt. Unter Beschuss stand es das letzte Mal im Ersten Weltkrieg, als das französische Kriegsschiff Dubleix in die Bucht von Bodrum einlief. Heute beherbergt das Kastell ein Museum für Unterwasserarchäologie, das weltweit größte seiner Art – hört sich jedoch spannender an, als es ist. Bringen Sie ein Herz für Amphoren mit.

Der **Zugang** zum Kastell liegt an der Salmakis-Bucht. Kurz hinter dem Kassenhäuschen durchquert man einen kleinen Hof mit einem schattigen Café. Von dort gelangt man über eine Rampe entlang der Außenbastion in den Kern der Festung, zu einem Hof mit einem Maulbeerbaum in der Mitte. Rechter Hand steht dort eine kleine **Kapelle**, 1406 errichtet und 1523 von den Osmanen mit einem Minarett versehen. Sie beherbergt heute den nachgebauten Bug eines byzantinischen Schiffes, das im Jahre 626 vor der Bodrum-Halbinsel sank. Im Hof linker Hand befindet sich eine große **Amphorenausstellung**, das älteste Stück des Museums wird auf 1400 v. Chr. geschätzt

Neben der Kapelle führen Stufen in einen höher gelegenen, begrünten Hof mit frei umher laufendem Federvieh, darunter auch ein paar Pfauen. Dabei

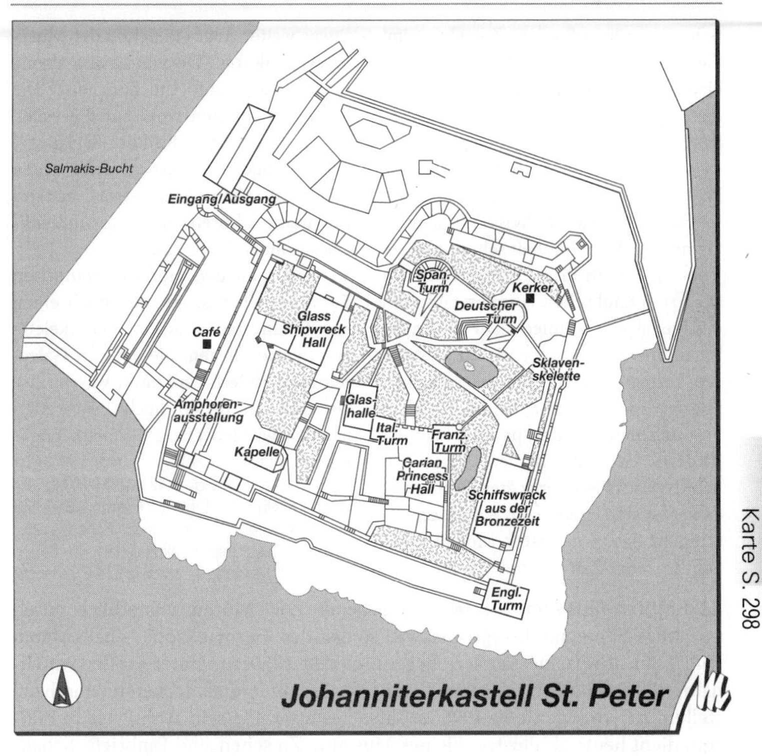

passiert man die sog. **Glashalle**. Was darin zu bestaunen ist, kann sich jeder denken: Väschen, Gläschen und Schälchen, die zwischen dem 14. Jh. v. Chr. und dem 11. Jh. n. Chr. auf dem Meeresboden versanken. Ein paar Schritte weiter liegt der Eingang zur sog. **Glass Shipwreck Hall** (separater Eintrittspreis, Ausgang im tiefer gelegenen Hof). Hier steht das Skelett eines Handelsschiffes, das im Jahre 1025 nahe Marmaris sank, angeblich das älteste Schiffswrack der Welt. Ausgestellt sind zudem Funde der Ladung und persönliche Gegenstände der Besatzung.

Wieder ein paar Schritte weiter steht der **Spanische Turm**, auch Schlangenturm genannt, da links des Eingangs das Relief einer Schlange in den Stein gehauen ist. Im Inneren: Amphoren. Die kleine Exposition in den oberen Räumlichkeiten des Turmes zum Thema "Geburt, Leben und Tod", war z. Z. der Recherche geschlossen. Ähnlich das Bild im **Deutschen Turm** nahebei: unten Amphoren, die Exposition darüber mit Mobiliar im Stil der deutschen Renaissance war ebenfalls geschlossen.

Gegenüber erheben sich der **Italienische** und der **Französische Turm**. Erster beherbergt eine kleine Münz- und Schmucksammlung, Letzterer mittelalterliche Waffen. Von der Terrasse zwischen den beiden Türmen genießt man eine herrliche Aussicht über Bodrum.

Es folgt die sog. **Carian Princess Hall** (ebenfalls separater Eintrittspreis). In ihr liegen die Gebeine der karischen "Prinzessin" Ada aus dem 4. Jh. v. Chr. Ihr Sarkophag wurde 1989 bei Bauarbeiten nahe Bodrum gefunden. Zu sehen sind Grabbeigaben (u. a. goldene Armreife, eine Kette und ein Lorbeerkranz) und – der Stolz des Museums – ein lebensgroßes Modell der Dame. Entworfen wurde es nach neuesten pathologischen Erkenntnissen an der Universität Manchester. Schade nur, dass die Wissenschaft nicht zugunsten der Schönheit schummelt.

Von der Carian Princess Hall führt ein Weg zum **Englischen Turm** im Südosten des Kastells. Sein Innendekor soll an die Johanniter erinnern, er ist mit Rüstungen, Fahnen und Wappen geschmückt.

Spaziert man an der äußeren, östlichen Festungsmauer weiter, passiert man ein niederes Gebäude, in dem Reste von Schiffswracks aus der späten Bronzezeit zu sehen sind, dazu auch ein etwas kitschig in Szene gesetztes Modell eines Schiffes jener Zeit im Querschnitt.

Etwas weiter fragt ein Schild der Museumsverwaltung: "Do you have a strong heart to walk into the dungeon?" Die Frage bezieht sich wohl auf die vielen Stufen hinab zum **Kerker** (Sackgasse) denn Schockierendes erwartet einen nicht: Zu sehen ist ein etwas düsteres Rot und zu hören ein etwas undeutliches Stöhnen (vom Band).

Verlässt man den Hof am **Deutschen Turm** vorbei, passiert man noch einen Ausstellungsraum, in dem die Skelette von Sklaven liegen, die auf den Galeeren zum Rudern verdammt waren. Ihre Gebeine, an denen noch Eisenketten hängen, wurden erst 1993 beim Englischen Turm entdeckt.

• *Öffnungszeiten* tägl. 9–12 und 13–18 Uhr (im Winter bis 17 Uhr). Eintritt 6 €, erm. 2,50 €. Für die Besichtigung der Carian Princess Hall und der Glass Shipwreck Hall (tägl. 10–12 und 14–16 Uhr) werden zusätzlich je 0,80 € verlangt.

Zeki-Müren-Museum: Die lebende Legende Zeki Müren, unsterblich durch unzählige Filme und Evergreens, war, so heißt es, Hermaphrodit – halb Mann, halb Frau. Ihre/seine Karriere begann in den 1950ern. Unter großer Anteilnahme – erstaunlich in einem Land mit alles andere als lockeren Moralvorstellungen – wurde sie/er 1996 in Bursa bestattet. Ihr/sein Wohnhaus in Bodrum dient heute als illustres kleines Museum. Zu sehen sind Fanbriefe, Schallplatten und – selbstverständlich – mehrere phantasievolle Kostüme.

Adresse/Öffnungszeiten Zeki Müren Cad. Tägl. (außer Mo) 8.30–12 und 13–17 Uhr. Eintritt 1,20 €.

Die Bodrum-Halbinsel

Das Idyll einer unberührten Natur existiert auf der Bodrum-Halbinsel längst nicht mehr. Feriendörfer und Clubanlagen beherrschen die meisten Buchten, und im Legostil wird kräftig weiter gebaut. Viele einst romantische Plätzchen haben dadurch stark an Reiz verloren – nicht jedoch in den Augen der Highsociety des Landes. Für sie ist die Bodrum-Halbinsel noch immer *das* Sommerdomizil schlechthin. Dementsprechend gepflegt und teuer präsentieren sich viele Orte.

Hinweis: Die Dolmuşverbindungen zwischen Bodrum und den Dörfern auf der Halbinsel sind sehr gut, nicht aber die Verbindung zwischen den Dörfern. Für eine Umrundung der Halbinsel ist deshalb ein eigenes Fahrzeug ratsam.

Ein Genuss sind auf jeden Fall zum Sonnenuntergang die Ausblicke vom bergigen Inland über die buchtenreichen Küsten, für zusätzliche Reize sorgen dabei die Silhouetten der vorgelagerten Inseln. In den Bauerndörfern fallen oft große weiße, halbrunde Zisternen auf. Das im Winter darin gespeicherte Regenwasser half bis noch vor einigen Jahrzehnten durstigem Vieh und trockenen Feldern über den Sommer. Heute sind die Zisternen in der Regel funktionslos. Die Halbinsel im Uhrzeigersinn:

Gümbet: Die weite Bucht 5 km westlich von Bodrum ist fest in der Hand von Pauschalurlaubern, vorrangig aus Deutschland und England. Der recht schmale Strand wird im Frühjahr mit einigen LKW-Ladungen Sand aufgemotzt. In der Hochsaison lässt sich vom Liegestuhl gemütlich die "Bild" in der Hand des Nachbarn lesen. Gleich hinter dem Strand erstrecken sich die Bars, Restaurants und Hotels, Letztere sind überwiegend gepflegte Clubanlagen. Gümbet bietet zudem alles weitere, was einen Pauschalurlaub gelungen macht: zahlreiche Souvenirshops, ein turbulentes Nachtleben und ein großes Sportangebot zu Wasser, wenn auch über die Qualität des Letzteren die Meinungen auseinandergehen.

Die 5 km nach Gümbet kann man von Bodrums Marina aus gemütlich an alten Windmühlen vorbei zu Fuß bewältigen. Als Belohnung winken schöne Blicke über die Buchten der beiden Orte.

• *Übernachten/Camping* Für Individualtouristen sieht es – Camper ausgenommen – recht trübe aus. Pensionen gibt es erst in dritter und vierter Reihe, für den gleichen Preis kommt man anderswo jedoch schöner unter. Unsere Empfehlungen am Strand:

***Hotel Sami**, beliebte Adresse deutscher Pauschalreisender. Schöner Poolbereich, Palmengarten mit Hängematte, Karaoke am Abend, Strandbar, Hamam. DZ mit HP 71 €, lassen Sie sich eines im neueren Teil der Anlage geben. ✆ 3161048, www.samigroup.com.

***Hotel Baba**, das etwas einfachere Pendant der Engländer. 145 Zimmer, davor ein Pool und das Meer. DZ mit Frühstück 30 €. ✆ 0252/3166696, www.babahotel.com.

Zetaş Camping, einer der besten Plätze der Halbinsel. Große schattige Wiese, ordentliche Sanitäranlagen in großer Zahl, Camperküche, relaxte Atmosphäre. Markt und Restaurant. Wohnwagenfreundlich. Strandanschluss. Campen für 2 Pers., egal ob mit Zelt oder Wohnmobil, 8,50 €. Mai–Ende Okt. ✆ 0252/3162231, www.zetastourism.com.

• *Wassersport* Gümbet ist Bodrums Eldorado für Wassersportler, ein paar Preisbeispiele: 15 Min. Wasserski 27 €, 15 Min. auf der großen Banane 11 €, 15 Min. Jetski für 2 Pers. 21 €, Parasailing 33 €, Paddelboot 11 €. Zahlreiche Anbieter am Strand.

Bitez: Eine Bucht weiter liegt Bitez, die ruhigere und bescheidenere Fortsetzung Gümbets. Der schmale Strand mit einer Moschee direkt am Meer ist im Sommer kaum voll. Das Wassersportangebot ist das Gleiche. Jeden ersten Sonntag im Monat findet hier zudem ein Flohmarkt statt.

• *Übernachten* Die meisten Unterkünfte liegen direkt am Strand, darunter – anders als in Gümbet – auch ein paar einfachere.

Yalı Han, sehr freundliches kleines Hotel. 21 Zimmer direkt am Strand, 16 davon mit Meeresblick. Tauch- und Surfmöglichkeiten. Eigener Pool. DZ inkl. Frühstück 30 €. ✆ 0252/3637772, www.yalihan.bitez.net.

Çömez Otel, freundliche Herberge, leicht vom Strand zurückversetzt. 16 saubere Zimmer, 3 davon mit Balkon, 6 mit Klimaanlage. Der Hit ist die Wahnsinnsterrasse mit Blick über die ganze Bucht, auf der auch das Frühstück serviert wird. DZ mit Frühstück 24 €. ✆ 0252/3638181.

Ortakent und Yahşi: Die eigentlichen Dörfer liegen im Inneren der Halbinsel und sind wenig spektakulär. Unten am Meer besitzen sie jedoch zwei gleichnamige, von einem kleinen Hafen getrennte Strände. Hinter beiden erstreckt sich eine Ansammlung von Hotels, Pensionen und Feriensiedlungen, die vorrangig von Türken besucht werden. So ist das weit verstreute Stranddorf während der lokalen Schulferien gnadenlos überfüllt, davor und danach aber gespenstisch leer. Am meisten geboten wird am Yahşi-Beach, dem westlichen Strand.

• *Übernachten/Camping* Die hiesigen Unterkünfte sind in der Regel einfacher Art.

Akça Hotel, direkt am Strand. Eine der besseren Adressen vor Ort: freundliche, zum Meer hin U-förmige, von Bougainvilleen umrankte Anlage um einen Pool. 80 schlichte Zimmer mit Klimaanlage. DZ mit HP 41 €. ✆ 0252/3481524, www.akcahotel.8k.com.

Aras Pansiyon, Familienpension hinter dem gleichnamigen Laden. 2 Gehminuten vom Yahşi-Strand. 40 saubere, gut ausgestattete Zimmer mit Balkon bzw. Terrasse. Versuchen Sie eines der Zimmer nach hinten zu bekommen, vorne ist man der Lärmkulisse des gegenüber liegenden Hotelgartens ausgesetzt. DZ 12 €. ✆ 0252/3483140.

Kaktüs Camping & Motel, am Ostende des Yahşi-Strands. Der gepflegte und ansprechende Platz wurde gärtnerisch gestaltet, es gibt Kakteen und junge Palmen. Viele Stellplätze. Nette Motelzimmer mit Terrasse zum Meer, im DZ mit HP 35 €. Campen für 2 Pers. mit Auto und Zelt ca. 6 €. Nur Mai–Ende Sept. ✆ 0252/3483004.

Kargıkoyu ("Camel Beach"): Tagaus tagein schaukeln hier Touristen auf Kamelen umher, daher der Spitzname der Bucht, die ein beliebtes Ziel von Bootsausflügen ist. Die Clubanlagen verstecken sich dezent hinter dem unverbauten Uferbereich, auf den Hängen drum herum stehen Feriensiedlungen. **Bağla** und **Karaincir**, die Buchten weiter südlich, sehen ähnlich aus. Dazwischen liegt noch der Beachclub "Aspat Clubb'inn" – er beansprucht eine ganze Bucht für sich. Gegen eine Eintrittsgebühr von 9 € kann man sich hier zum Sommer-Jetset gesellen. Geboten werden mehrere Restaurants und Bars, ein Open-Air-Kino, eine Gokart-Bahn, ein Beautysalon, ein Tattoo- und Piercing-Studio und alles, was Partypeople sonst noch mögen. Bei all der Schönheit vor Ort fällt der – zumal wenig ansprechende – Strand kaum auf.

Camel Beach – die Trophy der anderen Art

Akyarlar: Das ehemalige Fischerdorf eignet sich sowohl für einen Ausflug als auch für ein paar geruhsame Tage. Der schmale Strand berauscht nicht, hat aber Flair: Ihn säumen ein paar alte griechische Häuser. Neuerdings trübt leider der Bau einer gigantischen Clubanlage im Westen der Bucht die Aussicht. Die gemütlichen Fischlokale des Dorfes gehören übrigens zu den billigsten der Halbinsel. Westlich von Akyarlar schließt sich die Bucht **Akçabük** mit der Feriensiedlung **Rüya Kent Sitesi** (ebenfalls mit Stränden) an.

• *Übernachten* **Babadan Motel,** direkt am Strand gelegen. 31 schlichte Zimmer mit privaten Sanitäranlagen und ohne Aussicht, 3 in herrlicher Lage zur Meerseite hin. DZ mit Frühstück 21 €. Restaurant mit Terrasse am Meer angeschlossen. Nur Juni–Anfang Okt. ✆ 0252/3936002, 📠 3937987. Ein paar gepflegte **Pensionen** findet man zudem über der Akçabük-Bucht.

Turgutreis: Noch vor gar nicht allzu langer Zeit war der Ort, benannt nach dem berühmten osmanischen Seefahrer Turgut Reis (16. Jh.), nichts anderes als ein verschlafenes Fischerdorf. Mittlerweile ist Turgutreis mit 10.000 Einwohnern (im Sommer ca. 25.000) das nach Bodrum zweitgrößte Städtchen auf der Halbinsel und ebenso voll und ganz auf Tourismus eingestellt. Trotzdem geht es am nicht gar zu vollen, langen Sandstrand und im kleinen Zentrum noch immer beschaulich und zurückhaltend zu. Selbst die vornehmlich britischen Pauschaltouristen flanieren im T-Shirt, zeigen weder Bauch noch Tattoo. Vielleicht sorgt die neue Marina mit 400 Liegeplätzen, die zum Zeitpunkt der Recherche noch im Bau war, für frischen Wind. Mit ihr sollen zahlreiche schicke Bars und Restaurants entstehen.

Nördlich von Turgutreis folgt die bei Surfern beliebte Bucht **Kadıkalesi**. Das Ufer säumen ein paar alte griechische Häuser, aber noch viel mehr Clubhotels. Zwischen den Letzteren bleiben ein paar Quadratmeter öffentlicher Strand. Lohnenswert ist allein ein Besuch der "Pitos Cafébar" nahe der Ferienanlage Markwarner Palm Beach. Im liebevoll dekorierten Gärtchen lässt sich eine gemütliche Pause einlegen.

- *Verbindungen* Turgutreis besitzt einen eigenen **Bus**bahnhof an der Straße nach Gümüşlük, im Sommer gute Busverbindungen in alle größeren westanatolischen Städte.
- *Bootsausflüge/Einkaufen* Diverse Tagestouren zu den nördlich oder südlich gelegenen Buchten. Pro Person mit Mittagessen 9 €. Sa großer Wochenmarkt im Zentrum.
- *Übernachten* **Hotel Water Ville**, nördlich der Marina direkt am Meer, 5 m zum Pool, 50 m zum Strand. Clubambiente. 50 Zimmer mit Klimaanlage, ordentlich und okay. Freundlicher Service. DZ pro Person mit Frühstück 17 €. ✆ 0252/3827331, ekin.proje@superonline.com.

Nostalji Hotel, im kleinen Zentrum leicht zu finden. Schnuckeliges Haus mit 8 ausreichend großen, nett möblierten Zimmer mit Fliesenböden, alle mit Balkon. DZ mit Frühstück 18 €. 3. Plaj Cad. Yakamoz 3. Sok., ✆ 0252/3822812.

Ceylan Pansiyon, eine der wenigen Adressen in erster Reihe. 14 kleine, aber lustig blau oder gelb gestrichene, saubere und freundliche Zimmer – wenn möglich, unbedingt eines mit Meeresblick nehmen. Traumhafte Dachterrasse und Gemeinschaftsküche. Für die Lage zahlt man mit – DZ mit Frühstück 22,50 €, ohne Frühstück 15 €. Restaurant angeschlossen. Plaj Cad. 15/A, ✆ 0252/3823364.

- *Essen & Trinken/Nachtleben* Man ist voll und ganz auf Briten eingestellt. Vom Full English Breakfast bis zum Beefsteak gibt es alles, was der Engländer liebt. Dazwischen aber auch Kebabküche. Nachts geht es ruhiger zu als in Bodrum, zu den beliebtesten Adressen mit in Strömen fließendem Guiness gehören dann die **Radyo Bar** und die **Tash's Bar** (beide im Zentrum), zu später Stunde die **Green Bar** (südlich der Marina).

Gümüşlük ist das mit Abstand schönste Örtchen der Bodrum-Halbinsel! Idyllisch reihen sich zahlreiche Restaurants an der Kaimauer – eine opulente Fischmahlzeit in Gümüşlük gehört für Bodrumkenner zum Programm. Aus arg viel mehr als den Restaurants und ein paar Pensionen besteht der Ort auch nicht. Ein Baustopp sorgt dafür, dass dies so bleiben wird. Und so ist der schmale, aber schöne Strand selbst im Sommer nicht gar zu überlaufen. Auf der vorgelagerten kleinen Insel (durch das seichte Wasser kann man hinüber waten) tummeln sich Kaninchen zwischen den spärlichen Überresten des antiken *Myndos*, das der Halbinsel von Bodrum ihren früheren Namen gab. Das meiste davon liegt als "Sunken City" heute jedoch unter Wasser. Über Wasser bietet die Bucht von Gümüşlük allabendlich einen der schönsten Sonnenuntergänge der gesamten Westküste – ein Tipp für Romantiker.

Südägäis Karte S. 298

Von Gümüşlük bietet sich eine kleine Wanderung nach **Karakaya** an, ein pittoreskes, ehemals griechisches Dorf 4 km landeinwärts in den Bergen (ausgeschildert). Einige der alten Katen, erst 1998 elektrifiziert, wurden restauriert und dienen heute als Ferienvillen.

• *Information* **Tourist Information** zentral bei den Fischlokalen. Sehr freundlich und hilfsbereit. Tägl. 8.30–17.30 Uhr, im Hochsommer länger. ✆ 0252/3944487.

• *Tauchen/Schnorcheln* ist rund um die Sunken City offiziell verboten. Da die wichtigsten Funde bereits geborgen wurden, drückt man beim Schnorcheln in der Regel ein Auge zu. Doch Achtung: Was der Tourist Information egal ist, muss der Jandarma noch lange nicht schnuppe sein – besser nochmals nachfragen!

• *Übernachten/Camping* Vorrangig schlichte Pensionen oder Aparthotels. Im Sommer ist eine Reservierung empfehlenswert.

Arriba Apart Otel, bietet 4 große, einfache aber saubere Apartments mit Meeresblickbalkon oder -terrasse (für bis zu 5 Pers.) für 33 € pro Tag. Zudem 3 gemütliche Holzhäuschen im Garten dahinter mit Kühlschrank und Terrasse, als DZ mit Frühstück 24 €. Freundlicher Service. Restaurant. Campingmöglichkeiten im Garten. ✆ 0252/3943654, ✆ 3944039.

Gümüşlük Motel, zentral bei den Fischlokalen. Vermietet werden für 29 € inkl. Frühstück 5 kleine DZ, äußerst spartanisch ausgestattet, dafür mit schönem Blick über Bucht und Hafen. ✆ 0252/3943045.

Sysyphos Pansiyon, am Südende der Bucht. Schönes altes Steinhaus, Terrasse direkt am Meer, Restaurant im idyllischen Innenhofgärtchen. Sehr gemütlich. Zimmer z. T. mit Balkon und Terrasse, jedoch ohne größeren Schnickschnack. DZ mit Frühstück ca. 24 €. ✆ 0252/3943016, ✆ 3943656.

Noch zwei weitere Adressen: **Hera Pansyion** mit großen Apartments für 4–5 Pers. für ca. 36 € (✆ 3943065) und **Kilimci Apart Pansiyon** auf ähnlichem Niveau (✆ 0252/3943010).

• *Essen & Trinken* In allen Fischlokalen sitzt man schön und wird frische Ware serviert. Die Mezevitrinen übertreffen sich gegenseitig. Für ein komplettes Essen sollte man mit mindestens 10 € rechnen. Trotz Tafeln mit angeblich fixen Menüpreisen ist zu handeln üblich und wird selbst von der Tourist Information empfohlen. **Achtung**: Der letzte Dolmuş zurück nach Bodrum fährt im Sommer gegen Mitternacht – trotzdem besser vorher bei der Tourist Information nachfragen.

Yalıkavak: Die ehemalige Schwammtaucher-Hochburg ist heute ein freundlicher Urlaubsort, dessen Zentrum sich mit geselligen Altherrenrunden noch immer recht ursprünglich präsentiert. Am Eingang zu diesem lässt sich übrigens auch eine *Zisterne* aus dem späten 19. Jh. besichtigen, in welcher die städtische Galerie Exponate von Glasmalereien bis zu moderner türkischer Kunst zeigt (im Sommer tägl. ab 15 Uhr, kein Eintritt). Der schmale Strand ist zwar zugegebenermaßen wenig spektakulär, dafür verschandeln ihn auch keine großen Hotelklötze. Und da es mit dem Baden unmittelbar vor Ort nicht ganz so toll ist, will man betuchtere Gäste durch den Bau einer Marina für 450 Jachten (voraussichtliche Fertigstellung Sommer 2003) anlocken.

• *Bootstouren/Einkaufen* Badeausflüge werden am Hafen angeboten, pro Person mit Mittagessen ca. 9 €. Do großer Wochenmarkt nahe dem Hotel Adahan.

• *Übernachten* **Lavanta Hotel**, viel gelobte Luxusherberge mit traumhafter Aussicht über Yalıkavak. Komfortabelst ausgestattete, individuell eingerichtete Räumlichkeiten (Antiquitäten, wertvolle Teppiche, Holzböden usw.). DZ ab 130 €, Apartments für Selbstversorger für eine Woche ab 545 €. Pool. ✆ 0252/3852167, www.lavanta.com. Von der Straße nach Gündoğan/Türkbükü ausgeschildert.

Adahan Hotel, ebenfalls herrlich, ca. 100 m von der neuen Marina entfernt, in einem einer Karawanserei nachempfundenen Gebäude. 22 mit viel Geschmack ausgestattete Zimmer. Überall im Haus wertvolle Antiquitäten, Pool dezent mit klassischer Musik beschallt, Bibliothek, 1a-Küche. Familienbetrieb. Ganzjährig geöffnet. DZ mit Frühstück 95 €. ✆ 0252/3854759, www.adahanotel.com.

Am Hafen von Gümüşlük

Südägäis
Karte S. 298

Otel Taşkule, an der Uferpromenade. Gemütliches kleineres Haus mit 13 elegant-modernen Zimmern mit schönen Bädern, Klimaanlage, aber nur z. T. mit Balkon. Pool. DZ mit Frühstück 45 €. ✆/℡ 0252/3854935, taskule@hotmail.com.

Kıvanç Hotel, 150 m nördlich des Hafens, nur durch die Uferpromenade vom Meer getrennt. Schöne, zweistöckige, natursteinverzierte Anlage mit viel Grün. Pool. 24 Zimmer mit Klimaanlage, TV, Telefon, Fön und Kühlschrank. Zum Teil rollstuhlfahrergerechte Räumlichkeiten. DZ mit Frühstück 44 €. ✆ 0252/3852634, www.kivanchotel.com.

Otel Windmill, etwas zurückversetzt vom Strand nahe dem Taşkule. Gemütliche begrünte 15-Zimmer-Anlage mit Pool und einem künstlichen Bächlein. Das Standard-DZ mit Frühstück 29 €. ✆ 0252/3854805, www.windmillotel.com.

Dost Pansiyon, einfache, freundliche Familienpension und zugleich eines der wenigen Häuser, die unmittelbar am Meer liegen. Vermietet werden 10 schlichte kleine Zimmer mit Teppichböden und privaten Bädern. Pluspunkte: Toller Frühstücksbalkon, herrliche Dachterrasse. DZ mit Frühstück 15 €. ✆ 0252/3854080, ramazanoktemer@mynet.com.

• *Essen & Trinken* Die schönstgelegenen Restaurants stehen wie üblich an der Promenade. Besonders beliebt ist hier das auch vom Dekor etwas aus der Reihe fallende **Çakıroğlu Çardak**, eine Portion Fisch mit Salat und einem Bier kostet ca. 10 €. Im kleinen Zentrum dahinter (gegenüber der Moschee bei der Zisterne) empfiehlt sich das **Gülten Abla** mit grundehrlicher türkischer Hausmannskost (gefülltes Gemüse, Köfte, Suppen). Hauptgerichte kosten um die 2,40 €. Man sitzt urgemütlich auf Bänkchen unter Schatten spendenden Bäumen.

Gündoğan: Im Ersten Weltkrieg versetzten die Bewohner ihren Ort von der Küste einige hundert Meter landeinwärts, um englischen Kriegsschiffen kein Angriffsziel zu bieten. Während dort heute kleinstädtisch-ländliche Atmosphäre herrscht, steht die U-förmige, weite Bucht mit ihrem groben Sandstrand wie überall ganz im Zeichen des Tourismus. Es wird gebaut und gebaut. In den Sommermonaten beschallt der Danceclub "Barracuda" das weite Halbrund, in der Nebensaison geht's ganz gemütlich zu.

• *Übernachten* **Motel Villa Lale**, direkt am Strand. Große einfache Zimmer, im Erdgeschoss mit blumenüberrankter Terrasse, im ersten Stock mit Veranda. Hübsches Restaurant mit Meeresblick angeschlossen. DZ mit Frühstück 24 €. ✆ 0252/3877110.

Türkbükü und Gölköy: Türkbükü, im Norden der Halbinsel über eine Stichstraße zu erreichen, war noch vor 20 Jahren ein Fischernest. Heute ist es die exquisiteste Adresse der gesamten Halbinsel, Flaniermeile der Berühmten und Reichen. Rund um die Bucht findet man dementsprechend exklusive Clubanlagen, doch besser noch urlaubt man natürlich in der eigenen Villa. Stets begegnet man in Türkbükü irgendeinem Promi beim Sonnenbaden, so heißt es. Da der schmale Sandstreifen selbst weniger dazu geeignet ist, bräunt man sich mitsamt Rottweiler oder Golden Retriever auf Holzstegen über dem Meer. Keine Sorge, wenn Ihnen beim Sehen und Gesehen werden das Geld schnell ausgeht – Bankautomaten direkt am Strand sorgen für Nachschub...

Gölköy, das man auf dem Weg nach Türkbükü passiert, ist die einfachere Variante. Auch hier ist der örtliche Strand alles andere als der Renner, auch hier behilft man sich mit Stegen. Nur sonnen sich in Gölköy eben auch Ali und Otto Normalverbraucher. Vor den unausweichlichen türkischen Feriensiedlungen ist auch diese Bucht nicht verschont geblieben.

• *Anfahrt* Türkbükü und Gölköy sind von der Straße Gündoğan-Torba etwas verwirrend mit "Göltürkbükü" ausgeschildert.

• *Übernachten in Türkbükü* Wenn schon, denn schon. Die 3 schönsten Adressen vor Ort:

Ada Hotel, eine der teuerste von allen im Buch beschriebenen Unterkünften, aber ihr Geld wert, zählt sie doch gar zu den besten Hotels Europas. Im Haus – halb Festung, halb Karawanserei – erwartet den Gast stilvoller Luxus und Service in jeder erdenklichen Weise. Mit unglaublicher Liebe zum Detail ausgestattete Räumlichkeiten (nur 8 Zimmer und 6 Suiten), elegantes hauseigenes Hamam, kleine private Terrassen, 2 Pools, lauschige Gärtchen, ein privates Theater usw. 2 Pers. mit Frühstück je nach Zimmer 280–575 € pro Nacht. ✆ 0252/3775915, www.adahotel.com. Hoch über der Bucht.

Maki Hotel, 2000 eröffnet, am nördlichen Ende der Bucht ohne direkten Strandanschluss. Minimalistisch-funktional durchgestyltes Haus. Alle Zimmer mit Balkon. Pool überm Meer. Eine private Jacht schippert die Gäste zu verschiedenen Buchten. DZ mit Frühstück 100 €. ✆ 0252/3776105, www.makihotel.com.

Kaktüs Çiceği Hotel, direkt am Strand. Alteingesessenes 16-Zimmer-Haus, geführt von einer herzigen İstanbulin. Freundlich ausgestattete Zimmer in warmen Farbtönen. Exzellentes Restaurant angeschlossen. DZ mit Frühstück 100 €. ✆ 0252/3775254, 📠 3775248.

• *Übernachten in Gölköy* Einfache Familienpensionen (das DZ um die 18 €) findet man in der Regel in zweiter Reihe hinter dem Strand. Am Strand selbst:

Orkide Motel, freundliche Natursteinanlage mit eigenem Restaurant. 16 ordentliche Zimmer mit Klimaanlage, das DZ mit Frühstück 47 €. ✆ 0252/3577628, 📠 3577627.

Şeker Motel, einfaches Haus, nur durch sein eigenes Restaurant vom Strand getrennt. Schlichte Zimmer mit Balkon, viele davon mit Meeresblick. DZ mit Frühstück 24 €. ✆ 0252/3577129.

Torba: Das nordöstliche Schlusslicht der Bodrum-Halbinsel ist für Individualtouristen wenig interessant. Schicke Clubanlagen belegen die Bucht, dazwischen verbleiben nur wenige Quadratmeter Strand für Tagesbesucher. Von Torba legen die Fähren nach Didyma ab.

Kós – das Herz der Inselhauptstadt ist der Mandráki-Hafen

Ausflug auf die Insel Kós (Griechenland)

Weite Sandstrände, klares Wasser, einsame Bergdörfer – und das alles nur 40 Schiffsminuten von Bodrum entfernt. Der gleichnamige Hauptort mit seinem Jachthafen gilt als das Baden-Baden der Ägäis.

Kós, das drittgrößte Eiland des Dodekanes, ist eine attraktive Insel. Das wissen leider zu viele – in der Hochsaison ist die Insel restlos überlaufen. Abgeschiedenheit und Ruhe findet man dann hier genauso wenig wie rund um Bodrum. Sehenswert und sympathisch ist **Kós-Stadt**, wo auch die Fähre anlegt. Der kesselförmige Hafen präsentiert sich farbig und abwechslungsreich. Kleine, bunte Fischerboote liegen eng neben pompös ausgestatteten Jachten, zu Lande Palmen, gemütliche Cafés und eine Reihe von Sehenswürdigkeiten. Wie in Bodrum gibt es auch hier an der Hafeneinfahrt ein *Kastell*, das die Ritter des Johanniterordens im 15. Jh. errichten ließen (tägl. außer Mo 8.30–15 Uhr, Eintritt 2,50 €). Direkt vor dem Eingang zum Kastell steht die berühmte *Platane des Hippokrates*. In deren Schatten soll der Namensgeber des ärztlichen Eids gelehrt haben. Ein PR-Gag ließ den mächtigen Baum (Durchmesser des Stammes knapp 10 m) zum ältesten Europas werden (2.000 Jahre), obgleich Biologen sein Alter mit rund 500 Jahren angeben.

Ein paar Schritte weiter lag einst die *Agora*, heute das größte Ausgrabungsareal der Stadt. Im 14. Jh. erbaute der Johanniterorden auf den antiken Überresten die Stadt *Chorio* – ein paar Verteidigungsmauern sind noch zu erkennen. Das Gelände ist frei zugänglich.

Nördlich der Agora schließt die **Platia Eleftherias**, der "Platz der Freiheit" an, an dem auch das **archäologische Museum** steht, ein recht schmuckloser Bau.

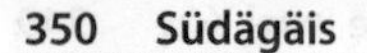

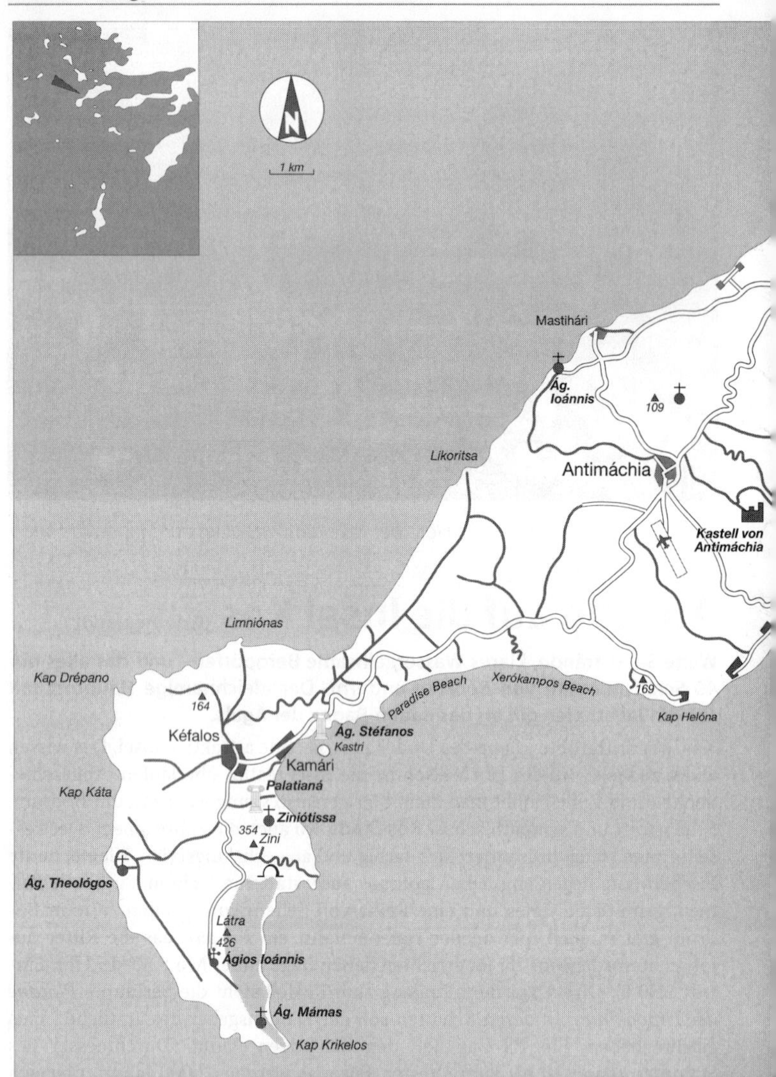

Es beherbergt lokale Funde, Altäre, Büsten, Grabplatten usw. Sehenswert ist im Innenhof das Mosaik "Empfang des Asklepios" aus dem 2. oder 3. Jh. v. Chr. (Öffnungszeiten und Eintritt wie Kastell).

Gegenüber dem Museum lohnt ein Besuch des städtischen **Obst- und Gemüsemarktes** (nur vormittags). Sucht man sich von hier einen Weg durch das Gassenwirrwar gen Nordwesten, gelangt man zum antiken **Gymnasion** (frei zugänglich) aus dem 2. Jh. v. Chr., wo einst eine überdachte Laufbahn den

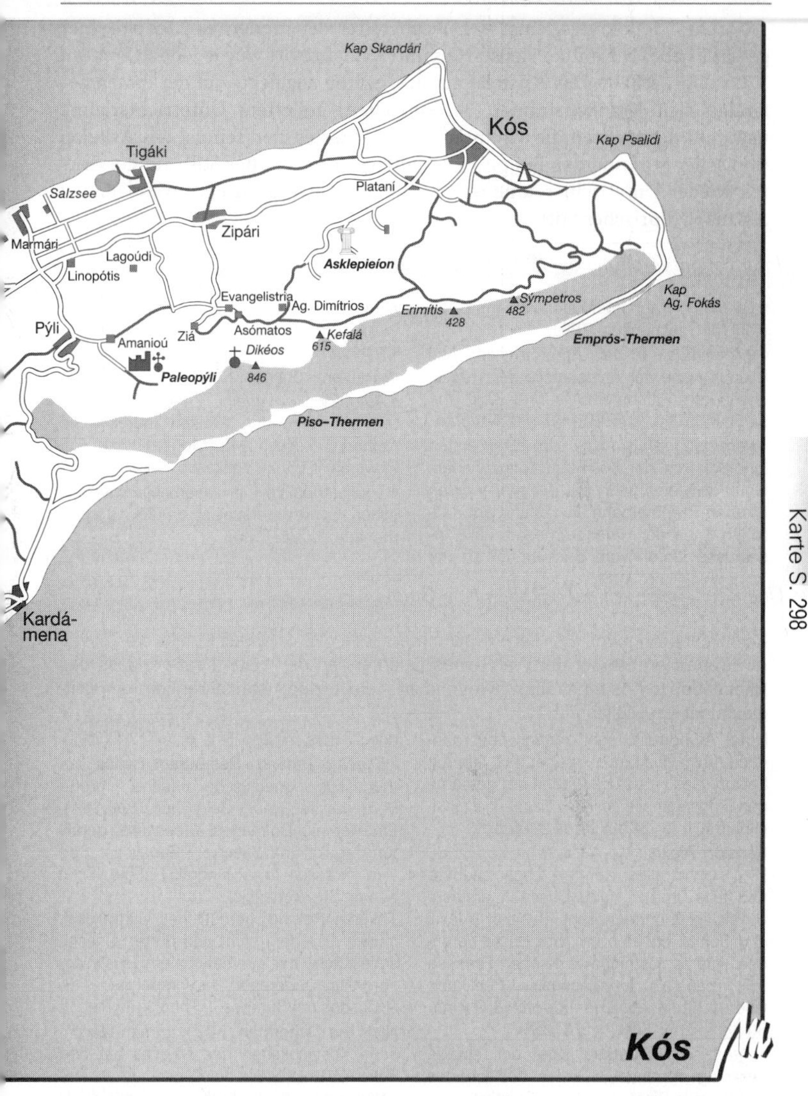

Südägäis
Karte S. 298

Athleten erlaubte, auch bei Regen zu trainieren. Eine wieder aufgerichtete Säulenreihe lässt die einstige Größe der Anlage erahnen. Am Nordende des Gymnasions zeigt ein überdachtes Fußbodenmosaik "Das Urteil des Paris". Schräg gegenüber sind die Reste des **Nymphäums** auszumachen.

Das Highlight von Kós-Stadt, das **Asklepieíon**, liegt ca. 4 km außerhalb des Zentrums nahe der Straße nach Tigáki (Di–Fr 8.30–18.30 Uhr, Sa/So 8.30–14.30 Uhr, Eintritt 2,50 €). Lange Zeit nahm man an, dass der 460 v. Chr. auf Kós geborene Hippokrates, einer der Wegbereiter der modernen Medizin, hier gewirkt habe. Die antike Heilstätte samt Wallfahrtsort wurde jedoch erst um 370 v. Chr. erbaut. Das Areal ist auf drei Stufen angelegt: Auf der ersten befanden sich Krankenzimmer, Badeanstalten, Toiletten, Unterrichtsräume usw.; auf der zweiten die Wohnräume der Priester, der Tempel des Äskulap (ionischer Stil) und der Tempel des Apollon (korinthischer Stil); auf der dritten wieder Unterrichtsräume und Krankenzimmer, dazu der große Tempel Äskulaps (dorischer Stil).

Information/Verbindungen/Sonstiges in Kós-Stadt

• *Telefonvorwahl* internationale Landesvorwahl für Griechenland 0030.

• *Information* an der Uferpromenade Akti Miaouli, nahe der Anlegestelle der Tragflächenboote. Hilfsbereit. Mo–Fr 8–20.30 Uhr, Sa/So 8–15 Uhr. ✆ 2242024460, 📠 2242028724.

• *Verbindungen auf Kós* Um einen ersten Eindruck von der Kós-Stadt zu gewinnen, bietet sich eine Fahrt mit der grün-weißen **Straßen-Bummelbahn** an, Abfahrt am südlichen Ende der Hafenpromenade. Die **Inselbusse** fahren vom Busbahnhof an der Kleopatras Str. 9 (hinter dem Olympic-Airways-Büro) ab.

• *Fährverbindungen in die Türkei* → Bodrum/Verbindungen, S. 334.

• *Auto-/Zweiradverleih* Zahlreiche Anbieter. Mit folgenden Preisen müssen Sie rechnen: Vespa 10 €, Mountainbike 4 €, Pkws ab 45 € inkl. Vollkasko.

• *Touristenpolizei* im ehemaligen italienischen Gouverneurspalast an der Uferpromenade. ✆ 2242026666.

Übernachten/Essen & Trinken in Kós-Stadt

Reichliches Angebot. Bei der Privatzimmersuche (DZ ca. 20–25 €) hilft die TI weiter. Bedenken Sie bei der Wahl eines Quartiers an den Hauptstraßen, dass das Nachtleben in Kós recht ausschweifend ist – die letzten Heimkehrer kommen zeitgleich mit der Müllabfuhr.

Hotel Afendoulis, sehr zentral, aber dennoch ruhig. 20 Zimmer, sauber, fast alle mit Balkon. Das Frühstück wird in der geräumigen Eingangshalle serviert. DZ 30–35 €. Evripilou Str. 1, ✆ 2242025321, 📠 2242025797.

Pension Alexis, *die* Adresse in Kós-Stadt. Hier stimmt alles: Zentrale Lage, saubere und helle Zimmer, heiße Duschen, erstaunlich ruhig und freundliche Besitzer (Alexis und Sonia), die sich um ihre Gäste bemühen. Auf der jasminbewachsenen Terrasse trifft man ein internationales Publikum. Übernachtung ab 20 €. Irodoton & Omirou Str. 9; ✆ 2242028798, 📠 2242025797.

• *Camping* **Camping Kós**, der einzige Camping der Insel, 4 km südöstlich des Zentrums in Richtung Psalidi. Relativ kleine, aber saubere und gemütliche Anlage mit internationalem Publikum. Gute Busanbindung. 2 Pers. mit Zelt 13–15 €, ✆/📠 2242023910.

• *Essen & Trinken* **Restaurant Hellas**, authentische griechische Küche, große Portionen für wenig Geld. Tipp: Spezialitätenteller mit Dolmades, Moussaká, gefüllten Paprika und Stifado. Freundlicher Service. Nördlich des Mandráki-Hafens, Ecke Psaron Str.7/Amerikis.

Taverne Petrino, gemütliches Gartenlokal, in dem es üppig blüht und duftet. Griechische Küche mit internationalem Einschlag, sorgfältig zubereitet. 1a-Vorspeisen, z. B. Avocados mit Shrimps. I. Theologou Platz.

Nick the Fisherman, hier kommen fangfrische Köstlichkeiten des Meeres auf den Teller. Wählen Sie in der Küche aus. Zudem sollte man sich die Kürbispuffer mit Zaziki (3 €) nicht entgehen lassen. Averof Str./Alikarnassou Str.

Die schönsten Ausflugsziele der Insel

Inselosten: Der Osten von Kós mit seinen langen Kies- und Sandstränden, Oleanderbüschen am Straßenrand und dem steten Blick hinüber zum türkischen Festland wäre eigentlich eine reizende Region, würde nicht eine Vielzahl

Die Bucht von Kefalos – beste Aussichten für Strandfaullenzer

Südägäis
Karte S. 298

von gigantischen Hotelkomplexen und militärische Einrichtungen das Landschaftsbild stören. Die Attraktion hier sind die *Empros-Thermen* am Ende der Straße, die sich von Kós-Stadt entlang der Küste gen Südosten schlängelt. 50°C heißes Wasser strömt dort aus einer Felsspalte, um sich in einem Naturbecken mit Meerwasser zu vermischen.

Nordküste: Sandstrände mit Dünencharakter und ein flaches Hinterland prägen die Nordküste. Stichstraßen führen zu den Küstenorten, die meisten davon sind fest in der Hand deutscher und britischer Pauschalurlauber. Vom großen Andrang verschont blieb bislang der gemütliche Fischerort *Mastihári*, Privatzimmer bekommt man hier ab 20 €. Am örtlichen Sandstrand spenden Tamarisken Schatten.

Inselinneres und Südküste: Landschaftlich ungemein abwechslungsreich zeigt sich das Inselinnere: fruchtbare Ebenen, unterbrochen von zerklüfteten Landstrichen. In *Antimáchia* können Sie die einzige noch betriebene Windmühle der Insel besichtigen und einen Abstecher zu den mächtigen Grundmauern des nahe gelegenen Kreuzritter-Kastells unternehmen. Oder besuchen Sie eines der Bergdörfer an den Ausläufern oder Hängen des *Díkeos*, mit 846 m der höchste Berg des Eilands. Der Tipp zum Sonnenuntergang lautet *Ziá*, zahlreiche Restaurants mit Aussichtsterrassen buhlen hier um die Gunst der Gäste. Unsere Empfehlung: die Taverne Zia. Auch lohnt ein Besuch des verlassenen Bergdorfes *Paleopýli* mit seinen windschiefen Häusern zu Fuße der Ruinen einer byzantinischen Festung. *Kardamena* an der Küste ist ein Retortenstädtchen, fest in der Hand von englischen Pauschaltouristen. Am schmalen Sandstrand liegen die Urlauber dichter gedrängt als in Rimini oder Bibione.

Inselwesten: Die Bucht von *Kefalos* gilt vielen Urlaubern als die schönste der Insel. Das Wasser ist klar und sauber, zudem verteilen sich erstaunlich wenig Touristen auf dem langen und breiten Sandstrand. Von den zahlreichen Tavernen am Strand genießt man nicht nur einen herrlichen Blick auf das Meer, sondern auch auf eine kleine, vorgelagerte Insel mit Kirchlein. Landeinwärts, erhöht auf einer Bergkuppel, liegt die Ortschaft Kefalos, die der Bucht ihren Namen gab. Ein Spaziergang durch die verwinkelten Gassen ist ein Spaziergang in die Vergangenheit. Der Fortschritt hat vor dem Westen der Insel Halt gemacht. Kefalos ist traumhaft schön, aber bettelarm. Unterkünfte und jede Menge Restaurants findet man in *Kamári* in der Bucht von Kefalos:

• *Übernachten* **Panorama Studios**, ordentliche Apartments mit einer Wahnsinnsaussicht. Für 2 Pers. 25 €, vom Inselhighway ausgeschildert, ✆ 2242071640, 📠 2242071524.

Rooms Petros und Maria, vermietet ebenfalls Apartments, sehr freundlich und deutschsprachig. An der Ortseingangsstraße. Preise wie Panorama. ✆ 2242071306.

• *Essen & Trinken* Entlang der Uferpromenade eine Vielzahl von Tavernen und Restaurants mit schönem Blick über die Bucht. Unser Tipp ist die **Taverna Faros**, das letzte Lokal im Westen der Bucht. Große Auswahl, flotter Service, reichliche Portionen, leckere in Essig eingelegte Sardinen, das Bier in Flaschen und nicht aus der Dose. Ebenfalls zu loben sind die Tavernen **Ag. Nikolas** und **Aphrodite**.

Am Golf von Gökova (Nordseite)

Der touristisch kaum erschlossene Golf von Gökova ist noch immer einer der schönsten Küstenabschnitte der gesamten Türkei. Das gilt für seine Nord- wie für seine Südseite. Letztere grenzt die Reşadiye-Halbinsel ab (→ "Akyaka/Weiter in Richtung Marmaris" ab S. 358 und "Halbinsel Reşadiye" ab S. 379).

An der Nordseite des Golfs von Gökova zeigt sich die Landschaft, je weiter man sich von der "Metropole" Bodrum entfernt, immer unversehrter: Hügelige, bewaldete Gegenden wechseln mit Feldern samt Bauern oder Weiden samt Kühen. Wer hier unterwegs ist, sieht gelegentlich Schilder in das eine oder andere "Carpet Village" weisen – ein Versuch der Landbevölkerung, am großen Geschäft mit dem Tourismus teilzuhaben. Ansonsten sind Markierungen Mangelware. Ein Lächeln sollte man sich aufheben – für ein paar Kilometer in die falsche Richtung (keine Karte stimmt) und für den Bauern am Wegesrand, der Ihnen weiterhilft. Als Belohnung winken traumhafte, nur durch Stichstraßen erreichbare Buchten. Leider sind die meisten Orte überhaupt nicht oder nur schwer mit Dolmuşen zu erreichen. Und noch was: Wechseln sie Ihr Geld im Voraus!

Die Buchten von Çiftlikköy

20 km südöstlich von Bodrum liegt das Bauerstädtchen Çiftlikköy. Es ist von Hügeln und Feldern umgeben und für Touristen wenig interessant. Wohl aber der Küstenabschnitt ein paar Kilometer davor mit gleich vier einladenden Buchten. Die beiden östlichen belegen All-inclusive-Clubs. Öffentlich zugänglich ist **Yalıçiftlik Koyu** (von Kızılağaç kommend die zweite Bucht) mit einem gepflegten Sandstrand und ein paar Bars. Den Picknickkorb bringt man am besten mit, denn der einzige Laden vor Ort ist dreist überteuert.

Verbindungen Häufig **Dolmuşe** von und nach Bodrum.

Die Buchten von Mazıköy

Wer von Çiftlikköy auf kleinen einsamen Landsträßchen ca. 35 km gen Osten kurvt, erreicht (hoffentlich nicht entnervt) Mazıköy. Unterhalb des verschlafenen Dorfes befinden sich zwei türkisfarbene Traumbuchten, die zu den schönsten der gesamten türkischen Küste gehören. Selbst Ausflugsboote und Jeep-Konvois können die Idylle kaum trüben. Die Strände sind nahezu unverbaut, gelegentlich verirrt sich auch einmal eine Kuh dorthin. Dabei ist es ganz egal, ob Sie sich für den schmalen Kiesstrand der **Hurma-Bucht** (die östlichere) oder die zwei aneinander grenzenden Strände der **İnceyalı-Bucht** (die westlichere) entscheiden.

• *Telefonvorwahl* 0252.

• *Verbindungen/Anfahrt* Eigenes Fahrzeug von Vorteil, mit Dolmuşen nur schwer zu erreichen. Achtung: Die Sträßchen von Mazıköy hinab in die Buchten sind streckenweise nicht geteert und in einem bösen Zustand, jedoch auch ohne geländegängiges Fahrzeug (ohne Anhänger) zu meistern.

• *Übernachten/Essen & Trinken in der Hurma-Bucht* 3 Pensionen direkt am Strand, weitere Unterkünfte sowie ein beschaulicher Campingplatz liegen etwas landeinwärts. Eine frühzeitige Reservierung ist für die Hochsaison ratsam. Unsere Empfehlung ist die **Sahil Pension** – vom Bett zum Meer sind es nur ein paar Meter. Vermietet werden 7 saubere Zimmer mit Kiefernholzmöbeln, das DZ zu 15 € mit Frühstück. Gespeist wird auf der Traumterrasse am Strand, den Nachtisch klaut man sich aus dem hauseigenen Mandarinengarten. ✆ 3392131.

Falls voll, kann man in die **Uğur Pansiyon** (✆ 3392043) oder **Öztekin Pansiyon** (✆ 3392136) ausweichen, ebenfalls direkt am Strand.

Das **Mazıköy Restaurant** und das **Kayabaşı Restaurant** servieren in schöner Lage erstklassigen Fisch zu gemäßigten Preisen.

• *Übernachten/Essen & Trinken in der İnceyalı-Bucht* Die Pensionen vermieten in der Regel nur mit HP – das DZ um die 30 €. Auch hier wird frühzeitiges Reservieren empfohlen.

Çiçek Pension, auch Flower Pension genannt. Sehr einfach, dafür mit Meeresrauschen zum Einschlafen, gemütliche Terrasse samt lustigem, Bier trinkenden Publikum. ✆ 3392039. **İnceyalı Pansiyon**, 16 einfache Zimmer mit eigenem Sanitärraum und eigener Terrasse. Tolles Restaurant direkt über dem Strand. Wer will, kann hier unter Zitronenbäumen (klingt idyllischer als es ist) für 6 € pro Nacht sein Zelt aufschlagen. Bootstouren für Gäste. ✆ 3392125.

Kale Pansiyon, vermietet die spartanischsten Zimmer. Aber ebenfalls schöne Restaurantterrasse. Im Vorgarten ein Hahn, ein paar Kühe und eine Million Fliegen. ✆ 3392164.

Südägäis
Karte S. 298

Çökertme

Zu Çökertme, einem Bauerndorf ca. 64 km östlich von Bodrum, gehört auch eine kleine Hafensiedlung. Diese besteht raus aus nicht viel mehr als zwei Häuserzeilen an einem schmalen Strand. Beliebt ist die kleine Bucht mehr bei Seglern auf der "Blauen Reise" denn bei Sonnenanbetern.

• *Verbindungen/Anfahrt* **Dolmuş**verbindungen bestehen nach Milas und Bodrum, jedoch nur sehr wenige Fahrten am Tag. Sagen Sie dem Fahrer Bescheid, dass Sie am Meer aussteigen wollen. Wer abgeholt werden will, ruft einfach die Dolmuşkooperative an (✆ 0252/5310334). **Mit dem eigenen Fahrzeug** ist Çökertme am einfachsten von Milas zu erreichen: Kurz vor Ören bei einem unübersehbaren Kraftwerk rechts ab, dann noch ca. 12 km. Von Bodrum mal links, mal rechts und immer wieder fragen. Wir sind noch nie auf Anhieb angekommen!

• *Übernachten/Essen & Trinken* Nur einige wenige Unterkünfte, vorrangig einfache Pensionen. Im Juli und August hat man ohne Reservierung schlechte Karten.

Çökertme Motel Ören Tur, zwar nicht direkt am Strand (dort nur das äußerst gemütliche, hauseigene Restaurant), aber idyllisch im Dorf gelegen. Beste Unterkunft vor Ort. Freundliche, recht komfortable Zimmer. Livemusik-Abende im Restaurant, nette Atmosphäre. DZ mit Frühstück ca. 24 €. ✆ 0252/5310156, ℻ 5310157.

Kaptanoğlu Pansiyon, eine der einfachen Pensionen vor Ort. 8 schlichte, aber saubere Zimmer mit privaten Sanitäranlagen. DZ 9 €, Frühstück auf Wunsch (pro Person 1,50 € extra). Eigenes Fischlokal am Wasser. ✆ 0252/5310177.

Ähnlicher Standard und ähnliche Preise bei der **Akkaş Pansiyon** (✆ 0252/5310125), die etwas näher am Meer liegt.

Beim internationalen Seglerpublikum beliebte Restaurants sind **Captain İbrahim's** und **Rose Mary Restaurant** – was aber nicht heißt, dass die Nachbarn schlechteren Fisch servieren.

Ören

Ören, rund 12 km östlich von Çökertme, liegt an einer herrlichen weiten Bucht zu Füßen des bei Paraglidern beliebten, 640 m hohen Kocadağ. Noch verschandelt kein Hotelklotz den schönen langen Sand-Kies-Strand, hinter dem sich Pensionen und Feriensiedlungen eher dezent verstecken. Doch Bürgermeister Kazım Turan hat Großes vor, er will sein Städtchen zu einem der "wichtigsten touristischen Zentren der Welt" ausbauen. Bleibt zu hoffen, dass er sein Ziel verfehlt. Bislang ist Ören noch eine empfehlenswerte Alternative zum Bodrumtrubel – auch wenn das 4.500-Seelen-Städtchen in der türkischen Ferienzeit auf 30.000 Einwohner anschwillt. Unter die vorrangig türkischen Urlauber mischen sich in den letzten Jahren auch mehr und mehr ausländische Touristen.

Das eigentliche, dörfliche Zentrum Örens liegt rund 1,5 km hinter der Küste. Hier findet man eine Post, einen Barbier und ein paar Läden – aber keine Bank (Geldautomaten 4 km westlich beim unübersehbaren Kraftwerk). Mittwochs geht hier auch ein farbenfroher Wochenmarkt über die Bühne.

Ören wurde übrigens auf dem Gebiet des antiken *Keramos* errichtet, das im 6. Jh. v. Chr. erstmals erwähnt und nach dem gleichnamigen Sohn des Weingottes Dionysos benannt wurde. Er galt als Begründer der Töpferkunst (Keramik!). Wenig spektakuläre Überreste der antiken Stadt sind in und um Ören verstreut.

Verbindungen/Sonstiges

- *Verbindungen* **Dolmuşverbindungen** nur von und nach Milas bzw. von und nach Çökertme. Die Dolmuşe fahren im Sommer bis zum Strand.
- *Bootsausflüge* werden am Strand angeboten. Angefahren werden Buchten der Umgebung. Pro Person mit Mittagessen ca. 10 €.
- *Zweiradverleih* über das Hotel Alnata, sofern nicht gerade die eigenen Gäste alle Maschinen benutzen. Die Motocrossmaschine kostet 50 € pro Tag, das Mountainbike nur ein paar Euro.
- *Paragliding* Der Kocadağ vor der Haustür sowie eine gute Thermik machten die Location in den vergangenen Jahren zu einem Geheimtipp. Auskünfte erhalten Sie vor Ort in Ihrem Hotel oder in Deutschland über Ergun Sportreisen, Carl-Jordan-Str. 9, 83059 Kolbermoor, ✆ 08031/809573, ergunreise@gmx.de. Ein Flug ca. 65 €, hinzu kommen Transferkosten zum Berg.

Übernachten/Essen & Trinken

- *Übernachten/Camping* Da die meisten türkischen Gäste in ihren eigenen Ferienhäusern urlauben, ist die Auswahl an Unterkünften nicht allzu groß. Die hier aufgelisteten liegen allesamt an der Uferpromenade, weitere, oft schlichte Aparthotels, findet man landeinwärts.

*****Hotel Alnata**, bestes Hotel Örens. Geräumige, helle Zimmer mit Marmorböden – die schönsten auf der Vorderseite mit Pool- und Meeresblick! Tennisplätze und großes Sportangebot. Zudem 7 rollstuhlfahrergerecht ausgestattete Zimmer. Freundliches, junges Personal, viel deutsches Publikum. DZ mit Frühstück ca. 30 €, mit HP ca. 41 €, Preisnachlässe in der Nebensaison. ✆ 5322813, ℻ 5322381.

Yıltur Turistik Tesisleri, im Osten der Bucht nahe dem Fischerhafen. Einfachste Zimmer mit privaten Sanitäranlagen (Bäder und Bettwäsche vorher inspizieren). Billig – 3 € pro Person ohne Frühstück, eine Gemeinschaftsküche steht zur Verfügung. Nebenan ein schlichtes Fischrestaurant. Campingmöglichkeiten im Garten, für 2 Pers. 2,40 € pro Nacht. ✆ 5322114, 📠 532115.

• *Essen & Trinken* Mehrere nette Fischlokale servieren direkt am Strand. Die Portion Fisch ab 3 € aufwärts.

Muğla

(50.000 Einwohner)

Die kleine Provinzhauptstadt weit abseits der Küste – übrigens die erste der Türkei mit einer weiblichen Gouverneurin – liegt erfrischende 680 m über dem Meer und ist durchaus einen Zwischenstopp wert. Großzügig ist die moderne Neustadt samt Universitätsviertel (13.000 Studenten) angelegt. Dahinter ziehen sich von weißen Häuschen gesäumte Gassen den Hang hinauf, gerade breit genug für ein Pferdefuhrwerk – die Altstadt, überragt von roten Ziegeldächern und hohen Schornsteinen, präsentiert ein Stück unversehrte osmanische Stadtarchitektur. Mittelpunkt des Alltagslebens ist das Basarviertel zwischen Neu- und Altstadt, das jeden Donnerstag zum Schauplatz tausendfacher Geschäftsverhandlungen wird. Von alters her ist der Markttag der wöchentliche Höhepunkt der Kleinstadt.

Zu den Sehenswürdigkeiten Muğlas gehören die *Kurşunlu Camii* aus dem 15. Jh., die nahe stehende *Ulu Cami* aus dem 14. Jh. und das kleine, liebevoll eingerichtete *Museum* (mit "Müze" ausgeschildert, tägl. außer Mo 9–17 Uhr, Eintritt 0, 60 €). Im Innenhof präsentiert es archäologische Funde aus Stratonikeia (→ S. 329) und der näheren Umgebung – die Geschichte Muğlas reicht über 3.000 Jahre zurück. Zudem besitzt es eine Abteilung mit Fossilien und eine ethnographische Abteilung mit Schaufensterpuppen in traditionellen Gewändern. Des Weiteren bietet sich im Städtchen der Besuch des *Vakıflar Hamamı* aus dem 13. Jh. an (separate Eingänge für Männer und Frauen).

Wo Sie was finden, erklärt ein Orientierungsplan am Cumhuriyet Meydanı, dem zentralen Platz mit Kreisverkehr und Atatürk-Statue in der Mitte. Man stößt automatisch auf ihn, wenn man der Beschilderung ins Zentrum folgt.

• *Information* **Turizm İl Müdürlüğü** an der Cumhuriyet Cad. Vom zentralen Kreisverkehr der Beschilderung zum Dalaman-Flughafen folgen, nach ca. 300 m rechter Hand. Stadtplan vorrätig. Viel Personal, doch wenig Freude an fragenden Touristen. Mo–Fr 8.30–17 Uhr. ✆ 0252/2141261, 📠 2141244.

• *Verbindungen* **Dolmuşe** nach Marmaris, Milas und in die Umgebung starten nahe der Özer Türk Cad. ca. 200 m südlich des Hauptplatzes. Der große Busbahnhof liegt ca. 10 Fußminuten südlich des Zentrums.

• *Übernachten* *****Hotel Grand Brothers**, etwas außerhalb des Zentrums an der Ausfallstraße nach Yatağan. Bestes Haus vor Ort. Pool, Sauna, Fitnesscenter, dennoch für das Gebotene (Zimmer mit billigen, schwarz furnierten Möbeln) überteuert. DZ 65 €, EZ 45 €. Preisnachlässe auf Anfrage. ✆ 0252/2122700, 📠 2122610.

Hotel Yalçın, nahe dem Dolmuşbahnhof ca. 200 m südlich des Zentrums. Etwas abgewohntes, aber insgesamt anständiges Haus. 48 Standardzimmer mit TV, Bad und Balkon. Freundlicher Service. DZ mit Frühstücksbüfett 21 €, EZ 15 €. Garaj Cad. 7/A, ✆ 0252/ 2141599, 📠 2141050.

Otel Saray, beim Marktgelände. 33 recht kleine, aber farbenfroh-freundliche und saubere Zimmer mit weißem Mobiliar. Teilweise mit Balkon. DZ mit Frühstück 15 €, EZ 9 €. Açık Pazar Yeri 11, ✆ 0252/2141594, 📠 2141950.

• *Essen und Trinken* Spezialitäten sind *Muğla Köfte* (ganz kleine Köfte) und *Mugla Kebabı* (gekochtes Fleisch, das als eine Art Suppe auf den Tisch kommt).

Das beste Restaurant des Städtchens – auch wenn's nicht danach aussieht – befindet sich im **Hotel Yalçın**. Gute türkische Standards zu vernünftigen Preisen. Wem ein Bier reicht, kann es am Abend im **Saklı Bahçe** ("Versteckten Garten") in der Kocamustafaefendi Sok. probieren – nettes Gärtchen mit fast allabendlicher Livemusik.

Eine paar schickere Studentenlokale befinden sich zwischen dem Cumhuriyet Meydanı und dem Hotel Grand Brothers.

Falls Sie von Muğla nach Milas fahren, passieren Sie das antike Stratonikeia (→ S. 329).

Akyaka

Am östlichen Ende des Golfs von Gökova, zu Füßen der *Kıran-Berge*, lockt der kleine Ferienort mit seiner typisch westtürkischen Architektur – ein guter Platz zum Relaxen, insbesondere für alle, die eine stechende, drückende Hitze nicht mögen, denn in Akyaka weht ständig ein angenehmer Wind. Der Ort ist im Vergleich zu Bodrum oder Marmaris noch eine ruhige und beschauliche Oase und hat sich in den letzten Jahren ein wenig herausgeputzt (am Strand wurden z. B. junge Palmen gepflanzt). Nahe Akyaka beginnt der *Gökova-Park*, ein Naturschutzgebiet mit einem großen Pinienbestand, dessen Besuch eine angenehme Abwechslung zum täglichen Wasser- oder Sonnenbad beschert. Da in Akyaka überwiegend Türken Urlaub machen, herrscht Hochbetrieb lediglich während der türkischen Sommerferien.

• *Verbindungen* 2-mal tägl. mit dem **Dolmuş** nach Marmaris. Die Fahrt mit dem **Taxi** nach Marmaris kostet rund 15 €.

• *Autoverleih/Ausflüge* bietet **Captain's** nahe dem Hafen. Unter anderem Touren nach Ephesus für 45 € und Autos ab 60 € pro Tag. ✆ 2435227, www.captains-travel.com.

• *Bootsausflüge* innerhalb des Golfes von Gökova werden am Hafen angeboten. Tagestouren mit Lunch ab 6 €.

• *Übernachten* Gutes Pensionsangebot in neuen Häusern, einige angenehme Hotels. Etwas zurückversetzt am Hang viele Aparthotels.

Hotel Erdem, eine Häuserzeile vom Strand entfernt. Kleine, gepflegte, zweistöckige Anlage mit Pool, alle Zimmer mit Terrasse oder Balkon. Pro Person 15 €, ✆ 0252/2435849, ℻ 2434326.

Fatih Apart, neben dem Hotel Erdem, keine 200 m vom Strand. 3 angenehme, geräumige Apartments mit Balkon oder Terrasse, gefliestem Boden und halbrunden Fenstern. Blumenprächtiger Garten. Der Vermieter spricht nur Türkisch. Die Nachbarin, ebenfalls Vermieterin von Apartments, kann übersetzen. Pro Nacht 32 €, ✆ 0252/2435786.

Geova Apart Hotel, über dem Meer am Hang gelegen. Geräumige Apartments mit guter Ausstattung (u. a. Gasherd, Korbsesselgarnitur im Wohnzimmer). Außerdem große Balkons. Die Wände könnten zwar wieder mal einen neuen Anstrich gebrauchen, dennoch für das Gebotene preiswert, 2 Personen zahlen 13 €. Im Erdgeschoss Restaurant mit empfehlenswerten Grillgerichten. ✆ 0252/2435965, ℻ 2434255.

• *Camping* **Gökova Orman Camping**, durch Akyaka durch und geradeaus weiter. Großer, schön angelegter Platz in einem Pinienwald (Schatten!) hoch über dem Meer. Einfache Sanitäranlagen. Vermietet werden zudem Bungalows, nicht die klassischen Holzschachteln, sondern richtige kleine Häuschen mit Balkon und Terrasse für 15 €. Außerdem idyllisch gelegenes Restaurant. ✆ 0252/2435035.

• *Essen & Trinken* Gute Restaurants sowohl am Strand wie im Ort. Einen guten Namen haben sich die Fischlokale am Hafen gemacht.

Weiter in Richtung Marmaris

Sedir Adası: Im Süden des Golfs von Gökova liegt die in Privatbesitz befindliche Sedir-Insel ("Zederninsel"), die auch als *Kleopatra-Insel* bekannt ist und einen herrlichen Sandstrand aufweist. Einer liebenswürdigen Legende nach ließ ihn Mark Anton für seine geliebte Kleopatra mit Spezialsand aus Ägypten aufschütten. Vielleicht ist ja was dran: In der Tat ergaben geologische Untersuchungen eine verblüffende Übereinstimmung mit nordafrikanischem Sand. Für Badegäste ist ein eingezäunter, etwa 100 m langer Strandabschnitt reserviert. Auf der Insel befinden sich zudem die spärlichen Überreste der karischen Stadt *Kedreae.*

- *Anfahrt* Die Insel ist am einfachsten mit einer **organisierten Tour** von Marmaris aus zu erreichen, am preiswertesten mit dem **Dolmuş** (10-mal tägl.). Selbstfahrer können das Pech haben, ein Boot für sich alleine chartern zu müssen, sollten nicht zufällig ein paar andere Touristen am Steg stehen, mit denen man sich den Preis für die Überfahrt teilen kann. Ist das Boot voll, kann man mit ca. 4,20 € pro Person rechnen. Von der Straße nach Muğla ist die Abzweigung zur Fährstelle beim Dorf Çamlı mit "Sedir Adası" ausgeschildert.

- *Hinweis* Man darf keine Lebensmittel mit auf die Insel bringen und auch keinen Sand von der Insel als Souvenir mitnehmen. Auf der Insel befindet sich ein teures, seine Monopolstellung ausnutzendes Restaurant.

- *Essen & Trinken* Auf der Straße zur Fährstation passiert man das Restaurant **Çınar Tesisleri**, ein liebevoll angelegtes Gartenlokal. Man sitzt im Schatten unter Bäumen, ein Bach fließt hindurch, Enten quaken, alte Karrenräder stehen zur Zierde da. Gehobeneres Preisniveau.

Karacasöğüt-Bucht: Die Bucht im Süden des Golfs von Gökova, vor der die kleine Insel Karaca liegt, ist ein Treffpunkt von Seglern, die in der dortigen Marina mit 60 Liegeplätzen einen Stopp einlegen. Nur zum Baden lohnt die lange Anfahrt nicht, es gibt schönere Buchten in der näheren Umgebung von Marmaris. Viele wohlhabende Türken haben sich hier ein Ferienhaus geleistet, Übernachtungsgelegenheiten gibt es dagegen nur in mäßigen Pensionen.

Anfahrt Von Marmaris die Straße Richtung Muğla nehmen, nach ca. 14 km geht es links ab. Von da aus sind es noch 12 km. Kein Dolmuş.

Marmaris

(ca. 25.000 Einwohner)

Marmaris – das bedeutet, Urlaub zu machen und alle Zwänge abzulegen, das Jackett, die Krawatte, das Hemd und die Hose. In Marmaris herrschen andere Sitten, keine türkischen, sondern die freizügigen des Massentourismus. In Marmaris kann man in der Badehose essen gehen, was zugleich den Vorteil birgt, dass man nicht am T-Shirt in einen Laden gezerrt werden kann. Dem einen gefällt's, der andere kann sich Schöneres vorstellen.

In dem Städtchen mit der Sonnenscheingarantie (an die 300 Sonnentage jährlich) regiert König Tourismus. Auf der langen, rund um den alten Stadtteil bei der Burg auch ansehnlichen Uferpromenade geben sich Maler, Gaukler und Musikanten ein internationales Stelldichein. Dazwischen trägt man seinen sonnenverbrannten Bauch spazieren, schattenspendend über den noch weißen Füßen. Die Cola kostet dreimal soviel wie anderswo, dafür sind die Speisekarten in einigen Restaurants sogar ins Finnische übersetzt. Immerhin – wer außer in der Sonne gern in der Menge badet und zu einem für Mitteleuropäer relativ günstigen Preis Sport und Unterhaltung sucht, der ist hier gut bedient. Schöne Strände gibt es auch, insbesondere in der Umgebung. Und in der gesamten Stadt lässt es sich bestens einkaufen: Alles, auf das sich der Schriftzug bekannter Designer drucken lässt, wird an jeder Ecke und auf jedem Meter angeboten. Marmaris, das ist ein reges Markttreiben zwischen unzähligen Hotels und Restaurants, lediglich am Strand herrscht etwas Ruhe.

Die türkischen Urlauber, die sich zu dem internationalen Gästekontingent gesellen, gehören zur Oberschicht des Landes, denn für Ali Normalverbraucher ist das Preisniveau zu hoch. So konnte eine neue, fix und fertig eingerichtete Filiale einer bekannten Bank erst einmal nicht eröffnet werden, weil sich kein Personal fand, das es sich leisten konnte, in Marmaris zu leben und zu arbeiten.

Geschichte

Marmaris, als *Phiscus* um 1000 v. Chr. von dorischen Einwanderern gegründet, war einst Handelshafen und Tor Kleinasiens nach Rhódos und Ägypten. Im 6. Jh. v. Chr. geriet die Ansiedlung unter die Herrschaft Lydiens. Vom 4. bis zum 2. Jh. v. Chr. dominierte Rhódos den Hafen. Danach war Marmaris ständig wechselnden Machtverhältnissen ausgesetzt, bis schließlich die Osmanen 1408 die ganze Gegend besetzten; seitdem ist Marmaris türkisch. Die Bucht von Marmaris spielte übrigens für Strategen seit jeher eine wichtige Rolle: Wo einst Süleyman der Prächtige seine Expedition nach Rhódos startete, befindet sich heute ein NATO-Stützpunkt (die Aksaz-Bucht östlich von Marmaris ist militärisches Sperrgebiet).

Die größten Veränderungen in der Geschichte von Marmaris brachten jedoch weder Römer noch NATO-Militärstrategen, sondern Touristen. Übernachteten noch Anfang der 1970er lediglich ein paar Globetrotter in der Stadt, so sinken heute im Sommer jede Nacht annähernd 100.000 Urlauber aus aller Herren Länder in ihre Gästebetten. Das einst verschlafene Fischernest ist einer der größten internationalen Rummelorte der Türkei geworden. Sämtliche Baulücken unmittelbar an der Küste in der Bucht von Marmaris sind mittlerweile verschwunden, auch in zweiter, dritter und vierter Reihe ist kaum mehr ein grüner Fleck zu sehen. Die Roh- und Neubauten ziehen sich immer weiter ins Hinterland und zeugen von einer ungebrochen optimistischen Zukunftssicht.

Orientierung: Das alte Zentrum von Marmaris mit dem Basar, den Restaurants und den Bars liegt rund um die Burg. Gen Westen, Richtung İçmeler, erstreckt sich rechts und links des K. Seyfettin Elgin Bulvarıs, der fließend in den Kenan Evren Bulvarı übergeht, die neue Hotelstadt von Marmaris. Von dort erreicht man per Dolmuş rund um die Uhr das Zentrum. Steigt man an der Atatürk-Statue am Beginn der Kordon Caddesi aus, kann man rund um die Burg zum Jachthafen schlendern.

Information/Verbindungen/Ausflüge/Veranstaltungen

• *Telefonvorwahl* ✆ 0252.

• *Information* Die **Tourist Information** befindet sich an der Uferpromenade Richtung Burg. Professionell, sehr zuvorkommend und informativ. Im Sommer täglich 9–19 Uhr, im Winter Mo–Fr 9–17.30 Uhr. İskele Meydanı, ✆ 4121035, 📠 4127277.

• *Verbindungen* **Busse** fahren mehrmals täglich nach Pamukkale (4,5 Std.), Datça (1,5 Std.), Selçuk (Ephesus, z. T. mit Umsteigen in Aydın, 4–6 Std.), Fethiye (3 Std.), İstanbul (13 Std.), İzmir (5 Std.), Dalaman (2 Std.), Kaş (4 Std.) und Antalya (7 Std.). Der neue Busbahnhof liegt etwas außerhalb des Zentrums am Mustafa Münir Elgin Bul. Zweigstellen der verschiedenen Busgesellschaften findet man rund um das Tansas Shoppingcenter. Von dort betreiben fast alle Ge-

Blick auf Marmaris

Südägäis
Karte S. 298

sellschaften mit Minibussen einen Shuttle-Service zum Busbahnhof. In mehreren Reisebüros werden auch Bustransfers zum Flughafen angeboten (→ "Adressen/ Turkish Airlines"). Wenn die Minibusse voll werden, kostet die Fahrt dahin rund 5 €, für Kinder die Hälfte.

Dolmuş: Die Wagen in die unmittelbare Umgebung starten recht zentral an der Einfallstraße aus Richtung Muğla, halten aber auch an der Rechtskurve bei der Atatürk-Statue am Hafen und entlang der Atatürk Cad. Richtung İçmeler; nach İçmeler alle 10 Min (0,50 €), stündlich nach Datça (2,50 €) und Turunç (3 €).

Bootsdolmuş: zu den Stränden rund um Marmaris. Sie legen bei der Kordon Cad. ab, z. B. alle 20 Min. nach İçmeler (2,50 €).

Taxi: Wagen stehen an fast jeder zweiten Kreuzung bereit. Eine Fahrt mit dem Taxi zum Flughafen Dalaman kostet rund 40 €, nach İçmeler 6 €, nach Bozburun 25 € und nach Turunç 20 €.

Fährverbindung nach Rhódos: Mit dem Hydrofoil oder dem Katamaran erreicht man die griechische Insel von Anfang April bis Ende Oktober mehrmals täglich in nur 40–60 Min. (→ "Ausflug nach Rhódos", S. 372). Die Einschiffungsformalitäten beginnen 1 Std. vor der Abfahrt. Hin und zurück am gleichen Tag 30 €; das offene Rückfahrtticket kostet 45 € und erlaubt die Rückfahrt an einem selbst gewählten Tag. Autofähren verkehren in der Regel Fr (gleiche Preise). In der Nebensaison gibt's ebenfalls Fähren nach Rhódos, allerdings sehr unregelmäßig (verlässliche Angaben für längere Zeiträume sind nicht zu bekommen, erkundigen Sie sich vor Ort).

• *Bootsausflüge* werden von Reisebüros und privat am Hafen angeboten. Hunderte von kleinen Schiffen an der Mole locken mit demselben Motto: Just-for-fun-Fahrten mit Badestopps, Touren rund um die Bucht von Marmaris und zu den Badeorten der Umgebung. Die Preise sind größtenteils identisch. Normalerweise legen die Schiffe um 10 Uhr ab und kehren zwischen 17 und 19 Uhr zurück. Mondscheinfahrten beginnen um 18.30 Uhr und enden gegen 22.30 Uhr. Zum angebotenen Bootsausflug zum "Turtle-Beach" (Schildkrötenstrand) → "Dalyan/ Baden", S. 400.

Auf den ersten Blick scheinen die Angebote identisch, jedoch ist ein Vergleich empfehlenswert: Es ist ein Unterschied, ob der Strandaufenthalt 30 Min. oder 3 Std. dauert oder ob ein Boot bis zum Anschlag mit Holzbänken vollgestellt ist oder genug Platz zum bequemen Aufenthalt bietet. Oft wird an Bord Livemusik geboten. Auch sie kann die Stimmung heben oder senken.

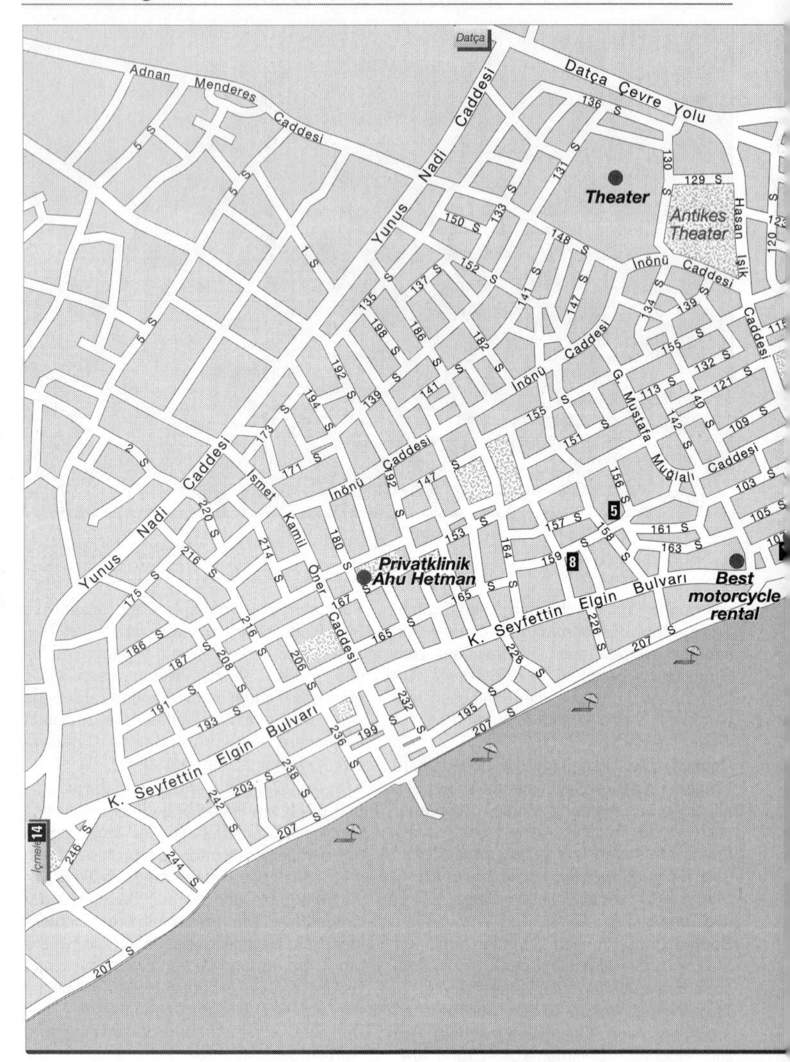

• Organisierte Ausflüge Unzählige Agenturen bieten organisierte Ausflüge für alle Geschmäcker und in alle Richtungen, wahlweise mit Boot oder Bus. Die Palette ist riesig. Der gängige Preis für eine Fahrt nach Dalyan/Kaunos beträgt rund 18 €, nach Rhódos 35 €, nach Ephesus 25 €, nach Pamukkale 19 €, nach Fethiye 20 €, ein Zweitagestrip nach Ephesus und Pamukkale 55 €, und ein Ausflug in die "Türkei" (sprich: in ein ländliches Dorf, das zufällig ein Teppichknüpfzentrum ist) kostet 10 €.

• Jachtcharter Im Eldorado des Jachtsports gehört es fast zum guten Ton, sich für eine Woche eine Jacht mit Besatzung und Kapitän zuzulegen – die Garantie für den reinsten Genuss der türkischen Küste.

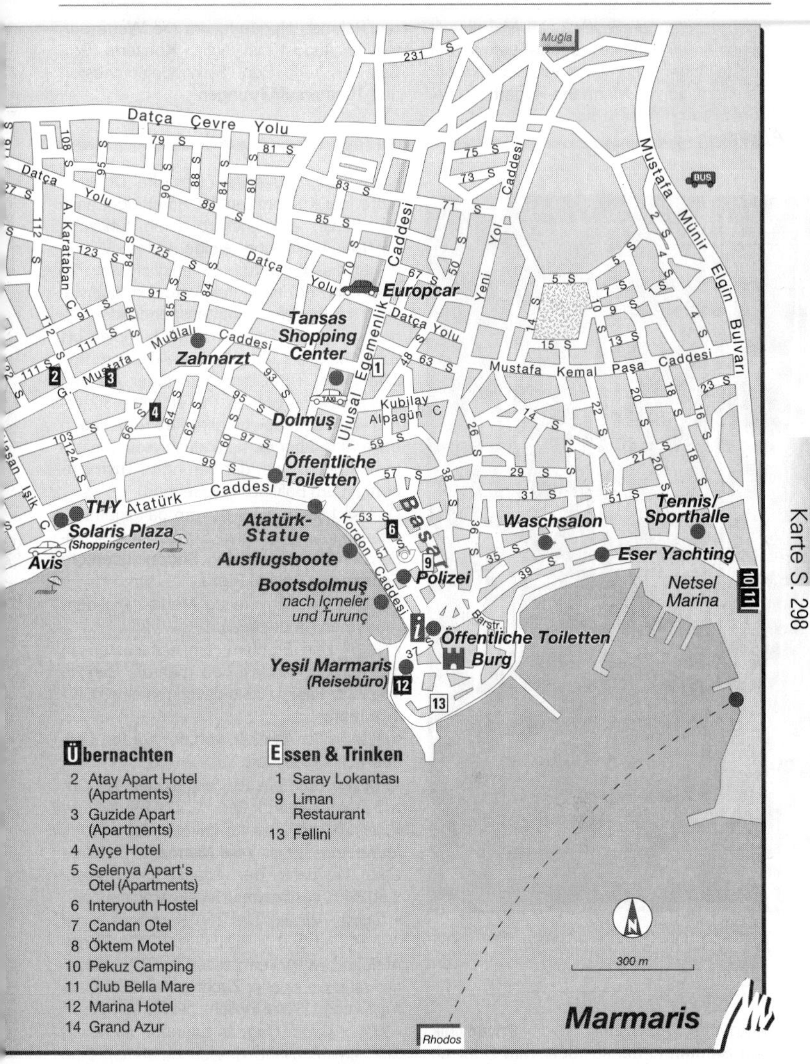

Südägäis
Karte S. 298

Billigste Angebote bei 40 € pro Person und Tag für ein 17-m-Boot, auf dem 8 Leute Platz haben. Bei höherem Komfort auch höhere Preise, nach oben sind keine Grenzen gesetzt. Reichlich Angebote in den Reisebüros oder direkt am Jachthafen bei den einzelnen Kapitänen oder Bootsbesitzern.

Eine vielgepriesene Chartergesellschaft, die auch Mitsegeltörns und Rundfahrten anbietet, ist **Eser Jachting**, 35 Sokak 21. Eine einwöchige Tour nach Fethiye kostet pro Person rund 300 €, bis auf die Getränke ist im Preis nahezu alles inbegriffen. Die Gesellschaft offeriert auch Last-Minute-Angebote, pro Woche dann ab ca. 225 €. ✆ 4123527, www.eser-yachting.com.

• *Veranstaltungen/Festival* im Mai einwöchiges internationales **Jacht-Festival** mit Ausstellungen und Vorträgen. Im Oktober die internationale **Marmaris-Regatta**, in deren Rahmen Hunderte um die Wette surfen. Im August fast täglich **Konzerte** (Größen des türk. Pop, Symphonieorchester) und **Theateraufführungen**.

Adressen

Ein Dickicht aus Masten im Jachthafen von Marmaris

• *Ärztliche Versorgung* In der **Privatklinik Ahu Hetman** in der 167 Sok. wird Deutsch gesprochen, ✆ 41314115. **Dr. Hülya Elmas**, die Deutsch sprechende **Zahnärztin**, bohrt an der G. Mustafa Muğlalı Cad., ✆ 4126342.

• *Autoverleih* unzählige Agenturen, darunter nationale und internationale Verleiher; wie üblich sind die nationalen Agenturen etwas billiger (ab ca. 45 € inkl. Versicherung). **Avis**, Atatürk Cad. 30, ✆ 4122771, ℻ 4126413. **Europcar**, Ulusal Egemenlik Cad., Datça Yolu Kavşağı, ✆ 4122001, ℻ 4120987.

• *Einkaufen/Souvenirs* Der alte Ortskern hinter der Kordon Cad. ist ein einziger riesiger Basar, aufgelockert durch türkische Fastfoodlokale und einige Cafés. Waren früher die Häuserfronten lediglich von Plakaten und Reklametafeln verdeckt, überziehen mittlerweile schattenspendende Planen das ganze Einkaufsviertel komplett bis zur Höhe des 1. Stockwerks – die Parterres sind hinter Touristengütern jeder Art und Preisklasse verborgen. Für einfache Souvenirs wie Edelteppiche gilt: die Preise liegen etwa 70 % über dem Landesniveau. Ein gutes Mitbringsel ist der berühmte **Thymianhonig** (Çam Balı) aus der Gegend.
Diverse Läden, die sich vom gängigen Imitatenangebot auf der Straße unterscheiden, findet man in den **Shoppingcentern Tansas** und **Solaris Plaza**.
Außerdem jeden Freitag **Markt** nahe dem modernen Amphitheater.

• *Geld* kein Problem, am einfachsten an der Kordon Caddesi, wo mehrere Banken ihren Sitz haben. Viele davon mit einem EC-Automaten.

• *Post* in der Altstadt, von der Kordon Caddesi aus beschildert.

• *Polizei* mehrere Polizeistationen vor Ort, z. B. an der Atatürk Cad., ✆ 4121494.

• *Reisebüros* Eine Kontaktadresse mit Allround-Angebot ist **Yeşil Marmaris**, Barbaros Cad. 11, nahe der Tourist Information, ✆ 4126486, yesilmarmaris@superonline.com.

• *Turkish Airlines* Das THY-Büro liegt in der Atatürk Cad. 26 B. ✆ 4123751, ℻ 4123753. Zu den Abflugs- bzw. Ankunftszeiten der THY-Maschinen fährt ein eigener **Zubringerbus** zum Dalaman-Airport (3-mal täglich), pro Person 5 €.

• *Waschsalon* **Çağdaş Laundry**, an der 33 Sok. (in der Nähe des Jachthafens). Eine Trommel waschen 4,50 €.

• *Zeitungen* deutschsprachige Zeitungen und Zeitschriften problemlos v. a. entlang der Atatürk Cad. und der Seyfettin Elgin Cad.

• *Zweiradverleih* Eine gute Adresse ist **Best motorcycle rental**, Seyfettin Elgin Bul., ✆ 412 9436. Mountainbike pro Tag 10 €, Scooter (100 ccm) 25 €, Motorräder von 35 € (z. B. Suzuki TS 125) bis 100 € (Harley Davidson 883 Sportser). Bei längerer Mietdauer etwas billiger.

Übernachten/Camping (siehe Karte S. 362/363)

Der Hotelschwerpunkt liegt in und um die Atatürk Cad. und die Seyfettin Elgin Cad. Einige Unterkünfte gibt's auch in Promenadennähe an der Barbaros Cad. Grundsätzlich gilt: Das Gros der Unterkünfte in Marmaris wurde für den billigen Massentourismus geschaffen, freundliche Pensionen und kleine Hotels mit Stil gibt es eigentlich so gut wie keine mehr. Für wen auch – Individualreisende machen um Marmaris einen großen Bogen. Bedenken Sie ferner: Je näher die Hotels am Zentrum liegen, desto älteren Baujahrs sind sie in der Regel, desto abgewohnter die Ausstattung. Wer moderne Zimmer sucht, egal welcher Kategorie, aber ohne Brandlöcher im Teppich, nächtigt außerhalb des Zentrums fürs gleiche Geld komfortabler. Empfehlenswerte Ausweichorte sind Akyaka, Turunç und die Ortschaften auf der Halbinsel Bozburun. Es stehen um die 800 Quartiere zur Auswahl, eine gute Wahl treffen Sie bei den folgenden:

• *Hotels/Pensionen* ****Grand Azur (14)**, an der Straße nach İçmeler linker Hand. Extravagante, 2001 eröffnete 5-Sterne-Herberge, von außen fast futuristisch. Herrlicher Eingangsbereich mit Marmorsäulen und elegant-minimalistischer Einrichtung. Geschmackvolle, komfortable Zimmer, jedes mit Balkon. Großer Pool, Hallenbad und eigener Strandabschnitt, Tennisplätze. EZ 132 €, DZ 160 €. ✆ 4174050, www.hotelgrandazur.com.

Club Bella Mare (11), im Südosten der Bucht von Marmaris, ca. 6 km vom Zentrum entfernt, der Beschilderung nach Günlüce folgen. 1998 eröffnete Hotelanlage mit 112 Zimmern, auf mehrere Gebäude in einem Pinienwald am Meer verteilt. Eine der ruhigsten und schönsten Unterkünfte rund um Marmaris. Alle Zimmer komfortabel ausgestattet. Großer Pool. Fitnesscenter. Animationsteam. Einziger Haken: schmaler Strand, dennoch ansprechend. Für das Gebotene recht preiswert. All-inclusive-Preis pro Person 64 €. ✆ 4133431, 📠 4134807.

****Candan Otel (7)**, in der Atatürk Cad. 66. 2001 neu eröffnetes Haus. 39 klassisch-moderne Zimmer in hellen Farbtönen. Gepflegt und komfortabel, äußerst einladender Eingangsbereich. Leider hat man eine vielbefahrene Straße vor der Tür und wählt deswegen am besten ein Zimmer nach hinten raus. EZ 40 €, DZ 60 €. ✆ 4129302, 📠 4125359.

Marina Hotel (12), unterhalb des Kastells an der Promenade. Kleines, älteres Hotel mit eigener Note – ganz unterschiedliche Zimmer, wählen Sie das Ihnen entsprechende. Tipp: Das Honeymoon hat die Terrasse zum Hafen! Im Sommer empfiehlt sich eine Reservierung im Voraus. Schöne Dachterrasse mit Bar. Die Alternative zu den langweiligen Durchschnittshotels. EZ 25 €, DZ 35 €, Dreibettzimmer 45 €. Barbaros Cad. 37, ✆/📠 4110020, www.turkuaz-guide.net/marina.

****Ayçe Hotel (4)**, in der 64. Sok., ca. 7 Min. vom Strand. Ein guter Tipp in dieser Preisklasse, zudem von Lesern empfohlen. Gut geführtes, gepflegtes 2-Sterne-Familienhotel mit 24 kleinen, jedoch ausreichenden und freundlichen Zimmern. Gemütlicher Poolbereich, familiäre Atmosphäre. DZ mit Klimaanlage und Frühstück 30 €, ✆ 4123136, www.hotelayce.com.

Öktem Motel (8), Çildir Mah. 156 Sok., Nr. 1. Eine gute Adresse, keine 5 Min. vom Strand und Zentrum entfernt. Freundliches, sauberes Haus mit 14 rustikal ausgestatteten Zimmern. Zuvorkommende Vermieter. Pool für lässige 10.000 Längen. DZ mit Klimaanlage und Frühstück 17 €. Dreier 21 €. ✆ 4125383.

Interyouth Hostel (6), in der Altstadt, Tepe Mahallesi, 42. Sok. 45. Kleine, saubere, schwarzweiß gehaltene Mehrbettzimmer (max. 4 Personen) und DZ. Freundlicher Service. Wer viele Kontakte knüpfen will, ist hier richtig. Pro Person im Mehrbettzimmer 7 €, das DZ für 15 €, ✆ 4123687, 📠 412 7823.

• *Apartments* Man findet zwar unzählige Aparthotels, insbesondere ab der vierten Häuserzeile von der Uferpromenade, doch verfügen nur wenige über Kapazitäten, die an Individualreisende vergeben werden können, da meist große Reiseveranstalter die gesamten Häuser belegen. Allgemein gilt: Was die Häuser von außen versprechen, halten sie von innen nicht.

Selenya Apart's Otel (5), an der 160 Sok. nahe dem Kemil Engin Bulvarı. Gepflegtes und sauberes Haus mit 15 soliden Apartments. Freundlicher Service, Planschpool. Gutes Preis-Leistungs-Verhältnis. Für 1–3 Personen 27 € die Nacht, ✆ 4135307, 📠 4139057.

Südägäis
Karte S. 298

Atay Apart Hotel (2), an der Mustafa Muğlalı Cad. 16.Einfachste Apartments für wenig Anspruchsvolle. Räumlichkeiten und Umgebung ohne Flair, dafür billig. Pro Nacht für 2 Personen 15 €. ✆/℡ 4136132. Schräg gegenüber im **Guzide Apart (3)** liegt der Sachverhalt nicht anders, ✆ 4125164, ℡ 4125166.

• *Camping* Fast alle Campings nahe Marmaris haben in den letzten Jahren geschlossen. Der nächstgelegene Campingplatz ist der **Pekuz Camping (10)**, 4 km östlich der Stadt, der Beschilderung nach Gümlüce und zum Club Bella Mare folgen. Das Schönste dort ist die Bar mit ein paar Tischen auf einem Holzsteg über dem Meer. Mäßige Sanitäreinrichtungen, Schatten, günstig. ✆ 4121963, www.greeneyestour.com.

Gute und schöne Campingplätze findet man insbesondere auf dem Weg nach Datça (→ S. 379).

Essen & Trinken/Nachtleben (siehe Karte S. 362/363)

Die Auswahl ist riesig: türkische, englische, französische, italienische, deutsche, chinesische Küche, alles ist vorhanden, selbst die international operierenden Fastfoodrestaurants sind vertreten. Für jeden Geldbeutel ist etwas dabei. Zahlreiche teure Restaurants (rechnen Sie pro Personen mit mindestens 15–20 €) an der Flanierpromenade von der Tourist Information Richtung Jachthafen. In den Restaurants der Netsel Marina diniert man am edelsten. Alternativ empfiehlt es sich, den ufernahen Basar zu durchforsten – Pide und Kebab im Souvenirambiente. Günstigere Lokale inkl. Pizzerien finden sich überall in der zweiten oder dritten Reihe hinter den Vorzeigeadressen.

Fellini (13), wird an der Promenade als Tipp gehandelt. Äußerlich hebt es sich durch gelbe Stühle und eine Dachterrasse ab. Das Essen ist wirklich gut. Ob es jedoch besser ist als in all den anderen Restaurants entlang der Hafenpromenade, ist schwer zu sagen. Man bräuchte Wochen, um alle auszuprobieren.

Liman Restaurant (9), eine gute Wahl im überdachten Teil der Altstadt. Das Angebot dort ist klein, aber ausgezeichnet. Ums Eck findet man noch ein paar weitere preiswerte Restaurants.

Gut und preiswert isst man ferner in den einfachen Restaurants rund um das Shoppingcenter Tansas: Beste türkische Hausmannskost bietet z. B. das **Saray Lokantası (1)** an der Ulusal Egemenlik Cad.

> Achtung: Viele der (angeblichen) Sonderangebote sind ein Trick, um Sie ins Lokal zu locken. Das Menü zum Spottpreis gibt es oft nur, wenn Sie es mitnehmen!

• *Nachtleben* Es gibt zwei Zentren: einmal die Bars am Strand von Uzunyalı (parallel zur Seyfettin Elgin Cad.) – im **Beach Club**, in der **Cheers Bar** und der **Daisy Bar** wird dort die Nacht zum Tag gemacht. Zum anderen die "Bar-Street" hinter dem Kastell und als solche auch ausgeschildert – beliebt ist dort z. B. der Open-Air-Club **Green House**. Ein weiterer angesagter Treffpunkt ist die Diskothek des **Hotels Mares**, ca. 6 km westlich von Marmaris an der Straße nach İçmeler.

Baden/Sport

Der Stadtstrand von Marmaris, eingeklemmt zwischen dem Meer und den Hotelklötzen an der belebten Straße, ist trotz seiner minderen Wasserqualität in der Saison brechend voll. Man sollte besser mit dem Dolmuş oder dem Ausflugsboot zu einem der schönen Badeplätze in der Umgebung aufbrechen. Rund um Marmaris liegen viele Buchten und Strände (meist Kiesstrände) mit einer in der Regel guten Wasserqualität.

• *Baden* **Kumlubükü-Bucht**, langer, grober Sandstrand nahe Turunç. Wassersportmöglichkeiten (→ "Umgebung von Marmaris", S. 369).

Çiftlik: einer der schönsten Strände rund um Marmaris. Am bequemsten mit dem Schiff zu erreichen, man passiert unterwegs die Kumlubükü-Bucht. Mühsam dagegen die Anfahrt mit dem Auto (→ "Halbinsel Bozburun", S. 370).

Cennet Adası: Die "Paradiesinsel" ist für Kinder der Badehimmel – Sandstrand, flaches

Wasser und Schatten unter Bäumen. Wenige Hotels, viel Tagesgastronomie. Schlechte Straße, am besten erreichbar mit dem Ausflugsschiffchen, Fahrtdauer etwa 20 Min.

Sedir-Insel: im Golf von Gökova, am einfachsten per organisierter Ausflugstour zu erreichen (→ "Weiter in Richtung Marmaris", S. 358).

• *Tauchen* Mehrere Möglichkeiten, u. a. bei **Professional Diving Centre**, **Marmaris Diving Centre** und **Nemesis**, deren Schiffe am Hafen liegen. Kaum Preisunterschiede. 2 Bootstauchgänge inkl. Mittagessen für rund 35 €. Anfängerkurse (CMAS) beginnen bei ca. 220 €. Hinweis: Erkundigen Sie sich nach der Teilnehmerzahl bei Bootstauchgängen. Von manchen Booten springen bis zu 50 Taucher gleichzeitig ins Wasser.

• *Tennis* Öffentliche Plätze findet man beim **Orhan Aydın Sportkomplex** östlich der Burg.

• *Sonstige Wassersportarten* Reichliches Angebot an allen größeren Stränden – Wasserski, Kanu, Bananaboat usw.

Sehenswertes

An kulturhistorischen Sehenswürdigkeiten hat Marmaris so gut wie nichts zu bieten. Vom antiken *Phiskus* sind lediglich noch ein paar spärliche Mauerreste auf einem Hügel im Norden der Stadt erhalten, die keinen Besuch lohnen. Die Touristenhochburg vermittelt jedoch unzählige Einblicke in die Auswüchse des Massentourismus. Ob deswegen die gesamte Stadt als sehenswert zu bezeichnen ist, muss jeder selbst entscheiden.

Marina: Der Jachthafen von Marmaris ist seit seiner Fertigstellung 1991 der größte der türkischen Ägäis; die Kapazität beträgt mit den umliegenden Marinas 1.500 Liegeplätze. Die Marina prägt entscheidend das Ortsbild im Osten der Bucht. Auf dem Weg dorthin, der über die Kordon Cad. und die Barbaros Cad. die Hafenmole entlangführt, wird kräftig flaniert. Hier liegen auch die meisten Restaurants und Bars.

Marmaris Kalesi: Ein ursprünglich mittelalterliches, von Süleyman dem Prächtigen 1522 ausgebautes und 1985 restauriertes Kastell. Im Inneren des kleinen Gevierts ist ein Museum eingerichtet: Öltiegelchen, Töpfchen, Väschen, Näpfchen und Amphörchen, ein Gewölbe ist osmanisch dekoriert. Obwohl alles liebevoll hergerichtet ist, insgesamt wenig aufregend.

Öffnungszeiten tägl. (außer Mo) 8–12 Uhr und 13–18 Uhr. Eintritt 0,90 €.

Umgebung von Marmaris

Landschaftlich ist die Gegend rund um Marmaris äußerst reizvoll. Meist führt eine einsame Straße durch bewaldetes, hügeliges Land, vorbei an Tälern mit Bächen, in denen Forellen tanzen, zu teils abgeschiedenen Buchten und Dörfern. Insbesondere die sich südwestlich der Stadt erstreckende Halbinsel Bozburun lädt zu ausgedehnten Ausflügen oder Aufenthalten ein. Aber auch nördlich von Marmaris, am Golf von Gökova, findet man idyllische Plätze (→ "Weiter in Richtung Marmaris", S. 358). Als Grundregel gilt: Je weiter man sich von Marmaris entfernt, desto ruhiger und gemütlicher wird es.

İçmeler

Das einst völlig unbedeutende Dörfchen am westlichen Rand der Marmaris-Bucht gehört heute zum unmittelbaren Einzugsgebiet der Urlaubshochburg. In der Hochsaison findet man sich hier im Sonnenschirmwald wieder, die gesichtslose Wohnzone hinter dem Strand ist insgesamt aber ruhiger und sauberer als die von Marmaris. Die Bucht wird insbesondere bei Nacht vom imposant

Die Bucht von İçmeler

beleuchteten 5-Sterne-Hotel Aqua dominiert. Viele Tourenveranstalter aus Marmaris sowie Auto- und Zweiradverleiher haben in İçmeler eine Zweigstelle.

• *Telefonvorwahl* ✆ 0252.

• *Verbindungen* **Dolmuş** im 10-Min.-Takt nach Marmaris. Die Endstation liegt im Süden der Bucht. Schöner ist die Fahrt mit dem **Bootsdolmuş** nach Marmaris (ca. alle 20 Min., 2,50 €).

• *Ärztliche Versorgung* Der deutschsprachige Arzt **Dr. Bayram Çolak** praktiziert an der Kayabal Cad. neben dem Idas Hotel, ✆ 4553818.

• *Einkaufen* Mi großer **Markt**.

• *Übernachten* Die Anzahl der Hotels ist gigantisch, die Anzahl empfehlenswerter jedoch gering, nicht zuletzt deshalb, da viele Unterkünfte nur im Rahmen eines Pauschalarrangements vom Ausland aus zu buchen sind. Auch freundliche Pensionen sind Mangelware.

Martı Resort de Luxe, Sporthotel der Nobelklasse mit lustig-kitschigem Burgtouch im Norden der Bucht. Wer hier wohnt, vermisst kaum etwas. Umfangreiches Sportangebot, einladender Kinderspielplatz. DZ mit HP 140 €, ✆ 4553440, www.marti.com.tr.

Doruk Apart & Hotel, zwei Häuserblocks südlich des Hotels Aqua in der 74. Sok. Freundliche Zimmer und Apartments, alle mit Balkon. DZ 25 €. ✆/℻ 4553252, dorukhotel@hotmail.com.

Club Capella, außerhalb des Zentrums nahe der Straße nach Turunç. Rosafarbene, verwinkelte Neubauvilla mit fabrikgefertigten Statuen im Barockstil. Kleiner Pool mit Bar. Insgesamt sehr gutes Preis-Leistungs-Verhältnis: Die 11 schlichten, rosa-türkis gehaltenen Apartments für bis zu 4 Personen kosten 17 €, Frühstück extra. ✆ 4554517.

• *Essen & Trinken/Nachtleben* Recht gute und gepflegt-gehobene Lokale befinden sich entlang der Küste unmittelbar hinter dem Strand. Dazu Ansätze von Erlebnisgastronomie mit plätschernden Wasserfällen usw. im Ortskern. Ansonsten viel Austauschbares mit internationaler Steak- und Pizzaküche. Ein kulinarisches Debakel erlebt man nirgends, ein Wunder aber auch nicht. Aufregender ist das Nachtleben von Içmeler. Angesagte Treffpunkte waren zum Zeitpunkt der letzten Recherche die Bar des **Hotels Kontes** sowie die etwas außerhalb des Zentrums gelegene **Diskothek Pleasure**.

Turunç

Im Vergleich zu Marmaris oder İçmeler geht es in dem kleinen Ex-Fischerdörfchen noch immer beschaulich zu, auch wenn der Ort in den letzten Jahren in touristischer Hinsicht aufgeholt hat wie kaum ein anderer der Gegend.

Turunç, an einer langen, teilweise feinsandigen Bucht südlich von İçmeler gelegen, ist mit seinen vielen Cafés und Restaurants nicht mehr nur ein beliebtes Ausflugsziel, sondern mittlerweile auch Anlaufpunkt v. a. holländischer und englischer Pauschaltouristen. Rechts, links und über der Bucht haben sich einige Clubhotels angesiedelt, die keine Wünsche offen lassen. Dennoch findet man auch noch einfache, freundliche Unterkünfte. Die Cumhuriyet Caddesi, die Hauptstraße hinter dem Strand, wird allabendlich zu einer für den Verkehr gesperrten Fußgängerzone. Juweliergeschäfte und Teppichhändler, Bars und Reisebüros säumen sie.

• *Verbindungen* alle 30 Min. mit dem **Dolmuş** nach Marmaris. Von Marmaris nach Turunç verkehrt im Sommer zudem ein **Bootsdolmuş**.

• *Ausflüge* Diverse Anbieter offerieren die gleichen Touren wie in Marmaris.

• *Auto- und Zweiradverleih* **Star Moto**, an der Cumhuriyet Cad, der Hauptstraße des Örtchens. Scooter ab 25 € pro Tag, Autos ab 35 €. Von Lesern empfohlen. ✆ 0252/4767286.

• *Übernachten* ** **İffet Hotel**, freundliches Hotel ganz im Norden der Bucht in ruhiger Lage. Nur durch den eigenen Pool vom Meer getrennt. 31 große helle Zimmer mit gefliesten Böden, knapp die Hälfte davon mit Meeresblick. Pro Person 33 € mit Frühstück. ✆ 0252/4767040, iffet@ixir.com.

Internationale Akademie Marmaris, eine Adresse für Kreative nahe der Hotelanlage Loryma Resort oberhalb von Turunç. Kunst- und Kulturzentrum, in dem neben internationalen Seminaren und Workshops auch Übernachtungsmöglichkeiten geboten werden. Die Anlage wurde von türkischen Künstlern gestaltet und besitzt Ateliers, Werkstätten und ein Amphitheater. Pool. Vermietet werden 23 freundliche Zimmer mit Bad, größtenteils mit Balkon. EZ 36 €, DZ 52 €, Dreier 72 €. ✆ 0252/4767081, buchbar auch in Deutschland unter ✆ 02233/686734, akademie@turkinfo.de.

Hotel Han, direkt am Meer gelegen. 15 ordentliche Zimmer ohne besonderen Schnickschnack. Traumhafte Terrasse! DZ mit Frühstück und Klimaanlage 15 €, ohne Klimaanlage 13 €. ✆ 0252/4767006, ℻ 4767021.

Şule Pansiyon, einfache Familienpension in erster Reihe direkt am Meer. Ein Wunder, dass dieses Haus noch keinem teuren Hotel gewichen ist. Vermietet werden spartanische Zimmer mit eigenem Bad, die eigentlich nicht der Rede wert wären, gäbe es nicht die herrliche Terrasse mit Blick aufs Meer. Ein Pensionsrelikt aus früheren Zeiten, hoffentlich bleibt es noch länger erhalten. DZ 9 €, kein Frühstück, dafür Gemeinschaftsküche. ✆ 0252/4767044.

• *Essen & Trinken/Nachtleben* Gepflegt und auf einer schönen Terrasse direkt am Meer isst man im **Sürmen** an der Cumhuriyet Cad. Spezialität ist das im Ofen gebackene Lamm. Ansonsten neben türkischen Gerichten auch internationale Standards zu Touristenpreisen.

Gut und eher an den kleineren Geldbeutel orientiert ist das **Babür Restaurant**, ebenfalls an der Cumhuriyet Cad. In dem kleinen Verschlag werden günstige Kebab- und Grillvariationen serviert. Stets gut besucht.

Das Nachtleben von Turunç spielt sich in diversen Musikkneipen ab. Treffpunkt der Partypeople ist das **Findan** mit Restaurant zur Meerseite, Terrasse zur Straße (gelegentlich Fußballübertragungen) und einer 2002 neu gestalteten, recht netten Disco, in der in der Saison bis 5 Uhr morgens gefeiert wird. Beliebt ist zudem die dem **Loryma Resort** angegliederte Diskothek. Zubringerdienste ab 22 Uhr von der Cumhuriyet Cad. Wer am nächsten Tag sein Frühstück verschläft, geht am besten ins **Restaurant Oba**. Auch wenn's nicht danach aussieht, im Full-English-Breakfast-Einheitsangebot des Ortes wird hier für 1,70 € ein gutes türkisches Frühstück mit drei Sorten Käse serviert.

Südägäis
Karte S. 298

Amos (antike Stadt) und Kumlubükü-Bucht

Von Turunç führt hoch über der Küste eine Stichstraße gen Süden vorbei an der Amos-Bucht und den Ruinen des einstigen antiken Amos bis in die Kumlubükü-Bucht. Die kleine idyllische Amos-Bucht belegt ein Feriencamp der Universitäten Marmara und Anadolu. Der Asarcık-Hügel, auf dem die steinernen Überreste der Siedlung liegen, trennt die Amos-Bucht von der Kumlubükü-Bucht. Umgeben von beeindruckenden Mauerresten der Stadtumwallung sind u. a. ein schlecht erhaltener Tempel und ein gut erhaltenes Theater zu besichtigen. Apoll, der in dieser Gegend Samnaios genannt wurde, war der Schutzgott der Stadt. In der Kumlubükü-Bucht selbst lädt ein langer, teilweise sonnenschirmbestückter grober Sandstrand zum Verweilen ein. Wassersportmöglichkeiten werden angeboten. Zudem findet man einige Restaurants und Pensionen, Letztere sind jedoch wenig attraktiv.

Halbinsel Bozburun

Im Südwesten von Marmaris erstreckt sich die lange, wenig verbaute und landschaftlich reizvolle Halbinsel Bozburun, die nach ihrer größten Ortschaft benannt ist.

Das verschlafene Städtchen Bozburun liegt 54 km von Marmaris entfernt und ist ein traditionelles Zentrum des Bootsbaus. In den letzten Jahren hat sich der Ort ein wenig herausgeputzt, um am einträglichen Geschäft mit dem Tourismus teilhaben zu können. Dabei setzte Bozburun ganz und gar auf den Jachttourismus und ließ eine Marina bauen, verzichtete aber auf Hotelklötze. Das verleiht dem noch immer beschaulichen Ort mit der gemütlichen, aber kurzen Uferpromenade Charme und Natürlichkeit. Bislang hat sich erst ein Teppichverkäufer eingefunden.

Die restlichen Orte der Halbinsel sind überwiegend kleine Bauern- oder Fischerdörfer wie **Taşlıca**, **Bayırköy** oder **Söğütköy**. Im Programm der Ausflugsfahrten von Marmaris auf die Halbinsel Bozburun steht die Ortschaft **Turgutköy**, die Touren dorthin werden gewöhnlich mit dem Label "Visit Turkey Tour" versehen. Versprochen wird der Besuch eines typisch türkischen Dorfes, das man sich selbstverständlich als Teppichzentrum vorzustellen hat und in dem es sich in teuren Restaurants mit mehreren Busgruppen traditionell-touristisch speisen lässt. Verbunden wird diese Tour in der Regel noch mit einem Stopp bei einem nahe gelegenen Wasserfall (mit "Şelale" ausgeschildert). Auch hiervon sollte man nicht allzu viel erwarten. Im ganzen rauscht's im Sommer nicht mehr als bei der heimischen Klospülung. Das Wasser sammelt sich dafür in mehreren kleinen Becken, in denen man auch baden kann. An Bachlauf findet man zudem viele Forellenrestaurants.

Einige schöne Buchten säumen dafür die einladende Halbinsel. Die mit Abstand reizvollste ist die **Çiftlik-Bucht**, deren Strand zum Besten gehört, was die Gegend rund um Marmaris zu bieten hat. Sie ist am einfachsten per Ausflugsboot von Marmaris zu erreichen. Erwarten Sie aber trotz abgelegener Lage kein unberührtes Idyll – auch hier haben sich bereits mehrere Clubhotels angesiedelt, die vorzugsweise von Russen belegt werden. Pensionen, die man vor Ort buchen könnte, sucht man dort dagegen vergebens. Ebenfalls zu empfehlen ist die **Bucht von Hisarönü**, jedoch nimmt den schönsten Teil des dortigen Sandstrands ein All-inclusive-Hotel ein. Den anderen Teil des relativ schmalen, dafür aber lang gezogenen Strands teilen sich ein paar Hotels und Campingplätze.

Einfache Unterkünfte findet man auch in der fjordartigen **Orhaniye-Bucht**. Am Eingang zu dieser liegt eine Marina. Weiter könnten auch keine Jachten einlaufen, denn selbst in der Mitte der Bucht kann man noch auf Sandbänken stehen.

Landschaftlich schön gelegen präsentiert sich auch die **Selimiye-Bucht**, die von den Ruinen eines mittelalterlichen Kastells überragt wird. Die Bucht ist jedoch mehr etwas fürs Auge, Badestrände sind Mangelware. Einladend sind dafür die dort unmittelbar am Meer gelegenen Restaurants.

• *Anfahrt/Verbindungen* Per **Dolmuş** sind die Buchten und Ortschaften der Halbinsel größtenteils gar nicht oder nur schwer zu erreichen. Eine Ausnahme bildet das Städtchen Bozburun, das von Marmaris aus 5-mal tägl. vom Dolmuş angefahren wird.

• *Übernachten* In Bozburun selbst bestehen Übernachtungsmöglichkeiten in einfachen, freundlichen Pensionen. Die meisten Touristen jedoch nächtigen auf ihren Jachten. Eine einfache, aber saubere Unterkunft ist die **Pension Keskin** nahe dem Hafen. Lustiges rosa-grün-weißes Haus mit Figürchen auf dem Dach und wackeliger hellblauer Bestuhlung auf der Terrasse. Pro Person 4 €, ✆ 0252/4562690.

Im Südosten der Bucht von Bozburun reihen sich weitere nette Pensionen entlang der Küste. Die Preise sind mit ca. 4 € ohne Frühstück überall gleich. Alle Unterkünfte dort sind einfach, sauber, mit Terrasse und z. T. mit betonierter Badeplattform am Meer. Wählen Sie am besten eine Pension, bei der noch ein Zimmer mit Meeresblick frei ist.

Eine außergewöhnliche Adresse ist das nahe Bozburun einsam gelegene **Sabrinas Haus**. Die Anlage unter deutscher Leitung im Abseits des Trubels (am einfachsten mit dem Boot zu erreichen!) weist europäischen Standard auf – angenehme Zimmer, klassische Musik zum Frühstück, Kaminecke, Restaurant mit internationaler (natürlich auch türkischer) Küche und einige Annehmlichkeiten mehr. Ein Seminargebäude bietet Platz für bis zu 30 Seminaristen. Frühzeitige Reservierung – am besten von zu Hause aus – ist nützlich. Informationsmaterial wird zugeschickt. DZ mit Frühstück in der HS pro Person 35–50 €. Adresse in Deutschland: Christl Koser, Kochenmühle 2, 70771 Leinfelden-Echterdingen, ✆ 07157/4187 (ab 18 Uhr 0711/7977926), ✆ 07157/ 8601. In der Türkei ✆ 0252/4562045, ✆ 4562470.

Bei Söğütköy, unmittelbar am Bootssteg von Kızılyer, liegt die **Octopus Pension**. Ruhiger und beschaulicher kann man es kaum haben. Außer ein paar Jachten, die sich hierher verirren, kaum Betrieb. 4 Zimmer mit Bad, fast alle mit einem kleinen Garten davor, keine 20 m vom Meer, leider kein Sandstrand. Einfach, sauber und o. k. Für bis zu 3 Personen 22 € mit Klimaanlage und Frühstück. Das angeschlossene **Octopus Restaurant** ist zudem ein gutes Fischlokal, idyllisch, unmittelbar am Wasser gelegen, ✆ 0252/4965047, ✆ 4965451.

Direkt am Strand in der Bucht von Hisarönü liegt die **Hotelanlage UCPA**, unter türkisch-französischer Leitung. Freundliche, helle Zimmer mit blau gekachelten Bädern, alle nach türkischen Städten benannt. Umfangreiches Wassersportangebot: Surfen, Segeln, Kajak usw. Großer Pool. Fest in der Hand von französischen Aktivurlaubern, insbesondere von Surfern. Pro Person 16 € mit Frühstück, 25 € mit HP und 32,50 € mit VP, ✆ 0252/4666332, ✆ 4666333.

• *Camping* In der Bucht von Hisarönü befinden sich mehrere Campingplätze. Zu empfehlen ist der dortige **Hisar Camping**. Relativ großer schattiger Platz, nur durch die Strandbar vom Meer getrennt. 2 Personen mit Zelt zahlen 4,20 €, mit Wohnwagen 5 €. Mai–Okt. geöffnet. ✆ 0252/4666194.

• *Essen & Trinken* **Sardunya Restaurant**, in der Selimiye-Bucht. Erstklassiges Fischlokal mit romantischer Terrasse unmittelbar am Meer. Guter Service. Gehobeneres Preisniveau.

Mehrere Restaurants findet man auch am Strand von Çiftlik. Ihr Hauptgeschäft machen sie mit Clubgästen und Tagesausflüglern, die per Boot oder Tourbus ankommen. Darunter ist auch das **Deniz Restaurant**, ein gutes Fischlokal. Wird es gerade von einer Touristengruppe belagert, muss man allerdings damit rechnen, schnell abserviert zu werden. Ansonsten freundlich und gut. Achtung: Auch wenn's auf den ersten Blick preiswert aussieht, ganz so billig ist es nicht.

Durchwegs gut ist übrigens die Qualität der **Restaurants in Bozburun**. Eines der urgemütlichen Lokale hervorzuheben, wäre unfair.

Südägäis
Karte S. 298

Ausflug auf die Insel Rhódos (Griechenland)

Von Marmaris und Fethiye bestehen im Sommer regelmäßige Fährverbindungen nach Rhódos, der größten Insel des Dodekanes. Aufgrund seiner Lage zwischen Europa und Asien blickt Rhódos auf eine wechselvolle Geschichte zurück. Sehenswert ist insbesondere die Altstadt von Rhódos-Stadt, es lohnen aber auch Ausflüge zur Ost- und Westküste.

Rhódos zählt zu den meistbesuchten Inseln Griechenlands. Über 700.000 Urlauber werden jährlich registriert. Wenn man bedenkt, dass die 78 km lange und 38 km breite Insel nur 100.000 ständige Einwohner zählt (davon die Hälfte in Rhódos-Stadt an der Nordspitze der Insel), sind dies sehr viele Besucher. Der Inselhauptort begeistert durch seine verwinkelte Altstadt mit einem mittelalterlichen, labyrinthartigen Straßensystem, das in ganz Griechenland seinesgleichen sucht. Beim Schlendern durch die Gassen, vorbei an schattigen Hinterhöfen, urigen Kneipen, halb verfallenen Moscheen und herausgeputzten Ritterhäusern, glaubt man, die Zeit sei stehen geblieben. Ganz anders dagegen die ernüchternde Neon-Beton-Moderne der angrenzenden Neustadt – ein quadratisch aufgeteiltes Viertel mit Hotels, Diskotheken, Restaurants, Fastfoodlokalen, Souvenirgeschäften und Menschen dicht an dicht. Hier ist Rhódos-Stadt nichts weiter als ein großer touristischer Rummelplatz.

Information/Verbindungen/Adressen in Rhódos-Stadt

• *Telefonvorwahl* internationale Landesvorwahl für Griechenland ist ✆ 0030.

• *Information* Das Büro der **Griechischen Fremdenverkehrszentrale EOT** liegt unweit vom Busbahnhof an der Straßenecke Alexandrou-Papagou/Makariou (zwischen Alt- und Neustadt). Ganzjährig Mo–Fr 7.30–15 Uhr. Sehr hilfsbereites Personal. Aktuelles Informationsmaterial zu Öffnungszeiten, Eintrittspreisen, Busverbindungen und Schiffabfahrtszeiten, außerdem Stadtpläne, Inselkarten, Broschüren usw. ✆ 2241023655 oder 2241021921.

Bei Problemen aller Art wenden Sie sich an die **Touristenpolizei**, ✆ 2241027423. Der Eingang befindet auf der Rückseite der EOT in der Odos Karpathou. Ganztägig geöffnet, für Notfälle auch nachts besetzt.

Eine **Gepäckaufbewahrung** findet man in der Reiseagentur *Planet Holidays* in der Odos Galias (beim Neuen Markt), pro Tag ca. 4 €.

• *Fährverbindungen in die Türkei* → Marmaris/Verbindungen, S. 361, Fethiye/ Verbindungen, S. 411 und Bodrum/Verbindungen, S. 334.

• *Verbindungen auf Rhódos* Es gibt zwei große Busbahnhöfe in Rhódos-Stadt: In der Odos Averof (an der Rückseite der Nea Agora) fahren die Busse zum westlichen Teil der Insel ab, an der Platia Rimini (Sound & Light) die Busse zur Ostküste. Eine weitere Busstation befindet sich an der Hafenfront (Nea Agora), hier fahren nur die Stadtbusse ab.

Busse zur Ostküste: u. a. halbstündlich nach Kallithéa, etwa stündlich nach Afandou, 10-mal tägl. nach Kolímbia, 1-mal (morgens, zurück am Nachmittag) zum Tsambiká-Beach, 9-mal tägl. nach Líndos/ Pefkí.

Busse zur Westküste: u. a. 3-mal tägl. zum Schmetterlingstal, 2-mal tägl. (außer Mo) zum antiken Kamiros, 9-mal tägl. nach Kalavarda, 1-mal tägl. nach Monólithos, 4-mal tägl. nach Salákos.

• *Autoverleih* Große Firmen wie **Hertz** (✆ 2241021819), **Avis** (✆ 2241024990) und **Europcar** (✆ 2241021958) haben Büros in Rhódos-Stadt. Die kleineren einheimischen Firmen sind allerdings günstiger. Unser Tipp: **Motocar Rent a Car**, Agios Ioannou 32, zu Fuß etwa 10–15 Min. vom Mandráki-Hafen. Etwas herber, aber doch freundlicher und hilfsbereiter Service. Kleinwagen ab 40 € pro Tag. April bis Oktober von ca. 9 Uhr bis spätabends geöffnet, ✆ 2241074538 oder 2241034239.

• *Taxis* große Taxistation an der Platia Rimini (Mandráki-Hafen), nicht zu übersehen. Die Preise sind festgelegt und auf einer großen Anschlagtafel für jeden einsehbar. Zum Beispiel ins Schmetterlingstal 13 €, Lindos 23 €. Für Wartezeiten werden pro Stunde ca. 8 € veranschlagt. ✆ 2241064712 oder 2241027666.

• *Zweiradverleih* Ein 50-ccm-Moped bekommt man pro Tag ohne Kilometerbegrenzung ab 15 €, für Fahrräder (meist ohne Gangschaltung) zahlt man 5 €. Unternehmen gibt es fast an jeder Straßenecke, vor allem in der Neustadt. In der Altstadt ist **Mandar Moto** eine gute Adresse, Platia Martyron. Tägl. 8–20 Uhr (April–Okt.), ✆ 2241034576.

Die Hauptstadt der größten der Dodekanes-Inseln: Rhódos

Südägäis Karte S. 298

Übernachten in Rhódos-Stadt

Hotels an jeder Straßenecke in der Neustadt – auf Pauschaltouristen spezialisiert. Die hier ausgewählten Hotels liegen alle in der Altstadt, wo es ruhiger und weniger touristisch zugeht. Außerdem ist es hier preisgünstiger.

Hotel Paris, sehr ruhig und trotzdem relativ zentral gelegen. DZ mit Bad und Frühstück 35–50 €. Nur von April bis Okt. geöffnet. Odos Fanouriou 88, ✆ 2241026356, ℻ 2241021095.

Rooms to let Maria, eine gute Adresse, nur 50 m von der Odos Sokrates entfernt, absolut im Zentrum, dennoch nicht laut. DZ 25 €. Von Lesern empfohlen: "Sehr sauber, hübscher Innenhof, sehr nette Vermieterin." Odos Menekleous, ✆ 2241022169.

Pension Andreas, in der Odos Omirou (Hinweisschild). Idyllisches Ambiente, gepflegt, geräumige, freundliche Zimmer, z. T. mit Dachterrasse und romantischem Blick über die Dächer der Stadt. DZ mit Bad 35 €, ohne Bad 25 €. Waschmaschine vorhanden. ✆ 2241034156, ℻ 2241074285.

Pension Mama, kleines, einfaches Hotel in einem historischen Gebäude. Aufgrund der dazugehörigen Taverne manchmal laut, dafür herrliche Dachterrasse. Viel junges Publikum, entsprechend günstig: DZ 20 € (ohne Bad), Frühstück 2,50 €. Odos Menekleous 28, ✆ 2241025359.

Hotel Tehran, das kleine, nette Altstadthotel von Kaliopi Chiotis ist sehr ruhig gelegen und stimmungsvoll, aber auch äußerst schlicht. Zimmer z. T. mit Balkon (ohne Bad). Ganzjährig geöffnet. DZ ca. 20 €. Odos Sophokleous 41b, ✆ 2241027594.

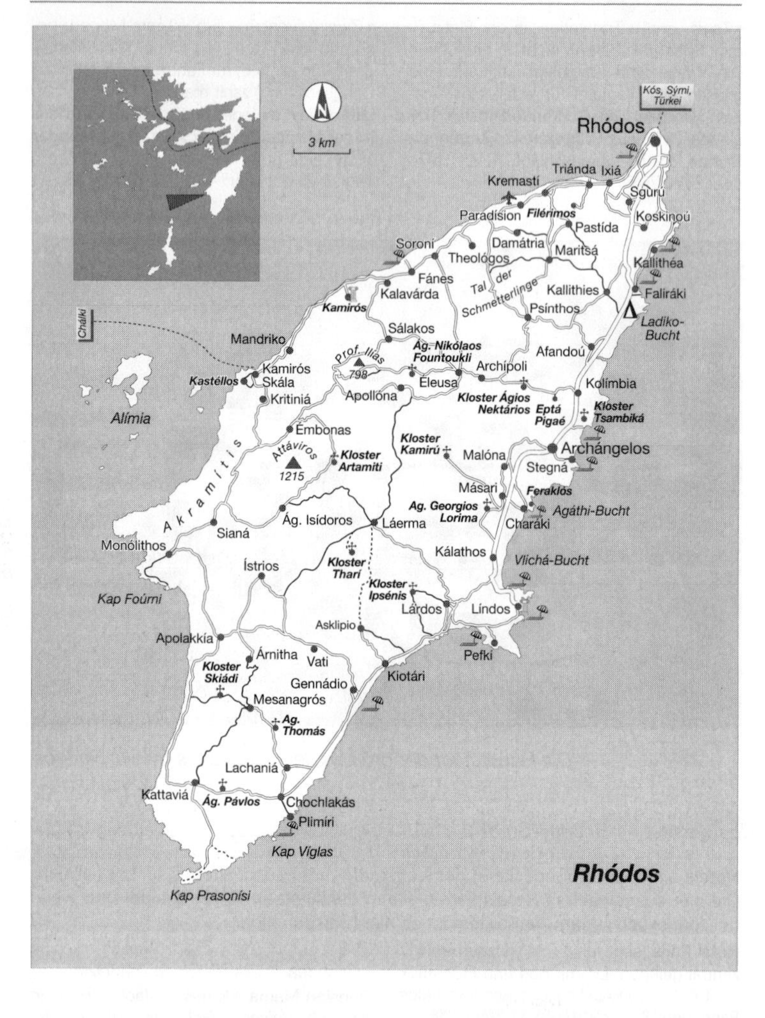

Essen & Trinken in Rhódos-Stadt

Griechische, chinesische oder deutsche Küche, Straßencafé oder Luxusetablissement – alles ist vorhanden. Die meisten Restaurants, in der Regel typische Touristenlokale, befinden sich in der Neustadt. Wer preiswerter und besser essen will, sollte sich in der Altstadt (jedoch nicht unbedingt in der Odos Sokrates) umsehen. Eine Auswahl:

Restaurant Manolis Dinoris, Fischkenner schwören seit vielen Jahren auf das mehrfach ausgezeichnete Traditionslokal in einem ehemaligen Reitstall im Zentrum der Altstadt. Meeresfrüchte aller Art: Hummer, Krabben, Tintenfisch. Für ein dreigängiges Menü sollte man mit mindestens 25 € rechnen. Das Dinoris liegt versteckt an der Platia Mousiou 14 a, ✆ 2241025824.

Fischrestaurant Pizanias, der "Seestern". Unauffällig, einfach, abseits der gängigen Touristenrouten, unser Tipp! Zur Auswahl stehen nur frischer Fisch und Salate, dazu eine große Auswahl an Meeresfrüchten (hervorragende Muscheln). Mittags und abends geöffnet, Odos Sofokelous 24 (am gleichnamigen Platz), ✆ 2241031884.

Taverne Alexis, Traditionslokal inmitten der Altstadt. Die Gäste – darunter waren übrigens auch Mikis Theodorakis und Jackie Onassis – sitzen dicht gedrängt an der Odos Sokrates 18 und genießen auch hier, was aus der Ägäis gefischt wird. Eine Spezialität ist die Shrimpssuppe. Das Essen ist besser als der Service. Man sollte pro Person mit ca. 20–25 € rechnen. So Ruhetag.

Restaurant Oasis, an einem stillen Platz gegenüber der halbverfallenen Redjab-Pascha-Moschee. Nikos Blalaskas und seine Familie bieten griechische Hausmannskost an – deftig und sehr preisgünstig. Zum Nachtisch gibt es Obst auf Kosten des Hauses. Herrlich zum Sitzen unter schattigen Bäumen, netter Service, empfehlenswert. Platia Dorieos 12.

Restaurant Melas, einfache Taverne in einer kleinen Sackgasse in der Nähe des Großmeisterpalastes. Bekannt für gutes, preiswertes Essen. Ein Papagei am Eingang ist die Attraktion der Taverne. Traditionelle griechische Küche. Leserempfehlung. Odos Orfeos 6.

Baden

An der Nordspitze und der anschließenden Westflanke von Rhódos-Stadt liegen ausgedehnte Sandstrände mit allen touristischen Einrichtungen, jedoch sind diese von Juni bis Anfang September restlos überlaufen. Das Gleiche gilt für die meisten Strände an der Westküste zwischen Trianda und Rhódos-Stadt. Empfehlenswert sind Ausflugsfahrten zu den Stränden der Ostküste (per Bus oder per Schiff vom Mandraki-Hafen). Abgelegenere Buchten an der Westküste findet man lediglich nahe der Straße Richtung Flughafen.

Kallithea: an der Ostküste, 10 km von Rhódos-Stadt. Der von Palmen gesäumte Sandstrand zählt zu den Attraktionen der Insel. Da kann es im Sommer schon mal eng zugehen. Oft machen kleine Ausflugsschiffe Halt, um ihren Gästen in der Bucht eine Schnorchelpartie im kristallklaren Wasser zu ermöglichen. Außerdem werden vom Mandráki-Hafen in Rhódos-Stadt Tauchausflüge hierher unternommen. Gute Bademöglichkeiten auch in der Umgebung, allerdings Felsküste.

Tsambika-Bucht: Sand, Sand, Sand. Zwischen hohen, gewaltigen Bergen liegt die wohl schönste Badebucht der Insel. Der Strand ist gut besucht, aber selbst im Hochsommer kaum überfüllt. Am nördlichen Rand der Bucht ein steiler, 240 m hoher Berg, auf dessen Gipfel eine blendend weiße Wallfahrtskirche thront. Eine 2,5 km lange, befestigte Straße führt hinauf. Nach 20-minütigem Aufstieg hat man einen der schönsten Aussichtspunkte der Insel erreicht.

Eines der sieben Weltwunder: der Koloss von Rhódos

Der Koloss von Rhódos ist allgegenwärtig: Jeder Souvenirladen präsentiert den "muscle-man" in Plastik, in Ton, auf Postkarten, als Poster oder als Briefbeschwerer. Das über 30 m hohe Monster wurde um 290 v. Chr. in 12-jähriger Arbeit zu Ehren von Helios (Sonnengott und Schutzpatron der Insel) errichtet. Mit breit gespreizten Beinen und einer Fackel in der Hand soll er am Eingang des Mandráki-Hafens gestanden haben. Doch das ist mehr Legende als historische Wahrheit, rein statisch wäre ein solches Unternehmen gescheitert. Wahrscheinlich stand die Riesenstatue in der Nähe des heutigen Großmeisterpalastes. Ein langes Leben war dem Weltwunder auch so nicht beschieden. Bereits nach 65 Jahren brach die überdimensionale Statue während eines Erdbebens zusammen. Trotzdem – Kitsch und Kult sind auch nach über 2.000 Jahren lebendig.

Sehenswertes in Rhódos-Stadt

Die Altstadt ist von einer wuchtigen, 4 km langen Befestigungsmauer mit bis zu 14 m breiten Mauern umgeben. Während die Ritter des Johanniterordens auf der Insel weilten, wurde sie aus Furcht vor türkischen Angriffen großzügig ausgebaut. Sehenswert sind insbesondere das Ritterviertel und das Türkische Viertel.

Ritterviertel: Den nördlichen Teil der Altstadt bildet das alte Ritterviertel, das leicht am alles überragenden Großmeisterpalast zu erkennen ist. Die originalgetreu restaurierte *Odos Ippoton (Ritterstraße)*, die hangaufwärts zum Palast führt, ist ein Musterbeispiel für die Architektur zur Zeit der Johanniterherrschaft. Spätgotische Häuserfassaden reflektieren das einfache, strenge Leben der Ordensritter. Auf den ersten Blick wirkt die schnurgerade kopfsteingepflasterte Straße trotzdem enttäuschend. Ein Gebäude sieht wie das andere aus. Doch wer genauer hinschaut, entdeckt an den Hauswänden viele interessante Details.

Die Laokoon-Gruppe im Großmeisterpalast

Wenige Schritte abseits der Ritterstraße befindet sich im einstigen Hospital des Johanniterordens das **Archäologische Museum**. Es beherbergt eine umfangreiche Sammlung von Statuen, Reliefs, Grabstelen aus hellenistischer und römischer Zeit, darunter die berühmte "Kauernde Aphrodite" aus dem 1. Jh. v. Chr. Sehenswert ist auch der 51 m lange Krankensaal im Obergeschoss. Der zinnenbekrönte **Großmeisterpalast** (Grundfläche 80 x 75 m) am Ende der Ritterstraße hat sein heutiges Gesicht erst sehr viel später erhalten, als es sein Name vermuten lässt. Er wurde im Jahr 1940 während der Herrschaft der italienischen Faschisten nach alten Plänen fertig gestellt. Im ersten Stock gibt es mehr als ein Dutzend Räume, deren Besichtigung sich vor allem wegen der Mosaikfußböden lohnt. In Innenhof findet sich eine stilvolle Bar.

• *Öffnungszeiten* Der **Großmeisterpalast** ist zwischen April und Oktober tägl. von 8 bis 19 Uhr geöffnet, im Juli/August bis 20 Uhr und montags von 12.30 bis 19 Uhr (zwischen November und März Di–So 8.30–15 Uhr, Mo geschlossen). Erwachsene 4 €, Studenten mit ISIC und Kinder frei.

Das **Archäologische Museum** hat zwischen Juni und Oktober von Di–Fr zwischen 8.30 und 19 Uhr geöffnet (Sa/So 8–14.30 Uhr). Zwischen November und Mai Di–So 8–14.30 Uhr. Montags ist das Museum generell geschlossen. Erwachsene 2,50 €, Studenten mit ISIC und Kinder frei. Auch die **Stadtmauer** kann Di und Sa in einem Rundgang (Beginn beim Großmeisterpalast) besichtigt werden. Beginn zwischen 14.45 und 15 Uhr. Erwachsene 4 €, Studenten mit ISIC und Kinder frei.

Wer jeden Winkel der Altstadt und der gesamten Insel erkunden will, kann auf unser **Reisehandbuch "Rhódos und Dodekanes"** zurückgreifen.

Türkisches Viertel: Der lebendigste Teil der Altstadt liegt südlich der Ritterstraße. Sein Herz ist die *Sokratesstraße* mit ihren Schuh-, Pelz- und Schmuckläden. Dazwischen findet man Cafés und Restaurants – immer voll. Doch wer sich nur ein paar Schritte davon entfernt, lernt die beschaulicheren Seiten des Türkischen Viertels kennen. Am Ende der Sokratesstraße steht die *Suleiman-Moschee,* das größte islamische Gotteshaus der Insel. Das heutige Gebäude ist 180 Jahre alt und fällt u. a. dadurch auf, dass es "quer" zu den anderen Gebäuden steht – es wurde in Richtung Mekka gebaut. Derzeit wird die stark einsturzgefährdete Moschee mit Unterstützung der EU restauriert und ist daher nicht zu besichtigen. Gegenüber der Moschee liegt die 1793 erbaute und 1995 renovierte *türkische Bibliothek Hafiz Ahmed Agha* mit wertvollen Handschriften in Arabisch, Persisch und Türkisch. Zwischen der Moschee und dem Volkstanztheater an der Platia Arionos findet man außerdem noch ein *türkisches Bad.*

Weitere Sehenswürdigkeiten: Besuchenswert ist zudem die *Städtische Galerie von Rhódos* an der Platia Symi. Ausgestellt sind Bilder griechischer Künstler, darunter naturalistisch-realistische Darstellungen, aber auch abstrakt-expressionistische Arbeiten. Als Tipp für Liebhaber byzantinischer Kunst sei das kleine *Byzantinische Museum* in der *Panagia tou Kastrou* (Marienkirche) schräg gegenüber dem Archäologischen Museum genannt. Interessant ist auch der Besuch der *Kahal-Shalom-Synagoge,* des ältesten jüdischen Gotteshauses in Griechenland. Im angeschlossenen Museum ist das Leben der jüdischen Gemeinde vor und zu Beginn des 2. Weltkriegs dokumentiert. Sehenswert ist ferner die in der Odos Apollonion gelegene *Agios-Georgios-Kirche* aus dem 14. Jh. beim Georgstor, die während der türkischen Herrschaft eine Koranschule beherbergte.

Die schönsten Ausflugsziele der Insel

Wer die Insel in ihrer Ursprünglichkeit kennen lernen möchte, sollte sich von Rhódos-Stadt aus in Richtung Süden auf den Weg machen. Dort gibt es halb verlassene Dörfer, kilometerlange Kiesstrände, schnurgerade, traumhafte Sandstrände und im Inselinneren eine wilde, herbe Gebirgslandschaft.

Líndos: Das zweifellos schönste Dorf der Insel liegt 55 km von Rhódos-Stadt entfernt an der Ostküste. Gleich einer Fata Morgana leuchtet der Ort strahlend weiß aus der kargen, felsgrauen Küstenlandschaft. Durch enge Gässchen geht es hoch zur legendären **Akropolis**, vorbei an einem über zwei Jahrtausende alten, in die Felswand gemeißelten *Schiffsrelief,* bis man durch die mächtige

Südägäis Karte S. 298

Traumhafte Buchten auf Rhódos

Johanniterzitadelle zur antiken *Tempelterrasse* gelangt. Blickfang ist eine einst 87 m breite *Säulenformation,* die teilweise wieder aufgebaut wurde. Im Zentrum steht der *Athenetempel* – 166 m über dem Meeresspiegel. Wer den mühsamen Aufstieg per pedes zur Akropolis scheut, kann sich auch von einem Esel hinauftragen lassen. Und wer Ruhe sucht, biegt in der Hauptgeschäftsgasse auf dem Weg zur Akropolis einfach rechts ab und geht zur 1,5 km entfernt gelegenen *Apostel-Paulus-Bucht* mit ihrem kleinen Sandstrand und dem türkisfarben glitzernden Meer.

Öffnungszeiten der Akropolis tägl. 8–18.40 Uhr, Juni–August bis 19.40 Uhr, Mo erst ab 12.30 Uhr, im Winter Mo geschlossen. Eintritt 4 €, Kinder und Studenten frei.

Tal der Schmetterlinge (Petaloúdes): Tausende und Abertausende von Schmetterlingen zwischen Juni und Ende September! Das kleine, wildromantische Tal an der Westküste von Rhódos ist insbesondere zu dieser Zeit einen Ausflug wert. Die hier wachsenden Storaxbäume enthalten ein spezielles Harz, das die Schmetterlinge anzieht. Zwar sind die Quadrigaschmetterlinge im Ruhezustand kaum auszumachen, aber im Flug blinken ihre Flügel in kräftigem Weiß, Rot, Braun und Schwarz.

Kamirós: Die Ruinen der Stadt, die in der Antike eine der drei großen Siedlungen auf Rhódos war, liegen an einem sanften Berghügel 34 km von Rhódos-Stadt entfernt. Die Grundrisse der Häuser und Straßen sind noch gut zu erkennen. Wer den Hang hinaufspaziert, hat nicht nur einen phantastischen Ausblick, sondern stößt auch auf die Reste eines ausgeklügelten Wasserversorgungssystems mit einer großen *Zisterne.* Auf dem Plateau stand einst eine 200 m lange Halle mit dorischen Säulen. Dahinter Reste eines *Athenetempels.*

Öffnungszeiten Di–Fr 8–20 Uhr, Sa/So 8–14.40 Uhr, Mo geschlossen. Im Winter nur vormittags geöffnet. Eintritt 2,60 €, Kinder, Schüler und Studenten mit ISIC frei.

Berg Prophítis Ilías: 48 km entfernt von Rhódos-Stadt findet man eine Bergkulisse wie im Schwarzwald. Ausgedehnte Nadelwälder und zwei Hotels im alpenländischen Stil am Gipfel – ein ganz anderes Rhódos. Zum knapp 800 m hohen Prophítis Ilías führt eine gut ausgebaute, 16 km lange Asphaltstraße. An heißen Sommertagen ein ideales Ausflugsziel. Hier oben weht stets ein frisches Lüftchen.

Halbinsel Reşadiye

Westlich von Marmaris reckt sich die dünn besiedelte Halbinsel Reşadiye lang und schmal ins Meer. Ihren würdigen Abschluss findet sie in den Ruinen der antiken Stadt Knidos. Auf dem Weg dorthin stößt man auf viele, fast unberührte Buchten, die zu den schönsten der Südägäis zählen.

Unzählige Serpentinen auf der bergigen Strecke nach Datça, dem Hauptort der Halbinsel, verlangen von Fahrer und Wagen zwar das Äußerste, belohnen aber mit immer neuen Ausblicken auf wilde Schluchten, einsame Buchten und schroffe Felshänge. Viele Ortschaften abseits der Straße sind noch eine Welt für sich, natürlich und ursprünglich – insbesondere im Vergleich zu Marmaris. Selbst der Hauptort Datça ist alles in allem noch ein gemütliches Städtchen, auch wenn sich der Tourismus hier langsam einnistet. Besonders lohnend ist Reşadiye für Campingfreunde. Zwischen Marmaris und Emecik liegt eine ganze Reihe schöner Plätze.

Emecik und Umgebung

Fährt man von Marmaris gen Westen, kommt bis auf ein paar Abzweigungen zu abgelegenen Buchten lange Zeit nichts. Die Straße windet sich auf und ab über die Halbinsel Reşadiye. 47 km hinter Marmaris erscheint dann abseits der Straße die kleine, an einem Hang gelegene Ortschaft Emecik, gewissermaßen der Endpunkt der "Campingplatzstrecke".

Das Dorf selbst hat wenig zu bieten, die umliegenden Buchten dafür umso mehr: 8 km vor Emecik kommt man am **Ferienzentrum Aktur** vorbei, wo ein Traumstrand und zahlreiche Übernachtungsmöglichkeiten warten.

5 km hinter Emecik taucht westlich die flach ins Meer laufende **Bucht von Karaincir** auf. Im gleichnamigen Feriendorf stehen die Sommerresidenzen wohlhabender Türken.

Südägäis Karte S. 298

• *Camping zwischen Marmaris und Emecik* **Çubucak Orman Kampı**, an der Verbindungsstraße Marmaris–Datça (ca. 24 km westlich von Marmaris). Riesiges Gelände, sehr schön im Wald und gleichzeitig direkt an einem ansprechenden Kiesstrand gelegen. Zelten für bis zu 4 Personen 2,50 €, ✆ 0252/4670221.

İnbükü Orman Camping, 3 km hinter dem Çubuk Orman Kamp, von der Hauptstraße Marmaris–Datça aus beschildert. Ebenfalls in einer Bucht mit Kiesstrand und mitten im Wald. Ungewöhnlich weitläufige Anlage mit z. T. völlig isolierten Stellplätzen. Für Leute, die in erster Linie ihre Ruhe haben wollen. Auch die Tagesgäste, die nur zum Baden kommen (Parkgebühren 2,10 €), stören nicht. Lassen Sie sich übrigens von den schwärzlich-verbrannten Gebäuderesten am Eingang der Anlage nicht von einem Besuch abhalten – sie fielen einem Buschbrand zum Opfer. Campen 2,50 €, mit Strom 3,30 €. ✆ 0252/4369107.

Amazon Camping, nach ca. 30 km auf der Straße Marmaris–Datça rechts ab, dann noch 9 km Schotterstraße (lustig beschildert). Nur für Selbstfahrer interessant. Ein paradiesischer Traum im Nirgendwo. Von Lesern empfohlen: Abgelegener, geräumiger Platz an der *Bucht von Gökova*, jedoch nicht direkt am Meer, sondern an einem Flussarm gelegen. Kein Problem: Zum hauseigenen Strand fährt man mit dem Kanu. Herrlich angelegt, gut ausgestattet, familiär und freundlich geführt. Gutes Restaurant, Swimmingpool. Wer nicht campt (günstig), kann sich in bunten Hütten einmieten, 17 € pro Person mit HP. ✆ 0252/ 4369111.

Aktur Ferienzentrum, 50 km hinter Marmaris und ca. 8 km vor Emecik erstreckt sich diese weitläufige Ferienanlage in einem Pinienwald an einem Traumstrand. Das Feriendomizil ist fast ein Ort für sich: Bank, Restaurants, Supermarkt, Ambulanz und dreimal wöchentlich türkischer Basar. Das reichhaltige Freizeitangebot reicht von Tennis über diverse Wassersportmöglichkeiten bis zu Ausflügen zu Land und zu Wasser in die nähere Umgebung. Außerdem gibt's einen nützlichen Radverleih zur Überwindung der Distanzen im Feriencamp. Das Campinggelände ist von einer Urlaubersiedlung getrennt, wo man vom einfachen Bungalow ohne Komfort (DZ 12,50 €) bis zur eigenen Ferienvilla (40–75 €) so ziemlich alles mieten kann, was das Herz begehrt. Campen kommt mit 2 € pro Person und 2 € fürs Zelt noch am billigsten, der Camping bietet neben ordentlichen sanitären Einrichtungen auch Kochgelegenheiten. ✆ 0252/7246168, ℻ 7246167.

• *Clubanlage* **Club Golden Key Bördübet**, auf dem Weg zum Amazon Camping (s. o.) mitten im Wald. Idylle pur. Wenn schon Cluburlaub, dann hier: herrliche, weitläufige Anlage mit 22 geschmackvollen, äußerst komfortablen Suiten. Zwischen Palmen, Swimmingpool und Kinderspielplatz gackern Hühner. Zum privaten Strand fährt man mit dem Boot, zudem viele andere Sportmöglichkeiten. April bis Mitte Okt. geöffnet. Frühzeitige Buchung empfehlenswert. DZ mit HP 160 €. ✆ 4369230, ℻ 4369089.

Datça

(10.000 Einwohner)

Datça, der Hauptort der Halbinsel Reşadiye, ist ein kleines, freundliches Küstenstädtchen, das mit den großen Nachbarorten des Massentourismus – im Norden Bodrum und im Osten Marmaris – noch wenig gemein hat.

Zwar lockt das ehemalige Fischernest 80 km westlich von Marmaris immer mehr Touristen an, den Sprung zur großen Urlaubsmetropole schaffte die Gemeinde jedoch zum Glück bis heute nicht. Der Grund: Es mangelt an größeren Stränden unmittelbar vor Ort.

Beliebt ist Datça vor allem unter Seglern. Der kleine Jachthafen ist immer gut belegt, und rundherum hat sich ein durchaus charmantes Ensemble aus Bars, Restaurants und Souvenirläden angesammelt. In den Außenbezirken sieht das anders aus. Dort sind Hotels hochgezogen worden, und man hat ein wenig den Eindruck, als wolle man trotz der Standortnachteile den Hochburgen Marmaris oder Bodrum nacheifern. Wenn man nicht aufpasst, vergrault man damit all jene, die Datça gerade wegen seiner Freundlichkeit und Überschaubarkeit den Vorzug geben. Bislang ist der Ort aber allenfalls ein schüchterner Ableger der großen Touristenzentren. Symptomatisch ist z. B. die zurückhaltende Art der Aufreißer vor den Restaurants – sofern es überhaupt welche gibt. Um die Attraktivität des Ortes zu steigern, plant man an der Spitze der Landzunge beim Amphitheater ein Museum, das Funde aus Knidos zeigt.

Nur wenige Urlauber verirren sich bislang nach **Eski Datça** ("Altes Datça"), ein verträumtes idyllisches Dörfchen mit engen gepflasterten Gassen, von dem der später hinzugekommene Küstenort überhaupt erst seinen Namen erhielt. Das Dorf, rund 2 km vor Datça im Landesinneren gelegen, lohnt eine Stippvisite. Reiche İstanbulis und İzmirliler restaurieren die alten Häuser. Nette Unterkunftsmöglichkeiten bestehen bereits.

Information/Verbindungen/Ausflüge

• *Telefonvorwahl* ✆ 0252.

• *Information* Die **Tourist Information** liegt im Zentrum in einer Seitengasse der İskele Cad. (beschildert). Hilfreich und informativ. Im Sommer tägl. (außer So) 8–18.30 Uhr. İskele Mah., Hükümet Konağı, ✆ 7123163, ℻ 7123546.

• *Verbindungen* mehrere **Busse** tägl. nach Marmaris (Fahrtzeit ca. 2 Std., der erste um 7 Uhr, der letzte gegen 21 Uhr, ca. 3 €). Für alle weiteren Ziele an der Süd- oder Westküste muss man in Marmaris oder Muğla umsteigen. Der Busbahnhof liegt etwas

Traumbuchten südöstlich von Datça

Südägäis
Karte S. 298

außerhalb des Zentrums an der Straße nach Marmaris. Die meisten Busgesellschaften haben jedoch Filialen im Zentrum.

Dolmuş: nach Palamutbükü und Mesudiye (Hayıtbükü und Ovabükü) im Sommer bis zu 5-mal tägl., im Winter 1-mal tägl. Als Tagesausflug empfiehlt sich die Abfahrt um 10.30 Uhr bei der Dolmuş-Station, Rückkehr gegen 18 Uhr (hin/zurück ca. 2,50 €). Achtung: Am So nur sehr schlechte Verbindungen!

Taxi: Taxistand an der Atatürk Cad. und nahe der Post. Nach Knidos mit 1 Std. Aufenthalt horrende 42 €.

• *Schiffsverbindung nach Bodrum* Von Juni–Sept. verkehren 2-mal tägl. (meist um 9 und 17 Uhr), im Mai und Okt. nur 3-mal wöchentl. Autofähren von Körmen Limanı (9 km von Datça entfernt) nach Bodrum. Die Überfahrt dauert 2 Std. Zu den Abfahrtszeiten fährt ein Bus von Datça nach Körmen Liman. Ticket pro Person 7,50 € (einfach, inkl. Bus nach Körmen), Pkw mit Fahrer 24 €, jede weitere Person 4,50 €. Tickets bekommt man im **Ferry Boat Office Datça** in einer Seitengasse an der Straße zum Amphitheater nahe der Moschee. ✆ 7122143.

Zusätzlich verkehrt in manchen Jahren im Sommer täglich ein Hydrofoil-Boot nach Bodrum (35 Min.). Die Rückfahrkarten kosten für gewöhnlich 17 €. Infos darüber u. a. auch beim Ferry Boat Office Datça.

• *Schiffsverbindungen nach Symi* Hydrofoil-Boote nach Symi (→ "Ausflug auf die Insel Symi", S. 389) starten am Hafen nahe dem Büro von Knidos Tours. Die Überfahrt (1,5 Std.) kostet ca. 50 € hin und zurück.

• *Bootsausflüge* Die Kapitäne im Hafen erwarten Sie zu diversen Unternehmungen, der Ausflug nach Knidos gehört zum Grundprogramm (→ "Knidos/Verbindungen", S. 387), zudem stehen Bootstrips zu verschiedenen Buchten rund um die Halbinseln Reşadiye und Bozburun auf dem Programm. Für einen ganztägigen Ausflug inkl. Mittagessen kann man mit 13 € pro Person rechnen. Regelmäßig finden die Bootsausflüge jedoch nur in der Hochsaison statt. In der Nebensaison richten sich die Preise häufig nach der Anzahl der Teilnehmer. Ein umfangreiches Angebot hält **Seher Tour** bereit (am Hafen, ✆ 7122473, www.sehertour.com).

Adressen/Veranstaltungen

• *Ärztliche Versorgung* **Dr. Taner Karaman** praktiziert im städtischen Krankenhaus, sehr freundlich. ✆ 7122012.

• *Autoverleih* Die Preise liegen weit über denen in Marmaris, die mangelnde Konkurrenz macht's möglich. Die lokalen Anbieter verlangen für die billigste Kategorie meist mehr als 55 € pro Tag. Autos in gutem Zustand verleiht z. B. **Seher Tour**, am Hafen, ✆ 7122473, 📠 7128427.

• *Einkaufen* Verglichen mit anderen Urlaubsmetropolen findet man nur ein bescheidenes Angebot vor. Außerdem ist alles etwas billiger. Natürlich gibt es auch Datça-Thymianhonig und etliche andere Honigsorten.

Freitags **Obst- und Gemüsemarkt**, samstags großer **Markt** (beide nahe der Post).

• *Geld* mehrere Banken an der Atatürk Cad., darunter auch die **T.C Ziraat Bankası** mit einem Bankomat.

• *Polizei* im Zentrum, nahe der Tourist Information an der İskele Cad.

• *Post* ebenfalls im Zentrum an der İskele Cad.

• *Reisebüro/Jachtcharter* Eines der größten Reisebüros ist **Knidos Tours** am Hafen (✆ 7129464, knidostour@hotmail.com). Das Hauptgeschäft der Agentur liegt im Bereich Jachtcharter. Preisbeispiel: 3-Kabinen-Jacht für 6 Personen inkl. Crew 250 € pro Tag.

• *Zweiradverleih* wenige Anbieter und daher auch hohe Preise. Sowohl Mountainbikes als auch Scooter kosten an die 25 € pro Tag. Einer der Anbieter ist **Knidos Tours** am Hafen, ✆ 7129464, 📠 7122464.

• *Veranstaltungen* In der Regel findet in der vorletzten Augustwoche im örtlichen Amphitheater das **Datça-Knidos Kültür ve Sanat Festivalı** statt. Auf dem Programm stehen Rock- und Folklorekonzerte, Tanzaufführungen, sportliche Wettkämpfe und sogar ein Stierkampf.

Übernachten/Camping

Petcos Petya Farm (1), am Ortseingang (von Marmaris kommend rechter Hand). Eine gepflegte Apartmentanlage mit diversen Sport- und Erholungsmöglichkeiten (Tennisplätze, Sauna, Fitnesscenter, großer Pool usw.). Freundliche Bungalowapartments mit viel Komfort ab 32,50 € inkl. Frühstück. ✆ 7122870, www.petkontur.com.tr/petya.

Club Datça (2), die schneeweißen Häuschen liegen am Nordende Datças in einem gepflegten Gelände. Großzügige Ferienanlage mit eigenem Strand, Swimmingpool, Bar, Restaurant, Diskothek und zahlreichen Wassersportmöglichkeiten. Vornehmlich Gäste großer Pauschalanbieter. Für das Gebotene relativ preiswert. 32 € pro Person inkl. Frühstück, Mittag-, Abendessen und lokalen Getränken, dazu zählt auch Efes-Bier (so viel man will). ✆ 7128820, 📠 7128819.

Hotel Fuda Yalı (3), einfaches Mittelklassehotel am Rande des Ortskerns. Konventionell, sauber, die Zimmer zum Meer mit großen Balkonen und herrlicher Aussicht. Schmaler Privatstrand mit Liegen und Sonnenschirmen. DZ mit Aircondition 25 € inkl. Frühstück, HP möglich. ✆ 7123042, 📠 7124067.

Hotel Luna (13), im Südwesten der Taşlık-Bucht. Angenehmes Haus mit geschmackvoller Einrichtung ca. 250 m vom Meer. 20 freundliche Zimmer mit hellen Holzmöbeln. Dachterrasse. Pool. DZ 20 € inkl. Frühstück, ✆ 7123533, 📠 7123476.

Yavuz Apart Otel (5), sehr sympathische Unterkunft zwischen Dolmuş-Station und Meer unter deutsch-türkischer Leitung. Vermietet werden 8 geräumige, saubere Apartments und 2 DZ, alle mit schönen Bädern und Balkonen, die Hälfte mit Meeresblick. Freundliche, familiäre Atmosphäre. Apartments 22,50 €, DZ 15 €. ✆ 7123578.

Huzur Pansyion (10), freundliche Pension mit schattigem Innenhof oberhalb des Hafens. 19 schlichte, aber saubere Zimmer mit eigenen Sanitäranlagen und kleinem Balkon. Schöne Dachterrasse in Vorbereitung, Gemeinschaftsküche. Einziger Haken: Ein Teil der Zimmer befindet sich in unmittelbarer Nähe zu den Lautsprechern des Minaretts. DZ mit Frühstück 15 €. İskele Mah., ✆ 7123364, 📠 7123052.

Tunç Pension (6), hinter den Verwaltungsgebäuden bei der Tourist Information. Sympathischer Familienbetrieb mit großem Speiseraum. Blitzsaubere Zimmer, ruhige Lage, freundlich-zurückhaltendes Personal. DZ mit Du/WC 13 € inkl. Frühstück, EZ 6,30 €, ✆ 7123036.

• *Camping* **Ilıca Camping (14)**, schönes, Gelände am Südende der Badebucht (direkt am Kiesstrand hinter dem See), z. T. wenig Schatten. Ein Wermutstropfen sind die Sanitäranlagen. Vermietet werden große und kleine Bungalows fürs gleiche Geld, 6 € pro Person, das Zelten kostet 2,50 € pro Person. ✆ 7123400.

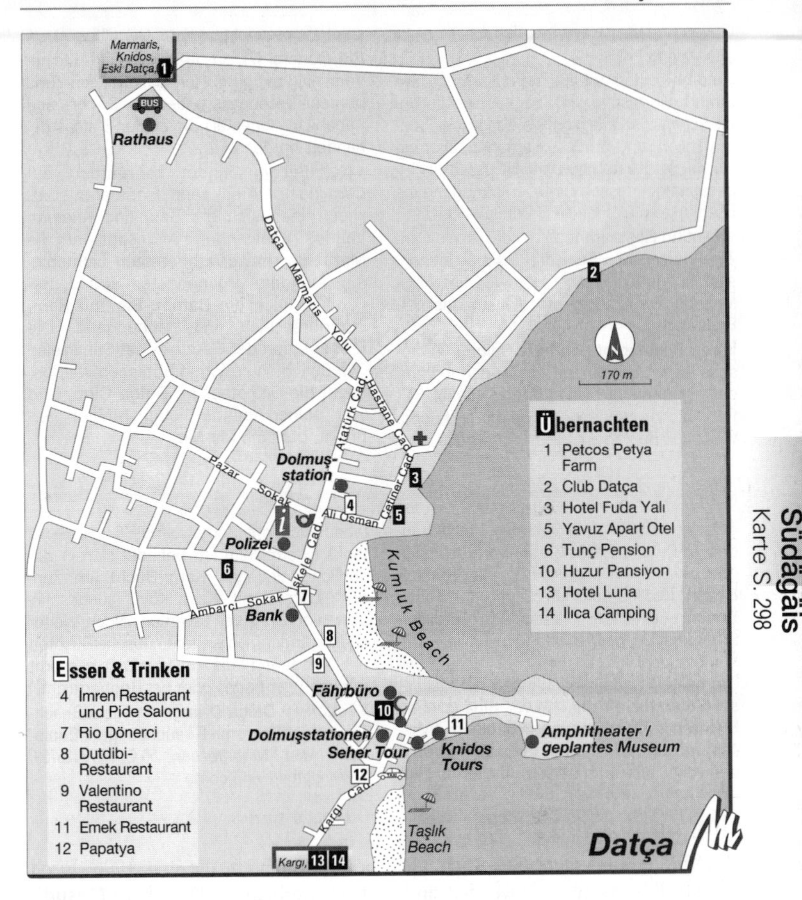

Südägäis Karte S. 298

• *In Eski Datça* **Dede Pansiyon**, an der Straße nach Datça ausgeschildert. Unser Pensionstipp in dörflicher Idylle. Vermietet werden 6 äußerst liebevoll und sehr individuell eingerichtete farbenfrohe Suiten, jede davon besitzt einen originellen Namen. Kleiner Pool mit Palmen, Cafébar, alles sehr gepflegt. Deutsch sprechende Inhaber. Für das Gebotene spottbillig: DZ mit Frühstück 17,50 €. ✆/℻ 7123951, www.datcainfo.com/dede.

Essen & Trinken/Nachtleben

Die Preise sind durchwegs um 20 bis 30 % niedriger als in Marmaris, der Service dafür im Schnitt um 100 % besser.

Emek Restaurant (11), am Hafen. Die beste Adresse für Gegrilltes und garantiert fangfrischen Fisch. Zudem Berge von delikaten Meze, die einem die Wahl schwer machen. Schöne Terrasse, auf der man all das genießen kann.

Papatya (12), freistehendes altes griechisches Haus, ein Stückchen oberhalb des Hafens gelegen. Man sitzt auf Korbsesseln davor oder auf wackeligen bunten Holzstühlchen auf der hübschen Dachterrasse. Das Essen? Krabben in Weißweinsauce,

Güveç und *Saç Kavurma*. Jedoch zu nicht ganz billigen Preisen.

Dutdibi-Restaurant (8), hemdsärmelig am Strand. Holztische und -bänke, Service ohne Schlips, schmackhaftes Essen auf bunten Tellern und größere Portionen, als man sie an der Küste gewohnt ist. Auch Jachtbesatzungen lassen für einen Landgang ins Dutdibi gern einmal die Bordküche kalt.

Valentino Restaurant (9), an der İskele Cad. Zwei Tische draußen, drei Tische drinnen, sieben Töpfe auf dem Herd. Dahinter Valentinos Frau, allerbeste Hausmannskost. Preiswert.

İmren Restaurant und Pide Salonu (4), abseits des Geschehens am anderen Ende der Hafenbucht. Unauffälliges Lokal mit freundlicher Bedienung und guter Küche. Wechselnde Tageskarte mit mehr als günstigen Topfgerichten. Pide, Gegrilltes.

Rio Dönerci (7), an der İskele Cad. Kleiner Verschlag mit gemütlichen Holztischen und bunten Tischdecken, dessen Döner- und Kebabvariationen als die besten Datças gehandelt werden.

• *Nachtleben* findet konzentriert auf dem kleinen Areal beim Jachthafen statt. Hier reihen sich die Bars und Kneipen nahtlos aneinander. Angesagt ist die **Marin-Bar** mit den buntesten Lichtspielen und dem dröhnendsten Sound. Beliebt ist auch die **Bambu-Bar** mit Bambusrohrsesseln und Laubengang. Die Präsentation der Getränke hat Stil. Preise wie üblich. Wer richtig abtanzen will, besucht die Diskothek im **Datça-Club**. Und wer seine Abende lieber ruhiger verbringt, geht ins **Mır Mır**.

Baden/Sport

• *Baden* Abgesehen von den Privatstränden (z. B. des Datça-Clubs) verfügt Datça über zwei öffentliche Strände: den **Kumluk Beach** nördlich des Hafens und den **Taşlık Beach** südlich des Hafens. Der nördliche Strand ist insbesondere für Familien mit Kindern ideal.

Die besten Badegelegenheiten der Halbinsel bieten die oft nur schwer zugänglichen Buchten – Badeausflüge mit einem Wasserfahrzeug sind ideal. Der beste Strand, der von Datça aus noch mühelos zu Fuß (aber auch mit dem Dolmuş 5- bis 6-mal tägl.) zu erreichen ist, befindet sich in der südlich gelegenen **Kargı-Bucht** (im Zentrum Datças mit "Kargı Köyü" ausgeschildert. Vor Ort zwei Tavernen. Noch weiter südlich findet man weitere hübsche Buchten mit Kiesstrand, die man jedoch allesamt nur noch per pedes oder per Boot erreicht.

• *Tauchen* **Datça Diving**, am Taşlık-Beach. Tagesbootsfahrt mit 2 Tauchgängen, Equipment und Mittagessen 50 €, ✆ 7123759, www.datcadiving.com.

Umgebung von Datça

Hayıtbükü- und Ovabükü-Bucht: Die beiden Buchten, die erst 1996 durch Teerstraßen erschlossen worden sind, liegen unterhalb des Dörfchens **Mesudiye**, 13 km westlich von Datça Richtung Knidos. Die weite Ovabükü-Bucht im Westen von Mesudiye wird von einem der schönsten und leersten Strände weit und breit gesäumt. Die beschauliche Hayıtbükü-Bucht im Osten von Mesudiye erinnert ein wenig an die idyllischen Buchten griechischer Inseln und wird unter Seglern als Geheimtipp gehandelt. Ein kleiner, nie überlaufener Strand lädt auch hier zum Baden ein. Wer mag, kann sich in dieser ruhigen Umgebung länger einnisten. Doch Achtung: Wer hier auch nur einen Tag einplant, fährt in der Regel erst nach einer Woche wieder.

• *Verbindungen* per **Dolmuş** im Sommer bis zu 5-mal tägl. von und nach Datça.

• *Übernachten/Camping/Essen & Trinken* In beiden Buchten steht eine Reihe einfacher Pensionen und Hotels zur Auswahl. Unsere Tipps:

Hoppala-Pension und Camping, direkt am Strand der Ovabükü-Bucht mit seinem beruhigenden Meeresrauschen. Man spricht Deutsch und weiß, dass das türkische Hoppala – ein Kinderspiel – dem deutschen Hoppla klanglich entspricht. Freundlicher Familienbetrieb, schön begrünt und in bester Lage. Von Lesern vielfach empfohlen. Im Restaurant gibt's türkische Hausküche mit Gemüse aus dem eigenen Garten. Freundliche Zimmer, auf zwei Gebäude verteilt. DZ mit Frühstück 15 €, Camping auf dem kleinen, angenehmen Areal günstig. Ganzjährig geöffnet. ✆ 0252/7280148, ✆ 7280259.

Pansiyon & Restaurant Ortam, in der Hayıtbükü-Bucht. Unmittelbar am Strand in einem über 100 Jahre alten griechischen Haus. Vier winzige und schlichte, aber saubere Zimmer mit Gemeinschaftsbad. Zwei wunderschöne Terrassen zum Träumen. Im Restaurant gibt's beste türkische Kost und frischen selbstgefangenen Fisch. Die jungen Betreiber Süleyman und Mahmut kümmern sich rührend um ihre Gäste. (Eine unserer persönlichen Lieblingsadressen). Das ganze Jahr über geöffnet. Das DZ mit Frühstück kostet 13 €, ein gegrillter Fisch ab 5 €, ✆ 0252/7280228, ortam-restaurant@hotmail.com.

Palamutbükü: 24 km westlich von Datça liegt an der Südküste der Halbinsel Reşadiye die weite Bucht von Palamutbükü. An deren westlichem Ende findet man einen kleinen Fischerhafen, in dem meist auch ein paar Jachten vor Anker liegen. Drum herum gibt's eine Handvoll Bars. Die Uferstraße zum östlichen Ende der Bucht säumen einige gute Restaurants. Der davor liegende Strand wird immer feiner und geht von Kies in Sand über. Gen Westen führt von Palamutbükü übrigens eine holprige Schotterstraße bis in die Mesudiye-Bucht – dort stößt man auf weitere kleine Sand- und Kiesbuchten.

- *Verbindungen* im Sommer bis zu 5-mal tägl. per **Dolmuş** von und nach Datça, So stark eingeschränkt.
- *Übernachten* Vor Ort kann man in mehreren Pensionen übernachten. Zu empfehlen ist die **Bük Pansiyon** im Osten der Bucht direkt am Meer. Die Zimmer sind einfach und ordentlich, die Sanitärs o. k. Aber man könnte hier allein wegen der Terrasse und des Meeres davor eine ganze Woche verbringen. Freundlicher Service. Das DZ kostet 13 € inkl. Frühstück, ✆ 0352/7255136.
- *Essen & Trinken* **Dostlar Restaurant**, an der Uferfront. Ein überprüfter Lesertipp. Die Terrasse ist hier der Strand, wo man idyllisch unter schattenspendenden Bäumen sitzt. Gute Meze, guter Fisch.

Körmen Limanı: Die Bucht am Golf von Gökova liegt 9 km nördlich von Datça und ist nichts anderes als der Fährhafen nach Bodrum mit einem Steg und einer Bar. Drum herum stehen ein paar vereinzelte Häuser.

- *Verbindungen* Zu den Abfahrtszeiten der Fähren verkehren **Busse** von Datça nach Körmen. Busfahrpreise sind im Fährticket inbegriffen.
- *Camping* **Körmen Kamp**, direkt am Meer östlich der Fähranlegestelle. Davor schmaler, wenig attraktiver Strandabschnitt, Restaurant. Zelten kostet 3 €, ✆ 0252/7271087.

Knidos (antike Stadt)

Zwei Jahrtausende waren die beiden Häfen von Knidos verwaist. Im Kriegshafen ist – gottlob – weiterhin nichts los, doch im Handelshafen herrscht wieder rege Betriebsamkeit. Ausflugsboote und Segeljachten erfüllen ihn mit neuem Leben.

Knidos, die verfallene und nur z. T. ausgegrabene Stadt an der unwegsamen Spitze der Halbinsel Reşadiye, zieht viele Urlauber in ihren Bann. Die Ruinen allein sind nicht einmal so spektakulär, aber die Kombination aus steinernen Überresten antiker Kultur und einer wildzerklüfteten Landschaft lässt das Herz höher schlagen. Die Ruinenstadt ist ein schönes Ausflugsziel, das glasklare Wasser am kleinen Strand lockt zum erfrischenden Bad.

Geschichte

Ein erster Ort namens Knidos (auf dem Boden der heutigen Gemeinde Datça gelegen) wurde bereits im 7. Jh. v. Chr. erwähnt. Aufgrund der zunehmenden Bevölkerung baute man im 4. Jh. v. Chr. eine neue gleichnamige Stadt an der Westspitze der Halbinsel. Innerhalb ihrer Stadtmauern legte man nach dem hippodamischen Plan (→ Milet/Geschichte, S. 316) ein rechtwinkliges Straßennetz an. Um sich vor Aggressoren von Land her besser zu schützen, plante man übrigens mehrmals, die Halbinsel an ihrer engsten Stelle zu durchstechen. Auf dem Gebiet der Hafenstadt lag das Apollonheiligtum, Zentrum des Dorischen Städtebundes und – im Vierjahresrhythmus – Schauplatz der Dorischen Festspiele. Bekannt wurde Knidos aufgrund seiner Ärzteschule – das Asklepieion gehörte neben denen von Pergamon, Kos und Epidauros zu den angesehensten und berühmtesten Heilorten der antiken Welt. Zugleich war es

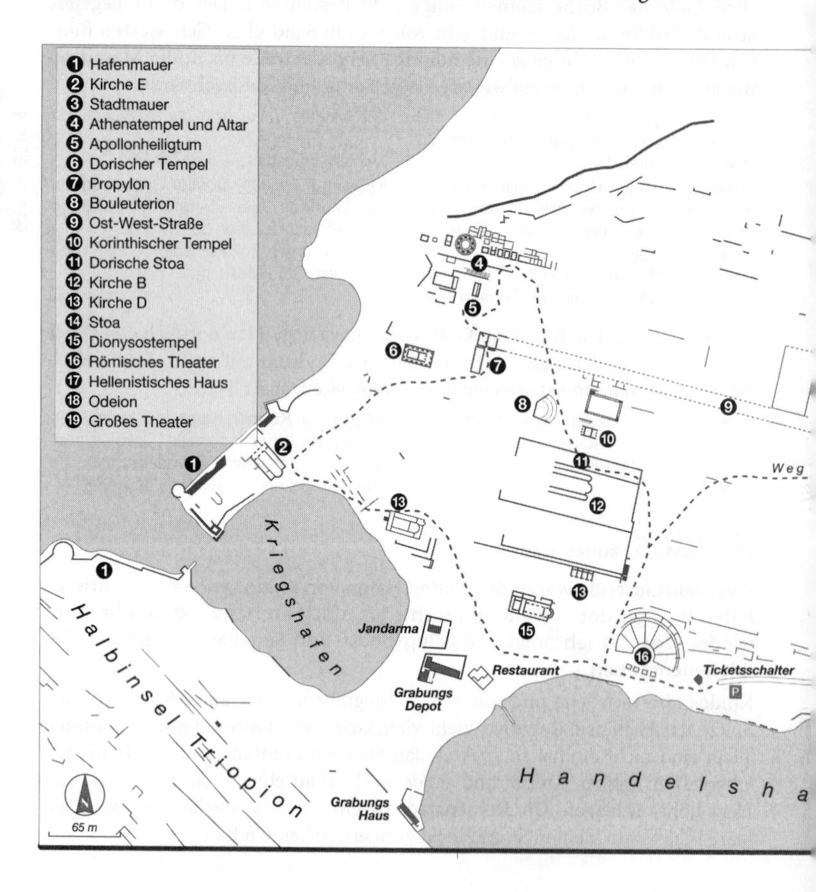

ein Hort der Wissenschaft: Der Ingenieur Sostrates entwarf hier den Leuchtturm von Alexandria, eines der sieben Weltwunder. Auch die Kunst blühte in der wohlhabenden Stadt. Die meisten ihrer Werke gingen im Laufe der Jahrhunderte jedoch verloren. Andere befinden sie sich in ausländischen Museen, wie die berühmte Demeterstatue zum Beispiel im Pariser Louvre. Mit dem Beginn der hellenistischen Epoche wurde es ruhig um Knidos. Auf seiner Reise nach Rom machte der Apostel Paulus in der Stadt Halt, worauf sich hier sehr früh eine christliche Gemeinde entwickelte.

Zu Anfang des 19. Jh. erforschten erstmals englische Archäologen Knidos, bis in die Gegenwart finden Ausgrabungen statt, führend ist dabei die Universität Konya-Selçuk.

• *Anfahrt* Die letzten 10 km der 35 km langen Straße von Datça nach Knidos sind unbefestigt. Robuste Wagen dürften keine Probleme haben und schaffen die Strecke in einer Stunde.

Ausflugsboote fahren im Sommer jeden Morgen ab Datça. Abfahrt 10 Uhr. Unterwegs wird immer wieder zum Baden gehalten. Preis 13 € mit Essen, in der NS Verhandlungssache. Boote auch ab Marmaris, doch sind die Tagestouren der Reisebüros unverhältnismäßig teuer (bis zu 40 €).

Mit dem **Taxi** zahlt man ab Datça 42 € (inkl. 1 Std. Aufenthalt in Knidos).

Wesentlich billiger ist die Fahrt mit dem **Dolmuş** (2 €, nur während der Saison). Allerdings fährt er nur bis Yalıköy am Ende der Teerstraße, den Rest des Weges muss man laufen oder trampen.

• *Essen & Trinken* Restaurant am Handelshafen.

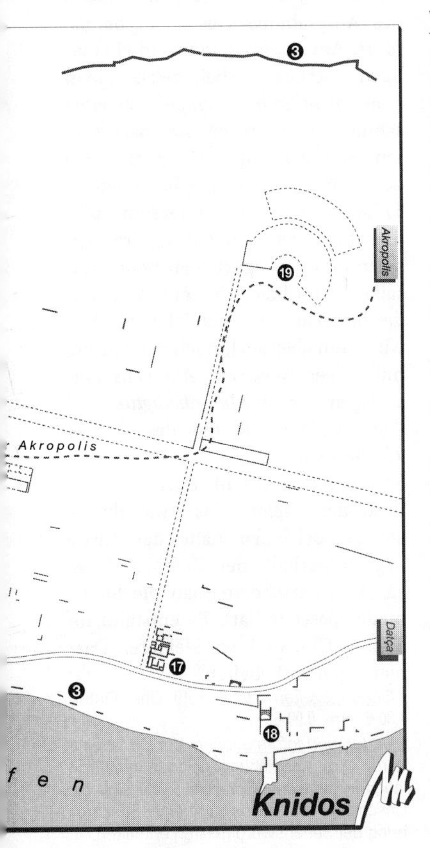

Südägäis
Karte S. 298

Kleiner Rundgang (Dauer ca. 1,5 Std.)

Vom Parkplatz am Ende der öffentlich befahrbaren Straße nach Knidos folgt man dem Weg hinab zur Bucht. Es geht vorbei am noch gut erhaltenen *Kleinen Theater,* auch Römisches Theater genannt, das am großen Handelshafen liegt und etwa 5.000 Besuchern Platz bot. Von hier aus hat man eine wunderbare Aussicht auf die Halbinsel Triopion – der Name der Halbinsel rührt daher, dass man auf ihr das Triopionheiligtum vermutete, das jedoch bei Ausgrabungen nahe Emecik zum Vorschein kam. Wenige Meter weiter westlich liegt ebenfalls rechter Hand das

Fundament des *Dionysostempels,* der auf das 2. Jh. v. Chr. datiert wird. Wie nahezu alle Tempel der Stadt wurde auch dieser später in eine Kirche umgewandelt.

Geht man den Weg weiter, kommt man zunächst am Restaurant, dann am Verwahrungsort der Ausgrabungsstücke und schließlich an der Jandarma-Station vorbei. Hält man sich rechts der Station, stößt man nur ein paar Schritte weiter auf die Kirche D, deren mittlere Apsis einst mit Bodenmosaiken in der Opus-sectile-Technik zweifarbig geometrisch ausgelegt war. Folgt man dem Weg weiter entlang der Bucht, erscheint wenig später die Kirche E, die ebenfalls mit reichen Bodenmosaiken geschmückt war. Die Bucht selbst, auch *Kleiner Hafen* genannt, fungierte einst als Kriegshafen und war durch einen Kanal mit dem Handelshafen verbunden.

Steigt man nun entlang der Küste bergauf, kommt man an den Fundamenten eines *dorischen Tempels* vorbei, dessen Unterbau aus hellem, rosafarbenen Kalkstein errichtet wurde. Um einen Hügel etwas weiter östlich lag das *Propylon,* das zugleich die Eingangshalle zum höher gelegenen *Apollonheiligtum* bildete. Nördlich des dortigen Altars, dessen Sockel aus graublauem Marmor besteht, lassen sich noch Sitzstufen für die Zuschauer erkennen, die bei den Riten anwesend waren.

Steigt man noch ein paar Meter weiter bergauf, erreicht man den imposanten Rundsockel des *Athenatempels*. Lange Zeit vermutete man, dass dieser Tempel der Aphrodite geweiht war und eine der berühmtesten Skulpturen des Altertums beherbergte: die "Aphrodite des Praxiteles" (350 v. Chr.). Praxiteles hatte den Mut, die Göttin der Liebe erstmals unverhüllt zu modellieren. Ursprünglich sollte dieser Entwurf in Kos aufgestellt werden. Doch auf der konservativen Insel wollte man die Statue nicht, und so kam die Aphrodite nach Knidos, wo man sie als Schutzgöttin der Seefahrt verehrte. Man sagt, dass das Asklepieion von Knidos wegen der nackten Aphrodite in der Folgezeit mehr Besucher anzog als das von Kos. Wo der Tempel der Göttin stand, ist bis heute umstritten.

Man folgt nun dem Pfad von der Küste weg, der hinter dem Graben des Ausgrabungsortes leicht bergab führt. Am *Bouleuterion,* dem ehemaligen Rathaus, vorbei, gelangt man zum *korinthischen Tempel,* der einst schon von See aus gut sichtbar gewesen sein soll. Darunter liegen die Reste der *dorischen Stoa,* die ehemals 113,8 m lang war. Außerdem steht hier die Kirche B mit ihren drei Apsiden und den figürlichen Bodenmosaiken. Von hier führt ein Weg wieder hinab zum Kleinen Theater. Wer will, kann aber auch noch den langen, mühseligen Weg zur *Akropolis* einschlagen, der am *Musenheiligtum* und den spärlichen Resten des *Großen Theaters* vorbeiführt.

Sehenswert sind schließlich noch die Reste des *Odeions,* das etwas abseits am Handelshafen nahe der Küste liegt (unterhalb der Zufahrtsstraße, ca. 300 m nachdem man die Stadtmauer passiert hat). Es entstand im 3. Jh. v. Chr. und war kleineren Darbietungen vorbehalten.

• Öffnungszeiten tägl. 8–19 Uhr, Eintritt 1,30 €, erm. 0,90 €.

• Karten und Informationen Vor Ort ist eine Karte vom Ausgrabungsgelände erhältlich (auch in deutscher Sprache). Zudem ist die Geschichte von Knidos samt einer Beschreibung der Sehenswürdigkeiten enthalten.

Ausflug auf die Insel Sými (Griechenland)

Die Insel, gerade 10 km vor der türkischen Küste gelegen, ist ein beliebtes Ausflugsziel von Datça. Sými gleicht in weiten Teilen einer Steinwüste: kahl und unfruchtbar, bergig und nur schwer zugänglich. Doch so abweisend Sými auf den ersten Blick wirkt, so anziehend ist die Insel, wenn man etwas genauer hinschaut.

Auf der 67 qkm großen Insel gibt es ein Städtchen, Sými-Stadt, zwei Fischerdörfer, Pédi und Nimboriós, und drei Klöster. In einer fjordartigen Bucht liegt der Inselhauptort, dessen Hafen zweifelsohne zu den schönsten des Dodekanes gehört. Sými-Stadt besteht aus den beiden Ortsteilen *Gialós* (am Hafen) und *Chorió* (am Hang), die angeblich durch exakt 385 Stufen miteinander verbunden sind. Im Labyrinth der schmalen Gassen fallen Bürgerhäuser im klassizistischen Baustil auf. Doch viele davon sind verlassen und verfallen zusehends, denn mit der Schwammfischerei, der einstigen Haupteinnahmequelle der Insel, lässt sich längst kein Geld mehr verdienen. Entsprechend ist die Einwohnerzahl rapide gesunken, von 23.000 im Jahr 1912 auf etwas über 2.000 heute.

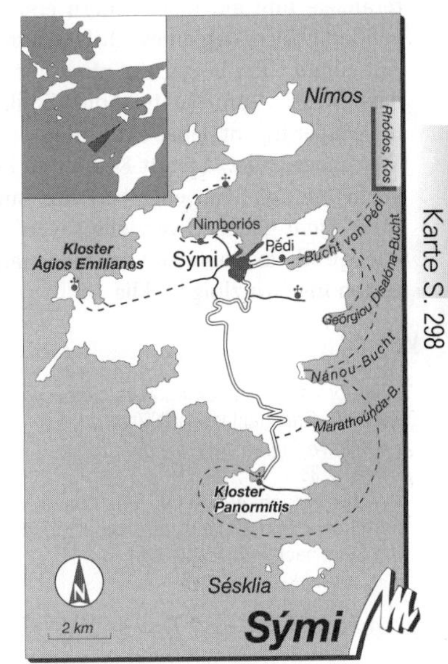

Die meisten Besucher Sýmis sind Tagestouristen aus Rhódos oder Segler, für die die Einfahrt in den Hafen zu den Höhepunkten ihres Törns zählt. Auf ihrem Sightseeingprogramm durch den Inselhauptort stehen zwei Museen: das liebevoll eingerichteten **Heimatmuseums in Chorió**, das von Trachten bis zu alten Münzen ein buntes Allerlei bietet, und das **Nautische Museum** am Platz des 8. Mai, dessen Exponate im Vergleich zum Gebäude allerdings weniger begeistern. Am beeindruckendsten ist aber ein Spaziergang zu den **Windmühlen** hoch über der Stadt. Am besten geht man nachmittags los, wenn die untergehende Sonne in der Bucht von Sými ein einzigartiges Farbenspiel inszeniert.

Wer mehr als nur den Inselhauptort besichtigen will, kann in das kleine, knapp 2 km nordwestlich gelegene Fischerdorf **Nimboriós** wandern (dauert ca. 30 Min., mit dem Taxiboot geht es selbstverständlich schneller). Der verträumte Ort liegt an einer sichelförmigen Bucht und ist ein kleines Paradies für all jene, die die Einsamkeit lieben.

Zum Fischerort **Pédi** benötigt man ebenfalls etwa 30 Min. Im weiten Rund der dortigen Bucht dümpeln zahlreiche Fischerboote. Ein paar Enten watscheln am Ufer entlang, und auf den Terrassen der Tavernen vergilben die Speisekarten.

Südägäis
Karte S. 298

Auch Pédi ist ein verschlafenes Fischernest, nur in einer kleinen Werft herrscht Betriebsamkeit.

Zu den besonderen Attraktionen Sýmis gehört der Ausflug zum **Kloster Panormítis** am Südzipfel der Insel. Sehenswert ist der prachtvolle, blumengeschmückte Innenhof mit einem markanten Mosaikrelief und einem weißen Arkadenrundgang. Dunkel ist dagegen das Innere der kleinen, 1783 errichteten Kirche, von deren schwarz verräucherter Decke alte Weihrauchbehälter hängen. Zum Kloster gehört neben einer Bäckerei, dessen Spezialität ein brezelartiges Gebäck ist, noch ein Museum, das ein Panoptikum sakraler und weltlicher Exponate bietet.

Von der Straße zwischen Sými-Stadt und dem Kloster Panormitis zweigt eine Piste zum **Kloster Ágios Roukouniótis** auf der Kefela-Halbinsel ab. Die Klosteranlage fußt auf den Mauern einer byzantinischen Festung, die wiederum auf den Überresten eines antiken Tempels gebaut wurde.

Auf einem 5 km langer Fußpfad (der Weg ist markiert) geht es von hier weiter nach Westen zum **Kloster Ágios Emilianós**, das fotogen auf einem großen Fels im Wasser thront. Über einen Steg ist es mit dem Festland verbunden.

Wer lieber badet, anstatt Klöster zu besichtigten, sollte wissen, dass die Möglichkeiten auf Sými eher begrenzt sind. Allerdings muss auf den Sprung ins Meer nicht gänzlich verzichtet werden. Täglich starten vom Hafen Ausflugsboote und Taxiboote zu verschiedenen Badebuchten und zum südlich vorgelagerten Inselwinzling Sésklia.

Verbindungen

- *Telefonvorwahl* internationale Landesvorwahl von Griechenland ✆ 0030.
- *Schiffsverbindungen in die Türkei* → Datça, S. 381.
- *Verbindungen auf Sými* Ein **Bus** fährt zwischen 7 und 22 Uhr jede halbe Stunde von Sými nach Pédi (ca. 0,50 €).

Taxis gibt's auf der Insel insgesamt nur 4. Sie bedienen dieselbe Strecke wie der Bus von Giaolós nach Pédi und zurück (ca. 3 €). Da die Chauffeure zu Fahrten zum Kloster Panormítis wegen der vielen Schlaglöcher kaum zu überreden sind, bietet sich als Alternative ein **Tagesausflug per Boot** dorthin an; in der Hauptsaison vor- und nachmittags ab 13 €.

Übernachten/Essen & Trinken in Sými-Stadt

Nicht selten gleicht die Zimmersuche einer Odyssee. Für die Hauptsaison ist daher eine frühzeitige Buchung empfehlenswert. Preiswerter als in den Hotels übernachtet man in Privatquartieren (ab 20 €). Es bestehen auch Übernachtungsmöglichkeiten in den Fischerorten Pédi und Nimboriós. Die Restaurants an der Hafenpromenade sind deutlich teurer als die Konkurrenz in weniger exponierter Lage.

Hotel Fiona, an der großen Treppe in Chorió. Farbenfrohe Zimmer. Herrliche Frühstücksterrasse mit Blick über Sými. DZ 40–60 €. ✆/℻ 2241072088.

Hotel Aliki, zweistöckiges klassizistisches Haus in der Nähe des Campanile am Hafen. Repräsentative Lobby und große Dachterrasse. DZ mit Bad ab 45 €. ✆ 2241071665.

Hotel Albatros, in einer engen Gassen südlich des Hafens. Helle und saubere Zimmer, freundlich eingerichtet. DZ inkl. Frühstück 40 €. ✆ 2241071829, ℻ 2241072257.

Taveme Georgios, an der Platia in Chorió. Von Wein umrankte Pergola, maßvolle Preise, vorzügliche Küche (1a gefüllte Paprikas).

Ouzerie Mythos, in einem gewölbeartigen Saal nahe der Bushaltestelle gibt es Safranmuscheln, Rosmarinlamm und andere Spezialitäten zum Ouzo. Mit 5–10 € is(s)t man dabei.

Taverna Meraklis, altes Restaurant mit freundlichem Service in der schmalen Stichstraße, die von der Hafenspitze abzweigt. Große Auswahl, üppiger Bauernsalat, zivile Preise.

Demre: Sie sitzen in der ersten Reihe

Lykische Küste

Duftende Pinien- und Kiefernwälder säumen die Küste, dahinter erheben sich die viele Monate lang schneebedeckten Gipfel des Taurus. Lykien verzaubert durch paradiesische Strände und geheimnisvolle antike Ausgrabungsorte.

Von der Region zwischen Köyceğiz und Antalya schwärmte schon Homer, der sich in der "Ilias" für die rauschenden Fluten des Xanthos-Flusses begeisterte. Und Staatsgründer Atatürk bezeichnete die wilde, zerklüftete Küste gar als die schönste der Türkei. Dichter und Politiker wissen bekanntlich, wovon sie reden.

Der dünn besiedelte Küstenstreifen war lange Zeit vom Tourismus unbeachtet und diente wegen seiner Abgeschiedenheit vorübergehend sogar als Verbannungsort. Wo einst unliebsame Regimekritiker zwangsweise interniert wurden, geben sich heute jährlich Millionen von Urlaubern freiwillig ein fröhliches Stelldichein. Die dafür notwendige Infrastruktur wurden durch den internationalen Flughafen Antalya und den in den 1980ern gebauten Charterflughafen Dalaman geschaffen. Bucht für Bucht wird heute erschlossen – aber zum Glück stehen den Planierraupen mehrere hundert Kilometer Küste gegenüber, sodass wohl noch Jahre vergehen werden, bis alle verbaut sind.

Wenig weiß man über das historische Lykien, die Heimat eines rätselhaften Volkes, das hauptsächlich Gräber hinterlassen hat: 200.000 Menschen lebten in 23 Städten, die Hauptgötter waren Leto und Apollon, das lykische Alphabet hatte 29 Buchstaben, und einige Wissenschaftler sind der Ansicht, es könnte hier eine Art Matriarchat geherrscht haben. Von der einstigen Bedeutung des Landstrichs erzählen zahlreiche Ruinenstätten, die schönsten lykischen Felsnekropolen finden sich in *Fethiye* und *Myra*.

Lykische Küste – die Highlights

Dalyan-Delta: ein Naturparadies zwischen dem Köyceğiz-See und dem offenen Meer. Eiablegeplatz der Caretta-caretta-Meeresschildkröte und Heimat vieler Vögel, darunter auch Eisvögel. Ein Paradies für Ornithologen.

Ölüdeniz: die Traumlagune mit Südseeflair nahe Fethiye. Jeder kennt sie, zumindest aus bunten Urlaubsprospekten. Fairerweise muss aber hinzugefügt werden, dass man im Frühjahr oder Herbst anreisen sollte, wenn man die Lagune so erleben will, wie es die Prospekte verheißen – andernfalls droht ein überfülltes Paradies.

Patara: westlich von Kalkan, einer der längsten Sandstrände der Türkei, unverbaut und mit einer faszinierenden Dünenlandschaft.

Insel Kekova: eine grandiose Inselwelt. Das Meer zwischen Simena und der Insel Kekova gleicht einem Binnensee mit unzähligen kleinen Inselchen dazwischen. Ein besonderes Erlebnis sind die versunkenen Städte.

Olympos-Nationalpark: Rund um den mächtigen *Tahtalı Dağ* (2.366 m) bezaubern grüne Almen, gluckernde Bäche und stille Wälder. Berühmt ist der Nationalpark u. a. wegen der "Ewigen Flammen" in der Nähe von Çıralı. Diese Flammenfelder, dem Mythos nach Wohnsitz der Chimäre, lockten bereits in der Antike zahllose Besucher an. Und noch heute sind die lodernden Felsspalten ein Erlebnis, insbesondere bei Nacht.

Phaselis: besuchenswert allein schon wegen der herrlichen Lage im Olympos-Nationalpark in einem Pinienwald am Meer. Die antike Stadt besaß einst drei Häfen und eines der längsten Aquädukte des Römischen Reiches.

Köyceğiz

(ca. 6.500 Einwohner)

Tagsüber döst das Städtchen vor sich hin, abends sind die Stühle der Uferpromenade traurig verwaist. In Köyceğiz am gleichnamigen See herrscht alles andere als reges Treiben – die Touristen tummeln sich in Dalyan und sparen Köyceğiz aus.

Auf den ersten Blick macht das Städtchen einen freundlichen Eindruck: Eine palmengesäumte Eingangsallee führt ins Zentrum. Doch angesichts der freien Sitzplätzen an der breiten Uferpromenade und der Ständer mit den verblichenen Postkarten überfällt den Besucher schnell die Melancholie. Köyceğiz ist einer der wenigen Orte an der Küste mit rückläufiger Einwohnerzahl – der große Massentourismus strömt vorbei, was das Landstädtchen für "Rummelflüchtige" auch wieder attraktiv macht. Lediglich ein paar türkische Familien belegen zur Ferienzeit die Hotels. Manche Einwohner des Ortes wünschen sich, dass sich am gegenwärtigen Zustand nie etwas ändert – Dalyan ist für sie ein abschreckendes Beispiel. Andere dagegen blicken neidvoll das Seeufer hinab. Zu den wenigen Attraktionen des Ortes zählt der große *Markt*, der allwöchentlich montags stattfindet. Südwestlich des Städtchens bieten sich Ausflüge zu den Thermen von Sultaniye an. Wer lieber im Meer badet, mag die Ekincik-Bucht besuchen.

Der Köyceğiz-See

Der 65 qkm große und durch einen schmalen Fluss mit dem Meer verbundene Köyceğiz-See ist eine verlandete Meeresbucht. Einen Zufluss hat der See nicht, er wird aus teilweise warmen Quellen gespeist. Da die meisten Uferbereiche schilfbestanden und unzugänglich sind, ist es mit dem Schwimmen im See aufgrund schlechter Einstiegsmöglichkeiten weniger gut bestellt.

Neben einer fast unberührten Natur und einer einzigartigen Fauna bietet der Köyceğiz-See auch eine biologisch-kulinarische Besonderheit: Steigt das Meer, fließt Salzwasser in den See und bringt Meeräschen (*kefal*) und Seebarsche (*levrek*) mit, die in dem ruhigen Gewässer laichen. Den Weg zurück ins offene Meer finden aber die wenigsten. Nach getaner Arbeit werden sie im schmalen Fluss gefangen, schmackhaft zubereitet und verzehrt.

Eine botanische Rarität in den sumpfigen Gebieten rund um den See sind weite Auwälder mit Amberbäumen, die zu der Gattung der Zaubernussgewächse gehören. Sie werden andernorts bis zu 45 m hoch, erreichen hier jedoch kaum die halbe Größe und haben Blätter ähnlich denen des Ahorns. Diese seltenen Bäume liefern durch Anritzen ein Harz, das im Altertum für medizinische Zwecke genutzt wurde. Das Amberharz sollte nicht mit dem Amberöl verwechselt werden, einer wachsartigen grauen Masse, die bis in die Mitte des letzten Jahrhunderts aus dem Darm des Pottwals gewonnen wurde und als wohlriechend (!) und appetitanregend (!) galt.

Information/Verbindungen/Ausflüge/Adressen

- *Telefonvorwahl* ✆ 0252.
- *Information* Die **Tourist Information** findet man am Platz in der Nähe des Hafens. Türkische Freundlichkeit auf Deutsch oder Englisch, kompetent. Mo–Fr 8.30–18 Uhr, Sa/So geschlossen. Atatürk Kordonu, ✆/℻ 2624703.
- *Verbindungen* Der Busbahnhof liegt weit außerhalb des Zentrums nahe der Küstenstraße. Mehrmals täglich **Busse** nach Marmaris, und Antalya, stündlich nach Fethiye und halbstündlich nach Muğla. Außerdem macht der **Flughafenzubringerbus** von Marmaris nach Dalaman und umgekehrt in Köyceğiz Halt. Vom Busbahnhof sind es rund 2,5 km zu Fuß ins Zentrum, wer Glück hat, kann auf ein Dolmuş aufspringen.
- *Bootsausflüge* einige Angebote, z. B. ganztags mit dem Dolmuşboot zum İztuzu-Strand, nach Kaunos, zu den Thermen von Sultaniye, zum Schlammbad (10–19 Uhr, pro Person 6 €). Kontakte können am kleinen Hafen oder an der Promenade am Paşa Parkı geknüpft werden.
- *Ärztliche Versorgung* Das städtische **Krankenhaus** liegt an der Straße nach Marmaris, ✆ 2624718.
- *Einkaufen* auf dem **Montagsmarkt**. Einer der größten und schönsten Märkte der Region, den sich auch die Urlauber aus den umliegenden Touristenorten nicht entgehen lassen.
- *Polizei* an der Eingangsallee, ✆ 2623766.
- *Post* westlich der Eingangsallee, vorletzte Straße rechts abzweigen.
- *Reisebüro* **Özay Tourism Travel Agency**, im Hotel Özay an der Promenade. Organisiert Bootstouren und verleiht Autos ab 35 € pro Tag. ✆ 2624300, ℻ 2622000.

Übernachten/Camping

***Hotel Alila**, gleich an der Seepromenade. 1997 eröffnetes Haus mit 20 Zimmern. Bis auf 2 haben alle Seeblick. Sehr gepflegt, noch immer alles tipptopp. Gutes Restaurant. Kleiner Pool. Das ganze Jahr geöffnet. DZ 16 €, EZ 10 € inkl. Frühstück. Wäre auch für den doppelten Preis noch zu empfehlen. ✆/℻ 2621150.

Flora Hotel & Pub, im Westen der Stadt direkt an der Uferstraße, von Lesern empfohlen. Hellgrün gestrichene, ordentliche Zimmer. Freundlicher Service, gesellige Bar davor. Pro Person 7 € inkl. Frühstück. Dafür ebenfalls sehr preiswert. ✆ 2624976, ℻ 2623809.

Fulya Pension, in der Parallelstraße zur Uferstraße, ebenfalls von Lesern empfohlen. Dachterrasse, 17 ordentliche, saubere Zimmer mit Balkon und Du/WC. Auch hier gutes Preis-Leistungs-Verhältnis. Pro Person 5 €, Frühstück 1,50 €. Ulucami Mah. Aliislan Kalmaz Cad., ✆ 2622301.

Çiçek Pension, ein hübsches Haus aus dem 19. Jh., zentral gelegen, am Ende der Eingangsallee links. Innen spartanisch, außen originell. Mit gemütlichem Café und Restaurant. Du/WC auf dem Gang. Für das Gebotene jedoch teuer: DZ mit Frühstück 6 €. Fevzi Paşa Cad. Çarşı Meydanı, ✆/℻ 2623038.

• *Camping* **Alani Camping**, eine ruhige Oase 1,5 km westlich vom Ort an der Uferstraße. Viel Schatten unter hohen Bäumen, sonst aber kein Komfort. Billig.

Essen & Trinken/Nachtleben

Mehrere einfache und gute Lokantas im Zentrum. Vorbei sind die Zeiten, als Köyceğiz noch bekannt für seine erstklassigen Fischrestaurants war. Abgesehen von Hotelrestaurants serviert kaum noch ein Lokal frische Forellen und Barben. Daher ist unser Tipp leider nur für Selbstfahrer:

Yuvarlakçay Restaurant, mitten im Wald gelegen. Man hat eine Terrasse über einen Gebirgsbach gebaut, dessen Rauschen die idyllische Lage des Lokals vervollkommnet. Serviert werden frische Bachforellen oder das berühmte *Tandır Kebap*, eine Hammelfleischspezialität aus dem Backofen. Nach der Hitze des Tages ist es hier angenehm kühl. Anfahrt: Von Köyceğiz 10 km Richtung Fethiye, dann links ab (Hinweisschild), nach 5 km rechts im Wald das Restaurant.

Nachts ist außer dem Zirpen der Grillen wenig Unterhaltung geboten. Die einzige Diskothek **Han 48** nahe dem Hotel Özay ist leider auch nichts Besonderes. Dafür kann man am nächsten morgen gut ausgeschlafen und umso besser frühstücken: z. B. im **Paşa Parkı** am Atatürk-Platz vor dem See.

Baden

In Köyceğiz selbst lockt nur ein kleiner Strand beim Alani Camping. Leicht salziges Süßwasser, nichts Umwerfendes, beim Hinausschwimmen haben Sie zur Abwechslung Bergpanorama statt der Weite des Meeres vor der Nase. Der gängige Badestrand der Gegend ist der Strand von Dalyan, etwas aufwendiger ist die Fahrt zur Ekincik-Bucht (s. u.).

Umgebung von Köyceğiz

Thermen von Sultaniye: 10 km von Köyceğiz am Südwestufer des Sees speist eine warme, leicht radioaktive Quelle den See. Die Thermen sind eine ursprünglich römische Anlage, die von den ebenfalls hier kurenden Osmanen architektonisch verändert wurde. Das Wasser hilft gegen Depressionen, Gallenleiden, Darmerkrankungen und Ähnliches mehr (ohne Gewähr). Lange Jahre war das Bad nur im Rahmen eines Bootsausflugs von Köyceğiz oder Dalyan erreichbar, seit 1992 führt die Straße zur Ekincik-Bucht an Sultaniye vorbei.

- *Anfahrt/Eintritt* nur im Rahmen eines Bootsausflugs oder mit einem Privatfahrzeug erreichbar. Von der Zufahrtsstraße zur Ekinicik-Bucht aus beschildert. Kein Dolmuş. Eintritt 0,90 €.
- *Übernachten* **Hotel Garden Eden**, wird seinem Namen mehr oder weniger gerecht, denn es liegt weit abseits jeglichen Trubels. Schöner Garten, der fast an einen bayerischen Biergarten erinnert, zudem Hängematten, Schaukel und Pool. 10 gemütliche Zimmer. Wer Ruhe sucht, ist hier richtig. DZ 17 €, EZ 13 € inkl. Frühstück. ✆/℻ 0252/ 2660140. Von der Straße zu den Thermen ausgeschildert.

Bucht von Ekincik

Die einsame, von hohen Bergen umrahmte Bucht liegt etwa 40 km südwestlich von Köyceğiz. Ein Ausflug lohnt nicht nur wegen des sichelförmig geschwungenen, rötlichen Strandes – allein die Anfahrt entlang dem Köyceğiz-See ist ein Erlebnis. Die Bucht ist traditioneller Anlaufpunkt für Segeljachten und Ausflugsboote aus Marmaris, deren Passagiere auf dem Weg ins Dalyan-Delta hier in kleinere Boote umsteigen. Seitdem die Bucht durch eine asphaltierte Straße erschlossen ist, haben sich auch ein paar kleine Hotels und Restaurants angesiedelt; größere Hotelanlagen befinden sich im Bau. Die neue, breite Zufahrtsstraße lässt erahnen, was aus der Bucht in Zukunft einmal werden soll. Das gleichnamige Dörfchen Ekincik liegt übrigens etwas zurückversetzt vom Strand.

- *Anfahrt* in Köyceğiz einfach die Uferstraße vorbei am Alani-Camping zum Dörfchen Hamitköy nehmen. In Hamitköy links ab (beschildert), etwa 1 km hinter dem Ort beginnt die neue Straße. Bislang lediglich im Sommer 2-mal täglich ein **Dolmuş** von Köyceğiz (hin gegen 9.30 Uhr, zurück gegen 17.30 Uhr).
- *Bootsausflüge* Am kleinen Hafen im Westen der Bucht bietet die lokale Bootskooperative Ausflüge ins Dalyan-Delta an, ✆ 2660192.
- *Übernachten* Bislang existieren ein paar Pensionen und Hotels, Übernachtungsmöglichkeiten bestehen zudem in kleinen Bungalows und auf einem Campingplatz.

Ekincik Hotel, 1994 eröffnete Anlage mit 27 Zimmern in der ersten Reihe am Strand. Zimmer o. k., aber nichts Besonderes – die Lage macht's. DZ 33 €, mit Aircondition 37 €, ✆ 0252/2660203, ℻ 2660205.

Hotel Akdeniz, 5 Fußminuten vom Strand, im Dorf Ekincik gelegen. Große, helle und gepflegte Zimmer mit Balkon. Super Ter-

Bootsfahrt durch das Daylan-Delta

rasse. Sehr freundlich und sehr sauber – man spricht mit schwyzerdütschem Einschlag. Pro Person 20 € inkl. Halbpension. ✆/℻ 0252/26660255.

Pension Ekincik, neben dem Akdeniz. Ruhige, romantische Unterkunft, geführt von der freundlichen Familie Duran. 10 gemütliche, sehr saubere Zimmer auf 2 Etagen verteilt. Ebenfalls alle mit Balkon oder Terrasse. Die kleine Bar davor ist in einem Verschlag untergebracht. Von Lesern gelobt. DZ 15 € inkl. sehr gutem Frühstück, EZ 9 €. ✆ 0252/2660179, ℻ 2660003.

Dalyan

(ca. 6.000 Einwohner)

Das ehemals kleine Dorf, das durch ein abgeblasenes Hotelprojekt in die internationalen Schlagzeilen kam, ist mittlerweile einer der Hits an der türkischen Küste. Tagsüber herrscht reges Kommen und Gehen bei den Ausflugsbooten am Kai, abends bummeln die Gäste gemütlich von Bar zu Bar.

Ein ansprechendes Bild: An einem Ufer der Flusses, der den Köyceğiz-See mit dem Meer verbindet, liegen idyllisch die Häuser – am gegenüberliegenden Ufer prangen weit sichtbar lykische Felsengräber in einer senkrecht abfallenden Felswand. Etwas weiter entfernt ruhen die Reste der antiken Stadt *Kaunos*.

Bis in die 80er Jahre hatte Dalyan keine 1.000 Einwohner und lebte vom Fischfang und dem Anbau von Gemüse, Sesam, Baumwolle und Obst. Dann ging der Name des Ortes durch die Presse (→ Kasten S. 398), und mit den Schlagzeilen kamen die Touristen – heute insbesondere Holländer. In großem Stil wurde neu gebaut, angebaut und aufgestockt, binnen weniger Jahre entstanden über hundert Unterkünfte im Grünen, zudem zahlreiche Restaurants, Souvenirläden, Bars und eine Armada von Ausflugsbooten. Den Urheber des rasanten Aufschwungs in Dalyan hat die Gemeinde nicht vergessen: Auf einem kleinen Platz vor dem Kai grüßt eine fröhliche, in Erz gegossene Schildkrötenfamilie.

Wie sich der Affe in den Schwanz beißt

Das Dalyan-Delta ist ein außergewöhnliches Naturparadies. Otter, Adler, Wels, Kormoran und Pelikan geben sich ein Stelldichein und am İztuzu-Strand vergraben die selten gewordenen Unechten Karettschildkröten (*Caretta-caretta*) ihre Eier. Aber genau an diesem Strand legte man 1987, unterstützt von der Deutschen Entwicklungshilfegesellschaft, den Grundstein für eine 30-Millionen-DM-Bettenburg, in der 2.000 zahlungskräftige Gäste Drinks zum Sonnenuntergang schlürfen sollten. Etwa 400 Naturschutzverbände aus aller Welt liefen Sturm. Die öffentliche Meinung schlug um. Branchenriese TUI verkündete plötzlich, keine Touristen ins Dalyan-Delta entsenden zu wollen, und der damalige türkische Ministerpräsident Özal erklärte umgehend, dass ein Projekt dieser Größenordnung das Gebiet nicht zerstören dürfe. Der Bau der Hotelanlage wurde tatsächlich eingestellt. Die Naturschutzverbände konnten einen Erfolg feiern – kurzfristig, wie sich herausstellen sollte. Was dann eintrat, fasst eine zufriedene Pensionsbesitzerin aus Dalyan folgendermaßen zusammen: "Caretta caretta, Reklam, Turist." Der Rummel um die Schildkröte bescherte Dalyan einen kometenhaften Aufstieg zum Urlaubsort, und den Fischern einen Job als Bootstouranbieter mit einem attraktiven Ziel. In der Saison werden Tausende von Tagesgästen durch das Dalyan-Delta auf den wunderschönen İztuzu-Strand geschleust. Noch kann mit den Schildkröten und den rund 150 hier heimischen Vogelarten geworben werden. Die tägliche Armada von Ausflugsbooten aus Marmaris und Dalyan wird aber auf Dauer den Effekt haben, den man einst unbedingt vermeiden wollte.

Information/Verbindungen/Ausflüge

- *Telefonvorwahl* ✆ 0252.
- *Information* Die **Tourist Information** liegt nahe dem Platz mit der Schildkröte in der Mitte. Sehr freundlich, sehr kompetent. Wer will, kann sich hier auch ausführlich über die Schildkröten informieren. Etwas Prospektmaterial ist ebenfalls vorhanden. Auskünfte auf Englisch. Mo–Fr 9–12 und 13–17.30 Uhr, Sa/So geschlossen. ✆/℡ 2844235.
- *Verbindungen* Mit dem **Dolmuş** kann man 2-mal tägl. Fethiye (3 €) und 3-mal tägl. Marmaris (3,40 €) erreichen. Häufigere Verbindungen nach Köyceğiz (1 €) und nach Ortaca (0,50 €); von dort geht es mit Umsteigen in nahezu alle Orte der Südwestküste. Zum Strand nach İztuzu jede halbe Stunde (1,70 € hin/zurück). Die Sammeltaxis fahren wenige Meter vom Kai ab, von dem aus die Ausflugsboote den Fluss hinunter zum Strand und nach Kaunos tuckern.

Dolmuşboot: zum İztuzu-Strand 2,20 € (hin/zurück). Diese 12-Mann-Boote legen bei Vollbesetzung ab, auf dem Rückweg nach Dalyan genauso. Nach Kaunos mit 1 Std. Aufenthalt 9 €. Vom Hafen 200 m flussabwärts bezahlt man für die Überfahrt im Ruderboot pro Person 1,40 € (hin/zurück), bis nach Kaunos muss man dann aber noch ca. 20 Min. zu Fuß gehen.

Taxi: Dalyans Taxifahrer arbeiten nach festen Tarifen, İztuzu-Strand 10 €, Dalaman 15 €, Köyceğiz 25 €, Marmaris 50 € und Fethiye je 45 €.

- *Bootsausfüge* Vielfältiges, fast verwirrendes Angebot, doch bei der **Bootskooperative** (kleines Büro am Kai, ✆ 2842094) wird dem Fremden geduldig alles auseinanderklamüsert. Es gibt Boote zum Schlammbad, nach Kaunos, zum Montagsmarkt von Köyceğiz, Boote, die alles miteinander verbinden. Ein Tipp ist der Nachtausflug samt Barbecue (9 € pro Person). Wer dabei von einer Mücke gestochen wird, zahlt die Hälfte. Neben der Bootskooperative bieten auch etliche private Kapitäne ihre Dienste an, die meisten sind jedoch erheblich teurer.

• *Organisierte Touren* Agenturen, die Ausflugsfahrten anbieten, sind im ganzen Ort verstreut. Angebote und Preise ähneln sich, eine alteingesessene Adresse mit umfangreichem Programm ist **Yeşil Dalyan**, Maraş Mahallesi, ✆ 2842127. Einige Beispiele: 1-mal pro Woche Saklıkent (20 €), Pamukkale (40 €), 2-Tages-Trip Pamukkale/Ephesus (80 €), täglich am Nachmittag Pferdesafari (23 €), Dalyan-Tour (13 €).

• *Off Road Tours* mit dem Motorrad durch unwegsames Gelände. Dauer der Touren meist eine Woche, bis auf den Flug ist im Preis meist alles inbegriffen (pro Woche ca. 950 €). Zu buchen vor Ort über **Kaunos Tours**, ✆ 2842816, www.kaunostours.com. In Deutschland über **Bike and Adventure**, Parkweg 9, 74223 Flein, ✆ 07131/580700, ℻ 580701.

Adressen

• *Ärztliche Versorgung* Die örtliche **Krankenstation** liegt in der Nähe des Hotels Dalyan beim Fluss, ✆ 2842033.

• *Autoverleih* im Angebot diverser Reisebüros. Bei **Europcar**, durch Kaunos Tours vertreten, gibt es das billigste Gefährt ab etwa 45 € pro Tag, ✆ 2842816, ℻ 2843157.

• *Einkaufen* Souvenirs jeder Art. Doch sei darauf hingewiesen, dass das Preisniveau in dem kleinen Dalyan nicht wesentlich niedriger ist als in Marmaris. Die Ladenbesitzer sind – wie in den meisten anderen Touristenorten – professionelle Geschäftsleute aus den Großstädten mit einer knallharten Preiskalkulation.

• *Geld* im Zentrum mehrere Banken, z. B. **Yapı Kredi** neben der Post (auch EC-Automat).

• *Polizei* Jandarma im Zentrum nahe der Post, ✆ 2842031.

• *Post* im Zentrum neben der Yapı Kredi.

• *Zeitungen* deutsche Zeitungen im **Byblis Market** neben dem City Hotel. Während der Saison früh kommen, sonst ist die letzte Zeitung weggeschnappt.

• *Zweiradverleih* Bei **Kaunos Tours** gegenüber der Post zahlt man für ein Mountainbike ab 3,30 € pro Tag. Scooter hat immer wieder irgendjemand im Angebot, die Adressen wechseln häufig.

Übernachten/Camping (siehe Karte S. 401)

Mittlerweile gibt es insgesamt über 170 Übernachtungsmöglichkeiten. Jede Menge Pensionen und etliche Hotels bieten Räumlichkeiten für jeden Geldbeutel. Tipp: Je weiter weg vom Fluss, desto moskitofreier die Nächte. Im Zentrum geht es übrigens nachts recht lebhaft zu.

Çelik Aparthotel (8), nahe dem Medical Center. 1997 eröffnetes Haus mit 8 geräumigen, komplett ausgestatteten Apartments. Dachterrasse und kleiner Pool, sehr gepflegt. Apartment (max. 4 Personen) 30 € pro Nacht. ✆ 2844312, ℻ 2844309.

Mandal-inn (5), kleine sehr gepflegte Hotelanlage. Nur 9 Zimmer, aller dafür sehr groß, hell und angenehm kühl. Marmorboden. Pool. Etwa 300 m vom Fluss. DZ inkl. Frühstück und Aircondition 22 €. ✆ 2842286, www.dalyan.net/mandal inn.

Kilim Pension (13), villenartiger Bau im Süden des Städtchens. 20 Zimmer, großer Garten mit großem Pool. Freundlicher Service. Relativ ruhige Lage. DZ 22 €, EZ 17 €, ✆ 2842253, kilimhotl@superonline.com.

Hotel Caria (7), sympathisches, von einer Georgierin geführtes Hotel direkt am Fluss. Herrliche Dachterrasse mit Felsengrabblick, Frühstücksbufett. Kitschig-liebevoll eingerichtete Zimmer (Plastikblumen!) mit guten Sanitäranlagen und großen Balkonen, z. T. mit Flussblick. Für die Lage zahlt man natürlich mit: DZ mit Frühstück 20 €, EZ 15 €. Maraş Cad. Yalı Sok., ✆ 2842075, ℻ 2843046.

Göl Hotel (1), etwas abseits – also ruhig – und direkt am Wasser. Mit eigenem Bootsservice zu allen interessanten Zielen in der Umgebung. Schön begrünter Innenhof, Pool, 20 ordentliche Zimmer. Trotz kleiner Mängel in der Ausstattung recht gutes Preis-Leistungs-Verhältnis: DZ mit Frühstück 17 €, EZ 14 €. Gürpinar Mah., ✆ 2842096, ℻ 2842555.

Gül Pension (6), Lesertipp, in einer Parallelstraße zur Einkaufsmeile. Durchaus eine empfehlenswerte Adresse: Äußerst gepflegt, freundliche, familiäre Atmosphäre. Türkisches Frühstück vom Bufett (mit Honig aus eigener Imkerei). Von der Dachterrasse Blick auf die Felsengräber. Ansprechende Zimmer mit kleinen Balkons, für Familien gibt's Dreibettzimmer. DZ mit Aircondition 17 €, ohne 13 €. ✆ 2842467, ℻ 2844803.

Zakkum Pension (10), kleine Pension im Süden des Ortes. Empfehlenswert wegen der traumhaften Lage und der herrlichen Gartenterrasse direkt am Fluss. Die 5 Zimmer sind einfachst und spartanisch ausgestattet, für das DZ mit Bad zahlt man dennoch 14 €. ✆ 2842111.

Hotel City (2), näher am Hafen geht es nicht. Zimmer mit Balkon und herrlichem Ausblick. Klasse Dachterrasse. Für Reisende mit schmalem Geldbeutel eine gute Adresse. DZ mit Du/WC, Frühstück und Balkon 13 €, ohne Balkon 9 €. ✆ 2844761, hotelcity@mynet.com.

• *Camping* **Dalyan Camping (12)**, einfacher Wiesenplatz mit ein paar Bäumen, jedoch wenig Schatten in schöner Lage direkt am Wasser (am Südende Dalyans bei der Disko Sweet sixteen). Kleines Restaurant. Sanitäreinrichtungen o. k. Nette kleine Holzbungalows für 2 Personen für 6 €, Zelten für 2 Personen kostet 4 €. ✆/℻ 2844157.

Essen & Trinken/Nachtleben

Dutzende Restaurants am Kai, in der langen Parallelstraße dahinter und um den Dolmuş-Bahnhof bieten türkische und internationale Gerichte in allen Preisklassen. Spezialität ist Fisch aus dem See – am besten in einem der lauschigen Restaurants am Fluss.

Restaurant Riverside (9), am Fluss (Richtung Süden). Von den dort gelegenen Restaurants das empfehlenswerteste. Schönes Ambiente im großen Garten, Blick auf die Felsengräber, große Auswahl an Vorspeisen, Lamm, Fisch und Meeresfrüchten. Guter Service. Allerdings nicht billig.

Triton Restaurant (11), gemütliches Gartenlokal im Süden der Stadt. Da nicht unmittelbar am Wasser gelegen, gibt's auch nicht ganz so viele Moskitos. Zu empfehlen sind die Hühnchenspezialitäten.

Metin Pizza & Pide Restaurant (4), für alle, die es einfach und preiswert mögen. In der Straße, die vom oberen Ortsteil zum Schildkrötendenkmal führt. Schaut nach nichts Besonderem aus, bietet aber eine vielfältige, wirklich gute Küche. Erwähnenswert ist auch der unaufdringliche gute Service.

• *Nachtleben* Abends ist einiges los in dem Städtchen. Anlaufstellen sind u. a. die harmlose **Jazzbar** (für ruhigere Naturen), das **Albatros** mit Hippie-Interieur (für exotischere Nachtschwärmer), die auf Höhle gestylte **Crazy Bar**, deren Name nach Meinung einiger Türken Bände spricht, und die **Zilli Bar** nahe der Tourist Information. Die Diskothek vor Ort ist das **Sweet sixteen** am südlichen Ortsende (am Fluss).

Dostlar Sofrası (3), schräg gegenüber der Dolmuş-Station. Während die Lokale nebenan leer sind, findet man hier am Abend kaum einen Platz mehr. Gegrilltes, leckere Meze, Eintöpfe, *mantı* und billige Tagesgerichte. Gemütliches Ambiente. Unser Tipp.

Baden/Sport

• *Baden* Der 4 km lange **İztuzu plajı** (oft auch als *Turtle-Beach* bezeichnet) trennt das Delta vom Meer. Es handelt sich um einen Sandstrand vom Feinsten, meist wellenlos und ausgesprochen kinderfreundlich. Außerdem sind immer Plätze zu finden, an denen man nicht den Sonnenölgeruch des Nachbarn in der Nase hat. Über den Landweg (10 km) gelangt man an das Westende des Strandes. Wer mit dem eigenen Auto kommt, zahlt 1 € Parkgebühren. Die Bootsfahrt ab Dalyan führt zur Ostseite und dauert etwa 45 Min. Für die Schildkröten wurde übrigens eine badefreie Zone reserviert, ab 20 Uhr ist der Strand dann ganz geschlossen.

Wie Sie mit Ihrem Verhalten an Niststränden der Caretta-caretta-Schildkröte zum Artenschutz beitragen, lesen Sie auf S. 436.

Als Alternative bietet sich (vor allem für Selbstfahrer) der **Sarıgerme-Strand** an, der etwa 30 km im Westen von Dalyan gelegen ist. Über Ortaca ist er auch mit dem Dolmuş zu erreichen.

Nur für Selbstfahrer zu empfehlen ist der Strand der **Ekincik-Bucht**, den man mit öffentlichen Transportmitteln bislang nur schwer erreichen kann.

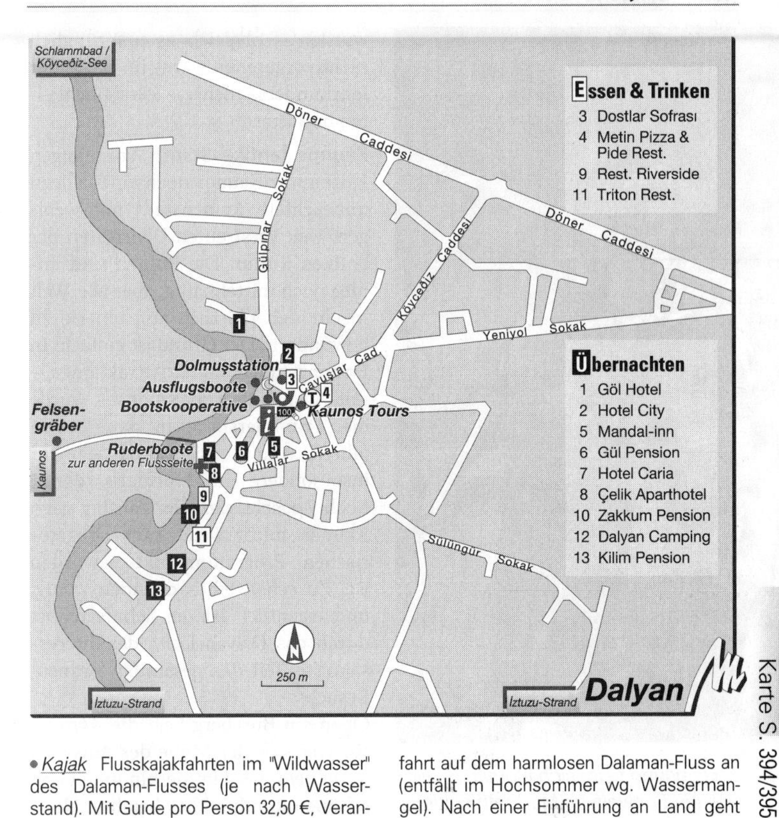

- *Kajak* Flusskajakfahrten im "Wildwasser" des Dalaman-Flusses (je nach Wasserstand). Mit Guide pro Person 32,50 €, Veranstalter **Kaunos Tours**, nähere Auskünfte im Büro oder unter ✆ 2842816, 📠 2843157.
- *Mountainbiking* ganztägiges Radeln in der Gruppe ebenfalls mit **Kaunos Tours**, inkl. Leihrad und Lunch 38,50 €.
- *Rafting* Zusammen mit **Alternativ Tours** bietet **Kaunos Tours** (✆ 2842816, 📠 2843157) die organisierte ganztägige Schlauchbootfahrt auf dem harmlosen Dalaman-Fluss an (entfällt im Hochsommer wg. Wassermangel). Nach einer Einführung an Land geht es in Schlauchbooten (für 4 bis 8 Personen) flussabwärts. Inkl. Transfer, Lunch und Versicherung pro Person 67,50 €.
- *Tauchen* **Blue Diving Center**, an der Basarstraße parallel zum Fluss. Ganztägige Fahrten entlang der Küste inkl. 2 Tauchgängen und Essen 75 €. İskele Meydanı. ✆ 2844224.

Umgebung von Dalyan

Felsengräber: An der steilen Felswand auf der Dalyan gegenüberliegenden Flussseite sind sie eindrucksvoll in den Stein geschlagen: karische Königsgräber in ionischem Stil, griechischen Tempeln ähnlich, manche hatten einst kolossale Drehtüren. Trotz der griechischen Charakteristik – solche Felsengräber wurden außerhalb Kleinasiens noch nicht gefunden. Beim Bau der Gräber arbeiteten sich die Steinmetze von oben nach unten vor, d.h. sie fingen mit dem Giebel an. Das mächtigste Grab der Felswand ist unvollendet, es besitzt lediglich Säulenansätze unterhalb der Kapitelle. In den Grabkammern selbst wurden – obgleich es ursprünglich nicht vorgesehen war – im Laufe der Jahrhunderte mehrere Persönlichkeiten bestattet.

Soll gesund sein: sich einmal wie ein Schwein im Mudbath suhlen

Kaunos (antike Stadt): Vor einigen Jahren war Kaunos noch eine nahezu unbeachtete Ruinenstadt mit wenigen, weit verstreuten Überresten der antiken Kultur. Die Ruinen sind immer noch mittelmäßig, aber alle Welt macht sich plötzlich auf, um sie zu bewundern. Der Grund ist einfach: In Ermangelung anderer Attraktionen – mit Ausnahme von Knidos – wurde die Trümmerstätte in den letzten Jahren vom Tourismusmanagement insbesondere in Marmaris derart hochgepuscht, dass der Ausflug nach Kaunos mittlerweile zum obligatorischen Programmpunkt geworden ist. Zu sehen gibt's dennoch wenig, und eigentlich ist die Schiffsanfahrt durch das Dalyan-Delta der interessanteste Teil des gesamten Kaunos-Besuchs.

Oben am Burgberg liegt die *Akropolis*. Wer sich der Mühe des Aufstiegs unterzieht, wird immerhin mit einem schönen Rundumblick belohnt. Noch relativ gut erhalten sind das *römische Theater* und das allerdings völlig schmucklose *Nymphäum*. Von der *Agora* ist nichts weiter übrig geblieben als ein hübscher antiker Kreis im verbrannten Gras. Dazu gibt's noch einige Säulentrommeln mit griechischen Inschriften.

In der Geschichte spielte Kaunos, ein bescheidenes Landstädtchen an der Grenze zwischen Karien und Lykien, nie eine bedeutende Rolle. Man lebte vom Schiffbau und vom Export von Salz, Sklaven und dem Harz des Amberbaumes. Es gab zwei Grundübel, die die Bewohner über Jahrhunderte plagten und an denen die Stadt letztlich auch zugrunde ging: die Malariafliege und die fortschreitende Verschlammung des Hafens, die ihn am Ende unschiffbar machte.

• *Öffnungszeiten* offiziell 8–18 Uhr. Eintritt 1,30 €, ermäßigt 0,90 €. Das Gelände ist nur spärlich umzäunt. An beiden Eingängen werden Erfrischungsgetränke angeboten.

• *Anfahrt* Kaunos liegt schräg gegenüber von Dalyan auf der anderen Seite des Flusses. Entweder setzt man mit einem Ruderboot über (vom Hafen 200 m flussabwärts beim Hotel Dalyan, pro Person retour 1,40 €) und geht dahinter den einzigen Weg zu Fuß bis zum Eingang der Ausgrabungsstätte (ca. 20 Min.) oder man lässt sich mit einem Ausflugsboot hinbringen. Diese fahren meist einen Sightseeing-Umweg durchs Delta (→ "Dalyan/Ausflüge", S. 399).

Mudbath: Das "Schlammbad" liegt links des Flusses auf dem Weg zum See und wird im Rahmen der Bootsausflüge angelaufen. Den Ausflüglern macht es sichtlich Spaß, sich im Schlamm zu suhlen, doch der angepriesene Verjüngungseffekt tritt mit Sicherheit nicht ein. Seit Jahren wird der Schlamm zum Bad übrigens wegen des großen Besucherandrangs von auswärts angefahren. In der Hochsaison springen bis zu 1.000 Menschen täglich in das kleine Becken. Achtung: Wer's mit dem Herzen hat, sollte von einem Bad absehen!

Öffnungszeiten tägl. 10–19 Uhr, Eintritt 0,90 €. Teure Erfrischungen halten ein Café und eine Bar bereit. Vormittags liegt das Bad noch im Schatten.

Ortaca

Die auf Straßenkarten groß eingezeichnete Kreisstadt mit rund 12.000 Einwohnern ist für den Touristen wenig spannend: Breite, triste Straßenzüge, gesäumt von grauen Wohnblöcken, erinnern an russische Vorstadtarchitektur. Lediglich Ende Mai bzw. Anfang Juni, je nach Erntezeit, kommt Farbe und Leben nach Ortaca – dann steht das *Domates Festivalı*, das Tomatenfest, auf dem Programm und die ganze Stadt ist auf den Beinen. Es finden Freilichtveranstaltungen mit Folkloredarbietungen statt, dazu Umzüge, Wettkämpfe und Ähnliches mehr. Zeitgleich wird eine lokale Handwerksschau veranstaltet und ein großer, mehrere Tage dauernder Markt. Wer alte amerikanische Straßenkreuzer schätzt oder ein Herz für traurig dreinblickende Mercedesveteranen hat, sollte an der Nationalstraße 400 nach "Kaporta Mekanik" die Augen offen halten – einer eigenwilligen Mischung aus Schrottplatz, Altersheim für Oldtimer und Freilichtmuseum.

Dalaman Airport

Im Nichts rund 7 km südlich von Dalaman, einer wenig reizvollen Stadt mit 15.000 Einwohnern, liegt der rund um die Uhr geöffnete Flughafen. Er wurde 1986 eröffnet, um den Tourismus zwischen Fethiye und Marmaris zu fördern. Bei nahezu allen startenden und landenden Jets handelt es sich um Chartermaschinen. Hochbetrieb herrscht insbesondere samstags und montags. Dann setzt etwa alle 20 Min. eine Maschine auf und spuckt bleiche, gestresste Erholungssuchende aus ganz Europa aus ihrem Bauch.

• *Information* Die **Tourist Information** im Ankunftsbereich ist im Sommer offiziell rund um die Uhr besetzt, im Winter dagegen nur, wenn Maschinen landen.

• *Verbindungen* Zum Airport Dalaman fahren keine öffentlichen Verkehrsmittel. Wer nicht mit dem Bus von seiner Reisegesellschaft abgeholt wird oder nicht mit der THY über Istanbul geflogen ist und auf deren Shuttlebus nach Fethiye oder Marmaris zusteigen kann, muss notgedrungen zu Fuß oder mit dem Taxi weiter.

Eine Fahrt mit dem **Taxi** nach Marmaris kostet 52,50 €, nach Göcek 22,50 €, nach Fethiye 45 €. Am preiswertesten ist es, wenn man zunächst ein Taxi bis Dalaman nimmt (8,50 €) und dort auf einen **Bus** oder ein **Dolmuş** nach Fethiye (2,50 €), Muğla (5 €) oder Marmaris (7 €) umsteigt. Von Fethiye und Muğla bestehen Busverbindungen in nahezu alles Städte der Westtürkei. Achtung: Die Sammeltaxis fahren nur bis 20 Uhr, die großen Busse auf der Strecke Izmir–Antalya dagegen auch nachts.

• *Autoverleih* am Ankunftsbereich Vertretungen u.a. von **Avis** (✆ 0252/7925118), **Europcar** (✆ 0252/7925117), **Sixt** (✆ 0252/6925196) und **Hertz** (✆ 0252/7925014).

• *Geld* rund um die Uhr mit Karte an Automaten möglich.

• *Übernachten* Am Airport selbst gibt's keine Möglichkeit, in Dalaman findet man jedoch Unterkünfte in fast jeder Preiskategorie.

• *Essen & Trinken* in teuren Restaurants und Bars.

• *Einkaufen* Wer hier landet, hat (bevor er den Zoll passiert) noch die Möglichkeit, einen **Duty-free-Einkauf** zu tätigen; die Preise liegen für viele Waren unter denen beim zollfreien Einkauf in Deutschland oder an Bord.

Osmaniye

Die kleine, nur 600 Einwohner zählende Ortschaft liegt 12 km südwestlich von Dalaman – nicht an der Küste, sondern im Landesinnern in der Nähe einiger Teiche, die als Brutstätten von Moskitos bekannt sind. Osmaniye ist gerade auf dem Sprung, sich von einem verschlafenen Bauerndorf zu einem vornehmen Touristenort zu entwickeln. Schicke Juweliergeschäfte und Bars haben sich bereits angesiedelt, bislang aber gackern neben Touristen auch noch Hühner vor den teuren Auslagen. Die Urlauber, darunter viele deutsche, kommen vor allem wegen des herrlichen, breiten und flach ins Meer verlaufenden Sandstrands namens *Sarıgerme,* der gebührenpflichtig (0,50 €) über ein schmales Sträßchen zu erreichen ist. Ihm vorgelagert ist ein kleines Inselchen.
Einen Teil des Strandes nehmen zwei All-inclusive-Clubhotels ein. Von dem, das "Magic Life" verspricht, dröhnt meist die plärrende, zum Tanz auffordernde Stimme der Animateurin über Lautsprecher bis zum Strand – es sei denn, die verzauberten Gäste grölen gerade lautstark bei irgendeinem Schürzenjäger-Hit mit. Der Strand ist zum Glück so groß, dass man auch abseits der reservierten Liegestühle ein paar gemütliche Plätze findet. In einem Hain ist zudem ein kleiner, gepflegter Park mit Kinderspielplatz, Picknickbänken und einer Bar angelegt. Die Buchten zwischen dem Sarıgerme-Strand und dem Strand von Dalyan sind ausschließlich per Boot oder Allradfahrzeug zu erreichen.

• *Verbindungen* mit dem **Dolmuş** über Ortaca (s. o.) zu erreichen.

• *Übernachten* Die Auswahl beschränkt sich leider vornehmlich auf austauschbare Pauschalherbergen und abgewohnte kleine Pensionen und Hotels. Eine angenehme Ausnahme ist das **Anatolian Hotel** unter Leitung der liebenswürdigen Seval Yenen, bestens ausgeschildert. Vermietet werden 10 sehr gepflegte, farbenfrohe Zimmer mit 1a-Bädern in einem schönen Neubau. Kuschelige Terrasse, Pool mit wasserspeienden Löwen, auf Wunsch türkische Hausmannskost am Abend. Anhand kleiner Ausstellungen und Diashows versucht die Wirtin zudem, ihren Gästen Land und Leute näher zu bringen. Für das Gebotene günstig: EZ ab 25 €, DZ ab 30 €, Dreier ab 40 €. ✆/℻ 0252/2868473, www.sarigerme.net.

Göcek

Das überaus freundliche und überschaubare Örtchen knapp 30 km nordwestlich von Fethiye ist bisher vom großen Pauschaltourismus verschont geblieben. Grund dafür sind fehlende gute Strände vor Ort; mit dem Boot jedoch lassen sich unzählige Traumbuchten in der Umgebung ansteuern.

Göcek hat sich bislang ganz den Jachttouristen verschrieben. Unzählige Agenturen und Servicecenter kümmern sich um deren Belange. Auf der breiten, mit noch jungen Palmen gesäumten Uferpromenade lässt es sich gemütlich an Booten aus dem gesamten Mittelmeerraum vorbeischlendern, dahinter laden Cafés und Bars auf ein Getränk ein. Alles ist ein wenig schmucker und niveauvoller als in Marmaris oder Fethiye, hier bedient man Segler und keine "einfachen Pauschaltouristen".

Göcek: Beschauliches Zentrum des Jachttourismus

Rund um die Bucht von Göcek bieten sich herrliche Bademöglichkeiten in abgeschiedenen Buchten. Die meisten davon kann man nur mit dem Boot erreichen, lediglich im Südwesten Göceks gibt es einige, die auch über lange, lange Fußmärsche oder mit dem Geländewagen zugänglich sind. Die Traumbuchten, die von Fethiye aus in der beliebten 12-Insel-Bootstour abgeklappert werden, lassen sich auch von Göcek aus per Schiff erkunden – kein Wunder, denn die Inseln liegen fast vor der Haustür.

Verbindungen/Ausflüge

• *Telefonvorwahl* ✆ 0252.

• *Verbindungen* stündliche Verbindung per **Dolmuş** nach Fethiye. Vom Zentrum sind es rund 10 Min zu Fuß zur Nationalstraße 400, wo man Busse in die Städte nach Norden und Süden anhalten kann.

Taxen stehen an dem Platz bei der Moschee bereit, eine Fahrt zum Flughafen Dalaman kostet 30 €, nach Fethiye 50 €.

• *Bootsausflüge* nahezu identisches Angebot wie in Fethiye (→ S. 411), an erster Stelle steht die **12-Insel-Tour**.

• *Jachtcharter* ist z. B. über **E.G.G. Yachting** in der Marina möglich, ✆ 6451786, 📠 6451789. Billigstes Schiff pro Woche in der Hochsaison 1.250 € ohne Skipper. Adresse in Deutschland: Nordstr. 11, 7107 Nordheim, ✆ 07133/98710, www.eggyachting.com.

Adressen

• *Autoverleih* ein paar lokale Verleiher an der Parallelstraße zur Uferstraße. Diese besitzen z. T. jedoch selbst keine eigenen Fahrzeuge, sondern vermitteln lediglich Autos aus Fethiye und streichen dabei eine saftige Provision ein. Besser gleich nach Fethiye fahren. Autos ab 45 €.

• *Geld* mehrere Banken und EC-Automaten im Zentrum.

• *Polizei* nahe der Moschee, landeinwärts.

• *Post* am Hauptplatz neben dem Taxistand.

• *Waschsalon* **Dolphin Laundry**, an der Parallelstraße zur Uferpromenade. Eine Maschine waschen 4,20 €.

Übernachten/Essen & Trinken/Nachtleben

Die Preise für Übernachten und Essen liegen in Göcek ca. 30–40 % über denen in Fethiye oder Dalyan.

• *Übernachten/Camping* **Deniz Hotel**, an der Uferpromenade. Wurde 1996 als das erste Hotel Göceks eröffnet. 20 helle Zimmer, modern und komfortabel ausgestattet. Aircondition. DZ 60 €, EZ 50 € inkl. Frühstück. ✆ 6451902, 📠 6451903.

Yonca Resort, außerhalb des Zentrums nahe dem Hotel Nirvana in versteckter Lage. Wer über die mittlerweile etwas ausgefransten Teppiche in manchen Zimmern hinwegsehen kann, wird sich hier wohl fühlen: 8 Zimmer mit geschmiedeten Eisenbetten und Antiquitäten, Pool, verspielter Garten, absolute Ruhe. DZ 50 €, EZ 40 €. ✆ 6452255, yoncaresort@superonline.com.

Yıldırım Pension, an der Uferstraße in zentraler Lage. Vermietet werden gepflegte, saubere Räumlichkeiten, teils mit Balkon und schönem Meeresblick. Zudem besitzt der Betreiber ein Boot, mit dem er auf Anfrage Touren veranstaltet. DZ mit Frühstück 21 €. ✆ 6451189, 📠 6452244.

The Haunt Inn Hotel/Camping, der einstige Backpackertreffpunkt am Ortseingang ist mittlerweile recht langweilig geworden. 7 einfache Zimmer ohne persönliche Note, dafür mit Bad, dazu eine große, schattige Wiese zum Campen. Zudem eine gemütliche Dachterrasse mit Bar. Freundlicher Service. Das Zelt aufschlagen kostet 4,20 € (mit Caravan 6,30 €), für das DZ zahlt man 17 €, ✆/📠 6451875.

Ünlü Pension & Café, an der Uferpromenade. 17 kleine, einfache Zimmer mit Bad und Teppichboden. Nicht die Welt, dafür Gemeinschaftsterrasse und -küche über dem Café. EZ 9 €, DZ 13 €, ✆ 6451170, 📠 6451380.

• *Essen & Trinken* **Nanai**, an der Hafenpromenade, von weitem eher unauffällig. Elegant-rustikale, grün-braune Bestuhlung auf der blumigen Terrasse. Serviert wird feine französisch-türkische Küche, bei der Steaks und Preise gleichermaßen saftig sind. Dafür ein kulinarischer Genuss.

Can Restaurant, gemütliches Restaurant mit schattiger Terrasse an der Uferpromenade. Eine der besten Adressen der Stadt für frischen Fisch und gute türkische Küche. Faire Preise.

Antep, Göceks Kebabkönig nahe der Pension Ünlü. Über 10 Sorten Kebab, die vor der Nase zubereitet werden. Wer keine Fleischberge mag, wählt Pide.

• *Nachtleben* Zwei von vielen In-und-out-Bars entlang der Uferpromenade sind die **Dr. Jazz Bar** und die **Latin Bar** mit gemütlichem Garten (Happy Hour 19–21 Uhr).

Zwischen Göcek und Fethiye

Südlich von Göcek erstrecken sich mehrere herrliche Buchten, die über den Landweg in der Regel kaum zu erreichen sind. Ausnahmen bilden die **Bucht von Küçük Kargı** ca. 12 km südlich von Göcek (Picknick- und Campingplatz, Strand mit Duschen und Umkleidekabinen) sowie die **Bilderbuchbucht von Katrancı**, die man nach weiteren 3 km Richtung Fethiye über eine Stichstraße erreicht. Am Strand befindet sich ebenfalls ein Picknick- und Campingplatz samt Umkleidekabinen und Toiletten, dazu ein kleines, gutes und günstiges Restaurant, Rastplätze unter Kiefern und sauberes Wasser. Strandzutritt 2,20 €; wer zelten möchte, bezahlt 2,50 €.

• *Camping* **Yonca Camping** (✆ 0252/6336177) und **Doğa Camping** (✆ 0252/6336262), zwei weitere Campingmöglichkeiten ein paar Kilometer südlich der Katrancı-Bucht nahe der Ortschaft Yanıklar Köyü. Beide Plätze liegen unmittelbar am Meer, aber inmitten einer Clubhotellandschaft. Schöner Blick vom Strand auf die vorgelagerten Inseln. Beide mit Restaurant. Viel Schatten. Außerhalb der Hochsaison ist jedoch auf beiden Plätzen der Ruhe fast zu viel. Holzbungalows mit Terrasse (die schöneren auf dem Doğa Camping) 13 €, Zelt 3 € inkl. Frühstück. Von Fethiye im Sommer von 8–24 Uhr fast jede halbe Stunde mit dem Dolmuş zu erreichen, Abfahrt gegenüber dem Krankenhaus. Fahrtzeit 40 Min., 1 €.

Die malerische Bucht von Fethiye

Fethiye

(ca. 50.000 Einwohner)

Fethiye ist einer der Zaubernamen der türkischen Küste. Doch die Stadt selbst trägt dazu wenig bei, es sind vielmehr die Strände der Umgebung, die für den großen Zulauf sorgen. Wer von der Traumlagune Ölüdeniz noch nie etwas gehört hat, kennt sie zumindest von Bildern. Genießer reisen im Frühjahr an: Die Berggipfel sind noch schneebedeckt und die Strände weniger ausgelastet.

Das heutige Fethiye erstreckt sich auf dem Grund des antiken *Telmessos,* von dem bis auf 20 Felsengräber in einer Steilwand nicht viel erhalten geblieben ist. Deren Besuch ist allerdings ein Muss, nicht zuletzt wegen der herrlichen Aussicht über die Stadt und die Bucht von Fethiye. Die übrige antike Bausubstanz wurde durch die beiden schweren Erdbeben von 1856 und 1957 weitgehend zerstört. Diese Beben sind auch für das heutige, teilweise recht nüchtern wirkende Stadtbild verantwortlich.

Das Zentrum der Stadt steht ganz im Zeichen des Tourismus. Jeden Abend flanieren braungebrannte Urlauberscharen aus aller Herren Länder, insbesondere aus Deutschland und England, an den Ausflugsbooten am Kai vorbei. Weiter geht es durch die Gassen der neu und ansehnlich restaurierten Altstadt mit ihren unzähligen Teppichläden, Juweliergeschäften, Lederboutiquen und Souvenirshops. Das Geschäft mit den Fremden mauserte sich im letzten Jahrzehnt zum wichtigsten Erwerbszweig. Der Bau des Großflughafens Dalaman 50 km weiter nordwestlich trug maßgeblich dazu bei. Der damit einsetzende Massentourismus bescherte Fethiye jedoch die gleichen Sorgen wie vielen anderen

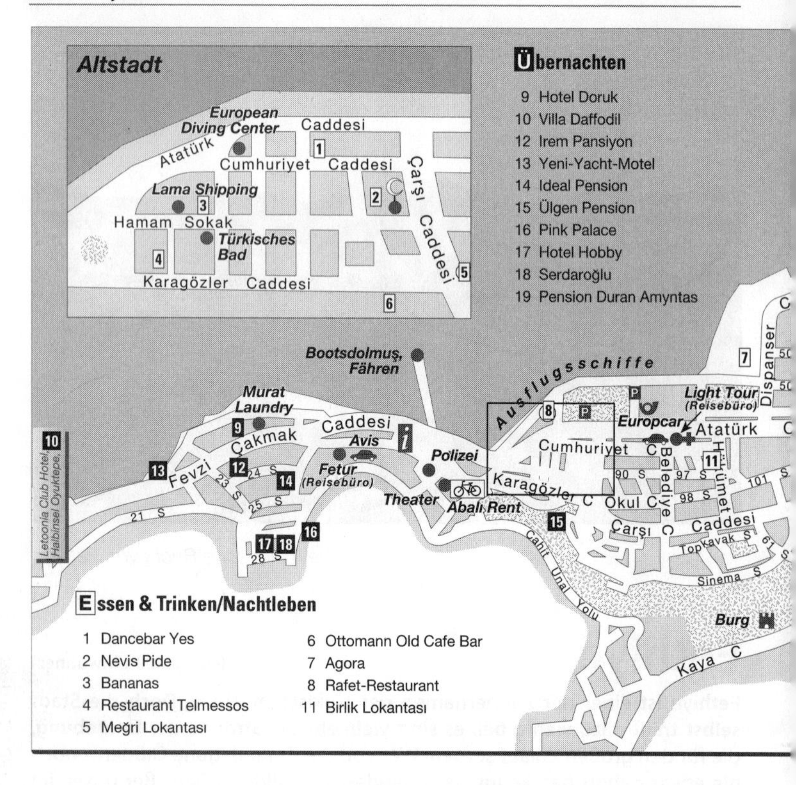

Touristenorten: Durch die allsommerliche Vervielfachung der Einwohnerzahl floss auch das Vielfache an ungeklärten Abwässern in die Bucht. Das war nicht gesund, sah nicht gut aus und roch manchmal etwas streng. Erst seit kurzer Zeit hat man das Problem mehr oder weniger in den Griff bekommen.

Dass Fethiye so beliebt ist, dafür sorgen eine Vielzahl von herrlichen Stränden in der Umgebung, darunter der wohl berühmteste und vielleicht auch schönste türkische Badeplatz 15 km südlich von Fethiye, die *Strandlagune Ölüdeniz* (→ S. 416). Doch merke: Die Zeiten des Alleinseins mit sich und der Natur sind rund um Fethiye vorbei. Das gilt auch für den *Strand von Çalış*, der nur rund 4 km nördlich vom Stadtzentrum liegt und noch vor Jahren relativ beschaulich war. Mittlerweile hat er sich zu einer Art Pauschaltourismuszone entwickelt, und zwar mit allem, was dazugehört: Am Nachmittag gibt's Filterkaffee mit Kuchen und am Abend Folklore mit Sauerbraten (kein Witz). Einheimische nennen Çalış auch grinsend "Klein-Berlin", und wer offenen Ohres herumspaziert, hört auch, warum das so ist. Der vordere Teil des Strandes ist ganz von Hotelsonnenschirmen besetzt. Nur wenn man weiter gen Nordwest wandert und sich nicht daran stört, dass aus dem Sandstrand allmählich Kiesstrand wird, findet man noch ein relativ ein-

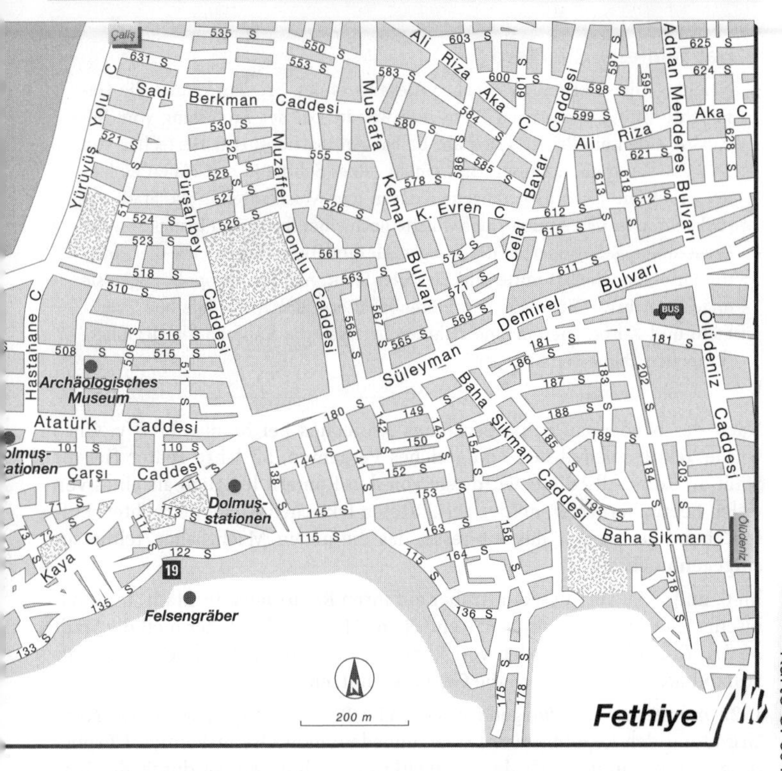

sames, gemütliches Plätzchen. Insgesamt aber gilt: Wer ein großes Badetuch besitzt, sollte besser an den Strand von Patara oder an die idyllischen Buchten auf dem Weg nach Göcek ausweichen, dort hält sich der Andrang noch in Grenzen.

Von Fethiye aus kann man natürlich auch eine ganze Reihe attraktiver Ausflugsziele abseits der Küste ansteuern. Insbesondere bieten sich an: ein Forellenessen in der kühlen *Saklıkent-Schlucht* (→ S. 425), ein Bad in den *warmen Quellen von Gebeler* (→ S. 422), eine Wanderung zur *Geisterstadt Kayaköyü* (→ S. 419) oder ein Besuch der antiken Stadt *Kadyanda* (→ S. 421).

Geschichte

Telmessos wurde erstmals im 5. Jh. v. Chr. als Mitglied des attischdelischen Seebundes erwähnt. Im 4. Jh. v. Chr. geriet die Stadt unter lykische Herrschaft, danach wurde sie von General Nearchos für das Weltreich Alexanders des Großen erobert. Nach dessen Tod geriet sie in den Machtbereich der Ptolemäer. Berühmt war Telmessos zu jener Zeit durch seine Seherschule – der Ruf der sog. Schlangenmänner ging weit über den kleinasiatischen Raum hinaus. Viele Herrscher suchten hier um Rat nach, u. a. auch König Krösus.

Lykische Küste
Karte S. 394/395

Das Telmessische Pferd

Nearchos, der Flottenbefehlshaber Alexanders des Großen, kannte die Geschichte vom Trojanischen Pferd und wandte bei der Eroberung von Telmessos einen ähnlichen Trick an. Er bat Antipatrides, den Herrscher von Telmessos, um die Erlaubnis, mit einem seiner Schiffe in den Hafen einlaufen zu dürfen. Er wolle gefangene Sklaven und Musikanten in die Stadt zurückkehren lassen. Antipatrides willigte nach einer flüchtigen Inspektion der Besatzung ein. So ruderten die Krieger Alexanders, verkleidet wie die Sarottimohren, unbehelligt mitten ins Herz der Stadt. Auf der Akropolis zogen sie ungerührt ihre Dolche aus den Flötenbehältern, holten Schilde aus Trommeln und Körben hervor und nahmen gelassen die Kapitulation der überrumpelten Telmesser entgegen.

Nach der Niederlage des Syrerkönigs Antiochos bei Manisa (190 v. Chr.) wurde Telmessos Teil des Königreiches Pergamon, 57 Jahre später fiel die Stadt an Rom. Allerdings wurde sie von den Römern lediglich als eines von vielen Seeräubernesten an der zerklüfteten lykischen Küste betrachtet. Entsprechend gering war das Interesse, das die neuen Machthaber Telmessos entgegenbrachten.

Im 6. und 7. Jh. verwüsteten Araber auf ihren Raubzügen die Stadt, in osmanischer Zeit führte sie ein Schattendasein. Ab dem Mittelalter hieß die Stadt *Makri*. Der Johanniterorden von Rhodos errichtete im 15. Jh. eine Burg als Stützpunkt, die später auch die Genuesen nutzen.

1922 musste die überwiegend griechische Bevölkerung auswandern. Nach Gründung der Republik wurde der unbedeutende Ort in Fethiye ("Eroberung") umbenannt. Nach dem 2. Weltkrieg erlebte Fethiye durch die Verschiffung des im Hinterland abgebauten Chromerzes einen industriellen Aufschwung. 1957 wurde der Ort durch ein Erdbeben fast vollständig zerstört und danach in eher zweckdienlichem Stil wieder aufgebaut. Fethiyes derzeitige Blüte ist – wie bei anderen Küstenorten auch – aufs Engste mit dem Tourismus verknüpft.

Information/Verbindungen/Ausflüge/Parken

- *Telefonvorwahl* ✆ 0252.
- *Information* Die **Tourist Information** liegt direkt neben dem Hotel Dedeoğlu (vor dem Jachthafen). Auskunft je nach Besetzung auf Deutsch oder Englisch. Einfaches Prospektmaterial und ein Stadtplan liegen aus, außerdem gibt's brauchbare Ratschläge für Ausflüge, Hotelbuchungen usw. Tägl. 8.30–12 Uhr und 13.30–17.30 Uhr. İskele Karşısı, ✆/℻ 6141527.
- *Verbindungen* Der **Bus**bahnhof liegt einige Kilometer östlich des Zentrums an der Straßenkreuzung Muğla–Antalya/Ölüdeniz. Nahezu rund um die Uhr Busse entlang der Küste zwischen Antalya (7–8 Std.) und İzmir (7 Std.), zudem gute Verbindungen nach Pamukkale (z.T. mit Umsteigen auf ein Dolmuş in Denizli, 5 Std.), İstanbul (13 Std.) und Bodrum (z.T. mit Umsteigen in Muğla, 4–5 Std.).

Dolmuş: Die Fahrzeuge nach Çalış und Patara starten gegenüber dem städtischen Krankenhaus an der Atatürk Cad; die für den Stadtverkehr, nach Ölüdeniz und Üzümlü am alten Busbahnhof etwa 2 km östlich des Zentrums.

Taxi: Standplätze an der Atatürk Cad. Eine Fahrt zum Flughafen Dalaman kostet rund 42,50 €.

Per Schiff nach Rhódos: nur im Sommer 2-mal die Woche mit einem Hydrofoilboot. Achtung: In manchen Jahren fällt der Service aus. Hin und zurück an einem Tag 58 €. Wer länger bleibt, zahlt 83 €. Tickets bucht man am einfachsten über die *Lama Shipping Travel Agency* in der Altstadt, Hamam Sok. 3/a, ✆ 6144964.

Das Kursschiff der Turkish Maritime Lines, das auf der Route Antalya–İstanbul früher auch in Fethiye anlegte, verkehrt seit 1997 nicht mehr.

Schiffsdolmuş: von Fethiye regelmäßige Verbindungen zu den vorgelagerten Inseln. Im Sommer zudem regelmäßig nach Çalış (alle 30 Min., 0,90 €). Mindestens jede Stunde ein Bootsdolmuş von Fethiye zur Şövalye-Insel.

Flugzeug: Nächster Airport ist Dalaman (50 km nordwestlich von Fethiye). Von dort überwiegend Charterflüge. Linienflüge gehen vor allem von Antalya aus. THY-Repräsentant in Fethiye ist **Fetur**, Fevzi Çakmak Cad., ✆ 6142034, ℻ 6143845. Vor dem Reisebüro **Fetur** startet auch der THY-Minibus zum Flughafen, 3-mal tägl., 4,50 €.

• *Bootsausflüge* Buchungen bei Reisebüros oder selbstständigen Kapitänen. Am Abend können Sie das gesamte Angebot am Kai vergleichen: Dutzende von Ausflugsbooten werben mit hell angestrahlten bunten Routentafeln um Kundschaft. Fast ein Muss ist die ganztägige **12-Insel-Tour**, bei der die Inseln vor der Küste bei Göcek angelaufen werden. Vielfältige Routenwahl, pro Person ohne Essen ca. 5 €, mit einer Mahlzeit ca. 12 €. Hinweis: Insbesondere in der Hochsaison verkommt die 12-Insel-Tour zu einer meist lieblosen Veranstaltung mit Durchschleuscharakter. Dabei kann es passieren, dass 10 Boote den einsamen Strand gleichzeitig anlaufen und es zugeht wie in einem Freibad voller kreischender Teenies. Leser empfehlen außerdem, Getränke selbst mitzubringen, "da die Monopolstellung an Bord und auf den Inseln schamlos ausgenutzt wird."

• *Organisierte Touren* Aus der Fülle der Veranstalter sei folgender, von Lesern mehrmals empfohlener Anbieter erwähnt: **Light Tour**, Atatürk Cad. 104, ✆ 6170505. Auf dem Programm stehen Zweitagestouren nach Ephesus und Pamukkale für rund 55 €, Tagestouren nach Dalyan und Kaunos 22,50 €, nach Xanthos, Patara, Kalkan, Kaş 21 €, nach Tlos und Saklıkent 17,50 € und nach Kaş und Kekova 30 €. Die meisten der größeren Tourenveranstalter aus Fethiye haben Zweigstellen in Çalış und Ölüdeniz, teils sogar in Patara. Die Preise der Anbieter unterscheiden sich nur unwesentlich.

• *Jachtcharter* Eine seriöse Anlaufstelle, seit Jahren im Geschäft, ist **Alesta Yachting** am Jachthafen, Yat Liman Karşısı Körfez İşhanı 47, ✆ 6141861, ℻ 6142571. Etliche Angebote rund ums Verleihgeschäft. Billigste Jacht für 8 Passagiere mit Crew für einen Tag ca. 380 € (ohne Verpflegung). Chartertouren führen wahlweise westwärts bis Marmaris oder gen Osten nach Myra.

• *Parken* im Zentrum schwierig bis unmöglich. Wir verweisen auf die gebührenpflichtigen Plätze zwischen Promenade und Atatürk Cad.

Adressen

• *Ärztliche Versorgung* Dem **Likya Medical Assistence Service** in der Atatürk Cad. 104 gehört Dr. Hasan Ali Bulak an, ein Deutsch sprechender Arzt. ✆ 6146812.

• *Autoverleih* **Avis**, Fevzi Çakmak Cad. 1/B, ✆ 6123719, ℻ 6146339. **Europcar**, Atatürk Cad. 40, ✆ 6144995, ℻ 6149362. Bei den internationalen Anbietern liegen die Preise für das billigste Mietfahrzeug bei ca. 50 € pro Tag. Billiger ist es bei den lokalen Verleihern, zudem gibt's teilweise auch preiswertere Mietmöglichkeiten in Reisebüros.

• *Einkaufen/Souvenirs* **Obst- und Gemüsemarkt (inkl. Basar)** im Stadtkern in der Nähe der Post. Tägl. außer So immer reiche Auswahl an Gemüse und Früchten. Ansonsten: Souvenirs, Souvenirs. Ein Teil des Zentrums ist teppichverhangen, ein anderer glitzert im Glanz des Schmucks, außerdem Flauschiges von United Colors of Benetton, ein ganzer Laden mit Markenuhrimitaten ... Die Mitbringselsuche ist einer der abendlichen Programmpunkte.

Riesiger **Bauernmarkt** jeden Di im Marktviertel.

• *Geld* kein Problem im Zentrum und in der Altstadt. Auch EC-Automaten an jeder Ecke.

• *Post* an der Atatürk Cad.

• *Polizei* neben der Tourist Information.

• *Reisebüro* Reisebüros überall am Hafen, in der Atatürk Cad. und verstreut im Zentrum. Angebote (→ "Organisierte Touren") und Preise ähnlich.

• *Türkisches Bad (Hamam)* Das Hamam von Fethiye liegt in der Altstadt und ist bereits annähernd 400 Jahre alt. Es ist für Männer und Frauen zugänglich. Tägl. 8–24 Uhr. Eintritt 11,50 € inkl. Massage.

• *Waschsalon* **Murat Laundry**, am Jachthafen zwischen Yacht Hotel und Hotel Doruk (auf der Rückseite der Fevzi Çakmak Cad.). Eine Trommel waschen 4,20 €.

• *Zeitung* deutschsprachige Tages- und Wochenblätter in der Atatürk Cad. und am Çarşı Bulv.

• *Zweiradverleih* **Abalı Rent**, Office beim Amphitheater vor dem Hafen. Scooter ab 15 €, 600-ccm-Cross-Maschinen ab 30 €, ✆ 6141597.

Übernachten (siehe Karte S. 408/409)

Zwar gibt es rund um Fethiye über 650 registrierte Unterkünfte, das Angebot in der Stadt selbst ist aber im Ganzen wenig überzeugend. Hotels und Pensionen verschiedener Kategorien findet man am Jachthafen und am Hang darüber. Wer nur baden möchte, sollte sich in Çalış, Ölüdeniz oder Hisarönü Köy, dem Dorf oberhalb der berühmten Lagune, nach einem Quartier umschauen. Auch Camper suchen in Fethiye selbst vergebens nach einem Platz. Umso mehr gibt's dafür in *Ölüdeniz*.

Hotel Doruk (9), oberhalb des Jachthafens. 32 Zimmer mit Klimaanlage und eingeschränktem Meeresblick, gepflegt und sauber, 1998 eröffnet. Außerdem gibt es einen Pool. Während der Hauptsaison fast immer ausgebucht. EZ 25 €, DZ 40 €. ✆ 6149860, 📠 6123001.

Yeni-Yacht-Motel (13), ebenfalls oberhalb des Jachthafens. Nennt sich auch Yacht-Plaza. 1997 eröffnet. Für die Preisklasse vornehmes Haus. Alle 30 Zimmer mit Klimaanlage und großen Balkonen. Ein Swimmingpool ist auch vorhanden. EZ 22,50 €, DZ 37,50 €. Preise inkl. Frühstück. Karagözler Mah., ✆ 61215067, 📠 61255068.

Villa Daffodil (10), kleines freundliches Haus mit 27 Zimmern etwas außerhalb des Zentrums an der Fevzi Çakmak Cad 115. Vorteil: etwas ruhigere Lage. Nachteil: weiterer Fußweg ins Zentrum. Pool, nette Terrasse, viel Holz. EZ 22 €, DZ 33 €. ✆ 6149595, www.villadaffodil.com.

Hotel Hobby (17), hoch oben am Hang über dem Jachthafen in ruhiger Lage. Von den Zimmern zur Meerseite toller Blick. Freundlicher Service, kleines Restaurant, reichliches Frühstücksbüfett. 25 ordentliche Zimmer, solide möbliert, mit Aircondition und kleinem Balkon. Pool und Wahnsinnsterrasse. Könnte in einer höheren Kategorie angesiedelt sein, von Lesern empfohlen. DZ mit Frühstück 21 €. 1. Karagözler Gençlik Yolu, ✆ 6123639, 📠 6123647.

Pension Duran Amyntas (19), gleich neben den Felsengräbern. Kleine 4-Zimmer-Pension unter deutsch-türkischer Leitung. Geräumige, freundliche Zimmer mit Bad/WC für 17,50 €, egal ob mit 2 oder 3 Betten. Auf der schönen Terrasse wird am Abend auf Wunsch türkische Hausmannskost serviert. Von vielen Lesern empfohlen. ✆ 6143040.

Ideal Pension (14), rosa Haus in der I. Karagözler Zafer Cad. 1 über dem Jachthafen. Beliebte Travellerherberge, die einiges bietet: Internetzugang, schöne, verglaste Dachterrasse, Waschservice, Ausflüge usw. 1998 eröffnet, freundlicher Familienbetrieb. Schlichte, vollkommen unspektakuläre Zimmer mit Teppichböden und Bad/WC, wählen Sie eines in den oberen Etagen. DZ mit Frühstück 15 €. ✆ 6141981, www.idealpension.net.

Irem Pansiyon (12), schräg gegenüber dem Hotel Doruk. Freundlich geführte Familienpension. 21 saubere, nette Zimmer, 13 mit Balkon und 4 mit Meeresblick. Leser waren zufrieden und lobten insbesondere das reichliche Frühstück auf der gemütlichen Terrasse. DZ 15 € inkl. Frühstück, ✆ 6143985, 📠 6145875.

Ülgen Pension (15), sehr zentrale Lage. Oberhalb des Cafés Ottoman, über ein paar Stufen zu erreichen. Internationale Backpackerherberge – das Publikum macht's, und die 13 Zimmer (nicht alle mit Bad) sind sauber und auch ganz o. k. Pluspunkt: tolle Terrasse und äußerst gastfreundliche ältere Inhaber. Der Besitzer spricht Deutsch! EZ ab 8 €, DZ ab 14 €. Cum. Mah. Paspatur Mevkii Merdiven 3, ✆ 6143491, 📠 6142911.

• *Apartments* **Pink Palace (16)**, hoch über dem Hafen beim Hotel Hobby. Der rosa Bau trägt seinen Namen zu Recht, selbst die Bettüberzüge sind zartpink. 20 große, zum größten Teil helle Apartments mit Kochnische. Sehr sauber. Für bis zu 4 Personen 45 € pro Nacht. ✆ 6147028, 📠 6149984.

Serdaroğlu (18), ebenfalls in der Nachbarschaft des Hotels Hobby. Geräumige Apartments, eher klassisch türkisch eingerichtet, aber sehr gut ausgestattet. Familiäre Atmosphäre. Ein Apartment für bis zu 4 Personen kostet 30 € pro Nacht. In der oberen Etage Meeresblick. Ganzjährig geöffnet, ✆/℡ 6148187.

• *Hotels in Çaliş* Alle im Folgenden beschriebenen Hotels liegen direkt am Meer.

*****Hotel Idee**, Tipp unter den 3-Sterne-Unterkünften am Strand. Sehr gut geführter deutsch-türkischer Familienbetrieb. 20 farbenfrohe, mit modernem Mobiliar eingerichtete Zimmer (7 davon mit Meeresblick), 2 Hochzeitssuiten; alle mit Moskitonetz und schönen Balkonen. Im Herbst viel Rentnerpublikum aus Deutschland. Umweltbewusst: Solaranlage, ungebleichtes Toilettenpapier, regionales Gemüse! EZ mit HP 30 €, DZ 40 €. ✆ 6221164, www.ideehotel.com.

Hotel Letoon, Anlaufstelle für trinkfreudige britische Pauschaltouristen. Wer gerne Party macht und viele Leute kennen lernen will, ist hier somit gut aufgehoben. Die Anlage selbst ist ganz o. k., wenn man sich nicht zu viel verspricht. Pool und gemütliche zweistöckige Häuschen mit schlichten Zimmern. Lustige Bar. DZ mit HP 40 €, EZ 30 €. ✆ 6131055, ℡ 6131808.

*****Hotel Ceren**, 1996 eröffnetes 3-Sterne-Haus. 48 modern ausgestattete Zimmer, allerdings ohne besondere Note. Pool. DZ mit HP 33 €. ✆ 6221130, ℡ 6221133.

Hotel Dolfin, älteres Haus, das peu à peu restauriert wird. Eingangsbereich, Fassade und Bäder wurden bereits gemacht. Für das Gebotene günstig, 21 € mit Frühstück. ✆ 6221119, ℡ 6221120.

Essen & Trinken/Nachtleben (siehe Karte S. 408/409)

Die meisten Lokale befinden sich in der Altstadt. Preiswertere Restaurants und Lokantas finden Sie im Marktviertel und in der Dispanser Cad., gehobenere an der Promenade.

Rafet-Restaurant (8), in schöner Lage an der Uferpromenade. Das Rafet ist für eine große Auswahl an Vorspeisen, Pizzas und seine gute Fischküche bekannt. Flinker Service. Von Lesern empfohlen.

Restaurant Telmessos (4), großes Restaurant in der hinteren Altstadt (am Gassenende Richtung Jachthafen). Mittelklasse eines internationalen Touristenortes. Wahlweise speisen Sie vor der Menge geschützt im weinlaubüberdachten hinteren Teil oder mitten auf der Straße hautnah am Gewühle. Paspatur Mevkii Yanı.

Agora (7), nahe dem Uğur Mumcu Parkı. Kleines, touristisch noch unverbrauchtes Lokal mit Fischernetzen an der Decke und Fußball im Fernsehen, gemütliche Terrasse. Fünf Standardhauptgerichte und erstklassige Meze. Preiswert und nett. Plastiktischdecke und zuvorkommender Service.

Meğri Lokantası (5), an der Çarşı Cad. Das einfache Lokal besticht insbesondere durch eine riesige Auswahl frisch zubereiteter Topfgerichte, vieles davon auch an Vegetarier gerichtet. Zudem Spieße. Nicht mit dem gleichnamigen Restaurant in der Altstadt verwechseln!

Birlik Lokantası (11), etwas abseits des großen Geschehens an der Hükümet Cad. Vielfältige Küche, außer den gängigen Spießen und Steaks auch Topfgerichte, Kebabvariationen und Pide aus dem Holzofen. Das größte Plus ist der Service, der keinen Vergleich mit dem aufmerksamen anatolischen Hinterlandkollegen scheuen muss. Preiswert.

Nevis Pide (2), simples Lokal mit Fastfood-Ambiente in der Nähe der Altstadtmoschee. Von Herbergswirten empfohlen und von der Redaktion überprüft. Pide und Kebabgerichte, gute Qualität zu reellen Preisen am Straßenrand. Der "Wermutstropfen": kein Bier, kein Wein, kein Schnaps.

• *Nachtleben* Die Kneipenlandschaft ist längst nicht so ausgeprägt wie z. B. in Antalya. Die meisten Bars findet man in der Altstadt, vereinzelt auch am Hang darüber. Wer mehr Abwechslung und Unterhaltung sucht, fährt nach Hisarönü Köy oder nach Belceğiz.

Die Diskothek der Stadt ist das **Bananas (3)** gegenüber dem Hamam in der Altstadt (4,50 € Eintritt). Techno, House und was sonst noch gefällt.

Livemusik bietet jeden Abend die **Dancebar Yes! (1)** – Geschmackssache.

Empfehlenswert für die ruhigere Abendgestaltung ist die **Ottomann Old Cafe Bar (6)** mit Orientambiente und satten Preisen.

Baden & Sport

• *Baden* Der Stadtstrand zwischen Mole und Marina ist nicht zu empfehlen. Herrlich baden kann man dagegen in den Buchten der **Halbinsel von Oyuktepe**. Um dorthin zu gelangen, folgt man der Fevzi Çakmak Cad. an der Marina vorbei gen Westen und dann der Beschilderung zum Letoonia Beach Club. Lässt man diesen links liegen, kann man zu Fuß oder mit einem robusten Fahrzeug die gesamte Halbinsel umrunden.
Eine Alternative dazu ist das Bad im Rahmen einer Bootstour (→ "Bootsausflüge"). Ziel der **12-Insel-Tour** ist die fast paradiesische Insellandschaft nahe der zerklüfteten Küste vor Göcek. Vier- bis fünfmal wird zum Baden gehalten, alle Kapitäne stoppen an der **Werftinsel** und am **Kleopatrabad**. Die Şovalye-Insel am Ausgang der Bucht von Fethiye, früher das nächstgelegene Badeeiland, wird wegen Wasserverschmutzung oft links liegen gelassen. Auch per Dolmuş oder Leihfahrzeug lassen sich erstklassige Badeplätze in der Umgebung von Fethiye aufsuchen. Im Süden der populäre **Strand von Ölüdeniz** und **Belceğiz** (→ S. 416), nördlich von Fethiye **Çalış**, die **Bucht von Katrancı** (→ S. 406) und **Küçük Kargı** (→ S. 406).

• *Paragliding* 1993 entdeckte ein Gleitschirmfreak die exzellenten Flugbedingungen am Baba Dağı (1.900 m) über Ölüdeniz. Nur kurze Zeit darauf gehörte der Flug auf eigene Verantwortung (für Fortgeschrittene) oder der Tandemflug (mit einem professionellen Piloten im Huckepackverfahren) zum Aktivprogramm der hiesigen Veranstalter. Flugzeit mindestens 1 Std., Könner schaffen bis zu 2 Std. und schrauben sich bei günstiger Thermik auf 2.500 m Höhe. Landeplatz ist der Lagunenstrand von Ölüdeniz. Ein Flug kostet etwa 95 €. Viele Anbieter in Fethiye haben jedoch keine eigenen Flugpiloten, kassieren lediglich eine Provision und reichen Sie weiter, meist an **Sky Sport**, an die man sich auch direkt wenden kann (am Strand von Belceğiz, → Ölüdeniz, S. 419).

• *Reiten* Pferde sind ebenfalls im Angebot diverser Agenturen. Man kann aber auch direkt zum **Reiterhof Güfen** gehen (an der Straße zwischen Hisarönü Köy und Kayaköyü), ✆ 6166285.

• *Tauchen* **European Diving Center**, Büro im 1. Stock über einem Tauchzubehörladen, Atatürk Cad. 12, ✆ 6149771, europeandiving@attglobal.net. Die britische Gesellschaft mit Sitz in der Türkei ist eine der renommiertesten Adressen des Landes und an vielen Stränden der Südküste mit Zweigstellen vertreten. Getaucht wird bei diesem Anbieter leider recht häufig in großen Schwärmen. Vielfältige Angebote – Schnuppertag für Anfänger, Tauchgänge für Fortgeschrittene und diverse Kurse, an deren Ende international anerkannte Diplome stehen (P.A.D.I., BSAC, CMAS). Preisbeispiele: Tagesausfahrt mit 2 Tauchgängen oder Schnuppertauchen (Leihausrüstung) 65 €; 5 Tage P.A.D.I.-Open-water-Kurs 395 €.

• *Wassersport* **Golden Wind Sport's Company**, am Strand von Çalış. Im Angebot: Parasailing, Bananaboat, Wasserski, Surfbrettverleih.

Sehenswertes

Lykische Felsengräber: Die größte Attraktion Fethiyes sind die Gräber in der Felswand im Osten über der Stadt. Ins Auge sticht das repräsentative *Grab des* Amyntas. Das Tempelgrab im ionischen Stil wurde vermutlich im 4. Jh. v. Chr. für den Sohn eines Lokalfürsten aus dem Fels gemeißelt. Hinter den beiden Säulen, die einen schmucken Architrav tragen, befindet sich eine reich verzierte steinerne Scheintür, die die Grabkammer verbirgt. Um dieses Grabmal herum sind mehrere kleinere Felsengräber angeordnet, einige davon stammen aus dem 6. Jh. v. Chr. Der Zweck einer Nekropole ist in Fethiye besonders offensichtlich: Den Toten (die es sich leisten konnten) wurde eine ganze Stadt gebaut, in der sie, quasi in vertrauter Umgebung hoch über Telmessos nach ihrem irdischen Dasein weiterleben konnten.

• *Öffnungszeiten* Grab des Amyntas tägl. 8.30–17 Uhr, Eintritt 0,90 €.

• *Anfahrt* Von der stadtauswärts führenden Einbahnstraße, der Çarşı Cad., folgt man der Beschilderung nach Kayaköyü. Kurz darauf in die 117 Sok. abbiegen.

Der innere Seismograph

Wer sich mit Einheimischen aus Fethiye unterhält, dem wird bisweilen die folgende wundersame Geschichte erzählt: Eines Abends im Jahr 1957 forderte der damalige Bürgermeister über Ortslautsprecher alle Mitbürger auf, schleunigst die Häuser zu verlassen. Kaum waren die verwirrten Leute draußen, ließ ein Erdbeben viele Gebäude Fethiyes einstürzen. Später befragt, worauf seine heilvolle Entscheidung zurückzuführen sei, gab das Stadtoberhaupt an, lediglich auf seinen natürlichen Seismographen vertraut zu haben, der kurz vor der Katastrophe ausgeschlagen habe. Und so denken die Bewohner von Fethiye noch heute in Dankbarkeit an den "Bürgermeister mit der inneren Stimme", dessen Namen allerdings die meisten schon vergessen haben, die diese Geschichte erzählen ...

Lykische Steinsarkophage: Wer wachen Auges durch die Straßen geht, kann mehrere auf Sockeln stehende, reliefgeschmückte Steinsarkophage entdecken, die einst verstorbene Lykier der Oberschicht beherbergten. Man nennt sie auch – wegen ihrer spitzbogigen Dächer, deren Firste an gekenterte Schiffe erinnern – Schiffskielsarkophage. Das schönste dieser kleinen "Kompakthäuschen" befindet sich neben der Stadthalle, ganz in der Nähe der Post. Noch bis in die Mitte des 20. Jh. stand dieser Sarkophag im Wasser, da die Küste hier im Laufe der Jahrtausende abgesunken war (vgl. dazu auch Kekova→ S. 449). Das änderte sich erst infolge von Erdaufschüttungen Ende der 1950er, die zugleich die hiesige Küstenlinie seewärts verschoben.

Theater: Das während der späthellenistischen Periode gebaute und später unter den Römern erweiterte Theater liegt im Südwesten der Stadt, ganz in der Nähe der Tourist Information. Es hatte einst 28 Sitzreihen und fasste 6.000 Zuschauer. Beachtenswert sind diverse reich verzierte Architekturfragmente. Noch heute finden im Theater gelegentlich Aufführungen statt.

Kreuzritterburg: Von der zentral auf einem Hügel über der Stadt errichteten Burg der Johanniter aus dem 15. Jh. sind nur wenige Trümmer erhalten; ein Besuch lohnt sich daher nur für speziell Interessierte.

Museum: Das Museum Fethiyes besteht aus einer relativ großen archäologischen und einer kleinen ethnographischen Abteilung. Letztere beherbergt neben einem Webstuhl, Trachten und Stickereien eine wunderschön geschnitzte, zweiflügelige Holztür aus der Geisterstadt Kayaköyü (→ S. 419). In der interessanteren archäologischen Abteilung findet man u. a. Statuen und Büsten von Herrschern und Gottheiten, Keramik, Glas und Metallobjekte, Stelen und Kleinstelen, Amphoren und Münzen und ein Grab mit schön gearbeiteten Reliefs. Niedlich wirkt die Sammlung von Öllämpchen aus hellenistischer bis byzantinischer Zeit, Gruselprunkstück ist ein Terrakottasarg mit einigen Knochen drinnen.

Öffnungszeiten/Anfahrt tägl. (außer Mo) 8.30–17.30 Uhr, Eintritt 0,90 €. Stadtauswärts in einer Seitenstraße der Atatürk Cad. (beschildert).

Ölüdeniz (Hisarönü Köy, Ovacık und Belceğiz)

Wer bei der Traumlagune Ölüdeniz an die Südsee denkt, liegt richtig: türkisfarbenes Wasser, menschenleerer, fast schneeweißer Sandstrand vor einer zerklüfteten Felskulisse und eine prächtige Jacht vor Anker. Aber nur im Winter hält der bekannteste Strand der Türkei das, was er in Katalogen und auf Postern verspricht.

Ölü Deniz – "Totes Meer", von wegen! Hier wuselt es von April bis in den November, im Hochsommer drängen sich jeden Tag Tausende von Menschen in die kleine Bucht mit ihrem Superstrand und dem – außerhalb der Saison – kristallklaren Wasser. Kein Wunder, dass an der nur 15 km südlich von Fethiye gelegenen Lagune im Laufe der Jahre eine Feriensiedlung mit eigener Postadresse entstanden ist. Und weil der Platz an der Lagune naturgemäß begrenzt ist, zieht sich die Tourismusmeile einige Kilometer landeinwärts, wo man die zwei Retortenstädtchen *Hisarönü Köy* und *Ovacık* aus dem Boden gestampft hat, die inzwischen das Gros an Unterkunftsmöglichkeiten stellen. Diesen Orten fehlt jegliches Flair, *Belceğiz* jedoch scheint sich zu einem ansehnlichen Ferienort im Schachbrettmuster zu entwickeln. Gehsteige und Fußgängerzonen wurden bereits gepflastert, ein paar Palmen gepflanzt, bleibt nur noch abzuwarten, bis sämtliche Straßen eine Teerdecke bekommen.

Belceğiz ist nur durch eine Uferpromenade von dem gleichnamigen, 3 km langen Sandstrand getrennt, der in den Lagunenstrand übergeht. Das Meer schimmert hier ebenso grün, der Andrang ist nicht minder stark – nur der Sprung ins Meer ist anders als an der Lagune noch kostenlos. Einen ebenfalls herrlichen (aber kostenpflichtigen) Strandabschnitt findet man in der 2 km weiter südlich gelegenen Kidrak-Bucht. Übrigens: Die Währungseinheit rund um die Lagune ist neben der türkischen Lira das englische Pfund, denn die mit Abstand meisten Gäste kommen von der britischen Insel.

Information/Verbindungen/Ausflüge/Parken

• *Telefonvorwahl* ✆ 0252.

• *Information* Die **Ölüdeniz Tourism Cooperative** nahe der Dolmuş-Endstation in Belceğiz hilft in erster Linie bei der Zimmersuche weiter und vermittelt nur die ihr angeschlossenen Unterkünfte.

• *Verbindungen* Im Sommer verkehrt zwischen Fethiye und Ölüdeniz von 7 Uhr morgens bis 1 Uhr nachts regelmäßig ein **Dolmuş** (etwa alle 15 Min., 1 €). Zusteigemöglichkeiten in Ovacık und Hisarönü Köy – wenn nicht gerade Rushhour in eine Richtung ist. Die Endhaltestelle liegt am Strand von Belceğiz, bis zur Siedlung an der Lagune fährt kein Dolmuş.

An der Straße zur Lagune befindet sich auch der **Taxistand**. Eine Fahrt von Belceğiz nach Fethiye kostet ca. 15 €, nach Hisarönü Köy 6 €.

• *Bootsausflüge* Populär ist die Fahrt mit einem Dolmuş-Boot zur Nikolausinsel (hin/zurück 4,30 €). Am Strand von Belceğiz kann man aber auch ein "Komplettprogramm" buchen, im Rahmen dessen neben der Nikolausinsel noch der Kamelstrand und die Blaue Grotte angefahren werden. Kostenpunkt: 6,50 €, Start meist gegen 11 Uhr.

• *Organisierte Touren* Nahezu sämtliche Ausflüge, die in Fethiye starten (→ S. 411), können über diverse Anbieter auch in Belceğiz und in Hisarönü Köy gebucht werden. Darunter Ausflüge nach Rhódos, Ephesus, Dalyan, Saklıkent, Tlos, Xanthos, Marmaris usw. Einen Pickup-Service vom Hotel bieten die meisten Veranstalter.

• *Parken* Selbstfahrer, die zum Baden in die Lagune wollen, finden unmittelbar davor einen kostenpflichtigen Parkplatz (2,50 €, Motorrad 0,90 €).

CON 1
CON 1

Badefreuden in einem Quellteich (mb) ▲▲

Die Felsengräber der sogenannten See-Nekropole ▲▲
des antiken Myra (mb)

Im Hafen von Finike, im Hintergrund der ▲
Lykische Taurus (mb)

▲▲ Nahe Finike: Çakıllı Plajı (mb)
▲ Phaselis: Schöner können Ruinen nicht liegen (mb)

Adressen

• *Ärztliche Versorgung* An der Uferstraße zur Lagune in Belceğiz befindet sich zwischen Polizei und Post eine **Krankenstation**. Zudem unterhält **Likya Medical Assistence** mit Sitz in Fethiye eine Zweigstelle in Belceğiz. Ihr gehört der Deutsch sprechende Arzt Dr. Hasan Ali Bulak an; ✆ 6170455.

• *Autoverleih* **Europcar** aus Fethiye hat im Sommer eine Zweigstelle in Belceğiz geöffnet. Dieselben Preise und dieselbe Telefonnummer wie in Fethiye (→ S. 411). Zudem vermitteln auch mehrere Tourenveranstalter Fahrzeuge ab rund 40 € pro Tag.

• *Einkaufen* jeden Mo an der Straßenkreuzung Ölüdeniz/Hisarönü Köy großer **Bauernmarkt**.

• *Geld* nur in Hotels, auf Campingplätzen und in Wechselstuben möglich. Der nächste EC-Automat befindet sich am Kreisverkehr von Hisarönü Köy. Teils erhebliche Kursunterschiede, besser in Fethiye tauschen.

• *Polizei* in Belceğiz an der Uferstraße zur Lagune.

• *Telefonieren* in Belceğiz nahe der Dolmuş-Station.

Übernachten/Camping

Hinter dem Strand von Belceğiz liegen einige in der Regel von Pauschaltouristen belegte, austauschbare Hotels und diverse Mocamps. Letztere vermieten Stellplätze, z. T. auch Zimmer, aber fast immer Bungalows – mit rund 5 € ist man dabei und schläft in einer Art Hundehütte. Oft ist ein Restaurant angeschlossen, manchmal eine Bar, selten eine Disco. An der Lagune selbst gibt es nur ein paar Campingplätze und zwei Hotels. Das Gros aller Pauschaltouristen wohnt in den gesichtslosen Retortenstädtchen Hisarönü Köy und Ovacık (u. a. weil man hier vor den Stechmücken sicherer ist). Wer hier unterkommt, muss sich allerdings darüber im Klaren sein, dass das Meer nicht unmittelbar vor der Haustür liegt. Das Gros der Hotels und Pensionen hat nur von April bis November geöffnet. Alle Hotels sind ausgeschildert, allerdings entdeckt man in dem Schilderwald an der Straße selten auf Anhieb das, nach dem man sucht. Noch ein Hinweis: Manche großen Hotels, vor allem solche mit "Clubambiente", verbieten offiziell die Mitnahme von Getränken und Speisen auf die Zimmer.

• *Unmittelbar an der Lagune* *****Hotel Meri**, komfortable Clubanlage, angenehm in den Hang integriert. Schöner Garten, hauseigener Strand, Restaurant, Bar, 94 Zimmer. Die Gäste waren einst jung, hip und international. Heute ist das Hotel im Programm vieler Reiseveranstalter und entsprechend hat sich die Klientel geändert. Klimaanlage und Minibar, teils schöne Aussicht auf die Bucht. Im Sommer meist ausgebucht. Ganzjährig geöffnet. DZ all inclusive 150 €, ✆ 6170001, www.hotelmeri.com.

Ölüdeniz Camping, an der Straße vom Lagunenstrand zum Hotel Meri. Der bekannteste, beste und größte Platz besteht seit fast 20 Jahren. Im Sommer ist er mit einer internationalen Campergemeinde gefüllt, zudem ist er Treffpunkt von Rucksackreisenden aus aller Herren Länder. Im Großen und Ganzen ist er ebenso einfach ausgestattet wie die übrigen Plätze vor Ort, trotzdem handelt es sich um den engagiertesten Betrieb – etliche Bäume, gutes Restaurant, Laden, Zeltverleih, eigener Strand (Wasserski, Kanu, Surfen). Abends lauter Barbetrieb bis Mitternacht. Zelt 1,70 €, einfache Holzbungalows für 2 Personen 9 €, mit Dusche 13 €. ✆ 617600048, ℻ 6170181.

Genç Camping (✆ 6170088) und **Osman Çavuş Camp** (✆ 6170028), beide beim Hotel Meri (am Ende der Straße). Einfach, ein paar Bäume, harmloses Strändchen mit Blick auf die Lagune. Beide mit Restaurant. Es wird mehr Wert auf Bungalowvermietung gelegt.

Größere schlichte Campingareale, auf denen immer ein Plätzchen frei ist, sind der **Asmalı-** und der **Suara-Camping** unmittelbar hinter dem Ölüdeniz-Camping.

• *In Belceğiz* **Hotel Karbel Beach**, in einer Parallelstraße zur Lagunenstraße. Freundliches Haus mit 60 Zimmern, die auf zwei Gebäude um einen Pool verteilt sind. Netter Service, viel junges türkisches Publikum. DZ mit Klimaanlage 25 €, ohne 21 €. ✆ 6170411, ℻ 6170096.

Hotel Bronze, nahe dem Karbel Beach und auch nicht schlecht. Relativ neues Haus mit 23 Zimmern, luftig gebaut. Kleiner Pool und grüner Garten. DZ 25 €. ✆ 6170107, ℻ 6170182.

Deniz Camp, im Süden der Bucht hinter der Buzz-Bar an der Uferpromenade. Vermietet werden einfache Holzhütten, die an Hundehütten erinnern. Gemeinschaftsküche. Sehr freundlicher Service, Bar und Restaurant. Für 2 Personen 9 € ohne Frühstück, ✆ 6170045, ✆ 6170054. Als Ausweichmöglichkeit bietet sich der **Gönül Camp** etwas weiter im Süden der Bucht an.

• *In Hisarönü Köy* *****Hotel St. Nicholas Park**, sehr gediegene Anlage im vornehmen Abseits (ausgeschildert). Man muss gar nicht mehr raus: u. a. großer Pool mit Poolbar, türkisches Bad, exzellentes Restaurant, Billard. 48 Zimmer und 36 Apartments, DZ mit Frühstück 48 €, Apartments 51 €, ✆ 6166353, www.stnicholashotel.com. (Im dazugehörigen **St. Nicholas Garden** im Zentrum von Hisarönü Köy liegen die Preise um etwa ein Drittel niedriger; allerdings ist es hier auch nicht so schön.)

Motel El-Ze, angenehmes Haus etwas abseits der Hauptstraße (von Fethiye kommend rechter Hand). Helle und insgesamt auch recht freundliche Zimmer, obwohl der Teppichboden schon kräftig ausfranst. Pool mit angrenzendem rondellartigem Restaurant. DZ 15 €, EZ die Hälfte. Gutes Preis-Leistungs-Verhältnis; viele ähnliche Unterkünfte kosten glatt das Doppelte. ✆ 6166231, ✆ 6167598.

Hotel Gönül, relativ kleines Hotel, etwas außerhalb des trubeligen Zentrums gelegen (von Fethiye kommend linker Hand beschildert). Preise wie das El-Ze, für das Gebotene ebenfalls sehr preiswert. Schöner Außenbereich mit Pool. Zimmer o. k., aber nicht wirklich toll. Ein Teppich kann hier nicht fransen, da der Boden gefliest ist. ✆/✆ 6166198.

• *In Ovacık* **Hotel Pegasus**, auf dem Weg zur Lagune geht es links ab (beschildert). 16 Zimmer mit Balkon, Pool, empfehlenswertes Restaurant, Bar, in guter türkischer Pensionstradition Küche für Selbstverpfleger. In einigen Zimmern Kühlschrank. Für das Gebotene günstig: DZ mit Frühstück 13 €. ✆ 6167266, www.pegasushotel.com.

Essen & Trinken/Nachtleben

Für das leibliche Wohl stehen Steakhäuser, Pizzerien und Chinarestaurants bereit. Für Nachtschwärmer Bars mit offenem Kamin und gediegener Pianomusik sowie Bars, in denen zu heißen Rhythmen getanzt wird. Die Auswahl ist riesig, Atmosphäre, Preise und Gerichte sind jedoch fast durchgängig austauschbar.

• *Essen in Belceğiz und bei der Lagune* **Tur Kumsal Restaurant**, eines der letzten Restaurants, die nicht um jeden Preis schick sein und dem Geschmack der englischen Pauschaltouristen entsprechen wollen. Einfach und dennoch gemütlich. Schöne Dachterrasse unter schattenspendenden Weinreben. Erstklassige Pizza und Pide aus dem Holzofen, frischer Fisch, zudem gute türkische Küche. Und das alles an der Uferpromenade in Belceğiz.

Spaghetti, Schnitzel und Steaks stehen ansonsten auf den Karten der fast geklont wirkenden Restaurants der Uferpromenade. Eine bessere Adresse unter diesen ist das **Bella Gusto**.

Einfach und preiswert ist das Restaurant des **Olüdeniz-Camping**. Nicht jedermanns Sache ist es jedoch, das gegrillte Hühnchen bei wummernden Technobeats zu essen.

• *Nachtleben in Belceğiz* Absoluter Publikumsliebling in Belceğiz ist die **Tanzbar Crusoes** an der Uferpromenade. Gut besucht ist auch die **Buzz-Bar**, die ebenfalls an der Uferpromenade liegt.

Als beste Diskothek wird derzeit das **Heaven Hill** (Eintritt 5,50 €) auf dem Weg zur Kıdrak-Bucht gehandelt. Originell – mit einer Art Zahnradbahn geht es den Hügel hinauf, und oben wird bei Panoramablicken Party gefeiert.

In der **Aladdin Bar** im **Tonoz Beach Club** (etwas zurückversetzt hinter der Uferpromenade) steht zudem Dancing rund um den Pool auf dem Programm.

• *Essen in Hisarönü Köy* etliche Restaurants in verschiedenen Preisklassen an der Hauptstraße. Am besten sind nach wie vor die Restaurants der **St.-Nicholas-Hotels** (St. Nicolas Park und St. Nicolas Garden im Zentrum). Da auch die Engländer im Ausland Gewohntes schätzen, gibt es einige indische Lokale mit "authentic Indian food". Ein gute indische Adresse ist das **Rainbow** in der Ortsmitte. Zu empfehlen ist auch das **Our Place**, ein vegetarisches Restaurant mit Bar und Swimmingpool (!); Hauptgerichte (z. B. mit Käse überbackener Blumenkohl) etwa 3 €, zudem exzellente Vorspeisen.

- *Nachtleben in Hisarönü Köy* einige Bars und Pubs, selbst aus Fethiye kommt man abends nach Hisarönü Köy. Am beliebtesten sind die nahe beieinander gelegenen Diskotheken **Lycian** und **Remisa**. Überwiegend britisches Publikum. Ansonsten gibt es noch mehrere Hoteldiskotheken, die abwechselnd mal in und out sind.

Sport

- *Paragliding* Einer der renommiertesten Paraglidinganbieter ist **Sky Sports** (→ "Fethiye/Sport", S. 414). Das Team besteht aus erfahrenen Fliegern. Ein Tandemflug kostet ca. 95 €. Von April bis Nov. geöffnet, Office an der Uferpromenade in Belceğiz, ✆ 6170511, www.skysports-turkey.com.
- *Tauchen* An der Uferpromenade in Belceğiz befindet sich eine Zweigstelle des **European Diving Centers** aus Fethiye (→ "Fethiye/Sport", S. 414).
- *Wandern* Von der Lagune führt ein Wanderweg ins Geisterdorf Kayaköyü. Um den Einstieg zu finden, folgt man der Straße an der Lagune vorbei zum Hotel Meri (ausgeschildert) und weiter zum Privatstrand des Club Sun City. Ab dort ist der Pfad markiert. Dauer ca. 2 Std. Von Kayaköyü bestehen Dolmuşverbindungen nach Fethiye.

Uzunyurt

Von Ölüdeniz führt, vorbei an der Kıdrak-Bucht, eine 14 km lange Schotterstraße zum **Butterfly Valley** *(Kelebek Vadisi)* und weiter bis nach *Kabak*, einer kleinen Häuseransammlung. Die verstreuten Weiler auf dieser Strecke wurden zur Gemeinde Uzunyurt zusammengefasst. Das Butterfly Valley, eine fjordartige Bucht in einem weitläufigen Naturschutzgebiet, an deren Ufer sich unzählige Schmetterlinge tummeln, ist auch ein beliebtes Bootsausflugsziel. Am Ende der Straße unterhalb von Kabak lockt ein idyllischer kleiner Kiessandstrand. Die Piste ist zwar ein wenig abenteuerlich, die Landschaft dafür atemberaubend.

- *Verbindungen* Uzunyurt wird 3-mal täglich mit dem **Dolmuş** angefahren.
- *Übernachten* Entlang der Strecke finden sich einfache Unterkünfte in Pensionen oder Tree Houses, zudem ein spartanischer Campingplatz.

Unser Tipp jedoch ist die **Wassermühle** (ca. 6 km nach Ölüdeniz unmittelbar vor der Gül Pension links bergauf). Eine der schönsten Unterkünfte im Reisegebiet. Ein plätscherndes Paradies unter deutsch-türkischer Leitung: 7 geschmackvolle Suiten und 2 DZ mit z. T. herrlichen Balkonen und Wahnsinnsausblicken. Weitläufiges Gartengelände mit (chlorfreiem) Pool. Restaurant angegliedert – leider nur für die Hotelgäste. 1a-Service. Frühzeitige Buchung empfehlenswert. Mindestmietdauer offiziell 1 Woche, wer Glück hat, kommt spontan auch kurzfristig unter. Im Winter geschlossen. DZ mit HP ab 62 € pro Tag, Suite ab 75 €. ✆ 0252/6421245, www.natur-reisen.de.

Geisterstadt Kayaköyü

Zwischen Ölüdeniz und Fethiye liegt die alte griechische Siedlung *Livissi* in einem Tal etwas abseits der Hauptstraße. Im Rahmen des Bevölkerungsaustausches nach dem türkischen Befreiungskrieg 1922 wurden die hier lebenden Griechen auf den Peloponnes umgesiedelt. Der Ort wurde aufgegeben und verwandelte sich in eine Geisterstadt, dem das verheerende Erdbeben von 1957 den Rest gab. In grauen Reihen drängen sich heute die Hüllen der Häuser der einst stattlichen Kleinstadt die Hänge empor. Kein Haus außer den beiden

Hier wohnen nur noch Eidechsen: die Geisterstadt Kayaköyü

Kirchen, das noch ein Dach hätte. Salamander und Eidechsen rascheln durchs Unkraut, im Schatten der Steine dösen Skorpione. Ausgetretene Pfade führen auf den Hügel zur ersten Kirche, dann weiter zur zweiten und schließlich durch die Oberstadt den Hang entlang wieder zurück.
Was fast 80 Jahre unbeachtet verfiel, verfällt zwar immer weiter, wurde aber mittlerweile offiziell zum Museumsgebiet erklärt und kostet Eintritt. Entsprechend ist der organisierte Ausflug nach Kayaköyü als Touristenattraktion inzwischen fest etabliert, auf Wunsch können Sie auch in der Gruppe hinreiten. Menschen siedeln neuerdings übrigens auch wieder hier – teils in mehr oder minder hergerichteten Ruinen, teils in neu hingestellten Häuschen. Es sind überwiegend Kebabverkäufer, Teestubenbetreiber und ein paar Kleinbauern.

• *Anfahrt* in Fethiye von der stadtauswärts führenden Einbahnstraße, der Çarşı Cad. aus beschildert. Im Sommer tagsüber fast stündlich ein **Dolmuş** von Fethiye nach Kayaköyü.

• *Öffnungszeiten* rund um die Uhr geöffnet. In der Saison tagsüber 0,90 € Eintritt, erm. die Hälfte.

Im Hinterland von Fethiye

Üzümlü: Der Ort liegt 600 m über dem Meeresspiegel und kann im Gegensatz zu den meisten anderen Gebirgsdörfern über eine breite geteerte Straße erreicht werden (über die neue Direktverbindung zwischen Fethiye und Denizli, die unmittelbar am Ortseingang vorbeiführt). Das verschlafene Nest ist genau das, was so viele Küstentouristen andernorts vergeblich suchen: ein Stück unberührte, bäuerliche Türkei am Ende der Teerstraßenzivilisation. Rund um den Ort werden u. a. Weintrauben und Tabak angebaut. Fazit: Eine Teepause in Üzümlü bringt Sie der Türkei näher als ein Martini in Fethiye.
Anfahrt → Kadyanda.

Kadyanda (antike Stadt): Ein Ausflug in das stimmungsvolle Kadyanda, 27 km nordöstlich von Fethiye und 1.000 m höher gelegen, ist allein wegen des herrlichen Blicks über die Bucht von Fethiye ein Erlebnis. Der Bergwald des Lykischen Taurus hat sich diese vergessene Stadt zurückerobert, Bäume und Unterholz wuchern in und über den Ruinen, abgefallene Nadeln bedecken umgestürzte Säulen, und Wurzeln schlingen sich über Reliefsplitter.
Man weiß so gut wie nichts über Kadyanda, das in keiner Chronik erwähnt wird. Aus einigen Inschriften ist lediglich bekannt, dass ein Herrscher von Karien einst einigen lykischen Städten, darunter Kadyanda, stattliche Zahlungen zukommen ließ. Klein war Kadyanda jedenfalls nicht, das wird deutlich, wenn man in die längst untergegangene Welt eintaucht, die neben wenigen Touristen gelegentlich Ruinenplünderer heimsuchen. Der einzige Weg durch die antike Stadt führt – vorbei an einem kleinen *Tempel, Grabhäusern* (über hundert Gräber liegen im Wald versteckt) und *Felsengräbern* – stets aufwärts auf das Plateau der *Akropolis,* die einst von einem Wall geschützt war. Immer wieder ragen Teile der *Stadtmauer* zwischen den Bäumen empor. Die besterhaltenen Ruinen sind *Thermen* aus römischer Zeit. Mit etwas Phantasie ist das *Stadion* gerade noch zu erkennen, die *Agora* ist ein einziges Trümmerfeld. Bis auf die Orchestra recht gut erhalten ist das *Theater,* das in einen schattigen Hang eingebettet ist. In der obersten Reihe saßen die Ehrenbürger der Stadt auf Lehnsitzen. Falls Sie alleine durch das Gelände spazieren, so halten sie nach unterirdischen Zisternen Ausschau!

Führung im Hinterland

Man glaubt es nicht. Schon Üzümlü scheint ein vergessenes Örtchen – dann folgt aber ein noch einsameres Sträßlein und schließlich eine vollkommen gottverlassene Piste durch stillen Kiefernwald hoch zu den irgendwo im Wald schlummernden Ruinen. Unterhalb eines zerklüfteten Bergplateaus ist der Weg zu Ende. Und da lächelt er einem entgegen, von seinem Mofa herunter oder aus seinem Kiosk hinaus: der örtliche Müze-Mitarbeiter. Fremdsprachen beherrscht er so gut wie nicht, zwei kleine Taschenwörterbücher für die deutsch- und englischsprachige Klientel sollen dies ausbügeln. Den Hang hinauf geht er so flink voran, als warten noch hundert andere auf seine Dienste. Dazu gibt er kleine Kommentare wie "Inschrift", "Tempel" oder "Penis", bei Letzterem grinst er breit.
Sonst weiß er herzlich wenig über die Ruinen, er könne nur das Wenige erzählen, was ihm in einem Schnellkurs beigebracht worden sei, sagt er. Das Feilschen um den Führungstarif beherrscht er freundlich-gewieft glücklicherweise aus dem Effeff.

- *Öffnungszeiten* tägl., Eintritt 0,90 €. Eine Führung ist mit dem Guide auszuhandeln, der am Ende der Straße wartet.
- *Anfahrt* Zwar nicht der kürzeste, jedoch der einfachste Weg ist es, wenn man vom Zentrum Fethiyes der Beschilderung nach Muğla folgt. Erreicht man die Küstenstraße, hält man sich rechts nach Denizli/Antalya. Beim nächsten Kreisverkehr biegt man nach Üzümlü (ausgeschildert) ins Landesinnere links ab. Von Üzümlü, 20 km nordöstlich von Fethiye, ist der Weg bis Kadyanda vollends beschildert. Zuerst geht es 3,5 km auf einem Sträßlein weiter, die letzten Kilometer schließlich sind holpriger Schotterweg.

Mit dem **Dolmuş** erreicht man von Fethiye lediglich Üzümlü, von da ab heißt es ca. 1,5 Std. entlang der Schotterstraße laufen. Es gibt auch einen direkten, extrem steil bergaufführenden Pfad hinauf (Dauer ca. 1 Std.). Im Sommer wegen der Hitze jedoch nicht zu empfehlen. Im Winter extrem glatt. Lassen Sie sich von Ortkundigen den Weg zeigen.

Zwischen Fethiye und Patara

Die Hauptverbindungsstraße zwischen Fethiye und Patara, die D 400, verläuft weit abseits der Küste, durch eine landwirtschaftlich geprägte, weite Ebene vorbei an einsamen Bauerndörfern. Im Westen wird die Ebene von dem Bergzug des *Baba Dağ* (1.969 m) begrenzt, im Osten von dem des *Ak Dağ* (3.024 m). Ak Dağ heißt übrigens "Weißer Berg", ein in der Türkei beliebter Name für Berge, deren Gipfel sich bis in den April hinein schneebedeckt zeigen. Dieser Streckenabschnitt bietet mehr als nur landschaftliche Reize. Rechts und links der Straße liegen zahlreiche antike Ausgrabungsstätten wie *Tlos, Pınara, Xanthos* oder *Letoon.* Auf halber Strecke lohnt auch ein Abstecher in die imposante *Saklıkent-Schlucht.*

Gebeler

Auf dem Weg von Fethiye nach Tlos passiert man die kleine Ortschaft Gebeler. Die Attraktion des Ortes ist ein unterirdische Thermalbad mit 38 °C warmem, sprudelndem Wasser. Ein Bad hilft nach Angaben der Betreiber bei Magen- und Darmproblemen, Haarausfall, Hämorrhoiden, Unfruchtbarkeit, Rheuma, Gicht, Schweißgeruch, Pickel und vielem vielem mehr, solange man fest daran glaubt. Unweit des Eingangs zur vernachlässigt wirkenden Badeanstalt befinden sich zwei Höhlen, die größere hat angeblich eine Länge von 7 km.

- *Anfahrt* von Fethiye der Wegbeschreibung nach Saklıkent folgen. Von Kalkan aus ist das Bad am einfachsten über Kemer zu erreichen.
- *Öffnungszeiten/Übernachten* Das Bad ist tägl. geöffnet, Eintritt 1,30 €. Es bestehen auch Übernachtungsmöglichkeiten in einfachen DZ für 6,70 €, ✆ 6382177.

Tlos (antike Stadt)

Die Ruinenstadt liegt rund 42 km südöstlich von Fethiye und 65 km nördlich von Kalkan beim Weiler *Döğer*. Funde wie die eines Bronzebeils lassen vermuten, dass ihre Ursprünge bis ins 2. Jt. v. Chr. zurückreichen. Laut hethitischen Quellen aus dem 14. Jh. v. Chr. gab es hier eine Ansiedlung namens *Dalawa*. In lykischer Zeit wurde daraus Tlava, wie Münzfunde belegen. Tlava war eine der mächtigsten Städte der lykischen Küste, im Rat der Städte besaß sie dreifaches Stimmrecht. Von einem Hügel aus, der heute von den Umfassungsmauern einer byzantinischen Burg gekrönt ist, kontrollierten die Stadtbewohner in strategisch bester Lage das gesamte Xanthos-Tal.
In der römischen Kaiserzeit (ab dem 2. Jh.) erhielt Tlos den Titel "glänzendste Metropolis der lykischen Nation". Im Byzantinischen Reich war die Stadt immerhin noch Bischofssitz, aber dann ging es rapide bergab, viele Einwohner verließen Tlos. Nur die Burg blieb noch lange besiedelt. Bis ins 19. Jh. residierte hier ein Geschlecht türkischer Feudalherren, deren Stammbaum auch einen gefürchteten Räuber führte. Kanlı Ali Ağa, der "Blutige Ali", drangsalierte das gesamte Xanthos-Tal mit seinen Gewalttaten und Beutezügen. Baumaßnahmen unter seiner Regie veränderten auch einschneidend das Gesicht der Burg.

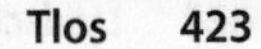

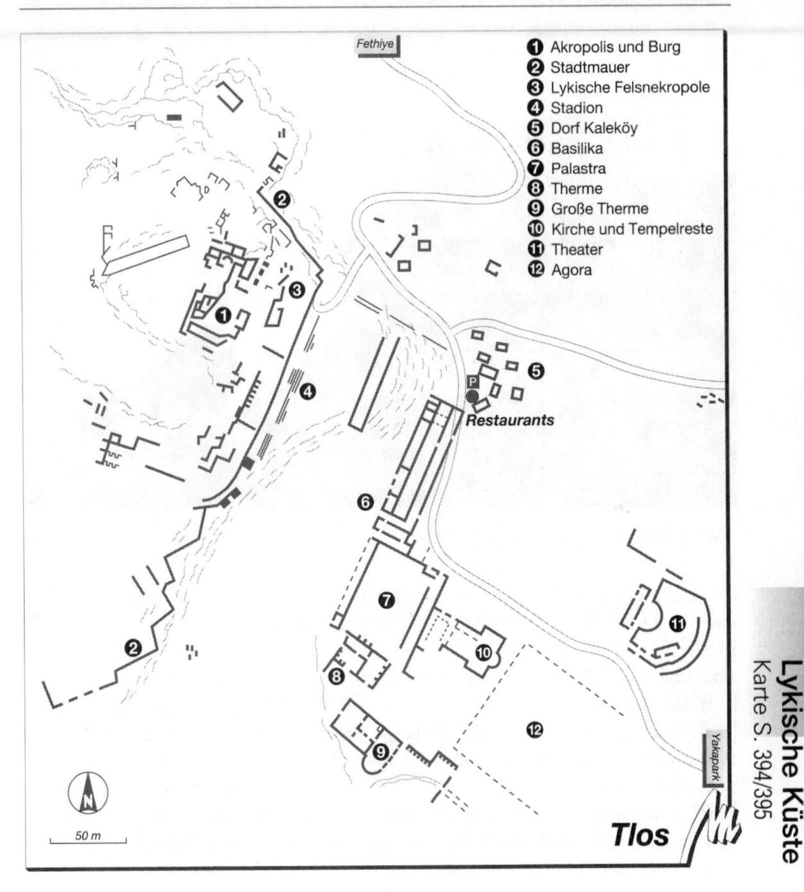

Lykische Küste
Karte S. 394/395

Sehenswertes: Die Ruinen von Tlos stammen aus lykischer, römischer und byzantinischer Zeit. Das Gelände ist von Pappeln, Büschen und Gräsern überwuchert, und es bedarf geübter Augen, um alles auszumachen. Unübersehbar ist die Akropolis mit den Ruinen der *byzantinischen Festung*, die auf den Fundamenten einer lykischen Burg steht. Die noch hohen Mauerreste auf der Ostseite gehörten einst zum Wohnpalast des Blutigen Ali.

In der steil abfallenden Felswand direkt unterhalb der Burgfundamente stechen die Reste einer *lykischen Felsennekropole* ins Auge. Die Totenstadt ist – man ahnt es schon beim ersten Blick – trotz der etwas mühsamen Kletterei der Höhepunkt des Ausgrabungsareals (am schönsten im Morgenlicht, Vorsicht nach Regen: glitschig!). Hinter den Fassaden der Gräber stößt man vielfach auf Vorhallen, die z.T. mit Kriegerreliefs und Inschriften verziert sind. Das berühmteste Grab ist das sog. *Bellerophongrab* – von außen an seiner Tempelfassade mit Giebel und zwei unvollendeten Pfeilern zu erkennen. Die

Tlos – Burgberg mit Felsmetropolen

Grabreliefs zeigen u. a. Motive aus dem Bellerophon-Epos (→ Kasten, S. 494) wie z.B. den auf Pegasos durch die Lüfte reitenden Bellerophon.
Die Relikte der Römer, die im flachen Talgrund im Osten des Hügels siedelten, sind überwiegend in jämmerlichem Zustand. Gleich unterhalb der Akropolis liegt das *Stadion*, von dem nur einige steinerne Sitzstufen erhalten sind. Parallel dazu befindet sich eine 160 m lange dreischiffige *Basilika*, die einst wohl zweistöckig war. Südlich davon sieht man zwei *römische Thermen*, von deren Tonnengewölben noch einige efeubewachsene Bögen stehen. Spenden reicher Mäzene gestatteten diese Prunkbauten. Die große *Therme*, die aus drei monumentalen, parallelen Räumen bestand, besaß im Osten sechs schaufenstergroße Glasfenster, durch die man einen herrlichen Blick auf die Xanthosebene genoss.

Etwas weiter östlich liegt das Theater, leicht zu übersehen inmitten eines runden Buschhains. Mit seiner halbkreisförmigen *Cavea* und den gut erhaltenen 34 Sitzreihen stellt es den Idealtypus eines römischen Theaters dar. Erstaunlich, dass es mitten in ein topfebenes Plateau gestellt und nicht an den vorhandenen Hang gebaut wurde. Die Bauzeit von 150 Jahren verwundert so nicht.

• *Öffnungszeiten* tägl. offiziell 8–17 Uhr, das Gelände ist jedoch nicht umzäunt. Eintritt 1,30 €. Kinder reißen sich darum, Ihnen die Ruinen zu zeigen. Hat die Begleitung gefallen, können Sie gemischt bezahlen: Cola und Geld.

• *Anfahrt* Es besteht keine Bus- oder Dolmuşverbindung. Tlos steht jedoch fest auf dem Programm sämtlicher Tourenveranstalter von Kalkan bis Fethiye. Wer mit dem Pkw unterwegs ist, fährt von Fethiye aus zunächst wie nach Saklıkent (s. o.). Nach etwa 10 km geht es dann beim Hinweisschild nach Tlos auf eine schmale Teerstraße nach links ab.
Von Kalkan bzw. Patara nach Tlos ist die Abzweigung von der Verbindungsstraße nach Fethiye (ca. 17 km hinter Eşen) aus beschildert.

• *Übernachten* **Mountain Lodge**, abseits des Trubels der Küste, an der Straße nach Tlos gelegen. Sehr gemütliche Unterkunft unter türkisch-englischer Leitung. Mit Liebe ausgestattete Zimmer, wie man sie in den Küstenorten nur selten findet. Lassen Sie sich ein Zimmer im Gartenhaus geben! DZ mit Frühstück 15–20 €. ✆ 0252/6382515, www.themountainlodge.co.uk.

• *Essen & Trinken* Im **Yakapark**, 2 km hinter Tlos. Ein Gelände wie geschaffen für Wassermänner: Picknickplätze und Forellenlokale zwischen Wasserfällen und allerlei anderem Geplätscher. Leider etwas aufdringliches Personal, aber immer noch besser als an der Ausgrabungsstätte direkt.

Saklıkent-Schlucht

Der imposante Canyon liegt auf halber Strecke zwischen Patara und Fethiye am Fuße des Lykischen Taurus. Senkrecht abstürzende, bis zu 300 m hohe Felswände umschließen einen tobenden Fluss. An einer der Felswände führt ein gesicherter Holzsteg knapp über der Wasseroberfläche in die Schlucht hinein, wo schon nach etwa 200 m einige lauschige Restaurants auf hungrige Gäste warten. Ein Ort, an dem man sich wohl fühlen kann: reichlich Wasser, kühler Schatten, dazu Getränke und leckere Forellen vom Grill.
Bis zur "Restaurantecke" schaffen es die meisten Canyon-Besucher. Danach teilt sich die Schlucht. Wer weiter will, kann die Schuhe ausziehen und durchs Wasser waten – das erste Stück der insgesamt 13 km langen Schlucht ist problemlos begehbar und sehr eindrucksvoll. Ach ja: Der Schlamm des Flussbetts gilt als heilsam.

• *Anfahrt* Saklıkent steht fest auf dem Programm sämtlicher Tourenveranstalter von Fethiye bis Kalkan. Regelmäßig fährt auch ein **Dolmuş** vom Dolmuşbahnhof in Fethiye (Fahrtzeit 1 Std., 2 €).
Selbstfahrer orientieren sich von Fethiye zuerst Richtung Antalya. Nach 20 km biegt man bei der Kreuzung Richtung Korkuteli/Antalya links ab. Kurz darauf geht es bei der Ortschaft Kemer rechts auf ein Teersträßchen ab (beschildert). Dann immer die schmale Straße entlang. Der Parkplatz ist gebührenpflichtig (0,50 €).
Von Kalkan bzw. Patara folgt man der Straße Richtung Fethiye und zweigt 12 km hinter der Ortschaft Eşen rechts ab (beschildert).

• *Öffnungszeiten* tägl. von 9 Uhr bis Sonnenuntergang. Eintritt 0,60 €, erm. die Hälfte.

• *Gummischuhverleih* An der Furt bei den Restaurants werden zum leichteren Durchwaten des Baches Gummischuhe verliehen. Tipp: Adäquates Schuhwerk selber mitbringen.

• *Rafting/Übernachten* Das **River Restaurant** am Ausgang der Schlucht betreibt einen simplen, billigen Campingplatz und vermietet zudem lustige Baumhäuser (pro Person mit HP 9 €). Wem das zu teuer ist, der kann auf den Ottomanen der Holzterrassen im Wasser nächtigen (6 € mit HP). Organisiert werden auch Raftingfahrten, 5 km für 8 €, ✆ 0252/6590074.

Pınara (antike Stadt)

Einst zählte Pınara wie Tlos zu den sechs bedeutendsten lykischen Städten mit dreifachem Stimmrecht, heute liegt es im touristischen Abseits. Zu Unrecht. Zwar sind die steinernen Überreste der antiken Stadt mit Ausnahme der Nekropolen eher bescheiden, ihre atemberaubende Lage in einer unberührten Landschaft mit Blick auf die hohen Taurusberge lässt jedoch einen Besuch zum Erlebnis werden.

Über die Geschichte Pınaras ist nur wenig bekannt. Laut antiken Quellen wurde die Stadt im 4. Jh. als Ableger des an Überbevölkerung leidenden Xanthos' gegründet. Weitere Quellen berichten davon, dass sich die Stadt als eine der wenigen Lykiens kampflos Alexander dem Großen unterwarf. Was sich in Pınara in der römischen Kaiserzeit ereignete, ist relativ unbekannt. Das Gleiche gilt für die byzantinische Zeit, in der Pınara Bischofssitz wurde. Man nimmt an, dass die Stadt im Mittelalter nach einem Erdbeben aufgegeben

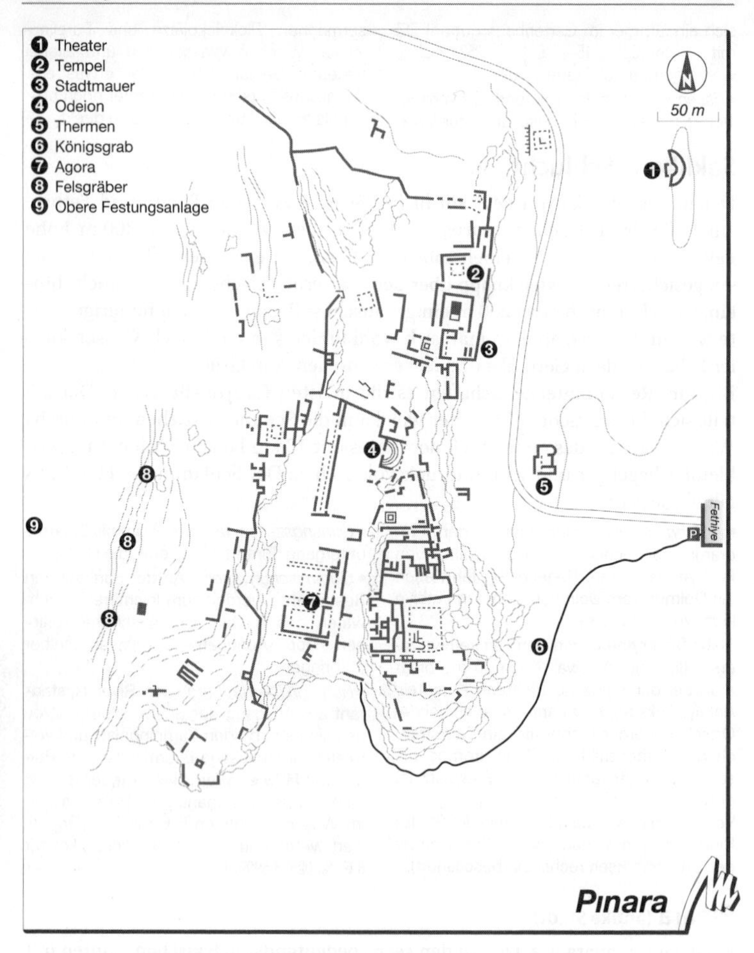

wurde und die Bewohner die nahe gelegene Ortschaft Minare Köy gründeten. Viele Häuser wurden dort mit antiker Bausubstanz errichtet.

Das antike Pınara erstreckte sich auf mehreren Ebenen. Auf der untersten, wo man heute auch parkt, liegt das *Theater* mit 27 Sitzreihen. Von seiner Orchestra sind nur noch die Fundamente erhalten. Vom Parkplatz führt ein Pfad zum großen *Königsgrab*, lassen Sie sich die Richtung vom Wärter zeigen. Die Kassetten der Fassade sind schwer in Mitleidenschaft gezogen. Türsturz und Vorhalle sind mit Reliefs verziert, in der Vorhalle zeigen sie befestigte Städte. Von dort führt der Weg weiter bergauf durch ein urwüchsiges, schmales Bachtal voller Schmetterlinge zu einer Felsterrasse. Auf ihr liegen die fast völlig zerstörte *Agora* und das *Odeion*, das vermutlich zugleich als *Bouleuterion* diente. Dahinter steigt eine 450 m hohe Felswand senkrecht auf, die wabenartig von mehr als

900 Felsengräbern durchsetzt ist. Zum Bau dieser Gräber wurden Strickleitern und Hängegerüste herabgelassen. Oberhalb der Felswand findet man noch die Reste der *Akropolis*, die vorwiegend als Fluchtburg diente. Die Schotterstraße am Theater vorbei führt hinauf – eine herrliche kleine Wanderung.

• *Öffnungszeiten* tägl. offiziell 8–17 Uhr, das Gelände ist jedoch nicht umzäunt. Falls der Ticketverkäufer im Schatten schläft, erledigen seine Freunde das Geschäft mit der Kultur. Im Wasser einer Quelle werden einige Getränkedosen gekühlt und zum Verkauf angeboten. Eintritt 1,30 €.

• *Anfahrt* Pınara liegt ca. 40 km nördlich von Kalkan und 45 km südlich von Fethiye. Von der Hauptverbindungsstraße ist die Abzweigung ausgeschildert. Die letzten 2 km zur Ausgrabungsstätte sind allerdings in einem schlechten Zustand. Von dem kleinem Parkplatz sind die Ruinen der Stadt noch nicht zu sehen, wohl aber die Felsengräber. Mit dem **Dolmuş** ist Minare Köy unterhalb der Ruinenstadt zu erreichen. Von da benötigt man zu Fuß ca. 1 Std. hinauf nach Pınara.

Lykische Felsengräber – Wahrzeichen eines rätselhaften Volkes

Zwischen dem Köyçeğiz-See und dem Golf von Antalya beeindrucken eigenartige Grabanlagen – Pfeilergräber, Sarkophaggräber und insbesondere Felsengräber, die in ihrer Form außerhalb Kleinasiens nirgendwo sonst entdeckt wurden. Sie entstanden zwischen dem 6. und 4. Jh. v. Chr. und sind die Hinterlassenschaft der Lykier.

Für die Wissenschaft sind die Lykier noch immer ein Volk voller Rätsel. Man weiß weder Verlässliches über ihre ethnische Identität noch hat man gesicherte Daten über ihre Herkunft. Gewiss ist lediglich, dass es die Bewohner des Xanthos-Tals waren, die als Lykier bezeichnet wurden. Das geht aus attischen Tributlisten hervor, in denen sie unter diesem Namen geführt wurden. Die Lykier selbst scherten sich allerdings wenig darum und bezeichneten sich noch bis ins 4. Jh. v. Chr. auf Grabinschriften und Münzen als Termilen. Gänzlich unbeantwortet ist bis heute die Frage, worauf sich ihre Jenseitsvorstellung gründete, die sie zum Bau der eigenartigen Grabanlagen in luftiger Höhe anregte. Alles, was man dazu lesen kann, ist reinste Spekulation. Zwar werden die Kenntnisse über die Lykier ab der Hellenisierung etwas fundierter, doch das Wissen hilft nicht viel weiter, denn die lykische Grabbaukunst fand mit dieser Epoche gleichzeitig ihr Ende.

Xanthos (antike Stadt)

Das Weltkulturerbe erstreckt sich auf einem Felsen hoch über dem Flusslauf des Eşen Çayı. Seine Berühmtheit verdankt das Ruinengelände vorrangig einigen Grabmonumenten. Die Orchestra des Theaters liegt hingegen voller Trümmer, und auch viele andere Bauten verfallen im unwegsamen Gelände.

Xanthos war eine der mächtigsten lykischen Städte und stand in späthellenistischer und römischer Zeit dem Lykischen Bund vor. Dieser bestand aus 20 Städten und wurde von einer Volksvertretung und einer Art Präsidenten regiert – die Lykier schufen damit die erste "Republik" der Welt. Das Ausgrabungsgelände beherbergt Ruinen aus lykischer, hellenistischer, römischer und byzantinischer Zeit. Bei den verlustreichen Eroberungen der Stadt im Laufe der Jahrtausende ist es fast ein Wunder, dass noch so viel erhalten ist.

Geschichte

Gründer der Stadt waren laut Herodot kretische Kolonisten. Überliefert ist die Furcht der Xanthier, unterworfen zu werden. Herodot vermeldet den "heldenhaften" Kampf gegen die anrückenden Perser (545 v. Chr.), der mit dem Tod nahezu aller Bewohner endete: *"Von den jetzigen Xanthiern sind die meisten, außer achtzig Familien, Zugewanderte: Diese achtzig Familien aber waren damals (bei der Belagerung durch die Perser) gerade abwesend und blieben nur deshalb am Leben."* Die anwesenden Männer hingegen hatten beim Anrücken des weit überlegenen persischen Heeres ihre Familien in die Akropolis gebracht und die Burg in Brand gesetzt. Sie selbst ließen sich im Verlauf des aussichtslosen Kampfes niedermetzeln.

Die Überlebenden und die Zugezogenen bauten Xanthos wieder auf, doch von langer Dauer währte ihre Arbeit nicht, im 5. Jh. machte ein Großfeuer die Stadt zunichte. Die folgenden Generationen sollten für rund drei Jahrhunderte mehr Glück haben. Geschickte Diplomatie sicherte den Xanthiern immer wieder autonome Phasen, dazu Frieden und Wohlstand. Das änderte sich 42. v. Chr.: Der von Octavian gejagte Cäsarenmörder Brutus belagerte die Stadt. Und bei der Einnahme von Xanthos spielten sich schließlich ähnlich schreckliche Szenen ab wie 500 Jahre zuvor. Die Männer brachten ihre Frauen und Kinder um, und begingen anschließend kollektiven Selbstmord. Brutus setzte daraufhin gar eine Belohnung für jeden geretteten (!) Xanthier aus und bewahrte so 150 Bürger vor dem Tod. In der Kaiserzeit wurde Xanthos Provinzhauptstadt, unter Byzanz Bischofssitz. Die Angriffe der Araber im 8. Jh. läuteten das Ende der Stadtgeschichte ein. Wiederentdeckt wurde Xanthos wie Tlos und Pınara in den 1840ern von dem Engländer Sir Charles Fellows. 1988 wurde Xanthos zusammen mit Letoon von der UNESCO zum Weltkulturerbe erhoben.

• *Öffnungszeiten* Mai–Oktober tägl. 7.30–19 Uhr, November–April 8–17.30 Uhr, Eintritt 1,70 €.

• *Anfahrt* Von der Hauptverbindungsstraße Kalkan–Fethiye beschildert. Wer mit dem **Dolmuş** nach Xanthos möchte, muss von der Ortschaft Kınık aus zu Fuß weiter (ca. 15 Min.). Wer sich den Fußweg sparen will, nimmt an einer der zahlreichen **organisierten Touren** teil.

Sehenswertes

Vom Parkplatz sind es nur wenige Schritte zum *Theater*, das aus dem 2. Jh. v. Chr. stammt. Während die Sitzreihen relativ gut erhalten sind, steht vom ursprünglich zweistöckigen Bühnenhaus nicht mehr viel. Vermutlich war es einst überaus prunkvoll, da es von einem reichen Mäzen namens Opramoas mit rund 1.200 Aureus gesponsert wurde, was rund 10 kg Gold entsprach. Von der Orchestra konnte lediglich der östliche Zugang genutzt werden, der westliche war eine Attrappe.

Dahinter erheben sich das *Harpyienmonument* und ein *Pfeilersarkophag*. Das viereckige Harpyienmonument besteht aus einem 5,4 m hohen Monolithpfeiler, der oben, unter einem Flachdach, mit den Reliefs sitzender Gestalten geschmückt ist, die Fruchtbarkeitssymbole (Hahn, Ei, Granatapfel) entgegennehmen. Dazu sieht man Harpyien, Sagengestalten, halb Frau, halb Vogel, die dem Monument ihren Namen gaben. Diese Reliefs – Kopien, die Originale befinden

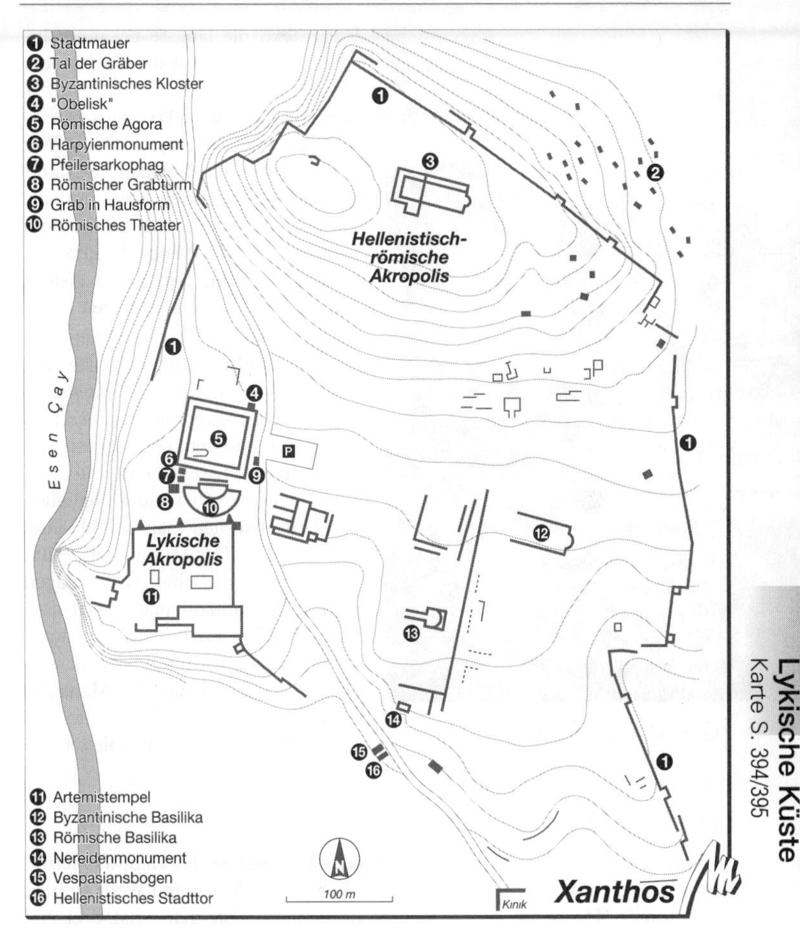

sich in London – gelten als eine Besonderheit lykischer Bildhauerkunst. Warum man die Toten in dieser luftigen Höhe beisetzte, ist ein ungelöstes Rätsel.

Der Pfeilersarkophag daneben ist ein Doppelgrabmal. Aus hellenistischer Zeit stammt der pfeilerförmige Sockel, der in der Mitte hohl und für die Aufnahme eines Sarges bestimmt ist. Auf diesen wurde Jahrhunderte später ein zweiter Steinsarkophag mit Spitzbogendeckel gestellt. Ganz in der Nähe befindet sich außerdem ein *lykisches Grab in Hausform*.

Vor dem ehemaligen Bühnengebäude des Theaters lag einst die *Agora*, die von einer Säulenhalle umgeben war. Erhalten blieb der sog. *Obelisk* an der Nordostecke. Die Bezeichnung ist allerdings irreführend, denn es handelt sich um eine Grabkammer, die an der Außenseite mit Inschriften verziert ist. Der 250 Zeilen

Das vielbesuchte Letoon

lange Text, die längste bekannte Inschrift Lykiens, listet die Heldentaten des Kherei auf. Kherei, der Sohn des persischen Feldherrn Harpagos, besiegte 429 v. Chr. die attische Flotte. Wer des Lykischen nicht mächtig ist, dafür aber etwas Griechisch kann, liest die zwölfzeilige, griechische Zusammenfassung am Ende. Wer beide Sprachen nicht beherrscht, besitzt das gleiche Bildungsdefizit wie die Autoren.

Einer seiner größten Attraktionen wurde Xanthos jedoch Mitte des 19. Jh. durch Sir Charles Fellows beraubt: Das *Nereidenmonument*, eines der bedeutendsten Grabbauten der Südwesttürkei, steht heute im Britischen Museum in London, lediglich den Unterbau ließ man zurück. Fürs geistige Auge: Das Monument besitzt einen typisch lykischen, rechteckigen Sockel mit umlaufendem Marmorfries, darüber erhebt sich ein ionischer Tempel. Vermutet wird, dass es Pate für den Grabbau des Mausolos in Halikarnassos stand, von dem sich der Begriff Mausoleum ableitet (→ S. 340).

Letoon (antikes Heiligtum)

Das nur 4 km von Xanthos entfernt gelegene Letoon war das Hauptheiligtum des Lykischen Bundes, wo man sich alljährlich zu Kultfeiern und Wettkämpfen versammelte. Heute ist es ein kleines Ruinenfeld. Von den einst drei eng nebeneinander stehenden Haupttempeln Letoons ist außer den Fundamenten wenig zu sehen. Man vermutet aufgrund einer Widmung in einem Opferstein, dass der dem Parkplatz zugewandte westliche Tempel (30 x 15 m) der Göttin Leto geweiht war und der östliche den Gottheiten Apollon und Artemis. Die Bestimmung des (kleineren) mittleren Tempels ist unklar; bei diesem bildeten die nach vorne gezogenen Seitenwände eine Vorhalle. Die beiden anderen Tempel besaßen ursprünglich eine umlaufende Säulenreihe; beim Leto-Tempel sind noch die Stümpfe zu sehen.

Südlich der Haupttempel liegen die Trümmer einer im 7. Jh. zerstörten *byzantinischen Kirche*, westlich davon Reste eines gigantischen Brunnentempels, des *Nymphäums*. Im Norden ragen die Säulenstümpfe des *Nordportikus* aus einem Teich hervor – ein Prachttor, das die Anlage abschloss. Einige schön bearbeitete Steine verlieren sich im flachen Wasser. Noch weiter nördlich liegt das *Theater*, das trotz der recht gut erhaltenen Zuschauerreihen wenig spektakulär ist.

Ganz nebenbei: Der bedeutendste Fund von Letoon befindet sich heute im Museum von Fethiye. Es handelt sich um eine 1973 nahe der Tempelanlage entdeckte Stele. Deren Inschriften in Aramäisch, Griechisch und Lykisch trugen zur Entzifferung der lykischen Sprache bei.

Leto und Lykien

Leto, die Geliebte des Zeus und von diesem schwanger, wurde von dessen Gattin Hera eifersüchtig verfolgt. Kein Land der Welt wagte es, die Flüchtenden aufnehmen. Auf der im Meer treibenden Insel Delos gebar sie schließlich die Götterzwillinge Artemis und Apoll. Als sie danach weiter mit ihren Kindern rastlos durch die Länder zog, kam sie an den Xanthos-Fluss. Hier wollte sie ihre Säuglinge waschen, aber Hirten hinderten sie daran. Zu ihrer Überraschung erschienen ein paar Wölfe, die die Hirten vertrieben. Zum Dank nannte Leto das Land Lykien. Auch wenn die Bezeichnung Lykien nach neueren Erkenntnissen etymologisch nicht von *Lykos* (Wolf) herzuleiten ist, bleibt die Geschichte allemal schön und wird von vielen Führern gern erzählt.

- *Öffnungszeiten* im Sommer tägl., Eintritt 1,30 €, erm. die Hälfte.
- *Anfahrt* Von der Hauptverbindungsstraße zwischen Kalkan und Fethiye ausgeschildert. Wer mit dem **Dolmuş** kommt, muss in der Ortschaft Kınık aussteigen und zu Fuß weitergehen. Will man sich den Fußweg sparen, nimmt man am besten an einer der zahlreichen **organisierten Touren** teil.

Lykische Küste
Karte S. 394/395

Patara

Patara ist zunächst einer der schönsten Strände der Türkei, kilometerlang und unverbaut. Patara, das ist zudem eine antike Ruinenstadt in den Dünen hinterm Strand, einst einer der Haupthäfen Lykiens. Und Patara ist nicht zuletzt der geläufige Name für eine weitverstreute Siedlung aus Pensionen und kleinen Hotels noch weiter hinterm Strand, die offiziell Gelemiş heißt.

Der Strand von Patara ist über 8 km lang und bis zu 400 m breit, der Sand fast weiß und im Sommer glühend heiß. Wer das Bedürfnis nach absoluter Ruhe verspürt, wird sie hier finden. In einem beruhigendem Rhythmus rauscht die Brandung, das Wasser ist kristallklar, und das Baden eine Lust!

Wo bis 1989 Strandkneipen mit angeschlossenem Sonnenschirm- und Liegestuhlverleih den Riesenstrand zupflasterten, befindet sich heute nur noch eine Snackbar, die zum Strandvergnügen beiträgt. Zum Schutz der Meeresschildkröten, die zur Eiablage hierher kommen, mussten die Bretterbuden dicht machen. Immerhin ist die Schildkrötenart laut aushängenden Plakaten 95 Mio. Jahre alt und soll noch älter werden. Aus diesem Grund darf sich auch der erdgeschichtlich blutjunge Homo sapiens nur tagsüber und nur in Wassernähe am Strand aufhalten. Zudem besteht für die gesamte Strandzone ein Bauverbot, denn die Dünenlandschaft hinter dem Strand ist zugleich Schutzgebiet seltener Vögel.

Da die Küste tabu ist, tobt sich die Tourismusbranche trotz offiziellen Baustopps in Gelemiş aus, einem verschlafenen Örtchen, das 2 km hinter dem Strand liegt. Das Ergebnis ist eine ziemlich gesichtslos wirkende Ansammlung von Häusern und windschiefen Bretterbuden, in denen Souvenirs und Kebab verkauft werden. Trotzdem herrscht in den meisten Pensionen vor Ort noch gute, alte türkische Herbergstradition – Familienanschluss nicht ausgeschlossen. Die wenigen Hotels halten sich vornehm abseits. Alles in allem ist Gelemiş bislang noch immer ein Refugium für Erholungssuchende ohne große Ansprüche – eines der letzten an der südtürkischen Küste. Doch die Zukunft von Gelemiş ist ungewiss. Immer wieder droht dem Dorf von oberster Stelle der Abriss. Eine schier endlose Geschichte, über die Sie am besten die Dorfbewohner selbst aufklären ...

Kulturhistorisch Interessierte finden in der Umgebung neben der antiken Stadt Patara selbst noch weitere lohnenswerte Ziele: *Xanthos, Letoon, Pınara* und *Tlos*.

Verbindungen/Adressen

- *Telefonvorwahl* ✆ 0242.
- *Information* Zuständig für Patara ist die **Tourist Information** von Kaş (→ S. 442).
- *Anfahrt/Verbindungen* von Kalkan auf der Küstenstraße 14 km Richtung Fethiye, dann links ab und 2 km meerwärts (beschildert).

Bus: Die großen Überlandbusse halten meist an der Abzweigung zum Ort (von da 2 km nach Gelemiş). Mehrere Gesellschaften haben jedoch eine Zweigstelle in Patara und bieten einen Zubringerservice, die Preise sind mit denen ab Kalkan identisch.

Dolmuş: Regelmäßige Verbindungen von Kalkan (1,10 €), Kaş (1,50 €) und Fethiye (2,20 €). Aktuelle Zeiten sind an der Haltestelle im Zentrum angeschlagen.

Taxi: Die Taxistation befindet sich im Zentrum von Patara/Gelemiş. Nach Kalkan, Xanthos oder Letoon zahlt man ca. 13 €, nach Saklıkent 21,50 €.

- *Organisierte Touren/Reisebüros* im Angebot einiger Reisebüros, unter anderem **Gelemiş Tours** (✆ 8435184) und **Dardanos Travel** (✆ 8435151). Zweitagesausflüge nach Ephesus und Pamukkale für rund 50 €.

Der Spezialist für Ausflüge in die nähere Umgebung ist **Kirca Travel Agency Patara** (keine Massenabfertigung). Gern gebucht wird der Ausflug in die Saklıkent-Schlucht und nach Tlos. Pro Person für Fahrt, Führung und Mittagessen 12,50 €. Des Weiteren Kanufahrt auf dem Xanthos-Fluss für 15 €, und Tour in das Bergstädtchen Elmalı für 20 € (empfehlenswert). Zudem Flughafentransfers nach Dalaman und Antalya. ✆ 8435298, 📠 8435078.

- *Auto- und Zweiradverleih* **Kirca Travel Agencia Patara**, im Zentrum nahe der Dolmuş-Station, ✆ 8435298, 📠 8435034. Pkw ab 30 € pro Tag, Jeeps ab 50 €, Scooter ab 12,50 €, Mountainbikes für 5 €.
- *Post* ebenfalls im Zentrum (nahe der Dolmuş-Station).

Übernachten/Camping/Essen & Trinken

In Gelemiş findet man zahlreiche Pensionen mit recht gutem Standard. Der Strand ist zu Fuß in 20 Minuten erreichbar.

Patara View Point, am Ortsbeginn von Gelemiş geht es links bergauf, ausgeschildert. Der Tipp unter den gehobeneren Unterkünften. Gepflegtes, familiäres Hotel mit 27 freundlichen Zimmern, alle mit Balkon. Pool, gemütliche Terrasse mit Ottomanen und offenem Kamin. Ab und zu Grillabende. Viel englisches Publikum. EZ 22 €, DZ 29 €. ✆ 8435184, www.pataraviewpoint.com.

Hotel Mehmet, familiäre Pension hoch über Gelemiş (ebenfalls linke Seite). Ruhige Lage. Restaurant, Bar, Pool, teppichausgelegte Plauderecke mit Kamin. Saubere Zimmer mit Du/WC und Balkon oder Terrasse. Eine der besten Adressen vor Ort. Der agile Mehmet spricht Englisch und etwas Deutsch. Ganzjährig geöffnet. DZ mit Frühstück 15 €, EZ 10 €, ✆ 8435299, 📠 8435078.

Hotel Sisyphos, an der Durchgangsstraße linker Hand. 14 angenehme Zimmer auf zweistöckige, kleine Gebäude in Hanglage verteilt. Sehr sauber. Der Besitzer spricht Deutsch. Kleiner Pool. DZ 15 €, EZ 10 € (inkl. Frühstück), ✆ 8435043, 📠 8435156.

Rüya Pansiyonu, für einen Leser die schönste Pension seines Türkeiurlaubs, 1999 eröffnet. Bei der freundlichen, Englisch sprechenden Familie Findan ist man gut aufgehoben. Sehr saubere Zimmer mit Moskitonetzen über den Betten, das DZ zu 15 €, das EZ 10 €. Sehr gutes Abendessen für 4 €. ✆ 8435073.

Zeybek 2, eine von Lesern empfohlene 12-Zimmer-Herberge (ausgeschildert). Ohne blickhemmendes Nachbarhaus, deshalb tolle Aussicht. Freundliches, blumenumranktes Haus, gepflegt, familiär. Auf der Dachterrasse floss schon so mancher Liter Çay. DZ 10 €. ✆/📠 8435086.

Flower Pension, Lesertipp. Am Ortseingang rechter Hand. Der Besitzer Mustafa Kırca spricht Englisch und seine Frau Ayşe betreibt abends noch ein sehr empfehlenswertes familiäres Restaurant mit türkischer Hausmannskost. Angenehme DZ mit Du/WC, Balkon, Ventilator und Moskitonetz vor dem Bett (10 € inkl. sehr gutem Frühstück, das EZ für 7,50 €). Zudem vermietet die Familie noch 2 schnuckelige, farbenfroh-rustikale Apartments für 12,50 € pro Nacht. Tee und Kaffee wird stets serviert, die Waschmaschine kann umsonst benutzt werden. ✆ 8435164, flowerpension@hotmail.com.

Paradise Pension, ein Häuschen im kleinen Garten in der Nachbarschaft der Pension Flower. 8 ausreichende Zimmer mit ordentlichen Sanitäreinrichtungen, Balkon und Ventilator. Waschmaschine vorhanden, auf Wunsch "turkish homecooking". Preise wie Flower Pension. ✆ 8435190, 📠 8435078.

Hotel Sema, am Ortseingang linker Hand hoch am Hang, von Lesern empfohlen. Äußerst freundlich-hilfsbereite und familiäre Atmosphäre. Die Zimmer zur Hangseite haben Balkon mit schönem Blick über Gelemiş. Der Inhaber Ali Çörüt gibt gute Tipps für Ausflüge in die Umgebung. Blitzsaubere DZ mit hervorragendem Frühstück 7,50 €, ein leckeres Abendessen kommt auf 3 €. ✆ 8435114, hotelsema@hotmail.com.

Öğretmen (Teacher) Pension, und noch ein heißer Lesertipp. Die "freundlichste Pension der gesamten Südküste" liegt am Ortseingang von Patara. Die Trauben wachsen einem auf der gemütlichen Terrasse

Düne am Strand von Patara

förmlich in den Mund. Hilfsbereite, gastfreundliche Wirtsfamilie, die ein wenig Deutsch und Englisch spricht. Viele türkische Stammgäste aus Ankara und İstanbul. Einfache, aber gepflegte Zimmer mit Dusche/WC, DZ mit Frühstück 7,50 €. ✆ 8435061.

• *Camping* Der lieblose **Medusa-Camping** im Zentrum gegenüber der Dolmuş-Station ist wenig empfehlenswert. Nur Regen kann beim Zelten übler sein. Wer Zelt oder Wohnwagen dabeihat, hält besser nach der Pension Lykia Ausschau.

• *Essen & Trinken* Das Gros der Restaurants in Patara ist empfehlenswert. Eine sehr authentische türkische Küche (allerdings ohne Bier, Wein oder Rakı) fanden Leser im **Restaurant Tlos**.

Florya und **Aspendos** sind weitere beliebte Adressen. Sehr zu empfehlen ist die Küche der **Pension Flower**, gefolgt von der der **St.-Nicolas-Pension**.

Baden/Sport

• *Baden* Der über 8 km lange Patara-Strand ist nur über wenige Zufahrtsmöglichkeiten zu erreichen. Die südlichste, am Ruinenfeld Pataras vorbei, ist gebührenpflichtig; dort ist allerdings auch der Strand am schönsten. Etwas nördlich davon liegt der Strandabschnitt Çay Ağzı und noch weiter nordwestlich der Kumluova Plajı.

Patara-Strand: im Sommer tägl. 8–19.30 Uhr, im Winter 8–17.30 Uhr, da über Nacht der Strand wegen der Schildkröten zu räumen ist. Patrouillen sorgen für die Einhaltung. Der Eintritt zum Strand und Ausgrabungsort (s. u.) – die Straße führt hindurch – beträgt 6,50 €, Studenten bezahlen die Hälfte. (Karte aufbewahren, sie berechtigt zum mehrmaligen Eintritt innerhalb einer Woche). Wer von Gelemiş aus kostenlos an den Strand möchte und zudem noch die imposantesten Dünen sehen will, dem sei folgende Route empfohlen (zu Fuß oder mit dem Fahrzeug): In Gelemiş folgt man der Beschilderung zum Hotel Beyhan, lässt dieses rechts liegen und zweigt ca. 600 m weiter, wenn die Straße nach rechts abschwenkt, nach links auf einen Schotterweg ab. Dieser führt durch einen Pinienwald zu den Dünen. Von dort bis zum Meer noch ca. 10 Min.

Çay Ağzı: der öffentliche Strandabschnitt der Gemeinde des Bezirks Ova (ungefähr in der Mitte des Patara-Strandes). Keine öffentliche Anbindung. Anfahrt: 1 km nach der Abzweigung von der D 400 nach Patara rechts ab, Hinweisschild, dann noch ca. 6 km bis zum Strand auf unbefestigter Piste. Die einstigen primitiven Bars und Übernachtungsmöglichkeiten gibt es dort nicht mehr.

Kumluova Plajı: bezeichnet das nördliche Ende des über 8 km langen Sandstrandes. Meist ist kaum eine Seele in der weiten Dünenlandschaft anzutreffen, der Strand selbst ist schmaler als die anderen Abschnitte. Anfahrt: Vom Ausgrabungsgelände Letoon (→ S. 430) ausgeschildert.

Wer zur Abwechslung einer kleinen gemütlichen Bucht den Vorzug gibt, kann einen Ausflug in die **Bucht von Kaputaş** (→ S. 441) unternehmen.

• *Reiten* **Han Horse Riding**, am Ortseingang linker Hand bietet Ausritte auf Haflingern am Strand entlang oder durchs Landesinnere. Auch Anfänger werden mitgenommen, pro Stunde 10 €, ✆ 8435160.

Patara – die Ruinenstadt

Patara, vermutlich seit dem 7. Jh. v. Chr. besiedelt, gehörte zu den führenden Städten des lykischen Bundes. Die Stadt besaß wie Tlos, Pınara und Xanthos das dreifache Stimmrecht und verwaltete auch das Archiv des Bundes. Zugleich konnte Patara einen der Haupthäfen des Landes aufweisen. Da alle herrschenden Mächte in der Geschichte der Stadt diesen Hafen für ihre Flotten nutzten, war Patara weit über die Antike hinaus ein blühender Ort. In römischer Kaiserzeit wurde Patara zum Sitz des Statthalters von Lykien und Pamphylien und überflügelte gar Xanthos. Damit verbunden war eine rege Bautätigkeit, aus jener Zeit stammen auch die meisten heute noch erhaltenen Ruinen.

Die Apostelgeschichte erwähnt Patara als Station auf der dritten Missionsreise des Paulus. Um 290 wurde hier der berühmte Weihnachtsmann geboren, der Nikolaus (→ S. 452). Von alters her kämpfte die Stadt gegen den Sand an, den ein heute verlandeter Seitenarm des *Xanthos-Flusses* anschwemmte und der ständig die Hafeneinfahrt zu blockieren drohte. Als der Hafen schließlich nicht mehr zu retten war, folgte Pataras Niedergang. Vor rund 800 Jahren wurde Patara aufgegeben, heute erstreckt sich an jenem Ort eine phantastische Dünenlandschaft.

Sehenswertes: Antike Schriften berichten von einer Orakelstätte des "Apollon Patareus", von der in Patara bis heute aber keine Spuren gefunden wurden.

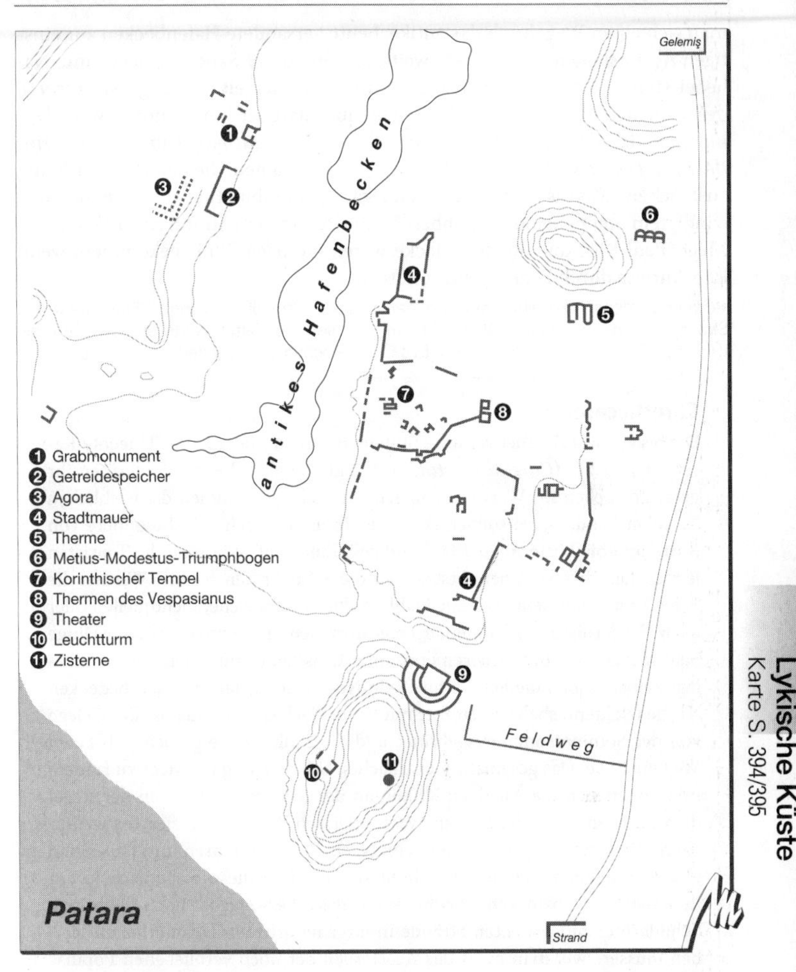

Vielleicht war damit das Apollon-Heiligtum in der nahe gelegenen Tempelstadt Letoon gemeint. Aber auch ohne Apollon-Orakel lohnt eine Besichtigung des Ruinengeländes, es dösen genügend andere Bauwerke einsam in der Hitze. Der prächtige *Triumphbogen des Metius Modestus* (100 n. Chr.) direkt am Weg zum Strand zählt beispielsweise zu den besterhaltenen römischen Bauwerken der Türkei. Von den drei Bögen und den sie tragenden dicken Pfeilern fehlt kein Stein – nur die Büsten vermisst man.

Das *Theater* Pataras (von der Zufahrtsstraße zum Strand über einen Pfad zu erreichen) wird als eines der schönsten ganz Lykiens gehandelt. Im Innern ist es an manchen Stellen vom Flugsand verschüttet. In der Orchestra wächst kräftiges Buschwerk, das sich bereits über die Ränge ausbreitet. Von hier kann man sich einen Weg durch das antike, heute versandete Hafenbecken zur einstigen *Agora* suchen, deren Reste weitestgehend unter Sand begraben sind. Nahebei steht ein Kornspeicher aus römischer Kaiserzeit, das sog. *Granarium*, dem lediglich das Dach fehlt. Zu sehen gibt's darüber hinaus noch zwei *Thermen*, Fundamente eines *Leuchtturms*, Reste der *Stadtmauer* und eines *korinthischen Tempels*. Doch es sind nicht allein die Ruinen, die den Reiz der Stätte ausmachen. Was fasziniert, ist die einzigartige Kombination aus wildem, ungebändigtem Steppenland und unbeschreiblich schönem Strand am türkisblauen Meer. Paul Klee und August Macke wären nie nach Tunis gekommen, wenn ihre Anreise durch Patara geführt hätte ...

• *Öffnungszeiten* dieselben wie für den Strand. Im Sommer tägl. 8–19.30 Uhr, im Winter 8–17.30 Uhr. Der Eintritt beträgt 6,50 € (inkl. Strandbenutzung), Studenten bezahlen die Hälfte; Karte aufbewahren, sie berechtigt zum wiederholten Eintritt.

Caretta caretta

Die bis zu zwei Zentner schwere und bis zu einem Meter lange "Unechte Karettschildkröte" (*Caretta caretta*) verbringt wie alle Meeresschildkröten ihr gesamtes Leben im Wasser. Lediglich zur Eiablage kommen die weiblichen Tiere an Land. Dabei suchen sie – wie Touristen auch – insbesondere von Mitte Juni bis Mitte August feinsandige Strände auf. Während die Touristen jedoch tagsüber kommen, erscheinen die Schildkröten nachts. Werden die Schildkröten auf dem Weg zur Eiablage durch Geräusche, Lichtquellen oder auch Hindernisse wie Sonnenliegen gestört, kehren sie unverrichteter Dinge ins Meer zurück und verlieren dort unter Umständen ihre Eier. Für die Eiablage selbst graben die Schildkröten ein Nest. Nach getaner Arbeit bedecken sie die tischtennisballgroßen Eier mit Sand. Nach ca. 60 Tagen ist das Gelege von der Sommersonne ausgebrütet und die Schlüpflinge graben sich einen Weg ins Freie. Das geschieht meist nachts. Um den Weg ins Meer zu finden, orientieren sich die winzigen Kröten an der hellsten Fläche – in der Regel dem im Mondlicht glänzenden Wasser. Diesen Weg prägen sich die weiblichen Tiere für ihr ganzes Leben ein: Nach 20 bis 30 Jahren und tausenden geschwommenen Kilometern kehren sie genau an diese Stelle zurück, um ihrerseits Eier abzulegen. Das bedeutet, dass die wenigen, noch heute von Schildkröten aufgesuchten Strände in ihrer natürlichen Form erhalten bleiben müssen, will man nicht das Aussterben der noch verbliebenen Population verantworten. Verhaltensmaßnahmen zum Artenschutz:

- Meiden Sie Niststrände zwischen Sonnenuntergang und -aufgang.
- Schaffen Sie keine künstlichen Lichtquellen hinter dem Strand (Lagerfeuer, Autoscheinwerfer etc.) – die Jungtiere krabbeln sonst in die falsche Richtung und vertrocknen am Folgetag qualvoll in der Sonne!
- Halten Sie sich beim Sonnenbad möglichst nicht weiter als 5 m von der Uferlinie auf. Im meernassen Bereich vergraben die Schildkröten keine Eier. Hier können Kinder bedenkenlos im Sand buddeln und Sie einen Sonnenschirm hineinstecken, ohne Gefahr zu laufen, ein Gelege zu zerstören oder den Brutvorgang durch künstlichen Schatten zu verlängern.
- Berühren Sie auf keinen Fall frisch geschlüpfte Jungtiere.

Kalkan

(3.000 Einwohner)

In dem bis 1922 ausschließlich von Griechen besiedelten Fischerort ist Beschaulichkeit noch immer Trumpf. Hektiker und Vergnügungssüchtige kommen kaum auf ihre Kosten, für ruhigere Naturen ist der idyllisch gelegene Urlaubsort dagegen ein Toptipp.

In mehreren Terrassen fällt das Dorf zum Meer ab. Um den kleinen Hafen gruppieren sich Restaurants, darüber schmiegen sich weiß getünchte Häuschen eng an den Hang. Nicht umsonst nennen Kenner Kalkan das Portofino der Türkei.

Obwohl das Städtchen ganz und gar auf Tourismus eingestellt ist und über eine große Zahl von Pensionen und Hotels verfügt, hat es sich noch viel von seiner Ursprünglichkeit bewahrt. So ist beispielsweise der alte Ortskern mit den erkergeschmückten Häusern noch völlig intakt, und nirgendwo sieht man monumentale Hotelklötze für mehrere Tausend Gäste, die das Ambiente beeinträchtigen. Das könnte noch einige Zeit so bleiben, denn in Kalkan und Umgebung soll der Baustopp, der bislang nur für den Sommer gilt, auf das ganze Jahr ausgedehnt werden. Eine definitive Entscheidung wurde aber noch nicht getroffen. Das letzte ehrgeizige Renommierprojekt des Dorfes war der Ausbau des Hafens – durchaus ein Gewinn, denn auf der Promenade kann man gemütlich schlendern und das immer noch relativ beschauliche Urlaubstreiben rundherum genießen. Zur Linken fällt der Blick auf die gut belegten Tische der Restaurants und Cafés, zur Rechten auf die der Segler beim Abendessen an Deck.

Kalkan ist aber nicht nur ein ausgezeichneter Urlaubsstandort, der aufgrund seines Charmes zu den nobelsten der Türkei aufstieg, sondern auch ein idealer Ausgangspunkt für Exkursionen zum *Strand von Patara,* nach *Kaş* oder zu den Ruinen von *Xanthos* und *Letoon.*

Lykische Küste
Karte S. 394/395

Information/Verbindungen/Ausflüge

• *Telefonvorwahl* ✆ 0242.

• *Information* Zuständig für Kalkan ist die **Tourist Information** von Kaş (→ S. 442).

• *Verbindungen* Kalkan liegt an der Hauptverbindungsstraße zwischen Antalya und Fethiye, in beide Städte tagsüber nahezu alle 30 Min. **Bus**se. Rund um die Bushaltestelle gibt es verschiedene Buchungsbüros. Für die Fahrt nach Fethiye zahlt man 2,10 €, für die nach Dalaman 3,80 €, nach Selçuk 9,40 €, nach Antalya 4,60 €.

Dolmuş: Die Dolmuş-Kooperative mit ihren 40 Minibussen besorgt den Nahverkehr: regelmäßig nach Kaş (0,90 €), zum Patara-Strand (hin/zurück 2,50 €) und zur Bucht von Kaputaş (hin/zurück 1,30 €).

Taxi: Zahlreiche Taxifahrer bieten sich und ihr Gefährt für alle denkbaren Fahrten in die nähere und weitere Umgebung an. Offizielle Preise: nach Patara 12 €, nach Dalaman (Flughafen) 52 €, nach Xanthos 13 €, nach Letoon 14 €, nach Saklıkent oder Pınara 33 € und nach Kaş 16 €. Größere Touren sind Verhandlungssache.

• *Bootsausflüge* Die beliebtesten Bootsfahrten führen zu diversen Stränden und Buchten der näheren Umgebung oder nach Kekova (z. T. kombiniert mit einer Busfahrt nach Kaş). Leser machen darauf aufmerksam, dass es ratsam ist, erst kurz vor der Abfahrt zu buchen: "In den Büros wird die Teilnehmerzahl auf max. 20 begrenzt. In Wirklichkeit sind sie überbucht mit fast 40 Personen. Hat man erst das Ticket, ist Umsteigen in ein leeres Boot schwierig, da alle zur gleichen Zeit abfahren."

Boote für individuelle Fahrtziele kann man ebenfalls im Hafen mieten. Wichtig ist, dass man das Boot voll bekommt, sonst wird es teuer. Eintägige Bootstouren beginnen im Schnitt bei 4–5 € pro Person.

• *Organisierte Touren* diverse Anbieter; eine gute Adresse ist **Armes Travel** (→ "Reisebüro"). Angeboten werden: Fethiye/Ölüdeniz/Kayaköyu (21 € ohne Lunch); mit dem Bus am Vormittag nach Kaş, dann weiter mit dem "Glass Bottom Boat" nach Kekova (28 € mit Lunch); Saklıkent und Xanthos (19 € inkl. Lunch); Zweitagestour Pamukkale/Ephesus (alles inkl. rund 100 €).

Auch die **Dolmuş-Kooperative** bietet Ausflugsfahrten: z. B. täglich Saklıkent, Tlos und Xanthos (5 €), für 2,10 € am Dienstag zum Markt nach Fethiye und nach Ölüdeniz, ferner Fahrten nach Myra und Kekova (Bus/Boot inkl. Lunch 13 €). Die Mindestteilnehmerzahl liegt bei 4 Personen, ✆ 8443295.

Eselstouren: Am Vormittag auf dem Esel- oder Mulirücken rund um und durch das stille Bergdorf Bezirğan, nach dem Mittagessen auf dem Bauernhof Besuch einer Wassermühle, einer Dorfmoschee usw. Abfahrt 10 Uhr mit dem Minibus, Rückkehr 17 Uhr. Pro Person 22,50 €, alle Leistungen inklusive (Transfer, Lunch, Getränke). Sympathisch die Knigge-Regeln auf dem Infoblatt der Veranstalter: Schickliche Kleidung wird angeraten (aus Respekt vor den Dorfbewohnern) und außerdem empfohlen, Kindern kein Geld, sondern allenfalls Süßigkeiten zu geben. In der Saison Montag (bei Bedarf), Mittwoch und Freitag. Anmeldung über Ihre Hotelrezeption oder direkt bei Anbietern auf der Straße.

Adressen

• *Ärztliche Versorgung* Einen deutschsprachigen Arzt findet man in der Privatklinik **Medical Center Tuana** oberhalb der Taxistation. ✆ 8442244.

• *Autoverleih* mehrere lokale Autoverleiher, z. B. **Enes** beim Hotel Pirat, ✆ 8443961. Bei den meisten Verleihern beginnen die Preise bei 30 € pro Tag.

• *Einkaufen* Jeden Do großer **Bauernmarkt** am Ostende Kalkans.

• *Friseur* **Herrenfriseur Safter**, in einem kleinen Holzverschlag neben der Post. Wer sich "wie ein Sultan" (so die Eigenreklame) fühlen will: perfekter Haarschnitt inkl. Tee und Rückenmassage für 5 €. "Ein entspannendes Urlaubserlebnis", meinen Leser.

• *Geld* in Banken und Hotels möglich. Einen EC-Automaten besitzt die **T. C. Ziraat Bankası** gegenüber der Dolmuş-Station.

• *Polizei* Jandarma an der Verbindungsstraße Kaş–Fethiye, im Notfall ruft man ✆ 156.

• *Post* nahe der Dolmuş-Station, hat meist auch am So geöffnet.

• *Reisebüro* Eine bewährte Adressen ist **Armes Travel** am Hafen, das älteste Reisebüro mit umfangreichem Tagestourenprogramm. ✆ 8443169, ℻ 8443468.

• *Waschsalon* beim Jachtclub am Hafen. Eine 4-kg-Trommel waschen und trocknen 6 €.

• *Zeitungen* Süddeutsche, FAZ, Spiegel usw. in einigen Läden an der Hauptstraße.

Übernachten

Hotels und Pensionen diverser Kategorien und Größen sind über den ganzen Ort verstreut. Im Ortskern von Kalkan müssen Sie nachts mit Stechmücken der übelsten Sorte rechnen. Etwas moskitofreier sind die Quartiere am Hang.

Villa Mahal (1), eine der besten Unterkünfte vor Ort, für manche sogar eine der besten der gesamten Südküste. Jedoch nicht im Zentrum Kalkans, sondern etwas außerhalb, von der Straße nach Kaş ausgeschildert. 14 edel und geschmackvoll ausgestattete Zimmer. Herrliche Terrasse mit Meeresblick. Das unschöne Neubaugebiet drum herum ist zum Glück vom Hotel aus kaum zu sehen. Extrem holprige Anfahrt! Eigener Bootsservice nach Kalkan. DZ ab 85 €. ✆ 8443268, ℻ 8442122.

Kalkanhan (6), kleines, "männerfreundliches" Hotel über der Einkaufsgasse für Gäste ohne Geldprobleme. 10 geräumige, mit viel Liebe und Geschmack eingerichtete Zimmer, davon 4 mit Balkon und Aircondition. Außerdem 4 Suiten und eine hübsche Dachterrasse. EZ 45 €, DZ 50 €. ✆ 8443151, ℻ 8442059.

Pension White House (13), in ruhiger Lage im Yalıboyu Mah, unter türkisch-englischer Leitung. 10 freundliche, gepflegte Zimmer unterschiedlicher Größe und Bettenzahl,

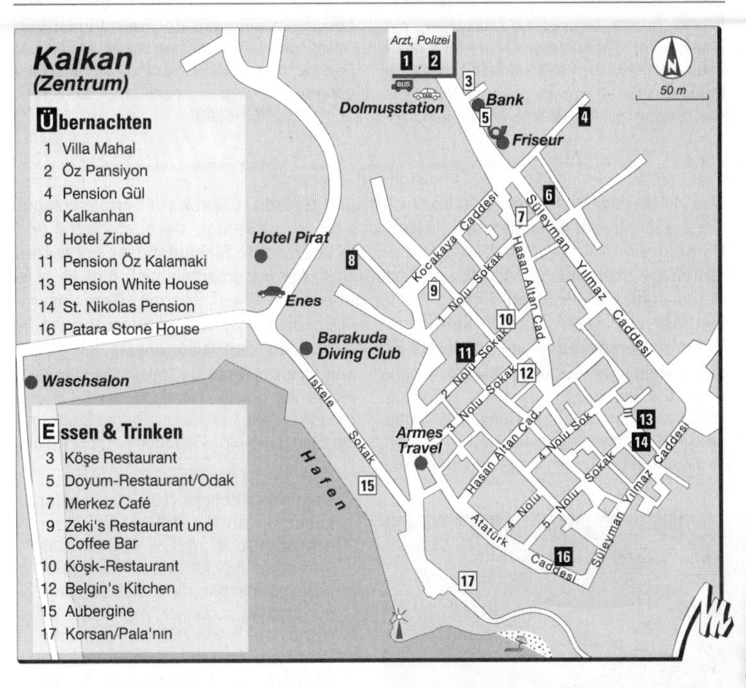

Lykische Küste
Karte S. 394/395

alle mit Fliesenboden und Aircondition, 4 mit Balkon. Der Hit ist jedoch die herrliche Dachterrasse, wo man beim reichhaltigen Frühstück gerne mal länger sitzen bleibt. Von Lesern empfohlen. Nicht ganz billig: EZ 22,50 €, DZ 36 €, Dreier 45 €. ✆ 8443738, tuohy_kalkan@yahoo.co.uk.

Hotel Zinbad (8), gehobeneres, übersichtliches Quartier nahe dem Meer (beim Hotel Pirat). Freundliche Atmosphäre. Frühstücksterrasse mit exzellentem Blick auf Moschee und Hafen. Wohnliche Zimmer mit Aircondition und Balkon, dazu Bar und empfehlenswertes Restaurant. EZ 20 €, DZ 35 €. Ganzjährig geöffnet. Yalı Boyu Cad., ✆ 8443404, 📠 8443943.

Patara Stone House (16), an der Atatürk Cad. Wo nicht Pension draufsteht, kann trotzdem eine Pension drin sein, und dazu noch eine der schönsten Kalkans. Haus in erster Reihe. 10 mit Liebe ausgestattete, in Beigetönen gehaltene Zimmer, 5 davon mit Meeresblick. Einziger Nachteil: Die Technobässe der Nachbarschaft hämmern bis vier oder fünf Uhr morgens, so dass viele Gäste nach der ersten Nacht flüchten. Der frustrierte Inhaber hat mittlerweile ein Restaurant auf seiner herrlichen Dachterrasse eröffnet und unter das Motto "To join if you can't beat them" gestellt. DZ mit Frühstück 25 €. ✆ 8443076, 📠 8443274.

Öz Pansiyon (2), kurz nach der Abzweigung von der Küstenstraße im Yalıboyu Mah, oberhalb der Busstation. Leser schwärmen von den gastfreundlichen, hilfsbereiten Inhabern und dem hervorragenden Frühstück auf der traumhaften Dachterrasse. Das "idyllische Fleckchen", so ein Leser, besitzt 11 schlichte, saubere Zimmer mit Klimaanlage. DZ mit Frühstück 18,50 €. ✆ 8443444, www.ozpansion-turkey.20m.com.

St. Nicholas Pension (14), gegenüber der Pension White House. Von einigen Lesern sehr gelobt, hoffen wir, dass die Unterkunft trotz Pächterwechsel so bleibt. Ansprechende Zimmer mit Du/WC, DZ mit Frühstück auf der herrlichen Dachterrasse 15 €, EZ 10 €. Sauber. ✆ 8443855, 📠 8442134.

Pension Öz Kalamaki (11), ein Stück über dem Hafen (mitten im Dorf). Schönes Haus mit netten Vermietern und zufriedener Kundschaft. Gemütliche, einladende Terrasse. 10

freundlich helle, angenehme Zimmer, alle mit Moskitonetz. Sehr sauber. DZ mit Frühstück 20 €, ✆ 8443066, www.kalamakikalkan.com.

Pension Gül (4), direkt oberhalb der Pension Yakamoz. Von Lesern empfohlen, insbesondere aufgrund der freundlichen Vermieter und der herrlichen Aussicht von der Dachterrasse. Blitzblanke Zimmer und Fliegengitter an den Fenstern. DZ 13 €, ✆ 8443099, 📠 8442949.

Essen & Trinken/Nachtleben

Das Niveau der Restaurants ist im Großen und Ganzen reziprok zur Terrassenlage: Ganz oben an der Bushaltestelle finden sich die Billiglokantas, die auch Pizzen und Hamburger im Angebot haben. Rund um die überdachte Einkaufsgasse konkurrieren einige preisgleiche Mittelklasserestaurants. Am Hafen schließlich gibt es eine Reihe erstklassiger Fischrestaurants der gehobenen Preiskategorie. Gemeinsamkeit fast aller Restaurants in Kalkan: Für 3–4 € wählen Sie aus insgesamt etwa 30 leckeren Vorspeisen aus – so viel Sie wollen (bzw. auf den Teller passt).

Zeki's Restaurant & Coffee Bar (9), an der Kocakaya Cad. in zentraler Lage, unter türkisch-britischer Leitung. Romancier John Le Carré aß hier mehrmals und mit höchster Zufriedenheit, sein Empfehlungsschreiben hängt nun an der Hauswand. Elegantmodernes Lokal, das auch nach London passen würde. Lust auf ein zartes Steak und ein Glas Portwein? Gehobenes Preisniveau.

In den Gassen von Kalkan

Belgin's Kitchen (12), ein heißer Lesertipp an der 3 Nolu Sok., wir schließen uns an. Die Kirgisin Belgin Akçı kocht beste türkische Hausmannskost, die in Kalkan sonst nur schwer zu bekommen ist, z. B. *mantı* oder frische Böreks. Herrliche Dachterrasse mit witziger Ausstattung, Riesenstoffesel zum Reiten und Nomadenzelt. Nicht teuer.

Köşk-Restaurant (10), rechts der oberen Basargasse. Unter den kategoriegleichen Nachbarn eines der besten Lokale. Exquisites Vor- und übliches Hauptspeisenangebot.

Doyum-Restaurant (5), im ersten Stock gleich neben der Post. Hier vermischen sich Einheimische und Touristen zu einer fröhlichen Gästeklientel. Gute Pide, gutes *güveç*, für Kalkan billig. Ist Adıl Ay, Besitzer und Hobbypercussionist, in Stimmung, wird mit den Holzlöffeln geklappert, was geht.
Falls das Doyum voll ist: Auch im **Odak (5)**, knapp 50 m weiter stadtauswärts über dem Karaca Market, hat's Lesern geschmeckt. Kleiner Familienbetrieb mit günstiger Küche und selbstgebackenem Sesambrot.

Köşe Restaurant (3), das Lokal gegenüber der Dolmuş-Kooperative erfreut sich nicht nur bei Minibusfahrern großer Beliebtheit – Pide und Kebab in erstklassiger Qualität.

Merkez Café (7), die einzige Pastane Kalkans und dazu nicht schlecht. Abends beliebter Treffpunkt mit dem Vorteil, neben der geregelten Alkoholaufnahme die Zufuhr von süßem Stoff zu gewährleisten. In der Nasan Altan Cad.

Von den vielen Restaurants zwischen Hafen und Strand empfehlen Leser das **Korsan (17)** mit raffiniert zubereiteten türkischen Gerichten und gutem Preis-Leistungs-Verhältnis. Frischester Fisch im **Pala'nın (17)** gleich in der Nähe – kein Wunder, gehört das Lokal doch dem örtlichen Fischhändler. Wer es ausgefallener mag: Das **Aubergine (15)** ein paar Tische weiter serviert z. B. Wildschwein (!) mit Auberginen, Schwertfisch mit frischen Kräutern oder Hähnchen in Brandysauce.

• *Nachtleben* Einige Bars und Disko-Bars, aber das große Nachtleben findet nicht statt – angesagt ist gemütliches Picheln in der nachts bestuhlten Einkaufsstraße. Bei allen Altersstufen beliebt ist das dortige Musikcafé **Yalı** mit Bar und Terrasse, wo man sich schon nach dem zweiten Besuch wie ein Stammgast vorkommt. Im oberen Ortsteil hinter der Bushaltestelle befindet sich die **Moonlight-Bar** mit gemütlicher Atmosphäre und großer Getränkekarte. Im **Yachtpoint** schließlich, am Hafen nahe dem Barakuda Diving Club, tauchen die Diver nachts ab.

Baden & Sport

• *Baden* in Kalkan selbst nur ein kleiner, aber gepflegter Strand neben dem Hafen, das Wasser glasklar. Rund um den Ort herum liegen die schönsten Badebuchten und Strände – allen voran natürlich **Patara** (→ "Patara/Baden", S. 434). Traumhaft ist ebenfalls die Bucht von Kaputaş (s. u.).

• *Tauchen* **Barakuda Diving Club**, die Tauchbasis von Fatih Tunalı, einem engagierten Umweltschützer, der sich auch für die Schildkröten stark macht, liegt am Hafen. Tagestauchfahrten mit Leihausrüstung 43 €, Tauchkurse, z. B. P.A.D.I.-Open-water-Kurs 260 €, ✆/℻ 8443955, tunaly@yahoo.de. Ganzjährig geöffnet, deutschsprachig.

Eine weitere deutschsprachige Tauchbasis, das **Dolphin Scuba Team**, finden Sie im Hotel Pirat. Ähnliche Preise, ✆/℻ 8442242, www.dolphinscubateam.com.

• *Wassersport* **Blue Marlin Watersports** hat ein Office beim Hotel Pirat (✆ 8442783) und offeriert diverse Water-fun-Specials, u. a. Wasserski und Jet-Ski (10 Min. 15 €).

Umgebung von Kalkan

Bucht von Kaputaş: Tief unterhalb der Küstenstraße von Kalkan nach Kaş hat das türkisfarben schimmernde Meer einen kleinen, traumhaften Bilderbuchsandstrand in die Steilküste gegraben. Weil's so schön ist, kommen allerdings auch massenweise Touristen (per Ausflugsboot oder Dolmuş), was dem kleinen Strand im Hochsommer die Idylle nimmt.

Verbindungen regelmäßig per **Dolmuş** von Kalkan (hin/zurück 1,30 €) und Kaş (einfach 0,90 €). Kfz und Zweiräder können an der Straße geparkt werden.

Gömbe: Nicht nur in Kaş, sondern auch in Kalkan und Patara haben die Tourenanbieter Gömbe zum Ausflugsziel in den Bergen auserkoren. Immer noch sind hier viele Dörfler Halbnomaden, die im Winter an der Küste und im Sommer in den Bergen leben. Passstraßen, die die 1.000-Meter-Grenze überwinden, führen hinauf in die Höhen des Lykischen Taurus. Der Ausflug lohnt insbesondere wegen der herrlichen Landschaft. Natürlich kann man – wie bei solchen Ausflügen üblich – auch Teppiche kaufen: Gömbe ist bekannt für seine Kelims – gewebte, nicht geknüpfte Teppiche. Südlich des Dorfes war zum Zeitpunkt der letzten Recherche ein großer Stausee im Bau.

• *Anfahrt/Verbindungen* In unzähligen Serpentinen führt von Kalkan die 07–53 nach Gömbe, von Kaş die 07–52. Die Anbindung mit dem **Dolmuş** ist von beiden Orten äußerst mäßig. Am besten schließt man sich einer organisierten Tour an. Dabei werden meist noch ein paar Bergseen angefahren.

Kaş

(ca. 6.000 Einwohner)

Die weißen Fassaden der griechischen Häuser gleißen im Sonnenlicht. Funkelnde Souvenirs glitzern mit ihnen um die Wette, und Teppiche leuchten farbenfroh in der Sonne. Kaş, in einer reizvollen, von zwei Halbinseln umrahmten Bucht gelegen, ist ganz auf Urlauber eingestellt.

Vom Geheimtipp unter Trampern hat sich Kaş innerhalb weniger Jahre zu einem beliebten Touristenort entwickelt – an lockere Kundschaft mit lockeren Geldbörsen wird gepflegter Tourismus der Mittelklasse verkauft. Am Tag sind die Bootsfahrten zu den umliegenden Stränden und Inseln beliebt, abends zeigt Kaş, was es kann: Den zahlenden Gästen bis spät in die Nacht eine sorgenfreie Zeit bescheren.

Kaş liegt auf dem Gebiet des antiken *Antiphellos,* von wo aus in römischer Zeit Schwämme und Holz exportiert wurden. Zur Zeit der byzantinischen Herrschaft war Antiphellos Bischofssitz, dann blühte der Stadt das gleiche Schicksal wie zahlreichen anderen Orten an der Küste: Wiederholte Überfälle ließen Antiphellos zum bedeutungslosen Fischerort verkümmern. Bis 1923 war der Ort (inzwischen unter dem Namen Kaş) Heimat einer griechischen Bevölkerungsmehrheit.

Dank des günstigen Klimas wachsen in Kaş Zitrusfrüchte, Gummibäume, Palmen und Hotels – mittlerweile mehr als 100, dazu über 85 Pensionen. Ein Ende ist nicht abzusehen, auch weil der Bau neuer Touristenunterkünfte von staatlicher Seite massiv subventioniert wird. Zwar gilt dabei offiziell die Devise, die Bucht dürfe nicht zubetoniert und ihr ökologisches Gleichgewicht müsse gewahrt bleiben, doch die Wirklichkeit setzt andere Schwerpunkte. Trotzdem präsentiert sich Kaş – zumindest verglichen mit Marmaris, Fethiye oder Kemer – immer noch als gemütlicher, überschaubarer Urlaubsort mit Charme.

Informationen/Verbindungen/Ausflüge

• *Telefonvorwahl* ✆ 0242.

• *Information* Die **Tourist Information** ist in einem kleinen Raum am Hafenrand (direkt am zentralen Platz am Meer) untergebracht. Die freundlichen, kompetenten Mitarbeiter helfen bei der Zimmersuche und geben (je nach Besetzung) auch Informationen auf Deutsch. Zuständig sind sie übrigens auch für Kalkan, Patara und Finike. Wenn nötig, darf das Büro sogar als Gepäckaufbewahrung missbraucht werden. Ganzjährig geöffnet, in der Saison täglich 9–19 Uhr, Oktober–Mai Mo–Fr 8–17 Uhr. Cumhuriyet Meydanı 7, ✆ 8361238, 📠 8361695.

• *Verbindungen* nahezu jede halbe Stunde **Busse** nach Antalya (4 Std.) und Fethiye (2,5 Std.). Außerdem Verbindungen nach İstanbul (12 Std.), Pamukkale (mit Umsteigen, 6–8 Std.) und Ephesus (7–8 Std.). Wer nach Marmaris will, muss in Göcek umsteigen. Der Busbahnhof befindet sich rund 700 m nördlich des Hafens.

Dolmuş: je nach Saison mindestens stündlich nach Demre (1,30 €) und Kalkan (0,90 €), nach Patara mehrmals tägl. (1,70 €), nach Kaputaş (0,90 €), täglich 10.15 Uhr nach Saklıkent (hin/zurück 3,30 €).

Taxi: Stand beim Hafen.

Schiffsdolmuş: zu den vorgelagerten Inselchen. Keine regelmäßige Verbindung nach Kastellorizo/Meis (s. u.).

• *Bootsausflüge* Es gibt etliche Anbieter. Egal, wo man bucht, sämtliche Ausfahrten kosten in der Regel ca. 17 €. Fahrten u. a. zur Bucht von Kaputaş (→ S. 441), den Blauen Grotten oder ins unvermeidliche

Einer der idyllischsten Urlaubsorte an der Lykischen Küste: Kaş

Blaue. Die Muss-Tour führt nach Kekova, ebenfalls ca. 17 € inkl. Lunch. Fahrtdauer je nach Bootsgröße 1,5–2 Std. Im Angebot sind auch Ausflugsschiffe mit Glasrumpf zum Betrachten der Unterwasserwelt.

Per Boot nach Kastellorizo: Tagesausflüge zur nahe gelegenen griechischen Insel bedürfen keiner griechischen Zollformalitäten. Überfahrtdauer 15 Min., pro Person 42 €. Buchungen in den Reisebüros oder am Hafen bei **Kahramanlar** oder **Rekor Turizm Travel Agency**.

• *Organisierte Touren* etliche Büros mit 100 Angeboten. Zwei Beispiele:

Bouganville Travel Tours, ein Reisebüro, das sich ganz auf Aktivurlaub eingestellt hat. Im Programm Touren zu allen Sehenswürdigkeiten der Umgebung, Wandertouren ab 6 Personen, Kajakfahrten bei Kekova usw., zudem Flughafenservice für 25 €. Çukurbağlılar Cad., ✆ 8363737, ℻ 8361605.

Kahramanlar, rechts am Hafen. Im Angebot z. B. Bergdorftour zum Erleben der türkischen Gastfreundschaft 21 € inkl. Lunch. Bustrip nach Xanthos und Saklıkent für 25 €. Oder 2-Tages-Fahrt nach Pamukkale für 50 € sowie Fahrten zum "Lykischen Dreieck" Xanthos/Letoon/Patara für 17 € inkl. Lunch. ✆ 8363042, www.guletturkey.com.

• *Jachtcharter* Tagesausflüge, 3-Tages-Fahrten, 7-Tage-Fahrten usw. Eine Woche mit Crew und Verpflegung kostet bei **Kahramanlar** (am Hafen) auf der 18-m-Gulet pro Person 325 €, Mindestteilnehmerzahl 8 Personen, für 2 Tage zahlt man 100 €. ✆ 8363042, ℻ 8362097. Ein weiterer Anbieter ist **Rekor Turizm Travel Agency**, ebenfalls am Hafen, ✆ 8361725.

Lykische Küste Karte S. 394/395

Adressen/Veranstaltungen

• *Ärztliche Versorgung* Ein Deutsch sprechender Arzt ist **Dr. Aydın Belenlioğlu**, Praxis am Atatürk Bulvarı, Sekerim Pasajı, ✆ 8361201.

• *Autoverleih* über Reisebüros oder lokale Rent-a-car-Spezialisten wie die folgenden beiden Adressen.

Ali Baba Rent a car, nahe der Moschee. Pkw ab 30 € inkl. Versicherung, Jeeps ab 68 €, ✆ 8362501, ℻ 8363225.

Andifli, Belediye Dükkanları. Ähnliche Preise. ✆/℻ 8361749.

• *Einkaufen/Souvenirs* Die Händler von Kaş tragen dem umliegenden Tauchparadies Rechnung und haben jede Menge **Tauchartikel** wie Schnorchel, Masken und Flossen im Sortiment. Ansonsten die übliche Touristenpalette vom Schmuck über den Teppich bis hin zur Meerschaumpfeife. Stilvoll dargeboten in der Haupteinkaufsgasse.

Außerdem jeden Fr großer **Obst- und Gemüsemarkt** hinter der Busstation.

• *Geld* kein Problem, mehrere Banken im Zentrum, z. B. **Türkiye İş Bankası** am Atatürk Bul. mit EC-Automat.

• *Polizei* östlich des Hafens (nahe der Hükümet Cad.). ✆ 8361024.

• *Post* im Zentrum (an der Bahçe Sok.).

• *Reisebüro* Neben organisierten Touren (s. o.) verkauft **Bouganville Travel Tours** auch Flugtickets. Çukurbağlı Cad., ✆ 8363737, 📠 8361605.

• *Veranstaltungen* Seit 1998 findet in Kaş Ende Juni/Anfang Juli ein internationales **Folkloremusikfestival** statt.

• *Waschsalon* **Rose Laundry**, gegenüber der Bar Redpoint. Eine Trommel waschen und trocknen 5 €.

• *Zeitungen* Deutschsprachiges gibt es an einigen Stellen im alten Ortsteil, die größte Auswahl im **Café Merhaba** nahe der Post, das überdies ganz gemütlich ist.

• *Zweiradverleih* z. B. bei **Ali Baba Rent-a-car** (→ Autoverleih). Scooter ab 12,50 € pro Tag, ab einer Woche zahlt man nur 10 € pro Tag.

Übernachten/Camping

Im ganzen Ort verstreut findet man Quartiere aller Kategorien. Viele komfortable Clubhotels sind in den letzten Jahren auf der westlich des Zentrums gelegenen Halbinsel entstanden. Die meisten anderen Hotels haben sich am Ortsrand auf dem Weg zum Küçük Çakıl Plajı angesiedelt. Das Gros der dortigen Unterkünfte ist gepflegt, fast alle haben eine Dachterrasse mit herrlicher Aussicht. Grundsätzlich sollte man hier stets Zimmer mit Meeresblick nehmen; bei allen Häusern die nicht in der ersten Reihe stehen, findet man solche erst ab dem zweiten oder dritten Stock. Übrigens: Wer weiter oben am Hang wohnt, wird von den Moskitos nicht so gequält.

******Hotel Hera (17)**, ruhig gelegenes 4-Sterne-Hotel für gehobene Ansprüche im Osten von Kaş. Protziger, tempelartiger Vorbau. 46 Zimmer, Pool, Bar, Hamam, Aircondition usw. DZ mit Frühstücksbufett 80 €, EZ 57,50 €. Küçük Çakıl Plajı, ✆ 8363062, herahotel@superonline.com.

Club Arpia (3), eines der einfacheren Clubhotels auf der westlich des Zentrums gelegenen Halbinsel. 19 hübsche Zimmer mit dunkelgrünen Möbeln, einige davon mit Meeresblick. Terrasse, Pool und eigener Strandabschnitt. Etwas zäher Service. DZ mit Frühstück 30 €. ✆ 8362642, tuncay.cil@yale.edu.

Hotel Likya (16), oberhalb des Küçük Çakıl Plajı. Solider Familienbetrieb unter türkisch-deutscher Leitung. DZ 28 €, EZ 25 €, HP-Zuschlag pro DZ 3 €. ✆ 8361270, www.likyadiving.com.

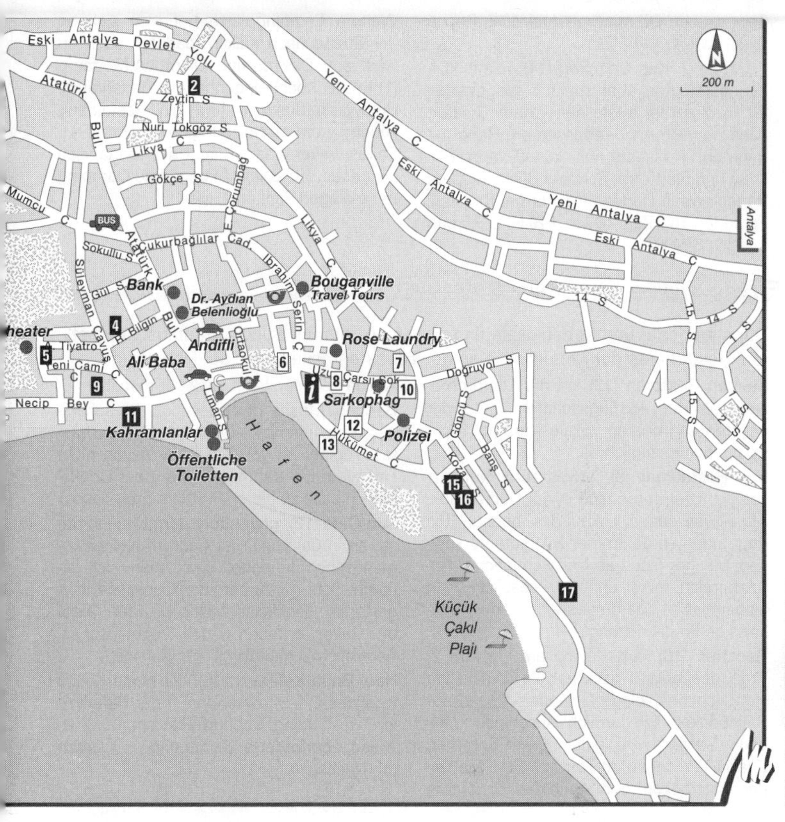

Hotel Ferrah (15), gleich nebenan, ebenfalls zu empfehlen und ein wenig preiswerter. Kleiner Pool. ✆ 8361377, 📠 8362476.

Kale Pension/Hotel (5), erhöht am Ortsrand (hinter der oberen Moschee vor dem Theater), unter schwäbischer Leitung. Bestehend aus Hotel mit Meeresblick und einer Pension dahinter. Zwei angenehme Häuser, recht gute Zimmer, alle mit Balkon oder Terrasse. Ruhig. DZ mit gutem Frühstück im Hotel 25 €, in der Pension 21 €. Yeni Cami Mah. 24, ✆ 8364074, www.brigitte-krickl-reisen.de.

Aphrodite Pension (2), 150 m oberhalb des Busbahnhofs, für einige Leser "das absolute Highlight". Von zwei Brüdern geführter Familienbetrieb, relativ ruhige Lage, Blick über Kaş, gemütliche Frühstücksterrasse auf dem Dach. Alle Zimmer mit Du/WC und kleinem Balkon, teilweise auch mit Klimaanlage. Sehr sauber und gepflegt. Gutes Preis-Leistungs-Verhältnis. DZ 17 €, EZ 9 €. Yaka Mahallesi, ✆ 8361216, 📠 8361449.

Otel Andifli (11), in der Hastane Cad. auf dem Weg zum Theater. Einfache, ordentliche Zimmer mit Bad/WC, 4 davon mit Meeresblick. Herrlich ist der eigene Garten fast direkt am Meer. DZ 17 € mit Frühstück. ✆ 8363180.

Kaptan Pansiyon (9), neue Familienpension ebenfalls in der Hastane Cad. 68. Leser loben die Herzlichkeit der Familie, das reichhaltige Frühstück und die wunderbare Dachterrasse, auf der der Hausherr abends manchmal Fisch grillt. 14 blitzsaubere Zimmer mit schönen Fliesenböden, davon mehrere mit Meeresblick. EZ 11 €, DZ 16 € mit Frühstück. ✆ 8361269.

Santosa Pension (4), von Lesern empfohlene kleine Pension mit freundlichem Service.

Lykische Küste Karte S. 394/395

Sehr sauber. DZ mit Frühstück 10 €. Recep Bilgin Cad. 4, ✆ 8361714.

• *Camping* **Kaş Camping (14)**, relativ kleiner, gepflegter, aber spärlich ausgestatteter Platz an der Küste hinter dem Theater. Alles ziemlich eng. Terrassen am Hang mit Bäumen, Felsküste mit künstlichem Einstieg und Plattform. Schöner Blick. Saubere Bungalows in Hundehüttenformat für 9 €, 2 Personen mit Zelt zahlen 4,20 €. Cukurbağ Cad., ✆ 8361050.

Weitere Campingplätze befinden sich an der Straße nach Kalkan, dadurch auch etwas laut. Das dortige **Olympos-Mocamp (1)** besitzt Kochgelegenheiten, Waschraum, Heißwasserduschen und ein Restaurant, zudem werden Holzbungalows vermietet. Etwas weiter westlich liegt der spartanisch ausgestattete, billige **Akçagerime Camping** mit mäßigen Sanitäranlagen.

Essen & Trinken (siehe Karte S. 444/445)

Günstige Pide- und Kebablokale findet man am Atatürk Bulvarı stadtauswärts, etliche Restaurants der Mittelklasse an der Touristenmeile hinter der Hafenfront.

Mercan Restoran (13), an der Uferpromenade bei den Ausflugsschiffen. Eines der ältesten und besten Lokale von Kaş. Nicht billig, aber vorzüglich.

Eriş Restaurant (8), etwas zurückversetzt von der Uferpromenade in der Gürsoy Sok. Alteingesessenes Lokal, das bereits 1955 gegründet wurde. Immer voll, gute Vorspeisen, frischer Fisch ab 5 €. Gemütlicher Außenbereich, leider ohne Meeresblick. Viele einheimische Stammgäste, die das erstklassige Preis-Leistungs-Verhältnis loben.

Bacchus (10), am Kaymakam Çıkmazı 2. Wo Griechenland ganz nah ist: Wackelige Holztischchen, blaue Geländer, Kissen auf Steinbänken. Ein herrlich lauschiges Plätzchen. Serviert wird leider nur im Sommer, Spezialität: Kebab im Tontopf. Falls Sie keinen Platz bekommen: Auch das Restaurant **Alarga** nebenan kann ganz gut mithalten.

Bahçe (7), nahe dem Bacchus. Im schattigen Gärtchen mit Korbmöbeln gibt's die besten Vorspeisen von Kaş. Wer davon nicht satt wird: Ein deftiger Adana- oder Urfakebap ist auch zu haben. Mittlere Preisklasse.

Sun Café (12), gegenüber dem Mercan Restoran in der Hükümet Cad. Im kleinen romantischen Innenhof kann man sich an Lamm-Soté mit Auberginenkäsesauce, pilzgefüllten Hackfleischbällchen oder Oktopus-Güveç erfreuen. Auch Vegetarisches. Kerzenlicht, unaufdringlicher Service.

Noel Baba Kafeteriya (6), die beste Konditorei des Ortes, mittendrin in der Hafenzeile. Eis, Pudding, Kuchen, Plätzchen ... Zeitweise überforderte Bedienung, wir bitten um Nachsicht.

Nachtleben

Recht ausgeprägt, in manchen Kneipen wird bis in den frühen Morgen gefeiert. Vorzugsweise findet das Nachtleben in den Bars an und hinter dem Hafen statt sowie außerhalb in den Clubs **Ohh be** (auf der Halbinsel) und **Fullmoon** (2 km westlich an der Küstenstraße). Viele Bars bieten zudem Livemusik ab Mitternacht. Beliebte Adressen sind das **Abraxas** nahe dem Eriş Restaurant und die **Queen Bar** gleich daneben: Im ersten Stock ein Café, im zweiten wird getanzt und im dritten vergnügt man sich auf der Dachterrasse. Die Taucher zieht es auf ihrem Nachttauchgang ins **Redpoint** nahe der Rose Laundry.

Beliebte Nachtkneipen sind ferner das **Sun Café** (→ "Essen & Trinken") gegenüber dem Mercan Restoran sowie die **Mavi-Bar** und die **Denizaltı-Bar** am Hafen.

Baden & Sport

• *Baden* Es gibt in der Türkei bessere Strände als in der Umgebung von Kaş. Der **Küçük Çakıl Plajı** gleich östlich des Hafens und unterhalb einiger Hotels ist zwar eine gepflegte Anlage, aber leider äußerst winzig. Die schönsten Strände sind der kiesige **Büyük Çakıl**, auch bekannt als **Big Pebble Beach**, etwa 15 Min. zu Fuß in östlicher Richtung. Außerdem der **Liman Ağzı**, ein Felsstrand am Ende der Bucht, zu erreichen per unregelmäßigem Schiffsdolmuş (Dauer 20 Min., 1,50 €). Besuchenswert ist zudem der **Kabutaş Plajı** zwischen Kaş und Kalkan (→ Bucht von Kaputaş, S. 441). Die Buchten der Umgebung werden im Rahmen von Ausflügen angefahren, vom Ausflugsboot aus darf dann kurz ins Wasser gesprungen werden (→ "Bootsausflüge").

• *Kanus/Kajaks* Verschiedene Reisebüros bieten Fahrten auf dem Xanthos-Fluss an, 15 € inkl. Transport. Außerdem im Programm Kajakfahrten bei Kekova, organisiert z. B. vom Reisebüro **Bouganville Travel Tours**, Çukurbağlı Cad., ✆ 8363737, ☏ 8361605.

• *Tauchen* Kaş ist ein ideales Tauchrevier. Das Wasser ist warm und klar, der Fischbestand groß, zwei Unterwasserhöhlen, Riffe und ein Flugzeugwrack aus dem 2. Weltkrieg sorgen für genügend Abwechslung. 2 Bootstauchgänge kosten im Schnitt 40 €, Kurse beginnen bei 180–280 €. Es gibt in Kaş mehrere Tauchsportanbieter.

Barakuda Diving Center, an der Straße zum Küçük Çakıl Plajı. Renommierte Tauchschule unter deutscher Leitung. ✆ 8362987, ☏ 8362997.

Tauchbasis Hotel Likya (Adresse und Telefonnummern → "Übernachten"). Auch hier spricht man Deutsch, ebenfalls seit Jahren etabliert.

Kaş Diving, im Gebäude des Hotel Ferah. Noch relativ neu vor Ort, aber auch hier können Sie sich auf Deutsch verständigen. ✆ 8354045, www.kas-diving.com.

Hinweis: Kekova und die Unterwasserruinen dürfen nicht betaucht werden, sogar Schnorcheln ist dort verboten.

Sehenswertes: An mehreren Stellen in Kaş stehen Sarkophage, die meisten sind allerdings stark zerstört. Der schönste altlykische Grabbau (über 4 m hoch) kann man in der Stadtmitte bewundern (Uzun Çarşı Sok.). Einige kümmerliche Stadtmauerreste sind am Hafen übrig geblieben. Das antike Theater von Antiphellos aus dem 1. Jh. v. Chr., mit 25 Sitzreihen eher klein, ist ausgezeichnet erhalten und lohnt einen Besuch nicht zuletzt wegen der schönen Aussicht auf die Bucht, das Meer und die vorgelagerte Insel Kastellórizo –kein Bühnenhauses verstellt das Panorama.

Ausflug auf die Insel Kastellórizo (Griechenland)

"Hier beginnt Europa" - so heißt es auf einer großen Tafel am Hafen von Megísti, dem einzigen Ort der kleinen griechischen Insel, die nur 5 km von der türkischen Küste entfernt liegt. Wer also Asien für einen Tag den Rücken kehren möchte, setzt sich in Kaş in ein Ausflugsboot und ist bereits 15 Minuten später am Ziel.

Megísti zählt nur knapp über 200 Einwohner. Entlang der Hafenpromenade sind die meisten Häuser bewohnt, an die Hinterhöfe jedoch grenzen brüchige Ruinen. Darüber erstreckt sich ein breites Band pflanzenüberwucherter Häuser und verwilderter Grundstücke. Die einzige Straße führt zum kleinen Inselflughafen. Der Rest der Insel ist ausschließlich auf alten Ziegenpfaden zu erwandern. Junge Leute trifft man in der Nebensaison kaum an – sie sind fernab der Heimat, die Insel bietet ihnen kaum Perspektiven.

Noch vor 50 Jahren lebten über 10.000 Menschen auf Kastellórizo (türkisch "Meis"). Aber kaum eine andere Insel Griechenlands wurde von der Emigration so sehr in Mitleidenschaft gezogen. Dass überhaupt ein paar Menschen bleiben, darum bemüht man sich in Athen intensiv. So erhielt in den vergangenen Jahren jede Familie eine Nähmaschine und einen Kühlschrank, das Telefonnetz wurde für die Einwohner nahezu kostenlos erweitert und die Fernsehempfangsstation rundum erneuert. Und so können es sich die alten Männer gut gehen lassen und tagein, tagaus vor den Tavernen am Hafen sitzen, um hinaus aufs Meer und hinüber zur türkischen Küste zu blicken.

Die meisten Auswanderer zog es übrigens nach Australien. Heute kehren wieder welche zurück – zumindest in den Ferien. An lauen Nächten tummeln sie sich dann mit anderen Touristen und Einheimischen am hufeisenförmigen Hafen. Auch unter Ägäis-Skippern erfreut sich das Eiland heute einer wachsenden Beliebtheit.

• *Telefonvorwahl* internationale Landesvorwahl ✆ 0030.

• *Schiffsverbindungen* → Kaş/Bootsausflüge, S. 443.

• *Übernachten* Entlang der Hafenmole findet man gemütliche Pensionen. Allerdings sind viele Quartiere in der Nebensaison geschlossen und in der Hochsaison restlos besetzt.

Pension Caretta, von den Brüdern Damian und Jimmy liebevoll renoviertes altes Haus. Einfache, aber saubere DZ mit Bad je nach Saison 20–30 €. ✆ 2241049208, 📠 2241049202.

Hotel Megisti, das einzige Hotel der Insel. Von den Zimmern genießt man einen herrlichen Blick aufs Meer. Einladende Frühstücksterrasse. Für das DZ werden je nach Saison 40–55 € verlangt, ✆ 2241049272.

Pension Lazarakis, bordeauxrotes Haus mit 8 Zimmern (inkl. Bad) im Westen des Hafens zu Preisen ab 20 €. Auskunft und Buchung über **Restaurant Lazarakis**.

Ebenfalls zu empfehlen sind die Pensionen **Kristallo** (✆ 2241049363) und **Mediterranea** (✆ 2241049368).

• *Essen & Trinken* Die Hafentavernen sind berühmt für ihre Fischgerichte. Aber auch abseits davon gibt es empfehlenswerte Restaurants wie die Taverne **Orea Megisti**, an der Dorfplatia. Günstige Preise und reichhaltige Auswahl. Spezialität des Hauses ist die Ziegenkasserolle für 7 €.

Zu empfehlen ist auch die Taverne **Little Paris**. Besitzer Jorgo holt seine Fische noch selbst aus dem Meer. Spezialität des Hauses sind Schwertfisch, Barbounia und Garnelen.

• *Baden* Kastellórizo ist keine Badeinsel, wenngleich das Wasser rundherum zum saubersten der ganzen Ägäis zählt.

Badestrände sind nur per Kaiki zu erreichen (2,50 €). Ohne Badeschuhe ist das Betreten des Meeres vielerorts aber schlicht unmöglich!

• *Wandern* In Megísti gibt es den Wanderführer von Marina Pitsonis zu kaufen, mit dem man wild überwucherte Altertümer im bergigen Inselinnern entdecken kann.

Sehenswertes

Museum: Das äußerst sehenswerte Inselmuseum befindet sich oberhalb der weithin sichtbaren Moschee mit dem schmalen Minarett. Zahlreiche Funde belegen die bewegte Geschichte der kleinen (und allzu oft vergessenen) Insel. Ausgestellt sind u. a. Taucherausrüstungen, Keramikschalen, Wandfresken, Schmuckstücke, Vasen und Münzen.

Öffnungszeiten tägl. (außer Mo) 7–14.30 Uhr. Eintritt frei; Fotografieren verboten.

Kastell: Von der alten Kreuzritterfestung oberhalb der südlichen Hafeneinfahrt ist leider kaum etwas erhalten. Die rötlichen Felsen gaben der Insel übrigens den Namen: *Castello rosso* – Kastellórizo – rotes Kastell. Von der Burgruine bietet sich ein herrliches Panorama über die Bucht. Etwas unterhalb liegt ein lykisches Grab aus dem 4./5. Jh. v. Chr.

Höhle von Fokalia: Die Hauptattraktion der Insel liegt an der Ostküste; die Höhle ist auch als *Blaue Grotte* oder einfach als *Grotta* bekannt. Sie ist nur per Boot zu erreichen. Da der Grotteneingang lediglich einen Meter hoch ist, lässt sich die Höhle nur bei ruhiger See besichtigen. Im Inneren wölbt sie sich zu einem kolossalen Festsaal über dem von blauem Licht durchschimmerten Wasser. Ein einzigartiges Erlebnis!

Verbindungen Jeden Morgen startet gegen 8 Uhr (sofern mindestens 4 Leute mitfahren) ein Boot zur Grotte. Die Fahrt dauert 30 Min. und kostet pro Person rund 8 €.

Simena: ein Idyll vor Kekova, das nur per Boot zu erreichen ist

Ausflug nach Kekova/Simena

Das Meer zwischen der Insel Kekova und dem Festland gleicht einem Binnensee, der von vielen kleinen Inseln durchsetzt ist. Auf dem Festland vor den Inseln liegt Simena, ein idyllisches Dorf ohne Straßen, ganz von der Außenwelt abgeschieden und nur per Boot zu erreichen. Im Meer davor die versunkene Stadt Sualtı Şehir – wie aus einem Märchen. Kekova, lange Zeit ein Geheimtipp, wird heute von zahlreichen Ausflugsbooten angesteuert.

Die meisten Touristen kommen im Rahmen eines organisierten Tagesausflugs, der in Andriake oder Kaş startet. Man kann aber auch nach Üçağız fahren und von dort ein Boot nehmen. Unterwegs genießt man dabei eine einmalige Aussicht über die bizarre Küstenlandschaft.

Berühmt ist die Inselwelt von Kekova für ihre Unterwasserruinen, lautstark als "Sunken City" angepriesen. Mit dem Boot tuckert man gemütlich über die Grundmauern etlicher Gebäude, die sich im kristallklaren Wasser ausmachen lassen. Faszinierend auch die Ruine einer *byzantinischen Kirche* direkt an der Bucht von Tersane – nur die Apsis ragt am Strand unmittelbar hinter dem Meer auf. Der Grund für das Versinken der Städte liegt darin, dass sich die Küste langsam absenkt, in einem Zeitraum von 100 Jahren um ca. 15 cm.

Die direkt gegenüber von Kekova gelegene Bilderbuchortschaft **Simena** (auch "Kaleköy" = Burgdorf genannt) erinnert wie wenig andere türkische Orte an griechische Fischerdörfer in der Ägäis. Malerisch ziehen sich die Häuser einen Hang hinauf, der von einer mittelalterlichen Burg gekrönt wird. Der Burgberg war bereits in der Antike bebaut. Innerhalb der Burgmauern sieht man noch heute die Reste eines aus dem Fels gehauenen, kleinen *Theaters* (ohne Bühne),

das einst 300 Personen Platz bot. Macht man sich auf den Weg hinauf zur Burg, fallen die für diese Gegend typischen *Steinsarkophage* auf.
Da man Simena nie an das öffentliche Straßennetz angeschlossen hat, konnte sich die 150-Einwohner-Ortschaft einen besonderen Charme bewahren. Sie präsentiert sich als eine der letzten idyllischen Flecken an der Südküste der Türkei, die ihr Gesicht durch den Massentourismus noch nicht verloren hat – zumindest vor 13 Uhr und nach 15 Uhr, bevor die Ausflugsboote eintreffen und nachdem sie wieder ablegen.

Das Simena am nächsten gelegene, noch mit dem Fahrzeug zu erreichende Dorf ist **Üçağız**. Es handelt sich um eine Ansammlung von Restaurants und kleinen Pensionen mit einer Moschee neben der Anlegestelle. Wie auch in Simena bestimmen die Ausflugsboote und -busse den Rhythmus des Ortes. Östlich von Üçağız liegt der antike Ort **Teimiussa**, eine Stadt der Gräber, die z. T. im Wasser, größtenteils aber am Hang über der Küste stehen. Besonders auffällig sind die "gotischen Sarkophage", schwere Steinhäuschen mit massiven, halbrunden und ziemlich demolierten Eisen- oder Bronzedeckeln.

• *Anfahrt* Verbindungen per Dolmuş nach Ücağız existieren nicht. Wer sich das Geld für ein Taxi sparen will (von Kaş z. B. 25 €), kann sein Glück auch per Anhalter probieren. Von Üçağız mit dem Boot nach Simena (8,50 €), bei Bedarf per Boot nach Kekova weiter.
Ansonsten per **Bootsausflug** von Andriake (Demre), Kaş oder Kalkan. Von Fethiye und vielen anderen Küstenorten sind Ausflugsfahrten meist eine Kombination aus einer Busfahrt bis Üçağız und anschließender Bootstour durch die Inselwelt von Kekova und nach Simena.

• *Übernachten in Üğacız* Mehrere einfache Quartiere, unsere Empfehlungen:

Ekin Pension, 8 gepflegte Zimmer, alle mit Bad, sehr sauber, 5 davon mit eigener kleiner Terrasse inmitten eines duftenden Gartens. Küchenbenutzung möglich. Für 2 Personen 15–22,50 €. Flughafentransfer. Gute und faire Beratung über Wanderungen und Bootstouren: Man kann niemanden auf die hauseigene Jacht schleppen, da keine vorhanden. Ganzjährig geöffnet, ✆ 0242/ 8742064.

Onur Pension, unmittelbar am Meer, eigener Bootssteg. Freundliche Pension, einfache Zimmer mit Bad/WC und Ventilator. Schöne Terrasse, Restaurant, internationales Backpackerpublikum. DZ inkl. Frühstück und Klimaanlage 21 €, ohne Aircondition 17 €. ✆ 0242/8742071, onurpension@yahoo.com.

• *Übernachten in Simena* **Kale Pension**, direkt am Meer mit herrlicher Terrasse auf einem Steg. Einfache, aber ordentliche DZ mit Klimaanlage und Meeresblick für 33 €. Sehr freundlich, ✆ 0242/8742111, kalepansiyon@ixir.com.

Mehtap Pension, etwas höher gelegen. 8 Zimmer, 4 davon mit Meeresblick, ebenfalls alle mit Aircondition. Ein bisschen gepflegter, dafür aber auch teuerer. Lesern hat's gefallen. Freundlicher Service. Das DZ kostet 44 €. ✆ 0242/8742146, www.mehtappansiyon.com.

Zudem werden einfachste Privatzimmer im Sommer zu überhöhten Preisen vermietet. Je nach Saison 15–30 € für 2 Personen.

> Wer in Simena übernachtet, sollte mit dem Essengehen warten, bis sämtliche Ausflugsboote weg sind. Mit dem schnellen Abfertigen und Abkassieren ist es dann vorbei.

• *Essen & Trinken* In Üğacız und Teimiussa einige einfache, kleine Restaurants – fast alle profitieren von organisierten Bootstouren. Eine Ausnahme ist **Hassan**, "bester Koch vom Mittelmeer" und nicht nur auf das Eintagesgeschäft aus. Den Ehrentitel haben ihm übrigens Segler verliehen. Bekannt ist er vor allem wegen seines Fischeintopfs. Zudem kann sein Rat in Bezug auf Zimmervermittlung, Bootsausfahrten usw. eingeholt werden, jedoch nur tagsüber, abends muss der Koch ran. Übrigens versuchen viele, ihn zu kopieren, und so gibt es nun mehrere "Hassans" in der Bucht. Den einzig wahren Hassan erkennen Sie jedoch an seinem Schriftzug → S. 37.

Fischer in Andriake, dem alten Hafen von Myra

Demre (Kale)

(ca. 15.000 Einwohner)

mit Myra und Andriake

Demre ist eine wenig reizvolle Kreisstadt zwischen Finike und Kaş. Am nördlichen Stadtrand liegt jedoch das antike Myra, das vor allem wegen seiner eindrucksvollen lykischen Felsengräber besucht wird. Myra war zudem die Wirkungsstätte des rauschebärtigen Nikolaus, der am 6. Dezember seinen großen Auftritt pflegt. Das im Westen von Demre gelegene Andriake wiederum fungierte einst als Hafen Myras, in dem der Apostel Paulus ein Schiff nach Rom bestieg. Heute legen von hier Ausflugsboote nach Kekova ab.

Dem nüchternen Verwaltungssitz Demre ist nicht mehr anzusehen, dass es einst bedeutende Bischofsstadt und ab dem 5. Jh. die Hauptstadt Lykiens war. Heute ist der Ort in erster Linie als Zentrum des Tomatenanbaus bekannt. In der weiten Schwemmlandebene steht Treibhaus an Treibhaus, drei Ernten jährlich sind die Regel. Übrigens war der offizielle Name des Städtchens zum Zeitpunkt der Recherche 2002 noch Kale. Aufgrund häufiger Verwechslungen mit vielen anderen gleichnamigen Orten in der Türkei soll in kürzester Zeit die Umbenennung in Demre erfolgen – so hieß Kale auch früher schon einmal.

Das antike Myra gehört zum Pflichtprogramm für Lykien-Touristen. Die Besucher kommen überwiegend mit dem Bus und bleiben selten länger als ein paar Stunden, dann sind die imposanten *Felsengräber* und die *byzantinische Kirche*, die lange Zeit der letzte Ruheort des Bischofs Nikolaus von Myra war, besichtigt. Den alten Hafen Andriake schaut sich so gut wie niemand an, es sei denn, man hat noch Zeit, bis das Ausflugsboot nach Kekova ablegt.

In touristischer Hinsicht ist Demre also lediglich das Ziel von Tagesausflüglern. Das erklärt auch, warum das Städtchen im Gegensatz zu Kaş oder Kalkan ein verschlafenes Provinznest mit nur wenigen Hotels und Pensionen geblieben ist. Immerhin erstreckt sich vor Demre ein kilometerlanger Kiesstrand, der an der Beymelek-Lagune endet, einem weiten, von Schilf gesäumten See aus Brackwasser. Der See ist zugleich Nistplatz geschützter Vogelarten.

Die Ahnentafel von Santa Claus

Zu Lebzeiten von Bischof Nikolaus (etwa 290–350) soll ein bettelarmer Mann in Myra gelebt haben. Dieser hatte drei Töchter, aber keine Mitgift für sie. Da wollte der wohlhabende Bischof helfen. Er schlich sich nachts heimlich zum Haus des unglücklichen Vaters, fand aber Fenster und Türen verschlossen. So kletterte er fluchend auf das Dach und warf ein Goldsäckchen durch den Kamin hinab. Wie das Leben so spielt, hatten die Mädchen ihre Strümpfe zum Trocknen über das Feuer gehängt, und die Gabe landete weich in der Wolle! Seitdem werden im christlichen Kulturkreis am 6. Dezember – dem angeblichen Todestag des Bischofs – abends Strümpfe bzw. Schuhe im Kamin oder – falls nicht vorhanden – vor der Tür deponiert, in der Hoffnung, sie am nächsten Morgen gefüllt wiederzufinden.

Der gute Bischof Nikolaus aus Myra ist jedoch nicht der einzige seiner Art. Ein Mitarbeiter des Staatlichen Französischen Forschungszentrums CNRS hat sich die Mühe gemacht, die Ahnentafel dieses merkwürdigen Alten mit Kutte, Kapuze, Bart, Stiefel und Sack zu erstellen. Es konnte nachgewiesen werden, dass der Nikolaus an die 30 Vorfahren hat. Der älteste unter ihnen ist Gargan, Sohn eines keltischen Gottes, der – bereits in die rote Kutte gehüllt – mit seinen Geschenken die Kinder beglückte und erschreckte.

Santa Claus in seiner heutigen, vor allem in Amerika populären Form ist ein Produkt des Schriftstellers Clement Clarck Moore (1779–1863). Auf ihn geht auch das uns bekannte Nikolausgefährt, der Rentierschlitten, zurück.

Bevor der Nikolaus übrigens als Weihnachtsmann Karriere machte, stieg er in der Ostkirche zunächst zum Schutzpatron der Seefahrer und Reisenden auf, da er einst an der Rettung von Schiffsbrüchigen beteiligt gewesen sein soll. Aus Mangel an eigenen Heiligen hielten sich später auch andere Berufsstände an ihm schadlos, wie Brückenbauer, Bäcker und Apotheker. Zu diesem Thema recherchierte u.a. Wolfgang Koydl, ehemaliger SZ-Korrespondent in İstanbul, und stellte fest, dass sich auch Kriminelle auf den Schutzpatron aus Myra beriefen. In einem Kölner Gefängnis ist der Fall eines Häftlings von 1933 dokumentiert, auf dessen Oberarm die Worte eintätowiert waren: "Heiliger Nikolaus, schütz uns vor Polizei und Arbeitshaus."

- *Telefonvorwahl* ✆ 0242.
- *Information* für Demre ist die Tourist Information in Kaş zuständig (→ S. 442).
- *Verbindungen* Die **Busse** auf der Strecke Antalya–Fethiye halten alle in Demre (nach Antalya und Fethiye jeweils 3,50 €). Per **Dolmuş** kommt man u. a. nach Finike (0,50 €) und Kaş (1,80 €).
- *Bootsausflüge* Am Hafen etwa 3 km außerhalb bei den Ruinen von Andriake liegen kleine und größere Ausflugsboote, die für ca. 25–40 € Touristen zu den diversen "versunkenen Städten" befördern, natürlich inkl. Kekova. Den aktuellen Preis legt die Kooperative im Hafen fest.

In der Kirche des Hl. Nikolaus

• *Übernachten* Ein paar Hotels, ein paar Pensionen, das war's. Zwei Adressen:

Grandhotel Kekova, etwas in die Jahre gekommene, dennoch empfehlenswerte 2-Sterne-Herberge. 40 Zimmer mit Sesselchen, Schrank und Kommode, guten Sanitäreinrichtungen und Balkon. Bar und Restaurant sind ebenfalls vorhanden. Der Manager spricht Deutsch und vermietet zu einem guten Preis-Leistungs-Verhältnis: EZ 9 €, DZ 18 €, jeweils inkl. Frühstück. Lise Cad. P.T.T Karşısı 55, vom Zentrum aus beschildert. ✆ 8714515, ℻ 8715366.

Kent Pansiyon, auf dem Weg nach Myra linker Hand. 11 saubere, schlichte Zimmer ohne Schnickschnack unter freundlicher Leitung. Lauschiger Frühstücksbereich. Auf Wunsch organisiert der Betreiber Grillabende am Lagerfeuer und Ausflüge in die Umgebung. DZ mit Frühstück 13 €. ✆ 8712042, salihtopuz@hotmail.com.

• *Essen & Trinken* Mehrere gute und einfache Lokantas im Zentrum. Zu empfehlen ist zudem das Restaurant **Yüzer Köşk**, ca. 10 km außerhalb von Kale (an der Straße nach Finike). Geboten werden leckere Fischgerichte, frisch gefangene Krebse und Krabben auf einer simplen, jedoch herrlichen Terrasse direkt am Wasser.

• *Baden* Sandstrand am antiken Hafen Andriake. An der Straße nach Finike einladende Buchten.

Lykische Küste
Karte S. 394/395

Weihnachtsstimmung auf Türkisch: **Santa-Claus-Festival** jedes Jahr vom 6. bis 8. Dezember. Mit Weihnachtsmännern aus aller Welt, Rentierschau, Wettschenken u. v. m.

Sehenswertes

Kirche des Hl. Nikolaus: Die dreischiffige Basilika, in deren Vorläuferbau Nikolaus gewirkt hat, wurde im Lauf der letzten Jahrhunderte mehrfach umgebaut und durch diverse Anbauten erweitert. Zur Zeit sind wieder Restaurierungsarbeiten in Gang, und ein Teil der Kirche ist unter ein von Stahlpfeilern getragenes Wellblechdach gehüllt, um die Arbeiten vom Wetter unabhängig zu machen. Im Inneren sieht man einige verblasste Freskenreste sowie Mosaike und Sarkophage aus frühchristlicher Zeit. Im kleinen Park vor der Basilika dient ein realistisches *Nikolausdenkmal* (Zipfelmütze, Sack) als Hintergrund für posierende Familien.

Der Sarkophag des Kirchenpatrons wurde übrigens bereits 1087 von italienischen Kaufleuten nach Bari entführt. Allerdings halten sich immer noch Vermutungen, dass die Grabräuber den falschen Sarkophag entwendet haben. Wie dem auch sei – fest steht, dass sich die sterblichen Überreste des Hl. Nikolaus nicht mehr hier befinden. Ob die im Archäologische Museum von Antalya ausgestellten Reliquien (u. a. Teile des Kieferknochens) tatsächlich vom Heiligen stammen, muss ebenso angezweifelt werden.

Öffnungszeiten Mai–Oktober tägl. 9–19.30 Uhr, November–April 8–17.30 Uhr. Eintritt 4,20 €, erm. 1,70 €.

Myra (antike Stadt): Das antike Myra, bereits im 5. Jh. v. Chr. gegründet, war stets eine der führenden Städte des Lykischen Bundes. Faszinierend sind die Felsengräber der sog. *Seenekropole* aus dem 4. Jh. v. Chr. Inmitten einer steilen, senkrecht abfallenden Felswand befinden sich Dutzende einfacher Grabhöhlen, -zellen und -häuser sowie regelrechte Grabtempel, versehen mit aufwendigen Fassaden und Scheintüren – nicht wenige dieser Gräber, die mit ihren Balkonen und Giebeldächern aus dem Fels ragen, haben etwas von Bonsai-Villen mit Seeblick. Die schönsten Grabtempel sind mit meisterhaften farbigen Reliefs geschmückt – Krieger, die sich zum Kampf rüsten oder in Kampfhandlungen verwickelt sind, aber auch Motive aus dem Leben zeitgenössischer Berühmtheiten. Leider sind die Felsengräber nicht mehr zugänglich.

Während der römischen Kaiserzeit war Myra überaus wohlhabend. Daran erinnert noch das teilweise in Fels gehauene, stattliche *Theater*, dessen Ränge über ein mächtiges Tonnengewölbe zu erreichen sind und das mit einem sehenswerten Maskenfries ausgestattet ist. Die Einlasslöcher auf den Rängen dienten übrigens zur Aufnahme von Holzpfosten, an denen man Jalousien befestigte, damit die Zuschauer im Schatten sitzen konnten. Außer dem Theater blieb vom römischen Myra kaum etwas erhalten, dafür sorgten Arabereinfälle zu Beginn des 9. Jh. und danach die Schlamm- und Geröllmassen des *Demre Çayı*. Die Reste der *Akropolis* oberhalb des Theaters sind spärlich.

• *Öffnungszeiten* Das antike Myra liegt am Nordrand Demres beim Dorf Kocademre und ist 1,5 km vom Zentrum entfernt. Das Ausgrabungsgelände ist zwischen Mai und Oktober tägl. von 9–19.30 Uhr geöffnet, zwischen November und April von 9–17.30 Uhr. Vor dem Eingang gibt's einige Speis&Trank-Anbieter mit Privatparkplätzen. Eintritt 6,50 €, erm. die Hälfte. Wer nur die Gräber sehen möchte, kann sich das Eintrittsgeld sparen; die sieht man vom Eingang nämlich genauso gut.

Andriake (antike Stadt): Der alte Hafen von Myra ist 5 km westlich von Demre gelegen und wird heute auch als *Bucht von Çayağzı* bezeichnet. Im Jahr 59 wechselte dort der Apostel Paulus das Schiff auf seiner Reise nach Rom. Die Bucht konnte zu dieser Zeit noch durch eine starke Kette gesperrt werden.

Insgesamt sind die spärlichen Ruinen der Hafenstadt wenig beeindruckend. Einzige Ausnahme ist das noch relativ gut erhaltene *Granarium*, ein aus acht Räumen bestehender Getreidespeicher, der 6.000 Kubikmeter Korn fassen konnte und im Jahre 129 – wie an der Fassade eine auffällige Inschrift zwischen Erd- und Obergeschoss offenbart – im Auftrag von Kaiser Hadrian gebaut wurde. Heute legen von Andriake Ausflugsboote nach Kekova ab.

Im Hafen von Finike, im Hintergrund der Lykische Taurus

Finike

(ca. 7.000 Einwohner)

Finike ist bislang noch ein Nebenschauplatz im Massentourismus. Außer einem Panoramablick auf die bis zu 3.000 m ansteigenden Berge hat die Stadt auch wenig Sehenswertes zu bieten. Erlebenswertes gibt es dafür umso mehr: ein gut gelaunter Barbier, der dem Kunden überlässt, wie viel ihm die Rasur wert ist, einfache Pensionen mit zuvorkommenden Hausherren und ein Ortskern, der noch nicht dem Fremdenverkehr zuliebe umgekrempelt wurde.

Das Hafenstädtchen, bereits in der Antike unter dem Namen *Phoinikos* besiedelt, liegt in einer fruchtbaren Schwemmlandebene. Schon von weitem sind die Bewässerungskanäle zu erkennen, mit denen die Bauern die Erträge ihrer riesigen Plantagen zu steigern versuchen. Hauptsächlich Orangen gedeihen hier und bescheren dem Städtchen einen gewissen Wohlstand. Finike selbst ist trotz des unübersehbaren Wachstums der letzten Jahre immer noch klein. Unterhalb eines Bergausläufers drängt sich das Zentrum auf engem Raum zusammen – doch es gibt alles, was ein Städtchen braucht.

Der Ort wird bislang vor allem von türkischen Urlaubern besucht. Die wenigen ausländischen Gäste, die kommen, steuern mit ihren Booten den modernen Jachthafen an. Doch das soll sich ändern, denn auch Finike will Anteil haben am großen Geschäft mit dem Tourismus. Die Grundvoraussetzung ist gegeben: Gen Osten erstreckt sich ein kilometerlanger Sandstrand mit einem in allen Grün- und Blautönen schimmernden Meer. Der Bürgermeister versucht, das Städtchen herauszuputzen, und holt sich in der bayerischen Partnergemeinde Moosbach regelmäßig Anregungen zur Stadtverschönerung: ein kleiner Stadtpark am Hafen, eine Sauna, Straßenbeleuchtung ... Und entlang der vierspurigen Küstenstraße stehen bereits die Rohbauten zukünftiger Großhotels. Vielleicht sind sie bei Ihrem Besuch schon bezugsfertig, vielleicht herrscht dann auch schon internationaler Rummel abseits des Jachthafens. Im Augenblick jedenfalls fällt das touristische Angebot in jeglicher Hinsicht noch bescheiden aus – eigentlich ganz angenehm.

Verbindungen/Ausflüge

- *Telefonvorwahl* ✆ 0242.
- *Information* Für Finike ist die **Tourist Information** von Kaş zuständig (→ S. 442).
- *Verbindungen* **Bus/Dolmuş**: kleiner Busbahnhof an der Straße nach Elmalı. Auf der Fahrt nach Antalya (2,50 €) oder Fethiye (5 €) halten die Busse hier stündlich. Ebenfalls stündlich fährt der Kleinbus nach Elmalı (1,70 €). Die umliegenden Strände und Orte – Turunçova (Lymira), Demre (Kale) und Kumluca usw. – sind allesamt per Dolmuş zu erreichen.

Taxis findet man an mehreren Ecken, u. a. am Jachthafen. Nach Limyra hin u. zurück 25 €, nach Arykanda 37 €.

- *Bootsausflüge* einige Angebote im Hafen, z. B. nach Kekova per Fischerboot. Ganztägige Tour pro Person 17 €. Für viele allerdings etwas eintönig, da Hin- und Rückweg sehr zeitaufwendig sind.

Adressen

- *Ärztliche Versorgung* im städtischen Krankenhaus (ausgeschildert). ✆ 8552000.
- *Autoverleih* Ein paar Anbieter am Hafen. Pkw ab 30 € pro Tag.
- *Einkaufen* Großer **Markt** jeden Sa, ein kleinerer am Di.
- *Geld* im Zentrum mehrere Banken, darunter die **T.C. Ziraat Bankası** mit EC-Automat an der Cumhuriyet Cad.
- *Post* im Zentrum (an der Straße zum Busbahnhof).
- *Polizei* am Ortsrand, von der Straße nach Antalya ausgeschildert, ✆ 8551021.
- *Türkisches Bad (Hamam)* Das 1994 eröffnete türkische Bad beim Busbahnhof gilt als eines der modernsten der Türkei – selbst aus Kaş buchen Touristen vor. Anders als das traditionelle Dampfbad besitzt das Finike-Hamam auch eine finnische Sauna und einen Abkühlswimmingpool. Täglich 8–22 Uhr. Di bis 19 Uhr Frauentag. Eintritt 5 €, mit Massage 10 €.
- *Waschsalon* beim Jachthafen, eine Trommel waschen und trocknen 5 €.
- *Zeitungen* Deutsche Zeitungen gibt es am Hafen.

Übernachten/Essen & Trinken

Bislang nur wenige gute Unterkünfte nahe dem Zentrum. Mehrere neue Unterkünfte an der Straße nach Kumluca im Entstehen – mal sehen, was die Zukunft bringt.

Pension Villa Harmonie, etwas oberhalb des Hamams gelegen. 2001 eröffnet. 9 sehr freundliche Zimmer mit neuen Möbeln und Fliesenböden, geräumig und blitzsauber. Schöne Dachterrasse mit Blick über die Stadt. Der deutschsprachige Inhaber besitzt einen Souvenirladen, an dem es kein Vorbeikommen gibt. Pro Person mit Frühstück 10 €. ✆ 8555470, ℻ 8553037.

Finike 2000, zum Zeitpunkt der letzten Recherche beste Unterkunft im Ort, westlich des Jachthafens. 1998 eröffnetes 20-Zimmer-Haus. Überwiegend große Zimmer mit geschmackvollem Mobiliar, nur 4 davon ohne herrliche Ausblicke über die gesamte Bucht von Finike. Zuvorkommender Service. DZ nur erstaunliche 17 €. ✆ 8554927, ℻ 8555076.

Baba Motel, 2 km Richtung Kumluca. Eng gedrängte Bungalowanlage, jedoch nicht die klassischen Holzhütten, sondern richtige kleine Bungalows mit gefliesten Böden, Bad und WC. Swimmingpool, Bar, Restaurant, gute Camperküche mit Gaskochern und Bügelbrett, eigener Strandabschnitt auf der anderen Seite der vierspurigen Küstenstraße (laut!). Freundlicher Service. Ein 2-Personen-Bungalow 18 €, Frühstück 1 €. ✆ 8551568, ℻ 8552128.

Orkinos Pension, ruhige Lage, 543 Sokak, ca. 200 m östlich des Busbahnhofs und 200 m vom Meer, besonders das Frühstück begeisterte eine Leserin. Auf Wunsch Flughafentransfers und Leihauto (25 €/Tag). Dachterrasse, helle und wohnliche Räume mit eigenem Bad. Eine gute Adresse in Finike, lassen Sie sich vom Äußeren des Hauses nicht abschrecken. DZ inkl. Frühstück 11 €, EZ 6 €. ✆ 8552305, 📠 8555741.

• *Camping* **Zemuri**, 3 km östlich in Richtung Kumluca. Gepflegte Bungalowanlage direkt am Meer mit Stellflächen für Zelte und Wohnwagen. Restaurant, Beachvolleyball. Einfache Bungalows mit Bad für 13 €, das Zelt aufschlagen kostet für 2 Personen 4,20 €, ✆ 8552080, 📠 8553616.

• *Essen & Trinken* billige Lokantas im Zentrum und am Busbahnhof. Am Hafen einige Restaurants, darunter das **Petek Restaurant**, nicht billig, aber für viele Jachtchartertouristen der krönende Abschluss der Tour. Sehr gut auch das **Pergole** – ebenfalls nicht billig, aber mit freundlicher Bedienung und gutem Essen wie dem köstliche Lamm-Güveç; eine Abwechslung im türkischen Vorspeisenhimmel ist das zarte Krabbenomelette.

Das **Deniz Restaurant** ist zweimal in Finike vertreten, am Hafen steht die vornehme Version, im Zentrum die einfache. Beide sind zu empfehlen.

Der Tipp unter Einheimischen zum Forellenessen ist das **Öz Çoban**, 21 km außerhalb von Finike an der Straße nach Elmalı beim Dörfchen Çatallar.

Baden

Das Meer am Ortsstrand wird mit der Brühe aus den Abwasserrohren angereichert. Besser Richtung Kumluca fahren: Strand an der Straße, keine Bäume, aber sauberes Wasser. Noch besser 4 km westlich von Finike in der **Gökliman-Bucht** – ein wunderbarer Strand mit Liegestuhlverleih und Bar, in der Saison Zubringertraktor von Finike. Noch weiter westlich zwischen Finike und Demre (Kale) Badegelegenheiten in einigen kleinen Buchten neben der Küstenstraße. Der schönste Strand dort ist der **Çakıllı Plajı** in einer herrlichen von Felsen umrahmten Bucht mit feinem Kiesstrand, Bar und Liegestuhlverleih.

Im Hinterland von Finike

Limyra (antike Stadt)

2 km östlich des Städtchens *Turunçova* – unmittelbar beim winzigen Dorf *Zengerler* – liegen die Ruinen der antiken Stadt Limyra, die die Lykier *Zemuri* nannten. Im 5. Jh. v. Chr. ließen sich hier die ersten Siedler nieder. Aufgrund antiker Aufzeichnungen und diverser Münzfunde weiß man heute, dass in Zemuri an erster Stelle der blitzeschleudernde Zeus verehrt wurde und nicht etwa Apoll oder Artemis, die Hauptgötter Lykiens.

Die kleinen, glucksenden Wasserläufe, die sich im Limyros-Tal sammeln und ins Meer fließen, waren übrigens Heimat des bekannten *Quellorakels von Limyra*. Forellen (!) sagten die Zukunft voraus. Stürzten sie sich auf das eingestreute Fischfutter, blickte man optimistisch auf, umrundeten sie es skeptisch, machten alle Anwesenden düstere Mienen.

Wie bei allen lykischen Städten wechselten immer wieder die Herrschaftsverhältnisse. Einer der rührigsten Herrscher der Stadt, der als persischer Satrap sogar über ganz Lykien regierte, war ein gewisser Perikles, der so viel Selbstbewusstsein besaß, dass er als zweiter Mensch der Welt sein Antlitz auf Münzen prägen ließ – bis 412 v. Chr. waren nur Götterköpfe im Umlauf. In hellenistischer Zeit gehörte die Stadt den Ptolemäern, bis sie die Syrer kurzfristig eroberten, gleich darauf herrschte Pergamon und schließlich Rom. Dass Gaius Cäsar, der blutjunge Enkel des Augustus, im Jahr 4 n. Chr. nach einer Verwundung hier starb, war für Limyra ein Glücksfall. In den Sterbeort des Kaisersprosses

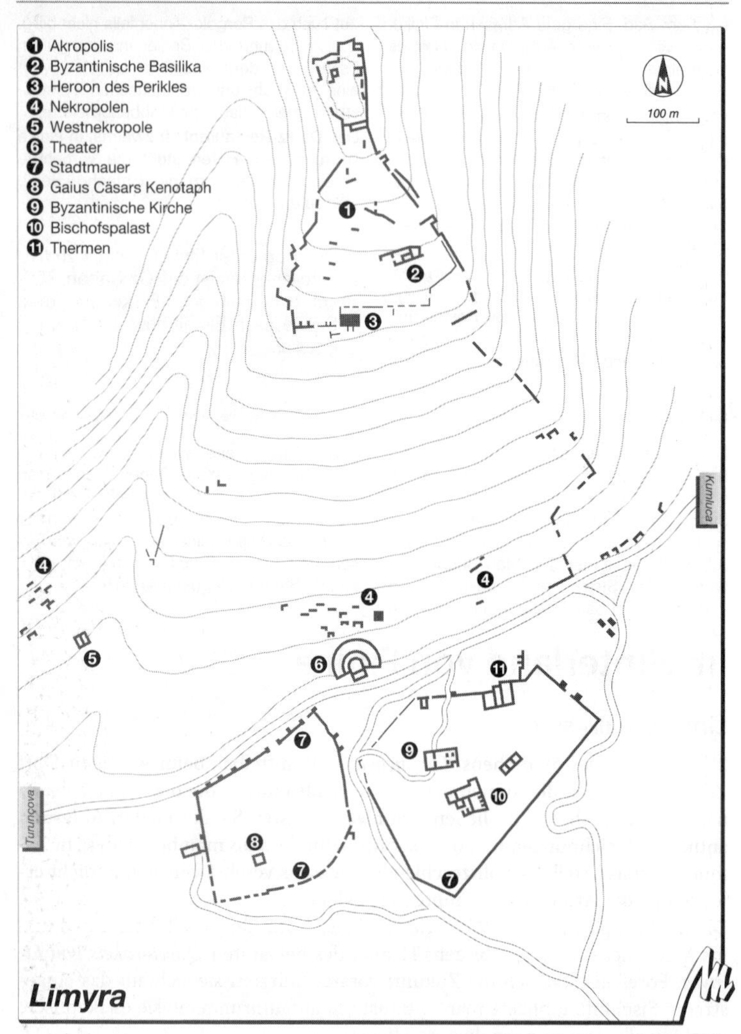

ließ Rom reichlich Geld fließen, sei es, um Erdbebenschäden zu beseitigen oder um einen Tempel besser auszustatten. In byzantinischer Zeit war Limyra ein ruhiger Bischofssitz. Arabereinfälle und die Verlandung des Limyros-Flusses brachten die Bewohner dazu, sich in *Phoinikos* (Finike), dem Hafen von Limyra, anzusiedeln.

Sehenswertes: Am Fuß des alten Siedlungshügels verstreuen sich die Ruinen der römisch-byzantinischen Stadt. Wenn man aus Turunçova kommt, fallen zuerst Reste der einst wirkungsvollen *Stadtmauer* auf. Aus der Zeit nach Christi Geburt sind noch Teile des *Theaters* (141 n. Chr.), der *byzantinischen Kirche,* der *Thermen* und des *Bischofspalasts* zu bewundern. Interessant ist auch der *Kenotaph für Gaius Cäsar,* auch wenn von dem einst 18 m hohen Denkmal nur das massive Innengerüst übrig geblieben ist (Kenotaph heißt übersetzt "leeres Grab" und ist ein Grabmal für einen Verstorbenen, der an anderer Stelle beigesetzt wurde).

Insgesamt beeindruckender sind allerdings die Spuren der vorrömischen Vergangenheit. Vor allem die fünf aufwendig in den Fels des Burghügels gehauenen *Nekropolen* sind einzigartig. Besonders die Westnekropole ist bezüglich Lage, Reliefschmuck und Anzahl der Gräber jeder anderen lykischen Totenstadt überlegen. Herausragend sind das Grab des Tebursseli (recht hoch am Hang) und das Grab des Teberenimi (weiter unten), beide aus dem 4. Jh. v. Chr. und mit sehenswerten Kampfreliefs ausgeschmückt.
Rund 45 Min. (ohne Pause) dauert der Aufstieg zur 300 m höher gelegenen *Akropolis,* heute ein wüster Trümmerhaufen. Die einst stark befestigte Anlage unterteilt sich in eine kleine obere und eine größere untere Burg, in der die *byzantinische Basilika* am meisten auffällt. Die für Archäologen größte Sensation Limyras liegt ein Stück unterhalb auf einer 330 qm großen, künstlich angelegten Terrasse. Hier stand in exponierter Lage das *Heroon,* das Heldengrab des Herrschers Perikles aus dem 5. Jh. v. Chr. Auf der unteren Grabkammer erhob sich ein Tempel, der statt von schlichten Säulen von Karyatiden getragen wurde, aus Stein gemeißelten Frauengestalten. Die z. T. erhaltenen Reliefbilder an den Friesen der Cella (innerer Kultraum) zählen zu den Meisterwerken lykischer Bildhauerkunst; Teile des Schmucks sind im Museum von Antalya aufbewahrt.

• *Anfahrt/Verbindungen* von Finike aus 5 km Richtung Elmalı, in Turunçova rechts ab (beschildert). Nicht zu verfehlen, das Theater liegt unmittelbar an der Straße. Mit dem **Dolmuş** von Finike nach Turunçova (0,50 €), von dort 2 km problemlos zu Fuß weiter.

Arykanda (antike Stadt)

Selbst wer prinzipiell an Ausgrabungen wenig Gefallen findet, sollte im Falle von Arykanda eine Ausnahme machen. Die im 6. Jh. v. Chr. gegründete Stadt liegt inmitten der atemberaubenden Bergwelt des Lykischen Taurus, und zwar auf kleinen Plateaus direkt an einem Steilhang, hinter dem das Massiv des *Şahinkaya* aufragt. Wegen dieser landschaftlich außerordentlich schönen Lage wurde die Stadt bereits in der Antike gerühmt. Und noch heute, weit über 2.000 Jahre später, hat das landschaftliche Ambiente nichts von seinem Reiz eingebüßt.

Die Bewohner Arykandas hatten in der Antike einen schlechten Ruf, verschwenderisch und vergnügungssüchtig sollen sie gewesen sein, dazu alle hoch verschuldet. Weniger aus machtpolitischen Gründen als um sich die Gläubiger vom Hals zu halten, kämpfte Arykanda im Jahre 197 v. Chr. auf Seiten Antiochus III. gegen die Ptolomäer. Die geschichtlichen Eckdaten unterscheiden sich ansonsten kaum von denen anderer lykischer Städte. Aufgrund von Münzfunden weiß man, dass Arykanda bereits im 5. Jh. ein Prägerecht besaß. Ab dem 2. Jh. v. Chr. war die Stadt Mitglied des lykischen Bundes, ab dem Jahre 43 gehörte sie zur römischen Provinz Lycia et

Lykische Küste
Karte S. 394/395

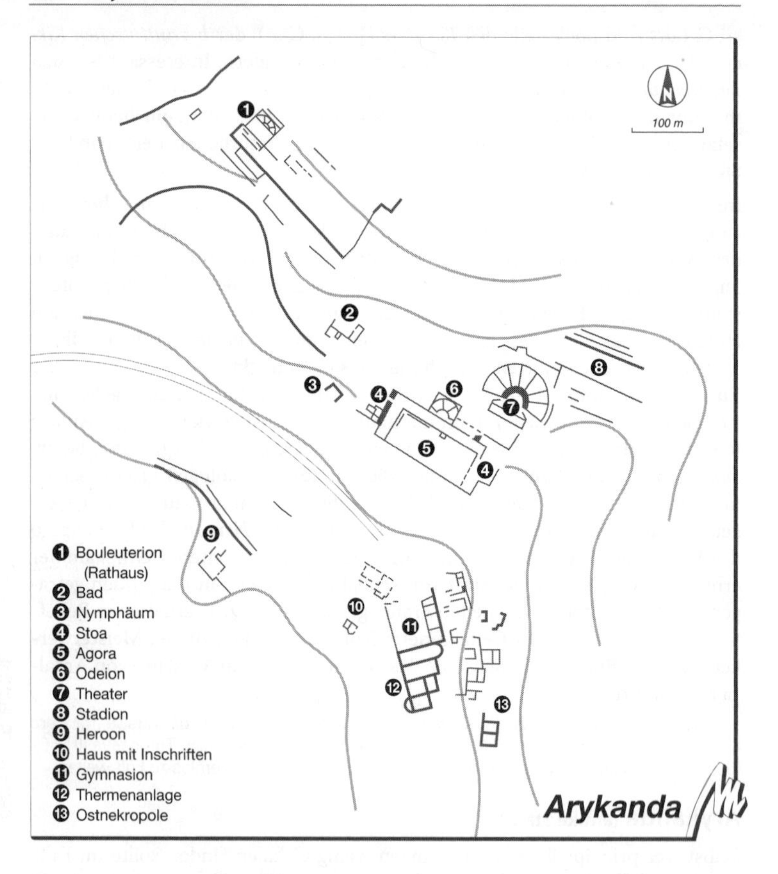

Pamphilia – aus jener Zeit stammt auch das Gros der heute noch erhaltenen Bausubstanz. Schon früh breitete sich das Christentum in Arykanda aus, und im Byzantinischen Reich wurde die Stadt sogar Bischofssitz. Nachgewiesen ist eine Besiedlung Arykandas bis ins 11. Jh. Warum die Stadt aufgegeben wurde, ist ein Rätsel.

Sehenswertes: Seit den 1970ern finden immer wieder Grabungen statt, die den einstigen Aufbau der Stadt gut erkennen lassen. Die städtischen Repräsentationsbauten lagen übereinander auf mehreren Terrassen. Die zweistöckigen *Thermen* beim *Gymnasion* wirken noch immer mächtig, dahinter befindet sich die *Ostnekropole* mit ihren auffälligen Tempelgräbern. Auch die *Agora* ist auf ihrem Plateau noch immer deutlich auszumachen. Bei der Ausgrabung des *Odeions* und einer daneben gelegenen, einst 75 m langen Säulenhalle kamen Mosaike zum Vorschein. Im z. T. verschütteten *Stadion,* das sich idyllisch an den Hang schmiegt, saßen die Zuschauer an der Bergseite. Das *Theater,* das schönste Bauwerk der Stadt, wurde von Archäologen aus Ankara völlig ausgegraben: Klein und schnörkellos bot es für die damaligen Zuschauer ein intimes Erlebnis, da die Sitzreihen direkt in die Orchestra übergehen.

• Anfahrt Von Finike auf der Nationalstraße 635 über den 1.290 m hohen Karambeli-Pass Richtung Elmalı – eine landschaftlich reizvolle Strecke. Beim Dorf Arif, etwa 35 km hinter Finike an der Straße nach Elmalı, zweigt bei den letzten Häusern ein unbefestigter Weg rechts ab (ausgeschildert). Von da aus noch etwa 1 km. Zu erreichen auch mit dem **Dolmuş** Finike-Elmalı, von der Abzweigung ca. 10 Min. zu Fuß.

• Öffnungszeiten Das Ausgrabungsgelände ist nicht umzäunt. Im Sommer 1 € Eintritt. Wer sich dem örtlichen Führer anvertraut, zahlt etwas mehr, hat jedoch auch viel mehr davon.

• Essen & Trinken Zwischen Finike und Elmalı gibt es mehrere gute Lokantas an der Straße.

Elmalı

(13.000 Einwohner)

Vor dem Hintergrund eines mächtigen Bergmassivs steigen die Minarette der 600 Jahre alten Hauptmoschee *Ömerpaşa Camii* in den Himmel. Wenn der Muezzin ruft, lassen die Männer ihre Wasserpfeifen erkalten und schlendern in die Moschee zum Gebet. Elmalı, eines der landwirtschaftlichen Zentren Nordlykiens, ist ein besuchenswertes Bergstädtchen auf einer Hochebene 1.155 m über dem Meer. Die lange, schnurgerade Hauptstraße führt hinauf zum alten Zentrum (mit "Şehir Merkezi" ausgeschildert) mit dem Marktviertel und Osmanenhäuschen im Fachwerkstil, die sich den Hang hochziehen. *Elma* heißt "Apfel", und tatsächlich werden im Umland in großem Stil Obst und Getreide angebaut. Berühmt ist Elmalı in der Region jedoch in erster Linie wegen seiner Kupferwaren. Äußerst lohnenswert ist ein Besuch des alten türkischen Bads *Bey Hamamı* bei der Hauptmoschee (tägl. 8–22 Uhr, Sa 10–18 Uhr Frauentag, für Touristengrüppchen auch gemischtes Baden möglich), wo man für 10 Euro rund zwei Stunden durchgeschrubbt und eingeseift wird. Ein farbenfroher Wochenmarkt wird stets montags nahe der Busstation abgehalten. Wer bleiben will, kann nur zwischen wenigen einfachen Hotels wählen, denn auf Tourismus ist Elmalı nicht eingestellt.

Etwa 5 km südöstlich von Elmalı liegt das Ausgrabungsgelände von *Karataş-Semayük*, wo amerikanische Archäologen in den 1960ern Funde aus der frühen Bronzezeit ans Tageslicht förderten. Die Funde waren sensationell, ein Besuch ist es nicht.

Ebenfalls sensationell war ein Münzfund nördlich von Elmalı im Jahre 1984. Mit einem selbst zusammengeschraubten Metalldetektor entdeckten ein paar Bauern keine 20 cm unter der Erde eine Amphore mit rund 2.000 griechischen und lykischen Münzen aus dem 5. Jh. v. Chr. Unter der Hand wurde der Schatz ins Ausland und von dort weiter an den internationalen Kunsthandel verschoben. Einzelne Münzen erzielten bei Versteigerungen Preise von 300.000 €. Ein Teil des Schatzes kam aufgrund von Interventionen Ankaras aus den USA in die Türkei zurück. Wo der Rest verblieb, ist unbekannt, genauso wie die Identität des "Verbuddlers".

Rund um Elmalı wurden zudem mehrere *Tumulusgräber* entdeckt, die jedoch für die Öffentlichkeit nicht zugänglich sind.

Verbindungen Mit dem **Bus** hat man recht gute Anschlüsse über Korkuteli nach Antalya (2,90 €), ebenso nach Finike (1,70 €) oder direkt nach Kaş (2,80 €).

Lykische Küste
Karte S. 394/395

Kumluca

Das 17.000-Einwohner-Städtchen liegt am östlichen Ende einer weiten Schwemmlandebene, die im Westen an Finike stößt. Im Gegensatz zu Finike liegt Kumluca jedoch nicht am Meer, sondern ein paar Kilometer landeinwärts. Um Kumluca herum werden Orangen geerntet und die Beilagen der Menüs angebaut, die in den Touristenorten auf den Teller kommen. Die gesamte Ebene ist eine riesige Gewächshausansammlung. Die Stadt selbst ist wenig sympathisch. Freitags geht ein großer Wochenmarkt über die Bühne.

Wie bei Elmalı wurde auch bei Kumluca ein Schatz entdeckt, diesmal von einer Ziege einer alten Bäuerin. Er bestand insbesondere aus liturgischen Gold- und Silberarbeiten aus dem 6. Jh. Auch dieser Schatz gelangte über dunkle Kanäle ins Ausland, aber auch von diesem Schatz konnte die türkische Regierung aus den USA wieder Stücke zurückfordern.

5 km nordwestlich von Kumluca können Entdeckungsfreudige die in einem Pinienwald verstreuten Reste der antiken Stadt *Rhodiapolis* suchen. Hier lebte einer der reichsten Männer der antiken Welt, Opramoas, der sich als Mäzen vieler Baudenkmäler Lykiens im 2. Jh. einen Namen machte. Für sich selbst ließ er ein großes Grabmal bauen, dessen Außenwände fast vollständig mit – Bescheidenheit war nicht seine Stärke – ihn ehrenden Inschriften versehen waren. Österreichische Archäologen brachten das Grabmonument vor rund 100 Jahren außer Landes. Zu sehen gibt es noch ein paar lykische Felsengräber, ein Theater mit 16 Sitzreihen und nahebei Reste einer Stoa sowie einer Thermenanlage – selbst für Hobbyarchäologen wenig spannend.

Olympos-Nationalpark (Olimpos Beydağları)

Geographischer Mittelpunkt des Nationalparks ist das bis in das Frühjahr schneebedeckte, mächtige Massiv des *Tahtalı Dağı* (2.366 m). Wie einige seiner Kollegen trug es in der Antike den etwas einfallslosen Namen *Olympos* – "Berg". Zu seinen Füßen findet man Ruinen in Pinienwäldern und wunderschöne Buchten mit einem türkisfarbenen Meer davor.

Der lang gezogene Nationalpark Olimpos Beydağları zwischen Kumluca und Antalya hat eine Größe von 700 ha. Lediglich der Küstenstreifen rund um Kemer gehört nicht zum Nationalpark – mit einschlägigen Folgen. Die Hauptattraktionen des Nationalparks sind die Ruinenstädte **Phaselis** und **Olympos** sowie die **Ewige Flamme** bei Çıralı. Dazu kommen die vielen schönen Strände, die bekanntesten bei den genannten Ruinenstädten und bei Çavuşköy. Im Hinterland bezaubern türkische Almen, gluckernde Bäche und stille Wälder. Der Olympos-Nationalpark bietet zudem gute Wandermöglichkeiten.
Die Schutzbestimmungen rund um den Tahtalı Dağı sind wesentlich legerer als in anderen Nationalparks. So ist es problemlos möglich, sich mitten in der Idylle einzumieten. Die besten Quartiere gibt es am Strand von Çavuşköy, die urigsten bei Olympos und die meisten in Çıralı (sieht man vom nahe gelegenen Hotelkonglomerat Tekirova ab, das allerdings zur Kemer-Region gehört).

Olympos-Nationalpark: der Tahtalı Dağı

Karaöz: Wohlhabende Türken haben sich in dieser ganz im Süden des Olympos-Nationalparks gelegenen Feriensiedlung ihre Sommerhäuschen hingebaut. Hotels sucht man vergebens. Dafür gibt es zwei einfache Pensionen und herrliche, z. T. menschenleere Badebuchten an der äußerst reizvollen Straße nach Mavikent. Westlich von hier liegt das **Kap Gelidonya**, das in der Antike bei Seefahrern gefürchtet war. Viele Schiffe gingen hier unter, und immer wieder werden bei Tauchaktionen spektakuläre Funde aus dem Meer geholt.

- *Verbindungen* 2-mal täglich per **Dolmuş** nach Kumluca.
- *Camping* **Camping Zeytin**, 5 km hinter Karaöz an der Küstenstraße nach Mavikent. Wildromantischer, schattiger Platz hoch über dem Meer. Da die Küste hier aber steil abfällt, kein Strand. Zum Zeitpunkt der letzten Recherche geschlossen, Zukunft ungewiss.

Çavuşköy/Adrasan

Çavuşköy ist ein kleines Nest südlich von Olympos Richtung Kumluca – ein paar Bauernhäuser, ein Teehaus, zwei Läden, die Feuerwehr, ein Krankenhäuschen, eine Schule und eine Apotheke. Die Einwohner betreiben Obst-, Baumwoll- und Gemüseanbau; das Gemüse gedeiht überwiegend in Gewächshäusern. Deswegen aber kommt niemand hierher. Anziehungspunkt ist vielmehr die 5 km entfernt gelegene, von Felsen eingerahmte **Bucht Adrasan** mit einem weiten, aber nicht immer sauberen Strand, Lebensader der Motels und Pensionen gleich dahinter. Vom Strand aus führen Fahr- und Fußwege in benachbarte Badebuchten.

Verbindungen/Ausflüge/Sonstiges

- *Telefonvorwahl* ✆ 0242.
- *Verbindungen* tägl. einmal mit dem **Bus** nach Antalya vom Adrasan Market am Strand (ca. 2,50 €). **Taxifahrer** nutzen das spärliche Angebot aus und verlangen für die 20 km zur Hauptstraße 17 €, von wo man auf Busse Richtung Antalya sowie Fethiye umsteigen kann.

• *Ausflüge* Neben einigen Bootseignern am Strand offerieren etliche Wirte (bei genügend Kundschaft) ein kleines Ausflugsprogramm. Es werden Ausflüge zu Wasser (z. B. nach Olympos, Phaselis oder zu verschiedenen Inseln) und Landausflüge zu den Sehenswürdigkeiten der Umgebung angeboten. Die Preise richten sich nach der Teilnehmerzahl.

• *Auto- und Zweiradverleih* Diverse Supermärkte und Hotels vermieten Pkw, ein paar wenige auch Fahrräder. Die Preise für ein Auto beginnen bei ca. 30 € pro Tag.

• *Tauchen* **Diving Center Adrasan**, im Norden der Bucht. 1998 von Holger und Mediha Pollmann eröffnet. Freundliche, deutschsprachige Tauchbasis. Anfängerkurse (P.A.D.I., CMAS, DTSA) 280 €, Tagesausfahrt mit 2 Tauchgängen 50 €. ✆ 0532/3412943 (mobil), www.diving-adrasan.com Die Tauchschule bietet auch diverse andere Wassersportarten an.

Übernachten/Essen & Trinken

Alles in allem an die 30 Quartiere, teilweise in den Obstplantagen, die sich zwischen Ort und Bucht erstrecken, z. T. an der Straße dorthin, die meisten direkt in der Bucht, die komfortabelsten davon im Süden. Die meisten Quartiere verpflegen ihre Gäste im eigenen Lokal. Ansonsten sind die Restaurants am Bachbett im Norden der Bucht eine angenehme Abwechslung.

Fordhotel, letztes Haus im Süden der Bucht. Club-Ambiente in Miniformat – schöne Anlage mit Pool und Palmen. Nehmen Sie nur ein Zimmer mit Meeresblick. Klimaanlage, hell und sehr freundlich. Lesern gefiel's hier gut. DZ 25 €. ✆ 8831098, www.fordhotel.com.

Ceneviz-Motel, relativ einfache Anlage am Strand mit gutem Restaurant (köstlicher Fisch). Familiäre Atmosphäre, 12 größere, simple Zimmer, einige mit Balkon. Der Besitzer spricht Deutsch. DZ mit Klimaanlage und Du/WC inkl. Frühstück 20 €, als EZ 17,50 €. ✆ 8831030, www.cenevizhotel.com.

Pension Atıcı II, ein kleines Wiesengrundstück mit einigen Bäumchen direkt am Strand, ruhige Lage. Kleines Restaurant mit kleiner Auswahl, 12 Zimmer mit Du/WC, dahinter 2 ordentlich eingerichtete 3-Bett-Bungalows mit guten Sanitäranlagen und kleiner Terrasse. DZ inkl. Frühstück 17 €, EZ 14,50 €, ✆ 8831097, www.geocities.com/atici2.

Golden River Hotel, am nördlichen Buchtende, 150 m landeinwärts an einem Fluss. 12 geräumige, saubere Zimmer. Romantisches Restaurant mitten im Fluss (Spezialität: Forelle). Freundlich. Auf Wunsch Flughafentransfer. Leser meinen, eine der stimmungsvollsten Unterkünfte der kleinen Pensionsanhäufung in ländlicher Idylle. Ganzjährig geöffnet. Pro Zimmer mit Du/WC inkl. Frühstück 20 €, EZ 15 €, sehr gutes Preis-Leistungs-Verhältnis und unser Tipp für den Ort. ✆ 8835220, www.goldenriveradrasan.com.

Olympos (antike Stadt)

Für das Gros der Touristen ist der herrliche, weilläufige Sandstrand vor der Haustür der antiken Stadt am interessantesten. Ins Meer mündet zudem ein Fluss mit kristallklarem Wasser, der die Dusche ersetzt. Ein Hauch von Südsee!

Natürlich sind Sie nicht der erste, der sich nach Olympos aufmacht. Bei den nahe gelegenen Free-Campings "herrscht mittlerweile ein Rummel wie auf einem kleineren Open-Air-Konzert" (Lesereindruck), am improvisierten Parkplatz fünf Minuten vom Meer reiht sich Suzuki-Jeep an Suzuki-Jeep, und in der Bucht ankern edle Jachten neben überladenen Ausflugsbooten mit Schlagseite. Im Altertum gehörte Olympos, dessen Ursprünge bis ins 2. Jh. v. Chr. zurückreichen, zu den sechs bedeutendsten Städten Lykiens und war Zentrum des Hephaistos-Kultes (→ Chimaira). Zu Beginn des 1. Jh. v. Chr. geriet Olympos unter die Kontrolle kilikischer Korsaren. Ihn Anführer war ein Mann namens

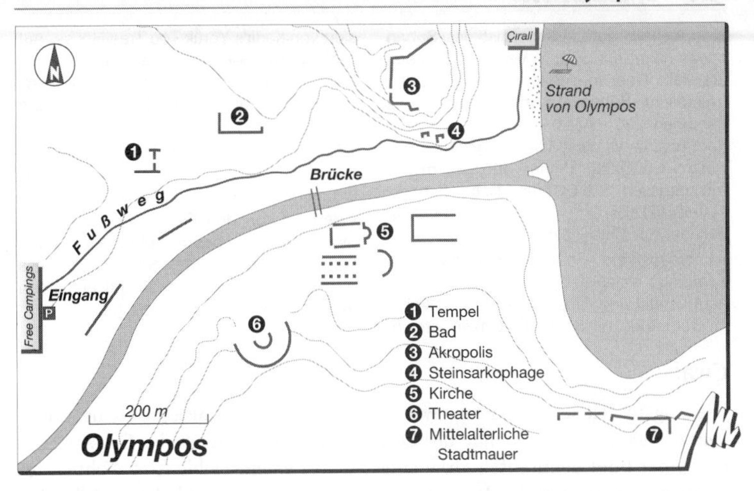

Zenicetes, der hier seinen Hauptstützpunkt wählte. Er führte den aus Persien stammenden Mithras-Kult ein, ein ausschließlich von Männern gepflegter Kult, bei dem das Opfern von Stieren zur Förderung des Lebens wie der Erlösung diente. 78 v. Chr. wurde Olympos Opfer einer römischen Strafaktion. Von diesem Schlag erholte sich die Stadt nie mehr. Die römischen Soldaten nahmen jedoch den Mithras-Kult mit, der sich daraufhin im gesamten römischen Reich ausbreitete, in vielen Garnisonstädten entstanden Mithräen, Heiligtümer, in denen der stiertötende Gott verehrt wurde.

Ein Streifzug durch die malerisch gelegenen Ruinen lohnt, obwohl die Überbleibsel von Olympos sehr spärlich sind: Reste einer *byzantinischen Kirche* am Kanal, ein *Brückenpfeiler* am Fluss, der seit der Antike seinen Lauf nicht geändert hat, ein *Theater* – bis auf den Eingangsbogen allerdings in traurigem Zustand – und ein interessantes *Tempeltor*, 5 m hoch, im ionischen Stil, mit einem schönen Sturz und einer Weiheinschrift für Kaiser Mark Aurel. Die sehenswertesten Funde stehen in einer Felsnische auf dem Weg zum Strand: zwei *Steinsarkophage*. Über den Strand von Olympos erreicht man Çıralı zu Fuß in rund 10 Min.

• Anfahrt am unkompliziertesten mit dem eigenen Fahrzeug. Von der Küstenstraße Antalya–Finike biegt ca. 30 km südlich von Kemer (hinter dem Ort Ulupınar) eine gute Fahrstraße ab (beschildert). Alle **Busse** auf der Strecke Antalya–Fethiye halten auf Wunsch an der Abzweigung. Von dort verkehrt im Sommer unregelmäßig ein **Dolmuş** (1 €).

• Übernachten/Essen & Trinken 1–2 km vor dem Strand liegen einige **Tree Houses** ("Baumhaussiedlungen") mit angeschlossenen Restaurants und Einfachstquartieren – man ist mehr am Speiseumsatz interessiert. Hier treffen sich (meist) jugendliche Naturfreaks, die ohne jeden Schnickschnack auskommen und auch auf die heiße Dusche verzichten können.

Die erste Baumhaussiedlung von Olympos und eine der beliebtesten mit internationalem Backpackerflair ist **Kadir's Yörük Top Tree House**. Vermietet wird nur gegen HP, dafür finden sich an den Tischen nette Essensgemeinschaften zusammen, abends gibt's große Lagerfeuer und laute Musik. Pro Person in der Dormitory-Hütte ab 7 €, in der DZ-Hütte ab 10 €. ✆ 0242/8921250, ℻ 8921110.

Eine weitere gute Adresse ist das **Şaban** etwas näher am Strand. Vermietet werden ebenfalls Tree Houses (pro Person 6 €) und freundliche Bungalows mit Bad/WC (für 2 Personen 20 €). Alles inkl. HP, die Küche der Pension gilt als die beste von Olympos. Auch Nicht-Gäste können abends am Büfett mitessen (3,30 €). Freundlicher Service. ✆ 0242/89212655, olympossaban_pension@yahoo.com.

• *Bootsausflüge* Fast alle Pensionen und Campings organisieren Ausflüge in die nähere Umgebung. Unser Tipp ist eine 4-tägige Bootstour mit **Sempatic Cruise**, organisiert von Kadir's Yörük Top Tree House. Auf Jachten für 8–20 Personen geht es mit vielen Zwischenstopps von Olympos nach Fethiye oder andersrum. Mit VP 140 € pro Person.

• *Ausgrabungsgelände/Öffnungszeiten* tägl., Eintritt 8–19 Uhr 7 €, erm. weniger als die Hälfte. Danach umsonst.

• *Baden* Von den Free-Campings ist der Strand von Olympos nur über das Ausgrabungsgelände zu erreichen. D. h., dass man offiziell den fälligen Eintritt entrichten müsste, was aber kaum einer tut.

Çıralı

Die längste Zeit seiner Existenz war Çıralı nichts anderes als eine kleine, unbekannte Siedlung am Ostende der Olympos-Bucht. Heute ist der Ort zur Heimat einer bunt gemischten Urlauberschar mit einem Faible fürs Wohnen im Grünen aufgestiegen. In der üppigen Pflanzenwelt der landwirtschaftlich intensiv genutzten Bucht haben sich mittlerweile über 60 Pensionen angesiedelt. Sie alle liegen weit verstreut, größtenteils entlang der Küste, einen Dorfkern gibt es nicht. Der herrliche Strand Çıralıs ist wie der von Patara oder Dalyan eine Brutstätte der Unechten Karettschildkröte (→ S. 436). Damit das so bleibt, engagiert sich vor Ort seit Ende der 1990er der World Wildlife Fund (WWF) mit seiner türkischen Partnerorganisation Doğal Hayatı Koruma Derneği (DHKD) für Öko-Tourismus. Vom Çıralı-Strand erreichen Sie den Strand von Olympos zu Fuß in ca. 10 Minuten.

• *Telefonvorwahl* ✆ 0242.

• *Verbindungen* Der **Bus** zwischen Fethiye und Antalya hält an der Straßenkreuzung 7 km oberhalb von Çıralı. Von dort ist der Weg nach Çıralı und zur Erdgasflamme (Chimaira/Yanartaş) ausgeschildert und in der Hochsaison mit **Taxi** oder **Minibus** (1 €) zu erreichen. Zwischen Çıralı und Olympos gibt es keine direkte Straßenverbindung.

• *Übernachten/Essen & Trinken* Die Pensionen in der Bucht und diverse Restaurants am Strand sorgen zu jeder Jahreszeit für ausreichende Kapazitäten.

Olympos Lodge, sehr gepflegte Anlage im Süden der Bucht. Direkt am Strand gelegen und umgeben von einem Rasen, der eines Golfplatzes würdig ist. Darauf stehen gemütliche Bänke; außerdem gibt's Hängematten. Gut ausgestattete Bungalows, nicht ganz billig. DZ 150 € inkl. HP, ✆ 8257171, ℻ 8257173.

Arcadia, von der Lage her ähnlich schön wie das Olympos, jedoch im Norden der Bucht. 4 komfortable, knapp 60 qm große Holzbungalows, nach griechischen Göttern benannt. 2001 eröffnet. 75 € mit Halbpension für 2–4 Personen. ✆ 8257340, www.arcadiaholiday.com.

Azur Hotel, relativ weit zurückversetzt vom Strand. 8 komfortabel ausgestattete Bungalows, unter deutsch-türkischer Leitung. Leser schwärmen: "Großer Garten mit Hängematte, viel Ruhe, Hühner zum Beobachten und Kaninchen zum Streicheln." Gutes Restaurant mit türkischer und deutscher Küche angegliedert. Bungalow für max. 3 Personen 60 €. ✆ 8257072, ℻ 8257076.

Myland Pension, im Norden der Bucht. Gepflegte Bungalowanlage, Bar in der Mitte. Fahrradverleih. Für 2 Personen 22 €. ✆ 8257044.

Achtung: kein EC-Automat und keine Banken in Çıralı!

Sima Peace Pension, im Norden der Bucht, etwas zurückversetzt vom Strand. Sehr guter Lesertipp. Übernachtung in kleinen, gepflegten Holzbungalows mit Du/WC. Gemütlicher Hof, ruhige Lage. Die lustige Inhaberin Aynur Kurt kocht hervorragendes Essen zu günstigen Preisen, und Papagei Coco sorgt für die Stimmung. Auf Wunsch Fahrten zur Ewigen Flamme und Transfer zur Bushaltestelle an der Straße Antalya–Fethiye, DZ mit Frühstück 15 €, EZ 10 €, ✆ 8257245, ℻ 8257181.

Für empfehlenswerte preiswerte Backpacker-Unterkünfte → Olympos.

• *Camping* **Green Point Caravan Camping**, im Norden der Bucht, direkt am Strand. Einfacher Platz mit passablen Sanitäranlagen und z. T. noch jungen, wenig Schatten spendenden Bäumen. 2 Personen bezahlen mit Zelt 4 €, mit Wohnmobil 6 €. Bar und Restaurant vorhanden. ✆ 8257182, ℻ 8257094.

• *Strandbar* **Olympos Yavuz Restaurant**, ganz im Süden der Bucht auf dem Weg zum Strand von Olympos (letztes Haus). Schattiges Plätzchen mit Meeresrauschen. Kleine Auswahl an türkischen Gerichten, gemütlich und preiswert. Von Lesern empfohlen.

Chimaira (Ewige Flamme)/Yanartaş: Das beliebte, leicht zu erreichende Ausflugsziel liegt an einem 250 m hohen Bergkamm. Eigentlich sind es viele ewige Flammen, die – erdgasgespeist – durch kleine Spalten aus dem Fels züngeln. Sie brennen seit dem Altertum, seit dem letzten Jahrhundert jedoch merklich schwächer. Hier war früher die sagenhafte *Chimäre* zu Hause, ein Ungeheuer mit Löwenkopf, Ziegenkörper und einer Schlange als Schwanz. An ihrem feuerspuckenden Wohnsitz verehrten die Griechen den olympischen Schmied und Feuergott Hephaistos, die Römer seinen Nachfolger Vulcanus. Die Türken gaben dem mythischen Ort den eher nüchternen Namen *Yanartaş* – "brennender Stein". Es gibt zwei Feuerfelder, das erste liegt oberhalb der Ruinen des dazugehörigen Heiligtums (Hephaestum), das andere etwa 20 Fußminuten weiter bergauf. Den nachhaltigsten Eindruck hinterlässt der Besuch von Chimaira übrigens nach Einbruch der Dunkelheit.

• *Wegbeschreibung* Von Çıralı auf einem Sträßlein (beschildert mit "Chimaera/Yanartaş", problemlos befahrbar) 5 km immer an einem Hang entlang gen Norden in ein kleines Tal. Bei einem Getränkeverkäufer beginnt der markierte Pfad den Berg hinauf (ca. 20 Min.) bis zum ersten ewigen Flammenfeld.

Chimaira, Chimaera, Chimäre, Schimäre

Bellerophon (→ Kasten, S. 494) tötete mit Unterstützung des geflügelten Wunderpferdes Pegasos zwar dieses missratene Produkt vorchristlicher Gentechnikversuche, doch lebt die Chimäre weiter: in Bildungskreisen als Umschreibung für ein absurdes Hirngespinst ("Ich fürchte, Sie lassen sich bei Ihrer Beurteilung des Schmidschen Phasenquantums von einer Chimäre aufs Glatteis führen, mein lieber Professor!"), in der Biologie als Bezeichnung für eine Unterklasse der Knorpelfische mit überdimensional großem Kopf, schlankem Körper und einem langen, peitschenschnurartig verlängerten Hinterkörper.

Weiter Richtung Antalya

Ulupınar: Der Weiler liegt 1 km unterhalb der Hauptverbindungsstraße zwischen Antalya und Finike. Er besteht lediglich aus zwei Wohnhäusern, einer Moschee und einem Dutzend guter Gartenrestaurants, die weit über die Grenzen des Nationalparks bekannt sind. Auf der Karte steht ganz groß Forelle – in allen Varianten. Mit am besten schmecken sie im "Havuzbaşı".

Beycik: Hier muhen die Kühe, bellen die Hunde, blöken die Schafe und krähen die Hähne. Beycik ist ein gemütliches, verschlafenes Bergdorf auf 800–1.000 m Höhe. Die Landschaft ist herrlich, das Klima angenehm. Im Sommer ein gemütliches Ausflugsziel, um der drückenden Hitze an der Küste zu entgehen. Allein schon ein Glas Tee auf der wild konstruierten Terrasse des Restaurants "Panorama" kann dann zum Erlebnis werden. Beycik ist zugleich Ausgangspunkt für **Wanderungen auf den Tahtalı Dağı**. Unternehmen Sie die Tour nur bei absolut sicherer Wetterlage. Der Berg zieht die Wolken an wie Licht die Motten.

- *Anfahrt* Von der Hauptverbindungsstraße Antalya–Finike ist die Abzweigung nach Beycik beschildert. Von dort sind es noch 6 km bis zum Dorf.
- *Übernachten/Bergtour* **Villa il Castello**, schönes, kleines Berghotel in traumhafter Lage 1.000 m ü. d. M. 2000 eröffnet, gut geführt von der deutsch-türkischen Familie Şahin. Vermietet werden 9 komfortable, geschmackvoll eingerichtete Suiten, alle mit TV, Telefon, Zentralheizung und Balkon mit Berg- und Meeresblick. Pool. Pro Person 37,50 € mit Halbpension. Asım Şahin bietet interessierten Gästen zudem ganztägige Mauleseltouren auf den Tahtalı Dağı an. ✆/℻ 0242/8161013, www.villa-castello.de.

Phaselis (antike Stadt)

Die antike Handelsstadt ist ein attraktives Eintagesausflugsziel von Kemer und Antalya. Herrlich lässt es sich durch Ruinen im duftenden Pinienwald schlendern und fröhlich im Kriegshafen planschen.

Bei den Ausgrabungen ging man behutsam vor, schlug nicht gleich die ganze Gegend kahl und hinterließ auch kein archäologisches Trümmerfeld. Gegründet wurde Phaselis um 690 v. Chr. Innerhalb kurzer Zeit wuchs die Stadt heran und wurde zum Haupthafen an der lykischen Ostküste. Um 400. v. Chr. wurde in Phaselis der Dichter Theodektes geboren. Er schrieb Reden für berühmte Zeitgenossen und verfasste Theaterstücke – die Stadt ehrte ihn mit einem Standbild auf der Agora. Den Winter 334/333 v. Chr. verbrachte Alexander der Große in Phaselis. Es ist überliefert, dass er den lokalen Wein schätzte und an mehreren Trinkgelagen teilnahm. Nach seinem Tod fiel Phaselis an die Ptolemäer, später an Syrien, dann an Rhodos. Im 2. Jh. v. Chr. kam in Phaselis der Philosoph Critolaus zur Welt, der in der Tradition der Stoiker jeglichen leiblichen Genuss verdammte. Mit seinem Credo, dass die Tugenden der Seele wertvoller als die Freuden des Fleisches seien, machte er sich vermutlich nicht viele Freunde. Ob das der Grund war, dass es mit Phaselis im 1. Jh. bergab ging, sei dahin gestellt. Wie Olympos wurde Phaselis Schlupfwinkel von Piraten und daraufhin in den römischen Seeräuberkriegen zerstört. Zwar ließen die Römer die Stadt wieder aufbauen, 400 Jahre später teilte sie jedoch das Schicksal des Imperiums: mit Rom ging auch Phaselis unter. Danach übten die Bewohner Antalyas Raubbau an der Antike und nutzten die Bausubstanz von Phaselis zum Aufbau ihrer eigenen Stadt.

Deutlich erkennbar sind noch die drei Häfen, der *Nordhafen*, an dem der Aquädukt vorbeiführte, der große *Südhafen* und der zentrale, stark verlandete *Stadthafen*. Vom Stadt- zum Südhafen führte eine 24 m breite, gut erhaltene *Prachtstraße*, flankiert von Prachtbauten, an die heute nur noch ein paar Mauerreste erinnern. Das *Theater* aus dem 2. Jh. v. Chr. bot 1.500 Besuchern Platz. Sehenswert ist das *Badehaus*, dessen einst mächtiges Tonnengewölbe

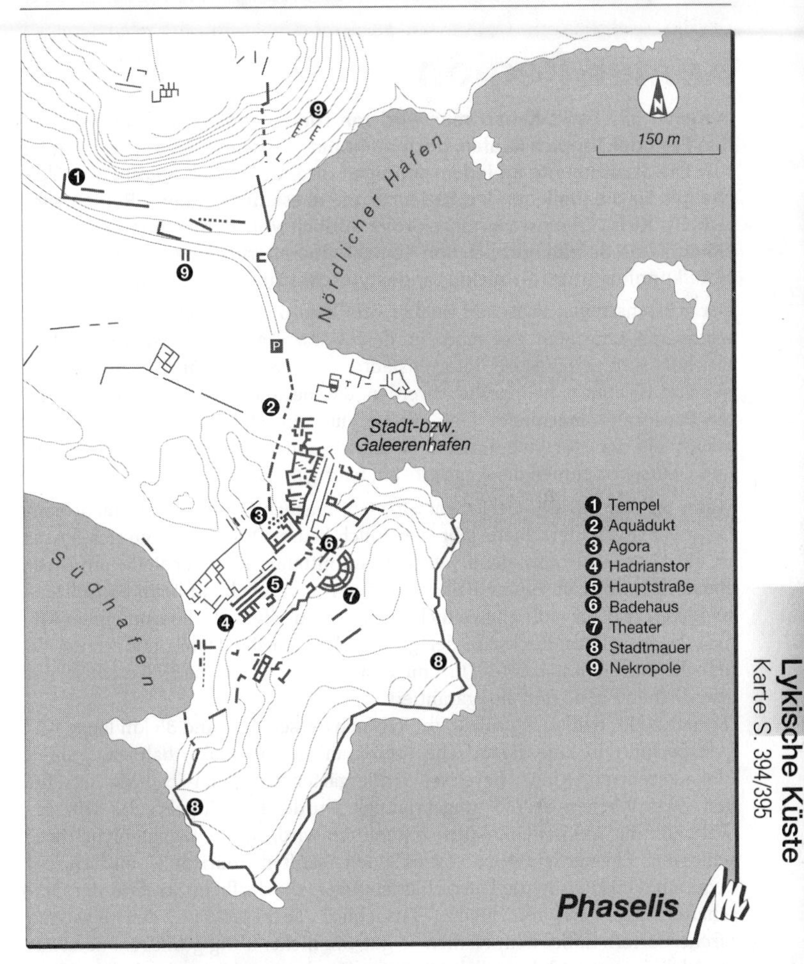

von zierlichen, noch erhaltenen Rundbögen getragen wurde. Interessant auch der *Aquädukt,* der von einer Quellgrotte das Wasser am Nordhafen vorbei Richtung Süden bis zu einer Zisterne in der Stadtmitte leitete, von wo es in die Häuser verteilt wurde. Er soll einer der längsten Aquädukte des Römischen Reiches gewesen sein.

- *Anfahrt* Die Abzweigung nach Phaselis liegt ca. 10 km südlich von Kemer, von dort 2 km bis zum archäologischen Gelände. Von Kemer fährt stündlich ein **Dolmuş**.
- *Öffnungszeiten* im Sommer tägl. 8–19 Uhr, im Winter 8–17 Uhr, Eintritt 7 €, erm. weniger als die Hälfte, Parken 0,45 €.
- *Information* beim Eingang zum archäologischen Gelände. Dort gibt es auch ein kleines Souvenirgeschäft. Getränke sind weiter unten am Parkplatz erhältlich.
- *Wandern* → Kemer, S. 474.

Kemer-Region

In Kemer gibt es Şiş-Kebab, man wird von Türken bedient und kann sich einen Fes oder Teppich kaufen, doch mehr hat Kemer mit der Türkei nicht zu tun. Die Stadt könnte an jedem sonnigen Strand der Welt liegen. Das Gleiche gilt für die umliegenden Badeorte, die allesamt zur Kemer-Region zählen: Ob Kiriş, Çamyuva und Tekirova südlich von Kemer oder Kızıltepe, Göynük und Belbidi nördlich von Kemer – überall trifft man auf gigantische Hotelkonglomerate, die nichts Landestypisches zu bieten haben.

Der Küstenstreifen zwischen Beldibi und Tekirova mit Kemer als Zentrum wurde mit enormem Aufwand für den Massentourismus erschlossen. Das Ergebnis sind gesichtslose Retortenstädte, deren Strände jährlich von Millionen von Urlaubern heimgesucht werden, die meisten angelockt von preiswerten Pauschalarrangements. Eine Woche Flug und Hotel ist hier nicht selten billiger als der Nur-Flug-Tarif in so manch andere Touristenregion. Russen und Deutsche nehmen die Angebote am häufigsten wahr.

Wenn Sie sich für das Gebiet entscheiden, machen Sie Ihre Wahl nicht vom Ort abhängig, Unterschiede gibt es nämlich kaum. Orientieren Sie sich besser an der Lage des Hotels, denn wer nicht unmittelbar in erster Reihe am Meer eincheckt, wird von seinem Balkon aus den Meeresblick nur beim Postkartenschreiben erleben – oft gibt es nichts anderes zu sehen als die tropfenden Klimaanlagen auf der Rückseite der großen All-inclusive-Hotels am Strand. So manche haben Kapazitäten für mehr als 2.000 Gäste, neue Gesichter am abendlichen Büfett sind also garantiert.
"Kemer 2000" heißt das Projekt, im Rahmen dessen der rund 35 km lange Küstenabschnitt in eine gigantische Freizeitanlage mit Gokartbahnen, großen Einkaufszentren, Kinos, bayerischen Biergärten und Non-Stop-Markets für den Zwei-Wochen-Urlaub umgekrempelt wurde. Das Projekt, das von der Weltbank mit Milliardenkrediten unterstützt wird, ist noch lange nicht abgeschlossen. Eigenartigerweise soll es einen "sanften Tourismus" fördern, bei dem sich die Hotels in die Landschaft einfügen, die dörfliche Struktur der Ortschaften aber erhalten bleibt. Tatsächlich aber ist von den einstigen Fischerdörfern außer dem Namen so gut wie nichts übrig geblieben. So etwas wie Idylle, wenn auch künstlich arrangiert, findet man hinter den hohen Mauern, die die großen Hotelkomplexe umgeben. Aus jedem Reisekatalog erfahren Sie, wie es dort um den Pool mit Palmeninselchen aussieht; ob Gartenschach, Kreativateliers, Spätaufsteherfrühstück oder Mitternachtsimbiss, Jacuzzi oder Aperitivspiele angeboten werden, oder gar ein kostenloser Haarschnitt im Frühbucherrabatt enthalten ist. Das Sportangebot vieler Resorts ist hervorragend – nicht umsonst erfreuen sie sich immer größerer Beliebtheit.

Das 10.000-Einwohner-Städtchen Kemer selbst bietet für Individualreisende so gut wie nichts, was es nicht anderswo schöner gäbe. Die Hauptgeschäfts- und Flanierstraße ist die Liman Caddesi (schlicht auch Yat Limanı genannt), die zur gepflegten Marina führt. Südlich der Marina liegt der *Moonlight Garden*, ein kleiner Park mit Minigolfbahn, und östlich erstreckt sich auf einer

Sinnfälliger Kontrast in Kemer: Glas, Stahl und ein Stück Antike

Landzunge der *Yöruk Park*, eine Art ethnographisches Freilichtmuseum. Es soll das Leben der Nomaden *(yörükler)* näher bringen, zu sehen sind ein paar dunkle Zelte aus Kamelhaaren, darin weben Plastikpuppen Teppiche oder spinnen Wolle. Allzu spannend ist das Ganze nicht, im Schatten von Pinien lässt sich jedoch ein gemütliches Glas Ayran trinken.

Information/Verbindungen/Ausflüge

- *Telefonvorwahl* ✆ 0242.
- *Information* In Kemer ist die **Tourist Information** im Gebäude der Gemeindeverwaltung nahe dem Jachthafen untergebracht (ausgeschildert). Hilfsbereite Mitarbeiter und professioneller Service. Im Sommer tägl. 8–18.30 Uhr, im Winter nur Mo–Fr 8–17 Uhr. Yat Limanı 159, ✆ 8141112, ℻ 814 1536.
- *Verbindungen* Egal, wohin Sie in der weiten Kemer-Urlaubsregion auch wollen – mit dem **Dolmuş** erreichen Sie sämtliche Ortschaften problemlos und schnell (etwa im 20-Minuten-Takt). Meist stehen jedoch nicht die Namen der Ortschaften, sondern die der Hotelkomplexe auf den Schildern hinter der Windschutzscheibe. Nach Phaselis nimmt man das Dolmuş Antalya–Tekirova, Zustiegsmöglichkeit in Kemer, Haltestelle beim Postamt. Und per Dolmuş Richtung Antalya geht es nahezu alle 20 Min. vom Busbahnhof in Kemer (1,50 €). Von dort gibt's auch regelmäßige Verbindungen mit dem **Bus** nach Kaş (5 €), Fethiye (8 €), Selçuk (10 €) und (über Antalya) nach Pamukkale (7 €).
- *Bootsausflüge/Organisierte Touren* Egal, ob in Kemer, Tekirova, Beldibi oder den Orten dazwischen – das Angebot ist im Großen und Ganzen das gleiche, die Preise sind nahezu identisch. Werden irgendwelche Ausflugsfahrten erheblich billiger als beim Gros der Veranstalter offeriert, dann schließen sie in der Regel mehrere längere Shoppingpausen mit ein. Bootsausfahrten zu Badeplätzen in verschiedene Buchten kosten im Schnitt 10–15 €, Jeepsafaris auf überwiegend staubfreien Straßen 20 €, Rafting im Körprülü Kanyon inkl. Transfer 25–35 €, Eintagestouren nach Pamukkale ab 30 €, Dreitagestouren nach Kappadokien ab 80 €, Eintagestouren nach Kekova und Myra 18 €. Wer lieber in der Luft als zu Lande reist, kann seinen Ausflug nach Pamukkale (ca. 230 €) und Kappadokien (ca. 250 €) auch per Helikopter unternehmen.

Adressen

• *Ärztliche Versorgung* Deutschsprachige Ärzte findet man im **Krankenhaus** von Kemer, z. B. Dr. Ahmet Orhan, ✆ 8144599.

• *Auto- und Zweiradverleih* An fast jeder Ecke hängt ein Rent-a-car-Schild. Die internationalen Verleiher besitzen fast alle Zweigstellen vor Ort. Die Adressen in Kemer: **Avis**, Atatürk Bul. 8., ✆ 8141372, ℻ 8144393. **Budget**, Deniz Cad. Barlar Sokak, ✆ 8142890, ℻ 8143767. **Europcar**, Akdeniz Cad. 14, ✆ 8142909, ℻ 8144517. Das billigste Modell wird für rund 55 € pro Tag angeboten, für einen Jeep bezahlt man ca. 70 €. Bei den lokalen Anbietern beginnen die Mietpreise für Pkws im Schnitt je nach Saison bei 20–35 €, für Jeeps bei 45 € pro Tag. Für Scooter muss man mit 15–20 € pro Tag rechnen, Kaufhaus-Mountainbikes bekommt man für 7–10 € pro Tag.

• *Einkaufen* großer **Markt** in Kemer jeden Mo beim Busbahnhof.

• *Post* in Kemer beim Busbahnhof. In den größeren Hotelanlagen finden sie zudem Briefkästen an der Rezeption.

• *Polizei* in Kemer an der Liman Cad.

• *Reisebüro* **Krone Tours**, für Flüge, Hotelreservierungen usw. (zugleich THY-Vertretung). Nahe dem Busbahnhof in Kemer. ✆ 8145842, ℻ 8145846.

• *Waschsalon* **Yeni Böwe Kuru Temizleme**, in der Akdeniz Cad. Eine Trommel waschen 3,30 €.

• *Zeitungen* Das Angebot an deutschsprachigen Zeitungen und Zeitschriften ist insgesamt groß. Erhältlich sind sie in vielen Minimarkets.

Übernachten/Essen & Trinken/Camping

99 % aller Urlauber in der Kemer-Region buchen ihr Hotel bereits daheim. Individualreisende, die ihre Unterkunft vor Ort mieten, findet man nur selten. Viele Hotels sind auf diese Klientel auch gar nicht eingestellt. Wenn doch jemand ohne Voucher kommt, ist so mancher freundliche Herr hinter der Rezeption erst einmal ratlos. Manche mögen sogar an einen geplanten Seitensprung des Neuankömmlings denken – warum sonst sollte jemand ein weiteres Zimmer nehmen, wenn er bereits eine Bleibe hat? Im Ernst: Wer unbedingt in die Kemer-Region möchte, der hat im Einerlei der Straßenrechtecke die Qual der Wahl unter mehr als 50.000 Betten. Bei Bedarf gibt das Touristenbüro sachdienliche Auskunft. Im Folgenden ein paar Übernachtungsempfehlungen, die sich aus der Masse abheben:

• *In Kemer* **Utku Pansiyon (8)**, für alle, die es bunt und ausgefallen mögen: gelbes Haus mit rosafarben getünchten Zimmern und blauen Möbeln. Mal etwas anderes. Poolbar mit großen Lautsprechern. 25 € für 2 Personen inkl. Frühstück. Karayer Cad. 3, ✆ 8141386 , ℻ 8146078.

Liebe Pansiyon (7), freundliches Haus in der Karayer Cad. 138 Sok. Angenehm saubere Zimmer mit solider Ausstattung, u. a. TV und Klimaanlage. Großer Pool. DZ 24 €, EZ 15 € inkl. Frühstück, ✆/℻ 8144547.

Hessen Pansiyon (5), nahe dem Busbahnhof in der 135 Sokak 3. Die Adresse für alle, die nachts ankommen und die Zimmersuche mit dem schweren Gepäck auf den nächsten Tag verlegen wollen. 9 blitzsaubere Zimmer ohne Schnickschnack, geflieste Böden. Die Betreiberin hat übrigens mal in Deutschland gelebt, wo, kann jeder selber erraten. DZ mit Klimaanlage 17 €, ohne 13 €. ✆ 8142602.

Mehrere anständige Pensionen findet man zudem an der Einfallstraße nach Kemer.

• *Außerhalb von Kemer nahe Beldibi am Göynük Fluss* **Naturel Club**, 5 Bungalows in Reihe gebaut. Großer Garten mit Zitronenbäumen und Blumen, ruhig. Mit gemütlichem Gartenlokal. Spezialität: Süßwasserfische. DZ 20 €, EZ 15 €. ✆ 8249695, ℻ 8248999.

Haus Rosengarten Pansiyon, zum Zeitpunkt der letzten Recherche wechselte der Pächter. Wenn alles beim Alten bleibt, eine empfehlenswerte Adresse. Geruhsame Unterkunft abseits vom Trubel. Daneben ein Reiterhof, Ausritte in die Umgebung 10 € pro Stunde. 2 km vom nächsten Strand entfernt, dafür großer Pool vorm Haus. ✆/℻ 8248648.

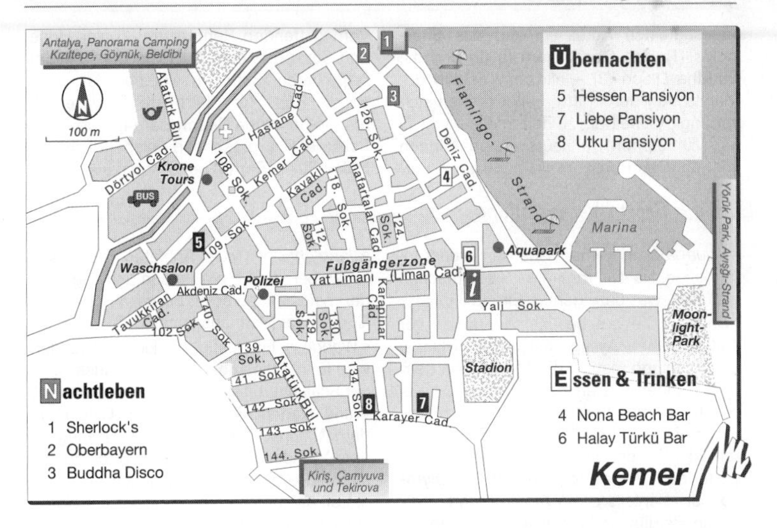

• *Camping in Kemer* In und rund um Kemer gibt es mehrere Campingplätze – unsere Empfehlungen: **Panorama Camping**, richtiger Campingplatz ohne Bungalowvermietung, ca. 1 km vom Zentrum an der Ausfallstraße nach Antalya. Direkt an einem sehr schönen Strand, die Ruhe ist wohltuend. Sanitäranlagen o. k. Gemütliche Bar, kleines Restaurant. Pro Person 1,50 €, hinzu kommen 1,50 € für Zelt oder Wohnmobil. Es gibt auch Zelte zu mieten (2,50 €). Ganzjährig geöffnet. Vom Dolmuşbahnhof 15 Min. zu Fuß. ✆ 8142147.

• *Camping Richtung Tekirova* **Camping Sundance**, in der Bucht gegenüber den Ruinen von Phaselis. Die Abzweigung zum Platz erfolgt von der Hauptstraße zwischen Phaselis und Tekirova (beschildert). Schöne Lage in freier Natur, allerdings auch sehr einfach. Bungalowvermietung für 22 €, Zelten für 2 Personen mit Zelt 6,70 €. Geboten werden auch Ausritte für 10 € die Stunde. ✆ 8214165.

• *Camping Richtung Antalya* **Camping Erman**, 20 km westlich von Antalya in Beldibi. Durchorganisierter Platz mit unterteilten Einzelstellplätzen, Schatten durch Bäume. 200 m Strand direkt am Platz, Organisation von Bootsausflügen. Pro Person 4 € zuzüglich 6–9 € für ein Wohnmobil oder 3,50 € für ein Zelt. Ganzjährig geöffnet, ✆ 8248196, 📠 8248231.

Essen & Trinken/Nachtleben

Das Angebot ist vielfältig, und die deutsche Küche ist nicht nur durch Einbaugeräte vertreten: Schnitzel oder Sauerbraten? – kein Problem. Und wer wissen will, was Knödel auf Russisch oder Finnisch heißt, blättert einfach die Karte durch. Hinweis: Die Preise *auf der Karte* liegen meist um mehr als ein Drittel höher als anderswo an der Südküste. Und die Preise *auf der Rechnung* sind dann noch mal um ein Drittel höher als die auf der Karte. Finden Sie sich einfach damit ab. Sie machen immerhin Urlaub – in Kemer.

Eine empfehlenswerte Ausnahme ist das **King's Restaurant** von Hüseyin Sirit. An der Deniz Cad. gleich neben dem Club Calimera und direkt am Meer. Im einfachen Terrassenlokal in schöner Lage werden frische Meze und allerlei Meeresgetier serviert – Sie werden nicht enttäuscht sein!

Eine ebenfalls empfehlenswerte Alternative ist ein Ausflug zu den Forellenrestaurants von Ulupınar (→ Olympos-Nationalpark).

• *Nachtleben* Zeitgemäße Clubs wie in Bodrum oder Antalya sucht man vergebens. Geboten wird ausgelassene, jodelnde Partystimmung für trinkfreudige Gäste. Die

Lykische Küste Karte S. 394/395

angesagtesten Adressen sind das **Sherlock's (1)**, das **Oberbayern (!) (2)** und die **Buddha Disco (3)** – allesamt östlich der Marina. Auf dem Plattenteller drehen sich vorrangig Scheiben, zu denen alle – von 15 bis 60 Jahren – lautstark mitsingen können. Das Publikum ist bunt gemischt: Vom gaffenden Rentner mit kurzer Hose und Socken in den Sandalen bis zu leicht bekleideten Schönheitsidealen ist alles dabei. Tipps für die beste Party erhält man in der **Nona Beach Bar (4)**. Türkische Folklore live präsentiert allabendlich die **Halay Türkü Bar (6)** beim Aquapark.

Baden & Sport / Veranstaltungen

• *Aquapark* in Kemer nahe der Tourist Information. Na klar, mehrere Riesenrutschen und alles, was dazu gehört, Eintritt 8 €.

• *Baden* Die gut besuchten Strände vor Kemer heißen **Ayışığı** (östlich der Marina) und **Flamingo** (östlich der Marina). An dem 35 km langen Küstenabschnitt rund um Kemer findet man bessere Strände – im Norden mehr Kies, im Süden mehr Sand. Herrlich ist z. B. der Strand bei **Phaselis**. Der weiter südlich gelegene Strand von **Olympos** ist ebenfalls einen Ausflug wert. **Zwischen Beldibi und Antalya** laden man zudem mehrere phantastische Buchten zum Baden ein (auch mit Campingmöglichkeit); allerdings sind die Strände nicht frei zugänglich, teils wird bis zu 3 € Eintritt in Form von Parkgebühren verlangt.

• *Reiten* am Reiterhof beim Haus Rosengarten Pansiyon sowie beim Camping Sundance → "Übernachten/Camping".

• *Tauchen* Es gibt unzählige Tauchschulen vor Ort, die größeren Hotels verfügen meist über eigene Schulen. Anfängerkurse beginnen im Schnitt bei 280 €.

• *Veranstaltungen* **Kemer Karneval** stets am letzten Wochenende im Juni. Mit Umzug und Musikveranstaltungen im Stadion.

• *Jachtcharter* viele Anbieter. Die Preise liegen bei ca. 50 € pro Person und Tag. Insider meinen, man sollte besser von Fethiye, Göcek oder Marmaris starten.

• *Wandern* Ein lustig markierter Wanderweg führt entlang dem **Göynük-Fluss** zu einer Schlucht mit Wasserfall. Selbst erstellte Wanderkarten hält Ali's Garten Café nahe dem Naturel Club bereit. Der Einstieg zu dem Wanderweg ist von der Verbindungsstraße Beldibi–Kemer ausgeschildert. Die ersten Kilometer verlaufen leider auf einem staubigen Sträßlein.

Ein schöner Weg führt zudem von Çamyuva nach **Phaselis**. Vom Busbahnhof in Kemer nimmt man ein Dolmuş Richtung Çamyuva und steigt beim Hotel Majesty Club Elisee aus. Von dort geht man zum Ortsausgang und weiter die Hauptstraße entlang, bis links ein Weg in den Wald zu sehen ist. Diesem folgt man bis zu einer Bucht. Dort beginnt ein rot markierter Wanderweg, der bis nach Phaselis führt.

Nett zum Durchstreifen und Picknicken ist das **Kesme-Tal**. Ausgangspunkt ist das Dorf Aslanbucak ca. 9 km landeinwärts. Mit dem Dolmuş von Kemer zu erreichen.

Beldibi-Höhle

Die Höhle nahe der gleichnamigen Ortschaft ist wegen ihrer Höhlenmalereien bekannt. Durch Verwitterung und Erosion ging jedoch das Gros davon verloren. Man vermutet, dass sie im 7. vorchristlichen Jahrtausend, also im Neolithikum, entstanden sind. Archäologen sind von den verblassten Zeichnungen entzückt, Laien neigen eher dazu, die Strichmännchen ihrer Kinder für aufregender zu halten. Die Keramikfunde aus der Höhle sind im Archäologischen Museum Antalyas ausgestellt.

• *Anfahrt* Von Antalya folgt man der Straße nach Kemer, nach ca. 20 km passiert man zwei Tunnel. Unmittelbar hinter dem zweiten führt ein schmaler Trampelpfad zur Küste hinab. Die Höhle liegt linker Hand und ist von einem überwindbaren Zaun umgeben. Bleibt man davor stehen, sieht man so gut wie gar nichts. Parkmöglichkeiten ca. 1 km weiter.

Nette Abwechslung: eine Bootsfahrt entlang der Riviera

Türkische Riviera

An der Türkischen Riviera erwarten Sie die exklusivsten Clubanlagen, die längsten Strände und die heißesten Sommer der Türkei.

Auch wenn die Kette der langen, feinsandigen Strände bis Mersin reicht, lernen die meisten Besucher der türkischen Südküste nur den Abschnitt zwischen Antalya und Anamur kennen, den findige Tourismusmanager "Türkische Riviera" tauften. Den Vergleich mit dem italienischen Pendant braucht er nicht zu scheuen: Die Türkische Riviera bietet goldene Sandstrände vor türkisgrünem Meer und dazu mit über 300 Sonnentagen einen fast ewigen Sommer. Leider werden weite Abschnitte der bis vor wenigen Jahren noch recht unverbauten Küste heute von Hotelkonglomeraten gesäumt. Garanten für gelungene Ferienwochen sind hier für viele Urlauber die wie Hochsicherheitstrakte abgeriegelten All-inclusive-Anlagen, teils so groß, dass eine halbe Provinzstadt in sie hineinpassen könnte. Infolge des Ansturms der sonnenhungrigen Massen mutierten Fischerdörfer wie *Side* zu umtriebigen Basar- und Vergnügungsmeilen. Und *Alanya* ist mittlerweile ein perfektes Beispiel dafür, dass Ballermann-Stimmung auch in der Türkei zu finden ist.

Wer einfach nur preiswerte Erholung sucht, ist an der Riviera bestens aufgehoben. Wer die Türkei kennen lernen will, ganz sicher nicht. Doch auf ursprünglich-ländliches Anatolien trifft man schnell, wenn man seinen Liegestuhl zusammenklappt und losmarschiert. Im Hinterland, in der wilden Bergwelt des Taurus, dessen bis zu 3.000 m hohe Gipfel oft noch bis in den Mai schneebedeckt sind, laden einsam gelegene Ausgrabungsorte, etliche Burgen und grandiose Schluchtenlandschaften zur Erkundung ein. Wer nicht weiter Richtung Çukurova oder Hatay will, kann sich den zubetonierten Küstenabschnitt zwischen *Kızkalesi* und *Mersin* übrigens getrost sparen.

Türkische Riviera – die Highlights

Termessos ist Ruinenstätte und Nationalpark zugleich. Das grandios gelegene Theater lohnt allein wegen seiner atemberaubenden Aussicht einen Besuch. Zu den Überresten der schwer zugänglichen Stadt, die Alexander der Große gar für uneinnehmbar hielt, kämpft man sich heute durch Dornen und Gestrüpp – ein nachhaltiger Eindruck von Vergänglichkeit.

Aspendos war eine der bedeutendsten Städte Pamphyliens – Bauten aus hellenistischer, römischer und byzantinischer Zeit erinnern daran. Das besterhaltene römische Theater Kleinasiens ist bis heute mit Leben erfüllt – regelmäßig finden hier Festspielaufführungen statt.

Köprülü-Kanyon-Nationalpark: Die gleichnamige Schlucht ist eine Herausforderung für Rafter, die einsame Bergwelt für Wanderer. Den Gipfel des 2.504 m hohen *Bozburun Dağı* erreicht man von Selge in etwa fünf Stunden – gute Kondition und einen kompetenten Führer vorausgesetzt.

Das Raue Kilikien: Zwischen Gazipaşa und Anamur erstreckt sich einer der schönsten Abschnitte der gesamten türkischen Küste, mit etlichen verschwiegenen Buchten, die man sich jedoch erst verdienen muss – denken Sie an festes Schuhwerk!

Mamure Kalesi: Die Bilderbuchburg von Anamur stammt aus der Zeit, als Männer noch Ritter waren. Sie ist die größte und besterhaltene mittelalterliche Festungsanlage der türkischen Küste – auch für Kinder ein Traum.

Güver-Schlucht: Im Vergleich zur kappadokischen Ihlara-Schlucht kommt dieser Cañon bei Antalya zwar schlecht weg, einen Ausflug ist er aber allemal wert. Einem tiefen, schließlich weit auseinanderlaufenden Riss ähnlich, spaltet sich hier das Erdreich.

Antalya

(ca. 1,5 Mio. Einwohner)

Umrahmt von den mächtigen, bis zu 3.000 m ansteigenden Gipfeln des Taurusgebirges, erstreckt sich die Millionenmetropole über einer schroffen Steilküste. Die Altstadt Antalyas wird wegen ihrer Schönheit in der Literatur mit Lorbeeren und in der Realität mit Reisenden überschüttet.

Kaum ein Reisebüro, das nicht mit einem Sonderarrangement nach Antalya, dem türkischen Ferienflughafen Nummer eins, wirbt. Wer aus dem Katalog bucht, steigt in der Regel an den Stränden östlich und westlich der Metropole ab. Antalya selbst ist für das Gros der Reisenden lediglich Ziel eines Tagesausflugs. Dabei besucht man die charmante Altstadt mit ihren engen, schattigen Gassen und osmanischen Häusern. Oder man bummelt auf palmengesäumten Boulevards durch das angrenzende moderne Stadtzentrum, wo schicke Boutiquen und große Einkaufszentren zum Shopping einladen. Vorrangig Individualreisende nächtigen in Antalya selbst. Die Altstadt bietet ein großes Angebot an Unterkünften jeglicher Couleur.

Ist die Provinz Antalya, die sich bis Alanya erstreckt, die meistbesuchte Ferienregion des Landes, so ist die Stadt selbst eine pulsierende Wirtschaftsmetropole. Für deren großen Aufschwung haben neben dem Tourismus vor allem

Industrie und Handel gesorgt. Eisenchrombetriebe und Textilfabriken verschiffen ihre Güter erfolgreich nach Westeuropa, und zwar vom neuen, großzügigen Hafen, der eigens zu diesem Zweck wenige Kilometer westlich der Stadt gebaut wurde. Auch die Obstplantagen der Gegend werfen reiche Erträge ab und tragen zum Wohlstand der Stadt bei. Im Umland werden Gemüse, Baumwolle, Erdnüsse und Sesam angebaut. Damit es weiterhin bergauf geht, wurde ein modernes Kongresszentrum errichtet, das glaspyramidenförmige *Sabancı Congress Centre* am Yüzüncüyıl Bulvarı. Es soll Geschäftswelt und Wissenschaft an die Stadt binden, zudem ist es Schauplatz der alljährlichen Filmfestspiele (→ Veranstaltungen).

Orientierung: Vom kleinen Hafen steigt die Altstadt in einem Halbrund steil an. Das verwinkelte, für Touristen herausgeputzte Viertel ist geprägt von osmanischen Holzhäusern mit hübschen Erkern und schindelgedeckten Dächern. Viele haben ein kleines Gärtchen mit Orangenbäumen und Hibiskus, und nicht wenige wurden mittlerweile in Pensionen umgewandelt. Nach und nach soll die gesamte alte Bausubstanz restauriert und eine Musteraltstadt geschaffen werden. Bislang kontrastieren die restaurierten Anwesen der Pensionsbetreiber noch mit den verfallenden Wohnhäusern der sozial schwachen Altstadtbewohner – meist Nachkömmlinge der hier in den 1920ern angesiedelten Sinti-Familien.
Die Altstadt wird im Osten von der Atatürk und im Nordwesten von der Cumhuriyet Caddesi begrenzt. Auf diesen Straßen holpert die einzige Straßenbahnlinie Antalyas, übrigens ein Geschenk der Partnerstadt Nürnberg. Dahinter beginnt das lebendige Antalya der Antalyalılar mit Einkaufsstraßen und Verwaltungsgebäuden. Vor der Kulisse breiter Boulevards spiegelt sich das Bild einer modern-mediterranen Türkei, der es augenscheinlich gut geht. Selbst den Prüfe-dein-Gewicht-Kleinstunternehmer will man hier nicht zu den Verlierern der Gesellschaft zählen, wenn er abends seine Waage mit einer bunten Lichterkette illuminiert.
Je weiter man sich vom Meer entfernt, desto mehr verschwinden die Renommierfassaden. Zu den für türkische Großstädte typischen Wohngegenden gehören kleine Allroundläden und handwerkliche Kleinbetriebe. Die Ausfallstraßen säumen Reparaturwerkstätten, Supermärkte, Einrichtungshäuser und größere Industriebetriebe. In der Peripherie wird es schließlich bäuerlich. Das Umland wird von Gemüse- und Obstplantagen mit leise glucksenden Bewässerungskanälen geprägt.

Geschichte

Antalya ist eine für türkische Verhältnisse junge Stadt. 158 v. Chr. wurde sie von König Attalos II. von Pergamon (159–138 v. Chr.) als *Attaleia* gegründet, nachdem er vergebens versucht hatte, Side zu erobern. Im Jahr 36 v. Chr. geriet die Stadt unter römische Herrschaft. Unter Kaiser Hadrian (117–138 n. Chr.) erhielt sie den Status einer selbstständigen Provinz mit einem Senator als Statthalter. Einen Namen machte sich die Stadt im römischen Imperium

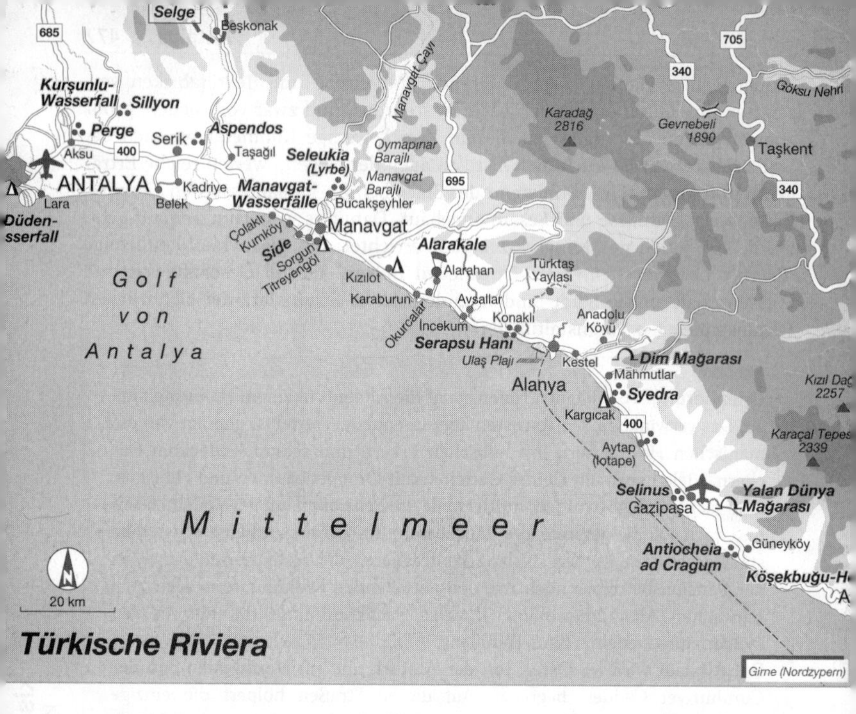

wegen ihrer auserlesenen Weine – ob es die edlen Tropfen waren, die in den folgenden Jahrhunderten immer wieder Piraten anlockten, sei dahin gestellt. In byzantinischer Zeit wurde *Adalia*, wie man nun sagte, zum Bischofsitz. Im 12. Jh. diente die Stadt den Kreuzfahrern als Nachschubhafen, 1207 wurde sie von den Seldschuken erobert, 100 Jahre später fiel sie in den Machtbereich der Emire von Eğirdir. Unter Sultan Murat I. wurde *Adalia* 1387 schließlich dem Osmanischen Reich einverleibt. Mit der Autorität des Korans ging die Tradition des Weinanbaus verloren, stattdessen wurde nun die Rosenzucht gefördert. Rosenöl, der Grundstoff kostbarer Parfüms, verhalf der Stadt zu neuem Wohlstand.

1918 besetzten italienische Truppen den hiesigen Küstenstreifen, die 1921 von Atatürks Armeen zum Abzug gezwungen wurden. Zwei Jahre später mussten die griechischen Einwohner der nun Antalya genannten Stadt infolge des Bevölkerungsaustauschs ihre Häuser verlassen. In den 1970ern setzte die Entwicklung des verschlafenen 40.000-Einwohner-Städtchen zu einer modernen Wirtschaftsmetropole ein. Damit einher ging ein rapider Bevölkerungsanstieg, denn die Stadt zog massenweise Glücksritter aus Ostanatolien an: Anfang der 1990er zählte Boomtown Antalya schon 450.000 Einwohner, Mitte der 90er bereits 800.000. Für den letzten explosionsartigen Anstieg zeichnet insbesondere der Fremdenverkehr verantwortlich. Über die momentane Einwohnerzahl gibt es bislang nur Schätzungen – zu den angeblich rund 1,5 Millionen Einwohnern gehören heute auf jeden Fall um die 7.000 Deutsche, die sich einen Platz an der Sonne geleistet haben.

Information/Verbindungen/Ausflüge/Parken

• *Telefonvorwahl* ✆ 0242.

• *Information* an der Cumhuriyet Cad. (ausgeschildert). Hilfsbereit. Leider wenig Infomaterial, lediglich ein Gratis-Stadtplan. Im Sommer tägl. 8–19 Uhr, im Winter 8–17 Uhr, ✆/℻ 2411747.

Bei schwierigeren Fragen wendet man sich besser an das Regionalbüro, Tonguç Cad., T.R.T. Yanı 21, ✆ 3432760, ℻ 3432748.

• *Verbindungen* Der moderne internationale **Flughafen Çalkaya** liegt ca. 15 km östlich von Antalya. Wer hier landet, hat (bevor er den Zoll passiert) noch die Möglichkeit, einen **Duty-free-Einkauf** zu tätigen; die Preise für viele Waren sind niedriger als beim zollfreien Einkauf in Deutschland oder an Bord. Einen Bankautomat finden Sie im Ankunftsterminal hinter der letzten Zollabfertigung linker Hand. Das Gros der Autovermietungen (mit Ausnahme von Sixt) hat seinen Sitz im nationalen Terminal, einen kleinen Fußmarsch vom internationalen Terminal entfernt. Mehrmals am Tag Flüge zu türkischen und deutschen Städten.

Transfer vom und zum Flughafen: Bus ins Zentrum nur vom nationalen Terminal aus, und zwar durch die Gesellschaft Havaş bis zu 8-mal tägl., 2,75 €. In Antalya startet der Bus vor dem Büro der THY in der Cumhuriyet Cad. 2, ✆ 2434381, ℻ 2484761. Ansonsten bestehen keine öffentliche Verbindungen zum Flughafen. Taxi vom Flughafen in die Stadt oder andersrum ca. 11 € (der einfachste Weg).

Bus: Das moderne Busterminal liegt ca. 4 km außerhalb an der Ausfallstraße nach Burdur. Anbindung mit den Zubringerbussen der Busgesellschaften oder mit jedem Dolmuş mit der Aufschrift "Otogar" (u.a. von der İsmet Paşa Cad.). Häufige Verbindungen in alle größeren Städte des Landes und entlang der Küste. Nahezu stündl. entlang der Küste nach Kaş (z.T. auch alle 30 Min., 4 Std.), nach Korkuteli (Termessos) und Alanya (2 Std.), regelmäßige Verbindungen nach Adana via Anamur (12 Std.), İstanbul (13 Std.), İzmir (9 Std.), Bodrum (mit Umsteigen in Muğla, 11 Std.), Pamukkale (5 Std.), und mehrere Nachtbusse nach Kappadokien (10 Std.).

Dolmuş/Stadtbus: Nach Kemer steigt man in der Nähe des Sheraton Hotels zu (alle 15 Min., 1,70 €), in Richtung Lara an der

Cumhuriyet Cad. oder der Atatürk Cad., nach Aksu (Perge) am Aspendos Bul. (Verlängerung der Ali Çetinkaya Cad.), zum Düden-Wasserfall an der Ali Çetinkaya Cad. Nach Aspendos nimmt man vom Busbahnhof einen Minibus Richtung Serik und steigt dort auf ein Dolmuş um (diese Variante ist allerdings nur im Sommer möglich). Zu den Kurşunlu-Wasserfällen verkehren Busse ab der Doğu Garajı östlich des Zentrums. Sammeltaxis besorgen auch den Stadtverkehr, problemlos kommt man überall hin.

Straßenbahn: Seit 1999 besitzt Antalya eine Straßenbahnlinie. Sie führt vom Museum über den Konyaaltı Bul. (der parallel zur Küste verläuft und in die Cumhuriyet Cad. übergeht) mitten ins Herz der Stadt und auf der Atatürk Cad. gen Süden weiter über die Fevzi Çakmak Cad. bis zum Ende der Işıklar Cad. Sie fährt tagsüber jede halbe Stunde.

Taxi: Taxis fahren für angeschlagene Festpreise zu allen bekannten Zielen der näheren und weiteren Umgebung. Außerhalb der HS ist Handeln mit größeren Spielräumen möglich. Preisbeispiele retour: Termessos 33 €, Perge 29 €, Aspendos 27,50 €, Düden 25 €.

• *Bootsausflüge* entlang der Küste können Sie beim abendlichen Hafenbummel buchen. Geboten wird vom Zwei-Stunden-Trip über die 12-Stunden-Tour mit Lunch oder Dinner an Bord bis zu Mondscheinfahrten alles. Aus der breit gefächerten Palette einige Beispiele: Zwei Stunden untere Düden-Wasserfälle (→ Östlich von Antalya, S. 491) und Piratenhöhle (Ratteninsel) zu ca. 7 €, sechs Stunden Kemer, Phaselis und Olympos (westlich von Antalya, empfehlenswert) ca. 15 € oder neun Stunden Kekova (eine reizvolle Inselwelt ebenfalls westlich von Antalya) ab 30 €. Moonlighttouren kosten pro Person 4–5 €.

• *Organisierte Touren* werden z. B. zu den Düden-Wasserfällen oder nach Termessos für ca. 25 € angeboten, nach Aspendos (→ S. 505), Perge (→ S. 499) und Side (→ S. 510) für ca. 45 €. Eine kombinierte Bus- und Bootsfahrt nach Demre (Geburtsstadt des Hl. Nikolaus, westlich von Antalya) und Kekova (eine wildromantische kleine Inselwelt) kostet ca. 37 €, eine Zwei-Tages-Tour zu den Sinterterrassen von Pamukkale 55 € und eine Drei-Tages-Tour nach Kappadokien (→ S. 603) 90 €. Tourenveranstalter findet man insbesondere an der Atatürk Cad., der Cumhuriyet Cad. und in der Altstadt. Das Programm ist sehr umfangreich. Preisvergleiche lohnen sich. Auch sollte man fragen, an wie vielen Schmuckfabriken und Ledergeschäften auf einer Bustour gestoppt wird. Leser empfehlen **Akay Turizm**, Atatürk Cad., ✆ 2431700 und **Maki Tur**, Uzunçarşı Sok. 34, ✆ 2414541.

• *Parken* Gebührenpflichtiger, bewachter Parkplatz am Jachthafen in der Altstadt.

Adressen

• *Ärztliche Versorgung* Deutschsprachige Ärzte finden Sie im **Antalya Private Hospital**, Bayındır Mah., 325 Sok. 8, ✆ 3350000. **Dr. Faik Güven**, ein Deutsch sprechender Zahnarzt, bohrt in der Konyaaltı Cad. 64, ✆ 2410176.

• *Autoverleih* Bei den internationalen Anbietern liegen die billigsten Fahrzeuge bei 50–60 € pro Tag inkl. Versicherung. Günstiger sind die zahlreichen nationalen Verleiher.

Eine seit Jahren bewährte und von vielen Lesern empfohlene Autovermietung ist **Say**, Tuzcular Mah. Mescit Sok. 29, ✆ 2430923, www.say-rent-a-car.de. 24-Std.-Service unter ✆ 0532/2645054 (mobil). Info und Reservierung in Nürnberg, ✆/℻ 0911/686266. Die Betreiber sprechen sehr gut Deutsch und bieten einen ausgezeichneten Service sowie gute Versicherungsleistungen. Kostenloser Flughafentransfer. 2002 lag das billigste Modell bei 26 € pro Tag, mit Klimaanlage bei 40 €.

Wer gerne mehr bezahlt, kann sich z. B. an **Avis** wenden, Fevzi Çakmak Cad. 30, ✆ 2481772, ℻ 2481719 (Flughafen ✆ 3303073), oder an **Budget**, Fevzi Çakmak Cad., ✆ 3227686, ℻ 3229824 (Flughafen, ✆ 3303079).

• *Diplomatische Vertretungen* **Deutschland** (Honorarkonsulat), Paşakavakları Cad., 1447 Sok., Gürkanlar Apt., Kat. 5/14, ✆ 3122535, ℻ 3216914.

Österreich (Honorarkonsulat), Namık Kemal Bul. 64; ✆/℻ 3451800, ℻ 3552738.

Schweiz (Honorarkonsulat), Işıklar Cad. 57 (→ Reisebüro Pamfilya Tours), ✆ 2431500, ℻ 2421400.

• *Polizei* Am Hafen befindet sich die **Tourist Police** mit deutschsprachigem Personal. 24 Std. geöffnet, sehr hilfsbereit, ✆ 2430486.

• *Post* **Hauptpostamt** in der Anafartalar Cad., einer Seitenstraße zur Cumhuriyet Cad.

• *Reisebüro* **Pamfilya Tours** für Flugtickets, Fährpassagen und Ähnliches, zugleich

Schwer verdiente Brötchen – Schuhputzer

American Express Travel Service. Işıklar Cad 57, ✆ 2431500, pamfilya.com.tr.

• *Waschsalon* **Sempatik Laundry**, in der Altstadt in der Hesapçı Sok. 43. Eine Trommel waschen und trocknen kostet 4,20 €.

• *Zeitungen* Deutschsprachige Tages- oder Wochenblätter nur vereinzelt an einigen Kiosken an der Cumhuriyet und der Ali Çetinkaya Cad. Am Nachmittag oft schon ausverkauft.

• *Zweiradverleih* Etliche Geschäftsleute in der Altstadt und an der Fevzi Çakmak Cad. Angeboten wird alles zwischen einem 125-ccm-Yamaha-Scooter (ab rund 20 € pro Tag) bis zur Honda Enduro mit 600 ccm (ca. 75 €). Lassen Sie Kratzer oder Defekte an den Zweirädern im Vertrag vermerken!

Fahrräder werden hingegen nur wenige vermietet, den Verleihern bringen sie mehr Ärger als Umsatz. Dennoch haben diverse Autoverleiher ein oder zwei Räder im Programm. Die Preise liegen zwischen 8 und 10 € pro Tag.

Einkaufen/Sport/Sonstiges

• *Einkaufen* Etliche **Leder- und Modegeschäfte** befinden sich an und nördlich der Cumhuriyet Cad. auf Höhe des Yivli-Minarett und zudem an der Atatürk Cad. **Silber- und Goldschmuck** findet man in den zahlreichen kleinen Juwelierläden an und um die Cumhuriyet Cad. beim Bedesten. Auch wenn es hier so etwas wie ein Basarviertel gibt – Flair besitzt es keines. Die ganze Palette des türkischen Warenangebots gibt es in der Neustadt; die Kazım Özalp Cad. ist die größte städtische Fußgängerzone mit vielen Geschäften. Etwas ruhiger und beschaulicher geht es auf dem stets mittwochs stattfindenden **Wochenmarkt** in einer namenlosen Straße zwischen der Işıklar Cad. und der Fevzi Çakmak Cad. beim Stadion zu. Viel Obst und Gemüse, Käse und Kleider, aber keine Souvenirs. Einen Bummel wert ist auch der **Sonntagsmarkt** auf der Anarfartalar Cad (nahe der Hauptpost). Ein beliebtes Mitbringsel ist **Rosenkonfitüre**, eine Spezialität Antalyas; in 90 % der Fälle verschimmelt sie später im Küchenregal.

• *Fußball* **Antalya Spor** kickt in der höchsten türkischen Klasse. Ligaspiele finden im Stadion nahe der Altstadt statt, meist Sa und So.

• *Klettern* Das größte und besterschlossene Klettergebiet der Türkei befindet sich nahe dem Dorf **Geyikbayırı** rund 25 km westlich von Antalya auf dem Weg ins Skigebiet Saklıkent. Die Hauptwand ist 1,5 km lang und zwischen 10 und 60 m hoch. Vor Ort gibt es einen einfachen Campingplatz und eine Pension. Nähere Infos unter www.climbturkey.com.

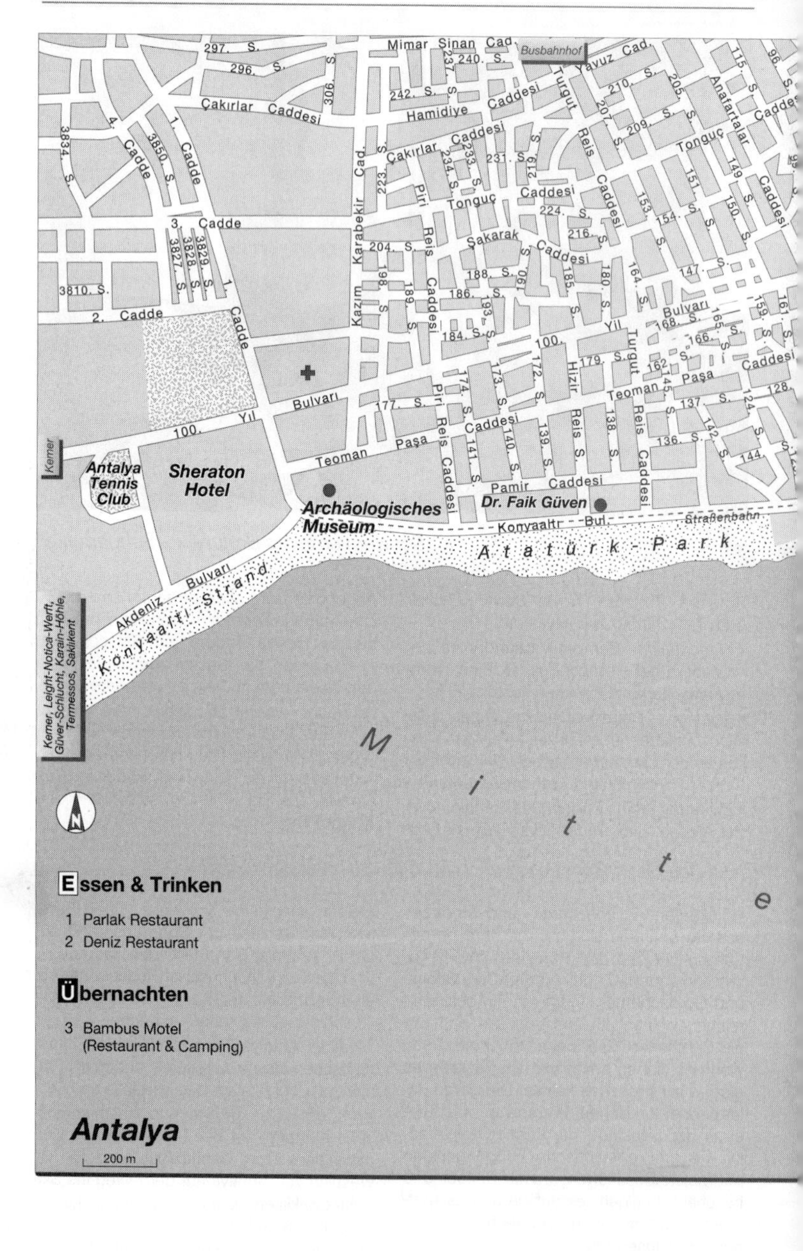
Busbahnhof
Mimar Sinan Cad.
Çakırlar Caddesi
Hamidiye Caddesi
Yavuz Cad.
Turgut Reis Caddesi
Anafartalar Caddesi
Tonguç Caddesi
Kazım Karabekir Cad.
Piri Reis Caddesi
Şakarak Caddesi
100. Yıl Bulvarı
Teoman Paşa Caddesi
Hızır Reis S.
Pamir Caddesi
1. Cadde
2. Cadde
3. Cadde
4. Cadde
Kemer
Antalya Tennis Club
Sheraton Hotel
Archäologisches Museum
Dr. Faik Güven
Konyaaltı Bul.
Straßenbahn
Atatürk-Park
Akdeniz Bulvarı
Konyaaltı-Strand
Kemer, Leight-Notica-Werft, Güver-Schlucht, Karain-Höhle, Termessos, Saklikent
Mitte
N
Essen & Trinken
1 Parlak Restaurant
2 Deniz Restaurant
Übernachten
3 Bambus Motel (Restaurant & Camping)
Antalya
200 m

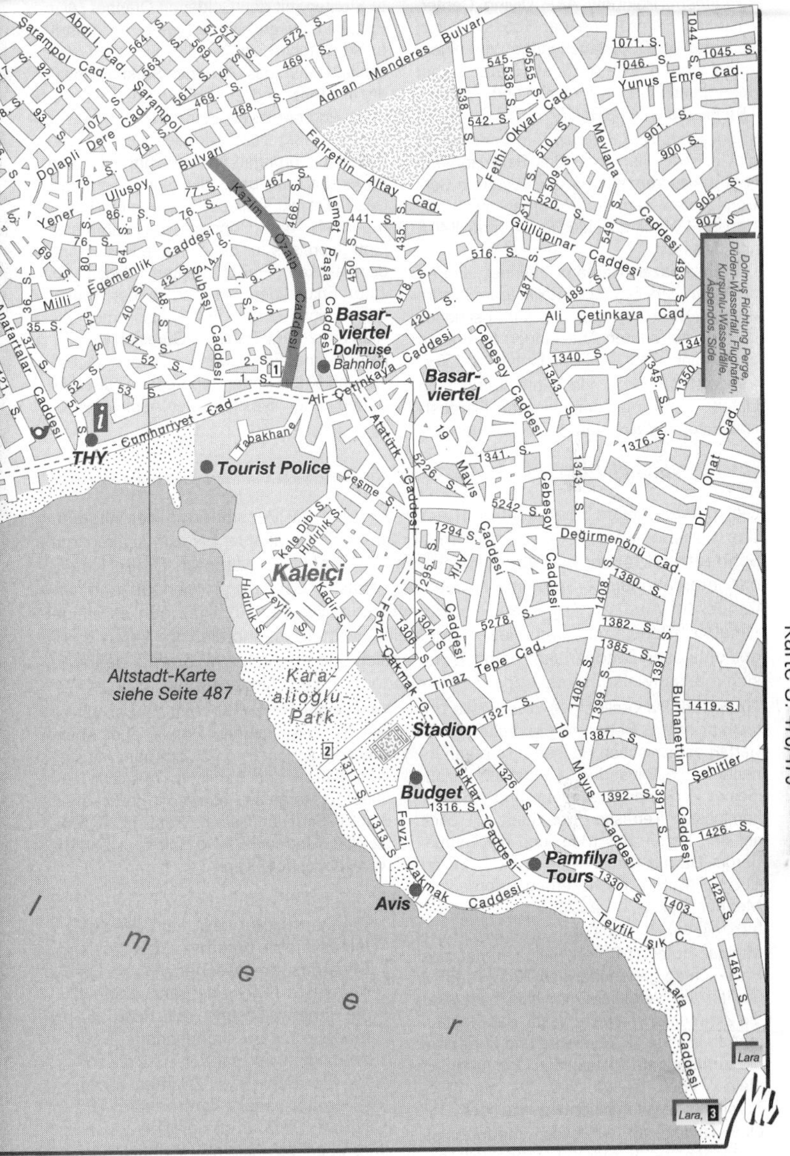

Türkische Riviera
Karte S. 478/479

• *Tauchen* **Rainbow A&P Diving Center**, am alten Hafen nahe der Tourist Police. Veranstaltet Bootstauchgänge zu einem vorgelagerten Wrack (30 €). Bietet ferner Schnupperkurse für 50 € und diverse Tauchkurse an. ✆ 2481257.

• *Türkisches Bad (Hamam)* In der Altstadt gibt es zwei Hamams. Das **Sefa Hamamı** liegt etwas versteckt in der Kocatepe Sok. Gemischtes Bad, im Sommer tägl. 9–23 Uhr, im Winter geschlossen. Eintritt 8,40 € (inkl. Massage).

Das **Balıkpazarı Hamamı** befindet sich an der Paşa Cami Sok./Ecke Balıkpazarı Sok. Im Winter 2001 eröffnetes, großes und schönes Bad mit getrennten Abteilungen für Frauen und Männer. Tägl. 7–24 Uhr. Eintritt ca. 8,50 €.

• *Veranstaltungen* Ende September/Anfang Oktober finden die traditionellen **Filmfestspiele von Antalya** statt, bei denen der beste Streifen mit der "Goldenen Orange" *(Altın Portakal)* ausgezeichnet wird. Im Mittelpunkt stehen türkische Filme. Daran schließt sich das **Akdeniz Şarkı Festivalı** an, ein Tanz- und Gesangswettbewerb. Sehens- und hörenswert sind die im Sommer unregelmäßig stattfindenden **Opern- und Ballettaufführungen im Freilichttheater von Aspendos**, buchbar in diversen Reisebüros. Das Ticket inkl. Transport kostet oft nicht viel mehr als das Doppelte des normalen Eintrittspreises für die einfache Besichtung des antiken Freilichttheaters. Noch ein Tipp: Erkundigen Sie sich in der Tourist Information, wann im Spätsommer die **Altın Kiraz Yağlı Pehlivan Güreşleri** ("Ölringkämpfe im Zeichen der Goldenen Kirsche") im rund 60 km entfernten Korkuteli über die Bühne gehen. Sie sind einen Ausflug wert.

Übernachten (siehe Karte S. 487)

Die meisten Gäste übernachten in einer der rund 200 Pensionen in der Altstadt. Das Angebot ist dort vielfältig, vom Vorhang mit Goldkante bis zum Laken mit Schmutzrand. Auch spät abends bekommt man noch ein Zimmer. Große Hotels mit internationalem Standard findet man entlang der Uferpromenade und am Rande der Altstadt. Am Strand von Konyaaltı im Westen Antalyas gibt es einige einfache Pensionen und neu hingestellte Mittelklassehotels. In Lara, einer gesichtslosen Betonansammlung 12 km östlich und ebenfalls mit Strand, befinden sich massenweise Hotels ohne Flair (→ Baden). Unsere Altstadttipps:

Tütav Türk Evi Otelleri (13), niveauvolle Unterkunft mit 40 Betten in drei schön renovierten osmanischen Häusern, die durch Innenhöfe miteinander verbunden sind. Kleiner Pool, Bar, Restaurant und eine der herrlichsten Terrassen der Stadt mit Blick auf den Hafen, das Meer und die Taurus-Berge. DZ mit Klimaanlage ab 60 €, EZ ab 40 €, In der HS Reservierung erforderlich. Mermerli Sok. 2, ✆ 2486591, turkevi@tutavturkevi.com.

Marina Hotel (14), ebenfalls vornehmes Haus schräg gegenüber den Tütav Türk Evi Otelleri. Im Vergleich zum Nachbarn sind die Zimmer eher zweite Wahl, das Restaurant aber erste. 41 gepflegte und komfortable Zimmer mit Klimaanlage, Bar und TV. Kleiner Pool. EZ ab 75 €, DZ ab 100 €, ✆ 2475490, www.marinaresidence.com.

Otel Tuvana (6), stilvolles, komfortables Haus. Schöne Zimmer mit Holzdecken, geschmackvoll platzierten Antiquitäten und Replikaten alter Möbelstücke. Netter Garten mit Orangenbäumen und Pool. EZ 56 €, DZ 70 €. Karanlık Sok. 18, ✆ 2411981, ℻ 2476015.

Yeni Doğan Hotel (15), nicht ganz so stilvoll wie die vorgenannten Hotels, aber ebenfalls sehr schön. 8 von 21 Zimmern mit kleinem Balkon und herrlicher Aussicht. Gepflegte ockergelbe Räume mit gekachelten Böden. Schöner Garten, Pool. EZ 37,50 €, DZ 50 €. Mermerli Banyo Sok. 5, ✆ 2474654, www.doganhotel.com.

Frankfurt-Hotel (16), ein kleines, feines Hotel unterhalb des Kesik-Minaretts im Gassengewirr. Im Osmanenstil renoviert, ganz originell die Innenhoflösung mit Pool. Zufriedene Stammkundschaft. Sehr gepflegt und sauber. Zuvorkommender Service. 20 Zimmer, davon 9 große, sehr komfortable. EZ 17,50 €, DZ 30 €, die großen Luxuszimmer 40 € (alle inkl. reichhaltigem Frühstück). Deutschsprachiger Besitzer. Von Lesern empfohlen. Hıdırlık Sok. 17, ✆/℻ 2418931 und 2476224.

Hotel Begonvil (7), dreistöckiges, von Kletterpflanzen umwuchertes Haus in der Altstadt unter deutsch-türkischer Leitung. 14 relativ kleine DZ mit Klimaanlage und Minibar. Schöner Hof. EZ 17,50 €, DZ 25 € inkl. Frühstück. Mescit Sok. 23, ✆/℻ 2429486.

Festung Pansiyon (11), gehobener Standard in ruhiger Altstadtlage, von einem Leser entdeckt. Schönes Haus mit heimeligem Garten, Pool, Bar und Restaurant. Der nette Hausherr spricht gut Deutsch. 16 saubere, gemütliche Zimmer. DZ inkl. Frühstück 25 € (mit Klimaanlage 35 €), EZ 20 €. Musallah Sok. 10, ✆ 2476251, ℻ 2477702.

Pension Luiza (10), kleine Acht-Zimmer-Pension in Hafennähe ohne komfortablen Schnickschnack, doch sauber und gut geführt. Freundlicher Besitzer, kleine, recht spartanische, doch ausreichende Räume (die meisten mit Du/WC, ein Teil davon mit Balkon), Dachterrasse (mit tollem Blick und extra Panoramaplattform) zum Frühstücken und für die abendliche Abkühlung. Ebenfalls von Lesern gelobt. EZ 12,50 €, DZ inkl. Frühstück 21 €. Merdivenli Sok. 1., ✆ 2421116.

Pension Mini Orient (12), nomen est omen – etwas Orientatmosphäre herrscht zumindest an der Rezeption. Das alte Haus ist neu hergerichtet, hat aber seinen Charakter nicht verloren. Kleiner Innenhof. Freundliche, gemütliche Zimmer mit Du/WC. EZ 13 €, DZ 20 €, Dreibettzimmer 25 € inkl. Frühstück. Civelek Sok. 30, ✆ 2440015.

Özmen Pansiyon (25), nahe dem Hıdırlık Kulesi. Ein Lesertipp, dem wir uns anschließen, schon des zuvorkommenden Services wegen. 25 blitzsaubere Zimmer, 8 davon mit Balkon. Der Hit jedoch ist die Wahnsinnsdachterrasse mit Blick über die halbe Stadt und das Meer. DZ mit Klimaanlage 20 €, ohne 15 €, Frühstücksbufett inklusive. Zeytin Çıkmazı 5, ✆ 2416505, www.ozmenpension.com.

Abad Otel (22), nahe dem Kesik-Minarett. Von Lesern gelobt, insbesondere wegen der schönen Dachterrasse, den netten Besitzern und dem guten Frühstück. Ordentliche DZ mit unterschiedlicher Ausstattung, alle mit Bad, jedoch z. T. nachträglich eingebaut. Zentralheizung. DZ mit Frühstück 20 €. Hesapçı Sok. 52, ✆/℻ 2474466.

Sultan Pansiyon (8), in einem ganz versteckten, doch sehr zentralen Winkel der Altstadt. 12 freundliche Zimmer, auf zwei Häuser verteilt, gemütlicher Innenhof. DZ 17 €, mit Klimaanlage 25 €. Mektep Sok. 3, ✆ 2422253, sultan-pension@hotmail.com.

White Garden Pansiyon (21), sehr saubere, ordentliche Zimmer. Freundliche, familiäre Atmosphäre, netter Innenhof. DZ 15 € mit Frühstück. Hesapçı Geçidi 9, ✆ 2419114, ℻ 2412062.

Sabah Pension (24), unterhalb dem Kesik-Minarett. 19 Zimmer in einem renovierten Altbau und einem stilgerechten neuen Anbau, alle mit Du/WC und Klimaanlage, im Winter Heizung, im Sommer kühler Innenhof. Eine erfreuliche Zugabe ist die gute Küche. Auf Wunsch Wäscheservice, zudem Autoverleih und Touren in die Umgebung. EZ 12,50 €, DZ inkl. Frühstück 15 €. Hesapçı Sok. 60, ✆ 2475345, ℻ 2475347.

Keskin Pansiyon (23), nicht zu verwechseln mit Keskin 2 gleich nebenan. 9 einfache Zimmer – fürs gleiche Geld wohnt man anderswo komfortabler. Dafür gigantische Dachterrasse, auf der auch das Frühstück serviert wird und die für alles andere entschädigt. Der nette, kommunikative Hausherr Rafet Keskin wurde übrigens in Zimmer Nr. 3 geboren. EZ 12,50 €, DZ 15 €. Hıdırlık Sok. 35, ✆/℻ 2440135.

Garden Pansiyon (18), unterhalb dem Kesik-Minarett. Nichts für große Ansprüche – einfache, abgewohnte Zimmer mit Du/WC und elektrischen Leitungen mit Wackelkontakt. Dennoch Herberge mit Flair: großer schattiger Innenhofgarten, Café/Bar und Kochgelegenheiten. DZ 9 €, Dreibettzimmer 10 € ohne Frühstück. Zafer Sok. 16, ✆ 2471930.

Türkische Riviera
Karte S. 478/479

Camping (siehe Karte S. 482/483)

Die Campingkultur um Antalya nimmt spürbar ab. Der alteingesessene Bambus-Camping hat seine Stellplätze zugunsten gewinnbringenderer Bungalows verknappt, die einstigen Plätze in seiner Nachbarschaft und am Konyaaltı-Strand gibt es nicht mehr. Weitere Campingmöglichkeiten bestehen in mehreren Buchten Richtung Kemer.

Bambus Motel-Restaurant & Camping (3), oberhalb der Steilküste in Stadtnähe. Kleiner, ruhiger Platz mit ein paar Bäumen, im Sommer oft voll und daher auch laut. Von einer Plattform aus gute Bademöglichkeit – über Steinstufen geht's ins Meer. Gehobene Küche, wahlweise im Terrassenrestaurant mit Aussicht oder im Felsenrestaurant mit Kamin und Bar. Sanitäre Anlagen o. k. Campen für 2 Personen mit Zelt 10 €, mit Wohnmobil 12 €.

Zudem werden holzverschalte DZ mit ordentlicher Ausstattung, Terrasse und Meeresblick zu 25 € inkl. Frühstück vermietet. Lara Yolu, ☎ 3215263, 📠 3213550. Von der Atatürk Cad. Richtung Lara, nach 2 km auf der rechten Seite oberhalb des Meeres.

Essen & Trinken (siehe Karten S. 482/483 und 487)

Rund um den alten Hafen und darüber an der Steilküste findet man viele romantische Restaurants mit herrlicher Aussicht, wo man wortwörtlich gerne über den Tellerrand blickt. Das Gros davon ist qualitativ gut, die Preise sind der Lage entsprechend. In der Altstadt finden Antalyagäste weitere Restaurants, z. T. in den Gassen, z. T. in (lauschigen) Pensionsgärten. Nicht so idyllisch (dafür aber preisgünstiger) geht es in der Eski Şerbetçiler Sok. zu, einer kleinen Fressgasse nahe der Atatürk Caddesi/Ecke Cumhuriyet Caddesi. Aufgrund der vielen Dönerläden wird sie auch *Dönerciler Çarşısı* ("Dönermarkt") genannt. Hier reiht sich ein kleines Lokal an das andere, die Tische stehen auf der Straße und lassen sich kaum den einzelnen Lokalen zuordnen. Eine große Portion Döner mit Brot, dazu eine Cola, kostet hier etwa 3 €.

Marina Restaurant (14), in der Altstadt gleich oberhalb des Jachthafens. Das Restaurant der Nobelherberge gilt bei Gourmets als eines der besten seiner Kategorie in der Türkei. Kreditkarten werden akzeptiert.

Club 29 (9), Restaurant und Disco mit Pool am Jachthafen, Treffpunkt der Schönen und Wohlhabenderen. Innen ein rustikal-gepflegter Saal mit schmiedeeisernen Leuchtern, außen herrliche Terrasse mit gemütlich-edlen Lümmelsofas. Serviert werden Fisch und Internationales. Nichts für den schmalen Geldbeutel, aber sehr empfehlenswert. Im Winter geschlossen.

Bade Konağı (17), in der Zafer Sok. 7 mitten in der Altstadt. Sehr gepflegtes, zweigeschossiges Lokal, ebenfalls mit rustikaler Einrichtung. Die leckeren Vorspeisen und traditionellen Gerichte schmecken der jungen Oberschicht Antalyas genauso wie den Touristen. Für das Gebotene faire Preise. Jeden Abend Livemusik.

Restaurant Hasanağa (5), in einem alten, renovierten Stadthaus an der Mescit Sok. 15 in der Altstadt. Schöner Innenhof mit Orangenbäumen, zuvorkommender Service, regelmäßig Folklore. Berühmte Persönlichkeiten Antalyas lassen hier auftafeln oder bedienen sich am offenen Meze-Bufett (unbedingt probieren!). Spezialität des Hauses ist der *Osmanlı Tabağı* (Osmanischer Teller), ein brodelnder Steintopf mit zartem Fleisch in würziger, sämiger Soße.

Deniz Restaurant (2), beim Stadtpark. Innen erinnert es an einen sozialistischen Hotelspeisesaal, die Terrasse über dem Meer ist dafür traumhaft. Ausschließlich Gegrilltes, Fleisch ab 2,50 €, Fisch ab 5 €. Parkıcı Belediye Nikah Salonu.

Ausflugstipp: Arkadaş, im Norden Antalyas nahe den Düden-Wasserfällen. Das beliebte Forellenlokal liegt idyllisch in einem wildromantischen Tal an einem rauschenden Fluss. Die leckeren Fische kommen aus der hauseigenen Zucht. Faire Preise, von Lesern empfohlen. Von der Straße zu den Wasserfällen aus beschildert. Auch mit dem Dolmuş zu erreichen. Vom Restaurantparkplatz noch ca. 5 Min. zu Fuß. ☎ 3610165.

Parlak Restaurant (1), etwas versteckt am Beginn der Kazım Özalp Cad. Um dahin zu kommen, müssen Sie an den etwas aufdringlichen Schleppern des Restaurants "Şalvar" vorbei. Große Auswahl an türkischen Gerichten, serviert wird mittags und abends. Lediglich gegrillte Hähnchen gibt es den ganzen Tag über. Überdachter Terrassenbereich, gemütlicher, ockerfarbener klimatisierter Innenbereich. Faire Preise. Kazım Özalp Cad. 7.

Restaurant Café Gül (20), beliebter Treffpunkt deutscher Antalyagäste. Ein Leser schwärmt: "Christa Dinsel kocht nach traditionellen Rezepten ihrer türkischen Schwiegermutter. Das Essen ist sehr reichhaltig und gehört zum Besten, was ich jemals an

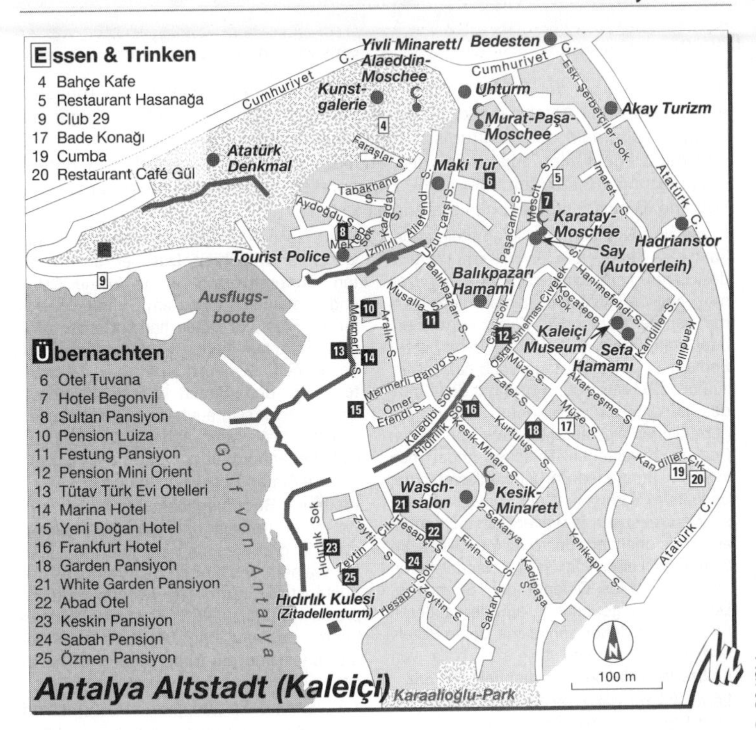

Türkische Riviera
Karte S. 478/479

türkischer Küche geboten bekommen habe." Ein Essen mit Vorspeise, Hauptgericht und Wein ca. 7,50 €. Schöner Garten. Freundlicher Service. Kocatepe Sok. 1.

Cumba (19), neben dem Café Gül. Weitläufiges Gartenlokal, man sitzt unter Zitrusbäumen und hört Grillengezirpe. Diverse Spezialitäten vom Rost, 1a-Köfte. Ebenfalls von Lesern gelobt. Kocatepe Sok. 3.

• *Café* **Bahçe Kafe (4)**, beim Yivli-Minarett. Ein beschauliches, schattiges Fleckchen abseits des Touristenstroms. Einheimisches Publikum, kein Alkohol und türkische Kunstmusik aus den Boxen.

Nachtleben

An der Atatürk Cad. gibt es einige Tanzlokale mit türkischer Livemusik, zugeschnitten auf ausländische Touristen. Die Darbietungen sind eher anspruchslos. Einige enttäuschte Besucher sprechen von Nepp.

Anders das "richtige" Nightlife. In der Altstadt findet man etliche Bars, in denen sich lebenslustige Einheimische und Touristen in die Nacht stürzen. Nightspot Nummer eins ist der trendige **Club 29** am Jachthafen (→ Essen & Trinken) – Abend-Make-up und Geldbeutel sollten hier gleichermaßen dick sein. Besuchen Sie zudem den **Cece-Pub** oberhalb des Hafens oder trinken Sie ein Glas bei Livemusik in der **Jest-Bar** in der Cumhuriyet Cad. 59, die meist nicht ganz so voll ist wie das Cece. Das **Ally** ist eine Art Vergnügungspark für Gaumen und Ohr: mehrere Restaurants, darunter ein italienisches, ein mexikanisches und ein chinesisches, viel Musik, alles auf höherem Preisniveau.

Außerhalb der Altstadt sind die **Disco Olympos** des Hotels Falez (neben dem Sheraton) und die Openair-Disco **Aqualand**, ebenfalls an der Straße Richtung Kemer (beim Antalya Tennis Club) die angesagtesten Nightspots.

Baden

Attalos plante bei der Gründung der Stadt keine schwimmbegeisterten Touristen ein und platzierte Antalya direkt auf einem Fels über dem Meer. Folglich liegen die Strände außerhalb des Zentrums. Einzige Ausnahme ist der gebührenpflichtige und mit Liegestühlen zugepflasterte Sandfleck keine 100 m südlich des Hafens (Zugang vom Restaurant Mermerli). Gelegentlich sprudelt im Meer davor eine Fontäne. Die nächstgelegenen Strände sind:

Konyaaltı: Ein mehrerer Kilometer langer Sand-Kies-Strand, der etwa 2 km westlich des Zentrums beginnt. Spielend per Dolmuş mit der Aufschrift "Liman" oder "Hurma" von der Cumhuriyet Cad. zu erreichen, oder man fährt mit der Straßenbahn bis zur Endstation und läuft dann noch ca. 10 Min. zu Fuß. 2002 wurde ein Abschnitt des Strandes parkähnlich verschönert, zudem mit gemütlichen Restaurants, Bars und einem Beachclub versehen. Duschen findet man in den Strandbädern, Getränkeverkäufer überall. Im Sommer ist der Konyaaltı-Beach sehr gut besucht, je weiter man sich stadtauswärts orientiert, desto ruhiger wird's. Im Osten schließen der neue Handelshafen und ein großes Öldepot den Strand ab. Dem Strand gegenüber auf der anderen Straßenseite liegen zahlreiche kleine Hotels und Pensionen, die in erster Linie von türkischen Urlaubern frequentiert werden.

Lara: 12 km östlich der Stadt, ebenfalls mit dem Dolmuş problemlos zu erreichen. Am besten fahren Sie bis zur Endhaltestelle Örneköy. Östlich des dortigen, mondänen 750-Betten-Clubhotels Sera beginnt ein längerer Strandabschnitt, erst feiner Kies, dann Sand, sauber und sehr gepflegt, z. T. gewalzt, ca. 30 m breit. Duschen und Toiletten, Surfbrettverleih, einige kleine Cafés und Restaurants direkt am Strand. Je weiter Sie Richtung Osten tingeln, desto ruhigere Plätzchen finden Sie, Abgeschiedenheit jedoch nie, denn kaum ein Quadratmeter hinter dem Strand ist nicht verbaut. Und so zeigt sich auch die eigentliche Ortschaft Lara als nichts anderes als eine triste Hotelbettenburg, über welche die Flugzeuge zum Airport Antalya donnern.

Weitere Bademöglichkeiten bestehen zwischen Antalya und Kemer, überwiegend in größeren und kleineren von Kiefernwäldern gesäumten Buchten nahe der Küstenstraße. Zum Teil werden Eintrittspreise von bis zu 3 € in Form von Parkgebühren verlangt. Die Dolmuşe nach Kemer passieren die Badeplätze, Abfahrt in der Nähe des Sheraton Hotels.

• *Aquaparks* Es gibt zwei, das **Aqualand** nahe dem Sheraton Hotel (unübersehbar) und den **Depark** beim Dedeman Hotel am Lara-Strand. Beide bieten riesige Rutschen, diverse Fun Pools und verlangen satte Eintrittspreise.

Sehenswertes

Die meisten Sehenswürdigkeiten Antalyas liegen in oder nahe der Altstadt *(Kaleiçi)* mit ihren engen, abschüssigen Gassen. Man kann sie spielend zu Fuß abklappern, aber im verwinkelt-verwirrenden Gassensystem nicht immer leicht bzw. auf Anhieb finden, denn kein Stadtplan wird dem Chaos gerecht. Umgeben ist die Altstadt weitestgehend von einer ursprünglich hellenistischen Stadtmauer. Dieser zinnenbewehrte Wall wurde von den Seldschuken und Osmanen immer wieder umgebaut.

Yivli-Minarett/Alaeddin-Moschee: Das seldschukische Minarett der Alaeddin-Moschee aus dem frühen 13. Jh. ist das Wahrzeichen Antalyas. Die Dominante in der Altstadtskyline ragt etwas unterhalb der Cumhuriyet Caddesi in den Himmel. Der Ziegelturm hat die Form eines Rundstabbündels und diente Seefahrern jahrhundertelang als Orientierungspunkt. Die dazugehörige Moschee mit sechs Ziegelkuppeln wurde auf dem Fundament einer byzantinischen Kirche errichtet. Sultan Alaeddin Keykobat I., einer der bedeutendsten

Seldschukenherrscher, gab Moschee samt Minarett in Auftrag. Gegenüber dem Minarett sieht man die Ruinen der *Medrese*, einer alten seldschukischen Koranschule. Gleich nebenan liegt der ehemalige *Konvent der Mevlana-Derwische*, heute die *Güzel Sanatlar Galerisi* (Kunstgalerie), in der wechselnde Ausstellungen stattfinden.

Murat-Pascha-Moschee/Uhrturm: Eine weitere bedeutende Moschee der Altstadt ist die Murat Paşa Camii aus der zweiten Hälfte des 16. Jh. Ihr Inneres ist mit prachtvollen İznik-Fayencen verziert. An dem Platz oberhalb der Moschee steht der Uhrturm, einst Teil der alten Stadtbefestigung und heute ein beliebter Treffpunkt. Gegenüber dem Turm beginnt die Kazım Özalp Caddesi, eine der modernsten Einkaufsstraßen Antalyas.

Hafen: Im 2. Jh. v. Chr. liefen hier die ersten Schiffe ein, die mächtigen Landmauern stammen aus römischer Zeit. 2.000 Jahre lang war er das Tor Antalyas zur Welt, bis er vom neuen Hafen westlich der Stadt abgelöst wurde. Heute legen hier nur noch Ausflugsschiffe, ein paar Jachten und Fischerboote an. Die Attraktion sind Schiffseigner und ihre Familien beim Abendessen.

Alltag im Hafen

Kesik-Minarett: Einst stand hier ein Tempel, der dem ptolemäischen Gott Serapis geweiht war. Im 5. Jh. wurde er von der byzantinischen *Panaghia-Kirche* abgelöst, die 800 Jahre später in eine Moschee umgewandelt wurde. Bei einem Großbrand in der Altstadt 1851 wurde diese samt ihrem Minarett erheblich in Mitleidenschaft gezogen. Seit diesem Zeitpunkt spricht man vom Kesik-Minarett – dem "abgeschnittenen Minarett". Das Innere der Moschee an der gleichnamigen Gasse ist heute mit Unrat und Unkraut gefüllt. Wer in die Ruine hineingeht, muss sich wegen des Gestanks die Nase zuhalten – die Moschee dient inoffiziell als öffentliche Bedürfnisanstalt.

Kaleiçi-Museum: Es ist untergebracht in einem osmanischen Herrenhaus. Zu sehen gibt es ein paar alte Fotografien der Stadt, zudem werden in drei extrem klimatisierten Räumen mit lebensgroßen Puppen Szenen aus dem vorletzten

Jahrhundert nachgestellt, wie z. B. das Servieren von Kaffee, das Rasieren des Bräutigams oder der Henna-Abend vor dem Hochzeitsfest. Das klingt nicht gerade spannend, und so ist es auch. Zum Museumskomplex gehört auch eine *griechisch-orthodoxe Kirche* aus der zweiten Hälfte des 19. Jh., die wechselnden Ausstellungen dient, gelegentlich finden darin auch Konzerte statt.

Adresse/Öffnungszeiten Kocatepe Sok. 25. Tägl. (außer Mi) 9–18 Uhr. Eintritt 0,40 €.

Hadrianstor: Der prunkvolle Triumphbogen aus Marmor mit seinen beiden wuchtigen Türmen wurde 130 n. Chr. für Kaiser Hadrian errichtet, als dieser der Stadt einen Besuch abstattete. Heute ist das Tor auch für Nichtkaiser ein hübscher Eingang von der Atatürk Caddesi in die Altstadt. Die Kerben in den Bodenplatten sollen Spurrillen römischer Wagen sein. Deutlicher erkennt man, dass das Höhenniveau der alten, römischen Stadt ein paar Meter unter dem heutigen lag. Welche Ruinen unter der Altstadt noch schlummern, ist unbekannt.

Hıdırlık Kulesi/Karaalioğlu-Park: Der 17 m hohe Turm ganz im Süden der Altstadt stammt aus römischer Zeit. Ob er als Mausoleum oder Teil einer alten Zitadelle gebaut wurde, weiß man nicht – die Forschung tappt hier noch im Dunkeln. Genutzt wurde er später u. a. als Leuchtturm und Kanonenplattform zur Sicherung des Hafens. Auf alle Fälle wird er gerne bestiegen. Weiter südlich schließt sich der Karaalioğlu-Park an: Blumenmeer trifft hier Mittelmeer. Teegärten und Restaurants laden zum Verweilen ein. Ein kleiner Zoo erfreut Kinderherzen. Tipp: Schauen Sie sich hier den Sonnenuntergang an.

Archäologisches Museum: Es gehört zu den führendsten Museen seiner Art in der Türkei. Der Rundgang beginnt mit Steinscherben und Schautafeln über das Paläolithikum und endet bei osmanischen Teppichen und türkischem Jugendstil des frühen 20. Jh. Seinen besonderen Ruf verdankt das Museum aber den Ausstellungsstücken aus der Antike: reiche Funde aus Pamphylien und Lykien, besonders beeindruckend die übergroßen Götter- und Kaiserstatuen von Perge (Saal 4) und die mit herrlichen Marmorfriesen verzierten Sarkophage (Saal 7). Zudem besitzt das Museum eine beachtliche Münzsammlung.

Adresse/Öffnungszeiten Das Museum liegt im Westen der Stadt an der Konyaaltı Cad., am einfachsten mit der Straßenbahn zu erreichen. Tägl. (außer Mo) 8.30–17 Uhr. Eintritt 4,20 €, erm. 1,70 €.

Atatürk-Park: Der Park erstreckt sich zwischen der Steilküste und dem Konyaaltı Bulvarı. Er wird gerne von türkischen Familien aufgesucht und bietet sonntags Volksfeststimmung. Außerdem hat man eine schöne Aussicht über die gesamte Bucht von Antalya: im Westen die Taurusberge bei Kemer, im Osten die Steilküste von Lara.

Leight-Notica-Werft: Weit außerhalb des Zentrums auf dem Gelände des Freihandelshafens *(Serbest Bölgesi)* im Westen Antalyas hat die Werft Leight Notica ihren Sitz. Motorisierte Luxusjachten gehen hier vom Stapel, u. a. gab hier David Coulthard sein Traumschiff in Auftrag. Gegründet wurde das Unternehmen von Orhan Çelikkol, einem Chirurgen, und Susanne Pape, einer Hotelfachfrau aus Deutschland. Bootsinteressierten werden nach Voranmeldung (✆ 2593056/-7) die Werkshallen gezeigt.

Auf dem Weg nach Saklıkent

Im Hinterland von Antalya

Als Highlight des Hinterlands präsentiert sich das antike *Termessos* im gleichnamigen Nationalpark – allein schon die Lage der Ruinenstadt in einer wildromantischen Bergwelt begeistert. Auf dem Weg dahin lohnt ein Abstecher zur imposanten *Güver-Schlucht* eher als zur *Karain-Höhle*, die nur eingefleischte Archäologiefreaks faszinieren wird. Die *Düden-* und *Kurşunlu-Wasserfälle* sind beliebte Ziele im Grünen, in der Bergwelt rund um *Saklıkent* kann man im Winter Ski fahren gehen.

Düden-Wasserfälle: Die *oberen Wasserfälle* liegen in einem kleinen Park *(Düdenbaşı Piknik Alanı)* im Nordosten Antalyas. Am Sonntag dient er türkischen Familien als Picknickplatz und Tanzterrain, Teegärten und Restaurants (→ Antalya/Essen & Trinken, S. 486) sorgen für Speis und Trank. Aus einer Felskaverne kann man den Wasserfall auch von hinten sehen. Im Sommer kann das Rauschen allerdings ausfallen, denn dann ist der Fluss Düden bisweilen ziemlich ausgetrocknet. Die *unteren Wasserfälle* liegen vor Lara am Meer und sind von oben langweilig anzuschauen. Anders jedoch der Anblick bei einer Bootstour von See aus: Durch die Ablagerung von Quellkalk hat der Düden hier Gesteinsformationen entstehen lassen, die sich im Laufe der Jahrtausende immer weiter ins Meer vorschoben.

• *Anfahrt/Öffnungszeiten* Von der West-Ost-Tangente, dem Gazi Bul., mit "Düden Şelalesi" beschildert. Am einfachsten jedoch mit dem **Dolmuş** zu erreichen, bis 21 Uhr regelmäßige Verbindungen vom Zentrum Antalyas. Rund um die Uhr zugänglich. Eintritt 0,45 €, Parken ebenfalls 0,45 €.

Kurşunlu-Wasserfälle: Sie sind größer und beeindruckender als die Düden-Wasserfälle und wurden 1991 zum Naturschutzgebiet erklärt. Trotzdem sollte man nicht zu viel erwarten, es stürzt auch hier kein imposanter Strom zu Tale. Andrang herrscht nur vor dem türkisfarbenen Becken des Hauptfalls; auf den kleinen Pfaden des reich bewachsenen Geländes verlieren sich die Spaziergänger dann aber zusehends. Wer dem Fluss folgt, gelangt zu einem kleinen See zwischen Felsen, Büschen und Bäumen.

• *Anfahrt/Öffnungszeiten* tägl. 8–19 Uhr. Eintritt 0,50 €, erm. die Hälfte, Parken 0,60 €. Antalya Richtung Osten (Alanya) verlassen, nach etwa 10 km weist ein Hinweisschild ("Kurşunlu Şelalesi") den Weg zu den noch 11 km entfernten Fällen. Die Wasserfälle sind im Sommer 4-mal tägl. mit dem **Bus** von Antalyas *Doğu Garajı* zu erreichen.

Saklıkent: Rund 50 km westlich von Antalya, auf 1.800 m Höhe im Landesinnern, liegt Saklıkent – kein idyllisches Bergdorf, sondern eine moderne, triste Ferienhaussiedlung. Bekannt ist der Ort wegen seines Skigebiets (1.750–1.990 m), genauer gesagt: wegen eines Liftes, der mehrere Abfahrtsmöglichkeiten erschließt. Leider ist die Region nicht allzu schneesicher. Vormittags Ski fahren und am Nachmittag am Strand liegen – das geht leider nur selten. Dennoch lohnt der Weg ins karge Bergland, denn schon die Anfahrt ist ein landschaftlicher Traum.

• *Anfahrt* Vom Zentrum Antalyas orientiert man sich erst Richtung Kemer, biegt beim Kreisverkehr nahe dem Hotel Sheraton rechts ab Richtung Burdur, 2 km weiter geht es links ab, und von hier ist der Weg dann ausgeschildert. Keine Dolmuşanbindung.

Güver-Schlucht: Der "Grand Canyon der Südküste" liegt im *Nationalpark Düzlerçami (Düzlerçami Milli Parkı)* an der Straße nach Termessos. Von drei Aussichtspunkten kann man auf die imposante Schlucht hinabblicken. Der Park selbst verfügt über Wildgehege und lädt zum Picknicken und Spazierengehen ein; ein Rundweg führt in ca. 1,5 Std. durch das Gelände – einfach am Eingang links halten und dann immer auf dem Weg bleiben.

• *Anfahrt/Öffnungszeiten* Vom Zentrum Antalyas orientiert man sich erst Richtung Kemer, biegt beim Kreisverkehr nahe dem Hotel Sheraton rechts ab Richtung Burdur, fast exakt 10 km später geht es dann links ab Richtung Denizli/Korkuteli. Der Eingang zum Park liegt 7 km weiter, kurz hinter dem Ortsende von Düzlerçami. Ein Weg führt an Wildgehegen vorbei zur Schlucht. Im Sommer bis spät in den Abend geöffnet. Eintritt 1 €.

Karain-Höhle: Für die Wissenschaft war die bereits in der Altsteinzeit bewohnte Höhle 30 km nördlich von Antalya einst eine interessante Entdekkung, für den Touristen von heute ist sie nicht viel mehr als ein schattiger Platz. Viel Außergewöhnliches gibt es nicht zu erspähen. Umso sehenswerter ist das 300 m tiefer gelegene, kleine *Museum*. Dort sind Höhlenfunde ausgestellt, insbesondere Pfeilspitzen und archaische Werkzeuge, deren Alter bis ca. 150.000 v. Chr. zurückreicht.

• *Anfahrt* Vom Zentrum Antalyas orientiert man sich erst Richtung Kemer, biegt beim Kreisverkehr nahe dem Hotel Sheraton rechts ab Richtung Burdur, fast exakt 11 km weiter geht es links ab Richtung Yeniköy. Nach etwa weiteren 4 km am Ende der Ortschaft biegt man wieder links ab, von dort ist der Weg dann ausgeschildert. Man kann aber auch von Termessos (s. u.) zur Höhle gelangen: An der Straße von Termessos zurück nach Antalya ist die Abzweigung ausgeschildert.

• *Öffnungszeiten/Museum* Mai–Oktober tägl. 7.30–19 Uhr, November–April 8–17.30 Uhr. Eintritt 0,85 €, erm. die Hälfte.

Termessos (antike Stadt)

Wenn Ruinen atemberaubend sein können, dann die von Termessos. Schwer zugänglich liegen sie auf rund 1.000 m Höhe.

Eine Besichtigung der Ruinen von Termessos gehört zum touristischen Pflichtprogramm der Südküste. Aber nicht nur die Ruinen sind eindrucksvoll, das Gleiche gilt für die artenreiche Tierwelt des Gebiets rund um den *Güllük Dağı* ("Rosenberg"), das 1970 zum **Nationalpark Termessos** erklärt wurde. Neben Adlern, Falken und Habichten kann man Wildziegen und mit etwas Glück auch Rot- und Damwild beobachten. Bisweilen stößt man sogar auf den *Capra aegagrus,* einen Verwandten des Steinbocks mit besonders schönen Hörnern. Selbst Bären sollen in den letzten Jahren wieder zugezogen sein, und noch im 19. Jh. berichtete der britische Reisende Charles Texier von einer großen Leopardenpopulation – die letzten Exemplare wurden 1938 erlegt. Die Flora ähnelt der alpiner Gebiete mit dichtem Niederbaumbestand. Eine Besonderheit ist die *Lady's-Slipper-Orchidee* (kann jeder selbst übersetzen), die im April/ Mai ihre blassen, rosafarbenen Blüten treibt.

Am Eingang zum Park befindet sich ein kleines *Museum*. Geboten wird nichts Spektakuläres, lediglich ein paar verblichene Landschaftsfotos, eine Reihe ausgestopfter Tiere, ein paar Funde aus der Ruinenstadt und Ähnliches mehr.

• *Anfahrt* Termessos, etwa 35 km nordwestlich von Antalya, erreicht man mit dem Korkuteli-Bus (vom Busbahnhof Antalyas). Auf Höhe des Yenice-Passes beim Wegweiser "Termessos" aussteigen. Von dort sind es noch knapp 7 km, die Straße ist gut ausgebaut, aber stark ansteigend (fast 700 Höhenmeter werden überwunden). Zu Fuß ca. 2 Stunden – im Sommer nur in den frühen Morgenstunden zu bewältigen. Wer früh kommt, hat eine reelle Chance, per Autostopp hinaufzukommen. Am besten beim Parkeingang Kontakte knüpfen. Im Sommer warten auch Taxis an der Abzweigung.

Selbstfahrer orientieren sich vom Zentrum Antalyas erst Richtung Kemer, biegen beim Kreisverkehr nahe dem Hotel Sheraton rechts ab Richtung Burdur, fast exakt 10 km später geht es dann links ab Richtung Denizli/Korkuteli. Von dort aus beschildert.

• *Öffnungszeiten* im Sommer tägl. 8–17.30 Uhr, im Winter 8–16 Uhr. Kalkulieren Sie für die Besichtigung von Termessos mindestens 2 Std. ein. Für den Nationalpark, in dem sich die antike Stadt befindet, werden pro Person 2 € verlangt, erm. etwas weniger als die Hälfte, Auto 2,30 €.

• *Jagd* **Pamfilya Tours** in Antalya (→ Antalya/Adressen, S. 480) organisiert Steinbockjagden und beschafft die notwendigen Papiere und Infos. Grundsätzlich benötigt man einen staatlichen türkischen Jagdschein. Steinböcke dürfen von September bis Januar gejagt werden. Dies ist notwendig, um den Bestand der Tiere in Grenzen zu halten, natürliche Feinde fehlen nämlich.

Hinweis: Für eine Besichtigung der weitläufigen antiken Stadt sollten Sie Getränke mitbringen, nicht immer sind fliegende Händler vor Ort. Sie können auch gleich einen Picknickkorb mitnehmen, das Theater ist ein herrlicher Platz, um ihn auszupacken.

Geschichte

Die Geschichte von Termessos reicht vermutlich bis ins 2. Jt. v. Chr. zurück. Die Stadt entwickelte sich aus einer uneinnehmbaren psidischen Bergfestung am Fuß des *Güllük Dağı,* der in der Antike noch den Namen *Solymos* trug.

Schenkt man Homers Epos "Ilias" Glauben, so waren die Solymer überaus kriegerisch und tapfer. Weder Alexander der Große noch andere potentielle Usurpatoren konnten die Stadt jemals einnehmen. Was dem Menschen vorenthalten blieb, gelang der mythologischen Gestalt des Bellerophon und der Natur – der Erstere vernichtete sie, die Letztere eroberte sie zurück.

Bellerophon – ein Held, der vom Himmel fiel

Bellerophon, Sohn des Königs von Korinth, zählt wie Herakles, Jason oder Theseus zu den großen Heroen der Mythologie. Ihm gelang es, das unsterbliche, geflügelte Pferd Pegasos zu zähmen, doch ihm gelang es auch, versehentlich seinen Bruder Deliades zu töten. Daraufhin musste er Korinth verlassen. In Argos, bei König Proitos, suchte er Zuflucht. Dort war Bellerophon mehr als nur willkommen – Proitos' Gemahlin verliebte sich in ihn. Da Bellerophon sie jedoch verschmähte, bezichtigte sie ihn der Vergewaltigung. Proitos verhängte daraufhin das Todesurteil über seinen Gast, nur selbst ausführen wollte er es nicht. Er schickte Bellerophon zu seinem Schwiegervater König Iobates von Lykien. Mit auf den Weg gab er ihm einen versiegelten Brief, der die Aufforderung enthielt, den Überbringer zu töten, Aber auch Iobates hatte Skrupel, die Tat auszuführen und stellte Bellerophon vor drei Prüfungen, die dieser nicht überleben sollte. Zunächst hatte er die Chimäre zu töten, doch Bellerophon erstach das feuerspeiende Ungetüm. Dann sollte er die Feinde Lykiens, die Solymer vernichten. Auch das gelang ihm. Zuletzt musste er gegen die Amazonen in den Kampf ziehen, jene kriegerische Frauen, die sich die rechte Brust abnahmen (*amazon* = brustlos), damit sie den Bogen besser halten konnten. Und auch von dieser Aufgabe kehrte Bellerophon lebend zurück. Daraufhin gab sich Iobates geschlagen, machte Bellerophon zu seinem Verbündeten, verheiratete ihn mit seiner Tochter Philonoë und schenkte beiden sein halbes Reich. Iobates zeigte dem mutigen Heroen auch jenen Brief, der einst seinen Tod bedeuten sollte. Bellerophon schwor Rache an Proitos' Gemahlin, ritt zu ihr, umschmeichelte sie und schlug ihr vor, gemeinsam zu fliehen. Sie willigte ein. Von seinem geflügelten Pferd stieß er sie aus großer Höhe ins Meer, wo sie ertrank. Ein ähnliches Schicksal sollte später auch Bellerophon erfahren. Er versuchte sich mit den Göttern und wollte auf Pegasos in den Himmel reiten. Zeus war darüber so erbost, dass er eine Fliege schickte, die Pegasos in den Hintern stach. Das Pferd warf seinen Reiter ab. Bellerophon überlebte den Sturz, war jedoch für immer gelähmt. Euripides verewigte das Leben des traurigen Helden in seinem Bellerophon-Epos.

Seine Blütezeit erlebte Termessos vom 1. Jh. v. Chr. bis zum 2. Jh. nach Chr., insbesondere nachdem es sich mit Rom gegen den pontischen König Mithridates verbündet hatte. Die siegreiche Weltmacht wusste dies durchaus zu würdigen, wie aus einem noch in Teilen existierenden Vertragswerk hervorgeht. So weiß man, dass Termessos zahlreiche Vergünstigungen und rechtliche Freiräume eingeräumt wurden, die den Wohlstand der Stadt begründeten. Aus dieser Zeit stammen auch die meisten Bauwerke, die heute als Ruinen zu besichtigen sind. Wie eng die Verbindung zu Rom gewesen sein muss, wird auch daraus deutlich, dass die Termessioten das Jahr der Vertragsschließung zum Beginn einer neuen Zeitrechnung machten.

Während der oströmischen Herrschaft verlor die Stadt allmählich an Bedeutung und wurde vermutlich Ende des 4., Anfang des 5. Jh. durch ein Erdbeben zerstört und aufgegeben. Wiederentdeckt wurde Termessos 1842 von englischen Archäologen. Eine systematische Erforschung und Vermessung begann jedoch erst rund 40 Jahre später. Verantwortlich war ein Team unter der Leitung des Wiener Grafen Karol Lanckoronski (1848–1933). Deren Arbeit erweist sich noch heute von besonderem Wert, da viele der seit dem letzten Jahrhundert eingestürzten Gebäude bzw. Gebäudereste nur auf der Grundlage der von Lanckoronski und seinen Mitarbeitern angefertigten Skizzen und Fotografien rekonstruiert werden konnten.

Sehenswertes

Die hier beschriebenen Ruinen lassen sich der Reihenfolge nach abgehen. Noch vor dem Rundgang durch das Ausgrabungsgelände passiert man an der Straße vom Parkeingang hinauf zur antiken Stadt (in der zweiten Kehre) einige *Mauerreste* und die Grundmauern eines *Befestigungsturms*. Vermutlich stand hier einst eine große Toranlage, eine Art Mautstelle für die Karawanen über den Yenice-Pass. Anschließend folgt die asphaltierte Straße in vielen Abschnitten der antiken *Königsstraße*, die vom Tor bergauf zur Stadt führte. Die Straße endet an einem Parkplatz zu Fuße des Hadrianpropylon, zu dem ein Pfad führt.

Das Tor des Hadrian

Tor des Hadrian: Die gut leserliche Inschrift im Abschlussstein des vier Meter hohen und fast zwei Meter breiten, marmornen Torbaus gibt Auskunft darüber, dass dahinter einst ein dem Kaiser Hadrian geweihter Tempel stand. Außer ein paar verstreut liegenden Architekturfragmenten ist von ihm jedoch nichts mehr erhalten. Man nimmt an, dass der Tempel bis zu acht Meter hohe korinthische Säulen besaß.

Vorbei an einer Nekropole mit geplünderten Steinsarkophagen und vielen gut erhaltenen Felsengräbern (auf die interessantesten machen mehrsprachige Informationsschilder aufmerksam) führt vom Hadrianpropylon ein beschwerlicher Fußweg ins Zentrum der Stadt. Leichter ist der Weg vom Parkplatz über die z. T. sehr gut erhaltene, ehemalige Königsstraße zur Stadtmauer und zum Stadttor.

Türkische Riviera
Karte S. 478/479

Stadtmauer und Stadttor: Schon König Attalos II., der Gründer von Antalya, ritt auf der Königsstraße ins Zentrum der Stadt. Linker Hand tauchen bald Reste der Stadtmauer auf, die noch die Trutzigkeit der ehemals sechs Meter hohen Befestigungsanlage erahnen lassen. Vom Stadttor ist kaum mehr etwas zu sehen, auch nicht von dem einstigen *Würfelorakel*, das daran angrenzte. Man übte es mit sieben Würfeln aus. Diese ermöglichten 120 Antworten, die in eine Tafel eingraviert waren. Etwas weiter steht noch ein quadratischer *Beobachtungsturm*, der die Zeiten besser überstanden hat: Die aufeinander geschichteten Quader sind immerhin noch zehn Lagen hoch.

Gymnasion und Oberer Wall: Der Weg führt nun an den Ruinen des einst 91 m langen, aber nur 14 m breiten Gymnasions vorbei. Dichtes Gestrüpp verhindert leider den Zugang. Die Südwestfront ist der besterhaltene Teil der Anlage, deren Bade- und Schulräume sich um den etwa 50 m langen Innenhof gruppierten. Zu beachten sind insbesondere die großen Nischen und Tore in der Fassade und das intakte Eingangstor. Den Abschluss (östlichen Teil) des Gymnasions bildet ein später angefügtes römisches Bad. Erkennbar ist es an den beiden noch stehenden Säulentoren und dem eingestürzten Wasserkanal. Das Gymnasion liegt zu Fuße des oberen Walls, zugleich der inneren Befestigungsmauer.

Kolonnadenstraße: Hat man die nächsthöhere Terrasse erreicht, passiert man die Kolonnadenstraße, eine ehemalige Prachtstraße, die beidseitig von 47 Säulen und etlichen Statuen flankiert war. Dahinter lagen Läden, Säulenhallen und kleinere Gebäude, von denen jedoch nur noch überwucherte Grundrisse erhalten sind.

Osbaros-Stoa und Attalos-Stoa: Von der Kolonnadenstraße steigt der Weg leicht bergan zum Marktkomplex der Stadt. An dessen Nordseite kann man die Fundamente der Osbaros-Stoa ausmachen (benannt nach einem ehemaligen Stadtoberhaupt). Der 100 m lange und 11 m breite Bau war in der Mitte durch eine Mauer längsgeteilt. Auf der Westseite schließt die Attalos-Stoa den Marktplatz ab. Sie war ein Geschenk von König Attalos II. von Pergamon.

Tempel von Korinth: Gleich neben der Attalos-Stoa liegt der größte Tempel von Termessos. Seine Innenhalle maß ca. 10 x 10 m, die Wände waren über einen Meter dick. Seinen Namen erhielt der Tempel wegen der korinthischen Kapitelle an den Außensäulen.

Agora, Heroon und Zisterne: Der Marktplatz im Mittelpunkt des antiken Termessos ist heute fast völlig überwuchert. Man braucht viel Phantasie, um sich vorzustellen, dass hier das Herz der Stadt schlug. Gekauft und getauscht wurden vor allem Obst und Getreide sowie Pferde und Rinder – die Wirtschaftsgrundlagen des antiken Termessos. Um den Abschluss des Geschäfts zu besiegeln, wurde in der Antike häufig ein Opfer gebracht. In Termessos tat man dies direkt auf dem Gelände der Agora. Der Opferplatz war ein auf einem großen Felsen ruhendes Heroon (Grabmal). Man erreicht es über eine sechs Meter hohe Steintreppe. Es ist allerdings nicht bekannt, wem die außerordentliche Ehre zuteil wurde, hier beigesetzt zu werden. Unter der Agora befindet sich eine fünfteilige, zehn Meter tiefe Zisterne. Die Stadt hatte immer wieder an Wassermangel zu leiden, insbesondere im Belagerungsfall.

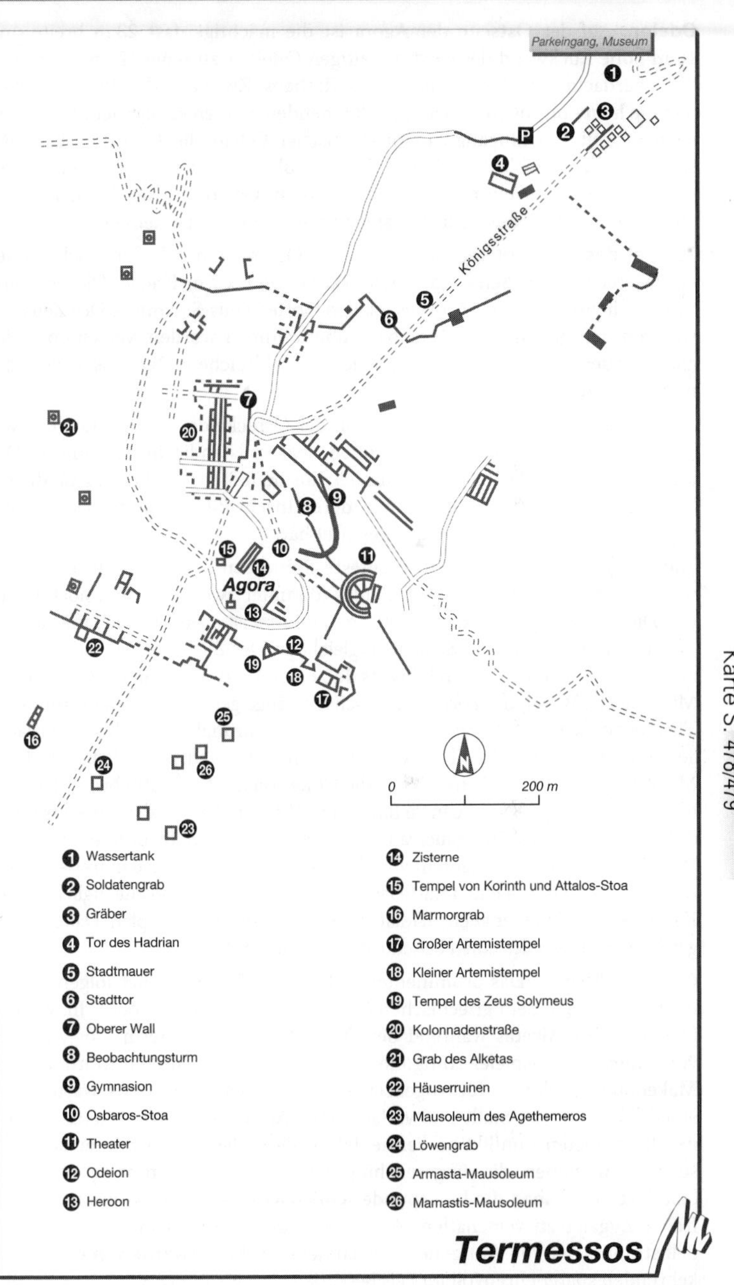
Parkeingang, Museum
P
Königsstraße
Agora
0
200 m
N
1 Wassertank
2 Soldatengrab
3 Gräber
4 Tor des Hadrian
5 Stadtmauer
6 Stadttor
7 Oberer Wall
8 Beobachtungsturm
9 Gymnasion
10 Osbaros-Stoa
11 Theater
12 Odeion
13 Heroon
14 Zisterne
15 Tempel von Korinth und Attalos-Stoa
16 Marmorgrab
17 Großer Artemistempel
18 Kleiner Artemistempel
19 Tempel des Zeus Solymeus
20 Kolonnadenstraße
21 Grab des Alketas
22 Häuserruinen
23 Mausoleum des Agethemeros
24 Löwengrab
25 Armasta-Mausoleum
26 Mamastis-Mausoleum
Termessos

Odeion: Auf der Ostseite der Agora ist die mächtige, fast 23 m breite und 10 m hohe Rückwand des einst gewaltigen Odeions zu sehen. Es war vermutlich überdacht und diente zugleich als Rathaus. Zwischen den Pilastern wurden die heute nur noch schwer zu erkennenden Namen erfolgreicher Athleten eingemeißelt. Der Eingang zum quadratischen Odeion liegt auf der Rückseite, sich durch das Gebüsch durchzukämpfen lohnt aber kaum: Im Inneren des Gevierts liegen nur ein paar Trümmerreste im Gestrüpp wild durcheinander, von der ursprünglichen Struktur ist kaum noch etwas zu erkennen.

Tempel des Zeus-Solymeus: Neben dem Odeion umschließen noch immer vier Meter hohe Außenwände einen Raum von 6 x 7 m Fläche. Dieser kleine Tempel diente der Verehrung des lokalen Gottes Zeus-Solymeus. Der Zeuskult war von den griechischen Nachbarn übernommen worden, verschmolz hier aber mit der Verehrung lokaler Gottheiten. Zahlreiche in Termessos gefundene Statuen zeugen von seiner Bedeutung.

Artemistempel: Hinter dem Odeion, in der Ostecke der Agora, standen zwei Artemistempel. Der größere von ihnen liegt vollständig in Trümmern. Der kleinere und jüngere stammt vermutlich aus dem 3. Jh. v. Chr. Vollständig erhalten sind die schönen Portalwände, deren Inschriften verraten, dass eine gewisse Aurelia Amasta den Tempel gestiftet hat.

Theater: Die schönste und imposanteste Ruine von Termessos. Teile der Zuschauerreihen und des Bühnengebäudes (darunter zwei Tore) sind noch erhalten. Die einzigartige, grandiose Lage des Theaters ist allenfalls noch mit der des Theaters von Taormina in Sizilien vergleichbar. Der Blick schweift ungehindert zwischen den Bergen hindurch bis ins Tal, nach Antalya und an die Gestade des Mittelmeers. Wegen der Form (die Zuschauerränge gehen über den für römische Theater typischen Halbkreis hinaus) muss auf ursprünglich griechische Erbauer geschlossen werden. Das Theater war relativ klein und fasste lediglich 4.200 Menschen. Sein Radius betrug 33 m, die Höhe von der Orchestra bis zu den letzten Rängen knapp 13 m, die in 26 Sitzreihen überwunden wurden. Interessant ist die Zweiteilung des Zuschauerraums in acht obere und 18 untere Sitzreihen. Während die oberen (billigeren) von der Seite aus betreten werden mussten, waren die unteren durch einen mittlerweile eingestürzten Tunnel zugänglich. In der Kaiserzeit standen hier auch Gladiatorenkämpfe auf dem Spielplan. Dabei wurde gewettet: Der Sieg des einen bedeute den Tod des anderen.

Grab des Alketas: Das prominenteste Grab von Termessos hat folgende Vorgeschichte: Nach dem griechischen Geschichtsschreiber Diodor (1. Jh. v. Chr.) fand Feldherr Alketas während der Diadochenkriege in Termessos Zuflucht vor seinem Gegenspieler Antigonos – Alketas war wegen dem Mord an dem Makedonen Meleager für vogelfrei erklärt worden. Antigonos wartete mit einem Heer vor der Stadt und verlangte die Auslieferung des Alketes. Um einen bewaffneten Konflikt zu vermeiden, wollten die älteren Bürger dem Gesuch nachkommen, die jüngeren hingegen waren zum Kampf bereit. Durch eine List lockte man die Jungspunde schließlich aus der Stadt, um Antigonos freien Zugang zu verschaffen. Als Alketas den Verrat bemerkte, beging er Selbstmord. Der von Antigonos geschändete Leichnam wurde von den Heimkehrenden später ehrenvoll im Fels begraben.

Das Grab auf einer Klippe über der Stadt ist leider schwer zu erreichen. Das Relief auf der rückwärtigen Tür zeigt einen Adler mit einer Schlange im Schnabel, eigentlich das Symbol eines Königs. Die beiden Nischen links und rechts des Grabes dienten der Aufnahme von Grabbeigaben (u. a. Wein und Getreide).

Südliche Nekropolis: Der Anstieg von der oberen Terrasse zur südlichen Totenstadt ist beschwerlich, lohnt aber – es erwartet Sie eine der besterhaltenen antiken Nekropolen überhaupt. Eines der interessantesten Grabmäler dort ist das tempelartige *Löwengrab,* in dem ein kaum beschädigter Steinsarkophag steht, den ein Relief mit zwei Löwen ziert. Ähnlich gebaut ist das weniger gut erhaltene *Mamastis-Mausoleum,* ein rund vier Meter breites Tempelgrab mit vier korinthischen Frontsäulen, in dessen drei großen Sarkophagen die sterblichen Überreste der Familie Mamastis bestattet wurden. Am höchsten Punkt liegt unter Pinien das schon von weitem sichtbare, aber fast unzugängliche *Mausoleum des Agethemeros.* Der Sarkophag ruht auf einem hohen Sockel und hat die Attacken der Grabräuber recht gut überstanden – abgesehen von einem faustgroßen Loch in der Seitenwand, durch das die Grabschätze verschwunden sind.

Zwischen Antalya und Side

Die gut ausgebaute Nationalstraße 400 führt von Antalya in weitem Abstand zur Küste nach Side. Die Strecke ist landschaftlich wenig reizvoll, auf ewige Felder folgen monotone Siedlungen. Statt verträumten Fischerdörfern findet man künstliche Ferienanlagen, die exklusivste ist dabei *Belek.* Ihre Schmankerl versteckt die Region im Hinterland, allen voran die publikumsträchtigen Ausgrabungsstätten *Perge* und *Aspendos.* Im Vergleich zu diesen sind die Ruinen der antiken Stadt *Selge* nur zweitklassig, dafür ist die Anfahrt nach Selge durch den Köprülü Kanyon und weiter durch eine einsame, raue Bergwelt ein landschaftlicher Traum.

Türkische Riviera
Karte S. 478/479

Perge (antike Stadt)

Perge ist ein weites schattenloses Trümmerfeld: 1.000 Steine, aber keiner erinnert mehr an den berühmten Artemistempel der antiken Stadt. Dafür macht Perge noch immer mit dem größten Stadion Kleinasiens auf sich aufmerksam.

Schenkt man alten Reiseberichten Glauben, so befanden sich die Ruinen von Perge bis zum Anfang des 20. Jh. in einem außerordentlich guten Zustand. In den 1920ern restaurierten und vergrößerten jedoch die Bewohner des nahen Murtuna ihr Dorf mit der historischen Bausubstanz Perges – ein irreparabler Raubbau an der Antike. Unter türkischer Leitung durchgeführte Ausgrabungen begannen 1946, sie dauern bis heute an. Immer wieder kommen dabei überaus interessante Funde ans Tageslicht. Viele davon – insbesondere Skulpturen und Sarkophage aus der weitflächigen *Nekropole* westlich der Stadt – befinden sich heute im Archäologischen Museum von Antalya. Auf dem Ausgrabungsgelände selbst beeindrucken steinerne Zeugnisse aus hellenistischer, römischer und byzantinischer Zeit.

Geschichte

Gegründet wurde Perge ca. 1000 v. Chr., der Legende nach von den trojanischen Sehern Kalchas und Mopsos, vermutlich aber ganz banal von siedlungsfreudigen Lakedämoniern. Wie die meisten Stadtgründungen am Golf von Antalya zu jener Zeit entstand auch Perge aus Angst vor Seeräubern auf einem schroffen, steil abfallenden und so leicht zu verteidigenden Tafelberg abseits der Küste. In dessen Umgebung konnte man Ackerbau betreiben, und über einen Flusslauf hatte man Zugang zum Meer. Auch die ersten Jahrhunderte der Stadtgeschichte unterschieden sich nicht wesentlich von denen anderer Städte am Golf von Antalya: Im 7. Jh. v. Chr. wurde Perge lydisch, später persisch. Einen eigenen Weg schlug Perge erst 333 v. Chr. ein: Die Stadt unterwarf sich kampflos Alexander dem Großen und stellte ihm wegen ihrer schlechten Beziehungen zu den Nachbarstädten Aspendos und Side gar "Pfadfinder" zur Verfügung, die seine Truppen schnell und sicher durch den unwegsamen Taurus führten. Nach dem Tod Alexanders des Großen wurde die Stadt dem Seleukidenreich einverleibt. 188 v. Chr. eroberten die Römer Perge und vertrauten es Eumenes II. von Pergamon an. Zusammen mit dem pergamesischen Königreich fiel die Stadt nach dem Tod des Herrschers zurück an Rom. In römischer Kaiserzeit war Perge berühmt für seinen Artemiskult.

Muttergöttin und Jungfrau Maria – die Artemis von Perge

Wie in Ephesus wurde auch in Perge der Artemiskult gepflegt. Der Tempel der Artemis, der Göttin der Jagd und des Bogenschießens, der Fruchtbarkeitsspenderin, der Beschützerin wilder Tiere, Kinder und alles Schwachen, lag außerhalb der Stadt, war ein berühmter Wallfahrtsort und bot Verfolgten Asyl. Die Artemis von Perge war auch von Anfang an das beherrschende Motiv auf pergamenischen Münzen. Auf den ältesten Münzen heißt sie noch *Vanassa Preiia*, "Königin von Perge", und wird als viereckiger Steinblock mit einer menschlichen Büste dargestellt. Genau genommen handelt es sich dabei um eine altanatolische Muttergöttin, die ein griechisches Namensmäntelchen umgehängt bekam. Auch unter den Frühchristen lebte der Artemiskult fort: Die Jungfrau Maria hielt man, bevor sie sich als Gottesmutter voll durchsetzen konnte, in Perge anfangs nur für eine weitere Inkarnation der uralten Muttergottheit.

48. n. Chr. traf Apostel Paulus mit Begleiter Barnabas in Perge ein. Die Missionare waren herzlich willkommen – was vor allem damit zusammenhing, dass man sie für die Götter Zeus und Hermes höchstpersönlich hielt. Perge besaß bald darauf eine der ersten Christengemeinden Kleinasiens, die aber noch für ein paar Jahrhunderte ein Schattendasein neben der lokalen Artemisverehrung führte. Das änderte sich endgültig unter byzantinischer Herrschaft. Mit dem Aufstieg Perges zur Bischofsstadt baute man drei Basiliken und zerstörte den berühmten Tempel samt dem Kultbild der Artemis Pergaia. Während der Sarazenenüberfälle im 7. Jh. gaben die Einwohner ihre Stadt zugunsten des besser geschützten *Attaleia* (Antalya) auf. Bereits zur Seldschukenzeit fegte nur noch der Wind durch die leeren Straßen.

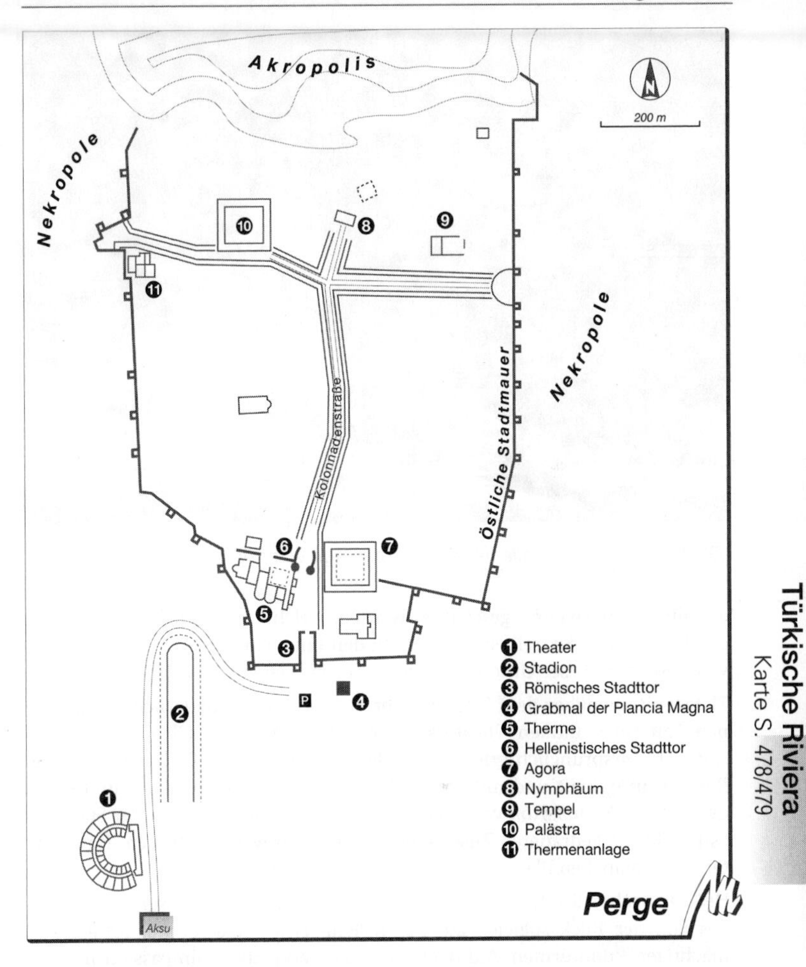

Türkische Riviera
Karte S. 478/479

• *Anfahrt* In Aksu (16 km östlich von Antalya) an der Nationalstraße 400 ausgeschildert, von dort noch 2 km. Am Stadion und Theater (beide nicht immer zugänglich) vorbei erreicht man den Parkplatz. Wer mit dem **Bus** oder **Dolmuş** von Antalya bzw. Side unterwegs ist, muss in Aksu aussteigen und den Rest (ca. 20 Min.) laufen.

• *Öffnungszeiten* Mai–Oktober tägl. 7.30–19 Uhr, November–April tägl. 8–17.30 Uhr. Eintritt 10 €, erm. etwas weniger als die Hälfte, Parken 1 €. An der Kasse können Sie auch Erfrischungsgetränke und Hochglanzbroschüren über Perge erwerben.

Sehenswertes

Stadion: Bereits auf der Zufahrtsstraße zum gebührenpflichtigen Teil des Ausgrabungsgeländes passiert man das Stadion mit einer Länge von 234 m – das größte Kleinasiens. Es diente sportlichen Wett- und blutigen Gladiatorenkämpfen. Da es in einer Ebene angelegt war, mussten für die 12.000 Zuschauer

Die Rundtürme der hellenistischen Toranlage von Perge

gewaltige Unterbauten geschaffen werden, welche die noch heute hervorragend erhaltenen Sitzreihen stützten. In den miteinander verbundenen, massiven Gewölben dieser Unterbauten befanden sich einst Läden.

Theater: Gegenüber dem Stadion sieht man den nicht sonderlich gut erhaltenen Bau eines antiken Theaters. Auch hier fanden u. a. Gladiatorenkämpfe statt. Das ursprünglich griechische Theater wurde im 2. Jh. n. Chr. von den Römern umgebaut und mit einem dreigeschossigen Bühnenhaus und einem dekorativen *Nymphäum* versehen. Angelegt an einem Hügel vor der Stadt, bot es 14.000 eng gedrängten Zuschauern Platz. Nicht wenige besaßen "Dauerkarten" – an manchen Plätzen sind Namen eingraviert

Hellenistisches Stadttor: Im gebührenpflichtigen Teil des Ausgrabungsgeländes fällt der Blick sogleich auf das hellenistische Stadttor mit seinen zwei mächtigen Rundtürmen. Auf dem Weg vom Parkplatz dahin passiert man zudem ein spätrömisches, zangenförmiges *Stadttor*, einst mit Marmorsäulen verkleidet, und eine *Therme* (linker Hand). Badebecken und Bodenmosaiken lassen sich noch ausmachen.

Das durch sein Quadermauerwerk monumental wirkende hellenistische Stadttor besaß einen hufeisenförmigen Hof. In den Nischenreihen der Innenmauern standen Statuen auf beschrifteten Sockeln, unten von Göttern, oben u. a. von den legendären trojanischen Stadtgründern. Gestiftet wurden die Statuen im Jahre 120 von Plancia Magna, einer reichen Mäzenin Perges (ihr Grabbau befindet sich beim Parkplatz), die fast ihr gesamtes Vermögen für städtische Bauten bereit stellte. Zum Dank wurde ihre Person mit Statuen an verschieden Plätzen der Stadt gewürdigt.

Agora: Rechts des hellenistischen Stadttors lag die Agora, das einstige Zentrum des gesellschaftlichen Lebens der Stadt. In deren Mitte stand ein Rundtempel der Glücksgöttin Tyche. Im Nordosteck der Agora lässt sich zudem ein "Spielstein" entdecken, mit dem sich die Alten die Zeit vertrieben und auf das Glück Tyches hofften.

Kolonnadenstraße: Vom hellenistischen Stadttor führte eine 20 m breite Kolonnadenstraße, deren Säulen z. T. wieder aufgerichtet wurden, gen Norden zu einem *Nymphäum* am Fuße des Akropolishügels, das eine Statue des Flussgottes Kestros krönte. In der Straßenmitte verlief in Kaskaden ein 2 m breiter Kanal. Rechts und links davon zeigt das Pflaster noch Wagenspuren. Hinter der Säulenreihe wandelte das Volk auf Mosaiken entlang einer Ladenzeile. Die Straße war zugleich die Hauptachse der Stadt, die sich zu beiden Seiten ausbreitete und noch weitestgehend unausgegraben ist.

Weitere Sehenswürdigkeiten: Folgt man der Prachtstraße zum Nymphäum (an vier Säulen rechter Hand können Sie die Reliefs von Apollon, Artemis, Kalchas und Tyche entdecken), gelangt man zu einer Kreuzung, die einst ein Triumphbogen zierte. Hält man sich hier links, kommt man an den Resten der *Palästra* und einer weiteren *Thermenanlage* vorbei zur *Westnekropole*, die außerhalb der Stadtmauer lag. Die schönsten Sarkophage von hier stehen heute im Archäologischen Museum von Antalya.

Sillyon (antike Stadt)

Sillyon wurde von griechischen Kolonisten um 1000 v. Chr. gegründet, zur gleichen Zeit wie Perge und Aspendos. Auf einem schroffen Bilderbuchtafelberg inmitten der flachen Küstenebene gelegen, hatte die Stadt Sichtkontakt zum Meer und zum nahen Perge. Sillyon war in hellenistischer und römischer Zeit ein wichtiges Zentrum und wurde später unter byzantinischer Herrschaft Bischofssitz. Schlagzeilen der Geschichte schrieb die Stadt aber nie. Heute ist Sillyon ein ruhiges Ruinenstädtchen, nur teilweise ausgegraben und von Touristen wenig frequentiert. Wer es besucht, wird von seiner Lage beeindruckt sein, nicht aber von seinen baulichen Überresten.

Sehenswertes: Im Weiler Asar am Fuße des Tafelberges lässt sich noch der Grundriss des *Stadions* erkennen. Darüber erhebt sich die Ruine eines *Gymnasions* und auf gleicher Höhe rechts davon die des *Unteren Stadttores* mit Rundtürmen und einem hufeisenförmigen Hof. Etwas weiter liegen die Reste eines *Wehrturms*, von welchem eine fünf Meter breite, früher gedeckte Rampe zum *Oberen Stadttor* der Akropolis führt. Auf dem Plateau lassen sich noch gut die Ruinen einer *Palästra*, hellenistischer Gebäude sowie die einiger *Tempel* ausmachen. Aus der Zeit der Seldschukenherrschaft stammt eine kleine *Moschee*, aus der byzantinischen Epoche eine dreischiffige *Kirche*. Letztere besitzt einen Türpfosten mit einer Inschrift in griechischen Buchstaben. Dabei handelt es sich um einen bislang nicht entzifferten Text und zugleich den lang gesuchten Beweis dafür, dass Pamphylien eine eigene Sprache besaß.

Am imposantesten ist jedoch das *Theater* am Südostrand des Plateaus. 1969 verlor es infolge eines Erdbebens sein Bühnenhaus. Würde man dies nicht wissen,

Türkische Riviera
Karte S. 478/479

könnte man meinen, es sei einzig und allein für den Sonnenaufgang gebaut worden – der Anblick ist spektakulär. Das Odeion nebenan verschwand nach dem Beben ganz.

• *Anfahrt* Von der Nationalstraße 400 Antalya–Alanya zweigt man wenige Kilometer westlich von Serik nach Gebiz ab (gegenüber der Abzweigung zum "Belek Turizm Merkezi"). Danach der Straße folgen, bis der Tafelberg und der Weiler Asar auftauchen. Sillyon ist nicht mit dem Dolmuş zu erreichen; von der Abzweigung an der Küstenstraße zu den Ruinen sind es ca. 9 km.

• *Öffnungszeiten* Sillyon ist rund um die Uhr zugänglich. Das Gelände ist nicht abgesperrt, jedoch wird tagsüber, sofern Sie der Wärter sieht – und das tut er meist –, 1 € Eintritt verlangt. Gegen ein Trinkgeld führt er sie auch durch die antike Stadt. Achten Sie auf versteckte Löcher (Zisternen!) im Boden. Gutes Schuhwerk ist ratsam.

Pamphylien – vom "Land aller Stämme" zur "Türkischen Riviera"

Zwischen Antalya und Gazipaşa, zwischen lykischem und kilikischem Taurus, weichen die Berge z. T. weit ins Hinterland zurück. Eine ausgedehnte Flachlandschaft prägt die Küstenregion – das antike Pamphylien. Es war das "Land aller Stämme", die sich hier einer Legende zufolge nach dem Untergang Trojas Ende des 2. Jt. v. Chr. ansiedelten. Auf dem Boden des antiken Pamphylien gediehen fünf große Städte (Attaleia, Perge, Sillyon, Aspendos und Side) und damals wie heute alles, was man säte. Nicht nur der fruchtbare Boden zeichnet dafür verantwortlich, sondern auch ein Klima, das eine fast subtropische Vegetation zulässt. Die hohe Tauruskette schützt die Küstenebenen vor kalten Nordwinden. Für ausreichend Wasser sorgen die in den Bergen entspringenden Flüsse samt ihrer Nebenarmen. Pamphylien ist somit heute wie damals ein Garten Eden: Baumwolle, Melonen und Tomaten werden geerntet, man sieht Bananenstauden, Maulbeer- und Feigenbäume, Orangen- und Zitronenhaine. Vor den Hotels stehen Palmen, es blühen Bougainvilleen, Hibiskus und Oleander. Und noch immer ist Pamphylien das Land aller Stämme – an den langen und feinen Sandstränden der heute "Türkische Riviera" genannten Küste begegnet man Urlaubern aus aller Herren Länder.

Belek

Ca. 35 km östlich von Antalya beginnt ein herrlicher, 12 km langer, mal fein- und mal grobsandiger Strandabschnitt. Die Küste wird von Pinien-, Eukalyptus- und Kiefernwäldern gesäumt. In ihnen verstecken sich über 30, teils riesige All-inclusive-Anlagen, darunter die gepflegtesten des Landes. Wer in Belek urlaubt, den erinnern lediglich das abendliche Efes-Bier oder die dazugehörige Folkloreveranstaltung daran, dass er in der Türkei ist. Saison herrscht in der weitläufigen Feriensiedlung nahezu das ganze Jahr. Im Sommer steht der Badeurlaub im Vordergrund; alle nur erdenklichen Wassersport- und Freizeitspäße werden angeboten. Zudem ist Belek als mildes Winterquartier beliebt. Der FC Schalke schlägt sich hier in der Spielpause ebenso die Bälle um die Ohren wie viele Golfer bei meist frühlingshaften Temperaturen. Belek ist das Golfzentrum der Türkei.

Die nächstgelegenen Orte hinter der Küste sind *Kadriye*, ein 6.000-Einwohner-Städtchen mit dienstäglichem Wochenmarkt, und *"Belek Village"*, ein zu rein touristischen Zwecken errichtetes Kunstdorf mit Autoverleihern, Souvenirläden, ein paar Bars und Restaurants. Für Individualreisende ist ein Abstecher nach Belek uninteressant. Das Gros der Hotels und Clubanlagen ist nur über heimische Reiseveranstalter zu buchen, und auf den dazugehörigen Privatstränden sind Fremde nicht willkommen. Zu den wenigen zugänglichen Strandabschnitten gehört der öffentliche Strand *Halk Plajı* (ausgeschildert), Treffpunkt türkischer Familien aus den Ferienhaussiedlungen in x-ter Reihe und bestückt mit ein paar für hier verhältnismäßig preiswerten Strandbars.

• *Verbindungen* Nahezu stündl. bis 1 Uhr nachts **Dolmuşe** von den Hotels nach Belek Village und Kadriye. Von Kadriye bestehen Verbindungen nach Antalya und Side.

• *Golfclubs* Wer keine preiswerten Pauschalpakete gebucht hat, muss für ein Greenfee 35–80 € bezahlen. Auf allen Plätzen können Sie auch Golfunterricht nehmen.

Gloria Golf Club, US-Resortcharakter, Course von Michael Gayon gestaltet, 6.293 m, vier Seeüberspielungen, gemeine Bunker, Handicap H 28, D 36, 18 Loch, Par 72. ✆ 0242/7151520.

Nobilis Golf Club, prunkvolles Clubhaus, ausgeklüngeltes Spielplatzdesign mit vielen optischen Täuschungen, gestaltet von Dave Thomas. Anspruchsvoll, ebenfalls mit Seeüberspielungen. Handicap H 28, D 36, 18 Loch, Par 72, 5.877 m. ✆ 0242/7152900.

National Golf Club, ältester Platz vor Ort, gestaltet von David Faherty, englischer Spielcharakter, Handicap H 28, D 36, 18 Loch, Par 72, 6.109 m. ✆ 0242/7254620.

TAT Golf Belek International Golf Club, windiger Platz zwischen Dünen und Seen, Handicap H 28, D 36, 27 Loch. TAT Par 36 (3.107 m); Belek Par 36 (3.008 m); International Par 36 (3.191 m). ✆ 0242/7255303.

Ein bisschen Höhlenluft gefällig? Die Tropfsteinhöhle *Zeytintaşı Mağarası* wurde 1997 zufällig entdeckt und 2002 erstmals der Öffentlichkeit zugänglich gemacht. Sie besteht aus zwei "Etagen" und ist rund 100 m lang. Die Höhle befindet sich zwischen Serik und Aspendos, und ist von der Nationalstraße 400 in Serik ausgeschildert (von dort noch ca. 16 km).

Aspendos (antike Stadt)

Aspendos birgt einige Superlative: Das Theater der Stadt gilt als das besterhaltene römische Baudenkmal Kleinasiens, ihr Aquädukt wird als der schönste Anatoliens gepriesen.

Die architektonischen Meisterleistungen erinnern an die glorreiche Vergangenheit der Stadt, die neben Side das bedeutendste Zentrum Pamphyliens war. Am besten besucht man das großartige Theater von Aspendos im Rahmen der Festspiele von Antalya (→ Antalya/Veranstaltungen, S. 484) – die Atmosphäre bei den Aufführungen ist ergreifender als in Verona. Wer zum Staunen keine künstlerische Darbietung braucht, kommt am besten frühmorgens, bevor die Busladungen aus den Küstenorten eintreffen. Die im Vergleich zum Theater wenig eindrucksvolle Ruinenstadt ist vorrangig Tummelplatz hitzebeständiger Grillen und etlicher Kleintiere mehr, die kaum in ihrer Ruhe gestört werden.

Geschichte

Aspendos wurde einer Legende nach wie Perge von den Sehern Kalchas und Mopsos nach dem verlorenen Krieg um Troja etwa 1000 v. Chr. gegründet. Vier Jahrhunderte später stand die Stadt, ebenfalls wie Perge, unter lydischer und – nach der Niederlage von Krösus – unter persischer Herrschaft. Bereits im 5. Jh. v. Chr. begann man mit der Prägung von Silbermünzen. 469 v. Chr.

wurde Aspendos Schauplatz einer bedeutenden Schlacht zu Wasser und zu Lande: Nahe der Mündung des damals noch schiffbaren Flusses *Eurymedon* schlugen die Griechen unter Führung Athens die persischen Truppen. Ein knappes Jahrhundert später eroberten die Perser die Stadt zurück, mussten sie aber 334 v. Chr. erneut aufgeben, als das Heer Alexanders des Großen anrückte. Wie wohlhabend die Aspendier zu jener Zeit waren, verdeutlicht die Tatsache, dass sie die Zerstörung der Stadt durch Bezahlung von 100 Talenten in Gold verhinderten (ein Talent entsprach etwa einem 20-Kilo-Barren).

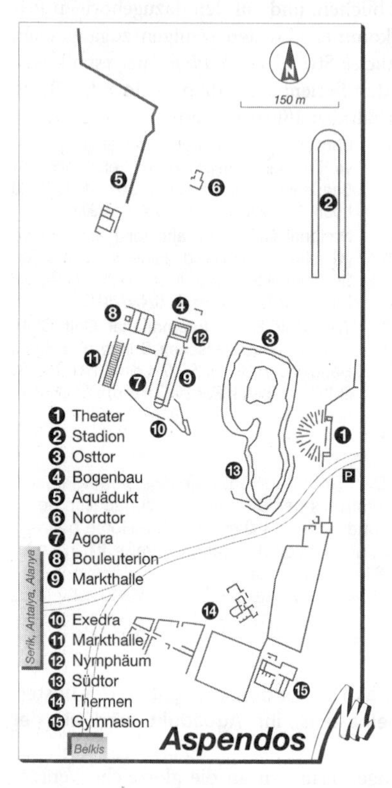

In hellenistischer Zeit wechselten die Herrschaftsverhältnisse mehrmals: Aspendos ging von den Ptolemäern an die Seleukiden, von diesen an die Attaliden über, welche die Stadt wiederum an die Römer weiter reichten. Obwohl Gaius Verres, der römische Statthalter von Kilikien, zunächst alle Kunstschätze der Stadt abtransportieren ließ, blühte Aspendos unter Rom als dicht besiedeltes Handelszentrum ab dem 2. Jh. auf. Die meisten noch heute erhaltenen Baureste stammen aus jener Epoche. Reichtum brachte der Stadt insbesondere die Salzgewinnung aus dem nahe gelegenen, in den Sommermonaten ausgetrocknetem Kapriasee. Aber auch der Handel mit Pferden florierte, Aspendos war berühmt für seine Zucht. Einen guten Namen hatte zudem der Wein der Stadt.

Als in byzantinischer Zeit der Hafen am Eurymedon zu verlanden begann und ab der Mitte des 7. Jh. Araber die Küste unsicher machten, verließen viele Einwohner Aspendos. In seldschukischer Zeit war Aspendos ein kleines Fürstentum, das Theater diente als Karawanserei. Den Seldschuken ist es zu verdanken, dass das Theater bis heute so gut erhalten ist – sie behoben Schäden aus früherer Zeit. Im ausgehenden 17. Jh. war Aspendos vermutlich schon unbewohnt.

• *Anfahrt* 5 km östlich von Serik an der Nationalstraße 400 Antalya–Alanya ausgeschildert. Im Sommer besteht eine Verbindung mit dem **Dolmuş** von Serik nach Aspendos. Serik selbst erreicht man mit nahezu jedem **Bus**, der von Antalya Richtung Osten bzw. von Side Richtung Westen fährt. Im Winter muss man an der Abzweigung nach Aspendos aussteigen und zu Fuß weiter.

• *Öffnungszeiten* Mai–Oktober tägl. 7.30–19 Uhr, November–April 8–17.30 Uhr. Eintritt für das Theater 10 €, erm. rund die Hälfte. Den Rest von Aspendos dürfen Sie umsonst besichtigen.

Das besterhaltene römische Theater Kleinasiens

Türkische Riviera
Karte S. 478/479

Sehenswertes

Theater: Das im 2. Jh. n. Chr. erbaute Theater direkt am Parkplatz ist zweifellos das beeindruckendste Bauwerk von Aspendos. Eine Inschrift über den beiden äußeren Bühneneingängen berichtet, dass es den spendablen Brüdern Curtius, den Göttern des Landes und dem Kaiserhaus gewidmet, sowie vom Architekten Zenoi zu deren Zufriedenheit ausgeführt wurde. Das Theater, das etwa 20.000 Zuschauern Platz bot, ist eine nach außen völlig geschlossene Anlage, bei der Bühnenhaus und Ränge die gleiche Höhe haben. Auf den oberen Sitzreihen findet man wie in Perge reservierte Plätze mit den eingravierten Namen der "Abo-Besitzer". Lassen Sie den Blick von dort über das Theater schweifen. Die Fassade des noch 30 m hoch erhaltenen Bühnenhauses war mit Marmor verkleidet und mit 40 Säulen, Statuen und Reliefs geschmückt. Ein Dionyosrelief blieb im Mittelgiebel erhalten. Die meisten Busgruppen beschränken sich auf die Besichtigung dieses Bauwerks und sparen sich den Weg in die dazugehörende antike Stadt.

Antike Stadt: Aspendos erstreckte sich oberhalb des Theaters auf dem heute mit Büschen überwachsenen Burgbergplateau. Nördlich des Theaters führt der Weg hinauf zur wenig besuchten *Agora*. Ihre Westseite säumte eine 70 m lange, zweistöckige *Markthalle*. Teile der Quaderwände stehen noch. Die Nordseite dominierte ein *Nymphäum*, dessen Nischenfassade reich mit Statuen bestückt war. An die Ostseite grenzte ebenfalls eine Markthalle, die später in eine *Basilika* umgewandelt wurde. Von deren nördlicher Vorhalle sind noch bis zu 15 m hohe Mauerreste erhalten.

Aquädukt: Vom Nordrand des Hügels sieht man in der landwirtschaftlich intensiv genutzten Ebene die Reste eines römischen Aquäduktes, das z. T. noch in der ursprünglichen Höhe von 30 m dasteht. Die Wasserleitung war einst über 15 km lang, die letzten drei Kilometer durch die Ebene verlief über Arkaden. Das Wasser floss durch Tonrohre. Die Türme an den Stellen, wo der Aquädukt abknickt, dienten zur Entlüftung der Rohre und verhinderten ein Absinken des hydrostatischen Drucks.

Köprülü-Schlucht (Köprülü Kanyon)

360 qkm misst der Köprülü-Kanyon-Nationalpark *(Köprülü Kanyon Milli Parkı)* etwa 50 km nordwestlich von Side. Die hiesigen Berge erreichen Höhen bis zu 2.500 m, im Frühjahr sind ihre Gipfel überzuckert. Die Landschaft ist geprägt von Kiefern-, Zedern- und Zypressenwäldern. Angeblich soll es hier noch Bären geben.

Berühmt ist der Nationalpark für seine Raftingmöglichkeiten auf dem *Köprü Çayı*, dem antiken *Eurymedon*. Türkisgrün schlängelt sich der Fluss durch eine imposante, teils über 100 m tiefe Schlucht, die er im Laufe der Jahrmillionen selbst in die Karstlandschaft des Taurusgebirges geschnitten hat. Die ganzjährig stattfindenden Raftingtouren (Level 3) durch den Cañon führen über eine Strecke von bis zu 12 km. Weil es einfach schön und abenteuerlich ist, kommen Tausende, und so zählt der Fluss zu den meistbefahrenen der Welt. Teils stauen sich sogar die Boote darauf – in Spitzenzeiten jagen täglich bis zu 4.000 Urlauber den Fluss hinab.

Wo man den Flusslauf einfach erreicht, gibt es Fischrestaurants, Teegärten und einfache Campingmöglichkeiten. Vom Baden wird wegen gefährlicher Strömungen abgeraten. Man kann auch Kajaks mieten – in diesem Fall sollte man aber Erfahrung mitbringen, es kam schon zu Todesfällen. Den herrlichsten Blick auf den Cañon hat man übrigens von der alten römischen Brücke auf dem Weg nach Selge (s. u.).

• *Anfahrt* Am einfachsten per **Leihfahrzeug** oder **organisierter Tour** zu erreichen. Auf der Nationalstraße 400 Antalya–Alanya zwischen Serik und Manavgat bei Taşağıl landeinwärts abbiegen (ausgeschildert). Die Anfahrt mit dem Dolmuş von Taşağıl (per Bus von Antalya und Manavgat zu erreichen) ist nicht zu empfehlen: Zu wenige Fahrten, zudem bleiben einem so die schönsten Ecken verborgen.

• *Rafting* Raftingausflüge werden von zahlreichen Tourenveranstaltern in allen Urlaubsorten zwischen Antalya und Alanya angeboten bzw. vermittelt: Das Geschäft auf dem Fluss selbst teilen sich nur wenige (eine empfehlenswerte Adresse finden Sie unter Side/Sport, S. 513). Preis 20–50 € inkl. Anfahrt und Essen.

Selge (antike Stadt)

In der wildromantischen Berglandschaft des Köprülü-Kanyon-Nationalparks, auf 1.050 m Höhe, liegen die Ruinen des antiken Selge. Allein wegen der Anfahrt lohnt der Besuch: Die Straße führt entlang der bizarren Köprülü-Schlucht (s.o.) und überquert diese auf einer schmalen *Römerbrücke* einige Kilometer hinter Beşkonak. 35 m ist das alte Bauwerk hoch, erst vor wenigen Jahren bekam es ein Geländer. Dass die Brücke für Lkws eigentlich gesperrt ist, stört deren Fahrer wenig. Danach führt die Straße in Serpentinen bergauf in die Abgeschiedenheit des Taurus – grandiose Ausblicke sind garantiert. Irgendwann erreicht man schließlich das malerische 700-Einwohner-Bergdorf *Altınkaya Köyü* – ehemalige Halbnomaden wohnen hier in weit auseinander liegenden Gehöften. Rund

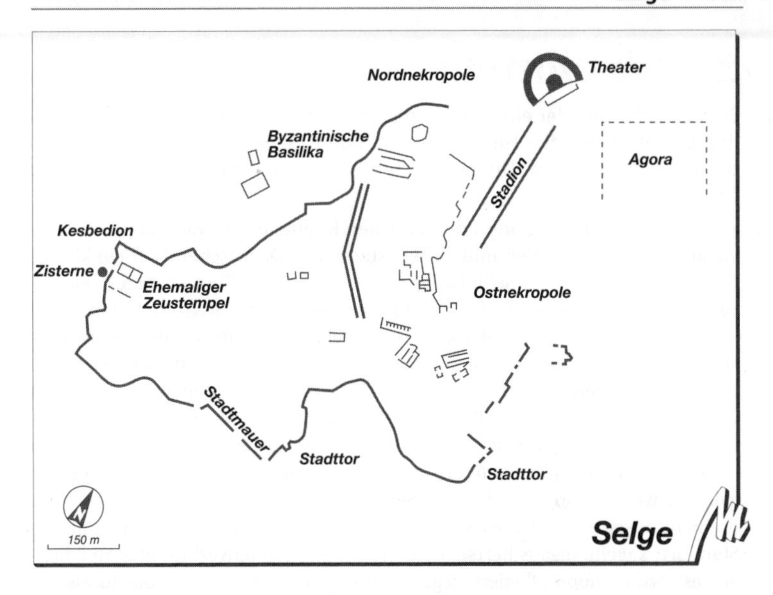

um den Ort liegen die Reste des antiken, wenig erforschten Selge verstreut. In ihrer Blütezeit (3./4. Jh.) zählte die Stadt rund 20.000 Einwohner. Zu Wohlstand verhalf ihr u. a. die Weihrauchgewinnung aus dem Harz der Styraxbäume. Selges geschichtliche Rahmendaten ähneln denen von Aspendos.

Der Kindersport der Gegend besteht darin, sich (gegen Bakschisch) als (nutzlose) Führer anzubieten und so lange zu nerven, bis man am liebsten wieder umkehren möchte. Ähnliche Aufdringlichkeiten haben wir in der Türkei selten erlebt. Die Reste der Stadt sind bescheiden, spektakulär lediglich wegen ihrer Lage. Das beeindruckendste Monument am Rand der antiken Unterstadt ist *Theater, das* mit 45 Sitzreihen ca. 10.000 Zuschauern Platz bot. Auf dem Weg dahin passiert man das antike *Stadion*. Heute dreht hier nur noch ein Pflug seine Runden. Auf der nahe gelegenen *Unteren Agora* weiden Kühe. Am schönsten ist der Weg hinauf auf den Haupthügel der Stadt, den sog. *Kesbedion*. Unterwegs können Sie zwischen steinernen Überresten Kapern und Wildblumen pflücken. Auf dem Hügel standen einst zwei große *Tempel* – einer vermutlich dem Zeus, der andere der Artemis geweiht. Die Aussicht von hier ist herrlich.

• *Anfahrt/Eintritt* **Organisierte Ausflüge** werden in Side angeboten. Die **Dolmuş**verbindungen sind für den Touristen uninteressant, da ein Dolmuş die Dorfbewohner von Altınkaya Köyü lediglich frühmorgens nach Serik bringt und abends zurück. Mit dem **eigenen Fahrzeug**: von der Straße Alanya–Antalya bei Taşağıl nach Beşkonak/Selge abbiegen, ausgeschildert. Stets zugänglich. Eintritt 1,30 €, Parken 0,45 €.

• *Übernachten/Essen & Trinken* Kein Quartier in Selge. Wer Übernachtungen einplant, sollte ein Zelt mitbringen. Einfaches Lokanta vorhanden.

• *Wandern* Selge eignet sich als Ausgangspunkt für Wanderungen in den Taurus. Hinter dem Ort ragt das Massiv des *Bozburun Dağı* empor. Kondition, Wanderstiefel und entsprechende Ausrüstung vorausgesetzt, ist der 2.504 m hohe Gipfel ab Selge in etwa 5 Std. zu erreichen. Sie können im Ort einen Führer anheuern.

Side/Selimiye

(ca. 5.000 Einwohner)

Durch die Ruinen der einstigen Weltstadt bummeln alljährlich fast eine Million Urlauber aus aller Herren Länder. Side ist einer der großen Magneten der türkischen Riviera. Die weiten Sandstrände rund um den Ort sind der Grund dafür.

Auf einer breiten Landzunge, die fast einen Kilometer ins Meer ragt, verstreuen sich die Überreste der antiken Weltstadt Side. Dazwischen liegt ein kleines Örtchen, das eigentlich Selimiye heißt, das aber jeder Tourist "Side" nennt – geht auch leichter über die Lippen. Bis vor zwei Jahrzehnten war Selimiye ein Fischerdorf. Heute gibt es hier kein Haus mehr, das nichts mit dem Tourismus zu tun hat: Im Zentrum reiht sich Leder- an Juweliergeschäft, zum Meer hin Restaurant an Pension bzw. Hotel. Die Händler zählen zu den aufdringlichsten der türkischen Küste, die Allerweltsrestaurants sind überteuert, die meist familiär geführten, gemütlichen Unterkünfte im Zentrum jedoch größtenteils zu empfehlen: Sie sind zu klein, als dass sie von den großen Reiseveranstaltern gebucht werden. So ist Side bzw. Selimiye, diese einzigartige Mischung aus Freilichtmuseum und Basarmeile, mehr Ausflugsziel bzw. Abendprogramm als Standort: Tagein, tagaus herrscht ein bierseliges, sonnenverbranntes Stelldichein, es wird geshoppt, flaniert, gegessen und gefeiert. Und damit die Touristenmassen überhaupt in die Gassen passen, ist Selimiye für den Verkehr gesperrt.

Orientierung: Selimiye, auf dem antiken Boden Sides, liegt auf einer Landzunge rund 4 km abseits der Nationalstraße 400, die von Antalya entlang der Küste nach Alanya führt. Auf der Stichstraße zur Stadt passieren Sie die Tourist Information und bald darauf das ehemalige Stadttor. Danach führt die Straße, gesäumt von antiken Säulen (daher auch als "Säulenstraße" bezeichnet) und abends effektvoll angestrahlten Ruinen, zum Theater. Dahinter erstreckt sich das Zentrum von Selimiye, eine Schranke sperrt es für den Verkehr. Unmittelbar vor der Schranke befindet sich rechter Hand ein öffentlicher Parkplatz (bis 24 Uhr geöffnet, 1 € pro Tag). Für Gepäckfahrten ins gebuchte Hotel wird die Schranke täglich für ein paar Stunden geöffnet (wechselnder Rhythmus), davor und danach heißt es gut zureden. Nicht gestattet ist die motorisierte Hotelsuche durch Selimiye.

Urlauber, die aus dem Katalog gebucht haben (davon 60 Prozent Deutsche!), schlafen in der Regel in den austauschbaren Feriensiedlungen an den weiten Sandstränden rund um Side: *Titreyengöl*, ca. 10 km östlich von Side, ist die stilvollste. Sie kann mit etlichen gut bewachten Luxushotels, viel Grün, einem kleinen Binnensee und – falls aus den Planungen Realität wird – demnächst mit einem Golfplatz aufwarten. *Kumköy* nennt sich die auch unter Engländern sehr beliebte "Prolovariante" rund 4 km westlich von Side. Die Infrastruktur dieses Retortendorfes ist perfekt: Es gibt viele charakterlose Mittelklassehotels, billige Einkaufs- und Vergnügungsmöglichkeiten, Großbildschirme für Fußballübertragungen und die Kneipe "Schluckspecht" im Zentrum, die das alltägliche Treiben auf den Punkt bringt. Noch weiter westlich liegt schließlich *Çolaklı*, eine gesichtslose Hotelansammlung, davor ein Strand, dahinter eine

Baden rund um Side

unattraktive, improvisierte Einkaufs-, Ess- und Trinkmeile. Egal aber wo, das Wassersportangebot ist überall gut: vom Banana-Riding bis zum Parasailing wird alles offeriert.

Geschichte

Side gehört zu den ältesten Städten der türkischen Südküste, vermutlich gab es hier schon zu Mitte des 2. Jt. v. Chr. eine Siedlung. Der Name der antiken Stadt – "Granatapfel", zugleich ein Fruchtbarkeitssymbol – entspringt der altanatolischen Sprache der pamphylischen Urbevölkerung, die in Side noch Einfluss bis ins 3. Jh. hatte. Im 7. Jh. v. Chr. gesellten sich griechische Siedler hinzu, ab dem 5. Jh. wurden die ersten, selbstverständlich mit Granatäpfeln verzierten Münzen geprägt. In hellenistischer Zeit stieg Side durch den Ausbau des Hafens zu einer der bedeutendsten und wohlhabendsten Handelsstädte der Südküste mit rund 40.000 Einwohnern auf. Dabei machte man sich auch der Piraterie wissentlich mitschuldig. Im Hafen der Stadt wurden die Schiffe kilikischer Seeräuber gewartet, auf den Märkten ihre Gefangenen versklavt. An den Gewinnen waren die Sider beteiligt. 20 Goldstücke zahlte man angeblich für einen kräftigen Mann, 15 für ein schönes Mädchen. Diese Einnahmequelle ging verloren, nachdem Pompeius 67 v. Chr. der Piraterie ein Ende gesetzt hatte. Und um nicht des Römers Zorn zu spüren, setzte man ihm schnell ein riesiges Denkmal und investierte fortan in den legalen Warenhandel.

Als das Römische Reich zerfiel, erlebte auch Side seinen Niedergang. Ausschlaggebend war insbesondere die Versandung des Hafens – damals ahnte noch keiner, dass der Sand irgendwann auch einmal Sides Glück bedeuten würde. Antalya und Alanya liefen Side in der Folgezeit peu à peu den Rang ab.

Daran änderte auch nichts, dass Side in byzantinischer Zeit zu einem Bischofssitz erhoben wurde. Während der im 7. Jh. einsetzenden Araberüberfälle wanderten viele Bewohner nach Antalya ab. Nachdem im 9. Jh. auch noch ein Brand weite Teile der Stadt zerstörte, wurde es still um Side, lediglich als Piratennest machte man sich im 11. Jh. noch einmal einen Namen. Danach legten sich Sanddünen über die Geisterstadt.

Anfang des 20. Jh. ließen sich türkische Flüchtlinge aus Kreta zwischen den Ruinen nieder. Ausgrabungsarbeiten in der dörflichen Idylle begannen 1947. Versuche der Archäologen, das Dorf umzusiedeln, scheiterten am Widerstand der Einwohner. In den 1970ern entdeckten die ersten Touristen die Sandstrände vor der Tür, in der zweiten Hälfte der 1980er setzte der Wandel zum massentouristischen Zentrum ein.

Information/Verbindungen/Ausflüge/Parken

- *Telefonvorwahl* 0242.
- *Information* abseits des Zentrums, damit auch nie jemand vorbeischaut. Wenig hilfreich. An der Straße von Manavgat nach Side ausgeschildert, ca. 2 km vor Selimiye. Mo–Fr 8–14 Uhr, Sa/So 9–16 Uhr. ✆ 7531265, 📠 7532657.
- *Verbindungen* **Bus**: Busbahnhof in den Dünen östlich von Selimiye, ca. 800 m vom Zentrum entfernt. Den Zubringer besorgt ein von einem Traktor gezogener Pendelwagen. Buchen können Sie in nahezu alle Winkel der Türkei, oft (vor allem außerhalb der Saison) ist jedoch ein Umsteigen in Manavgat oder Antalya nötig. Wer gen Norden oder Nordosten will, nimmt den Direktbus nach Konya (ca. 6 Std.) und steigt dort um. Sehr gute Verbindungen – z.T. alle 30 Min. – nach Antalya (75 Min.) und Alanya (75 Min.).

Dolmuş: Von früh morgens bis 1 Uhr nachts alle 10 Min. nach Manavgat, Abfahrt am Busbahnhof. Zudem regelmäßige Verbindungen in die umliegenden Feriensiedlungen wie Kumköy oder Titreyengöl.

Taxi: Die Tarife sind von der Regionalverwaltung festgelegt, lassen Sie sich die Preisliste zeigen: Selge (retour) 50 €, Seleukeia (retour) 25 €, Antalya 45 €, Alanya 40 €, Manavgat 9 €, Titreyengöl 7 €.

- *Bootsausflüge* werden tägl. angeboten, z. B. zum Manavgat-Wasserfall; ab dem kleinen Wasserfall mit dem Bus zum großen weiter. Fünf-Stunden Trip 17,50 €, Essen und Wein inkl.; montags wird in Manavgat ein Stopp für den Besuch des Wochenmarkts eingelegt. Am Hafen können Sie am Vorabend buchen, oder Sie bemühen ein Reisebüro. Zudem Tagesausflüge nach Alanya mit Badestopps für 25 €, Essen an Bord.
- *Organisierte Touren* bieten etliche Agenturen im Ort. Bustouren in die nähere Umgebung kosten zwischen 5 und 15 €. Zum Beispiel Richtung Antalya (Perge, Aspendos, Düdenwasserfälle, Antalya/Altstadt) oder Richtung Alanya (Karawanserei, Alanya-Besichtigung, Bootsfahrt). Zudem 2- bis 3-tägige Ausflüge nach Kappadokien (45–60 €) und Tagestrips nach Pamukkale (25–30 €). Einer der größten und günstigsten Veranstalter ist **Şelale Tour** in der Liman Cad., ✆ 7531066, 📠 7532998.

Adressen

- *Ärztliche Versorgung* Privatklinik **Akdeniz Hastanesi**, Richtung Manavgat am Sorgun Yolu. Laut eigenem Statement "bequem wie zu Hause" ... ✆ 7460013.
- *Autoverleih* Zahlreiche nationale Agenturen an der Zufahrtsstraße nach Side, Preisvergleiche lohnen. **Side Rent a car** nahe der Tourist Information ist schon seit Jahren im Geschäft und vermietet die billigsten Fahrzeuge ab 35 € pro Tag inkl. Vollkasko. ✆ 7531097, 📠 7531372. Die Preise der internationalen Verleiher sind nahezu doppelt so hoch, z. B. **Avis**, Fatih Cad. 25, ✆ 7531348, 📠 7532813 oder **Europcar**, Atatürk Bul. 22/A, ✆ 7531764, 📠 7533335.
- *Geld* Wechselstuben (hohe Gebühren) und Geldautomaten entlang der Liman Cad.
- *Polizei* **Jandarma** in der Turgut Reis Cad. westlich der Liman Cad. ✆ 7533606.
- *Post* am großen Platz beim Hafen.

Am Eingang der Altstadt von Antalya (mb) ▲▲
Abendstimmung im Hafen von Antalya (mb) ▲

▲▲ Blick über Alanya (mb)
▲ Shoppen in Side (mb)

Anamurium (bei Anamur): die große Therme (mb) ▲

Abendromantik auf See (mb) ▲▲

Arsuz, ein Fischerörtchen am Golf von İskenderun (mb)

• *Waschsalon* Fehlanzeige. Eine Reinigung namens **Zeliha Halaçoğlu** befindet sich in der Hanımeli Sok. Abgerechnet wird nach Stück, ein Hose kostet z. B. 1,30 €.

• *Zeitungen* und Zeitschriften in deutscher Sprache findet man überall im Ort in großer Auswahl.

• *Zweiradverleih* **Dakota**, ca. 1 km vor der Stadt an der Zufahrtsstraße. Fahrrad 6 €, 100 ccm 18 € pro Tag. ✆ 7533830.

Einkaufen/Sport/Veranstaltung

• *Einkaufen* Die Liman Cad., die Hauptstraße des Ortes, die vom Theater zum Hafen führt, ist ein einziger Basar mit Juwelier-, Leder- und Teppichgeschäften sowie Souvenirläden mit buntem Türkentand. Side zählt, was Mitbringsel angeht, zu den teuersten Pflastern des Landes! Günstig kann man dafür in Apotheken einkaufen: Die Pille wird rezeptfrei und billiger als zu Hause angeboten. Das Gleiche gilt für Viagra, für das man kräftig wirbt...

• *Bungeejumping* von einem 67 m hohen Kran. Buchbar bei vielen Agenturen, pro Sprung 45 €.

• *Rafting* Raften kann man für ca. 20 € auf dem Köprü-Fluss (→ S. 508). Wenden Sie sich an die Agenturen vor Ort, über Reiseveranstalter wird das Vergnügen bis zu 3-mal so teuer! Eine erfahrene Adresse ist **Kano Rafting** (zu buchen über diverse Reisebüros vor Ort), u. a. mit deutschsprachigen Raftguides und deutschem Equipment. Tourdauer gesamt ca. 6 Std., davon 2 Std. auf dem Wasser.

• *Reiten* Mehrere Anbieter in Titreyengöl, und zwar auf dem Weg zum Kaya Hotel (ausgeschildert). Egal an wen Sie sich wenden – die Stunde kostet ca. 10 €, mit Pick-up vom Hotel je nach Entfernung bis zu 13 €. Zum Beispiel **Naxhal**, ✆ 7569257, oder **Bonanza Pferderanch**, ✆ 0542/2375624 (mobil).

• *Tauchen* **Side Diving Center**, mit Stand am Hafen. Tauchgang inkl. Ausrüstung und Abholung vom Hotel 33 €. ✆ 0535/7285034 (mobil).

• *Veranstaltungen* **Internationales Kunst- und Kulturfestival** mit jeder Menge Veranstaltungen von Mitte bis Ende Sept. Lohnenswert ist ein Besuch der **Aufführungen im Freilichttheater von Aspendos** (→ S. 505), die lokalen Tourenanbieter veranstalten Fahrten dahin.

Übernachten/Camping (siehe Karte S. 515)

85.000 Hotelbetten stehen rund um Side zur Verfügung. All-inclusive-Anlagen findet man in den umliegenden Feriendörfern, jedoch sind viele vor Ort nicht buchbar. In Selimiye gibt es zahlreiche kleine Hotels und Pensionen, die schönstgelegenen an der Ostseite mit wunderbarer Aussicht auf das Meer. Eine hier beliebte Übernachtungsvariante ist das Wohnen in Bungalows – kleine Hüttchen, meist aus Holz und mit Dusche/WC, die sich eng an eng auf kleinen Grundstücken aneinander reihen und zu deren Infrastruktur in der Regel eine Bar und oft ein Restaurant gehören. Achtung: Wer eine Unterkunft nahe dem Ruinenfeld an der Stichstraße nach Side wählt, muss bei Ostwind mit unangenehmen Gerüchen durch die nahe gelegene Mülldeponie rechnen!

Yalı Hotel (17), im Osten Selimiyes mit eigenem Felsstrand. 18 geräumige Zimmer mit neuem Mobiliar, Klimaanlage und Minibar, alle mit Balkon und tollen Ausblicken. Garten, Restaurant, Bar. Freundlicher Service. Nur die Gänge könnten eine Renovierung vertragen. DZ mit Dusche/WC und Balkon inkl. Frühstück 32,50 €. Yalı Boyu Cad. 50, ✆ 7531011, ℻ 7531148.

Neptün Hotel (2), an der Zufahrtsstraße nach Selimiye rechter Hand. Gepflegte, große Anlage mit farbenfrohen, jugendlichen Zimmern und wie am Schnürchen aufgereihten Bungalows. Hoteleigener Strandabschnitt, davor schattiges Restaurant mit Springbrunnen. DZ 25 € mit HP – sehr gutes Preis-Leistungs-Verhältnis. ✆ 7531086, www.neptun-hotel.com.

Pension Hanımeli (10), in Selimiye nahe dem Hafen in einem efeuumrankten Haus. Kleine rosafarbene Zimmer, einladende Terrasse. DZ 25 €. Turgut Reis Cad. 35, ✆/℻ 7531100.

Sevil Motel (18), im Osten Selimiyes. Gehobene Familienpension mit kleinem Blumengarten und Bar. 15 recht geräumige Zimmer, 6 davon mit Meeresblick. Gute Bäder. Jedes Mitglied der Familie spricht eine Fremdsprache. Leser schwärmen von der hervorragenden klassisch-türkischen Küche, Abendessen 5 €. DZ 25 € mit Klimaanlage. ✆ 7532041, ℻ 7533186.

Pansiyon Begonville (8), hübsches, grün überwuchertes Holz-Naturstein-Haus unter türkisch-österreichischer Leitung östlich der Liman Cad. Leider kein Meeresblick, dafür andere Vorzüge: begrünter Innenhof, ordentliche, saubere Zimmer mit Steinboden, Langschläfer-Frühstücksbufett und hauseigener Arztdienst. EZ 16 €, DZ 23,50 €, Dreier 32 €. Yasemin Sok. 33, ✆/℻ 7535197, AYBEL_2000@hotmail.com.

Odeon House (19), nahe dem Athene- und Apollontempel. Eine der schönsten und gemütlichsten Unterkünfte vor Ort, geführt von einem İstanbuler Architekten. 5 recht geräumige, mit Geschmack eingerichtete, dennoch schlichte Zimmer, alle mit Klimaanlage. Netter Innenhof. Oft ausgebucht, Reservierung empfohlen. DZ 21 €. Mercan Sok. 10, ✆ 7531713, ℻ 7536967.

Beach House (12), in erster Reihe am Küçük Plaj im Osten Selimiyes. 20 stillose Zimmer, 12 davon jedoch mit Balkons und tollem Meeresblick. DZ mit Frühstück 21 €, als EZ 12 €. ✆ 7531607, ℻ 7531804.

Yaşa Motel (3), 25 freundliche, holzverschalte Zimmer um und über einem idyllischen Garten mit Restaurant. Leider nur 4 Zimmer mit Meeresblick. Kleine Travellerbibliothek, deutschsprachiger, redseliger Inhaber, Freiluft-Fitnessraum und eigene Parkplätze. DZ mit Frühstück 18 €. Turgut Reis Cad., ✆ 7534024, yasamotel07@hotmail.com.

Yıldırım Pansiyon (9), in der Lale Sok. nahe dem Küçük Plaj. Gemütliche und freundliche 7-Zimmer-Pension in einem alten Steinhaus. Ruhige Lage, überdachte Terrasse. Kleine, farbenfrohe Zimmer, zuvorkommender Service. DZ 17 € mit Frühstück. ✆/℻ 7533209.

Pettino's Pension (15), liebevoll eingerichtetes Haus mitten im Trubel Selimiyes. Zimmer jedoch um einen ruhigen, gemütlichen Innenhof. Unter australisch-türkischer Leitung. DZ mit Dusche und Gemeinschaftsküche 13 €, sehr freundliche Atmosphäre. Menekşe Cad., ✆ 7533608.

Pension Nar (16), in der Mercan Sok., einer stillen Gasse in der Osthälfte Selimiyes. Natursteinfassade. Sehr saubere, gepflegte DZ mit Bad und Frühstück 13 €. ✆ 7531201, ℻ 7533068.

Pension Morning Star (20), im Osten Selimiyes. Einfache Herberge mit Hippyflair. DZ z. T. mit kleinem Balkon und schöner Aussicht aufs Meer für 13 €. Lebendige kleine Bar im Erdgeschoss, also nichts für Frühschläfer. ✆ 7531389.

• *Camping* Das Gros der Plätze vor Ort ist geradezu unansehnlich. Empfehlenswert ist lediglich **Yeşilparkı Sorgun**, 5 km östlich von Side. Luxuriöse Anlage mit Swimmingpool und eigenem Strandabschnitt, sehr sauber. In der Verwaltung des Green Park Hotels. Camping für 2 Pers. 15 €. ✆ 7569141, ℻ 7569140. Anfahrt: Erst der Beschilderung nach Sorgun und dort der Beschilderung zum Club Robinson folgen. Die Straße führt am Campingplatz vorbei. Regelmäßige Dolmuşverbindungen von und nach Side.

Essen & Trinken

Sämtliche Restaurants bedienen den Geschmack des Massentourismus und bieten wenig Türkisches, eher Steak Hawaii, Spaghetti Bolognese oder Wiener Schnitzel – wir sind in Side! Die Preise besitzen europäisches Niveau und liegen um das Dreifache über dem Landesdurchschnitt – rechnen Sie für ein anständiges Abendessen mit rund 12 €. Gehobenere Restaurants findet man am Hafen und oberhalb des Küçük Plaj, wo man bei Meeresrauschen und Kerzenlicht leider kaum sieht, was man isst. Wer aufs Geld schauen muss, dem bleibt leider nur ein Döner übrig – und auch der kostet fast so viel wie in München, ist aber um einiges kleiner. Ein Tipp ist das handgeschlagene *Maraş-Eis*, das mit viel Brimborium an verschiedenen Ständen verkauft wird.

Deniz Restaurant (5), gepflegtes Restaurant im Westen der Landzunge. Der Lage wegen aufgeführt: Herrliche Terrasse direkt über dem Meer. Fisch, türkische Spezialitäten und Wiener Schnitzel.

Agora Restaurant (6), ebenfalls auf der westlichen Seite der Landzunge und ebenfalls direkt am Meer mit Terrasse, aber nicht ganz so schöner Aussicht wie das Deniz. Ähnliches Angebot, jedoch preiswerter. Auch bei Türken beliebt, obwohl aus den Lautsprechern Udo Jürgens und Karel Gott dröhnen.

Side/Selimiye

Übernachten

2 Neptün Hotel
3 Yaşa Motel
8 Pansiyon Begonville
9 Yıldırım Pansiyon
10 Pension Hanımeli
12 Beach House
15 Pettino's Pension
16 Pension Nar
17 Yalı Hotel
18 Sevil Motel
19 Odeon House
20 Pension Morning Star

Essen & Trinken

1 Club Onyx
4 Steakhouse bei Holger
5 Deniz Restaurant
6 Agora Restaurant
7 Uğur Lokantası
11 Disco Lighthouse
13 Soundwaves Restaurant
14 Yusuf's mit Meerblick
21 Café Marina

150 m

Mittelmeer
Westlicher Strand
Östlicher Strand
Küçük Plaj (Kleiner Strand)
Hafen
Ausflugsboote
Celal Bayar Bulvarı
Side Bulvarı
Cemal Gürsel Bulvarı
İnönü Bul.
Kenan Evren Bul.
Atatürk Bulvarı
Kazım Karabekir Cad.
Adnan Menderes Bul.
Krankenhaus, Manavgat
Manavgat
Sorgun, Titreyengöl
Kumköy, Çolaklı
Aquädukt-reste
Dakota
Nymphäum
Stadttor
Peristyl-Villen
Kolonnadenstr.
Ehem.
Bogen-tor
Säulenstraße
Agora
Theater
Bischofs-kirche
Reste der Stadtmauer
Staatsagora
Bibliothek
Yasemin Sokak
Polizei
Turgut Reis Cad.
Orkide S.
Gül Sok.
Çağlayan Sokak
Sümbül Sok.
Lale S.
Liman Cad.
Menekşe Cad.
Hanımeli Sok.
Şelale Tour
Side Diving Center
Nar Sok.
Mercan Sok.
Nergiz Sok.
Leylak S.
Parlaros
Caddesi
Athene- und Apollontempel

Yusuf's mit Meerblick (14), heißt wirklich so. Eines von mehreren herrlich gelegenen Lokalen oberhalb des Küçük Plaj. Geboten werden wie überall türkische und internationale Kost der gehobenen Preisklasse mit einem nervigen Schlepper davor. Wer gerne Knoblauch mag, sollte das **Soundwaves Restaurant (13)** etwas weiter probieren: Knoblauchbaguette, Knoblauchgarnelen, Knoblauchchampignons ...

Steakhouse bei Holger (4), an der Yasemin Sok. nahe dem Yaşa Motel. Unter deutschen Urlaubern eine der beliebtesten Lokalitäten, nicht selten muss man auf einen Tisch auf der gemütlichen Terrasse warten. Karte wie daheim: Zigeunerschnitzel, Käsespätzle, Spaghetti Bolognese, Rumpsteak, selbst die "Spezialitäten vom Schwein" wie Bock- oder Currywurst fehlen nicht. Zum Abschluss Amaretto statt Tee!

Uğur Lokantası (7), Hanımeli/Ecke Karanfil Sok. östlich der Liman Cad. Die Adresse für einfache, türkische Hausmannkost in simpler Atmosphäre. Ein paar Tische und eine Vitrine mit täglich wechselnden Gerichten – das war's. Hauptgerichte 2,50–5 €.

• *Café* **Café Marina (21)**, herrlich-verwunschenes Café gleich hinter dem Apollontempel. Lust auf ein Glas Tee zwischen Ruinen, von Wind und Wetter gezeichneten Statuen und Wasserspeiern? Der zugewachsene Garten ist wildromantisch, tolle Blicke auf Tempel und Meer, kleine Snacks zu Touristenpreisen.

Nachtleben (siehe Karte S. 515)

• *Danceclubs* Die luftigste Adresse, von Wellen umspült, ist die Open-Air-Disco **Lighthouse (11)** am Hafen, Happy Hour 21–23 Uhr, ab Mitternacht wird's lustig. Ein extravaganter Nightspot mit Lasershow war zum Zeitpunkt der Recherche der **Club Onyx (1)**, untergebracht in einem festungsartigen Disneylandgebilde an der Straße nach Kumköy. Ansonsten gibt es eine Reihe von Discobars, die man am besten betrunken oder verliebt aufsucht. Angesagt sind zudem mehrere hoteleigene Discos im Feriendorf Titreyengöl östlich der Stadt.

• *Bars* wie das originell-gestylte **Harbour** oder das **Apollonik** liegen östlich des Hafens am Meer. Ein originelles Ambiente bietet die im Afrika-Safari-Stil eingerichtete **Jungle Bar** in der Menekşe Sok. östlich der Liman Cad.

Baden/Wassersport

Westlicher Strand: Über mehrere Kilometer erstreckt sich der kinderfreundliche Beach bis zum Ferienort Kumköy. Zum Teil sehr gepflegt, ab und zu spenden ein paar Bäume Schatten, vielerorts aber überlaufen. Hinter dem Strand liegen große Hotels und Clubanlagen. Es gibt Strandcafés für den Durst und kleinen Hunger, Sonnenschirm- und Liegestuhlverleih.

Östlicher Strand: Zu Füßen das Meer, im Nacken antike Ruinen. Am Strandbeginn werden in der Saison so viele Liegen verliehen, dass oft kein Platz für ein privat herangeschlepptes Badetuch bleibt. Wer sich weit genug entfernt, kann zumindest in Ansätzen den Massen entgehen. Auf jeden Fall mit den ansprechenderen Strandbars.

Küçük Plaj: Der Name passt. Der "kleine Strand" ist eine kleine Sandfläche in einer ebensolchen Bucht im Osten Selimiyes. Sonnenschirm- und Liegestuhlverleih, kleine Strandkneipe.

Strände in der Umgebung: Die schönen Sandstrände des 5 km östlich von Side gelegenen **Titreyengöl** gehören größtenteils zu Clubanlagen und sind nicht alle frei zugänglich. Gegen eine Gebühr ist dort z. B. noch der Strand des "Boğaz Oteli" (ausgeschildert) zugänglich.

Sehenswertes

Das antike Side inmitten einer pittoresken Landschaft aus Buschwerk, Dünen und Fels gehört mit Pergamon und Ephesus zu den meistbesuchten Ausgrabungsstätten der Türkei. Bereits auf der Fahrt von Manavgat nach Side sieht man die ersten Ruinen zwischen Feldern und verwilderten Abschnitten abseits der Straße: Aquäduktreste einer einst 30 km langen Wasserleitung von der Quelle des *Manavgat Çayı* in die antike Stadt, die selbst keine einzige Quelle besaß. Viele Angreifer wussten dies und zerstörten zuerst das *Aquädukt*.

Die Sehenswürdigkeiten sind von Nord nach Süd aufgelistet. Das Gros der Ruinen ist frei zugänglich, Hinweisschilder erleichtern die Orientierung. Übrigens sind die Ausgrabungsarbeiten am antiken Side bis heute nicht abgeschlossen.

Nymphäum: Es heißt, dass die monumentale Brunnenanlage – nur noch in halber Höhe erhalten – die schönste und größte Kleinasiens gewesen sei. Für das geistige Auge: Die Fassade war 52 m lang, 20 m hoch und über 4 m dick, marmorverkleidet und mit dreistöckiger Säulenarchitektur. Davor ein gepflasterter Hof, von Bänken und Steinstufen umgeben. Das reliefgeschmückte Bassin fasste 500 Kubikmeter Wasser, das aus Bleirohren in das Becken floss. Etliche Statuen schmückten diesen Tempel der Nymphen.

Stadttor: Die Reste des einst prunkvollen Haupttors, das von zwei klobigen, viereckigen Türmen flankiert war, liegen linker Hand der Straße nach Selimiye und sind leicht zu übersehen. Seit 2000 ist der angrenzende *Torplatz* teilweise freigelegt. Man erkennt noch Läden, die sich hier aneinander reihten, sowie das Mosaikpflaster der Wege. Das Tor war Teil der kilometerlangen, heute stark abgebröckelten, zerklüfteten *Stadtmauer*. Die Mauer ist ein gutes Beispiel für eine wehrhafte antike Befestigungsanlage aus hellenistischer Zeit. Am Haupttor begannen zwei *Kolonnadenstraßen*. Von der Straße gen Südosten ist heute nichts mehr erhalten. An ihrem Ende wurde später eine byzantinische *Bischofskirche* samt Palast erbaut, jedoch sind diese kaum ausgegraben.

Peristyl-Villen: Die zweite Kolonnadenstraße, rund 250 m lang, führte zur Agora. Sie ist mehr oder weniger mit der heutige Zufahrtsstraße nach Selimiye identisch und wird auch *Säulenstraße* genannt. Etwas weiter stadteinwärts, linker Hand, lagen die Domizile der Nobilität, die sog. Peristyl-Villen. Die Räume waren um offene Innenhöfe angelegt – ein netter Einblick in die Wohnverhältnisse der antiken Highsociety.

Agora: Von der Grundfläche quadratisch, war sie auf allen Seiten von Hallen mit exakt 100 Säulen umgeben, im Nordwesten und Nordosten zusätzlich von Läden. Man betrat die Agora von der Straße aus durch ein monumentales Tor (nur noch Grundmauern erhalten). Hier spielte sich in den Morgenstunden das Leben der Stadt ab, und hier versteigerten die Seeräuber ihre Gefangenen. In der Nordwestecke der Agora, an das Theater angelehnt, ist ein halbrunder Bau zu erkennen. Früher war er mit einem Gewölbe abgedeckt und bot als *öffentliche Latrine* Platz für 24 Personen.

Museum: Das archäologische Museum liegt gegenüber der Agora an der Zufahrtsstraße nach Selimiye. Es ist in den ehemaligen römischen Thermen aus der Blütezeit der Stadt untergebracht, die einst weitestgehend mit Marmor verkleidet waren. Später, in frühchristlicher Zeit wurden die Thermen als Grabhaus genutzt. Ein Skelett mit vollständigem Gebiss – die Gruselattraktion – erinnert noch daran. Im *Garten* sind witterungsbeständige Sarkophage und Architekturfragmente ausgestellt. Im *Umkleideraum* sieht man u. a. eine Statue der Siegesgöttin Nike, im *Kaltbaderaum* u. a. einen Basaltkessel, zugleich das älteste Stück des Museums (vermutlich 7. Jh. v. Chr), im engen *Schwitzraum* Kleinfunde. Im Warmbaderaum werden Zierplatten, Osteotheken (sarkophagartige kleine Schreine für Gebeine und Asche) und – als Schmuckstück des Museums – die Statuengruppe der "Drei Grazien" präsentiert. Der anschließende *Ruheraum* wartet mit den schönsten Sarkophagen auf, die rund um Side gefunden wurden. Zudem befinden sich hier Statuen, die einst den Kaisersaal der Staatsagora (s. u.) schmückten, darunter auch Kopien berühmter griechischer Statuen.

Öffnungszeiten tägl. (außer Mo) 9–12 Uhr und 13–17.30 Uhr. Eintritt 3,30 €, erm. 1,30 €.

Bogentor: Gleich hinter dem Museum führt die Straße durch ein Bogentor, auch "Siegesbogen" genannt, heute ein Nadelöhr auf dem Weg ins Zentrum, Autos und Fußgänger quetschen sich hindurch. Eine kaiserliche Quadriga (vierspänniger Streitwagen) aus Bronze krönte einst das zerstörte Dach des Tores. Links des Bogentors wurde das *Vespasiandenkmal* freigelegt, ein elegantes Brunnen- bzw. Quellhäuschen, in dessen Hauptnische eine Statue des Kaisers Vespasian stand – ein beliebtes Fotomotiv.

Theater: Das Wahrzeichen Sides überragt alle Gebäude der Stadt. Einst bot es bis zu 20.000 Zuschauern Platz. Da Side nicht auf einem Hügel erbaut wurde, konnte das Theater nicht wie üblich am Hang angelegt werden. So musste notgedrungen – eine Seltenheit in Kleinasien – ein gewaltiger Unterbau geschaffen werden. Die Steine dazu lieferte die Seemauer, die in den Friedenszeiten des Römischen Imperiums überflüssig geworden war. Neben der Aufführung von Schauspielen diente der Bau Volksversammlungen, Gladiatorenkämpfen und später auch als Freilichtkirche. Die Orchestra besaß vermutlich ein Wasserbecken, in dem Schiffswettkämpfe stattfanden. Bei einem Erdbeben wurde der obere Teil des Theaters zerstört und das Bühnenhaus fiel in die Orchestra, die unter einem wüsten Trümmerhaufen begraben liegt.

Öffnungszeiten tägl. 8–17 Uhr. Eintritt 4,20 €, erm. 1,70 €.

Staatsagora: Sie liegt östlich des Theaters auf dem Weg zum Oststrand und diente vorrangig politischen Besprechungen. An der stadtabgewandten Seite stand eine große *Bibliothek* mit drei Sälen. Vom mittleren, dem sog. *Kaisersaal,* ist noch eine Wand erhalten. Die zahlreichen Statuen, die einst ihre Nischen schmückten, sind größtenteils verloren, einige wenige befinden sich im Museum von Side. Allein ein kopfloser Torso konnte sich über die Jahrhunderte an seinem Platz halten: Nemesis, die Göttin der ausgleichenden Gerechtigkeit.

Athene- und Apollontempel: Die beiden nebeneinander liegenden Tempel aus dem 2. Jh. v. Chr. befinden sich an der Südspitze der Halbinsel. Der kleinere, aber besser restaurierte, war dem Apollon geweiht, der größere der Athene – diesem stand auch ein Asylrecht zu. Bei einem Erdbeben wurden die Tempel stark beschädigt. Fünf Säulen des Apollontempels wurden wieder aufgerichtet und sind nun nächtens effektvoll angestrahlt – ein Traumplatz bei Sonnenuntergang. Auf und um die Tempel errichteten die Byzantiner später eine *Basilika,* ein paar Wände stehen noch. Unmittelbar vor den Tempeln lag früher der Hafen, heute befindet er sich weiter westlich.

Hafen: Seine Gesamtlänge betrug einst 450 m. Trotz aller Anstrengungen versandete das seichte Hafenbecken vom Schlamm des Manavgat-Flusses immer wieder – die antike Redewendung "Das ist wie der Hafen von Side" war nicht umsonst die blumige Umschreibung einer vergeblichen Arbeit. Schließlich ließ man sich eine besondere Finanzstrategie einfallen, um das regelmäßige Ausbaggern des lebenswichtigen Hafens zu garantieren: Vermögende Bürger

Der Apollontempel von Side

des antiken Side trugen die Kosten der Arbeiten und wurden dafür mit Inschriften geehrt. Diese Zeiten sind lange her. Im letzten Jahrzehnt wurde der völlig verlandete Hafen wieder etwas ausgebaggert und mit einer schützenden Mole umgeben, damit wenigstens kleine Fischerboote in ihm Schutz finden.

Im Hinterland von Side

Das Hinterland von Side bietet abwechslungsreiche Alternativen zum Sonnenbad an der Küste: Wie wäre es mit einem Einkaufsbummel in *Manavgat*, einem Besuch der einsam gelegenen Ruinenstätte *Seleukia* oder einem gemütlichen Forellenessen an einem – je nach Jahreszeit rauschenden oder plätschernden – Wasserfall?

Weitere lohnenswerte Ziele im Hinterland von Side entdecken Sie im Kapitel "Zwischen Antalya und Side" ab S. 499.

Manavgat

(77.000 Einwohner)

Fünf Kilometer nördlich von Side erstreckt sich zu beiden Seiten des gleichnamigen Flusslaufes die Provinzstadt Manavgat, Umschlagplatz für die landwirtschaftlichen Produkte der Umgebung und bäuerliches Einkaufszentrum. Obwohl die Stadt abseits der Küste liegt, finden sich hier jede Menge Touristen auf der Suche nach der "ursprünglichen Türkei" ein. Ein Besuch des montäglichen Wochenmarktes gehört zum Side-Unterhaltungsprogramm. Dabei suggerieren Schmuck- und Teppichgeschäfte günstigere Preise als in Side, was nur sehr bedingt zutrifft.

Das Gros der Urlauber verbindet einen Shoppingausflug nach Manavgat mit einem Besuch der nahe gelegenen *Wasserfälle* (vom Zentrum mit "Manavgat Şelalesi" ausgeschildert). Der kleine Wasserfall *Küçük Şelale* liegt ca. 4 km nördlich der Stadt, der große Wasserfall *Büyük Şelale* weitere 2 km landeinwärts (Eintritt 0,50 €). Während Letzterer wirklich etwas mit einem Wasserfall zu tun hat, handelt es sich bei dem kleinen eher um ein paar Stromschnellen. Trotz des alltäglichen Touristenansturms haben die Restaurants und Picknickplätze an den Wasserfällen etwas idyllisches – man sitzt gemütlich unter schattigen Platanen, während Forellen vom Fluss direkt auf den Teller springen.

• *Verbindungen* Alle **Busse** entlang der Südküste halten in Manavgat – buchen Sie, wohin Sie wollen. Der neue Busbahnhof liegt nahe der D 400, von dort bestehen Dolmuşverbindungen ins Zentrum. Zudem regelmäßige **Dolmuş**verbindungen vom Zentrum nach Side und zum großen Wasserfall, äußerst unregelmäßige Verbindungen nach Bucakşeyhler (Seleukia).

• *Bootstouren* werden beim alten Busbahnhof (östlich des Manavgat-Flusses, nahe der großen gelben Brücke) offeriert: 80-minütige Touren zum kleinen Wasserfall (6 €) oder Trips zur Mündung des Manavgat-Flusses mit Badestopp und Lunch (12 €).

• *Übernachten* Auswahl und Niveau sind mit einer Ausnahme sehr bescheiden:
Villa Lapin, überaus charmantes, kleines Hotel direkt am Fluss beim kleinen Wasserfall (gegenüber der ausgeschilderten Seite). 6 liebevoll eingerichtete, blitzsaubere, klimatisierte Zimmer mit viel Holz, 3 davon mit Balkon und herrlichen Flussblicken. Traumgarten direkt am Fluss, allein deswegen einen Aufenthalt wert. Restaurant (nur für Gäste). 2000 eröffnet, unter türkisch-holländischer Leitung. DZ mit üppigem Frühstücksbüfett 60 €, EZ 50 €, Dreier 80 €. ✆ 0242/7429146, www.villa-lapin.com. Schwer zu finden, nur sehr sporadisch ausgeschildert! Am besten anrufen – die freundlichen Besitzer holen Sie ab.

• *Essen & Trinken* Im Zentrum Manavgats schön gelegen und empfehlenswert ist das **Develiler Restaurant** direkt am Fluss. Große Terrasse, auf der man in der Regel immer einen Platz findet. Gute Meze und Grillgerichte. Von der großen gelben Brücke zu sehen.

Seleukia (antike Stadt)

"Seleukia in Pamphylien" nennt man die in einem schattigen Pinienwald gelegene Ruinenanlage noch immer, obwohl die steinernen Überreste nach letzten Forschungen der antiken Kleinstadt *Lyrbe* zuzurechnen sind. Diese erlebte im 1. und 2. Jh. ihre Blüte und wurde wahrscheinlich im 7. Jh. aufgegeben. Nur wenige Besucher treibt es bislang an den äußerst stimmungsvollen Ort auf einem Tafelberg rund 12 km nördlich von Manavgat.

Neben vielen unidentifizierten, kleineren Ruinen gibt es auch ein paar Schmankerl. Auf dem vom Parkplatz bergauf führenden Waldweg gelangt man automatisch zur *Agora*, die zu den besterhaltenen Kleinasiens zählt. Aufgrund ihrer Hanglage waren gewaltige Unterbauten nötig. Die Kellerräume dienten zum Lagern von Waren. Eine dorischen Säulenhalle umgab die Agora ursprünglich, ein paar Säulen wurden wieder aufgerichtet. An ihrer Ostseite ist noch ein einst dreigeschossige *Marktgebäude* auszumachen, das im Südosteck an das *Odeion* grenzte. Vom *Podiumstempel* nördlich der Agora blieb die Cella bis auf das Dach unversehrt. Am Steilhang im Nordwesten ragt zudem ein 9 m hoher Bau zwischen den Bäumen hervor – die imposanten Reste einer *Therme*, die über einer noch heute sprudelnden Quelle errichtet wurde.

Die Grabungsarbeiten am Gelände sind bis heute nicht abgeschlossen. Einige Funde sind im Archäologischen Museum von Antalya ausgestellt. Das Gelände ist stets zugänglich und kostet kein Eintritt.

• *Anfahrt* Seleukia liegt nahe dem Bergdorf Bucakşeyhler. Der Straße zu den Manavgat-Wasserfällen folgen, einige Kilometer hinter den Fällen links ab nach Bucakşeyhler. Im Dorf rechts ab (ausgeschildert), auf einem äußerst holprigen Weg durch den Wald geht es bis zu einem Parkplatz. Von da ab zu Fuß noch 5 Min. bergauf. **Dolmuşe** fahren die Straße Richtung Seleukia nur selten. Wer von Manavgat ein Dolmuş erwischt, muss die letzten Kilometer laufen: Beim gelben Seleukia-Hinweisschild an der Straße nach Bucakşeyhler aussteigen, durch den Ort und weiter durch den Wald (ca. 5 km, im Sommer nach Aussagen von Betroffenen eine Qual). Mit dem **Taxi** von Side (einfach) ca. 12,50 €.

Die Manavgat-Stauseen

Rund 20 km nördlich von Manavgat wird der gleichnamige Fluss, der *Manavgat Çayı*, gestaut. Die smaragdgrünen Stauseen *Oymapınar Barajı* und *Manavgat Barajı* warten noch darauf, als Ausflugsziele entdeckt zu werden. Ein paar Uferrestaurants gibt es bereits, die auch Bootstouren anbieten. Die ausgeschilderte Attraktion ist die "Frischer Fick Boot Tour" – wir haben es nicht ausprobiert... Durch den Bau der Stauseen ging übrigens eines der größten Höhlensysteme Europas, die weit verzweigte Dumanlı-Höhle, in den Fluten unter. Das gestaute Wasser des Manavgat-Flusses soll nach Plänen der Regierung einmal über Pipelines in den Nahen Osten exportiert werden.

Anfahrt Von Manavgat der Straße zu den Wasserfällen folgen, dann immer geradeaus weiter am Fluss entlang.

Zwischen Side und Alanya

Side, Alanya und der gesamte Küstenabschnitt dazwischen zählen zu den von deutschen Urlaubern am meisten gebuchten Ferienadressen der Südküste. An die endlosen, bis vor wenigen Jahren noch recht einsamen Sandstrände reihen sich heute in unregelmäßigen Abständen Clubanlagen und aufstrebende, teils noch namenlose Hotelkonzentrationen. Die einzelnen Hotelanlagen zeigen sich meist gepflegt, drum herum sieht es jedoch oft trostlos aus – ein übergreifendes Erschließungskonzept vermisst man vielerorts. So sind hinter den Hotels oft wenig ansehnliche, künstliche Dörfer oder improvisierte Hüttensiedlungen entstanden, die außer Charme in der Regel alles bieten, was sich das hiesige Pauschalurlauberherz wünscht: Bierkneipen, Einkaufsmöglichkeiten und Autoverleiher. Wer nur diese Ecke der Türkei kennen lernt, kommt zwar braungebrannt, aber mit einem recht verschrobenen Bild des Landes nach Hause.

Entlang der Nationalstraße 400, mit dem Meer zur Rechten und den näher rückenden Ausläufern des Taurusgebirges zur Linken, lassen sich zum Glück aber auch noch ein paar ruhige Strände entdecken. Vorbei an weiten Baumwollfeldern, die langsam in Bananenplantagen übergehen, erreicht man Alanya. Unterwegs kann man sich noch ein paar *Karawansereien* aus seldschukischer Zeit ansehen.

Kızılot

Die weit verstreute 3.000-Seelen-Gemeinde liegt rund 15 km östlich von Manavgat an der Straße nach Alanya. Außer dem Sonntagsmarkt bei der Moschee hat der Ort nicht viel zu bieten. Schön ist jedoch der hiesige, rund 7 km lange Küstenabschnitt: ein herrlicher, recht unverbauter und z. T. menschenleerer Sandstrand.

Karte S. 478/479

Übernachten/Essen & Trinken **Nostalgie-Camping**, von der Küstenstraße ausgeschildert (ca. 300 m). Kleines, schön-lauschiges Plätzchen direkt am Strand. Unter türkisch-schweizerischer Leitung. Neben Stellplätzen vier freundliche Bungalows mit Terrasse, 15 € pro Person und Nacht. Gemütliches Restaurant mit idyllischer Terrasse, gute Küche, familiär-beschauliche Atmosphäre. Von Lesern vielfach empfohlen. Von der Küstenstraße gute Dolmuşverbindungen in beide Richtungen. ✆ 0242/7482199, 📠 7482877.

Alarahan und Alarakale

Seldschukenführer Alaeddin Keykobat, laut Inschrift über dem Portal "Herrscher über die Nacken der Völker", gab 1231 den Auftrag zum Bau der Karawanenherberge Alarahan. Hier suchten Händler mit ihren Lasttieren bei Einbruch der Dunkelheit Schutz. Im Abstand von rund 30 km, das entsprach ungefähr der Tagesetappe einer Karawane, gab es auf der Strecke von Alanya in die Seldschukenhauptstadt Konya mehrere solche Hane. Heute gehört die Karawanserei zu den größten und besterhaltenen auf anatolischem Boden. Von außen zeigt sie sich als simpler, abweisender Steinwürfel. Die Pracht beginnt hinter dem Portal. In den Gewölben rund um den ungewohnt kleinen, offenen Innenhof hatten einst rund 200 Kamele samt ihren Treibern Platz. Die mitreisenden Frauen nächtigten im abgeschlossenen Harem. Heute befinden sich hier u. a. diverse Souvenirshops und ein Restaurant, das mehrmals wöchentlich Folkloreveranstaltungen anbietet.

Die Burg Alarakale, deren wehrhafte Mauern sich um einen kahlen Felskegel ca. 1 km nördlich der Karawanserei hinaufwinden, entstand vermutlich in byzantinischer Zeit. Der Aufstieg ist ziemlich mühsam. Von den nahe der Straße liegenden Gewächshäusern führt ein schmaler Pfad den Fels hinauf bis zu einem alten, rund 80 m langen Treppentunnel, durch den man den mittleren Teil der Burg erreicht – eine Taschenlampe ist notwendig. Mit etwas Kondition ist der Aufstieg in 40 Minuten zu schaffen. Besser aber vertraut man sich gegen ein Trinkgeld einem Führer an, der den Weg auch findet, wenn er nicht mehr da ist. Die Ruinen selbst geben nicht viel her, die Aussicht über das Tal des Alara-Flusses ist jedoch einmalig. Den Fluss selbst haben in den letzten Jahren Rafter und Kanuten für sich entdeckt.

• *Anfahrt/Essen & Trinken/Eintritt* Von der D 400 ist die Abzweigung bei Okurcalar ausgeschildert, von da noch etwa 9 km ins Landesinnere. Der Han steht direkt an der Straße, kurz davor warten mehrere Restaurants auf Kundschaft. Das Gros der Wirte ist aufdringlich, wir empfehlen, beim **Alarahan Restaurant** gleich gegenüber der Karawanserei zu parken. Kein Generve und Gezerre, sondern freundliche, zurückhaltende Belegschaft, preiswerte Küche und Ratschläge für Wanderer. Das Restaurant organisiert von Mai bis Juli auch Raftingtouren zu 47,50 € pro Nase. Der Eintritt für den Han beträgt 1,50 €.

İncekum/Avsallar und Umgebung

Etwa 50 km östlich von Side und 22 km westlich von Alanya liegt der Ort Avsallar und davor ein kilometerlanger Strand namens İncekum. Da jeder an den Strand will, aber kaum jemand in den Ort, hat sich İncekum für den Küstenabschnitt und das dazugehörige Feriengebiet durchgesetzt. Die schönen Strände der Gegend machen ihrem Namen (*ince kum* = feiner Sand) alle Ehre. Obwohl gut besucht, sind sie noch lange nicht überlaufen. Zwischen den Stränden mit ihren komfortablen Clubanlagen und den künstlich errichteten Einkaufszentren dahinter verläuft die autobahnähnliche Nationalstraße 400, deren Überquerung wenig Spaß macht. Von dieser bestehen jedoch regelmäßige Dolmuşverbindungen nach Alanya – gut zu wissen, wenn Ihnen das Programm der Animateure nicht zusagt.

Weitere größere Hotelkonglomerate der Gegend sind *Karaburun* ca. 11 km westlich, und *Konaklı*, ca. 10 km östlich. In Konaklı liegt übrigens, direkt an der D 400, ein weiterer Han, der *Serapsu Hanı*, schlicht auch "Alihan" genannt. 24 Türme schmücken diese Herberge aus dem 13. Jh., wo Mensch und Tier in einem einzigen Raum nächtigten. Heute speisen darin Busgesellschaften zu türkischer Folklore. Wer nett fragt, kann auch tagsüber einen Blick hineinwerfen.

Alanya

(ca. 130.000 Einwohner)

Alanya ist der touristische Hotspot der türkischen Riviera. Das Gros der Urlauber kommt aus Deutschland und freut sich an Filterkaffee und Kuchen, Jägerschnitzel und Rinderbraten. Bezahlt wird in Euro, die türkische Lira ist überflüssig, die Türkei woanders.

Alanya erstreckt sich über zwei weite, sanft geschwungene Buchten, die von einem 250 m hohen, vorspringenden Burgfelsen getrennt werden. Gekrönt wird dieser von einer imposanten seldschukischen Burg. An die Hänge des Burgbergs (die Alt- bzw. Oberstadt) klammern sich osmanische Häuser, zu seinen Füßen liegt ein Hafen für Ausflugsboote und Jachten. Direkt daran schließt Alanyas Flanier- und Partymeile an, die zu den beliebtesten der Südküste zählt. Diese geht fließend in das große geschäftige Zentrum Alanyas über: Etliche Juwelier- und Ledergeschäfte, Stände mit imitierter Markenware und Teppichläden prägen es. Zusammen mit den schönen, langen Sandstränden zu beiden Seiten des Burgbergs sind dies die Tummelplätze der Massen und deren Garant für abwechslungsreiche Urlaubstage.

Der Rest der Stadt ist – mit Ausnahme ein paar verstreut liegender alten Villen – ein gesichtsloses Häusermeer im Großstadtformat. Die weißen 08/15-Fassaden der Apartmenthäuser und Hotels – entworfen von Architekten, die wohl allesamt Praktikanten an der Costa Brava waren – ziehen sich kilometerweit die Buchten entlang und klettern dahinter die Berghänge hinauf. Alanya ist eine rasend wachsende Stadt. So manche, einst kleine Ortschaft an den Küstenabschnitten östlich und westlich hat sie schon verschlungen. Ob *Konaklı* im Westen, *Kestel* oder *Mahmutlar* im Osten – das Gesicht der einstigen Dörfer zeigt sich heute einheitlich: Massenunterkunft an Massenunterkunft hinter einem renntauglichen, stark befahrenen Strandboulevard.

Geschichte

Früheste Berichte über das antike *Korakesion*, aus dem später Alanya hervorging, stammen aus der Mitte des 2. Jh. v. Chr. und zollen der damals hier neu gegründeten Festung wenig Wohlwollen. Sie schildern es als ein übles Piratennest unter Führung von Diodotos "Tryphon" ("dem Wollüstigen"), der von hier seine Galeeren in See stechen ließ, um Küstenstädte und Handelsschiffe zu plündern. Dem Schrecken machte der römische Feldherr Pompeius 67 v. Chr. in der berühmten Seeschlacht vor Korakesion ein für allemal ein Ende – 10.000 Mann kostete sie das Leben. Zwei Jahrzehnte später schenkte Mark Anton die Stadt samt Umgebung seiner geliebten Kleopatra (→ Kasten, S. 573). Diese verschiffte von Korakesion Holz für den Flottenbau nach Alexandria, besaß nebenher aber noch genügend Zeit, mit dem römischen Aristokraten zu turteln. Vom Burgberg ließ sie angeblich eigens dafür einen Stollen durch das Bergmassiv zu einer klitzekleinen intimen Bucht angelegen, dem heutigen "Kleopatra Pool". Korakesion selbst erreichte in römischer Zeit jedoch niemals die Bedeutung des westlich gelegenen Side.

In byzantinischer Zeit wie auch unter der nachfolgenden armenischen Herrschaft hieß die Stadt *Kalonoros* ("Schöner Berg"). Der Seldschukensultan Alaeddin Keykobat verliebte sich in Kalonoros und versuchte die Stadt vergebens zu erobern. Was militärisch scheiterte, gelang schließlich mit Diplomatie: Der armenische Fürst Kyr Vart tauschte Kalonoros samt seiner Tochter Hunat Hatun Mahperi 1221 gegen einen Alterssitz bei Aksaray ein. Der Sultan, der in Konya residierte, nannte die Stadt nun *Ala'iye* und machte sie zu seinem Sommersitz und zum Kriegshafen. Die Stadt erlebte dadurch einen mächtigen Aufschwung. Aus dieser Zeit stammen ihre heute noch erhaltenen, bedeutendsten Sehenswürdigkeiten. Mit dem Ende der Seldschukenherrschaft geriet Alanya wieder in Vergessenheit.

Das änderte sich erst wieder mit dem Aufkommen des Tourismus an der türkischen Küste – bereits 1965 buchten die ersten deutschen Pauschaltouristen Alanya. Seitdem dehnt sich die Stadt, die ursprünglich nur auf dem Burghügel angelegt war, mehr und mehr aus, nach Osten und Westen entlang der Strände und landeinwärts bis zum 2.647 m hohen Berg *Ak Dağ*. Auch rund 6.000 deutsche Rentner nennen Alanya mittlerweile ihre zweite Heimat.

Was Flaschen auf dem Dach aussagen können ...

Wer mit offenen Augen durch Alanya spaziert, entdeckt auf den Schornsteinen mancher Häuser am Burgberg vielleicht ein paar Flaschen – eine alte, fast ausschließlich hier gepflegte Tradition: Jede zerbrochene Flasche symbolisiert ein heiratsfähiges Mädchen im Haus – eine kreative Offerte an Brautwerber. Achtung jedoch bei liegenden Flaschen: Diese stehen für Witwen.

Information/Verbindungen

• *Telefonvorwahl* 0242.

• *Information* Auf der Weststrandseite in der Nähe der Damlataş-Höhle. Für 1,30 € ist ein Stadtplan erhältlich, auf dem sämtliche Hotels verzeichnet sind. Mo–Sa 8.30–17.30 Uhr, So 10–17.30 Uhr. Kalearkası Cad., ✆/℻ 5131240.

• *Verbindungen* **Flugzeug**: → Gazipaşa, S. 538.

Bus: Der Busbahnhof liegt weit außerhalb an der Atatürk Cad. und ist mit dem Dolmuş oder Taxi (2,50 €) zu erreichen. Im Sommer gute Verbindungen in alle Landesteile, insbesondere entlang der Küste, nach Adana (10 Std.), Anamur (2–3 Std.), Antalya (2 Std.), Mersin (8–9 Std.), Silifke (7 Std.). Zudem mehrmals tägl. über Konya (7 Std.)

nach Kappadokien (10 Std.), nach İzmir (12 Std.) und nach İstanbul (16 Std.). Buchungsbüros im Zentrum, für viele Strecken Reservierung im Voraus ratsam.

Stadtverkehr/Dolmuş: Der sog. "Volksbus der Gemeinde Alanya" (so steht's drauf) verbindet das Zentrum mit den Hotels am West- und Oststrand und fährt auch zur Burg. Dolmuşe zu den Küstenorten westlich und östlich von Alanya, zudem zum Busbahnhof, starten vom Dolmuşbahnhof nördlich der Atatürk Cad.

Schiff: Fährverbindung nach Zypern im Sommer 4-mal wöchentl. mit dem Hydrofoilboot, Dauer 3 Std. Rückfahrt nicht immer am gleichen Tag möglich. Einfache Fahrt 30 €, retour 50 € zzgl. einer Hafengebühr von 10 € pro Person. Keine Mitnahme von Fahrzeugen. Schnellere und häufigere Verbindungen ab Taşucu bei Silifke (→ S. 551). **Tickets** und Buchung von Tagesausflügen (inkl. Besichtigung von Lefkoşa) über **Fam Tour**, Damlataş Cad. 53, ✆ 5121539, famtour@antnet.net.tr.

• Organisierte Touren gibt es z. B. nach Kappadokien, Pamukkale, Perge, Aspendos oder Side, je nach Dauer (1–3 Tage) für 5–50 €. Zudem werden Fahrten nach Anamur, Ausflüge in den Taurus, "Piratentage" auf den Spuren der Seeräuber usw. angeboten. Etliche Veranstalter, ein breites Angebot findet man bei **Fam Tour** (→ Verbindungen/Schiff) und **Race Tours**, Atatürk Cad. 49/A, ✆ 5113299, ℻ 5125224.

• Bootsausflüge werden von Reisebüros und der Kooperative am Hafen nahe dem Roten Turm angeboten – enormer Andrang in der Saison. Einstündige Fahrt rund um den Burgfels 5 € (s. u.), längere Fahrten (ca. 2,5 Std.) Richtung Westen 10 €. Ganztägige Picknickfahrten kommen auf ca. 15 € inkl. Essen.

Bootsausflüge rund um den Burgfels führen vorbei an winzigen Buchten zu drei Grotten, in die nur kleine Boote hineinfahren können – bedenken Sie dies bei Ihrer Buchung. Zunächst wird die sog. *Piratenhöhle (Korsanlar Mağarası)* angesteuert, in der Seeräuber einst ihre Beute verborgen haben sollen. Angeblich war sie durch einen geheimen Gang mit der Burg verbunden, doch irgendwann stürzte dieser ein und ist heute nicht mehr auszumachen. Über die *Höhle der Verliebten (Aşıklar Mağarası)* erzählt der Kapitän gerne die Geschichte von einer deutschen Frau und ihrem türkischen Freund, die in Alanya verschwanden und nach einer groß angelegten, dreimonatigen Suchaktion wohlauf in der Höhle entdeckt wurde. Die Geschichte ereignete sich übrigens bereits 1965. In der nächsten Grotte, der *Phosphorhöhle (Fosforlu Mağarası)* glitzert das Wasser infolge fluoreszierender Lichteffekte in leuchtendem Grün. Den Abschluss der Fahrt bildet ein Stopp am *Kleopatra Pool* (→ Geschichte), dem intimen Treffpunkt des Liebespaares Mark Anton und Kleopatra. Nach Erdbeben und Steinrutsch existiert der Sandstrand der winzigen Bucht heute leider nicht mehr. Man kann jedoch ein Stück weit in den Stollen gehen.

Adressen/Einkaufen/Veranstaltungen

• Ärztliche Versorgung in deutscher Sprache z. B. im Privatkrankenhaus **Özel Can Hastanesi** nahe der Büyük Hasbahçe Cad. nördlich des Zentrums. ✆ 5124438.

• Autoverleiher etliche vor Ort. **Race Tours** (→ Organisierte Touren) ist zugleich der offizielle Hertz-Vertreter vor Ort. Mit Race-Tours-Vertrag ab 30 € inkl. Vollkasko, mit Hertz-Vertrag ab ca. 70 €. **Europcar** hat sein Büro in der Keykubat Cad. 18/D, ✆ 5131929, ℻ 5120584. Autos ab 45 €.

• Einkaufen Silberschmuck- und Teppichhändler mit großen, kühlen Geschäften in den Straßen um den Kızıl Kule. Im Zentrum ansonsten Lederwaren (z. B. mit Harley-Davidson-Stickern) und Touristenkrimskrams. Ein verkehrsberuhigtes Einkaufsgebiet liegt östlich der Müftlüler Cad./Ecke Keykubat Cad. Fr großer **Wochenmarkt** zwischen Atatürk Cad. und Dolmuşbahnhof. Wie Side ist auch Alanya sehr teuer.

• Geld brauchen Sie nicht wechseln. Man kann mit heimischer Währung fast überall bezahlen.

• Polizei nahe dem Hafen, ✆ 5131003.

• Post Filialen aufs ganze Zentrum verteilt, allein an der Atatürk Cad. mehrere Zweigstellen.

• *Türkisches Bad (Hamam)* Es gibt mehrere. Empfehlenswert ist das **Beyler Hamamı** in der Bostancıpınarı Cad. Gepflegter Marmor, keine Touristenabfertigung. Di 9–17 Uhr Frauentag, sonst tägl. 6–24 Uhr gemischt. Eintritt mit Massage 17 €.

• *Veranstaltungen* Zwei international bekannte Sportevents werden alljährlich in Alanya ausgetragen. Den **Triathlon** Ende Oktober begleiten zahlreiche kulturelle Rahmenveranstaltungen. Zum **Beachvolleyballturnier** Ende Mai/Anfang Juni reisen Topmannschaften aus aller Welt an.

• *Waschsalons* gibt es zwischen der Atatürk Cad. und Damlataş Cad. mehrere, z. B. **Elephant** im Shoppingcenter Damlataş. Eine Trommel waschen und trocknen 4,60 €.

• *Zeitungen* und Zeitschriften in deutscher Sprache findet man problemlos an jeder Straßenecke.

• *Zweiradverleih* Bei **Fam Tour** (→ Verbindungen/Schiff) kostet ein Fahrrad z. B. 4,20 € pro Tag, ein Scooter (100 ccm) 22 €.

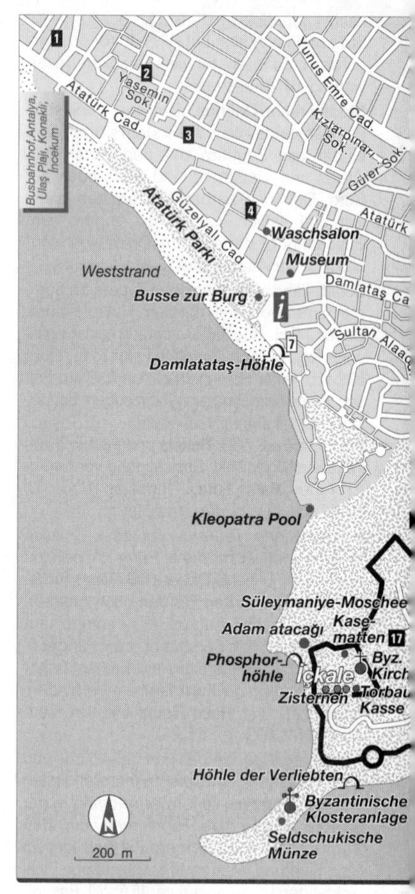

Übernachten/Camping

Alanya weist mit 100.000 Gästebetten eine höhere Bettenzahl wie das zehnmal größere Antalya auf. Das Gros der Hotels und Pensionen richtet sich jedoch an anspruchslose Massen. Bessere Hotels ab 30 € für das DZ findet man im Osten der Stadt. Wer hier jedoch Meeresblick haben will, sollte die Ohrenstöpsel nicht vergessen – die Hotels liegen zum Großteil an der stark befahrenen Küstenstraße. Alle, die die Nacht zum Tag machen wollen, suchen am besten im umtriebigen Zentrum zwischen Ost- und Weststrand ein Quartier.

• *Burgberg und Zentrum* **Bedesten Club Hotel (17),** die wohl schönste Unterkunft Alanyas, untergebracht in einer alten Karawanserei. Die 30 stilvollen Zimmer mit Steinböden, Klimaanlage und Minibar gruppieren sich um einen gemütlichen Innenhof. Auf dem Dach (!) 2 Pools und ein Restaurant mit tollem Rundblick. Absolut ruhige Lage. Nur März bis Mitte Nov. DZ mit Frühstück 80 €, mit HP 100 €, EZ mit Frühstück 60 €, mit HP 70 €. ✆ 5121234, ℻ 5137934.

***__Hotel Sunny Hill (16),__** ebenfalls am Burgberg gelegen; mit Blick über die gesamte Stadt und auf das Meer. Sehr gepflegte und verhältnismäßig ruhige Anlage mit 2 Pools. Überwiegend deutsche und englische Pauschaltouristen. DZ 50 €. Sultan Aladdin Cad. 3. ✆ 5111211, sunnyhillhotel@superonline.com.tr.

****Park Hotel (11)**, zentral gelegenes, älteres Haus. Viel versprechender Name, hinter dem sich aber nicht allzu viel verbirgt – eines der Hotels, die gerne als Pauschalsonderangebot im Programm stehen. Dennoch gutes Preis-Leistungs-Verhältnis, zumal recht großer Pool vorm Haus. DZ 25 €. Hürriyet Meydanı, ✆ 5131675, ℻ 5132589.

Hotel Temiz (14), 32 kleine, aber ordentliche und saubere Standardzimmer mit guten Bädern. Wählen Sie unbedingt eines der 16 Balkonzimmer mit Blick über den Hafen

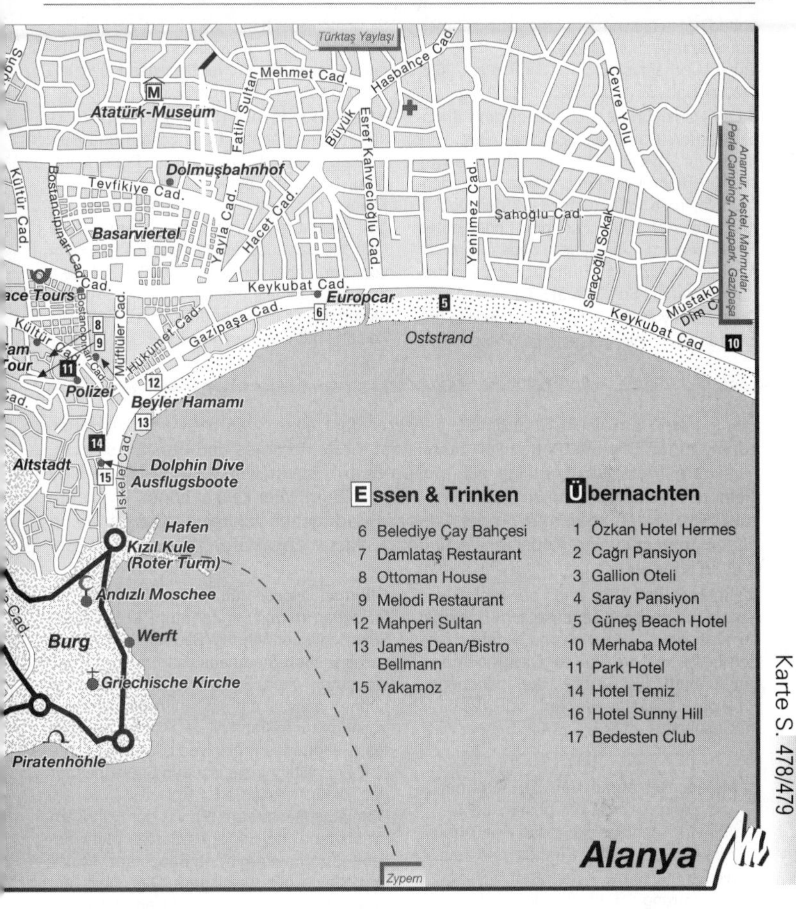

Türkische Riviera
Karte S. 478/479

– nur dann sind die Zimmer ihr Geld wert. Gegen den nächtlichen Lärmpegel helfen doppelverglaste Fenster. Alle Zimmer mit Klimaanlage, TV und Fliesenböden. Ganzjährig geöffnet. DZ mit Frühstück 24 €, EZ 15 €. İskele Cad. 12/B, ✆ 5131016, 📠 5191559.

• *Östlicher Strand* **Güneş Beach Hotel (5)**, eines der wenigen Häuser am östlichen Strand, das direkt am Meer liegt und nicht hinter der Küstenstraße. Neu restauriertes, schönes, kleines Hotel mit nur 20 Zimmern. Alle mit Meeresblick und Klimaanlage. Eigener Strand davor. DZ 40 €, zu empfehlen. Keykubat Cad. 40, ✆ 5119565.

Merhaba Motel (10), im Osten der Strandstraße. Etwas in die Jahre gekommene Anlage, dafür mit sehr viel Grün. Bananenstauden im Garten, Pool, Zimmer nach hinten relativ ruhig. DZ 17 € inkl. Frühstück. Keykubat Cad., ✆/📠 5131251.

• *Westlicher Strand* **Özkan Hotel Hermes (1)**, strandnah und nicht sehr weit vom Zentrum. Haus in schattiger Lage, das wesentlich kleiner wirkt als es ist. 40 spartanische, aber saubere Zimmer, alle mit Balkon, z. T. mit Meeresblick. Nette Bar und daneben ein Pool, gute Stimmung. DZ mit WC/Dusche 17,50 € DM, Frühstück inkl. Meteoroloji Yanı, ✆ 5132135, 📠 5126100.

****Gallion Oteli (3)**, Leserempfehlung. Große ordentliche Zimmer ohne Fernseher oder Klimaanlage, dafür mit Deckenventilator –

unbedingt eines nach hinten raus nehmen (Lautstärke!). Insgesamt gutes Preis-Leistungs-Verhältnis. DZ mit Frühstück 16 €. Atatürk Cad. 23, ✆ 5134392, 📠 5134476.

Saray Pansiyon (4), gegenüber dem Shoppingcenter Damlataş. Billigherberge, die durch ihr fröhlich-kitschiges Outfit etwas aus der Reihe fällt: türkis-weiße Fußbodenkacheln, rosa Pseudostuck an der Decke, rosa Fensterläden. Für die Lage gutes Preis-Leistungs-Verhältnis. Jedes Zimmer mit Balkon. DZ 16 €, Frühstück 2,20 € extra. Hacıhamdioğlu Sok. 9, ✆ 5132811, 📠 5129958.

Çağrı Pansiyon (2), versteckt und abseits des größten Rummels gelegene Familienpension. Schlichte, jedoch freundliche Zimmer mit Teppichböden und türkisblauem Inventar. Terrasse, kleiner Garten, reichhaltiges Frühstück. EZ 10 €, DZ 14 €. Yasemin Sok. 19. ✆ 5138852.

• *Camping* In Alanya sieht es zappenduster für Camper aus. Der nächste und beste Platz in der Umgebung ist **Perle Camping**, ca. 15 km östlich, kurz vor Kargıcak. Kleines gepflegtes Wiesengelände mit Bar und Restaurant direkt am Strand. Vorne raus Meeresrauschen, hinten raus Autolärm von der nahe liegenden Straße. An dem Friedhof daneben braucht man sich nicht zu stören. Ganzjährig geöffnet. Für 2 Pers. mit Zelt 6 €, mit Wohnwagen 8,50 €. ✆ 5262066.

Essen & Trinken (siehe Karte S. 526/527)

Die meisten Lokale in Strandnähe servieren fast alles, was man von zu Hause kennt, zudem die internationalen Standards: Pizza, Pommes und Steaks auf europäischem Preisniveau. Einige schöne Cafés mit spektakulären Aussichten und kleinen Snacks befinden sich auf dem Weg zur Burg. Wer kein schönes Ambiente zum Sattwerden braucht: Von der Gazipaşa Cad. gehen zahlreiche Gassen ab, in denen man günstige Kebablokale findet. Ein paar Lokalitäten, die sich aus der Masse abheben:

Mahperi Sultan (12), eines der zahlreichen Lokale mit schöner Terrasse zum Hafen an der Gazipaşa Cad. Sehen und gesehen werden heißt hier die Devise. Dazu noch ausgezeichnete Fischküche der gehobenen Preisklasse. Alteingesessen, seit 30 Jahren im Geschäft.

Melodi Restaurant (9), 2001 eröffnet und gleich eines der besten Lokale Alanyas. Panoramaterrasse mit Ausblicken über beide Strände und das weiße Häusermeer der Stadt. Stilvolle Ausstattung, Parkettboden. Neben Schwertfisch, Garnelen oder panierten Muscheln empfiehlt sich die leckere "Osmanische Pfanne". Jeden Abend Livemusik. Garantiert keine Touristenabfertigung, dafür aber auch kein Billigrestaurant – für das Gebotene dennoch günstig. In ruhiger Lage am Kale Yolu 24.

Ottoman House (8), elegant-gemütliches Plätzchen mitten im Zentrum. Unter alten, Schatten spendenden Bäumen vor einem osmanischen Stadthaus kann man sich auf die guten alten Standards der türkischen Küche, aber auch auf außergewöhnliche Variationen freuen: Meze, Güveç, Gegrilltes. Gehobenes Preisniveau, Hauptgerichte ab 7 €. Positiv: keine lästigen Schlepper vor der Tür. Damlataş Cad.

Damlataş Restaurant (7), vor der Höhle am Weststrand, bei 14-Tages-Gästen recht beliebt. Zum Essen gibt es Bauchtanz, Musik und kleine Showeinlagen. Das zahlt die Kundschaft natürlich mit. Zu empfehlen in erster Linie wegen der schönen Terrasse.

Yakamoz (15), am Hafen. Diverse Kebabspezialitäten. Ansonsten ist die Küche nicht besser oder schlechter als in den umliegenden Restaurants, auch die Preise unterscheiden sich nicht. Die Lage jedoch ist herrlich, die Tische sind auf mehrere kleine Terrassen am Hang über dem Hafen verteilt. İskele Cad 39.

Nachtleben (siehe Karte S. 526/527)

In Alanya gibt es 1001 Möglichkeiten, sein für Landesverhältnisse überteuertes Essen mit einem etwas billigeren Bier hinunterzuspülen – kaum eine Kneipe am Hafen und am Oststrand, die keine Happy Hour hat. Die meisten Adressen dort sind Mischungen aus Bar, Open-Air-Disco und Restaurant. Zum Zeitpunkt der letzten Recherche waren das **James Dean (13)** und das **Bistro Bellman (13)** die angesagtesten Treffs. Wer es etwas ruhiger mag, sucht den **Belediye Çay Bahçesi (6)** am anderen Ende der Promenade auf. Er ist einfach zu türkisch und zu schlicht, um auf der Beliebtheitsskala deutscher Alanyatouristen einen Platz weit oben zu bekommen. Angesagt ist zudem die durchgestylte **Disco Auditorium** (Eintritt rund 10 €) im Vorort Kestel. Kostenloser Shuttleservice, erkundigen Sie sich in Ihrem Hotel nach der nächstgelegenen Zusteigestelle.

Baden/Tauchen

• *Aquapark* **Su Cenneti**, Alanyas "Wasserparadies" der Superlative. Wavepool, Hydrotube, Giantslide – ein Erlebnis vor allem für Kinder. Eintritt ca. 10 €. Am östlichen Ortsende von Alanya, vom Zentrum kommend kurz vor dem Ortsschild links ab. Die Kestel-Dolmuşe passieren es nahezu.

• *Baden* Der Burgfels unterteilt die Strände Alanyas in einen östlichen und einen westlichen Strand, beide sind mit der "Blauen Flagge" ausgezeichnet und bieten ein großes Wassersportangebot. Je weiter man sich vom Zentrum entfernt, desto größer werden die Abstände zwischen den Liegestühlen.

Weststrand: Der Weststrand, auch **Kleopatra-Strand** genannt, ist der schönere von beiden. Beim Schnorcheln an den Felsen des Burgbergs sind kleine Höhlen zu finden. Wo der Strand täglich gesäubert wird, ist er gebührenpflichtig. Sonnenschirmverleih, Cafés.

Oststrand: Dieser Strand, auch **Keykobat-Strand** genannt, erstreckt sich über ca. 15 km. Eine mehrspurige Schnellstraße trennt ihn von den dahinter liegenden Hotels.

Weitere Bademöglichkeiten: Eine lohnender Ausflug ist der **Ulaş Plajı** 5 km westlich von Antalya. Treppen führen zu einem goldenen Strand zu Füßen einer terrassenförmig befestigten Steilküste mit einem türkisfarbenen Meer davor. Lange Sandstrände, gesäumt von Clubhotels, findet man zudem noch weiter westlich im **İncekum-Gebiet** (→ S. 522), ebenso östlich von Alanya.

Mit dem Boot um den Burgfelsen

• *Tauchen* Von den zentral gelegenen Tauchbasen empfehlen Leser **Dolphin Dive** an der İskele Cad., ✆ 5123030. 2 Bootstauchgänge inkl. Mittagessen und Ausrüstung 60 €. Schnupperkurse ebenfalls ca. 60 €.

Sehenswertes

Burgberg: Hoch über dem Meer erhebt sich die mittelalterliche Festungsanlage – mit 6.500 m Mauerlänge und 140 Türmen das Wahrzeichen der Stadt. Aus der Ferne wirkt sie nachts – da effektvoll beleuchtet – imposanter als tagsüber. Für so manche Türkeiurlauber ist sie der einzige Grund, Alanya einen Besuch abzustatten.

Die Burg besteht aus drei Mauerringen. Der innerste, höchstgelegene Teil der Festung nennt sich *İçkale.* Außer einer wirklich grandiosen Aussicht gibt er jedoch nicht viel her. Ihn betritt man am Ende der Straße zur Burg durch einen Torbau. Die wenigen Ruinen dahinter – eine byzantinische *Kirche*, ein paar *Zisternen* und die *Kasematten* – sind durch Treppen und Gänge zwischen den Grünanlagen miteinander verbunden. Die Attraktion für gruselfreudige

Touristen ist der *Adam atacağı*, der "Platz, an dem Menschen hinabgestürzt werden". Er befindet sich bei der nordwestlichsten Zisterne hoch über der fast senkrecht zum Meer hin abfallenden Küste. Angeblich gab der Sultan den zum Tode Verurteilten zuweilen eine letzte Chance, indem er sie Flügel bauen ließ, die sie vor dem Tod auf den scharfen Klippen bewahren sollten. Diesen und ähnlichen Humbug tischen Reiseleiter hier ihren Gruppen gerne auf.

Vom westlichsten Punkt der Zitadelle blickt man auf eine schmale felsige Landzunge. Dort lassen sich die Ruinen einer byzantinischen *Klosteranlage* und einer seldschukischen *Münze* ausmachen. Wer den Rückweg hinab ins Zentrum zu Fuß antritt, kann unterwegs einen Abstecher zur *Süleymaniye-Moschee* mit einem zwölfeckigen Minarett machen. Der Weg ist schön und die Aussicht herrlich. Hier wirkt Alanya mit seinen osmanischen Häuschen in den krummen Gassen fast dörflich.

• Anfahrt/Öffnungszeiten Stündl. verkehrt ein **Stadtbus** von der Haltestelle neben der Tourist-Info zum Burgtor hinauf. Ein Taxi kostet einfach ca. 3,50 €. Tägl. 8.30–17.30 Uhr. Eintritt (nur für den inneren Teil der Festung) 3 €, erm. 1,20 €. Kommen Sie früh, ab 10 Uhr sind schon über zehn Busladungen vor Ort.

Kızıl Kule (Roter Turm): Der mächtige achteckige, aus dunkelroten Ziegeln erbaute Turm an der Einfahrt zum Hafen wurde 1225 zum Schutz dessen und der nahe gelegenen Werft (s. u.) errichtet. Im Angriffsfall kippte man von den Zinnen Pech und kochend heißes Wasser auf die Feinde. In Friedenszeiten diente der 33 m hohe, fünfstöckige Turm u. a. als Zisterne und Lager. Sein bemerkenswert gutes Aussehen verdankt er einer Renovierung Anfang der 1950er Jahre. Im Inneren finden heute wechselnde Ausstellungen statt, gekrönt wird der Besuch mit einem Rundumblick vom Dach.

Öffnungszeiten tägl. 9–18.30 Uhr. Eintritt 1,20 €, erm. die Hälfte.

Tershane (Werft): Die Anlage 200 Schritte südlich des Roten Turms – die einzige seldschukische Werft, die sich bis heute erhalten hat – ist über 50 m lang. Erbauen ließ sie Sultan Alaeddin Keykobat, einer Inschrift nach der "Herrscher über beider Meere", damit war das Mittelmeer und die Ägäis gemeint. Von See aus lassen sich ihre fünf spitzbogigen Schiffseinfahrten ausmachen, von Land aus ist ihr Anblick recht langweilig, sofern man nicht hineinklettert. Dann sieht man, dass die Galerien zum Bau und Warten der Schiffe bis zu 42 m tief in den Fels gehauen wurden.

Archäologisches und Ethnographisches Museum: Es beherbergt Kunst- und Gebrauchsgegenstände von den Griechen bis zu den Osmanen – wenig aufregend, aber ganz nett anzusehen. Die antiken Funde der *archäologischen Abteilung* stammen vorrangig aus Alanya und Anamurium. Im *Museumsgarten*, einem ehemaligen osmanischen Friedhof, stehen einige dicke Amphoren und Kleinstsarkophage zwischen den Gräbern. Prunkstück ist hier eine Bronzestatue des Herakles, in dessen leeren Augenhöhlen einst wahrscheinlich Augäpfel aus Glas oder farbigem Stein eingesetzt waren. In der *ethnographischen Abteilung* werden u. a. prächtig-aufwendige Bücher und filigrane Einlegearbeiten aus der Zeit der Seldschukenherrschaft ausgestellt. Zudem kann man ein "Alanya-Zimmer" aus dem 19. Jh. bewundern, das im Museum originalgetreu aufgebaut wurde.

Adresse/Öffnungszeiten Damlataş Cad., nahe der Tourist-Info. Tägl. (außer Mo) 9–12 Uhr und 13–18.30 Uhr. Eintritt 0,90 €.

Kızıl Kule, der Rote Turm

Türkische Riviera
Karte S. 478/479

Damlataş-Tropfsteinhöhle: Der Eingang der rund 15.000 Jahre alten Höhle befindet sich direkt am Weststrand am Fuße des Burghügels. Ihrer gleich bleibenden Temperatur von 23°C und der kohlensäurehaltigen Luft wird eine heilende Wirkung bei Asthma zugeschrieben. Herzkranke sollten von einem Besuch hingegen absehen – die Leuchtfeuchtigkeit beträgt 96 Prozent. Entdeckt wurde die Höhle 1948 zufällig bei Steinbrucharbeiten.

• *Öffnungszeiten* Ortsunkundige werden am Eingang der Höhle dreisprachig darüber informiert, dass der Ingenieur Herr Ahmet Tokuş eine abschließbare Tür baute und den Schlüssel Herrn Galip Dere übergab (?). Wer den Schlüssel nun hat, war nicht zu ermitteln, aber die Tür ist tagsüber ab ca. 10 Uhr geöffnet. Eintritt 0,90 €.

Atatürk-Museum: Ein solches besitzt in der Türkei nahezu jede Stadt, in welcher der Staatsgründer auch nur eine Toilettenpause einlegte. In Alanya ist es in einem Herrenhaus aus der zweiten Hälfte des 19. Jh. untergebracht, in welchem Atatürk am 18. Februar 1935 weilte. Im ersten Stock sind neben ein paar Fotos und Dokumenten, Schuhe und Socken des großen Staatsmanns zu sehen. Der zweite Stock ist interessanter: Er ist ausgestattet mit dem Originalmobiliar von einst – ein netter Einblick in das Leben der osmanischen Oberschicht des 19. Jh.

Adresse/Öffnungszeiten Azaklar Cad., vom Zentrum ausgeschildert. Mo–Sa 9–12 Uhr und 13.30–18.30 Uhr. Eintritt 0,90 €.

Eine Prise Bergluft gefällig? Im Hinterland von Alanya gibt es eine Reihe von *Yaylas*, ländliche Almen auf rund 1.000 m Höhe mit eiskalten Quellen, Pfahlhütten und grandiosem Bergpanorama. Von Alanya auf schmalen Sträßchen einfach immer gen Norden und selbst entdecken. Eine beliebte Alm ist die *Türktaş Yaylası* auf einer Hochebene mit herrlichen Picknickplätzen rund 40 km nördlich von Alanya.

Im Hafen von Girne

Ausflug nach Nordzypern

Rund 70 km trennen das türkische Festland von Nordzypern. Von Alanya und Taşucu bestehen regelmäßige Fährverbindungen nach Girne, einem attraktiven Ferienort mit mediterranem Flair, wie ihn die Prospekte oft verheißen und die Wirklichkeit nur selten bietet.

Das 7.500 Einwohner zählende Küstenstädtchen Girne (engl. Kyrenia, griech. Kerýneia) schmiegt sich um eine hufeisenförmige Hafenbucht. Schicke Segel- und Motorjachten liegen an der Kaimauer vertäut, in den Tavernen und Restaurants drum herum verweilt man gerne, egal ob vor oder nach dem Flanieren. Die Fähren aus der Türkei laufen jedoch nicht hier ein, sie steuern den neuen Hafen ca. zwei Kilometer östlich des alten an; von dort besteht eine Minibusverbindung ins Zentrum.

Im Osten wird der alte Hafen von einem mächtigen *Kastell* – dem größten Zyperns – dominiert. Seine heutige Gestalt geht auf die Venezianer zurück. Im Innern beherbergt es u. a. ein *Archäologisches Museum* und ein *Schiffsmuseum*. Erstes zeigt Funde aus der Umgebung, Letzteres beherbergt das Skelett eines knapp 15 m langes Handelsschiffs, das im 3. Jh. v. Chr. vor Zypern versank und von Schwammtauchern entdeckt wurde (im Sommer tägl. 9–18.45 Uhr, Eintritt 2,50 €). Dem Kastell gegenüber, auf der anderen Seite des Hafens, findet man in der *Kirche des Erzengels Michael* (an dem hohen Glockenturm leicht zu erkennen) ein weiteres Museum, es präsentiert ausschließlich Ikonen (gleiche Öffnungszeiten, Eintritt 1,50 €).

Hinter dem Hafen erstreckt sich die Altstadt mit ihren verwinkelten Gassen. Bis 1974 wohnten hier fast ausschließlich Griechen. Nach ihrer Vertreibung zogen türkische Flüchtlinge ein. (Heute leben in Nordzypern übrigens mehr Festlandstürken als türkische Zyprioten.) Das moderne, geschäftige Zentrum schließt sich südlich der Altstadt an. Es erstreckt sich rund um den Belediye Meydanı, an dem das Rathaus liegt.

Leider besitzt Girne keine zumutbaren Bademöglichkeiten. Die nächstgelegenen Strände, meist Sandbuchten, liegen außerhalb des Ortes im Westen und Osten.

Rückblick – Ausblick: Der nördliche Teil Zyperns wurde 1974 vom türkischen Militär besetzt. 1983 wurde die eigenständige Türkische Republik Nordzypern ausgerufen (KKTC), die völkerrechtlich bislang nur von der Türkei anerkannt wird. Eine von Blauhelmen bewachte Grenze trennt diesen Teil von der Republik Zypern. Bei Redaktionsschluss war ein EU-Beitritt Südzyperns für das Jahr 2004 angesetzt, zudem fanden Verhandlungen über eine Zusammenführung beider Landesteile statt. So manche hier gegebene Informationen können bei Ihrem Besuch deswegen bereits überholt sein.

Information/Verbindungen/Sonstiges in Girne

• *Telefonvorwahl* 0392 (keine Landesvorwahl nötig).

• *Information* im alten Zollhaus am Hafen. Im Sommer tägl. (außer So) 9–13 Uhr und 14–17 Uhr. ✆ 8152145.

• *Verbindungen innerhalb Nordzyperns* Generell sind die Bus- und Dolmuşverbindungen schlechter als in der Türkei. Ziele wie Karmi, Bellapais, Soli oder die Halbinsel Karpaz sind nur mit dem Taxi oder dem Mietwagen zu erreichen.

Vom Belediye Meydanı, etwa 200 m südlich des Hafens, fahren die **Sammeltaxis** der Firma Kombos nach Famagusta und direkt in die Altstadt von Lefkoşa. Mit **Minibussen** kommt man laufend zum **Busbahnhof** Lefkoşa.

• *Fährverbindungen in die Türkei* → Alanya, S. 525 und Taşucu, S. 551. Von Famagusta zudem Fähren nach Mersin (→ S. 569).

• *Ärztliche Versorgung* **Krankenhaus** an der Cumhuriyet Cad. ✆ 8152266.

Schweizer benötigen einen Reisepass, für EU-Bürger genügt der Personalausweis. Wer mit dem gleichen Pass später noch Südzypern bereisen will, sollte sich den Einreisestempel auf ein Einlageblatt geben lassen – Pässe mit Stempeln der "Türkischen Republik Zypern" werden von den Zyperngriechen nicht akzeptiert. Eine Weiterreise in den griechischen Landesteil wird nicht gestattet.

• *Geld* Bezahlt wird mit türkischer Lira. EC-Automaten im Zentrum.

• *Auto- und Zweiradverleih* Es herrscht Linksverkehr! Für Autos gilt eine Mindestmietdauer von drei Tagen. Diverse Anbieter am Kordon Boyu westlich des Hafens, z. B. **Canlı Balik** (Nr. 38). Autos ab ca. 30 € pro Tag, vermietet werden zudem auch Mopeds. ✆ 8151123.

Übernachten/Essen & Trinken in Girne

Die Übernachtungspreise sind in Nordzypern höher als in der Türkei.

*****Dome**, in den 1930ern als Luxushotel auf einem Felsvorsprung an der Küste gebaut. Heute komfortabel renoviert, viel Charme. Pool. Kordon Boyu, westlich des Hafens. DZ 110 €. ✆ 8152453, 📠 8152772.

****British Hotel**, in der Eftal Akta Cad. nahe der Tourist Information. DZ (z. T. mit Hafenblick) 40 €. Bar auf dem Dach. Familiäre Atmosphäre, ✆ 8152453, 📠 8152772.

Sidelya, neueres Haus zwischen Hafen und Rathaus. 12 saubere Zimmer mit Naturholzmöbeln. Freundlich. DZ 25 €, ✆ 8153951. Fürs gleiche Geld nächtigt man auch im **Bristol** in der Hürriyet Cad. Teilrenovierter Altbau mit nettem Frühstückshof. ✆ 8152298.

Türkische Riviera
Karte S. 478/479

• *Essen & Trinken* **Harbour Club**, am Hafen nahe dem Kastell. Internationale Küche, reichlich Fischgerichte, schön eingerichtet und Erker mit Blick über den Hafen. Hauptgerichte ab 12 €. Reservierung unter ✆ 8152221.

Set Fish Restaurant, hat von den Fischlokalen am Hafen den besten Ruf. Sehen und gesehen werden heißt hier die Devise.

Girne, informelles Lokal mit türkischen Topfgerichten, rund um die Uhr geöffnet, die Portion etwa 2,50 €. Das unter gleicher Leitung stehende Sultan Sofrası ist mit Sofas und niedrigen Tischchen ausgestattet. Abendliche Tafelmusik, zur Klientel gehören vor allem nicht-türkische Urlauber. Göksu Sok., zwischen Atatürk Cad. und Canbulat Sok.

• *Nachtleben* Die beliebtesten Szenetreffs sind **Mare Monte** und **Sunset**, in beiden steigt die Party unter freiem Himmel (beide im nahen Ferienort Alsancak). Nobel geht es hingegen im **Café 34** am Hafen zu. Wer keine Jacht zum Vorzeigen hat, dem bleibt die Flasche Champagner (75 €). Sehr beliebt ist zudem **Anti's Taverne**, der richtige Ort, um die Volksseele zu erleben und dabei noch gut zu speisen. In Karaoğlanoğlu, dem ersten Dorf Richtung Westen.

Die schönsten Ausflugsziele der Insel

Nordzypern zählt zu den letzten Winkeln des Mittelmeers, die für den Tourismus noch nicht komplett zubetoniert wurden. Das macht einerseits den Reiz der Insel aus, birgt aber auch einen Nachteil: Das öffentliche Transportsystem ist nicht auf touristische Bedürfnisse abgestimmt. So lassen sich viele schöne Ecken nur per Mietwagen, Taxi oder mit dem Daumen ansteuern.

Bellapais (Beylerbeyi): 5 km südöstlich von Girne liegt dieses verschlafene Kleinod, das eine Zeit lang die Heimat des englischen Schriftstellers Lawrence Durrell (geb. 1912) war. Sehenswert ist die hiesige Klosterruine im Stil der Hochgotik, die man mit ihren Spitzbögen und Kreuzrippen eher in Frankreich als auf Zypern vermuten würde (im Sommer tägl. 9–19 Uhr, Eintritt 2 €). Danach lädt das Dorfcafé "Ulusoğlu Kahvehanesi" wie zu Durrells Zeiten zum Müßiggang ein.

Hilarion und Buffavento: Nahe der Straße nach Lefkoşa, etwa 10 km südlich von Girne, liegt Hilarion, eine imposante märchenburgähnliche Bergfestung. Die Byzantiner legten sie im 11. Jh. an. Besichtigen kann man *Vorburg*, *Unterburg* und *Oberburg* (tägl. 8–16.30 Uhr, Eintritt 2 €). Das Gebiet drum herum lädt zu ausgedehnten Wanderungen ein. Eine weitere sehenswerte byzantinische Festung ist Buffavento südöstlich von Girne. Sie liegt jedoch auf annähernd 1.000 m und ist nur mühselig zu Fuß zu erreichen (Einstieg beim Beşparmak-Pass).

Kármi (Karaman): Das unter Denkmalschutz stehende, idyllische Karaman etwas westlich von Hilarion gilt als das sauberste Dorf der Inselhälfte – britische und deutsche Rentner, die sich hier angesiedelt haben, sorgen dafür. Sehenswert ist ein bronzezeitlicher *Friedhof* am Ortseingang, besuchenswert der Pub "Crow's Nest", der die besten Tipps zum Wandern bereit hält.

Soli (Soloi) und Vouni: Im verschlafenen Westzipfel Türkisch-Zyperns liegen diese zwei Ausgrabungsstätten. Soloi war einer der mächtigsten Stadtstaaten des antiken Zyperns. Es begeistern besonders das römische *Theater* mit herrlichem Blick aufs Meer und die prächtigen Mosaiken der *Basilika*, vor allem geometrische Muster und Tiermotive (bis zum Sonnenuntergang geöffnet, Eintritt 2,50 €). Die spärlichen Ruinen von Vouni, Reste eines im 5. Jh. v. Chr. von griechischen Vasallen 235 m über dem Meer angelegten Palastes,

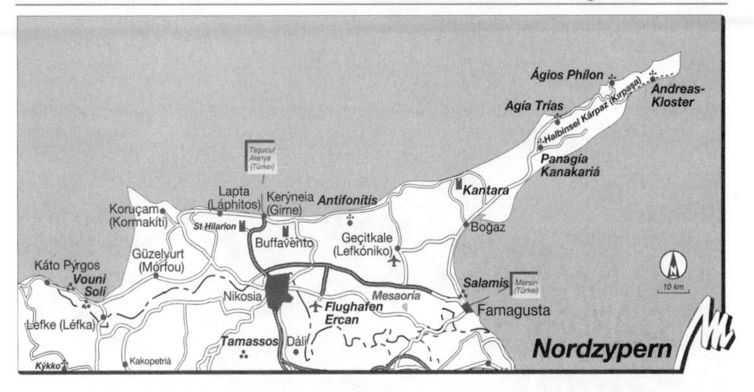

enttäuschen dagegen. Der Abstecher lohnt aber dennoch: Die Anfahrt ist atemberaubend und der Blick über die Steilküste mit ihren türkisfarbenen Buchten ein Traum.

Lefkoşa: Der türkische Teil Nikosias gibt nicht allzu viel her. Er besitzt nicht den Charme einer pulsierenden Landeshauptstadt, eher das Flair einer behäbigen Provinzhauptstadt. Zudem ist das Herz der Stadt, die von einer mächtigen Stadtmauer umgebene Altstadt, geteilt. Wer einen Blick über die von Blauhelm-Soldaten bewachte Demarkationslinie werfen will, kann dies z. B. von der Kaytazağa-Bastion der Stadtmauer tun – Fotografieren ist nicht erwünscht.

Zentraler Platz der Altstadt ist der *Atatürk Meydanı*. Er wird dominiert von dem achtstöckigen *Saray Hotel* – wahrlich nicht schön, doch ein Rundblick von der Dachterrasse ist lohnenswert. Von hier führt die Girne Caddesi gen Norden. An ihr liegt die *Mevlevi Tekke*, einst ein Derwischkloster, heute ein Museum für türkische Kunst, das von Schwertern über kunstvolle Koranausgaben bis zum Essgeschirr alles Mögliche beherbergt (Mo–Fr 9–13 Uhr und 14–17 Uhr, Eintritt 1,50 €). Rund 400 m weiter, auf der Musalla-Bastion der Stadtmauer, befindet sich das *Museum des nationalen Kampfes*, das Einblicke in das Geschichts- und Selbstverständnis Nordzyperns offenbart.

Folgt man vom Atatürk Meydanı der Asmaaltı Sokak gen Süden, gelangt man ins mittelalterliche Basarviertel. Unterwegs passiert man den *Kumarcılar Hanı*, die "Herberge der Glücksspieler" aus dem 17. Jh. Sie ist die kleine Ausgabe des sehenswerten, nahe gelegenen *Büyük Han*. Diese Karawanserei aus dem 16. Jh. soll nach ihrer Restaurierung in ein Kunstmuseum umgewandelt werden. Nahebei liegt die *Selimiye-Moschee*. Im 13. Jh. wurde mit ihrem Bau begonnen, damals sollte sie noch eine dreischiffige Kathedrale werden.

Famagusta (Mağosa) und Umgebung: An Nordzyperns Südküste liegt Famagusta. Die Stadt war vor der Inselteilung das wichtigste Touristenzentrum Zyperns und dessen bedeutendster Hafen. Heute ist sie ein verschlafenes Küstenstädtchen und die Hotelzone Varósha eine dem Militär vorbehaltene Geisterstadt. Großartig zeigt sich die *Stadtbefestigung*, die Altstadt darin

Hilarion: die Märchenburg in den Wolken

verfällt jedoch zusehends. Hier liegt eines der meistfotografierten Bauwerke der Insel, die mächtige gotische *Kathedrale St. Nikolaus* mit ihren unvollendeten Türmen. Wie so viele Kirchen wurde auch diese in eine Moschee umgewandelt.

8 km nördlich von Famagusta, direkt am Meer, liegt das weite Ruinenfeld der antiken, einst über 100.000 Einwohner zählenden Stadt *Salamis*, zugleich die bedeutendste Ausgrabungsstätte der gesamten Insel. Fast alle Ruinen der Stadt stammen aus hellenistischer und römischer Zeit, am beeindruckendsten sind das *Gymnasion*, eines der größten seiner Zeit, und die *Thermen* (tägl. von 8 Uhr bis zum Sonnenuntergang, Eintritt 2,50 €). Außerhalb des antiken Stadtgeländes, an der Straße zum nahe gelegenen *Barnabas-Kloster*, befinden sich links der Straße rund 150 Grabkammern, sog. *Dromoi*, in denen nicht selten Könige samt ihren Pferden bestattet wurden (Mo–Sa 8.30–13 Uhr und 14–17 Uhr, Eintritt 1 €). Grabbeigaben sind u. a. in Nebenräumen des Barnabas-Klosters (Ágios Varnávas, gleiche Öffnungszeiten, Eintritt 2,50 €) ausgestellt. Die Klosterkirche aus dem 18. Jh. beherbergt zudem ein *Ikonenmuseum*. Die orthodoxen Christen Zyperns verehrten hier ihren Nationalheiligen Barnabas, der in Salamis vom Apostel Paulus bekehrt wurde. Nachdem er in einer Synagoge zu predigen versucht hatte, wurde er von erbosten Juden zu Tode gesteinigt.

Karpaz-Halbinsel: Die Halbinsel, die wie ein Pfannenstil ins Meer ragt, bietet nicht nur die schönsten Badeplätze der nördlichen Inselhälfte, sondern auch eine großartige Landschaft mit alten Kirchen und Klöstern. Die touristische Infrastruktur steckt hier noch in den Kinderschuhen, lediglich einfache Unterkünfte sind vorhanden.

Zwischen Alanya und Anamur

Hinter Alanya tangiert die Küstenstraße zunächst lange, von Hotels gesäumte Sandstrände. Abwechslung bringen Ausflüge ins Hinterland, z. B. ins *Dimçayı-Tal* oder zu den einsamen Ruinen von *Syedra*. Durch die pamphylische Ebene (→ Kasten, S. 504) geht es, vorbei an vielen weiteren Bademöglichkeiten und den Überresten der antiken Stadt *Iotepe*, nach *Gazipaşa*, einem aufstrebenden Badeort. Entlang des Wegs begrüßen Sie Honig- und im Herbst noch viel mehr Bananenverkäufer. Die süßen Zwergbananen kanarischen Typs sind das landwirtschaftliche Hauptprodukt der Region, eine Kostprobe sollte man sich nicht entgehen lassen.

Hinter Gazipaşa beginnt das "Raue Kilikien" (→ Kasten, S. 540), einer der schönsten Abschnitte der Südküste. Die Straße steigt in Schwindel erregenden Serpentinen, die keine Karte dokumentieren kann, auf und ab und bietet wunderbare Aussichtspunkte – Fensterplätze auf einer Busfahrt sind Gold wert! Einige Ruinenstätten, u. a. *Antiocheia ad Cragum*, erinnern daran, dass der Küstenabschnitt einst wesentlich dichter besiedelt war. Bis Anamur sorgen etliche Buchten und ein paar nette Lokale für gemütliche Pausen.

Dimçayı-Tal

Das enge Flusstal des Dim ca. 15 km nördlich von Alanya ist ein beliebtes Ausflugsziel. Direkt am Flussbett reiht sich Lokal an Lokal. Serviert wird in erster Linie Forelle aus eigener Zucht, die man neben kleinen Wasserfällen, unter Brückchen, auf Holzterrassen oder an Tischen direkt im Wasser verspeist. Zur Verdauung kann man sich in eine Hängematte direkt über den Fluss legen. Beliebtestes Lokal ist das "Pınarbaşı" – eine Portion Fisch kostet hier um die 3,50 €. Auf dem Weg dahin passiert man das *Anadolu Köyü*, ein zu touristischen Zwecken nachgebautes anatolisches Dorf im Disneyland-Stil mit Pool, Restaurants und mehreren Souvenirshops (kein Eintritt). Durch den Bau einer gewaltigen Staumauer plus Zufahrtsstraßen weiter flussaufwärts verliert das Gebiet leider an Charme.

Empfehlenswert ist ein Abstecher zur imposanten *Dim Mağarası*, der zweitgrößten für das Publikum geöffneten Tropfsteinhöhle der Türkei. Die 360 m lange Höhle mit vier Sälen ist erst seit 1998 zugänglich (tägl. 9–19 Uhr, Eintritt 2,50 €).

• *Anfahrt* Tal und Höhle sind von Alanyas östlichem Vorort Kestel von der Küstenstraße mit "Dimçay Mağarası" ausgeschildert. Für die Anfahrt zur Höhle sollte man schwindelfrei sein! Achtung: Es gibt eine neue Straße rechts (östlich) und ein altes holpriges Sträßlein links (westlich) des Flusses. Von Letzterem hat man Zugang zu den Forellenlokalen. Beide Straße führen am Staudamm wieder zusammen. Gelegentlich verkehren **Dolmuşe** zwischen Alanya und dem Tal, Auskünfte erteilt die Tourist Information.

Syedra (antike Stadt)

Die Ruinenstätte ca. 20 km östlich von Alanya bietet den Reiz einer verlassenen Stadt in der Einsamkeit und grandiose Ausblicke über Bananenhaine hinweg auf die Küste. Sie ist bislang kaum erforscht, auch über die Geschichte Sydras ist wenig bekannt. Vermutlich erlebte die Stadt im oströmischen Reich, als sie ein Münzrecht besaß, ihre Blüte, und erstreckte sich damals bis zum Meer. Die steinernen Überreste sind insgesamt unspektakulär. Im zentralen Stadtgebiet, einst auf mehreren Terrassen angelegt, kann man noch die Reste einer *Zisternenanlage* und einer *Säulenstraße* entdecken, dazu ein bis zu 10 m hohes, palastähnliches Gebäude – vermutlich eine christliche *Basilika*.

• Anfahrt/Öffnungszeiten Von der Küstenstraße zwischen Alanya und Gazipaşa ausgeschildert. Von der Abzweigung noch ca. 1,5 km bergauf, bei einer Schule parken. Dann noch ca. 30 Min. zu Fuß den Berg hinauf, auf die weithin sichtbaren Ruinen zuhalten. Stets zugänglich. Bislang offiziell kein Eintritt, auch wenn selbsternannte Aufseher das Gegenteil behaupten. Sollte die Ruinenstätte wirklich einmal etwas kosten, so gibt es auch Tickets. Wer mag, kann sich gegen ein Trinkgeld die Ruinen zeigen lassen.

Iotape (antike Stadt)

Rund 35 km östlich von Alanya liegen rechts und links der Küstenstraße die Ruinen von Iotape (türk. Aytap). Die Hafenstadt wurde von dem Kommagenekönig Antiochus IV. (38–72. n. Chr.) gegründet und nach dessen Frau benannt. Aus Inschriften weiß man, dass sie für ihre spendablen Bürger und erfolgreichen Athleten bekannt war. Viel blieb von Iotape nicht übrig: Reste der *Akropolis* auf einer Felsnase am Meer, etwas nördlich die Überbleibsel von *Thermen* und eine verfallene *Kapelle*, auf der anderen Straßenseite eine *Nekropole*. Auch wenn die Ruinen als solche wenig spektakulär sind, bilden sie dennoch ein bizarres Panorama für ein stilles Badevergnügen. Zwischen den Felsen glitzern kleine Sandbuchten, einen schönen Strand mit Sonnenschirmen findet man beim "Kale Restaurant".

Hinweis An den Ruinen düst man schnell vorbei. Halten Sie, von Alanya kommend, 2 km hinter dem Schild "Aydap Tesisleri" auf der Meerseite nach den Ruinen Ausschau. Diese befinden sich nahe dem Kale Restaurant.

Gazipaşa (16.000 Einwohner)

Das Zentrum des Städtchens liegt rund 2 km abseits der Küste. Bislang ist es noch beschaulich, bäuerlich geprägt und schnarcht im Vergleich zu so manch anderen Orten an der Südküste noch einen Dornröschenschlaf. Aber das soll sich ändern. Die Grundvoraussetzung, um am Geschäft mit der schönsten Jahreszeit teilzuhaben, ist gegeben: Vor Gazipaşa erstreckt sich ein attraktiver, weiter Strand. Dahinter sind mehr und mehr Hotels, Pensionen und Apartmenthäuser im Entstehen. Als hätten die Stadtväter aus der negativen Entwicklung anderer türkischer Küstenorte gelernt, dürfen in Meernähe seit neuestem nur noch zweistöckige Häuser errichtet werden. Auch ein Jachthafen ist im Bau. Zu diesem führt eine palmengesäumte, bislang noch völlig überdimensioniert wirkende Zufahrtsstraße (Hinweisschild "Yat Limanı"). Noch mehr Auftrieb bringt vielleicht einmal der neue Flughafen vor der Tür, der aber nicht "Gazipaşa" sondern "Alanya" heißen soll (→ Anreise, S. 19).

Dass die Stadtgeschichte ein paar Jahrtausende auf dem Buckel hat, merkt man spätestens auf der Zufahrtsstraße zum Hafen: Unterwegs schneidet man ein mehrere hundert Meter langes *Aquädukt*. Es versorgte die *Zitadelle* des antiken *Selinus* mit Wasser. Zu ihren Füßen, an der Mündung des Gazipaşa-Flusses am Südostende des Strandes, liegen die Reste der dazugehörigen Stadt

Bislang noch recht einsam: der Strand von Gazipaşa

(*Thermen, Agora, Odeion* und *Theater*) – nicht viel, aber für Entdeckungsfreudige eine Abwechslung im Strandprogramm. Vorübergehend hieß die Stadt *Trajanopolis*, da hier der römische Kaiser Trajan im Jahre 117 nach einem Feldzug schwer verwundet verstarb.

Auf der Weiterreise gen Osten ist die ca. 9 km südöstlich von Gazipaşa gelegene Höhle *Yalan Dünya Mağarası* (von der Straße nach Anamur ausgeschildert) einen Abstecher wert. Das Labyrinth aus Stalagmiten und Stalaktiten hat eine Länge von über 400 m und ist komplett begehbar (tägl. 9–18 Uhr, wenn der Wärter nichts anderes zu tun hat, Eintritt 1 €).

• *Verbindungen* Gazipaşa ist mit dem **Dolmuş** von Alanya problemlos in 45 Min. zu erreichen. Der Busbahnhof befindet sich an der Hauptstraße nahe dem Boulevard zum Strand. Ein neuer Busbahnhof außerhalb des Ortes war z. Z. der Recherche im Bau. Vom Busbahnhof zum Strand zur türkischen Ferienzeit (Anfang Juli bis Mitte Sept.) Dolmuşverbindungen (alle 30–60 Min.). Außerhalb der Saison muss man laufen.

• *Übernachten* Die touristische Infrastruktur bessert sich von Jahr zu Jahr, das Angebot ist aber noch immer bescheiden, die Campingmöglichkeiten am Strand kann man vergessen.

Selinus Otel, direkt an der Uferstraße hinter dem Strand. 48 Standardzimmer ohne Extras, meist voll mit russischen Pauschalurlaubern. Pool mit ganztägiger Musikbeschallung. Für das Gebotene überteuert. DZ 40 € mit Frühstück, Ermäßigungen leider nur für Gruppen (weniger als die Hälfte). ✆ 0242/5721986, www.selinushotel.com.tr.

Delfin Pension, 2002 von dem deutsch-türkischen Ehepaar Emine und Gerhard Stieber aus Rosenheim eröffnet. 12 Zimmer mit türkisfarbenem Mobiliar, Fliesenböden, Klimaanlage und Balkon. Dachterrasse mit Blick aufs Meer. Das DZ mit Du/WC und Frühstück 18 €, Kinder bis 6 Jahre wohnen umsonst, danach für die Hälfte. Restaurant angeschlossen – auch Schnitzel mit Pommes! Zudem organisiert der Hausherr alle möglichen Touren in die Umgebung, verleiht Autos (ab 30 € pro Tag) und Motorräder (ab 10 €), vermittelt Pferdeausritte und Tauchgänge. Familiäre freundliche Atmosphäre. Ca. 200 m vom Meer, von der

Zufahrtsstraße zum Strand ausgeschildert. ✆/℻ 0242/5724986, www.pension-stieber.de.

Belediye Dinlenme Tesisleri, die zweite empfehlenswerte Adresse vor Ort. Das von der Stadtverwaltung gemanagte Erholungsareal bietet 32 kleine Bungalows, vom Strand nur noch durch eine gepflegte Wiese mit jungen Palmen, 3 Pools und einem Restaurant getrennt – und das alles ohne Zaun! Kleiner Markt. Pro Bungalow für 2 Pers. (schlichte, aber saubere DZ mit Steinböden, Terrasse, Bad und Küchenzeile) lächerliche 9 € ohne Frühstück. Von Juli bis Mitte Sept. kommt man hier ohne Reservierung nur noch mit ganz viel Glück unter. Mai–Okt. ✆ 0242/5721631, ℻ 5721630.

• *Außerhalb* **Pension Melody**, ein viel gelobter Lesertipp ca. 20 km östlich von Gazipaşa in einsamer Lage. 2001 eröffnet. 10 blitzsaubere, weiß gekalkte Häuschen mit Dusche/WC und kleiner Terrasse am Steilhang, umrahmt von Bananenplantagen. Einladender Sand-Kies-Strand unterhalb der Anlage. Geführt wird das kleine Paradies von dem freundlichen Halit Gülmez, der 30 Jahre in Berlin gelebt hat, und seiner deutschen Frau Lilli. Sehr gutes Preis-Leistungs-Verhältnis: Pro Person mit HP 25 €, eigene Mahlzeiten können auch in der Tavernenküche zubereitet werden. Ende April–Anfang Okt. ✆ 0242/5831009, www.antalya-melody.com. Buchungen auch in Deutschland unter ✆ 030/3954758, ℻ 37942020. Beim Dorf Güneyköy ausgeschildert, von dort auf einer steilen Piste (mit PKWs zu meistern) noch ca. 1,5 km Richtung Meer.

Antiocheia ad Cragum (antike Stadt)

Wie Iotape wurde auch diese Stadt von dem Kommagenekönig Antiochus IV. gegründet. Sie macht ihrem Beinamen "ad Cragum" ("an der Klippe") alle Ehre. Überaus imposant thront die *Zitadelle* der antiken Stadt auf einem steilen Felsen hoch über dem Meer – eine beeindruckende Symbiose von Natur und Kultur. Ihre Erkundung gestaltet sich jedoch aufgrund des starken Wildwuchses recht schwierig. Das Gleiche gilt für die östlich der Zitadelle und auf der anderen Seite des ehemaligen Hafens gelegene *Nekropole*. Die restlichen Relikte des alten Stadtgebiets liegen weit verstreut. Ein 4 m hohes *Stadttor* am Eingang zu einer *Säulenstraße* passiert man bei der Anfahrt. Nahebei befinden sich eine *Therme* und *Kirche*.

• *Öffnungszeiten/Anfahrt* stets zugänglich, kein Eintritt. Ca. 18 km östlich von Gazipaşa von der Küstenstraße ausgeschildert, nach der Abzweigung immer auf der asphaltierten Straße bleiben. Nach 2,5 km erreicht man die Ruinen der Säulenstraße, dort parken. Der Weg hinab zur Zitadelle ist nicht mehr asphaltiert.

Cilicia aspera, das "Raue Kilikien"

Östlich von Gazipaşa, wo der Taurus das Meer küsst, beginnt Kilikien. Die antike Landschaft erstreckte sich von hier bis zur syrischen Grenze. Der westliche, bergige Abschnitt bis Silifke wird seit jeher "Raues Kilikien" genannt: Felsige Halbinseln, eine wild zerklüftete Küste mit etlichen, oft schwer erreichbaren Sandbuchten, wildromantische Berghöhen und duftende Pinienwälder prägen die kaum besiedelte Region. Jahrhunderte lang war das Raue Kilikien nur von See aus erreichbar und ein berühmt-berüchtigter Hort von Piraten. Der Tourismus spielt hier bis heute nur eine untergeordnete Rolle, die reizvolle Küstenregion ist mangels Übernachtungsmöglichkeiten in erster Linie Durchreiseland geblieben. Bis Anamur erwarten Sie eine gut ausgebaute Straße mit wenig Verkehr und herrlichen Ausblicken, dazu viele Kurven – zwei Stunden sollten sie für den Abschnitt einkalkulieren.

Anamur

(ca. 60.500 Einwohner)

Das Zentrum des Städtchens vier Kilometer abseits der Küste ist weder anziehend noch abstoßend, nur langweilig. Der Touristenrummel spielt sich weiter südlich ab, im neuen Ortsteil İskele mit weiten, einladenden Sandstränden. Kulturhistorische Bonbons der nahen Umgebung sind das antike Anamurium und die Bilderbuchburg Mamure Kalesi.

An den letzten Ausläufern der Kilikischen Berge, zu Füßen einer landwirtschaftlich intensiv genutzten Schwemmlandebene, erstreckt sich Anamur, ein zwar windiges (griech. anamur = windiger Ort), aber für türkische Verhältnisse stilles Städtchen mit nüchternen, schnurgeraden Straßen. Sehenswürdigkeiten bietet es keine, dafür alle wichtigen sozialen Einrichtungen. Das Zentrum liegt oberhalb der Nationalstraße 400 rund um die Bankalar Caddesi.

Lebendiger geht es im Sommer in der weitläufigen Feriensiedlung İskele zu, vor allem zur lokalen Urlaubszeit. Die Strände vor Anamur werden insbesondere von türkischen Familien besucht, der internationale Tourismus hält sich in Grenzen. Viele betuchte Städter, vor allem aus Konya und Ankara, besitzen hier Ferienhäuser. Auch dem Militär gehört in İskele eine weitläufige Erholungsanlage. Außerhalb der Saison wirkt der Ort geisterhaft, für das fast immer besucherfreie *Museum* nahe dem Fähranleger gilt dies das ganze Jahr. Es besitzt eine archäologische Abteilung mit wenig spektakulären Funden aus Anamurium und eine ethnographische mit vielen Teppichen. Dazwischen kann man allerhand anderen Krimskrams wie eine Seekarte des britischen Captain Francis Beaufort aus dem Jahre 1812 entdecken (tägl. außer Mo 8.30–17.30, Eintritt 0,30 €).

Die Strände vor Ort sind kilometerlang und reichen gen Westen bis zu den Ruinen der antiken Stadt *Anamurium*, gen Osten bis zur Burg *Mamure Kalesi.* Im Hinterland lädt eine *Höhle* zur Erkundung ein.

Was "Cap Anamur" mit dem Kap Anamur zu tun hat

Als im Frühjahr 1979 Bilder tausender vietnamesischer Bootsflüchtlinge, die im südchinesischen Meer der Reihe nach ertranken, um die Welt gingen, tat sich eine deutsch-französische Intellektuellengruppe zusammen, um zu helfen. Unterstützung erhielten diese u. a. durch Jean-Paul Sartre und Heinrich Böll. Die Gruppe, an deren Spitze in Deutschland Rupert Neudeck stand, organisierte mehrere bewegende Spendenaktionen. Ein Hilferuf des Magazins "Report" im ARD brachte schließlich DM 1,2 Mio. zusammen. Mit diesen Mitteln konnte ein Schiff zur Rettung der Verzweifelten gechartert werden. Es war die "M/V Cap Anamur" der Reederei Hans Voss, benannt nach dem südlichsten Punkt der türkischen Küste. Im August des gleichen Jahres lief das Schiff aus und rettete in den folgenden drei Monaten über 9.500 "Verdammte der Meere". Heute ist die Hilfsorganisation, die seitdem wie ihr erstes Schiff heißt, längst nicht mehr ausschließlich auf Meeren unterwegs, sondern unterstützt Menschen überall auf der Welt, von Afghanistan bis zum Zentralsudan. Engagierte Ärzte und Spenden sind immer willkommen, Infos dazu unter www.cap-anamur.org.

Information/Verbindungen/Ausflüge

- *Telefonvorwahl* 0324.
- *Information* im Gebäude des Busbahnhofs (1. Stock). Geringe Englischkenntnisse. Mo–Fr 8–12 Uhr und 13–17 Uhr. ✆ 8143529, ✆ 8144058.
- *Verbindungen* **Bus**: Busbahnhof direkt an der Nationalstraße 400. Ins Stadtzentrum sind es ca. 500 m bergauf. Mehrmals tägl. nach Alanya (4 Std.) und Antalya (6 Std.) sowie über Aydıncık nach Silifke (3,5 Std.), zudem 2-mal tägl. nach Konya (6 Std.).
  Dolmuş: Vom Busbahnhof und vom Zentrum häufige **Dolmuş**verbindungen nach İskele und Ören (Anamurium). Die Dolmuşe nach Bozyazı und Mamure Kalesi starten nahe dem Landratsamt *(Kaymakamlık)* nördlich des Busbahnhofs, Abfahrtsstelle zeigen lassen!
  Schiff: Fährverbindungen nach Zypern bestehen in manchen Jahren im Sommer.
  Taxi: Mit dem Taxi kostet die Strecke zwischen Anamur und İskele 3 €, zwischen Anamur und Anamurium 4,50 € (von İskele 6 €).
- *Bootsausflüge* werden in İskele angeboten. Tägl. Fahrten nach Anamurium (4 €) und zur Burg (die Hälfte). Zudem Tagesbootsausflüge mit Picknick am Strand, pro Person ca. 4 € (Min. 5 Personen).

Adressen/Baden/Veranstaltungen

- *Ärztliche Versorgung* bietet das staatliche Krankenhaus **Devlet Hastanesi** nahe der Nationalstraße 400 östlich des Zentrums (ausgeschildert). ✆ 8148882.
- *Auto- und Zweiradverleih* **Savis Rent a Car**, in Anamur nahe dem Atatürk Bul. in einer Seitengasse (nachfragen). Wirkt wenig seriös, ist aber der einzige Anbieter vor Ort. Das billigste Auto ab 29 €. ✆ 8141561. Ein Mofa verleiht das **Hotel Dedehan** (→ Übernachten).
- *Baden* Rund um Anamur finden Sie kilometerlange Strände, häufig Sand, z. T. aber grobkörnig oder kiesig und nicht immer sauber. Die Strände sind an vielen Stellen kinderfreundlich – wenig Wellen und einige Sandbänke. Auch in der allerhöchsten Hochsaison verläuft sich die Menge am weiten Gestade. Weiter westlich, im "Rauen Kilikien" (→ Kasten, S. 540) gibt es mehrere freundliche Buchten, eine davon ist die rund 17 km entfernte Bucht **Melleç.**
- *Einkaufen* Di und Sa großer **Wochenmarkt** in Anamur.
- *Geld* kann man in Hotels wechseln oder z. B. vom EC-Automat der **Türkiye İş Bankası** nahe dem Fähranleger in İskele ziehen.
- *Polizei* in İskele am Platz beim Fähranleger. ✆ 8141410.

Strandspaziergang: Von İskele können Sie am Strand entlang gen Westen bis nach Anamurium gehen – der fünf Kilometer lange Abschnitt ist oft einsam, teilweise grenzen aber auch Feriensiedlungen oder Kiesgruben für Neubauten an den Strand. Unterwegs münden immer wieder Bäche ins Meer.
In die andere Richtung bietet sich ein sechs Kilometer langer Spaziergang zur Burg Mamure Kalesi an. Auf dieser Strecke müssen Sie mit einer Fähre über den Dragon-Fluss setzen. Das Flusswasser ist wesentlich kühler als das Meer, ein Bad ist eine Wonne.

- *Post* Atatürk Bul. im Zentrum von Anamur.
- *Türkisches Bad (Hamam)* Eines der ältesten vor Ort ist das **Saray Hamamı** hinter der Halk Bankası an der Bankalar Cad. in Anamur. Nur Mi und Sa für Frauen geöffnet. Günstig.
- *Veranstaltungen* nur wenn die finanziellen Mittel der Stadt ausreichen, findet jährlich im Mai das **Kültür ve Turizm Festivalı** mit diversen Konzerten statt.

Übernachten

Im Zentrum von Anamur gibt es nur wenige Unterkünfte, in İskele findet man hingegen Hotels (in der Regel untere Mittelklasse) und Pensionen wie Sand am Meer davor.

- *In İskele* **Hotel Rolli (11)**, ca. 300 m vom Strand entfernt, von der Zufahrtsstraße nach İskele ausgeschildert. 16 Zimmer, 4 davon (im EG) rollstuhlfahrergerecht ausgestattet. Sehr freundliches und hilfsbereites Personal. Kleiner Pool (auch rollstuhlfahrergerecht). Restaurant und Bar. Pro Person mit HP 30 €. Informationen in Deutschland über Fikret Güven (Mobiltelefon 0171/4720207, www.hotel-rolli.de). ✆ vor Ort 8144978, ✆ 8147821.

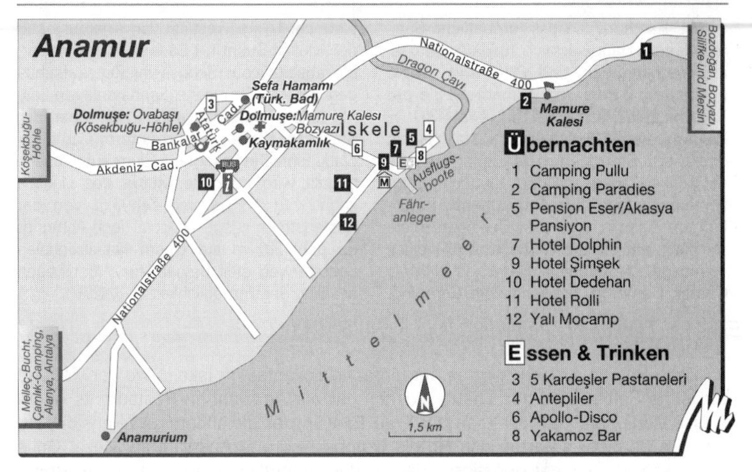

Hotel Şimşek (9), an der Strandpromenade. Einladend helle, klimatisierte Zimmer, nach vorne mit Balkon. DZ 18 €, Frühstück inkl. ✆ 8143978, 📠 8164684.

Hotel Dolphin (7), ebenfalls an der Strandpromenade. Einfaches, mehrstöckiges Haus mit parkähnlichem Garten samt alten, hohen Bäumen. Gutes Restaurant angeschlossen. Kleine, aber saubere Zimmer mit Balkon – unbedingt eines in den oberen Stockwerken wählen! DZ mit Frühstück 14 €. İnönü Cad. 17, ✆ 8143435.

Pension Eser (5), etwas zurückversetzt von der Strandstraße. Geführt von Herrn und Frau Eser, beide Geographielehrer im Ruhestand, und ihrem Sohn Tayfun. Mutter Eser organisiert auf Wunsch Touren zu den Höhlen in der Umgebung. Kochmöglichkeit für Gäste, zudem wird Bier verkauft. The whole familiy speaks English. Die 10 DZ sind durchwegs okay, WC/Dusche teils im Zimmer (11 €), teils jeweils für zwei Zimmer auf dem Flur (9 €). Sehr gemütliche, begrünte Dachterrasse mit Atmosphäre. ✆ 8142322.

Akasya Pansiyon (5), 50 m von der Pension Eser entfernt und mit seiner hellblauen und roten Farbe ein Tupfer in der betongrauen Umgebung. Gepflegte DZ mit Dusche/WC und kleinem Balkon für 12 € mit Frühstück – Letzteres wird im kleinen Vorgarten eingenommen. Von der Dachterrasse (Vorschlag: begrünen!) Blick aufs Meer. Freundlicher Service, junges Publikum, zu Recht stets gut belegt. ✆ 8145272.

• *In Anamur* **Hotel Dedehan (10)**, Traveller-adresse bei der Moschee am Busbahnhof. 20 saubere Zimmer mit Teppichböden, Balkon und Klimaanlage. Terrasse vor dem Haus. Der freundliche, deutschsprachige Manager Ahmet bemüht sich um seine Gäste, berät Wanderer, organisiert Touren, verleiht Fahrräder (nur für Gäste) und ein Mofa Marke Honda (für jeden, 15 € pro Tag). DZ mit Dusche/WC und Frühstück 13 €. ✆ 8147522.

• *Außerhalb* **Karan Motel**, in Bozdoğan, 7 km östlich von Anamur (500 m nach der Burg). Eigener Strand und eigenes Restaurant. DZ mit Bad, Klimaanlage und Balkon 20 €, als Suite mit Wohnzimmer und Strand- bzw. Meeresblick 25 €. ✆ 8271027, 📠 8271349.

Camping

Camping Paradies (2), 6 km in Richtung Silifke, neben der Kreuzritterburg direkt am Strand. Der im Jahre 2000 eröffnete Platz macht seinem Namen alle Ehre: Junge Palmen schmücken das sorgfältig gepflegte 12.000 qm große Wiesengelände, auf dem sich nicht nur Camper, sondern auch Hunde, allerhand Federvieh und eine Kuh pudelwohl fühlen. Gute Infrastruktur: Waschmaschine, Stromanschluss (gegen Gebühr), saubere sanitäre Anlagen, freundliches Restaurant, Fahrradverleih. Das Besitzerpaar spricht Deutsch. 2 Pers. bezahlen mit Wohnmobil 9 €, mit Zelt 7 €. ✆/📠 8271775.

Camping Pullu (1), in Richtung Silifke, etwa 2 km nach der Kreuzritterburg. Schönes Gelände, terrassenförmig in einem Kiefernwald, der relativ steil zu einem kleinen Strand abfällt. Restaurant, Kiosk, ordentliche Sanitäranlagen. Hauptsächlich türkische Gäste, an Wochenenden sind Platz und Strand überlaufen. 2 Pers. mit Wohnmobil 3 € pro Tag, mit Zelt 2,40 €. ✆ 8271151, 📠 8144260.

Yalı Mocamp (12), schattiger Platz in İskele direkt am Strand, von der Zufahrtsstraße nach İskele ausgeschildert. Leider umringt von ein paar schnell hochgezogenen Betonburgen. Zukunft ungewiss: Der neue Besitzer plant, auf seinem Grund eine All-inclusive-Anlage aufzubauen. ✆ 8141435, 📠 8143474.

Çamlık Camping, provisorischer Campingplatz ca. 17 km westlich von Anamur nahe der Melleç-Bucht (→ Baden) – für Camper, die abseits vom Schuss ihr Zelt aufschlagen wollen. Simpelste Sanitäranlagen, dafür tolle, wildromantische Lage über der Steilküse. Kleiner Strand unterm Campingplatz. Einfache Lokanta, in dem auf Wunsch gegrillt wird oder die Mutter des Hauses kocht. Für 2 Pers. mit Zelt 3 €. Von der Küstenstraße ausgeschildert, doch Achtung: Es geht 300 m auf einem katastrophalen Schotterweg steil bergab, für Wohnwagen ein Ding der Unmöglichkeit. ✆ 8242037.

Essen & Trinken/Nachtleben (siehe Karte S. 543)

Im Zentrum von Anamur gibt es nur einfache Lokantas. In İskele, wo vorwiegend türkische Selbstversorger Urlaub machen, ist die Auswahl an Restaurants ebenfalls bescheiden. Gut isst man bei **Frau Eser** in der gleichnamigen Pension, zudem im herrlichen Garten des **Hotels Dolphin** – große Auswahl an Meze, Grills und Fisch, dazu recht günstiges Bier. In den gemütlichen Teegärten am Strand werden Snacks angeboten. Noch zwei zusätzliche Empfehlungen:

Antepliler (4), am östlichen Ende von İskele. Vorzügliches Essen (Grillspieße, Lahmacun, leckere Kebabs) und freundliche Bedienung. Der Wirt kommt aus dem südostanatolischen Gaziantep und hält die dortige Küche hoch in Ehren. Preiswert.

5 Kardeşler Pastaneleri (3), in Anamur am oberen Ende des Atatürk Bul. (Nr. 7). Gutes Sortiment an Baklava und Puddings, Plätzchen und Kuchen. Reichhaltiges Frühstück. Eine Zweigstelle findet man in İskele an der Uferstraße (östlicher Teil).

• *Nachtleben* Der Treffpunkt am Abend ist die schwarzlichtige **Yakamoz Bar (8)** an der Uferpromenade von İskele, welche die davor liegenden Teegärten mit gängigen Urlaubsbeats gleich mitbeschallt. Zu späterer Stunde wechselt man in die **Apollo-Disco (6)** im Karawansereilook an der Straße von İskele nach Anamur. Im Sommer Hochbetrieb, mit dem Ende der türkischen Ferien jedoch nur noch gähnende Leere. War im Sommer 2002 geschlossen, soll aber wieder eröffnet werden.

Sehenswertes rund um Anamur

Anamurium: Kulturhunger und Badespaß kann man in Anamurium ideal verbinden. Wer die reizvolle Ausgrabungsstätte besucht, sollte Bikini bzw. Badehose nicht vergessen: Zu Füßen der Ruinen lockt ein herrlicher Kiesstrand.

Das antike Anamurium, vermutlich eine phönizische Gründung, war in römisch-byzantinischer Zeit das bedeutendste Zentrum des "Rauen Kilikiens". Es profitierte von der fruchtbaren Umgebung und seiner Stellung als wichtiger Hafen nach Zypern. Bereits im 1. Jh. erhielt die Stadt das Münzrecht, ab der zweiten Hälfte des 4. Jh. war sie Standort einer Legion. Nachdem die Araber im 7. Jh. Zypern erobert und Anamurium mehrfach verwüstet hatten, wurde die Stadt aufgegeben. Im 12. Jh. ließen sich aus Ostanatolien geflüchtete Armenier (→ Kasten, S. 584) in Anamurium für mehrere Generationen nieder.

Für eine Besichtigung empfehlen sich feste Schuhe und lange Hosen, da der Weg zu vielen Ruinen durch dichtes Gestrüpp führt. Das gilt bereits für die *Nekropole* oberhalb des Parkplatzes. Wer sie durchstreift, kann Gräber mit Malerei- und Mosaikresten, u. a. mit Vogel-, Götter- und Medusenmotiven, entdecken. Folgt man dem Hauptweg, passiert man die *Thermen* und die *Agora* (beide linker Hand). Letztere besitzt ebenfalls herrliche spätantike Mosai-

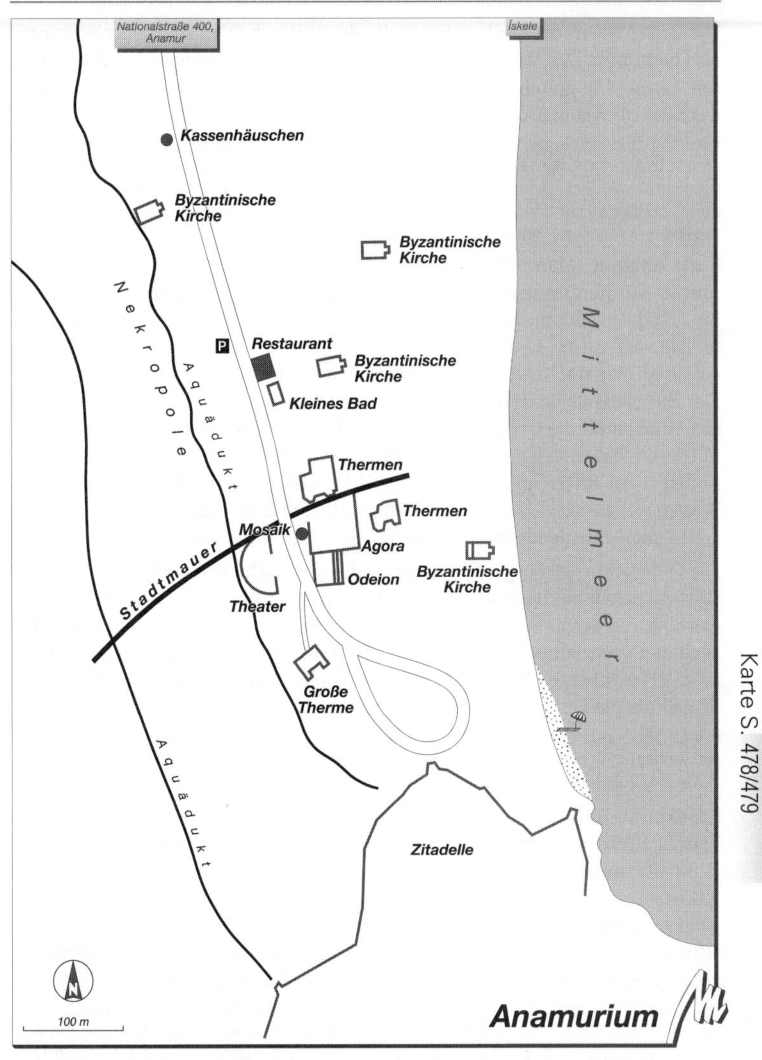

Türkische Riviera
Karte S. 478/479

ken. Sie liegen zum Schutz unter einer dünnen Kiesschicht verborgen. Weitere Mosaiken findet man vor dem *Odeion* und in den byzantinischen *Kirchen*. Die Mosaiken sind es übrigens auch, die Anamurium in der archäologischen Fachwelt einen Namen verschafft haben.

Schräg gegenüber der Agora liegt das *Theater*, dessen Sitzreihen fehlen. Darüber verläuft ein *Aquädukt*. Etwas weiter steht die imposanteste Ruine der antiken Stadt, die *Große Therme*, ein zweistöckiger Bau, der früher mit Marmor verkleidet war. Auch in diesem lassen sich Mosaiken finden.

Die *Zitadelle* an der südlichsten Stelle der türkischen Küste diente vorrangig als Fluchtburg. Der Weg ist etwas mühsam, allerdings hat man von hier an klaren Tagen eine grandiose Aussicht bis nach Zypern. Vom Strand darunter ist der Blick aber genauso gut.

• Anfahrt/Öffnungszeiten tägl. 7–19 Uhr. Eintritt 0,60 €, erm. die Hälfte. Von der Nationalstraße 400 Richtung Alanya ausgeschildert. Von İskele kann man auch per **Bootsausflug** (→ Ausflüge) oder bei einem gemütlichen **Strandspaziergang** (→ Baden) nach Anamurium gelangen. Ansonsten nimmt von Anamur den Ören-**Dolmuş** und steigt an der Abzweigung nach Anamurium aus, von da noch 1,5 km zu Fuß.

Burg Anamur (Mamure Kalesi): Ein Kindertraum! Die zinnenbewehrte und mit 36 Türmen versehene Bilderbuchburg sechs Kilometer östlich von Anamur ist die größte und besterhaltene mittelalterliche Burg der türkischen Küste. Die weitläufige, heute leergeräumte Anlage ist insgesamt einfach gehalten, da sie immer nur strategischen Zwecken und nie als Herrscherpalast diente. Das Burggelände ist in drei große Höfe unterteilt, die durch starke Wehrmauern voneinander getrennt sind. Die *Moschee* nebst *Bad* und *Brunnenhaus* im mittleren Burghof ist neueren Datums und bildet einen morgenländischen Kontrast zur Ritterromantik ringsum. Zur Landseite wird die Burg von einem Wassergraben geschützt (heute Tummelplatz von Schildkröten), zur Seeseite findet man einladende Strände (heute Tummelplatz von Touristen).

Die Geschichte der Burg reicht bis in die byzantinische Zeit zurück. Für ihr heutiges Aussehen zeichnen jedoch in erster Linie kleinarmenische Fürsten verantwortlich, die sie zur Sicherung der Küste vor Piraten ausbauen ließen. Sie diente auch den Kreuzfahrern als Quartier und Nachschublager. Im 14. Jh. fiel die Burg an das Herrschergeschlecht der Karamanoğulları. Ab der zweiten Hälfte des 15. Jh. gehörte die Festung den Osmanen, die sie zuletzt im 19. Jh. renovierten.

• Anfahrt/Öffnungszeiten tägl. von Sonnenaufbis Sonnenuntergang. Eintritt 0,60 €, erm. die Hälfte. Die Burg passiert man auf der Nationalstraße 400 Richtung Silifke. Von Anamur mit dem Bozyazı-**Dolmuş** alle 10 Min. zu erreichen. Von İskele zu Fuß immer den Strand entlang.

Köşekbuğu-Höhle: Im Hinterland von Anamur, in den karstigen Ausläufern des Taurus, finden sich mehrere Höhlen. Die bekannteste ist die etwa 225 Millionen Jahre alte, in einem verschwiegenen Wald versteckte *Köşekbuğu Mağarası*. 500 qm ist sie groß, die Luftfeuchtigkeit beträgt 80 Prozent, der Aufenthalt hilft angeblich gegen Asthma, Bronchialleiden und Unfruchtbarkeit. Innen ist es glitschig und kühl. Wenn der Strom nicht gerade ausfällt, werden die Tropfsteine angeleuchtet. Nach der Besichtigung lädt das "Café Tropfstein" auf ein Getränk ein.

• Anfahrt/Öffnungszeiten tägl. 8–20 Uhr, außerhalb der Saison kürzer. Eintritt 0,90 €. Vom Busbahnhof in Anamur dem bergauf führenden Atatürk Bul. ins Zentrum folgen, an der zweiten Ampel links ab in die Akdeniz Cad., dann ausgeschildert. Bis zum Höhleneingang geteert, insgesamt ca. 17 km. Mit dem **Dolmuş** nur schwerlich zu erreichen. Man kann versuchen, den mittäglichen Schuldolmuş von Anamur nach Ovabaşı zu nehmen, und muss dann – wenn der Fahrer nicht mit sich handeln lässt – von Ovabaşı zu Fuß weiter. Ein **Taxi** kostet hin und zurück mit Wartezeit ca. 25 €.

Alaköprü: 13 km nördlich von Anamur trägt eine gewaltige, 1230 von den Seldschuken erbaute Brücke noch heute den in das Taurusstädtchen Ermenek rollenden Verkehr über den Dragon-Fluss. Bei der Brücke bildet der Dragon mehrere Bassins, die in der Hauptsaison – wenn Anamur in der Hitze schmort – eine erwägenswerte Badealternative für Selbstfahrer sind.

BBB: Beachboy bei Bozyazı

Zwischen Anamur und Silifke

144 km liegen zwischen Anamur und Silifke, dazu mehrere Millionen Bananenstauden, tausende von Treib- und Ferienhäusern, ein paar Burgen und unzählige Kurven. Zwar hält sich der Verkehr in Grenzen, mit dem eigenen Fahrzeug sollte man dennoch mindestens drei Stunden einplanen. Immer wieder klettert die Straße über die pinienbewachsenen Ausläufer des Taurus und gibt den Blick auf die Küstenlandschaft frei. Man findet ein paar schöne Strände und einige Hotelanlagen, grundsätzlich haben die Dörfer und Städtchen entlang der Strecke jedoch mehr mit Auberginen und Tomaten am Hut als mit Touristen aus dem Ausland.

Bozyazı und Softa Kalesi

16 km östlich von Anamur liegt das ehemalige Fischerstädtchen Bozyazı. Der eigentliche, alte Ortskern an einer Flussmündung ist recht klein und besitzt wenig Flair. Wie Raketen schießen die Minarette der *Moschee* in den Himmel. Rund um den Ort erstrecken sich weite Ferienhaussiedlungen, die sich mehr und mehr in die Bananenhaine des Hinterlandes fressen. Am westlichen Ortsende stehen zwei große sternengeschmückte Hotelanlagen, im Zentrum existieren nur wenige Übernachtungsmöglichkeiten. Rund um den Ort findet man freundlichere Unterkünfte und nette Badebuchten: Der Strand des Vier-Sterne-Hotels "Vivanco" (→ Übernachten) mit ein paar Bars ist beispielsweise jedermann zugänglich – einfach den Schotterweg am Hotel vorbei gen Meer laufen.

Auf dem weiteren Weg Richtung Silifke, rund 9 km östlich von Bozyazı, ist die auf einem spitz zulaufenden Hügel thronende, mit zinnenbewehrten Mauern und wuchtigen Türmen versehene Festung *Softa Kalesi* schon von weitem auszumachen. Der mühselige Weg hinauf beginnt im Örtchen Çubukkoyağı und lohnt nur wegen der Aussicht. Bei näherem Hinsehen gibt die byzantinisch-armenische Burganlage wenig her. Kinder bieten sich zuweilen als Führer an (stets zugänglich, kein Eintritt).

Folgt man der Nationalstraße 400 weiter gen Osten, passiert man die zusammen gewachsenen Ortschaften *Akyaka* und *Gözce*. Abseits der Küste werden sie von Treib- und näher am Meer von Ferienhäusern geprägt. Außer (lauten) Campingmöglichkeiten bieten die hiesigen Sand- und Kiesstrände für Touristen nur wenig.

• *Verbindungen* Von Bozyazı nach Anamur bestehen regelmäßige **Dolmuş**verbindungen. Wer zur Burg oder noch weiter nach Osten will, muss von Anamur einen **Bus** nach Silifke nehmen und unterwegs aussteigen.

• *Übernachten* **Hotel Zeysa**, im alten Ortsteil, ausgeschildert. Gemütlich. 16 Zimmer mit massiven Holzmöbeln, dazu Korbstühle und Ruheecken im türkisch-osmanischen Stil. Freundlicher Service und vor der Nase das Meer. DZ mit Frühstück 14 €, mit HP 20 €. Kein Preisunterschied zwischen Zimmern mit und ohne Klimaanlage – Letztere haben die schönere Aussicht. ✆ 0324/8512051.

******Vivanco Hotel,** 4 km östlich von Bozyazı. Komfortable Anlage mit 66 Zimmern. Etwas in die Jahre gekommen, dennoch okay. DZ mit diversem Schnickschnack 53 €. Großer Pool. Der Strand in einer gemütlichen kleinen Bucht ist 5 Fußminuten entfernt. ✆ 0324/8514200, www.vaivancohotel-anamur.com.

Alınko Hotel, einfache, aber charmante Anlage ca. 4,5 km östllich von Bozyazı. Teil einer Ferienhaussiedlung in einem exotischen, parkähnlichen Gelände von 50.000 qm. Es gibt Bananenstauden, Orangenbäume, ein nettes Restaurant und eine gemütliche Badebucht direkt vor der Nase. So üppig die Umgebung, so schlicht die Zimmer, alle jedoch mit Balkon bzw. Terrasse. DZ mit Frühstück ca. 23 €. ✆ 0324/8513998, www.alinkohotel.com.

Aydıncık und Umgebung

Etwa 50 km östlich von Anamur liegt das knapp 8.000 Einwohner zählende Straßendorf Aydıncık. Man lebt hier vorrangig von den Tomaten, Auberginen, Paprikas und Peperoni aus den vielen Treibhäusern der Umgebung. Aydıncık besitzt einen kleinen Hafen und im Osten mehrere saubere Sandstrände, an denen sich Ferienhaussiedlungen breit zu machen beginnen. Die touristische Infrastruktur steckt insgesamt noch in den Kinderschuhen: Es gibt keine empfehlenswerte Unterkünfte, lediglich ein paar ordentliche Restaurants.

Aydıncık wurde auf den Überresten der antiken Siedlung *Kelendiris* erbaut, einer der ältesten kilikischen Städte. Außer ein paar spärlichen Mauerresten in der Nähe des Hafens hat kaum etwas die Zeiten überdauert. Die von der Universität Mersin geleiteten Ausgrabungen wurden 2001 wegen Geldmangels eingestellt. Das Gelände ist weiträumig umzäunt.

Östlich von Aydıncık lassen sich mehrere Grotten erkunden, u. a. die riesige *Aynalı Göl Mağarası* mit zauberhaften Stalaktiten- und Stalagmitenformationen samt einem See und einer großen Fledermauspopulation. Die Grotte ist nur vom Meer aus zugänglich. Mit einem Fischerboot kann man in rund einer Stunde dorthin tuckern – verhandeln Sie am Hafen.

Von Aydıncık bietet sich zudem ein rund 40 km langer, landschaftlich sehr reizvoller Ausflug ins Landesinnere an. Hier sollte der Weg das Ziel sein, denn die Reste der hethitischen Festung *Meydancık Kalesi* östlich der Ortschaft Gülnar (von dort ausgeschildert) sind nicht allzu spektakulär, auch wenn sie rund 3.300 Jahre alt sind. Legenden zufolge sind rund um die Festung etliche Schätze vergraben. 1980 war man tatsächlich fündig und entdeckte 5.000 Silbermünzen aus hellenistischer Zeit.

• Verbindungen Aydıncık ist mit den Anamur-Silifke-**Bus**sen zu erreichen.

• Übernachten/Essen & Trinken Eine Bleibe für die Nacht findet man im **Motel Pêcheur**, einem blau-apricotfarbenen Haus an der Durchgangsstraße. DZ 10 €, gutes Restaurant im Erdgeschoss, ✆ 0324/8413058. Schönstes Restaurant der Gegend ist das **Arsinoe**, östlich des Zentrums in einem Oleanderhain.

Büyükeçeli

Knapp 30 kurvige Kilometer trennen Aydıncık von Büyükeçeli. Wo die Straße ans Meer trifft, findet man einladende, z. T. jedoch von Ferienhaussiedlungen gesäumte Buchten. Die schönste Bademöglichkeit liegt etwa auf halber Strecke bei der Raststätte "Ağaçlı Tesisleri" – traumhaft.

Büyükeçeli selbst ist ein absolut verschlafenes Nest – keine Polizeistation, keine Pension, keine Kneipe, nur Tomaten- und Gurkenplantagen im fruchtbaren Hinterland. Mit der Ruhe ist es aber noch gar nicht allzu lange her. Bis vor wenigen Jahren standen hier Demonstrationen mit Steine werfenden Frauen auf der Tagesordnung: In Büyükeçeli war der Bau eines Atomkraftwerkes geplant, das Gelände dafür sogar schon eingezäunt. Aber keine nationalen oder internationalen Proteste brachten das Projekt schließlich zum Erliegen, sondern das verheerende Erdbeben in der Nordwesttürkei von 1999. Als Seismologen nach der Katastrophe nicht ausschließen wollten, dass Ähnliches auch in Büyükeçeli passieren kann, änderte Ankara seine Meinung. Nahe Büyükeçeli verläuft der sog. Ecemis-Graben, eine Bruchlinie, an der die Erdplatten immer wieder erzittern.

Etwa zwei Kilometer östlich von Büyükeçeli findet man eine gleichnamige Bucht mit einem schönen Sandstrand. Auch hier macht sich mittlerweile eine Ferienhaussiedlung breit, doch Beschaulichkeit ist noch immer Trumpf.

• Verbindungen Büyükeçeli ist mit den Anamur-Silifke-**Bus**sen zu erreichen.

• Übernachten/Essen & Trinken **Hayat Motel**, ein ruhiger, recht lauschiger Platz in der kinderfreundlichen Bucht von Büyükeçeli (s.o.), geführt von dem liebenswerten Muammer Öztütüncü. Schattiges Restaurant direkt am Strand, die 7 Zimmer mit Bad und Terrasse dahinter. Für absolut Erholungsbedürftige. DZ mit Frühstück 24 €. Zudem Campingmöglichkeiten, für 2 Pers. mit Zelt 4,50 €, mit Wohnmobil 7,50 €. ✆ 0324/7532206.

Yeşilovacık, Aphrodisias und Tokmar Kalesi

Das kleine, ruhige Örtchen Yeşilovacık, in dem es so gut wie nichts zu tun gibt, liegt im Osten der weiten Ovacık-Bucht, die ein langer Kiesstrand säumt. Wer vor Ort unterkommen will, hat lediglich in einer einfachen Pension direkt an der Straße oder auf dem spartanischen Campingplatz im Westen der Bucht die Möglichkeit dazu.

Weiter gen Osten, Richtung Boğsak, führt die Straße abseits der Küste in Schlangenlinien durch den Taurus. Unterwegs weist ein Schild nach "Aphrodisias/Tisan". Hinter *Aphrodisias* verbirgt sich das großes Bodenmosaik einer frühchristlichen Basilika, hinter *Tisan* eine gepflegte Ferienhausanlage an einer palmengesäumten Badebucht mit einem vorgelagerten Inselchen. Die

Türkische Riviera Karte S. 478/479

kurvige, 14 km lange Stichstraße dorthin endet an einer Schranke. Gegen Vorlage seines Ausweises darf man die Anlage passieren und das Bodenmosaik am südlichen Ende der Bucht beim kleinen Hafen besichtigen. Es soll sehr imposant sein. Da es zum Schutz mit Sand bedeckt ist, kann man jedoch nur kleine Ausschnitte mit der Hand freilegen.

Begegnungen

Zurück auf der Küstenstraße, weist rund vier Kilometer vor Boğsak ein Schild zur 3,5 km landeinwärts gelegenen *Tokmar Kalesi*, einer armenischen Festung, die später auch der Johanniterorden nutzte. Ihre thronende Lage im Taurusgebirge ist beeindruckend, die Ruinen selbst sind es wie so oft leider nicht.

• Verbindungen Yeşilovacık ist mit den Anamur-Silifke-**Bus**sen zu erreichen.

• Übernachten **Pinepark Holiday Club**, beste Adresse des hiesigen Küstenabschnitts, 5 km westlich von Yeşilovacık. Die schön gelegene, gepflegte All-inclusive-Anlage besitzt alles, was das Herz begehrt: einen privaten Strand, Restaurants, Pools, Tennisplätze, eine Tauchschule, Kinderbetreuung, einen Minizoo usw. DZ für Ausländer (!) ab 80 €, mit türkischem Pass erheblich billiger – über die Preisgestaltung kann sich jeder selbst seine Meinung bilden. ✆ 0324/7475518, www.miaresorts.com.

• Essen & Trinken **Uğur Restaurant**, das gemütliche Fischlokal 3 km westlich von Yeşilovacık ist weit und breit konkurrenzlos und zudem preiswert. Terrasse direkt über dem Meer.

Boğsak

Boğsak ist nicht einmal ein Dorf, eher eine große Häuseransammlung an einer Bucht mit einem schönen, weißglänzenden, wenig verbauten Strand. Einziger Wermutstropfen ist die Küstenstraße, die direkt durch den Ort führt. Während der türkischen Schulferien ist der Strand bestens belegt, davor und danach kann man die Handtücher an einer Hand abzählen. Die vorgelagerte Insel *Boğsak Adası* ist kraulend oder mit einem Fischerboot zu erreichen. Sie ist übersät mit den Überresten des antiken *Nesulion*: aufgebrochene Sarkophage, umgestürzte Grabdenkmäler, spätrömische Häuserruinen, Grundmauern einer Basilika und einer Kreuzkuppelkirche aus dem 5. Jh. Boğsak ist ein beliebtes Ziel von Bootsausflüglern aus Taşucu.

Rund 1,5 km östlich von Boğsak erheben sich auf einer flachen Halbinsel die noch gut erhaltenen Überreste der achteckigen Festung *Liman Kalesi*. Im 17.

Jh. war sie ein Piratennest. Aus jener Zeit stammen auch die Breschen – ein halbes Dutzend christlicher Kanonenschiffe versuchte damals, gefangen gehaltene Glaubensbrüder zu befreien (stets zugänglich, Eintritt frei).

• *Verbindungen* Boğsak ist mit den Anamur-Silifke-**Bus**sen zu erreichen, zudem mit **Dolmuş**en von Silifke.

• *Übernachten/Camping* Vor Ort zwei spartanische Campingplätze ohne Flair, dazu eine Handvoll einfacher Pensionen, in denen vorrangig türkische Familien Urlaub machen. Die **Adnan Pansiyon** liegt direkt am Meer, wenn auch nicht am Strand. 10 schlichte Zimmer mit Bad und Balkon bzw. Terrasse, pro Person ohne Frühstück 4,50 €. ✆ 0324/7436223. Das komfortabelste Haus der Gegend ist das **Intermot Motel,** eine etwas in die Jahre gekommene Anlage, dafür mit einem schönen, gepflegten Strandbereich. Tauchmöglichkeiten. Große DZ mit Klimaanlage und Balkon 49 €, EZ 35 €. ✆ 0324/7436161, 📠 7436004.

Taşucu

(ca. 10.000 Einwohner)

Das kleine Städtchen ist seit eh und je eng mit der Schifffahrt verbunden: In der Antike befand sich hier der Hafen des rund zehn Kilometer westlich gelegenen *Seleukia* (→ Silifke/Geschichte, S. 553), später galt Taşucu als ein gefürchtetes Seeräubernest. Heute steht der Name des Ortes für den bedeutendsten türkischen Fährhafen nach Nordzypern. Die ankommenden und ablegenden Fähren sorgen für steten Trubel im kleinen, gepflegten Zentrum. Auch wenn keine alte Bausubstanz mehr vorhanden ist – Taşucu ist das freundlichste Städtchen am hiesigen Küstenabschnitt. Es besitzt auch einen an sich netten Strand mit einer Ferienhaussiedlung dahinter, die im Sommer dazu beiträgt, dass die Einwohnerzahl auf 15.000 ansteigt. Die Idylle wird jedoch ein wenig von der Silhouette der nahe gelegenen, größten Papierfabrik des Landes getrübt. Dass deren Abwässer nicht mehr ungeklärt ins Meer geleitet werden, ist man sich sicher im Örtchen. Wer diese Meinung nicht teilt, mag einen Bootsausflug mit Badestopps zu den westlich von Taşucu gelegenen Buchten unternehmen.

Verbindungen

• *Vorwahl* 0324.

• *Verbindungen* **Bus/Dolmuş**: Busbahnhof ganz im Osten der Stadt an der Straße nach Silifke. Hier halten nahezu alle Busse, die entlang der Küste unterwegs sind. Ins Zentrum besteht ein Zubringerservice der lokalen Busgesellschaft Denizkızı. Vom Hauptplatz regelmäßige Dolmuşverbindungen nach Silifke.

Schiff: Regelmäßige Verbindungen nach Nordzypern. Mit der Fähre dauert die Überfahrt ins nordzypriotische Girne 4,5 Std., mit dem Expressboot (kein Autotransport) 2 Std. Das Geschäft teilen sich mehrere Reedereien, alteingesessen sind **Ferigün** (✆ 7412323, 📠 7412802) und **Akgünler** (✆ 7414033, 📠 7414324). Einfache Fahrt inkl. Hafengebühr mit dem Expressboot 26 €, mit der Autofähre 17 €. Autos und Wohnmobile 35–50 €.

Nähere Informationen über Nordzypern und seine schönsten Ecken finden Sie ab S. 532.

Übernachten/Camping/Essen & Trinken

Taşucu verfügt über zahlreiche Unterkünfte jeder Kategorie zu fairen Preisen. Der Fährverkehr kann nächtens Krach machen, was man bei der Zimmersuche beachten sollte.

*****Taşucu Best Resort**, ältere Anlage am westlichen Ortsende mit 125 Zimmern, alle mit Meeresblick. Sehr komfortabel: Türkisches Bad, Fitnesscenter, Herren- und

Damenfriseur usw. Gepflegter Pool, kein Strand. Vermittelt auch Mietfahrzeuge. EZ mit HP 41 €, DZ 53 €. ✆ 7416300, 📠 7413005.

Motel Lades, nahe dem Best Resort am westlichen Ende des Hafens, ebenfalls ohne Strand. Etwas verbrauchte, wenn auch saubere und ordentliche Zimmer, allesamt mit Balkon und Wahnsinnsblick. Pool und Restaurant. DZ mit Frühstück 29 €, EZ 21 €. Auch HP möglich. ✆ 7414008, www.ladesmotel.com.

Holmi Pansiyon, Acht-Zimmer-Haus in erster Reihe am Ostende des Hafens. Deutsch-türkische Leitung, die Inhaberin stammt aus Worms. Freundliche Zimmer mit Fliesenböden, drei davon mit Meeresblick. Familiäre Atmosphäre und auf Wunsch ein Schnitzel zum Abendessen. DZ 17 €. ✆/📠 7415378.

Als Alternativen mit ähnlichen Preisen bieten sich die **Tuğran Pansiyon** (ebenfalls am Ostende des Hafens), das **Hotel Konak** (im Zentrum in zweiter Reihe, aber mit 1a-Blikken auf den Hafen) und die freundliche **Meltem Pansiyon** (direkt am Strand) an.

• *Essen & Trinken* **Baba Restaurant**, am Westende des Hafens. Traumterrasse direkt über dem Meer, dazu hervorragende Küche. Neben den üblichen Grill- und Pidegerichten kreiert man hier auch Außergewöhnlicheres – probieren Sie das Hühnchen auf Spinat oder die Krabben aus dem Tontopf! Pro Person mit einem Bier und einer Vorspeise ca. 4,50 €.

Deniz Kızı Restaurant, am Hauptplatz nahe dem Fähranleger. Beliebtes Restaurant mit gemütlicher Außenbestuhlung. Auf den Tisch kommen die üblichen Meze-Grill-Gänge.

• *Camping* **Akçakıl Camping**, ca. 4 km westlich von Taşucu. Eine Empfehlung: Schönes Gelände mit gepflegtem privaten Kiesstrand und passablen Sanitäranlagen. Gemütliches Restaurant. Zudem werden kleine, aber saubere und freundliche Zimmer in zehn Holzhäuschen mit eigener Terrasse vermietet – nur ein Katzensprung vom kühlen Nass entfernt. Angenehme Atmosphäre, zufriedene deutsche Stammkundschaft. Ganzjährig geöffnet. Campen für 2 Pers. im Zelt 4,50 €, mit Wohnmobil 6 €. Bungalows für max. 3 Pers. mit Frühstück 24 €. Gegen eine kleine Gebühr ist der Strand auch Nichtgästen zugänglich. ✆ 7414451, www.akcakilcamping.com.

Ayatekla

Ayatekla, einer der bedeutendsten frühchristlichen Wallfahrtsorte, war mit dem antiken *Seleukeia*, dem heutigen Silifke, durch einen Treppenweg verbunden. Einer Legende nach befand sich hier in einer Höhle der Wohn- und Sterbeort der Heiligen Thekla (*Aya Tekla*). Sie war eine Schülerin des Apostels Paulus und mit ihm, als Jüngling verkleidet, durch die Lande gereist. Bereits im 2. Jh. wurde ihre Höhle in eine Kirche umgewandelt. Im 4. Jh. entstand darüber eine dreischiffige, 90 m lange Basilika, von der noch Teile der Apsis stehen. Im 5. Jh. kam unter Kaiser Zenon (474–491) eine weitere, nach ihm benannte Basilika hinzu. Sie lag etwas weiter nördlich, die Grundmauern sind noch erhalten. Spannender ist der Blick auf die mächtigen Tonnengewölbe einer dreischiffigen *Zisterne* beim Wärterhauschen. Der heilige Bezirk umfasste noch weitere *Zisternen, Kirchen* und eine *Therme*, an die jedoch kaum ein Stein mehr erinnert.

• *Anfahrt/Öffnungszeiten* Von der Nationalstraße 400 zwischen Silifke und Taşucu ausgeschildert. Die Abzweigung befindet sich etwa 5 km südwestlich von Silifke bei einer ALPET-Tankstelle, das Hinweisschild ist leicht zu übersehen. Von dort noch rund 1,5 km landeinwärts. Die **Dolmuş**e zwischen Taşucu und Silifke passieren die Abzweigung, den Rest muss man zu Fuß zurücklegen. Tägl. 8–12 Uhr und 13.30–17.30 Uhr. Eintritt 0,60 €, erm. die Hälfte.

Silifke

(ca. 85.000 Einwohner)

Silifke ist ein ruhiges Provinzstädtchen im Schatten einer mächtigen Zitadelle und zugleich ein wichtiger Verkehrsknotenpunkt der Südküste. Der nächste Strand liegt rund 15 km entfernt – Touristen verirren sich hierher also lediglich zu einem Tagesausflug.

Das grüne Wasser des *Göksu* teilt Silifke in zwei Hälften. Parks und einladende Teegärten säumen den Flusslauf. Im wenig schmucken Zentrum entlang der Menderes Caddesi herrscht gelassene Betriebsamkeit. Hier gibt es alles zu kaufen, was die über 3.500 Hoteliers der Umgebung und die zigfache Zahl an Bauern für gewöhnlich benötigen. Mit dem Anbau von Nüssen, Sesam, Erdbeeren, Zitrusfrüchten und sogar Reis verdienen Letztere ihre Brötchen. Ansonsten ist nicht viel los, es gibt keine Clubs, keine schicken Restaurants oder unterhaltsame Bars. Dabei ist Silifke eine expandierende Stadt, rund um das alte Zentrum entstehen mehr und mehr neue Wohnviertel – nicht jedoch von reichen Bürgern, sondern als sichtbares Zeichen der anhaltenden Landflucht und der Armut.

Auf dem Markt von Silifke

An einem bewölkten Nachmittag, wenn Staub und Hitze das Leben im Städtchen nicht gar so unerträglich machen, ist ein Ausflug nach Silifke durchaus eine lohnenswerte Abwechslung. Hier erfahren Sie türkischen Alltag und können die Burg und die Museen der Stadt besuchen. Auch rund um den Ort gibt es einiges zu entdecken, so beispielsweise das Göksu-Delta – ein heißer Tipp für Ornithologen. Und ein Ausflug ins Hinterland, in die schroffe Bergwelt des Taurus mit seinen Ruinenstädten, ist mehr als nur empfehlenswert – ein Erlebnis.

Geschichte

Um 300 v. Chr. wurde die Stadt von Seleukos I. Nikator, einem einstigen Feldherrn Alexanders des Großen, gegründet und nach ihm *Seleukeia* benannt.

Aufgrund ihrer Lage an einer wichtigen Handelsstraße von der Küste nach Inneranatolien stieg sie zu einer der bedeutendsten Städte des "Rauen Kilikien" (→ Kasten, S. 540) auf. 72 v. Chr. wurde sie römisch und erlebte in der frühen Kaiserzeit ihre Blüte. An das antike Seleukeia erinnert heute nicht mehr viel: Auf den Sitzreihen des einstigen römischen Theaters stehen Apartmenthäuser. Vom *Jupitertempel* am İnönü Bulvarı richtete man lediglich eine korinthische Säule wieder auf – ein Storch nistet dankend darauf. Die antike Bausubstanz ging z. T. in Neubauten unter, antike Kapitelle wurden z. B. in der *Reşadiye-Moschee* (1912) in der Fevzi Çakmak Caddesi als Säulenbasen zweckentfremdet. Und auch wenn die Fundamente der mächtigen steinernen *Brücke* über den Göksu-Fluss römisch sind, ihr Anblick ist wenig spektakulär.

In byzantinischer Zeit entwickelte sich Seleukeia aufgrund des nahe gelegenen Wallfahrtsortes der Hl. Thekla (→ S. 552) zu einem Pilgerzentrum. Im 7. Jh. begannen die Byzantiner zum Schutz vor maurischen Piraten und arabischen Invasoren mit dem Bau der Zitadelle. 1098 geriet sie für kurze Zeit in die Hand der deutschen Kreuzfahrer (→ Kasten, S. 557). Im 13. Jahrhundert ging sie an die Ritter des Johanniterordens über, die sie zu ihrer heutigen Größe ausbauten. Danach gehörte sie abwechselnd den Armeniern, den Emiren von Karaman und ab dem 15. Jh. den Osmanen. Unter Letzteren wurde aus Seleukeia Silifke, eine Provinzhauptstadt. Die Türken degradierten sie zur Provinzstadt.

Information/Verbindungen/Adressen/Veranstaltungen

- *Telefonvorwahl* 0324.
- *Information* in der V. Gürten Bozbey Cad. 6. Hilfsbereit, Gratis-Stadtplan plus Broschüre. Mo–Fr 8–12 Uhr und 13–17 Uhr. ✆ 7141151, ℻ 7145328.
- *Verbindungen* **Bus**bahnhof nahe dem İnönü Bul. südöstlich des Zentrums. Gute Verbindungen nach Karaman und Konya (12-mal tägl., 4,5 Std. über Mut), Antalya (9 Std.), Anamur (3,5 Std.) und Adana (3,5 Std., über Mersin, Erdemli und Kızkalesi). Mehrmals tägl. auch nach İstanbul (13–15 Std.). **Dolmuşe** nach Atakent starten nahe der römischen Brücke, **Dolmuşe** nach Taşucu und Boğsak an der Cavit Erdem Cad. **Minibusse** nach Kırobası (Uzuncaburç, Diokaisarea/Olba) fahren nahe der Tourist Information ab.
- *Ärztliche Versorgung* im staatlichen Krankenhaus **Devlet Hastanesi** nahe der Atatürk Cad., von dort ausgeschildert. ✆ 7141159.
- *Einkaufen* Großer Wochenmarkt am Fr nahe der Tourist Information in der Celal Bayar Cad.
- *Geld* kann man am EC-Automat der **T.C. Ziraat Bankası** an der Menderes Cad. ziehen.
- *Polizei* am südlichen Flussufer, über die Notrufnummer 155 zu erreichen.
- *Post* an der Cavit Erdem Cad.

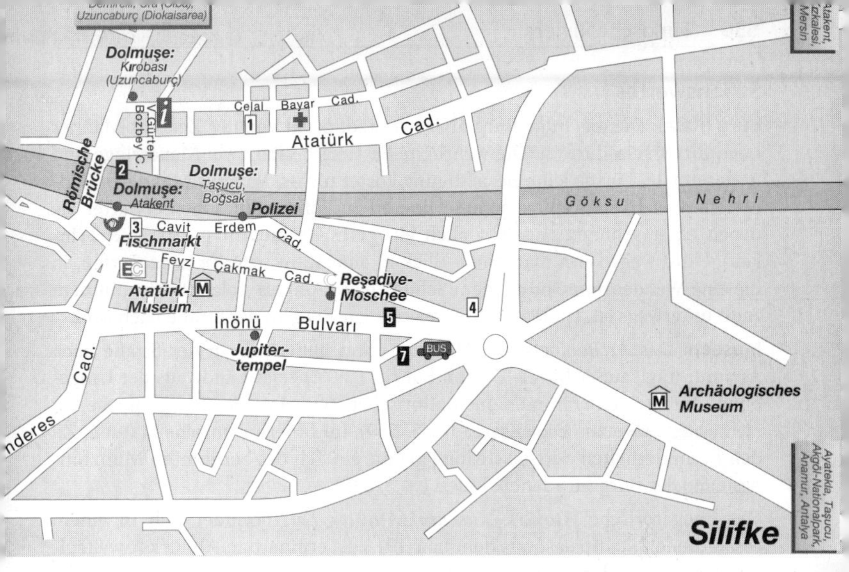

• _Veranstaltungen_ Besuchenswert ist das jährlich vom 20.–26. Mai stattfindende **Musik- und Folklorefestival**. Man sieht herrliche Kostüme, überdimensionierte Masken und tolle Tänze – bei einem davon balancieren Frauen Flaschen auf den Köpfen!

Übernachten

****Göksu Otel (2)**, zentral an der Atatürk Cad. nahe der Tourist Information. 25 ordentliche Teppichbodenzimmer. Nette Terrasse zum Frühstücken mit Blick auf den Göksu. DZ mit Klimaanlage, TV und Frühstück 21 €, EZ 15 €. ✆ 7121051, 📠 7140930.

****Ayatekla Otel (7)**, großer grauer Kasten nahe dem Busbahnhof. Von innen besser als von außen. Recht komfortable rosafarbene Zimmer mit rot gefliesten Böden. Auf dem Weg dahin Musikbeschallung im Aufzug. DZ 18 €, EZ 12 €. ✆ 7151081, 📠 7151085.

Arısan Otel (5), freundliche und blitzsaubere Herberge, von Deutschlandrückkehrern geführt. 26 Zimmer mit Steinböden, Kiefernholzmobiliar und Balkon. DZ mit Klimaanlage und Bad 12 €, ohne beides 10 €. Frühstück auf Wunsch (1,20 € extra). Auch billige Mehrbettzimmer. İnönü Cad. 89, ✆ /📠 7143331.

Essen & Trinken

Kale Restaurant (6), hoch über der Stadt im Schatten der Burg. Grandiose Ausblicke über Silifke und die Schwemmlandebene. Klassisch-türkische Küche. Ein komplettes Abendessen kommt pro Person auf ca. 8 €.

Babaoğlu Restaurant (4), nur nicht vom Äußeren und der wenig schönen Umgebung abschrecken lassen! Das Lokal mit seinem gepflegten, holzvertäfelten Speisesaal im ersten Stock gehört zu den besten der Stadt. Auch Alkohol wird serviert. Überdurchschnittliche Meze, Fisch und Grillgerichte. Abends stets gut besucht. Ebenfalls etwas höheres Preisniveau. Etwas außerhalb des Zentrums, beim Kreisverkehr am östlichen Ende des İnönü Bul.

Restaurant Gözde (3), im Fischmarkt nahe der Post. Rot-weiß karierte Tischdecken und gemütliche Außenbestuhlung. Große Auswahl an Fleisch- und frischen Fischgerichten, zudem Pide. Einfach, gut und günstig.

Ali Usta (1), in einer Seitengasse der Atatürk Cad. Lokanta mit herkömmlichem Angebot (İskender Kebap, Hühnchengerichte und Döner), aber recht populär und günstig. Netter Außenbereich.

Karte S. 478/479

Sehenswertes

Burg (Kale): Die mächtige Burg über der Stadt zeugt von der Zeit, als Männer noch Ritter sein durften. Die wehrhafte Festung besitzt zwei Mauerringe und insgesamt 13 Türme, eine Besichtigung kostet nichts. Von der Menderes Caddesi sind es 15 schweißtreibende Minuten zu Fuß hinauf. Oben erwartet Sie neben einer schönen Aussicht auch ein gutes Restaurant (→ Essen & Trinken). Unterwegs kann man einen Blick in eine 12 m tiefe *Zisterne* werfen, in die eine Wendeltreppe führt (dem Schild "Tekin Ambarı" folgen). Wer mit dem Auto unterwegs ist, findet die Abzweigung zur Burg an der Straße nach Mut.

Museen: Das *Archäologischen Museum* etwas außerhalb an der Straße nach Anamur (tägl. außer Mo 8–17 Uhr, Eintritt 0,60 €) zeigt Funde aus der Umgebung, die ältesten stammen aus hethitischer Zeit. Am Eingang grüßt Sie ein steinerner Löwe aus Diokaisarea (→ S. 559), im Innern römische Statuen. Zu den Besonderheiten der Ausstellung gehört ein Teil des berühmten Münzfundes nahe der Burg Meydancık Kalesi (→ S. 548).

Das obligatorische *Atatürk-Museum (Atatürk Evi)* befindet sich in einem rosafarbenen Stadtpalast aus dem Jahr 1914. Es erinnert an Atatürks zweitägigen Besuch zur Einweihung der hiesigen Landwirtschaftskooperative im Januar 1925. Sehenswert ist die Ausstattung des Hauses mit dem Originalmobiliar einer wohlhabenden Familie aus jener Zeit. Das Museum kostet keinen Eintritt, dafür werden Sie um Ihre Unterschrift im Gästebuch gebeten (vom İnönü Bul. ausgeschildert, tägl. außer Mo 8–17 Uhr).

Akgöl-Nationalpark: Das 14.500 ha große Göksu-Delta mit schilfumstandenen Süßwasserseen und Salzwasserlagunen zwischen ausgedehnten Sanddünen besitzt eine bemerkenswerte Flora und Fauna. Ein Teil des Deltas wurde 1990 zum Nationalpark erklärt. Allein 331 der insgesamt 450 in der Türkei vorkommenden Vogelarten sind hier vertreten, darunter der "Rastende Würger" und das "Brütende Purpurhuhn", das in der Antike wegen seines Fleisches beliebt war und heute vom Aussterben bedroht ist. Am größten ist die Artenvielfalt im Winter, wenn das Delta zur Heimat oder zum Zwischenstopp nordeuropäischer Zugvögel wird. Das Delta ist auch Brutplatz zweier Meeresschildkrötenarten, der *Chelonia midas* und der *Caretta caretta*, sowie winterliche Heimat von Mittelmeerrobben. Zudem gedeihen hier 441 verschiedene Pflanzen, darunter acht endemische.

• *Anfahrt* entweder über Kurtuluş, 8 km südöstlich von Silifke, oder über Taşcu. Von Taşucu führt östlich der SEKA–Papierfabrik eine Straße ins Delta. Vermeiden Sie bitte Störungen zur Brutzeit der Vögel zwischen April und Juni und halten Sie sich während der Eiablage der Schildkröten zwischen Mai und Sept. von den Stränden fern.

Ausflug ins Hinterland von Silifke

Das Hinterland von Silifke ist überaus reich an antiken Stätten. Das Gros davon ist reizvoll gelegen, von der Bausubstanz her aber wenig imposant. Ein eigenes Fahrzeug ist unabdingbar, will man die hier in einem Routenvorschlag beschriebenen Ziele als Rundfahrt kombinieren. Starten Sie früh – Sie werden rund 230 km zurücklegen, und die in mehr als tausend Kurven.

Barbarossas letztes Bad

Am 11. Mai des Jahres 1198 begann der Dritte Kreuzzug. An jenem Tag brach in Regensburg ein 15.000 Mann starkes, deutsches Kreuzfahrerheer mit dem Ziel auf, die heilige Stadt Jerusalem den Muselmanen zu entreißen. An der Spitze des Heeres stand der Stauferkaiser Friedrich I., später wegen seines rötlichen Vollbarts "Barbarossa" genannt. Der Weg führte über das Königreich Ungarn und das serbische Zarenreich an den Bosporus. Von dort wollte man über Konya den langen Weg weiter nach Palästina antreten. Doch der zuvor friedlich vereinbarte Durchmarsch durch das Lehensreich des Seldschukensultans Kılıçaslan II. endete in einem blutigen Gemetzel. Als das Kreuzfahrerheer Konya erreichte, waren die Karten neu gemischt, Kılıçaslan II. bereits abgetreten und seine kaiserfeindlich gesinnten Söhne an der Macht. Es kam zu einer Schlacht, bei der die Kreuzfahrer siegten und anschließend angeblich nahezu alle Einwohner Konyas enthaupteten.

Von Konya zog der Dritte Kreuzzug weiter gen Süden über den Taurus. Am 10. Juni 1190 fand er jedoch mit dem Tode Barbarossas sein Ende. Der Kaiser kam nicht heroisch hoch zu Pferde im Schlachtengetümmel ums Leben und wurde auch nicht aus dem Hinterhalt ermordet: Er ertrank ganz banal im Göksu, neun Kilometer nördlich des heutigen Silifke. Ob er dabei in schwerer Rüstung vom Pferd fiel oder das kühle Bad im Fluss ein Herzversagen auslöste, ist ungewiss.

Nach dem Tod des Kaisers trat das Gros des Heeres entmutigt die Heimreise an. Ein kleiner Trupp von rund 1.500 Mann kämpfte sich weiter voran gen Palästina – mit den Gebeinen des Kaisers im Gepäck, um ihn im heiligen Land zu bestatten. Der Verbleib der sterblichen Überreste Barbarossas ist bis heute unbekannt, denn das bereits dezimierte Heer schrumpfte infolge von Epidemien immer mehr und löste sich schließlich auf. Heute lebt der wohl volkstümlichste deutsche Kaiser in der Kyffhäusersage fort und wartet im gleichnamigen Wald in Thüringen auf seine Wiederkehr.

• *Routenvorschlag* Von **Silifke** folgt man der gut ausgebauten Nationalstraße 715 **Richtung Karaman**, eine landschaftlich reizvolle Strecke, die weiter nach Konya und Kappadokien führt. In weiten Zügen gleicht sie der seit Jahrtausenden begangenen Route von der Küste nach Zentralanatolien. Nach rund neun Kilometern steht am rechten Straßenrand ein schlichter, leicht zu übersehender, von der deutschen Botschaft gestifteter **Gedenkstein**, der an den Tod des Kaisers Friedrich Barbarossa erinnert (→ Kasten). Bei Kilometer 25 passiert man die Ortschaft **Keben**. Wer will, kann sich hier ein **hethitisches Felsrelief** zeigen lassen (im Ort nach "Çolak Kız" fragen, 2 km zu Fuß). Etwa zehn Kilometer vor Mut verlässt die Straße das Göksutal. 22 km nördlich von Mut lohnt ein Abstecher zur Klosteranlage **Alahan** (s. u.). Um die Rundfahrt fortzusetzen, zweigt man – zurück in Mut – auf ein schmales, gen Osten nach Kırobası führendes Sträßchen ab. Nun beginnt die großer Kurverei, zudem überwindet man einen Pass auf 1.500 m Höhe. Ca. 17 km östlich von Mut zeigt ein Schild zur Burg **Mavga Kalesi** (6 km) – kein Muss. Nach weiteren 20 km verläuft die Straße eine Zeit lang parallel zu einem imposanten **Cañon** mit bizarren Kalksteinformationen und überbrückt diesen schließlich. Einen Zugang zum Cañon hat man von der kleinen Ortschaft **Çömelek** (gelb ausgeschildert) – sie besitzt wie so viele idyllische Dörfchen auf der Strecke mehr Natursteinhäuser als Neubauten und mehr Esel als Autos. Rund 60 km hinter Mut hat man schließlich **Kırobası** erreicht, einen etwas größeren Ort mit schattigen Gartenlokalen. 23 km weiter südlich bietet sich ein Abstecher zu den Ausgrabungen von **Diokaisarea** und **Olba** (s. u.) an. 7 km vor Silifke passiert man das Dorf **Demircili**. Manche Bauern sind hier noch Halbnomaden, die mit ihrem Hausrat und Vieh in den Sommermonaten auf die höher gelegenen Weiden des Taurus ziehen. Rund um die Häuser des Ortes liegen die Reste der antiken Stadt **Imbriogon**, die im 2. Jh. v. Chr. gegründet wurde und bereits zu christlicher Zeit verlassen war. Reiche Bürger Seleukeias ließen sich hier bevorzugt bestatten, ihre Grabtempel rechts und links der Straße fallen noch heute ins Auge. Auch lassen sich noch Fundamente von Herrenhäusern erkennen.

Mut

(37.700 Einwohner)

Das antike *Claudiopolis* rund 80 km nördlich von Silifke ist heute eine nüchterne Kreisstadt auf etwa 400 m Höhe. An ihre wechselvolle Vergangenheit erinnern neben einer ursprünglich byzantinischen *Festung* einige Zeugnisse aus der Herrschaft der Karamanoğulları im 14. Jh.: Im Stadtzentrum ausgeschildert sind z. B. die *Lal-Ağa-Moschee*, eine Zentralkuppelmoschee mit einem markanten Minarett, und die *Hocendi Türbe*, ein Grabmal mit einem pyramidenförmigen Dach. Bekannt ist Mut für seine Festivitäten, in der Stadt selbst und in den Dörfern drum herum wird zu Ehren diverser Früchte viel gefeiert: Im April steigt ein Pflaumenfestival *(Erik Festivalı)*, im Juni ein Aprikosenfestival *(Kayısı Festivalı)* und im August ein Feigenfestival *(İncir Festivalı)*.

- *Verbindungen* Mut erreicht man von Silifke mit **Bus**sen auf der Strecke Karaman/Konya.
- *Übernachten* Mut besitzt keine auch nur ansatzweise empfehlenswerten Unterkünfte. Als "bestes Haus der Stadt" gilt das **Hotel Baykan** an der Hauptstraße. Den Rezeptionisten erwischen Sie meist schlafend. Simple DZ mit Bad und ohne Frühstück 9 €, EZ 5 €. ✆ 0324/7741052.

Alahan Manastırı (antike Stätte)

Imposanter können Ruinen nicht liegen. Weltfern, auf 1.200 m Höhe an der schroffen Südseite eines Bergmassivs, stehen die Reste einer byzantinischen Klosteranlage aus dem 5. Jh. Die Aussicht ist vom Feinsten – zu Füßen das weite Tal des *Göksu*, am Horizont küsst der Himmel das Meer.

Vom Parkplatz steigt man zur einst dreischiffigen *Evangelistenbasilika* auf. Beeindruckend ist ihr mit reicher Ornamentik verziertes, aus drei Quadern bestehendes Portal. Oben in der Mitte ist ein Christusmedaillon zu sehen, das von zwei Engeln umrahmt wird. Die Innenseite der Türpfeiler zeigen Reliefs des Erzengels Gabriel (über einem Stier) und auf der anderen Seite Michaels (über barbusigen Frauen), welche den Sieg des Christentums über heidnische Kulte darstellen. Etwas weiter östlich steht das *Baptisterium* mit einem Taufbecken in Form eines Kreuzes. Danach folgen *Felsgräber*, zu sehen ist hier der Sarkophag des Bischofs Tarasis, des Gründers des Klosters, der hier 462 verstarb. Am eindrucksvollsten aber ist die *Hauptkirche* ganz im Osten der Terrasse. Ihre Grundmauern sind weitestgehend erhalten, es fehlt lediglich das Dach. Drei mit Akanthusreliefs geschmückte Portale führen ins Innere.

- *Anfahrt/Öffnungszeiten* Die Abzweigung zum Kloster ist von der Nationalstraße 715 Mut-Karaman ausgeschildert. Wer mit dem Karaman-**Bus** aus Silifke anreist und an der Abzweigung aussteigt, muss sich auf den längsten und heißesten Zwei-Kilo-

Diokaisarea, eine der vielen Ausgrabungsstätten rund um Silifke

meter-Marsch seines Lebens gefasst machen – in Serpentinen geht es steil bergauf. Decken Sie sich auf jeden Fall mit Getränken ein (gibt es an der Abzweigung zu kaufen). Über dem Parkplatz laden Picknickbänke auf eine Pause ein. Stets zugänglich. Wenn der Ticketverkäufer da ist, zahlen Sie 0,60 € Eintritt, erm. die Hälfte.

Sie fahren weiter Richtung Kappadokien? Routenvorschläge finden Sie ab S. 650.

Diokaisarea/Olba (antike Stätten)

Auf knapp 1.200 m Höhe liegt das Dorf Uzuncaburç inmitten der Ruinen des antiken Diokaisareas, einem einst heiligen Ort, in dessen Zentrum der Tempel des Zeus Olbios stand. Verwaltet wurde der heilige Bezirk von dem vier Kilometer östlich bei dem heutigen Dörfchen Ura gelegenen Olba. Bis zu dessen Integration in die römische Provinz Cilicia im Jahre 72 herrschte Olbas Priesterdynastie der Teukriden, deren Name auf den Wettergott Tarku zurück geht, auch über Teile der kilikischen Küste.

Zweigt man ca. 25 km nördlich von Silifke von der Straße in Richtung Kırobası nach Uzuncaburç ab, fällt nach kurzer Zeit das *Anıt Mezarı* in der rauen Berglandschaft ins Auge, ein 16 m hoher Grabturm der Teukriden (über einen Fußweg zu erreichen). Zwei Kilometer weiter erreicht man Uzuncaburç. Dort parkt man bei einem Café (serviert wird *Pekmez,* Traubensirup) vor fünf imposanten Säulen mit dekorativem Gebälk, die Reste eines *Prunktores* sind. Von hier führte eine Kolonnadenstraße zum *Tempel,* der der Stadtgöttin Tyche geweiht war und von dem ebenfalls noch fünf Granitsäulen stehen. Rechter Hand der Kolonnadenstraße lag das *Nymphäum,* linker Hand der vermutlich im 3. Jh. v. Chr. errichtete *Zeus-Olbios-Tempel*. Die Monumentalität dieser Kultstätte lassen die 30 noch heute in den Himmel ragenden Säulen erahnen. Auf dem Gelände des antiken Diokaisarea warten zudem noch ein *Theater*, das rund 3.000 Zuschauern Platz bot (südöstlich des Parkplatzes), und ein fünfstöckiger, über 20 m hoher *Wachturm* der nördlichen Stadtmauer auf ihre Entdeckung. Letzterer diente auch zur Aufbewahrung des Tempelschatzes und als Fluchtturm, und war schließlich Namensgeber der heutigen Siedlung (*uzunca burç* = langer Turm). Rund um die Stadt liegen mehrere *Nekropolen*. Im Altertum war es schick, sich nahe einem heiligen Ort bestatten zu lassen.

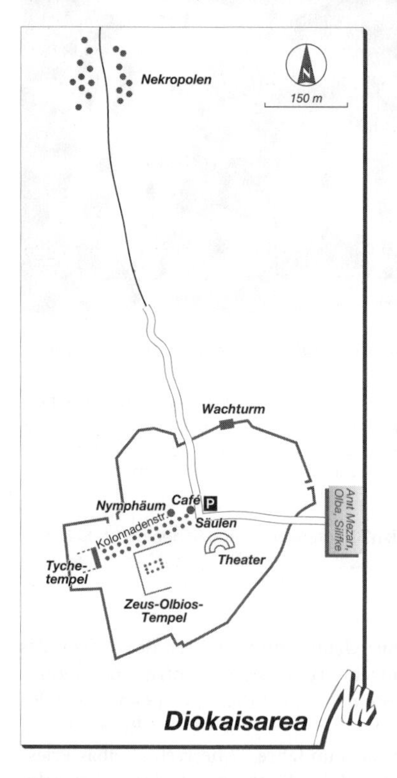

Von Uzuncaburç ist der Weg nach Ura bzw. zu den Ruinen der antiken Stadt Olba ausgeschildert. Dazu gehören u. a. die Reste eines *Nymphäums*, eines *Theaters*, einer *Klosteranlage* und mehrere *Felsnekropolen*. Am besten erhalten ist das *Aquädukt*, das ein Tal überbrückt und von der Straße zu sehen ist. Die Straße an den Ruinen vorbei führt übrigens ins neun Kilometer entfernte Dorf *Cambazlı*. Dort kann man neben mehreren *Grabtempeln* auch die *Alakilise* besichtigen, eine bis auf das Dach und den Narthex erhaltene, dreischiffige Basilika aus dem 6. Jh.

• Anfahrt/Öffnungszeiten Von Silifke ist Uzuncaburç 6-mal tägl. mit **Minibussen** (an Wochenenden nur 3-mal tägl.) zu erreichen. Beide Ausgrabungsstätten sind stets zugänglich. Diokaisarea kostet, sofern ein Wärter da ist, 1 € Eintritt, erm. die Hälfte. Olba ist kostenlos.

Zwischen Silifke und der Çukurova

Nachdem man das Göksü-Delta hinter sich gelassen hat und die Nationalstraße 400 wieder parallel zum Meer verläuft, wechseln Badeorte mit antiken Ausgrabungsstätten ab. Die Kette der internationalen Ferienzentren an der Südküste endet mit *Kızkalesi*. Der verlockende Dreiklang "Sonne, Strand und Meer" bietet von dort bis zur syrischen Grenze nicht mehr viel Überzeugendes – insbesondere die Strände lassen oft zu wünschen übrig. Je mehr der Taurus sich ins Hinterland verlagert und die kilikische Ebene sich auftut, desto verbauter wird die Küste. Erste Vorboten des türkischen Traums vom Apartment am Meer tauchen zwischen Atakent und Kumkuyu auf. Ab Çeşmeli, erleben

Sie, wie sich eine Küste verändern kann, wenn Millionen den gleichen Traum verwirklicht haben. Die nächsten 25 km bis Mersin wird das Ufer von einer geschlossenen Häuserfront gesäumt. Es dominieren zehnstöckige Apartmentbauten, die paar antiken Ruinen dazwischen sind nicht der Rede wert.

Atakent

16 km östlich von Silifke liegt die gesichtslose Retortensiedlung Atakent, eine beliebte Sommeradresse von Familien aus Konya, Karaman, Mersin und Adana. Die Küstenstraße trennt ihre Apartmentblocks von einem gepflegten Sandstrand. Ein wechselwarmes Bad verspricht ein Sprung in die östlich an Atakent grenzende Bucht *Yapraklı Esik*: zuoberst eine erfrischende, ca. 8°C kühle Süßwasserschicht, darunter das im Sommer bis zu 28°C warme Meerwasser. In der Gegend findet man noch weitere Buchten dieser Art.

Atakent liegt auf dem Boden des antiken *Korasion*, an das aber so gut wie nichts mehr erinnert. Der Ort bietet sich als Ausgangspunkt für Fahrten zu den ausgeschilderten antiken Stätten *Paslı* und *Mezgit Kalesi* an. Beide bieten Tempelgräber, *Mezgit Kalesi* sogar das größte Kilikiens, allzu imposant sollte man es sich aber trotzdem nicht vorstellen.

- *Verbindungen* Regelmäßige **Dolmuş**verbindungen von und nach Silifke.
- *Übernachten* ******Altın Orfoz Hotel**, in einer Bucht zwischen Atakent und Narlıkuyu direkt am Meer. Nobelste Unterkunft der Gegend. Gepflegte, vornehme Zimmer mit Klimaanlage. Schöner Außenbereich mit großem Pool und eigenem Strand davor. Lediglich die angrenzende, z. T. etwas heruntergekommene Ferienhaussiedlung trübt ein wenig das Bild. Hauseigene Tauchbasis. DZ mit HP 70 €. ✆ 0324/7224211, ℻ 7224215.

Türkische Riviera
Karte S. 478/479

Narlıkuyu und Cennet ve Cehennem

Rund 20 km östlich von Silifke, unterhalb der Nationalstraße 400, liegt die schöne Bucht Narlıkuyu. Sie wird von gemütlichen Fischrestaurants gesäumt – empfehlenswert ist das beliebte "Lagos". Zur Verdauung bietet sich ein Besuch des kleinen *Museums* nahebei an. Einziges Exponat ist ein hervorragend erhaltenes römisches Bodenmosaik aus dem 4. Jh. Es zeigt die unverhüllten Grazien Aglaia und Euphrosyne sowie die Muse Thalia. Das Mosaik ist das einzig erhaltene Relikt einer Bäderanlage, die sich in der Antike in der Bucht befand (in den Restaurants nach dem Wärter fragen, Eintritt 0,60 €).

Nördlich der Küstenstraße (ausgeschildert) befinden sich die seit der Antike bekannten Grotten *Cennet ve Cehennem (Himmel und Hölle)*. Erdmutter Gaia brachte hier Typhon zur Welt, ein hundertköpfiges, feuerspeiendes Ungeheuer, das einen langwierigen Kampf gegen Zeus antrat. Schließlich jagte der Göttervater das Ungetüm ins Meer vor Italien, packte eine Insel und beerdigte es darunter lebend. Die Insel wurde später als Sizilien bekannt und der Feueratem des unsterblichen Typhon zum Ätna.

Geologisch handelt es sich bei den "korykischen Grotten" um zwei Einsturzdolinen (*Obruks*). Ihre Entstehung erklärt sich durch einen unterirdischen Fluss, der im Karst ein Höhlensystem bildete, und dessen Decke irgendwann einstürzte.

Unmittelbar nördlich des Parkplatzes liegt der *Himmel (Cennet Çöküğü)*. Er ist begehbar. 290 Stufen führen in den 200 m langen Kessel mit paradiesischem

Baumbewuchs hinab. An viele Bäume sind Stoffreste gebunden, sie sollen Glück und Gesundheit bringen. Eine vermutlich aus dem 12. Jh. stammende Kapelle markiert am hinteren Ende der Doline den Eingang ins Innere der Erde. Noch rund 150 glitschigen Stufen geht es hinab, dann können Sie mit etwas Glück den unterirdischen Fluss rauschen hören. In trockenen Sommern allerdings herrscht Wassermangel – im Himmel wie auf Erden.

Keine 100 m weiter nördlich liegt die 128 m tiefe *Hölle (Cehennem Çukuru),* zu der ein Pfad führt. In der Antike galt das mehr oder weniger runde Loch von 50 m Durchmesser als der Eingang zum Hades. Der Abstieg in die Hölle ist hier selbst für den größten Sünder unmöglich – die senkrecht abfallenden Felswände lassen höchstens einen Sprung zu ...

Südlich des Parkplatzes sind noch die Reste eines *Zeusheiligtums* aus dem 3. Jh. v. Chr. zu sehen, das im 5. Jh. in eine Basilika umgebaut wurde. Vom Parkplatz ist zudem die 300 m weiter gelegene *Astım Mağarası* ("Asthmahöhle") ausgeschildert. Die Tropfsteinhöhle soll neben ästhetischen Qualitäten auch therapeutische besitzen. Normalerweise ist sie beleuchtet, bei Stromausfall wird mit Öllampen ausgeholfen.

• *Anfahrt/Öffnungszeiten* Lassen Sie sich vom **Bus** auf der Strecke Silifke–Kızkalesi bei der Abzweigung nach Narlıkuyu bzw. Cennet ve Cehennem absetzen. Zu den Höhlen sind es von dort noch ca. 2 km zu Fuß. Die Höhlen sind tägl. 9–17.30 Uhr zu besichtigen. Eintritt 0,60 €, die Asthmahöhle kostet 0,30 € extra.

Kızkalesi

Alles in einem: Landburg, Sandburg, Hotelhochburg und benannt nach der Seeburg Kızkalesi, der "Mädchenburg". Die malerische Inselfestung – weiße Mauern im blauen Wasser – liegt nur 100 m vom Strand entfernt.

Kızkalesi, neben den Ruinen des antiken *Korykos* (→ Sehenswertes) errichtet, ist eine Hochburg des türkischen Badetourismus. Es ist keine Stadt, mehr eine Ansammlung von Hotels, Pensionen und Apartmenthäusern, eine Art improvisiertes Klein-Rimini, in dem mehr geklotzt als gekleckert wurde. Flair besitzt Kızkalesi nur in der ersten Reihe – wer ein Zimmer mit Blick auf den feinen, sandburgfreundlichen Strand, das Meer und die malerische Seeburg hat, kann sich glücklich schätzen. Alle anderen beißen die Hunde: Der architektonische Sündenfall hinter dem im Sommer proppevollen Strand ist nur über-, aber kaum anschaubar. Das war noch anders, als 1983 der damalige Bundespräsident *Richard von Weizsäcker* in Kızkalesi drei Tage Urlaub machte – worauf man übrigens bis heute stolz ist.

Da mit Kızkalesi die Reihe der internationalen Ferienorte im Osten der türkischen Südküste endet, findet man hier ein recht illustres Publikum. Eine magische Anziehungskraft übt Kızkalesi auf schnauzbärtige Ostanatolier aus, die mit Röntgenaugen auf die Suche nach europäischen Sonnenanbeterinnen gehen. Zu ihnen gesellen sich die GIs des US-Luftwaffenstützpunktes İncirlik bei Adana (→ S. 581). Und wo GIs zugegen sind, gibt es auch *Nataschas* (Prostituierte aus ehemaligen Sowjetstaaten), die man hier *Yeşiller* ("Die Grünen") nennt, da sie sich angeblich nur in einer Währung bezahlen lassen. Unangenehm fällt diese Tatsache jedoch nicht ins Auge.

Baden vor sagenumwobener Kulisse

Verbindungen/Ausflüge/Sonstiges

• *Telefonvorwahl* 0324.

• *Verbindungen* Kızkalesi ist mit **Bussen** von Silifke und Mersin problemlos mind. alles 20 Min. zu erreichen, gehalten wird an der Durchgangsstraße.

• *Organisierte Touren/Autovermietung* Mehrere Veranstalter vor Ort. Empfehlenswert, seriös und deutschsprachig ist **Olcartur**, deren Trips über die **Nur Café Bar** (→ Übernachten/Essen & Trinken) am Strand zu buchen sind. Angeboten werden z. B. Tagestouren nach Mut und Alahan (30 €), in die Umgebung von Kızkalesi (25 €) oder 3-Tages-Touren zum Nemrut Dağı (160 €). Zudem Bootstrip zu den Buchten der Umgebung (13 € inkl. Essen), und Autoverleih (das billigste Fahrzeug ab 40 €). ✆/📠 5232128, www.olcartour.com.

• *Ärztliche Versorgung* Ein deutschsprachiger Arzt ist **Dr. Mustafa Doğaner**, im Zentrum gegenüber dem Rathaus *(Belediye)*. ✆ 5232855.

Keine Bank mit **EC-Automat** vor Ort!

• *Tauchen/Wassersport* Tauchmöglichkeiten bestehen über das Clubhotel Barbarossa (→ Übernachten), jedoch nur für erfahrene Taucher und nur am Wochenende. Jetski und Bananaboot am Strand.

Übernachten/Camping

Alle hier aufgeführten Unterkünfte liegen in erster Reihe am Meer mit Aussicht auf die nächtens malerisch beleuchtete Mädchenburg. Die Ausblicke von den Hotels und Pensionen ab der zweiten Reihe sind meist schon trostlos. Im Sommer empfiehlt sich ein Zimmer mit Klimaanlage. Ab Mitte September werden gute Rabatte angeboten.

***__Clubhotel Barbarossa,__ im Westen des Hauptstrandes. Komfortabelste Anlage (250 Betten) vor Ort. Gepflegt, großer Pool, Sauna, alle Zimmer mit Klimaanlage. DZ mit HP 60 €. ✆ 5232364, www.hotelbarbarossa.com.tr.

***__Kilikya Hotel__, ebenfalls im Westen. Fest in der Hand deutscher Pauschalurlauber. Schöner, palmenbestückten Garten mit Pool. Die Balkone der meisten Zimmer gehen leider nicht zur Meerseite, sondern zum Nachbarhotel. 63 schlichte, aber ordentliche, weiß möblierte Zimmer mit Klimaanlage. DZ mit HP 55 €, EZ 40 €. ✆ 5232115, www.kilikyahotel.com.tr.

Villa Nur, gegenüber der Mädchenburg im ehemaligen Sommerhaus einer reichen Mersiner Familie. Die empfehlenswerteste Adresse vor Ort, unter deutsch-türkischer Leitung, von Lesern hoch gelobt. Leider nur drei Zimmer (zwei davon mit Gemeinschaftsbad), dafür komfortabel eingerichtet, mit Meeresblick und Klimaanlage. Sehr sauber. Große Sonnenterrasse, tolles Frühstück (deutsche Wurst!) und gutes Restaurant (→ Essen und Trinken). 1a-Service und -Betreuung. Pro Person mit Frühstück 16 €, mit HP 22 €. ✆ 5232340, nurkafe@yahoo.com.

Hotel Hantur, neben der Villa Nur. 20 ordentliche Zimmer, alle mit Balkon. Freundlicher Wirt, der seine Gäste mit dem Motorboot zur Mädchenburg oder mit dem Auto zu den korykischen Grotten (→ S. 565) bringt. Auch im Winter geöffnet. DZ mit Dusche/WC 20 €, Frühstück inkl. ✆/℻ 5232367.

Nobel Motel, zwar nicht nobel, aber eine durchaus akzeptable Billigadresse am östlichen Ortsende nahe der Landburg. Direkt am Strand, näher geht es kaum mehr irgendwo. Schlichte, saubere Zimmer mit Steinböden. Nur Zimmer mit Balkon zur Meeresseite empfehlenswert – die nach hinten sind laut! Parkplätze vorm Haus, Strandrestaurant angeschlossen. DZ mit Frühstück 13 €. ✆ 5232075.

• *Camping* Beste Adresse der Gegend ist der **Mocamp Kervan**, 1 km östlich von Kızkalesi an der Straße nach Mersin (Einfahrt bei einer Tankstelle). Großes Gelände, das in Terrassen zum felsigen Strand hinunterführt. Strandbar, Restaurant. Professionell geführt und auf europäischem Niveau. Viel deutsches Publikum. Pro Zelt 7 €, pro Wohnmobil 9 €, die Anzahl der Personen ist egal. Zudem 30 Zimmer mit Bad, als DZ 18 €, als Dreier 21 €. In der Vor- und Nachsaison gute Preisnachlässe. ✆ 5232149, ℻ 2380425.

Essen & Trinken/Nachtleben

Paşa Restaurant, im Zentrum (kennt jeder). Seit Jahren ein Renner. Das Brot kommt so lang wie der Tisch auf den Tisch, bei türkischen Familien sind zwei Meter locker möglich. Internationales Publikum. Fisch- und Fleischküche, hervorragende Meze. Gute Stimmung und obendrein sehr faire Preise.

Nur Café Bar, das Restaurant der Villa Nur (→ Übernachten). Lauschiges Gärtchen unter Palmen direkt am Strand, in dem hervorragende türkische und internationale Küche kredenzt wird: Es gibt alles zwischen Spaghetti mit Tomatensoße, Kalbsgeschnetzeltem und türkischer Hausmannskost, auf Wunsch auch Fisch. Hauptgerichte 3–6 €. Von Lesern empfohlen.

Honey Restaurant bei Kathrin, beliebter abendlicher Treffpunkt deutscher Urlauber. Das Bier kostet nur 1,80 € und ist damit mit das billigste vor Ort. Türkische und internationale Standardgerichte. Im Zentrum nahe dem Restaurant Paşa.

Tipp – zum Fischessen nach Narlıkuyu (→ S. 561). Die schön gelegenen Restaurants der Bucht verstehen sich aufs Kochen, Grillen und Brutzeln. Rechnen Sie für ein gutes Abendessen mit 10 €. Ein Taxi kostet ab Kızkalesi ca. 4 €.

• *Nachtleben* Das **Dream Café** am Strand fällt vor allem durch seine Phonstärke auf. Nebenan, in der **Botanic Turkish Turtles**, schlagen sich in erster Linie amerikanische GIs die Nächte um die Ohren. Angesagt ist zudem die **Diskothek Oxyd** nahe dem Hotel Admiral.

Sehenswertes rund um Kızkalesi

Korykos: Über das antike Korykos ist wenig bekannt, zumal es kaum erforscht und ausgegraben ist. Gegründet wurde die Stadt laut Herodot von einem gleichnamigen zypriotischen Prinzen. Anderen Theorien zufolge leitet sich der Name des Ortes von dem einstigen Hauptanbauprodukt der Gegend, dem

Safran (griech. *krokos*), ab. Auf jeden Fall war Korykos von der hellenistischen bis weit über die byzantinische Zeit hinaus eine der bedeutendsten Städte des östlichen Kilikiens.

Die meisten Überreste der antiken Stadt schließen sich im Osten an Kızkalesi an. Unübersehbar, direkt am Meer, steht dort die *Landburg*, die früher landeinwärts von einem Wassergraben umgeben war und den heute verlandeten Hafen schützte (tägl. 8–17 Uhr, Eintritt 0,60 €). Im 11. und 13. Jh. wurden ihre Mauern verstärkt, insbesondere mit der antiken Bausubstanz von Korykos. So lassen sich in der Nordwand beispielsweise Altarsteine und Säulentrommeln finden. Im Inneren der Burg sind lediglich Reste von Zisternen und dreier Kapellen zu entdecken.

Gegenüber liegt die sagenumwobene *Seeburg*, früher trockenen Fußes über eine Mole von der Landburg zu erreichen. Heute müssen Sie die 100 m hinüberschwimmen, ein Tretboot mieten oder sich für einen Obolus übersetzen lassen. Die achttürmige Festung diente ebenfalls zum Schutz des Hafens. Bei Restaurierungsarbeiten im Oktober 2001 wurden auf der Insel übrigens mehr als ein Dutzend Skelette entdeckt. Untersuchungen der Knochenreste lassen auf ein Gewaltverbrechen vor rund 45 Jahren hindeuten – das nach türkischem Recht heute verjährt ist. Es gibt auch eine Legende zur Entstehungsgeschichte der Mädchenburg: Demnach wurde einem Sultan einst prophezeit, dass seine Tochter jung an einem Schlangenbiss sterben werde. Aus Angst errichtete er die Wasserburg, wo sein Kind fernab aller Schlangen aufwachsen sollte. Doch Pustekuchen – eine in einem Obstkorb auf die Insel geschickte Natter erfüllte die Weissagung. Die Legende hört man übrigens in der Türkei fast überall, wo es eine kleine Insel mit einem Turm bzw. einer Burg darauf gibt.

Die Ruinen des Stadtgebiets erstrecken sich östlich der Landburg, im Gestrüpp rechts und links der Ausfallstraße nach Mersin. Auf das weitläufige Gelände verirrt sich selten jemand. Am beeindruckendsten ist die große *Nekropole* mit Sarkophagen und Felsengräbern, dazwischen findet man byzantinische *Kirchenreste*.

Adamkayalar: Rund 7 km nördlich von Kızkalesi liegen die "Menschenfelsen" – hervorragend erhaltene, römische Felsreliefs aus dem 1. Jh. in einer fast senkrechten Felswand am Rande des reizvollen *Şeytan Deresi* ("Teufelstal"). Sie stellen Frauen und Männer dar, teilweise als Krieger – keine Szene gleicht der anderen. Die Felsen zeigen sich am Vormittag in ihrem schönsten Licht. Für den lohnenswerten und abenteuerlichen Ausflug sollten Sie trittsicher und schwindelfrei sein, ein Führer empfiehlt sich.

• *Anfahrt* Der Weg nach **Adamkayalar** ist von der Nationalstraße 400 in Kızkalesi (bei der einzigen Moschee) ausgeschildert. Dabei folgt man der Straße nach Hüseyinler. Nach ca. 5 km geht es links ab (Hinweisschild, wer keinen Jeep hat, sucht sich hier am besten einen Parkplatz). Nach weiteren ca. 1,5 km erreicht man antike Ruinen. Von dort führt ein rot markierter Pfad in die Schlucht. Bis zu den Reliefs noch ca. 30 Min. Gehen Sie nicht alleine!

Ayaş/Elaiussa-Sebaste

Rund fünf Kilometer trennen Kızkalesi von Ayaş. Auf dem Weg dahin passiert man zahlreiche Grabbauten, daher wird dieser Abschnitt der Küstenstraße auch *Via Sacra*, "Heilige Straße", genannt. Ayaş selbst präsentiert sich als eine weit verstreute Feriensiedlung mit mehreren kleinen Stränden und erstreckt sich auf dem Boden der antiken Stadt Elaiussa-Sebaste. Vor rund 2.000 Jahren, als der hiesige Küstenverlauf noch anders aussah, lagen mehrere Bauten der antiken Stadt auf einer Insel 100 m abseits der Küste, die heute mit dem Festland verbunden ist. Viele Ruinen sind noch immer unter Sanddünen begraben. Die italienische Universita degli studi di Roma Laspenzia ist bemüht, diesen Sachverhalt zu ändern. Im Trümmerfeld im Westen von Ayaş kamen u. a. bereits ein *Theater*, mehrere *Tempelanlagen*, *Stadtmauerteile*, Überreste eines *Aquädukts*, *Nekropolen* und eine byzantinische *Basilika* ans Tageslicht. Ein Infoplan am Straßenrand erklärt, was Sie wo entdecken können. Die Ruinen sind stets zugänglich und kosten keinen Eintritt.

Verbindungen Alle **Busse** auf der Strecke Kızkalesi-Mersin passieren Ayaş.

Kanlıdivane (antike Stätte)

Von Ayaş zweigt eine drei Kilometer lange, z. T. mit Sarkophagen gesäumte Straße landeinwärts nach Kanlıdivane ab, dem antiken *Kanytelleis*. Die wildromantische Ruinenstätte mit überwucherten Mauerresten gruppiert sich um eine 60 m tiefe, fußballplatzgroße Doline. Im 2. Jh. gehörte der Ort zum Priesterstaat Olba-Diokaisareia (→ S. 559), im 11. Jh. wurde er vermutlich aufgegeben. Der Parkplatz liegt vor einem noch 17 m hohen, einst dreistöckigen *Wehr- und Wohnturm* mit polygonalem Mauerwerk. Weiter östlich stehen die Reste einer *Basilika*, ein Zwillingsfenster in der Apsis ist noch erhalten. Spaziert man am Rand der Doline weiter, kann man auf der Südseite ihrer Abbruchkante ein Felsrelief mit sechs Personen erkennen. Es stellt die Familie Armaronxas dar – welche Stellung diese je besaß, weiß man allerdings nicht. Auf der Nordseite der Doline fallen die imposanten Reste einer einst dreischiffigen *Basilika* ins Auge. Nur die Südwand, das Dach und ein Teil des Narthex ist eingestürzt. Sie ist die jüngste der Basiliken von Kanytelleis, die alle im 5. oder 6. Jh. erbaut wurden. Nach ihrem Stifter (von dem eine Inschrift am Haupttor berichtet) wird sie auch *Papylos-Kirche* genannt. Von ihr führte einst ein Tunnel ins Innere der Doline. Rund um den Ort lassen sich zudem mehrere *Nekropolen* erkunden.

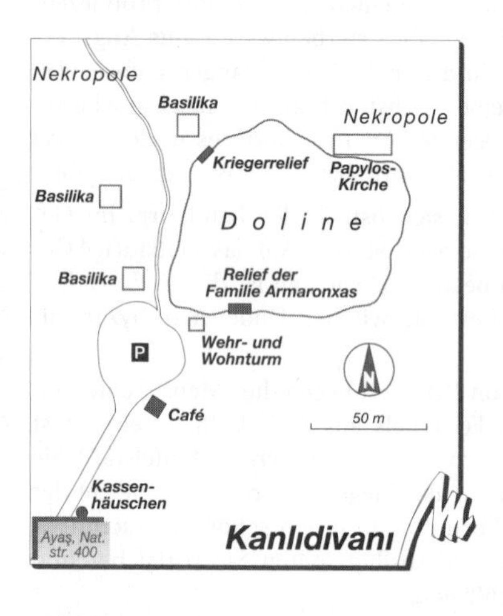

Verbindungen/Öffnungszeiten Ohne eigenes Fahrzeug muss man die 3 km von Ayaş zu Fuß zurücklegen. Tägl. 8–18 Uhr. Eintritt 0,60 €, erm. die Hälfte.

Klassenfoto vor der Kurtkulağı-Karawanserei

Die Çukurova

Auf den ersten Blick hat die in der Hitze dampfende Schwemmlandebene wenig zu bieten. Wer auf der Durchreise ist, kann in der Çukurova jedoch ein bisschen Großstadtluft schnuppern oder für einen Nachmittag Burgherr spielen.

Die Çukurova, auch Kilikische Ebene genannt, erstreckt sich von Mersin bis Ceyhan. Die fruchtbare Schwemmlandebene wird geprägt von weiten Baumwollfeldern und boomenden Industriestädten – sollte die Entwicklung der letzten Jahre anhalten, bilden Mersin, Tarsus und Adana irgendwann ein einziges Häusermeer. Es ist noch kein Jahrhundert her, da war die Gegend dünn besiedelt und in erster Linie Überwinterungsplatz von Nomaden, die die Sommermonate in den Bergen des Taurus verbrachten. Denn bis in jüngere Zeit war die Çukurova Brutstätte der Malariafliege. Erst mit der Trockenlegung der Sümpfe änderte sich dies. Heute sind nur noch wenige Malariafälle bekannt. Das Tropeninstitut München bezeichnet das Risiko als minimal, die Bewässerungskanäle durch die Baumwollplantagen werden überwacht.

Abseits der Industriezentren und der Autobahn, die die Schwemmlandebene im Norden begrenzt, kann man einige Burgen und antike Ruinenstätten entdecken. Gute Bademöglichkeiten findet man bei *Yumurtalık*. In vielen Dörfern der Çukurova wird übrigens Arabisch gesprochen. Ihre Einwohner sind Abkömmlinge der im 18. Jh. aus Nordsyrien eingewanderter Bauern und gehören der alawitischen Glaubensrichtung an.

Çukurova – die Highlights

Anavarza: Pflücken Sie Sonnenblumen vor der Traumkulisse dieser armenischen Zitadelle oder steigen Sie auf den Burgberg – er verspricht tolle Aussichten.

Karatepe-Nationalpark: Das beliebte Naherholungsgebiet nordöstlich der Çukurova wird von Kiefern- und Eichenwäldern beherrscht. Hier kann man nicht nur spazieren gehen und picknicken, sondern auch eine hethitische Burganlage besichtigen.

Mersin (İçel)

(ca. 1 Mio. Einwohner)

Mersin ist eine wohlhabende Provinzhauptstadt mit schnurgeraden Boulevards und dem nach İstanbul und İzmir drittgrößten Hafen des Landes. Vor einigen Jahren wurde die Stadt in İçel umbenannt – eine Tatsache, die nahezu alle Türken ignorieren.

Mersin ist eine junge Großstadt, noch 1890 zählte man lediglich 9.000 Einwohner. Ihr rapider Aufstieg ging mit dem Ausbau ihres Hafens einher. Dieser wurde ab dem Beginn des 20. Jh. mehrmals erweitert, um die landwirtschaftlichen Produkte der Umgebung, insbesondere Zitrusfrüchte, Bananen und Baumwolle, verschiffen zu können. In den späten 1980ern erklärte man das Hafengebiet zur größten Freihandelszone der Türkei – heute wird auf einem Terrain von 77,6 ha ein Handelsvolumen von rund 1,5 Milliarden US-Dollar umgesetzt. Seitdem ist Mersin eine Boomtown. Planlos und ungehemmt wurde und wird noch immer gebaut und gebaut, die Stadt wuchert nach allen Seiten. An der Straße Richtung Silifke schießen moderne Vorstädte aus dem Boden. Und weit hinter der Küste zimmerte sich ein neues Subproletariat schiefe, ärmliche Behausungen zwischen Raffinerien, Textil- und Düngemittelfabriken. Es sind zum Großteil Kurden, die ihr altes Elend oft nur gegen ein neues vertauscht haben.

Doch ein Zwischenstopp in der Metropole Mersin bringt einem die Türkei näher als jeder Badeort der Südküste. Das Zentrum ist überaus lebendig und modern, auch wenn es mehr vor architektonischer Ein- als Vielfalt sprüht. Alte Bausubstanz ist rar, nur wenige schöne Stadthäuser aus dem 19. Jh. wurden vor dem Abriss bewahrt. Ein 46-stöckiges Nobelhotel, die Dominante in der Silhouette der Stadt, überragt das Zentrum. Dessen Bar unterm Dach ist die Sundowner-Adresse schlechthin. Ein weiteres Wahrzeichen ist die *Ulu Cami*, eine ultramoderne Moschee am Uferboulevard. Dazwischen laden palmengesäumte Fußgängerzonen mit vielen schicken Geschäften und Lokalen zum Bummeln ein. Besuchenswert ist der zentrale *Fischmarkt* und der golfplatzmäßig begrünte *Atatürk Parkı* am Meer. Am Abend lohnt auch ein Abstecher in den "Antikhan", eine alte Karawanserei mit vielen Kneipen (→ Nachtleben).

Kulturhistorisches hat Mersin nur wenig zu bieten, auch wenn die Gegend, wie Grabungen am drei Kilometer westlich gelegenen Hügel *Yümüktepe* bewiesen, seit 8.000 Jahren besiedelt ist. An die Antike erinnern ein paar Säulen des griechischen *Soloi*. Sie liegen in dem zur Trabantenstadt mutierten *Viranşehir* 12 km südwestlich und lohnen – wie auch *Yümüktepe* – nicht den Weg. Auch die zwei Museen an der Atatürk Caddesi, das *Atatürk Evi* (Eintritt

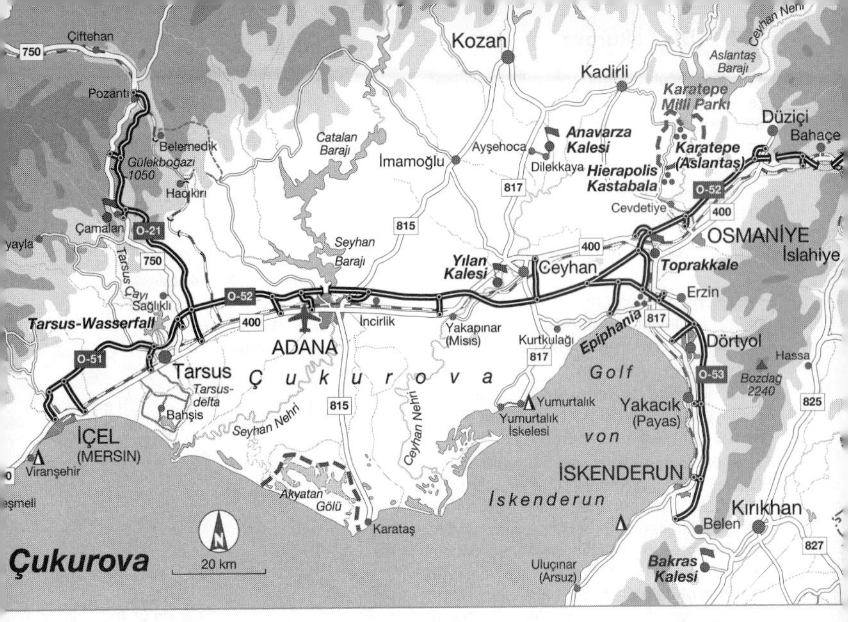

0,30 €) und das einen Steinwurf entfernte *Archäologische Museum* (Eintritt 0,60 €), beherbergen keine Sensationen. Erstes zeigt wie alle Atatürk-Museen der Türkei ein paar Erinnerungsstücke an den Staatsgründer, Letzteres Funde aus der Umgebung, insbesondere aus römischer Zeit. Beide Museen sind täglich (außer montags) zwischen 9 und 16.30 Uhr geöffnet. Übrigens kann man in Mersin auch in die Kirche gehen. In der römisch-katholischen *Sent Antuan Kilisesi* an der Uray Caddesi werden jeden Sonntag um 8.30 Uhr und 10 Uhr Messen abgehalten, zudem werktags um 18 Uhr.

Information/Verbindungen/Parken

- *Telefonvorwahl* 0324.
- *Information* am Hafen (İsmet İnönü Bul. 5/1), etwas ab vom Schuss in einem großen ockerfarbenen Gebäude. Ausgesprochen freundlich und kompetent. Deutschsprachig. Mo–Fr 8–12 und 13–17.30 Uhr. ✆ 2383270, 📠 2383273.
- *Verbindungen* **Bus/Dolmuş**: Der Busbahnhof liegt ca. 15 Fußminuten östlich des Zentrums. Von dort gute Verbindungen in alle Landesteile, nach Taşucu (90 Min.), Antalya (11 Std.), Anamur 5 (Std.), Alanya (9 Std.), Konya (6 Std.). Nach Kappadokien ein Bus am Abend (6–7 Std.). Stadtbusverbindungen zwischen Busbahnhof und Bahnhof sowie zwischen Busbahnhof und Zentrum. Die Dolmuşe nach Tarsus starten am Busbahnhof.

Zug: Vom kleinen Sackbahnhof nördlich der Tourist Information mehrmals tägl. Züge über Tarsus nach Adana, Ceyhan und İskenderun. Information und Reservierung unter ✆ 2311267.

Schiff: 3-mal wöchentl. Fährverbindungen nach Zypern (Famagusta), Ablegestelle bei der Tourist Information. Einfache Fahrt 25 € pro Person, Auto 50 €. Dauer ca. 10 Std. Bessere Verbindungen ab Taşucu (→ S. 551). Der Kauf des Tickets muss einen Tag im Voraus erfolgen. Büro der **Turkish Maritime Lines** am Hafen, ✆ 2339858.

> Nähere Informationen über Nordzypern und seine schönsten Ecken finden Sie ab S. 532.

• *Parken* Mehrere gebührenpflichtige Plätze an der Uray Cad, jedoch nur tagsüber geöffnet. Über Nacht stellt man sein Auto am besten in die Tiefgarage *(Kapalı Otopark)* unter dem Uluçarşı-Platz bei der unübersehbaren Ulu Cami, Einfahrt vom İsmet İnönü Bul.

Adressen/Baden/Veranstaltungen

• *Ärztliche Versorgung* Staatliches Krankenhaus **Devlet Hastanesi** nördlich des Zentrums an der Kuvayi Milliye Cad. ✆ 3363950.

• *Autoverleih* **Avis**, İsmet İnönü Bul. 100, ✆ 2377468. Das billigste Auto ab ca. 50 €. Preiswerter ist der lokale Verleiher **Flash Rent a Car** gleich daneben.

• *Baden* Durch Hafen und Industrie ist das Wasser rund um Mersin stark verschmutzt. Dennoch wird gebadet, Fälle von Infektionskrankheiten sind bekannt. Erst rund 50 km westlich von Mersin ist Baden wieder problemlos möglich. Als Alternative bietet sich der **Mersin Club** an, nahe dem Hilton westlich des Zentrums an der Uferstraße. Der Aquapark bietet Pools, Rutschen etc. Eintritt ca. 6 €.

• *Geld* **T.C. Ziraat Bankası** mit Automat neben dem Mersin Oteli in einer Querstraße zum İsmet İnönü Bul.

• *Polizei* nahe der Tourist Information. ✆ 2374028.

• *Post* zentral am İsmet İnönü Bul.

• *Veranstaltungen* Großes **Kultur- und Kunstfestival** alljährlich Ende Sept. Im Oktober 2002 fand erstmals ein **Internationales Musikfestival** statt (u. a. beteiligte sich auch eine Donkosaken-Gruppe) – mal sehen, was daraus wird.

• *Zeitungen* SZ und FAZ mit einem Tag Verspätung bekommt man in dem kleinen Schreibwarenladen **Levent Kırtasiye** in der İstiklal Cad. 41/A.

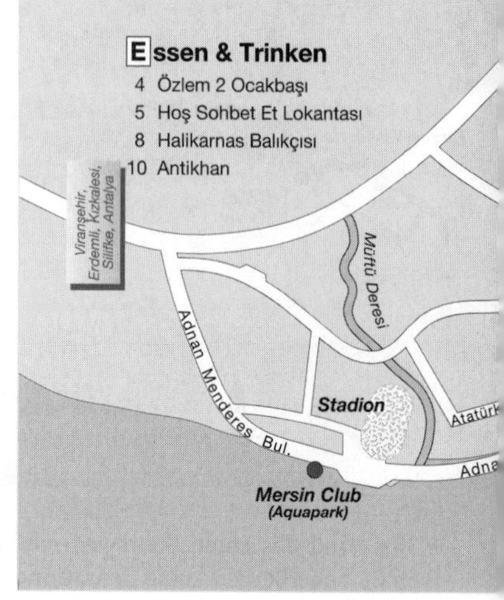

Übernachten

Mersin ist ein relativ teures Pflaster, meist nächtigen hier türkische Spesenritter. Hotels der oberen und mittleren Klasse im Zentrum, der unteren Klasse um den Busbahnhof. Im Sommer empfiehlt es sich, ein Zimmer mit Klimaanlage zu buchen.

*****__Taksim International (1)__, eine Dominante im Zentrum, nahezu ein Wahrzeichen der Stadt. 46 Stockwerke hoch, im obersten eine Bar. Viel Luxus, wenn auch nicht ganz so viel wie im "Hilton", das jedoch etwas außerhalb im Westen der Stadt liegt. Dafür auch etwas preiswerter: DZ 120 €, EZ 90 €. Kuvayi Milliye Cad. 107, ✆ 3361010, ✆ 3360722.

****__Mersin Oteli (7)__, in erster Reihe – viele Zimmer mit Meeresblick! Relativ in die Jahre gekommenes Haus, Komfort mit Falten und Flecken, dennoch okay. DZ 45 € inkl. Frühstück. Gümrük Meydanı, ✆ 2381940, www.mersinhotel.com.

***__Nobel Hotel (3)__, für gehobenere Ansprüche, aber nicht ganz so nobel, wie der Name verspricht. Alle Zimmer mit TV, Bad/WC, Telefon und Klimaanlage. DZ ca. 35 €. İstiklal Cad. 101, ✆ 2372210, ✆ 2313023.

**__Hotel Gökhan (6)__, unspektakuläres Zwei-Sterne-Haus mit 28 ordentlichen, sauberen Zimmern samt sterneüblichem Komfort. Schöne Bäder. Eigene Parkplätze und American Bar. DZ mit Frühstück 24 €. Soğuksu Cad. 20, ✆ 2314665, ✆ 2374462.

Hayat Oteli (2), geräumige, saubere Zimmer, einige davon etwas laut (Hörprobe!). DZ mit Dusche/WC ca. 15 €, Frühstück

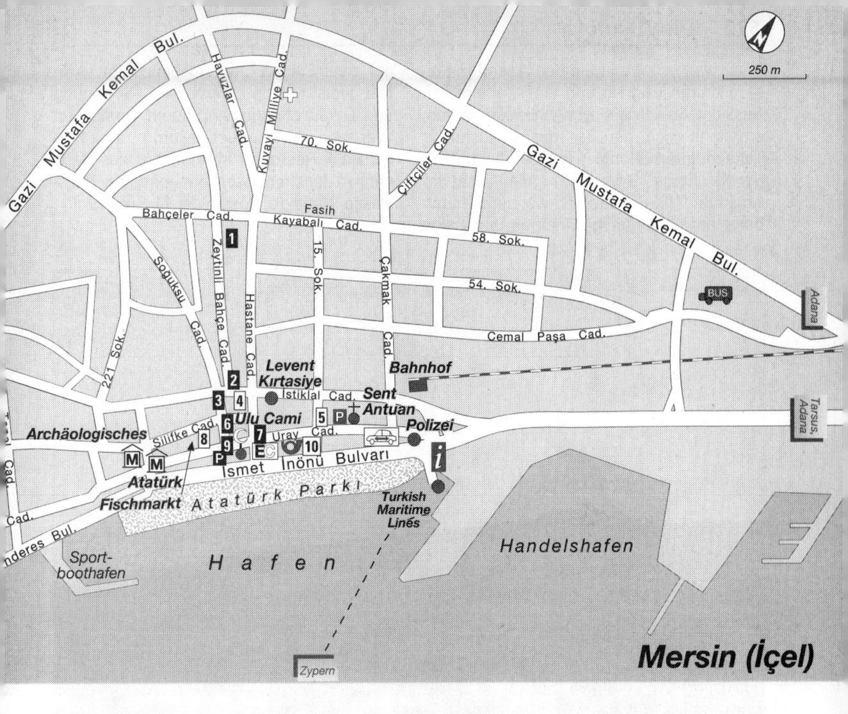

extra. İstiklal Cad. 88, ✆ 2311076.

Hitit Hotel (9), untere, abgewetzte Mittelklasse, aber sauber und mit freundlichem Service. 20 Zimmer. DZ mit Du/WC, Klimaanlage, TV und 70er-Jahre-Mobiliar 12 € ohne Frühstück, als EZ 6 €. Soğuksu Cad.12, ✆ 2316431. Auf ähnlichem Niveau ist das benachbarte, preisgleiche **Hotel Savran**.

• *Camping* **Taşkıran Eğlence Tesisleri**, der nächstgelegene Campingplatz, 12 km südwestlich in Viranşehir nahe den Ruinen von Soloi und direkt am Meer. Eher etwas für den Notfall. Campen für 2 Pers. ca. 4 €. Besser noch 30 km weiterfahren: Der **Talat Göktepe Çamlığı Camping** im Westen von Erdemli bietet schattige Plätze auf kiefernbewachsenen Sanddünen. Im Sommer jedoch proppenvoll mit türkischen Familien, die mit ihrem halben Hausrat hierher ziehen. Ähnliche Preise. ✆ 3586576.

Essen & Trinken/Nachtleben

Lokale Spezialitäten sind *Cezire*, eine um geschälte Walnüsse gewickelte, feste Möhrenmasse, sowie *Biberli Ekmek*, eine Art Minipizza, die mit einer scharfen Paprikasoße bestrichen wird.

Hoş Sohbet Et Lokantası (5), gute Adresse für ein stilvolles und dennoch günstiges Abendessen. Mit Geschmack eingerichtetes, dezentes Lokal mit leicht rustikal angehauchtem Mobiliar. Spezialität des Hauses ist neben verschiedenen, ausgefallenen Pidekreationen *Tandır Kebap*, die Portion zu 2 €. Uray Cad. 34.

Özlem 2 Ocakbaşı (4), zweigeschossige, angenehme Lokanta mit großer Auswahl: leckere Meze, Pide, Topfgerichte und Fleischspieße. Günstig. İstiklal Cad.

Halikarnas Balıkçısı (8), empfehlenswert unter den populären, billigen Fischlokalen rund um den Fischmarkt. Leckerer gebratener Fisch und rühriger Service, dem immer eine Überraschung einfällt – dazu gehört auch ein kleiner Touriaufschlag, den man augenzwinkernd hinnehmen kann. Ein Fischessen mit allem Drum und Dran, Kaffee und einem Bier sollte nicht mehr als 3,50 € kosten. Eski Hal İçi 5.

• *Nachtleben* Wenn Sie den Abend mit einem teuren Cognac und einer fabelhaften Aussicht über Mersin beschließen wollen, empfiehlt sich die Bar des Luxushotels **Taksim International** (→ Übernachten) in der 46. Etage. Billiger wird die Nacht im **Antikhan (10)**. Die alte Karawanserei beherbergt unzählige lustige Kneipen und Cafés auf zwei Etagen. Jeden Abend gibt es in fast jeder Kneipe Livemusik – Stimmung und Geräuschpegel sind somit vorstellbar. Wer auch noch Hunger bekommt: Das **Piknik Balık Restorant** im Innenhof des Hans serviert frischen Fisch der mittleren Preisklasse. Nahe der Post in der 13. Sok. 23.

Hirtenidylle im Hinterland von Tarsus

Tarsus

(160.000 Einwohner)

Tarsus ist Ziel von Glaubenstouristen aus aller Welt und fest mit dem Namen des Apostels Paulus verbunden, der hier das Licht der Welt erblickt haben soll. Weniger Fromme zeigen sich von den hiesigen Sehenswürdigkeiten jedoch meist enttäuscht.

Die rege Industriestadt Tarsus erstreckt sich 27 km östlich von Mersin und ist durch ein weites Delta von der Küste getrennt. Auch wenn es im Zentrum noch einige schöne, fast biblische Ecken gibt, so liegen sie doch im Schatten gesichtsloser Neubauten. Das Gleiche gilt für die wenigen Relikte, die an die 3.000-jährige Vergangenheit der einst wichtigsten Stadt der Çukurova erinnern. Tarsus, das nie seinen Namen änderte, besaß aufgrund seiner Lage zu Fuße der "Kilikischen Pforte" (→ S. 654) – der 1.050 m hohe Pass galt im Altertum als wichtigste Taurusüberquerung – eine immense strategische Bedeutung. In der Antike war die Stadt zudem durch den damals noch schiffbaren Tarsus-Fluss (der antike *Kydnos*) mit dem Meer verbunden. Die Geburt jenes Mannes, der vom Christenhasser zum Apostel aufstieg, soll sich im Jahre 10 hier zugetragen haben. Fünf Jahrzehnte zuvor nahm eine weltberühmte Liebesgeschichte in Tarsus ihren Anfang (→ Kasten). Durch Verlandung des Hafens verlor Tarsus nach und nach an Bedeutung, bis es in jüngster Zeit von Mersin und Adana als neuen Zentren der Schwemmlandebene abgelöst wurde.

Kleopatra und Mark Anton

"Sie kam den Kydnos herauf in einer Galeere mit vergoldetem Heck. Die Ruderstangen bewegten sich zum Klang von Flöten, Pfeifen und Harfen. Die Königin, nach Art der Aphrodite sich kleidend und gehabend, lag hingestreckt auf einer mit Goldbrokat überzogenen Liege wie auf einem Bild, und rings um sie standen als Amoren aufgemachte hübsche Knaben und fächelten ihr zu. Wolken duftender Essenzen trieben vom Schiff her aufs Land, wo am Ufer sich tausende von Schaulustigen versammelt hatten." Das von Plutarch (46–125) später niedergeschriebene Ereignis aus dem Jahre 41 v. Chr. war die erste Begegnung des römischen Imperators Mark Anton mit der ptolemäischen Königin Kleopatra. Es war zugleich der Auftakt einer Liebe, auf den vier Jahre später die Heirat folgte. Doch das Liebesglück sollte nicht lange währen. Mark Antons politischer Widersacher Oktavian, der spätere Kaiser August, trieb das Paar mit der Einnahme Alexandrias am 3. August des Jahres 30 v. Chr. in den Freitod. Ganz nebenbei: Münzbilder mit dem Porträt Kleopatras zeigen, dass diese gar keine besonders schöne Frau gewesen war. Ihr Ruhm begründete sich außer auf ihrem Charme und Geist vor allem auf ihrem vorherigen Verhältnis mit Cäsar.
An Kleoptras Tarsusvisite soll heute das *Kleopatra Kapısı* erinnern, ein acht Meter hohes Tor, das man (von Westen kommend) auf dem Weg ins Zentrum passiert. Kleopatra durchschritt es jedoch niemals, es entstand erst Jahrhunderte später.

• *Verbindungen* mit dem **Bus** bzw. **Dolmuş** bestehen alle 10–15 Min. nach Adana und Mersin. **Zug**verbindungen ebenfalls nach Adana und Mersin.

• *Übernachten* Bestes Hotel vor Ort ist das ****Tarsus Mersin Oteli**, ein etwas in die Jahre gekommener Kasten mit relativ viel Komfort, aber wenig Stil. Am Wasserfall. Da häufig Zimmer leer stehen, gute Rabatte – das DZ mit Frühstück sollte nicht mehr als 45 € kosten, das EZ 30 €. ✆ 0324/6140600, 📠 6140033. "Beste" Billigabsteige im Zentrum ist das **Hotel Zorbaz**, an der Hauptstraße unübersehbar. Lassen Sie sich ggf. neue Bettwäsche geben. DZ ohne Frühstück 11 €, EZ 6 €. ✆ 0324/6222166, 📠 6246172.

• *Essen & Trinken* Gemütliche **Forellenlokale** findet man am Wasserfall (s. u.).

Sehenswertes

Museum: Das neu eingerichtete Museum ist türkeitypisch in eine *archäologische* und eine *ethnographische Abteilung* gegliedert. Während Letztere vorrangig mit den üblichen Kelims aufwartet, ist die archäologische Abteilung recht interessant. Präsentiert werden Funde aus der Umgebung wie z. B. Terrakottasarkophage aus dem 4. Jh. v. Chr., Münzen, Büsten und Torsi aus dem 3. bis 1. Jh. v. Chr. sowie osmanische Grabstelen. Zudem informiert das Museum über Grabungsarbeiten in Tarsus und Umgebung.

Adresse/Öffnungszeiten Das Museum befindet sich im Kulturzentrum *(Kültür Merkezi)* außerhalb des Zentrums, bei der Einfahrt in den Ort ausgeschildert. Tägl. (außer Mo) 9–12 Uhr und 13–16.30 Uhr. Eintritt 0,60 €, erm. die Hälfte.

St.-Paul-Brunnen (Senpol Kuyusu): So wenig das Kleopatrator mit Kleopatra zu tun hat, so wenig hat vermutlich auch dieser antike Ziehbrunnen mit dem Hl. Paulus zu tun. Ob daneben jemals sein Geburtshaus stand, lässt sich heute nicht mehr nachvollziehen. Und ob Paulus jemals aus dem Brunnen trank, auch nicht. Wer jedoch noch nie in seinem Leben einen Brunnen gesehen haben sollte, hat hier auf jeden Fall beste Gelegenheit dazu, einen Klassiker zu bestaunen: Zu sehen gibt es eine Eisenkette mit Eimer, den man durch Drehen an einem Kutschrad aus einem Wasserloch zieht. Das Wasser im Brunnenloch soll Wunder wirken. Drum herum stehen ein paar schön restaurierte, osmanische Häuser.

Anfahrt/Öffnungszeiten Von der Hauptstraße mit "Senpol Kuyusu" und "Saint Paulus" ausgeschildert. Tägl. 8.30–17.30 Uhr. Eintritt 0,60 €, erm. die Hälfte.

Antik Şehir: Die"Antike Stadt" – etwas hochgegriffen – bezieht sich auf das ausgeschilderte Ausgrabungsgelände am zentralen Cumhuriyet Meydanı. Ein Team der Selçuk-Universität entdeckte hier Reste einer römischen Straße. Das Gelände ist umzäunt und war zum Zeitpunkt der Recherche wegen fortlaufender Grabungsarbeiten nur von außen zu besichtigen.

Eine weitere römische Pflasterstraße von rund drei Kilometer Länge können Sie übrigens ca. 18 km nördlich von Tarsus nahe dem Dorf Sağlıklı besichtigen. Die einstige "Zufahrtsstraße" in die Stadt schmückt ein kleiner Torbogen (von der Nationalstraße 750 auf dem Weg nach Pozantı mit "Roma Yolu" ausgeschildert, von der Abzweigung noch ca. 3 km).

Ulu Cami und Eski Cami: Die zentral gelegenen, kaum zu verfehlenden Gebetsstätten sind die sehenswertesten Moscheen der Stadt. Bei beiden handelt es sich um ursprünglich armenische Kirchen (→ Kasten, S. 584), die nach dem Eroberungszug der muslimischen Mameluken (1359) in Moscheen verwandelt wurden. Die *Ulu Cami (Große Moschee)* weist syrischen Einfluss auf und wurde im 19. Jh. mit einem atypischen Uhrturm versehen. Gleich nebenan findet man den sog. *Vierziglöffel-Markt (Kırkkaşık Çarşısı)*, ein osmanisches Gebäude mit hübschen kleinen Lädchen. Die *Eski Cami (Alte Moschee)* war in kleinarmenischer Zeit wahrscheinlich dem Hl. Paulus geweiht. Vor der Moschee fahren die Dolmuşe zum Wasserfall ab.

Wasserfall (Şelale): Im Nordosten der Stadt laden eine Reihe von schattigen Restaurants und Parkanlagen am *Tarsus Çayı* auf eine Pause oder einen faulen Nachmittag ein. In mehreren Katarakten rauscht das Wasser hernieder, sonderlich spektakulär ist der Fall dennoch nicht. Übrigens holte sich Alexander der Große im Jahre 333 v. Chr. nach einem Bad im Fluss ein heimtückisches Fieber, das ihn zwei Monate ans Bett fesselte.

Anfahrt/Verbindungen Ca. 1 km nördlich des Zentrums, ausgeschildert. **Dolmuşe** ab der Eski Cami.

Tarsusdelta: In der Antike lag Tarsus rund drei Kilometer vom Meer entfernt, heute sind es 15 km. Der Tarsus-Fluss sorgte nicht nur dafür, dass große Teile der antiken Stadt heute einige Meter unter der Erde liegen, sondern auch für eine weite Schwemmlandebene. Das ursprüngliche Sumpfgebiet wurde durch die Kanalisation des Flusses und die Bepflanzung mit Eukalyptusbäumen, die dem Boden viel Feuchtigkeit entziehen, trockengelegt. So verwandelte man das einst malariaverseuchte Delta zu einem Naherholungsgebiet. Von den hindurch führenden Wegen lassen sich im Frühjahr und Herbst rastende Zugvögel beobachten.

Anfahrt Am Südrand von Tarsus der Beschilderung zum Dorf Bahşiş folgen.

Adana

(ca. 1.700.000 Einwohner)

Adana ist der Newcomer unter den türkischen Metropolen, ein prosperierender Wirtschafts- und Industriestandort. Keine andere Stadt des Landes blüht wie diese – kein Wunder bei feuchtwarmen 45°Celsius im Sommer. Nur schön ist sie nicht.

So abstoßend viele Touristen das laute, schwüle und stickige Adana finden, so anziehend ist die Stadt für viele Türken, insbesondere aus dem Osten des Landes: Hier gibt es Arbeitsplätze. Die bedeutendsten Industriezweige sind das Textilgewerbe, entstanden vor dem Hintergrund der riesigen Baumwollplantagen der Umgebung, und die Petrochemie – nahe der Stadt enden Erdölpipelines aus dem Irak. Viele ansässige Betriebe gehören einem Mann: Sakıp Sabancı, Konzernchef der gleichnamigen Holding und einer der reichsten Männer der Türkei. Dass man den amerikanischen Traum auch in der Türkei träumen kann, erzählt dessen Familienlegende: Der Vater begann als einfacher Baumwollpflücker, bevor er der lukrativeren Tätigkeit des "Importierens" von Tagelöhnern aus dem armen Osten nachging und dann ganz groß in den Baumwollhandel einstieg. Sakıp Sabancı hat sich in der Stadt vielfach verewigt, z. B. als Stifter von Kulturzentren und einer überdimensionierten Moschee (→ Sehenswertes).

Kühle, moderne Architektur und tropfende Klimaanlagen an jedem zweiten Fenster prägen das Bild der modernen, vor sich hin schwitzenden Großstadt. Hochhäuser und überbreite Boulevards ersticken unaufhaltsam die Reste ihrer morgenländischen Vergangenheit. Traditionelles Ambiente und ein vorgegaukeltes Türkeibild findet man allenfalls im Basarviertel des alten Zentrums. Dort arbeiten noch Handwerker vor ihren kleinen Läden, stehen ein paar restaurierte osmanische Häuser in dürftig gepflasterten Gassen, und reinigen sich Gläubige in den Höfen der vielen Moscheen. Die meisten Touristen passieren den Verkehrsknotenpunkt Adana lediglich auf der Durchreise – viel mehr als ein paar Museen sind auch nicht zu sehen.

Orientierung: Die Nationalstraße 400 von Tarsus nach Osmaniye führt direkt durch das Zentrum. Dort trägt sie den Namen Turan Cemal Berıker Bul. An einem Kreisverkehr schneidet der Boulevard die Atatürk Cad. Folgt man dieser nach Norden, gelangt man in die modernen Stadtviertel Adanas, gen Süden, vorbei an der Tourist Information, in die älteren.

Geschichte

Die Geschichte Adanas ist bis in die erste Hälfte des 20. Jh. wenig spannend und schnell erzählt. Der Name der Stadt geht auf *Adanija* zurück, eine späthethitische Siedlung – dies bekunden Keilschrifttexte aus dem 8./9. Jh. v. Chr. Bezüglich ihrer politischen Machtverhältnisse teilte Adanija von da an über Jahrtausende hinweg das Schicksal anderer türkischer Städte. Nur stand Adanija stets in deren Schatten: Kein Mensch wollte, sofern er die Wahl hatte, abseits jeglichen Windzugs in einem malariaverseuchten Gebiet leben. Die Römer verbannten hierher gar kilikische Seeräuber.

Noch um 1900 plagte das Fieber nahezu alle Einwohner. Erst mit dem Bau der Bagdadbahn und der Trockenlegung der Sümpfe in den 1950ern änderte sich die Situation: Auf einmal lag Adana verkehrgünstig, und die Çukurova entwickelte sich zu einem riesigen Baumwollfeld. Das textilverarbeitende Gewerbe legte den Grundstein für eine moderne Industriestadt. Wie schnell das alles ging, lässt sich an der Bevölkerungsexplosion ablesen: 1969 lebten hier gerade einmal 125.000 Menschen. Heute ist Adana die viertgrößte Stadt der Türkei, Hauptstadt der Provinz Seyhan und Heimat einer lebenslustigen Studentenszene.

Information/Verbindungen

- *Telefonvorwahl* 0322.
- *Information* zentral an der Atatürk Cad. 13. Hilfsbereit. Mo–Fr 8–12 Uhr und 13–17.30 Uhr. ✆ 3631287, www.adanaturizm.gov.tr. Eine weitere Tourist Information befindet sich am Flughafen (s. u.).
- *Verbindungen* Der **Flughafen Şakirpaşa** liegt ca. 4 km westlich des Zentrums (aufgrund der expandierenden Stadt schon nahezu im Zentrum). Im Ankunftsbereich befindet sich eine Tourist Information (✆ 4369214, 📠 4369214, in der Regel nur zu den Ankunftszeiten der Flugzeuge besetzt). Nonstopflüge nur nach Ankara (1-mal tägl.) und İstanbul (mehrmals tägl.) Für alle anderen Destinationen muss man in İstanbul umsteigen.

Transfer vom und zum Flughafen: Der Busservice der THY bringt die Passagiere jeweils eine Std. vor Abflug vom Stadtbüro (Prof. Dr. Nusret Fişek Cad. 22, ✆ 4570222, byilmazturk@thy.com) zum Airport. Zudem fahren Dolmuşe von der Özler Cad. zum Flughafen. Ein Taxi kostet ca. 4 €.

Bus: Der große Busbahnhof Adanas liegt 7 km außerhalb an der Nationalstraße 400 Richtung Tarsus. Von dort sehr gute Verbindungen in alle Landesteile, insbesondere entlang der Küste u.a. nach Antakya (3 Std.) und Alanya (10 Std.). Nach Niğde (3 Std.) und weiter nach Kappadokien 4-mal tägl. (5 Std.). Tägl. zudem Busse nach Damaskus (Dauer 10–12 Std.). Büros der Busgesellschaften im Zentrum am Ziyapaşa Bul., von dort auch Zubringerbusse zum Busbahnhof. Zudem fahren Dolmuse von der Özler Cad. und dem Turhan Cemal Beriker Bul. zum Busbahnhof.

Hinweise zur Einreise nach Syrien → Antakya/Verbindungen, S. 596.

Dolmuş: Die Dolmuşe zum Seyhan-Stausee starten an der Çakmak Cad. (mit dem **Taxi** kostet die Fahrt ca. 3 €). Dolmuşe nach Karataş fahren von der Karataş Cad. südlich des Hilton ab, Dolmuşe nach İncirlik, Yakapınar und Ceyhan vom *Yüreğir Otogar*. Dieser zweite, kleinere Busbahnhof Adanas liegt im Osten der Stadt nördlich des Girne Bul., der Verlängerung der Hauptdurchgangsstraße Turhan Cemal Beriker Bul. Dolmuşe zum Yüreğir Otogar starten im Zentrum am Turhan Cemal Beriker Bul. (auf die Aufschrift "Kiremithane" achten).

Mit der Bahn über den Taurus nach Pozantı: Auf dieser schönen, knapp dreistündigen Fahrt passieren Sie Burgruinen und kleine Dörfer, zu denen keine Teerstraße führt, die aber Bahnhöfe im deutschen Stil besitzen. Der Streckenabschnitt ist Teil der legendären, von İstanbul über Konya führenden Bagdadbahn, an deren Bau zu Beginn des 20. Jh. viele deutsche Ingenieure beteiligt waren. Daran erinnert auch die imposante *Alman Köprüsü*, die "Deutsche Brücke", auf welcher der Zug bei Hacıkırı eine wilde Schlucht überquert. Bald darauf folgt der längste Tunnel des Orients (20 km), ein "Galerietunnel", der in eine senkrechte Felswand geschlagen ist und atemberaubende Ausblicke bietet. An dessen Ende liegt die Ortschaft Belemedik. Hier wohnten die deutschen Ingenieure während des Baus dieses Streckenabschnitts, bei dem nicht wenige ihr Leben ließen.

Adana: Moderne trifft Tradition

Metro: Die erste U-Bahn-Linie Adanas sollte im Herbst 2002 fertig gestellt sein, doch das Geld dafür ging aus. Für Touristen wird die Metro auch nach ihrer Eröffnung relativ uninteressant sein, da sie lediglich von den Außenbezirken ins Zentrum fährt.

Zug: Der Bahnhof liegt ca. 15 Gehminuten nördlich des Zentrums. Tägl. u. a. nach İskenderun, Gaziantep, Elazığ, Eskişehir, Ankara und Diyarbakır. Informationen und Reservierungen unter ✆ 4533172.

• *Parken* Gebührenpflichtige Parkplätze im Zentrum, u. a. am Turhan Cemal Beriker Bul. (Hauptdurchgangsstraße).

Adressen/Baden/Einkaufen

• *Ärztliche Versorgung* bietet das staatliche Krankenhaus **Devlet Hastanesi** an der Karataş Cad. südlich des Hilton. ✆ 3211552.

• *Autoverleih* ab ca. 50 € pro Tag bei **Avis**, Ziyapaşa Bul. Nakipoğlu Apt. 9/A, ✆ 4533045, 📠 4534824. **Europcar**, Mücahitler Bul. 87/C, ✆ 4534775, 📠 4581529. **Budget**, Dr. Nusret Fişek Cad., Serhat Apt. 37/C, ✆ 4590016, 📠 4591109. Die drei Agenturen sind auch am Flughafen vertreten. Billiger vermieten die lokalen Anbieter wie z. B. **Intercity Rent a Car**, Dr. Nusret Fişek Cad., Mutlular Apt. 37, ✆ 4579260, 📠 4537933.

• *Baden* Am **Seyhan-Stausee** gibt es zwar keine Strände im herkömmlichen Sinne, dafür Clubs mit künstlichen Einstiegsmöglichkeiten, die gegen Eintritt auch von Touristen benutzt werden dürfen. Des Weiteren bietet Adana ein **Aqualand** mit etlichen Pools und Rutschen östlich des Seyhan-Flusses nahe dem Orhan Kemal Bul., Eintritt ca. 6 €. Wer ins Meer springen will, fährt nach **Karataş** (60 km, → S. 581)

• *Diplomatische Vertretung* **Deutsches Honorarkonsulat** am Gazipaşa Bul. Kısacık Ap. 13 in einem rosafarbenen Gebäude. ✆ 4536743.

Österreichisches Honorarkonsulat, SASA A. S., Tarsus Yolu, ✆ 4410154.

• *Einkaufen* Adanas **Basarviertel** liegt südlich des modernen Geschäftszentrums nahe einem Uhrturm aus dem 19. Jh. Ein netter Spaziergang führt vorbei an alten Hanen und überdachten Gässchen. Adana gilt übrigens als "Stadt des Goldes". Vor allem Araber sind mit der Herstellung von Goldschmuck beschäftigt.

• *Geld* unzählige Banken und Wechselstuben im Zentrum. Eine **T.C. Ziraat Bankası** mit Automat finden Sie z. B. am Ziyapaşa Bul. neben dem Ethnographischen Museum.

Die Çukurova
Karte S. 569

• *Post* u. a. an der İnönü Cad. und der Kurtuluş Cad.

• *Polizei* nahe dem Fluss an der İnönü Cad. ✆ 4356922.

• *Türkisches Bad (Hamam)* **Mestan Hamamı**, Pazarlar Cad. 3, am großen Platz am Südende der Çakmak Cad. Osmanisches Hamam mit 300-jähriger Geschichte. Urige Atmosphäre und guter Service. Nur für Männer! Eintritt ca. 1,50 €, mit Waschung ca. 2,50 €.

Übernachten/Camping

Gehobenere Hotels findet man an der İnönu Cad. Die angeschlagenen Tarife gelten nur bei großen Kongressen in der Stadt, ansonsten liegen die Preise weit darunter. Die dortigen Hotels sind allesamt klimatisiert – ohne Klimaanlage schmelzen Sie im sommerlichen Adana wie Schokolade! Billige Quartiere gibt es vor allem in den kleinen Seitenstraßen um den Basar. Ein Doppelzimmer ist hier schon ab 4–5 € zu bekommen, aber in der Regel nicht einmal diesen Betrag wert.

*******Adana Hilton SA (10)**, bestes Haus der Stadt und zudem eines der schönsten Hiltons der Türkei. Jeglicher Luxus, den man erwarten kann. DZ 165 €, doch regelmäßig gute Sonderangebote, sodass man im Schnitt 30 Prozent des Preises spart. Am östlichen Zentrumsrand, bei der Abzweigung nach Karataş, ✆ 355500, adahihisar@hilton.com. Auf ähnlich hohem Niveau, aber zentraler, nächtigt man im ******Hotel Mavi Sürmeli (9)**, İnönü Cad. 109, ✆ 3633437, www.mavisurmeli.com.

****Otel Selibra (6)**, saubere, nüchterne und gepflegte DZ mit Klimaanlage 55 €, EZ 40 €. İnönü Cad. 50, ✆ 3633676, ℻ 3634283.

****Akdeniz Oteli (4)**, das frühere "Duygu" hat eine Totalrenvovierung erfahren und unter neuem Namen eröffnet. Sehr gepflegt (Parkett im Lift!). Schöne, klimatisierte DZ für 28 €, Frühstück extra. İnönü Cad. 14/1, ✆ 3631510, ℻ 3630905.

****Hosta Hotel (11)**, untere Mittelklasse beim Çetinkaya-Kaufhaus. Hilfsbereit, sauber, freundlich, guter Service, nette Atmosphäre. DZ 20 €, Frühstück extra. Klimaanlage. Bakımyurdu Cad. 3, ✆ 3525241, ℻ 3523700.

İpek Palas Oteli (7), charakterlose, aber recht saubere DZ mit Dusche/WC für das gleiche Geld, Frühstück extra. Keine Klimaanlage, dafür Deckenventilator. İnönü Cad. 89, ✆ 3633512, ℻ 3633616.

Gümüş Otel (8), gleich neben dem İpek Palas Oteli. Eine Absteige für alle, die sich an der "Hotelstraße" einquartieren wollen, ohne es sich eigentlich leisten zu können. DZ ca. 10 €, Etagendusche 0,50 € extra. İnönü Cad. 87, ✆ 3630126.

• *Camping* **Camping Green Club**, Adanas einziger Campingplatz liegt am östlichen Stadtrand an der Straße nach Ceyhan (ca. 1 km östlich des Abzweigs nach Karataş). Schön begrünte Anlage mit Orangenbäumen. Pool und Restaurant. Einzig Küche und sanitäre Anlagen lassen zu wünschen übrig. In Straßennähe etwas laut. 2 Pers. mit Zelt und Auto zahlen rund 5 €. ✆ 3212758.

Essen & Trinken/Nachtleben

Die Küche Adanas ist wesentlich schärfer als in der Türkei sonst üblich, der arabische Einfluss schlägt sich nieder. Berühmteste Spezialität der Stadt ist der *Adana Kebap*: Das Hackfleisch wird dünn um einen flachen Metallspieß geknetet, über Holzkohle gegrillt und anschließend abgezogen. Bekannt ist die Gegend um Adana auch für den *Tereyağlı Ayran*, eine mit Butter versehene Variante des türkischen Joghurtgetränks. *Şalgam* nennt sich ein bizarrer, leicht bitter schmeckender Steckrübensaft, der zuweilen an der Straße verkauft wird. Falls Sie am Abend abseits des innerstädtischen Trubels schön und gepflegt essen wollen, empfehlen wir die Restaurants am Seyhan-Stausee.

Restaurant Yeni Onbaşılar (3), eines der besten Lokale Adanas, geräumiger Speisesaal in der ersten Etage. Riesige Mezeportionen, hervorragende Kebabküche. Ein Adana Kebap mit Salat und einem Bier kommt auf ca. 8 €. Atatürk Cad. Ecke Turhan Cemal Beriker Bul.

Scala Café & Restaurant (12), im Obergeschoss des gleichnamigen Kaufhauses an der Özler Cad. Angenehm kühles, gehobenes Lokal, ideal für eine Ruhepause im Großstadttrubel. Zuvorkommender Service und netter Blick über die Stadt von der be-

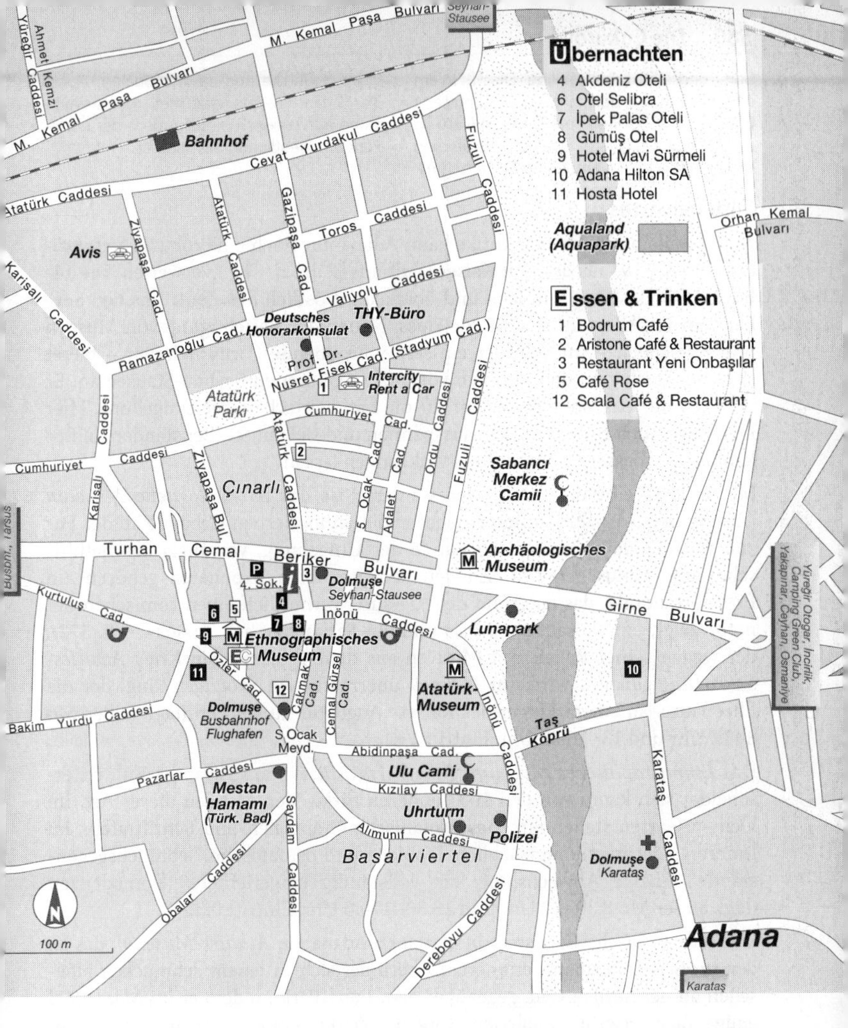

grünten Terrasse. Nicht ganz billig. Entscheiden Sie sich für das leckere Salat- und Mezebufett (kleiner Teller ca. 2,40 €).

Aristone Café & Restaurant (2), gehobenes, schickes Caférestaurant – moderne Architektur trifft Antike. Frühstück, Döner, diverse Grillvariationen, *Mantı* und für alle, denen die türkische Küche bis zum Hals steht, auch einmal Spaghetti! Atatürk Cad.

Café Rose (5), nicht Café, sondern Bierstube. Aber nicht so düster wie die üblichen türkischen *Birahaneler*, sondern freundlich-hell, mit offenen Fenstern und Propellern an der Decke – eine der wenigen Örtlichkeiten, wo man auch tagsüber auf ein Pils einkehren kann. Abends werden Meze zum Rakı serviert. İnönü Cad.

Çınarlı Mah. 4. Sok., kein Restaurant, sondern eine Gasse im Viertel Çınarlı. Hier haben Sie die beste Möglichkeit, Adana Kebap und 1001 andere Köstlichkeiten aus Fleisch zu testen. Dabei können Sie zwischen Ocakbaşı-Restaurants, einfacheren Kebabläden oder Döner Salonus wählen.

• *Nachtleben* Die größte Party steigt in **İncirlik** (→ S. 581), zumindest in Friedenszeiten. Zum Vergnügen der dort stationierten US-Soldaten gibt es allerhand Restaurants,

Bars und eine dreistöckige Disco. Wem das zu weit ist, der kann sein nächtliches Glück z. B. in der Kellerbar **Bodrum Café (1)** an der Prof. Dr. Nusret Fişek Cad. probieren – allabendliche Livemusik zwischen türkischer Schnulze und internationalem Rock. Bis 3 Uhr nachts geöffnet. Kirmesstimmung auf Türkisch bietet zudem der **Luna-Park** am westlichen Seyhanufer.

Sehenswertes

An Überbleibseln aus der Antike kann Adana nur noch eine robuste *Steinbrücke (Taş Köprü)* aus der Zeit Kaiser Hadrians (2. Jh. n. Chr.) vorweisen. Die 14-bogige Brücke ist 319 m lang und überspannt östlich des Zentrums den Seyhan, ein im Altertum schiffbarer Fluss. Neben der Besichtigung von Museen und Moscheen – im Sommer ein schweißtreibendes Unternehmen – bietet sich ein Ausflug an den nördlich von Adana gelegenen Seyhan-Stausee an. Er ist nicht nur ein Wasserreservoir für die Landwirtschaft der Umgebung. Hier kann man auch rudern, baden, ausspannen und sich an Straßenständen, in Lokantas oder besseren Restaurants verköstigen lassen.

Museen: Es gibt drei. Das interessanteste ist das *Archäologische Museum (Adana Bölge Müzesi)*, untergebracht in einem modernen Gebäude an der Fuzuli Cad. Es zeigt beachtliche Funde der Umgebung, vorrangig aus hethitischer und römischer Zeit. Zu den bedeutendsten Exponaten gehören ein Bronzestandbild, das aufgrund der Kleidung vermutlich einen römischen Senator zeigt, ein Mosaik aus Misis und ein Sarkophag aus Tarsus (→ S. 572), der wegen seiner Reliefs mit Motiven aus dem Trojanischen Krieg *Achilles-Sarkophag* genannt wird. Im 1. Stock überrascht ein protziger Ring, der die Ehre hatte, an einem Finger des Kaisers Augustus zu stecken (tägl. außer Mo 8–12 Uhr und 13–16.30 Uhr, Eintritt 1 €).

Das *Ethnographisches Museum (Etnoğrafya Müzesi)* am Ziyapaşa Bul. unterscheidet sich kaum von den 1001 anderen türkischen Museen dieser Art. Im kleinen Garten stehen ein paar osmanische Grabstelen und Schrifttafeln, im Inneren sieht man hauptsächlich Teppiche und osmanische Gebrauchsgegenstände. Einzige Abwechslung: ein vollständig eingerichtetes Nomadenzelt (tägl. außer Mo 8.30–12 Uhr und 13.30–17.30 Uhr, Eintritt 0,50 €).

Wie jede türkische Großstadt besitzt auch Adana ein *Atatürk-Museum*, das an den großen Staatsmann erinnert. Es befindet sich in einem schmucken Häuschen an der Seyhan Cad. gegenüber dem Luna-Park, in dem er im März 1923 einige Tage verweilte. Zahlreiche vergilbte Zeitungsausschnitte und Fotos erinnern an seinen Aufenthalt (tägl. 8.30–12 Uhr und 13.30–17.30 Uhr, Eintritt 0,30 €).

Moscheen: 25.000 Menschen passen in die *Sabancı Merkez Camii*, die größte und neueste Moschee der Stadt, die unübersehbar am westlichen Ufer des Seyhan liegt. Das 1998 fertig gestellte, größenwahnsinnige Bauwerk – es besitzt 6 (!) Minarette und die mit 56 m höchste Kuppel des Landes – stiftete die Sabancı-Holding. Die *Ulu Cami (Große Moschee)* in der Kızılay Cad. macht so seit ein paar Jahren ihrem Namen keine Ehre mehr. Die Fassade des etwas gedrungenen Baus aus dem 16. Jh. schmücken schwarzweiße, horizontale Muster, ähnlich den Moscheen Nordsyriens. Sehenswert ist der Fliesendekor im Inneren – verwendet wurden feine Fayencen aus İznik und Kütahya. Die Anlage ist von einer hohen Mauer umgeben und beherbergt auch eine Medrese.

Umgebung von Adana

İncirlik: Rund 10 km östlich von Adana liegt İncirlik, seit 1951 der größte US-Luftwaffenstützpunkt in der Türkei. Im Kalten Krieg starteten von hier Spionageflugzeuge in die Sowjetunion, in jüngerer und jüngster Zeit diente die Basis der logistischen Unterstützung des Afghanistankrieges sowie als Ausgangspunkt von Luftangriffen auf Bagdad. Berühmt-berüchtigt sind die Bars İncirliks, in denen sich die (in Friedenszeiten) rund 1.000 hier stationierten US-Soldaten die Nächte um die Ohren schlagen (→ Adana/Nachtleben). Wer nicht feiern will, der kann an İncirlik getrost vorbeifahren.

Verbindungen Regelmäßige **Dolmuş**verbindungen von und nach Adana *(Yüreğir Otogar)*, mit dem **Taxi** kostet die Strecke ca. 8 €.

Karataş: Adanas nächstgelegener Badeort, übrigens eine Partnerstadt von Memmingen im Allgäu, befindet sich rund 60 km südlich. Das recht geruhsame, unspektakuläre 10.000-Einwohner-Städtchen dreht lediglich an Sommerwochenenden und zur türkischen Ferienzeit auf. Dann kommen auch ein paar ausländische Tagesgäste: US-Soldaten aus İncirlik. Es gibt einen neuen Hafen und einen kleinen Park davor. Rechts und links davon bestehen Bademöglichkeiten, an den gepflegteren Strandabschnitten wird zuweilen ein kleiner Eintritt verlangt. Hinter den Stränden entstanden in den letzten Jahren die typisch-türkischen Feriendörfer. Das Angebot an Unterkünften ist insgesamt bescheiden und das Gros der Pensionen vorrangig auf türkische Familien eingestellt. Am Oststrand findet man zwei spartanische Campingplätze (nur bis Mitte September geöffnet).

Westlich von Karataş mündet der Seyhan ins Meer, östlich der Ceyhan, die Hauptflüsse der Çukurova. Die Strände nahe den Mündungen sind zugleich bevorzugte Brutplätze von Schildkröten. Das gesamte Gebiet ist ein Vogelparadies. Ornithologen können westlich von Karataş rund um den *Akyatan Gölü* z. B. die Graunachtigall entdecken.

• *Verbindungen/Anfahrt* Regelmäßige **Dolmuş**verbindungen von und nach Adana. Mit dem **eigenen Fahrzeug** von Adana über die Taş Köprü stadtauswärts. Nach der Brücke rechts, dann immer schnurgeradeaus.

• *Übernachten* **Otel Bariş,** das einzige halbwegs empfehlenswerte Hotel im Zentrum ist nicht zu übersehen. 2002 eröffnet. 17 ordentliche, hellblau gestrichene und geräumige Zimmer mit Balkon. Von der zweiten Etage Meeresblick. Leider hapert es mit der Sauberkeit noch ein bisschen. Zimmer inspizieren und ggf. putzen lassen! DZ 14 € ohne Frühstück. ✆ 0322/6815040.

Rıhtım Pension, am Oststrand. DZ 8–10 € ohne Frühstück, die teueren mit Meeresblick, alle mit Dusche/WC. Beliebteste Pension vor Ort. Großes Fischrestaurant über dem Meer. ✆ 0322/6814253.

• *Essen & Trinken* **Mavikum Restaurant**, direkt am Meer, im Zentrum nicht zu verfehlen. Empfehlenswertes Fischrestaurant in schöner Lage und mit ebensolcher Terrasse. Der Besitzer ist ein großer Fischkenner und eine kompetente Auskunftsperson in allen Belangen rund um Karataş. Gehobene Preisklasse.

Restaurant Murat, nahe dem Mavikum. Hier wird der Fisch auf der Straße gegrillt. Ohne große Ambitionen und billiger – erkundigen Sie sich trotzdem im Voraus nach den Preisen.

Yakapınar (Misis)

Der kleine Ort, der seit einigen Jahren Yakapınar genannt wird und vorher Misis hieß, liegt am Ufer des Ceyhan-Flusses rund 25 km östlich von Adana. An gleicher Stelle befand sich im Altertum die durch ihre günstige Lage an der

Seidenstraße recht prosperierende Stadt *Mopsuestia*. Ein paar Ruinen erinnern noch heute an die lange Geschichte des Ortes: Über den Ceyhan führt eine byzantinische *Steinbrücke* – rund 1.400 Jahre hielt sie Fuhrwerken und später Lkws stand, erst 1998 fügte ihr ein Erdbeben schwere Schäden zu. Südlich davon sieht man zwei *Karawansereien*, eine aus mamelukischer und eine aus osmanischer Zeit. Ausgeschildertes Highlight Yakapınars ist jedoch das kleine *Mosaikenmuseum* (tägl. außer Mo 9–17 Uhr, Eintritt 0,50 €), welches das gut erhaltene Fußbodenmosaik einer einst dreischiffigen Basilika aus dem 4. Jh. beherbergt. Es zeigt u. a. Szenen der alttestamentarischen Arche-Noah-Geschichte.

Verbindungen Regelmäßge **Dolmuş**verbindungen von und nach Adana.

Baumwollpflücken sieht malerisch aus, ist aber Knochenarbeit

Weißes Gold für harte Arbeit – Baumwollernte in der Çukurova

Die Çukurova ist das größte Baumwollanbaugebiet der Türkei. Zwischen August und Oktober wird das weiche weiße Gold geerntet. Entlang der Plantagen fallen dann Zeltstädte ins Auge – vorübergehende Behausungen kurdischer Baumwollpflücker (insbesondere Frauen) aus Ostanatolien. Mehr als fünf Euro nimmt keine von ihnen nach einem qualvollen 12-Stunden-Tag mit ins Zelt. Einen Teil ihres Hungerlohns müssen die Pflückerinnen zudem an die Dorfältesten daheim abtreten, welche die Arbeitskontrakte für sie unterzeichnet haben. Die Großgrundbesitzer der Çukurova, sog. *Ağas*, stellen die Pflücker nämlich nicht direkt ein, sondern mieten sie über Unterhändler, die in Ostanatolien die Geschäfte regeln. Das Verhältnis der Pflücker zum Grundbesitzer ähnelt hier teilweise immer noch der Leibeigenschaft – auch wenn dies der Staat seit langem zu unterbinden versucht.

Yılan Kalesi und Ceyhan

Die kleinarmenische Festung Yılan Kalesi auf einem felsigen Bergplateau wurde Anfang des 13. Jh. errichtet. Seit hunderten von Jahren beherrscht sie die Ebene drum herum, doch wird sie heute von der Nationalstraße 400 und der Autobahn Adana–Gaziantep unschön umringt. Worauf ihr Name "Schlangenburg" zurückgeht, weiß man nicht. Legenden gibt es viele, von Schlangenplagen bis zu sagenhaften Schlangenkönigen, die hier herrschten. Zumindest sollen einmal Schlangereliefs den Burgeingang und diverse Räumlichkeiten geziert haben. Der 20-minütige Anstieg bringt Ihnen hoffentlich keinen Schlangenbiss ... (stets zugänglich, kein Eintritt).

Auf der der Burg gegenüber liegenden Flusseite befindet sich ein *Sirkeli* genanntes, hethitisches Felsrelief – ein Special-Interest-Abstecher. Das Relief aus dem 12. Jh. v. Chr. zeigt Muwatalli, den Sohn des hethitischen Großkönigs Murschuli, mit langem Mantel und Krummsäbel. *Ceyhan*, ein landwirtschaftlich geprägtes 57.000-Einwohner-Städtchen rund 6 km nordöstlich, ist für den Touristen vollkommen uninteressant – es sei denn, man will mit öffentlichen Verkehrsmitteln weiter nach Yumurtalık oder Anavarza (s.u.).

• *Anfahrt* Die Burg ist von der Landstraße Yakapınar-Ceyhan bereits zu sehen und ausgeschildert, über einen Schotterweg erreichbar. Wer nach der Burgbesichtigung zum Felsrelief will, muss sich über Landstraße und Autobahn einen Weg auf die gegenüber liegende (südliche) Flussseite suchen.

• *Verbindungen* Von der zentralen **Minibus**station in Ceyhan bestehen regelmäßige Verbindungen nach Adana und Yumurtalık. Die **Dolmuşe** nach Kozan (Richtung Anavarza) fahren in Ceyhan an der Flussbrücke Richtung Adana nahe dem Rathaus *(Belediye)* ab, lassen Sie sich die Stelle am besten zeigen.

Yumurtalık

(4.300 Einwohner)

Das Städtchen mit Ruinen aus kleinarmenischer Zeit und dem seltsamen Namen "Eierbecher" ist eine Mischung aus Fischer- und Badeort und diesbezüglich das mit Abstand sympathischste und geruhsamste Fleckchen der Çukurova. Lediglich an heißen Sommerwochenenden ändert sich dieser Sachverhalt, wenn tausende von Adanalılar und so manche US-Soldaten aus İncirlik die schattigen Teegärten und gemütlichen Restaurants rund um den Fischerhafen sowie die recht gepflegten Strände vor Ort belagern. Wer ein Fahrzeug mit hohem Radstand mitbringt und dazu ein wenig Pfadfindergespür, kann westlich von Yumurtalık weitere nette Bademöglichkeiten entdekken, so z. B. den schönen Sandstrand *Yumurtalık İskelesi.*

In und um Yumurtalık bereichern armenischen Ruinen aus dem 12. bis 14. Jh die Badekulisse. Damals hieß das Städtchen noch *Ayas*, besaß den wichtigsten Hafen der Çukurova und war ein bedeutender Handelsstützpunkt der Genuesen und Venezianer. Selbst Marco Polo (1254–1324) kam hier zweimal vorbei. Wie in Kızkalesi (→ S. 562) standen sich auch in Ayas eine Land- und eine Seeburg gegenüber. Zu den Ruinen der vorgelagerten Inselfestung kann man hinausschwimmen, von der Landburg sind noch vier Türme und angefressene Mauerteile erhalten. Weitere Reste dämmern im Ort vor sich hin, findet man als schmückende Säulen in Gärten oder in neuzeitliche Gebäude integriert.

Ein gebeuteltes Volk – die Geschichte der Armenier

Man schätzt, dass heute rund 70.000 Armenier in der Türkei leben. Vor 100 Jahren, im Osmanischen Reich, waren es Millionen. Die Geschichte der Armenier ist eines der schwärzesten Kapitel des Landes und wird bis heute tabuisiert.
Die indogermanischen Vorfahren des armenischen Volkes siedelten vor etwa 2.500 Jahren im Kaukasus und in weiten Teilen Ostanatoliens. Im 1. Jh. v. Chr. schuf Tigranes der Große ein armenisches Großreich, das sich vom Kaukasus über Ost- und Südostanatolien bis ans Mittelmeer erstreckte. 40 Jahre währte es, dann kamen die Römer. Es folgten die Parther, Byzantiner, Sasaniden und Araber – über etliche Jahrhunderte waren die armenischen Siedlungsgebiete Zankapfel der benachbarten Völker. Die Selbstständigkeit der im 3. Jh. zum Christentum übergetretenen Armenier war auf kurze Interimsphasen beschränkt.
Infolge der legendären Schlacht von *Manzikert* (dem heutigen Malazgirt in Ostanatolien) flohen 1071 viele Armenier vor den vordringenden Seldschuken nach Kilikien. Hier gründeten sie einen von Byzanz unabhängigen Herrschaftsbereich: das Fürstentum der Rubeniden, Kleinarmenien genannt. Stumme Zeugen dieser Zeit sind neben der Burg Yılan Kalesi u. a. auch Kızkalesi (→ S. 562), Yumurtalık (→ S. 583) und Anavarza. In der zweiten Hälfte des 14. Jh. brach Kleinarmenien zusammen – dafür sorgte die Flotte König Peters I. von Zypern genauso wie die einfallenden ägyptischen Mameluken und die Verwüstungen der Mongolen.
Im Osmanischen Reich waren die christlichen Armenier als nichtmuslimische Minderheit bis in die zweite Hälfte des 19. Jh. loyale Untertanen des Sultans und bekleideten vielfach hohe Stellen in Regierung, Verwaltung und Wirtschaft. Doch dann blühte der armenische Wunsch nach nationaler Unabhängigkeit auf. Autonomiebestrebungen mit Terrorakten führten zu einem Misstrauen zwischen den Volksgruppen. Als die Armenier von Van 1915 mit einem Aufstand die Einnahme ihrer Stadt durch russische Truppen unterstützten, eskalierte die Situation. Die osmanische Regierung beschloss eine Radikallösung – die kollektive Deportation der armenischen Bevölkerung Süd- und Ostanatoliens in die syrische Wüste. Dies kam einem systematischen Genozid gleich, schätzungsweise 1,5 Millionen Armenier fielen den Verfolgungen zum Opfer. Bis heute verweigert die Türkei eine historische Aufarbeitung des Völkermords. Der Kanadier Atom Egoyan, einer der großen Namen des Weltkinos und Jurypräsident der Berlinale 2003, widmete sich dem Thema in seinem Film "Ararat" .
1918, nach dem Ersten Weltkrieg, wurde Armenien unabhängig. Doch schon 1920 annektierten kemalistische Truppen dessen westlichen Teil, den östlichen schnappten sich die Bolschewiki. Erneut starben 30.000 Armenier. Nach dem Zusammenbruch der UdSSR besitzen die Armenier zwar endlich einen eigenen Staat, wirklichen Frieden aber nicht: Die Beziehungen zu Aserbaidschan sind infolge des Berg-Karabach-Konflikts noch immer gespannt. Ein schweres Erdbeben mit 50.000 bis 80.000 Toten war 1998 der letzte große Schock für das gebeutelte armenische Volk.

Die Bewohner machten sich die alten Brocken zunutze, bevor die ersten Archäologen und Geschichtswissenschaftler aufkreuzten. Ein paar Funde sind in einem bescheidenen "Open-Air-Museum" (gegenüber der Post, stets einsehbar, freier Eintritt) ausgestellt.

Auf dem Weg von Ceyhan nach Yumurtalık – 35 km einsame Straße durch Felder und über sanfte Hügel – weist ein Schild zur *Kurtkulağı Kervansarayı* (4 km) im gleichnamigen Ort. In osmanischer Zeit war die Karawanserei ein wichtiger Stopp an der Handelsstraße nach Aleppo, heute führt sie, meist verschlossen, ein recht unbeachtetes Dasein – es sei denn, Sie gehören zu der Handvoll ausländischer Touristen, die hier jährlich aufkreuzen. Die Besichtigung wird zur Mordsgaudi beim Schulschluss der gegenüber liegenden Grundschule, lassen Sie sich überraschen!

• *Verbindungen* Regelmäßige **Dolmuş**verbindungen nach Ceyhan, von dort Anschluss nach Adana.

• *Übernachten* Es gibt recht wenig Unterkünfte für den hochsommerlichen Andrang – reservieren Sie besser im Voraus!

Hotel Öztur, an der Durchgangsstraße nahe dem Strand. Geräumige, freundlich eingerichtete Zimmer mit Klimaanlage. Wenn Letztere ausfällt, kann man den Deckenventilator einschalten. Großes Restaurant mit Balkon in der dritten Etage – toller Blick, im Sommer isst man allerdings eher auf der Straße. DZ mit Dusche/WC ab 19 €. ✆ 0322/6712167, ℻ 6712163.

Otel Ersular, direkt am Fischerhafen. Altes Haus mit herrlicher Terrasse. 11 Zimmer, Holzböden, nachträglich integrierte Bäder. Nicht luxuriös, aber gemütlich. Nur Dreibettzimmer (18 € ohne Frühstück) – Singles und Pärchen müssen die Preise aushandeln. ✆ 0322/6712651.

Küçük Aile Pansiyon, im westlichen Ortsteil. Gepflegte Zimmer, einladender Garten, reichliches Frühstück und ein freundlicher Herr Küçük. Von Lesern empfohlen, durch die Recherche bestätigt. DZ ca. 10 €, teils mit Dusche/WC, ansonsten Etagendusche. Familienfreundliches 4-Bett-Zimmer für ca. 15 €. ✆ 0322/6712215.

• *Camping* **Ayas Kulesi Tesisleri**, am westlichen Ortsende. Nette Location mit gepflegter Wiese vorm Strand. Ein paar Palmen, sonst eher schattenlose Stellflächen (also besser im Frühjahr zum Campen kommen!). Vermietet werden zudem äußerst spartanische, halbwegs saubere Bungalows mit integrierter Duschecke und Gemeinschaftstoilette draußen. Restaurant und Disco in einem alten Turm daneben. Wohnen im Bungalow für 2 Pers. 8 €, Zelten kostet ein bisschen weniger. ✆ 0322/6713472.

• *Essen & Trinken* **Baba'nın Yeri**, freundlich-bescheidenes Fischlokal, direkt am Hafen. Die rege Fischfangflotte Yumurtalıks sorgt stets für Nachschub.

Anavarza (antike Stätte)

Die Festungsanlage Anavarza bzw. *Anazarbus* stellt alle anderen Sehenswürdigkeiten der Çukurova in den Schatten. Auf einem 200 m hohen Felsplateau gelegen, dominiert die Burg die weite fruchtbare Ebene, wo im Sommer Abertausende von Sonnenblumen blühen. Yaşar Kemal (→ Kasten), der die Gegend um Anavarza als Heimat des *Ince Memed* literarisch verewigte, gab übrigens einmal lachend zu, niemals auch nur einen Fuß auf den Felsen gesetzt zu haben – er hat etwas verpasst. Schöner liegen Ruinen nur selten.

Zu Fuße des Burgbergs, rund um das stillen Nachfolgedörfchen Dilekkaya, liegen weit verstreut die Relikte einer im 1. Jh. v. Chr. gegründeten Stadt. Die meisten stammen aus römischer Zeit – das begehrte Anavarza war später wechselweise auch unter persischer, arabischer, byzantinischer, arabischer und mamelukischer Herrschaft. Bei der Einfahrt ins Dorf fällt zunächst die *Stadtmauer* mit ihrem schmucklosen *Westtor* auf. Wer sich von hier gen Norden hält,

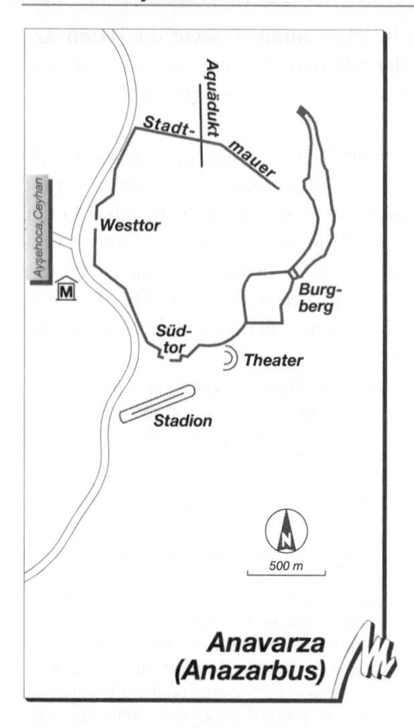

gelangt zu einem noch recht gut erhaltenen *Aquädukt.* In entgegengesetzter Richtung liegt ein kleines aber feines *Museum,* das mit zwei schönen Mosaiken vom Boden eines Badebeckens aus dem 3. Jh. n. Chr. angeben kann. Wer vom Museum durch das Dorf weiter nach Südosten läuft, sieht vielleicht ein paar Kühe zwischen den Resten des *Stadions,* des triumphbogenartigen *Südtors* und des *Theaters* grasen.

Nördlich des Südtores, bei den letzten Häusern Dilekkayas, beginnt der Aufstieg zur alles überragenden *Zitadelle.* Lassen Sie sich den Weg ggf. zeigen und denken Sie an feste Schuhe und genügend Wasser. Im Hochsommer kann der halbstündige Aufstieg schnell zur Tortur werden, belohnt aber mit grandiosen Aussichten. Die Ruinen auf dem Burgberg, darunter eine Kirche aus dem frühen 12. Jh., zeugen vorrangig von der Herrschaftsepoche der armenischen Rubeniden, die Anavarza zu ihrer Sommerresidenz wählten. Mit der Eroberung der Stadt durch die ägyptischen Mameluken 1375 fiel hier die letzte Bastion des kleinarmenischen Reiches (→ Kasten, S. 584).

• Anfahrt/Verbindungen Von Ceyhan führt die Nationalstraße 817 Richtung Kozan. Nach ca. 20 km im Dorf Ayşehoca rechts ab (ausgeschildert), nach weiteren 5 km ist man am Ziel. Mit dem **Dolmuş** von Ceyhan Richtung Kozan, an der Abzweigung nach Anavarza aussteigen und ca. 1 Std. etwas für die Beinmuskulatur tun – zusammen mit der Besichtigung der Zitadelle eine schöne mehrstündige Wanderung.

• Öffnungszeiten Ruinen und Museum sind stets zugänglich, der Museumswärter wohnt im Ort – er bzw. seine Kinder finden Sie sicher! Ticket für alle Sehenswürdigkeiten 1 €.

Toprakkale

Die "Lehmburg", ursprünglich von Byzantinern auf einem 60 m hohen Basaltfelsen errichtet, liegt weithin sichtbar mitten im Dreieck der Fernstraßen nach Adana, İskenderun und Gaziantep. Sie hatte aufgrund ihrer exponierten Lage nicht nur Blickkontakt zu den Festungen Yılan Kalesi (→ S. 583) und Anavarza (s.o.), sondern auch eine ähnliche Geschichte. Als Burgherren wechselten sich Byzantiner, Araber, Kreuzritter, Armenier, Mameluken und Osmanen ab. Der größte Teil der recht gut erhaltenen Anlage mit einigen unterirdischen Gängen stammt aus kleinarmenischer Zeit.

• Anfahrt/Öffnungszeiten stets zugänglich. Ein selbst ernannter Burgwächter verlangt zuweilen einen kleinen Obolus für seine Führung. Von der Nationalstraße 400 Adana-Osmaniye führt ca. 300 m nach der Abzweigung nach İskenderun ein Sträßchen zur

Burg. Ohne eigenes Fahrzeug erreicht man die Burg, indem man ein Osmaniye-İskenderun- oder Osmaniye-Dörtyol-**Dolmuş** nimmt und unterwegs aussteigt – sagen Sie dem Fahrer Bescheid.

Yaşar Kemal, Persona non grata aus der Çukurova

Yaşar Kemal, der bedeutendste zeitgenössische Schriftsteller der Türkei, machte die Landschaft der Çukurova zum Schauplatz der Weltliteratur. Sie ist zugleich seine Heimat. Als Kind zugezogener kurdischer Eltern wurde er 1923 in einem kleinen Dorf in der Schwemmlandebene geboren. Als Hirte und Tagelöhner schlug er sich durch, bevor er zum Journalisten und literarischen Anwalt der Armen und Unterdrückten avancierte. Das Gros seiner Romane ist in der Çukurova angesiedelt, darunter auch sein erfolgreichstes, 1955 erstmals erschienenes und heute in über 40 Sprachen übersetztes Werk *İnce Memed* ("Memed mein Falke"). Wer den poetischen Kampf eines anatolischen Robin Hoods gegen erbarmungslose Großgrundbesitzer im Reisegepäck hat, wird die Çukerova mit anderen Augen sehen.

Während Yaşar Kemal in seinen Erzählungen den täglichen Überlebenskampf der Landlosen und ihrer Heimat beraubten Nomaden mit viel Metaphorik beschrieb, übte er im realen Leben offene Kritik an seinem Land und dessen Menschenrechtspolitik. Was ihm im Ausland zahlreiche Preise einbrachte – 1997 beispielsweise den Friedenspreis des deutschen Buchhandels – bescherte ihm im eigenen Land bis vor wenigen Jahren Gerichtsverhandlungen und vernichtende Kritiken. Die frühere Ministerpräsidentin Tansu Çiller nannte den Literaten einen "Strolch", und Burhan Özfatura, der Ex-Bürgermeister von İzmir, einen "Halunken, der krumme Bücher schreibt". Im Zuge der türkischen EU-Ambitionen hat sich diese Haltung – wohl nicht uneigennützig – gewandelt. 2002 erhielt der fast 80-Jährige die Ehrendoktorwürde der Bilkent-Universität Ankara. Seine Auszeichnung nannte Kemal einen "Hoffnungsschimmer".

Osmaniye und Karatepe-Nationalpark (Karatepe Milli Parkı)

Osmaniye, eine unansehnliche Provinzstadt mit 177.000 Einwohnern, ist Ausgangspunkt für Fahrten in den 34 km nördlich gelegenen Karatepe-Nationalpark, ein 77 qkm großes Naherholungsgebiet. Es liegt am *Aslantaş Barajı*, einer künstlichen Stauung des Ceyhan-Flusses. Weite Kiefern- und Eichenwälder prägen den Park, der zugleich Heimat von Wölfen, Schakalen und Wildschweinen ist. Hoch über dem See lassen sich die Ruinen der hethitischen Burganlage *Karatepe-Aslantaş* besichtigen. Entdeckt wurde diese 1946 von dem in İstanbul lehrenden deutschen Archäologen Hellmuth Bossert. Zusammen mit seiner Kollegin Halet Çambel – ganz nebenbei die erste Türkin, die je an Olympischen Spielen teilnahm (1936 in Berlin) – legte er sie frei. Ihr spektakulärster Fund waren Steinplatten mit zweisprachigen Inschriften, welche eine Gegenüberstellung der bereits bekannten phönizischen Schrift mit hethitischen Hieroglyphen erlaubte. Letztere konnten so erstmals entziffert werden.

Die Festung war vermutlich vom 12. bis zum 8. Jh. v. Chr. bewohnt, zuletzt diente sie als Sommerresidenz des Hethiterkönigs Asitawanda. Vom ehemaligen

Palast ist kaum mehr etwas erhalten. Sehenswert sind jedoch zwei Toranlagen, die von Löwen (*aslantaş* = Löwenstein) und zwei Sphinxen bewacht werden. Beide besitzen fein gearbeitete Reliefs – sie sind einmalig in der hethitischen Welt, da sie keine "langweiligen" Darstellungen des höfischen Lebens, sondern humoristische Szenerien zeigen. Am Südtor ist ein molliger Fürst zu erkennen, dem gerade Essen aufgetragen wird; unter dem Tisch hockt ein Äffchen. Am besser erhaltenen Nordtor – Jahrhunderte lang lag es geschützt unter der Erde – ist die Darstellung einer stillenden Mutter auszumachen.

Karatepe-Aslantaş ist nicht die einzige Ruinenstätte, die Sie bei einem Ausflug in den Nationalpark besichtigen können. Auf halbem Weg zwischen Osmaniye und dem Nationalpark passiert man das antike *Hierapolis Kastabala*. Es liegt inmitten von Feldern zu Fuße eines Hügels, den die mittelalterliche Burg *Bodrum Kalesi* krönt. In der Antike war Hierapolis, dessen Name im 2. Jh. v. Chr. erstmals auf Münzen auftauchte, bekannt für den hier gepflegten Artemiskult. Der Geograph Strabo (64 v.–23 n. Chr.) berichtet von Zeremonien der Priesterinnen, die nach ausgiebigen Tänzen in Trance fielen und anschließend über glühende Kohlen laufen konnten. Auf dem Ruinengelände geht es heute weit weniger mystisch zu. An Hierapolis, die "Stadt der Tempel", erinnern nur noch spärlichste Ruinen. Zu sehen sind u. a. eine 300 m lange Kolonnadenstraße mit 78 Säulen, die teils noch über schöne korinthische Kapitelle verfügen, zudem die Ruinen eines Stadions, zweier Bäder und zweier Kirchen aus dem 5. oder 6. Jh. Das Gelände ist stets zugänglich. In den Sommermonaten verkauft hin und wieder jemand Tickets. Im Eintrittspreis von 0,90 € ist in der Regel ein englischsprachiger Flyer, der die Orientierung erleichtert, inbegriffen.

• *Öffnungszeiten* Der Park und die Anlage Karatepe-Aslantaş sind von Sonnenauf- bis -untergang zugänglich. Für den Nationalpark zahlt man pro Person 1,50 €, für die Ausgrabung 0,60 €, hinzu kommt eine Parkgebühr von 0,60 €. Ist kein Wärter vor Ort, einfach hineinlaufen – er wird schon kommen und Sie finden! Striktes Fotografierverbot – es soll wohl den Absatz der eigenen Dias fördern. Der Nationalpark eignet sich hervorragend zum Picknicken, Camping wird geduldet.

• *Anfahrt* Der Weg zum Nationalpark samt seiner Sehenswürdigkeiten ist von der Hauptdurchgangsstraße in Osmaniye ausgeschildert. Er führt zunächst Richtung Kadirli, nach ca. 10 km geht es in Çevdetiye rechts ab auf ein geflicktes, asphaltiertes Sträßlein. Den Weg zum Stausee (mit "Aslantaş Barajı" beschildert) kann man sich sparen – die Straße endet an einer Schranke, der Damm ist nicht zugänglich.

• *Verbindungen* Es fahren keine Busse oder Dolmuşe in den Nationalpark. Mit dem **Taxi** von Osmaniye bezahlt man mindestens 25 € – je nach dem, wie lange der Fahrer bei den Sehenswürdigkeiten warten muss. Der Busbahnhof von Osmaniye befindet sich an der Hauptdurchgangsstraße (von Süden kommend nach der Post linker Hand). **Busse** bzw. **Minibusse** nach Adana, Gaziantep und İskenderun starten hier, die **Dolmuşe** nach Dörtyol fahren gegenüber der BP-Tankstelle (ebenfalls an der Hauptdurchgangsstraße) ab.

• *Übernachten* ***Kale Hotel**, die neueste und beste Adresse vor Ort verlangt happige 40 € für ein Standard-DZ mit dem der Sternenzahl entsprechenden Komfort. Dr. Ahmet Kalkan Cad. 27, ☏ 0328/8124444, 📠 8138484. Um es zu finden, verlässt man den Busbahnhof rechter Hand und hält sich an der ersten Ampel links.

Kervansaray Oteli, die "zweitbeste" Adresse vor Ort bietet nur noch höhlenähnliche, spartanische Zellen. Das DZ mit Ventilator und Bad (Stehklos) zu 8 €, als "lüks oda" mit TV, CD-Player, 24-Stunden-Teeservice und Frühstück für 12 €. Şehit Mehmet Eroğlu Cad. 21, ☏ 0328/8141310. Man findet das Hotel, in dem man sich nach Verlassen des Busbahnhofs links hält und auf der gegenüber liegenden Straßenseite in die Straße zwischen der BP- und der Bizimgaz-Tankstelle einbiegt.

Beim Barbier in Antakya

Das Hatay

Die südlichste Provinz der Türkei liegt abseits der großen Touristenströme. Abwechslungsreiche Landschaften und die arabische geprägte Provinzmetropole Antakya sprechen für einen Abstecher.

Blickt man auf die Landkarte, so sitzt das Hatay wie ein Dorn zwischen Syrien und dem Mittelmeer. Nach dem Zusammenbruch des Osmanischen Reiches war das Hatay wie Syrien französisches Protektorat. Erst 1939 fiel es nach einer Volksabstimmung an die Türkei. Bis heute erkennen manche syrische Politiker diese Abstimmung nicht an. Auf arabischen Landkarten verläuft deswegen die syrisch-türkische Grenze zuweilen noch immer nördlich von İskenderun.

Die Landschaft des Hatay ist reizvoll und vielfältig. Schluchtenreiche Gebirgszüge wechseln mit fruchtbaren, üppig grünen Talsenken, in denen es im Sommer stickig-heiß wird. Abkühlung versprechen die *Yaylas*, idyllische Bergalmen im Landesinneren. Klima und Bodenbeschaffenheit erlauben intensiven Ackerbau, diesbezüglich gehört das Hatay zu den reichsten Gebieten der Türkei. Hauptprodukte sind hochwertige Baumwolle, Getreide und vielerlei Sorten von Gemüse. Alawitische und syrisch-orthodoxe Araber machen das Hatay zudem zu einer Multi-Kulti-Region. Wer nicht unbedingt auf reinen Badeurlaub aus ist – es gibt hübschere Ferienorte als die am Golf von İskenderun – kann hier viel entdecken: Klöster, Burgen, antike Stätten und mit Antakya eine sympathische Provinzmetropole.

Hatay – das Highlight

Das **Mosaikenmuseum von Antakya** ist eines der angesehensten seiner Art in der Welt, dafür liegt es aber auch am Ende der Welt, kurz vor der syrischen Grenze. Wer sich dahin aufmacht, bekommt als kostenlose Dreingabe ein sympathisches Multi-Kulti-Städtchen, wo Türken und Araber, Muslime und Christen in friedlicher Nachbarschaft leben.

Epiphania/Issos (antike Stadt)

Drei drei drei – bei Issos Keilerei. Die Eselsbrücke aus dem Geschichtsunterricht verweist auf die legendäre Schlacht von 333 v. Chr., bei der Alexander der Große am Golf von İskenderun dem persischen Großkönig Darius III. eine vernichtende Niederlage bescherte. Ein Heer aus "nur" 40.000 abendländischen Soldaten kam dabei gegen 500.000 Perser an, so zumindest steht es in den Geschichtsbüchern. Der angebliche Schauplatz der Keilerei ist von der Nationalstraße 817 Osmaniye-Dörtyol (nahe der Autobahn) an einem Kreisverkehr mit "Issos Harabeleri" ausgeschildert – eine gewollte oder ungewollte Irreführung. Wer hier abzweigt, gelangt über Bahngleise und dahinter auf einem Schotterweg zu einem Orangenhain. In diesem liegen ein paar unspektakuläre Ruinen, darunter ein *Aquädukt.* Sie sind jedoch keine Überreste des geschichtsträchtigen Issos', sondern die einer antiken Stadt namens Epiphania, über die man kaum etwas weiß. Das Schlachtfeld von Issos lag einige Kilometer südlich von Epiphania – zu sehen ist dort aber überhaupt nichts mehr.

Dörtyol, zu Fuße des zerklüfteten *Boz Dağ* (2.240 m), ist das nächstgelegene Städtchen. Hier geht es so bäuerlich und geruhsam zu, dass wohl die wenigsten der 55.200 Einwohner an Aufregung sterben. Dörtyol besitzt einen gedeckten Basar und ein türkisches Bad.

Yakacık/Payas

In Yakacık steht die gut erhaltene *Sokullu Mehmet Paşa Kervansarayı* mit Moschee, Medrese, Hamam und Bedesten (gedeckter Basar) aus dem Jahre 1574. Sie wird dem großen osmanischen Architekten Sinan zugeschrieben. Damals hieß der Ort Payas, war Endstation der Karawanenstraße von Mesopotamien zum Mittelmeer und ein wichtiger Hafen. Ende der 1980er versuchte man, das Hauptgebäude der Karawanserei in eine Art Shoppingcenter umzufunktionieren – erfolglos. Die immer noch leer stehenden, langsam verwahrlosenden Geschäfte geben dem Gebäudeinneren ein recht tristes Aussehen. Das *Kastell* gegenüber der Karawanserei wurde von den Kreuzfahrern erbaut und von den Osmanen zum Schutz der Karawanserei restauriert. Etwas weiter westlich, am heute verlandeten Hafen, kann man zudem die Ruinen des *Çin Kulesi* ("Geisterturm") besichtigen, ein wahrscheinlich ebenfalls von den Kreuzfahrern errichteter Wachturm. Ein Wermutstropfen bei der Besichtigung sind die unmittelbar hinter Yakacık rauchenden Schlote der Stahlindustrie.

Anfahrt/Öffnungszeiten Die Karawanserei ist von der Nationalstraße 817 ausgeschildert. Offiziell tägl. 8–12.30 Uhr und 13.30–20 Uhr, in Wirklichkeit jedoch mehr nach Lust und Laune des Aufsehers. Kein Eintritt.

İskenderun

(ca. 200.000 Einwohner)

In der Silhouette der Stadt haben die Türme der Stahlwerke und Ölraffinerien Oberhand über die Minarette gewonnen. Obgleich sich das Zentrum hinter einem gepflegten, palmengesäumten Uferboulevard ganz adrett präsentiert – Gründe nach İskenderun zu fahren, gibt es keine.

Das ehemalige *Alexandrette* wurde von Alexander dem Großen (türk. *Büyük İskender*) nach der Schlacht von Issos gegründet. Irgendwelche Schlagzeilen in der Geschichte machte die Stadt allerdings nie. Antike Überbleibsel sind Fehlanzeige, ausgeschilderte Sehenswürdigkeiten und Museen ebenso. Einzig und allein ein paar armenisch-katholische und orthodoxe Kirchen können besichtigt werden – aber auch diese sind nicht der Rede wert. Das Zentrum selbst ist modern und freundlich, İskenderun hat in den letzten Jahren an seinem Image gearbeitet. Mehr als einen Einkaufsbummel gibt es jedoch nicht her. Aufs Windowshopping muss man dabei allerdings verzichten: Die Jalousien der Ladenfronten sind oft bis auf Kniehöhe hinabgezogen – die stickig-schweißtreibende Stadt zählt zu den heißesten der Türkei.

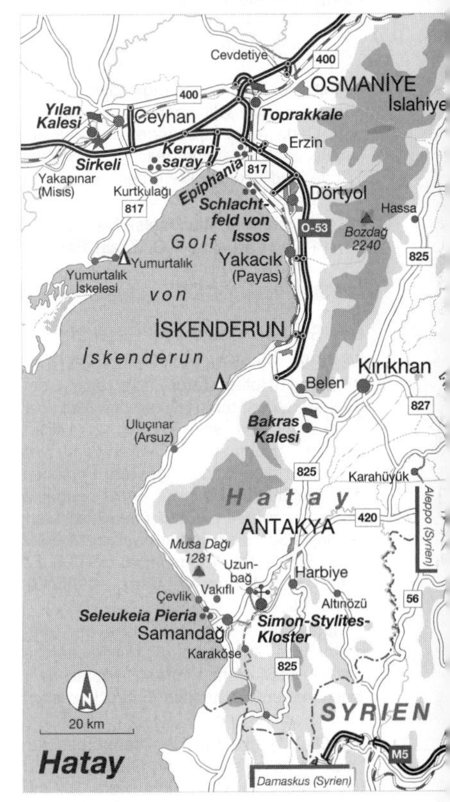

Vom Uferboulevard blickt man auf ein paar Werften in der Ferne, in der Bucht von İskenderun liegen zudem militärische Häfen der türkische Armee und der NATO. Drum herum rauchen die Schlote der Stahlindustrie und zahlreichen Ölraffinerien. Baden ist aufgrund fehlender Strände und fragwürdiger Wasserqualität vor Ort unmöglich. Kiesstrände findet man jedoch auf dem Weg nach Arsuz, einen schönen Sandstrand in Arsuz selbst (→ S. 593).

Information/Verbindungen/Parken

- *Telefonvorwahl* 0326.
- *Information* am Uferboulevard, Atatürk Bul. 49/B. Freundliches, englischsprachiges Personal, organisiert auf Wunsch Ausflüge in die Umgebung. Gute Stadtbroschüre mit Plan. Mo–Fr 8–12 und 13.30–17.30 Uhr, im Sommer auch Sa geöffnet. ✆ 6141620, 📠 6132879.
- *Verbindungen* **Bus/Dolmuş**: Der Busbahnhof befindet sich in Laufnähe südöstlich des Zentrums nahe der Sanayi Cad.

Regelmäßige Verbindungen nach Antakya (über Belen), Adana und Gaziantep. Die Dolmuşe nach Arsuz und Belen starten am Ostende des Atatürk Bul., Minibusse nach Antakya, Payas, Dörtyol und Osmaniye am Pac Meydanı nahe dem Hotel Ontur.

Zug: Der Bahnhof befindet sich ebenfalls in Laufnähe östlich des Zentrums. Mehrmals tägl. Züge nach Adana und Mersin, mehrmals wöchentl. auch nach İstanbul. Information und Reservierung unter ✆ 6140044.

• *Parken* ist am Atatürk Bul. möglich. Zudem sind kostenpflichtige Baulücken ausgeschildert.

Adressen/Sonstiges

• *Ärztliche Versorgung* bietet das staatliche Krankenhaus **Devlet Hastanesi** an der Kazım Karabekir Cad. im Westen des Zentrums. ✆ 66171075.

• *Einkaufen* Man mag es kaum glauben, aber İskenderun besitzt mit der **Holzschnitzerei** noch ein regionales Kunsthandwerk. Wer will, kann z. B. in der **Kanatlı Cad.**, einer Fußgängerzone mit vielen Geschäften, schön geschnitzte Stühle, Tische und Truhen erwerben. Viel Spaß beim Tragen!

• *Geld* mehrere **Wechselstuben** an der Şehit Pamir Cad. Eine **T.C. Ziraat Bankası** mit EC-Automat finden Sie am Atatürk Bul.

• *Polizei* Hauptstelle an der Şehit Pamir Cad., die fremdsprachige **Touristenpolizei** erreichen Sie unter ✆ 6136176.

• *Post* z. B. an der 5. Temmuz Cad. und an der Şehit Öğuz Yener Cad.

• *Tauchen* (auch mit Ausbildung) kann man mit dem freundlichen **Orhan Yıldız**. Bootsausfahrt mit zwei Tauchgängen 50 €. Şehit Pamir Cad. 31 (3. Stock), ✆ 0542/3619363 (mobil).

• *Veranstaltung* **Internationales Tourismus- und Kulturfestival** alljährlich Anfang Juli.

Übernachten/Camping

Das Gros der Gäste sind Geschäftsreisende, deshalb sind die Preise relativ hoch. Es empfiehlt sich, ein Hotel zu buchen, in dem die Klimaanlage funktioniert.

******Grand Hotel Ontur (11)**, eines der bizarrsten Vier-Sterne-Häuser der Welt. Der Architekt muss sein Diplom in Lilliput gemacht haben – die Decken sind fast überall so niedrig, dass größere Personen das Gefühl bekommen, stets geduckt laufen zu müssen! Dazu überall schwarz verglaste Scheiben und schwarzes Mobiliar – eine kafkaeske Atmosphäre. DZ 70 €, EZ 40 €. Dr. M. Aksoy Cad., ✆ 6162400, ℻ 6162410.

*****Hataylı (6)**, neues Haus nahe der Uferpromenade. Zum Zeitpunkt der Recherche war es noch nicht eröffnet, machte aber einen vielversprechenden Eindruck. Lassen Sie sich überraschen.

Kıyı Otel (1), direkt an der Uferpromenade. Nach vorne tolle Aussicht, ansonsten sind die Zimmer ihr Geld nicht wert. DZ mit Frühstück 27 €, das EZ zu 18 €. Ohne Meeresblick billiger, aber überhaupt nicht zu empfehlen. Alle Zimmer mit Klimaanlage. Atatürk Bul., ✆ 6173681, ℻ 6171139.

****Hotel Cabir (8)**, mit Restaurant und Disco. Letztere wurde in den 1990ern umgebaut, damit İskenderun noch heißer wird. Gepflegte DZ für ca. 23 €., alle mit Dusche/WC/TV und Klimaanlage. Ulucami Cad. 16, ✆ 6123391, ℻ 6123393.

***Hotel İmrenay (5)**, preiswert und relativ ruhig in der Innenstadt. DZ mit Du/WC/TV und Klimaanlage ca. 18 €. Die einzige Steckdose im Zimmer stellt Sie vor die Alternative: Fernseher oder Klimaanlage. Şehit Pamir Cad. 5., ✆ 6132117, ℻ 6135984.

Hotel Altındış (7), 30 Zimmer von solcher Geschmacklosigkeit, dass sie schon wieder cool sind – wie wäre es mit einem Welpenposter überm Bett? Insgesamt etwas heruntergekommen, aber passabel sauber. Viele Zimmer mit Balkon. DZ mit Klimaanlage, TV, Bad und Frühstück 17 € (als EZ 14 €), ohne Klimaanlage billiger. Şehit Pamir Cad. 11, ✆ 6171011, hotelaltindis@mynet.com.

• *Camping* **Palmera**, ca. 9 km außerhalb, direkt an der Straße nach Arsuz. Wenig Schatten. Vorteile: Grillstelle mit Tischen direkt am Meer und Restaurant mit Spezialitäten der Region. Stege ins Meer statt Strand, einfache, aber akzeptable Sanitäranlagen. Pro Wohnmobil 2,90 € unabhängig von der Personenzahl. Wer ein Zelt mieten will, zahlt 6 €. ✆ 6427026.

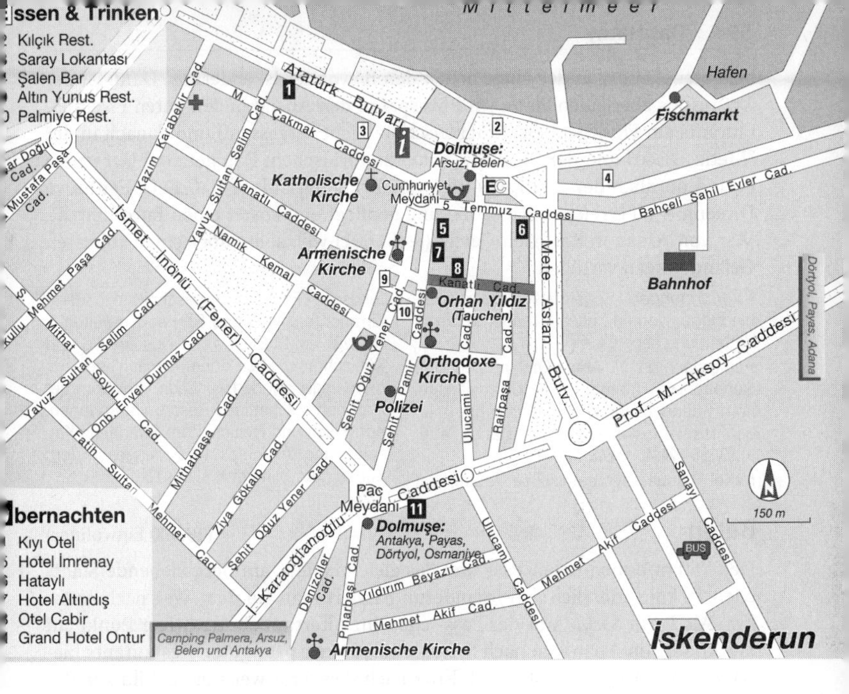

Essen & Trinken/Nachtleben

Kılçık Restaurant (2), sehr gepflegte Lokalität an der Uferpromenade, nur ein paar Schritte vom Meer. Große Holzveranda. Wählen Sie hier am besten Fisch zum Rakı oder Bier. An Sommerwochenenden empfiehlt sich eine Reservierung (✆ 6144782). Atatürk Bul.

Saray Lokantası (3), gilt als eines der besten Restaurants der Stadt, sieht jedoch aus wie die Kantine eines Finanzamtes. Ein paar Plastiktische auch auf der Straße. Neben Meze (0,90 €) und Kebabs (der "İskender" zu 2,40 €) auch ein ganzer gegrillter Hahn (4,20 €). Atatürk Bul., nahe der Tourist Information.

Für Besonderheiten der Hatay-Küche → Antakya / Essen & Trinken, S. 597.

Palmiye Restaurant (10) ein kahler Raum im ersten Stock. Hässliche Plastiktischtücher, aber frische Luft an der geöffneten Fensterfront – und gegen ein diskret überreichtes Trinkgeld zaubert der Kellner sogar ein kühles Bier herbei. Şehit Pamir Cad.

Altın Yunus Restaurant (9), wem das Kılçık zu teuer ist, der kommt hierher. Zwar kein Meeresblick, dafür gemütliche Lokantaatmosphäre und einfach zubereitete, leckere Fisch- und Krabbengerichte sowie Meze (Humus probieren!). Der teuerste Fisch zu 2,40 €. 58 Sok. 10/A, eine Seitengasse der Şehit Pamir Cad.

• *Nachtleben* Die hauseigenen Diskothek des Hotels **Ontur** ist wenig wenig spannend. Besser in die **Şalen Bar (4)** nahe dem Hafen – fast allabendliche Livemusik, während der Rakı in Strömen fließt.

Arsuz bzw. Uluçınar

Das einstige Fischerstädtchen mit dem Doppelnamen 33 km südlich von İskenderun lebt vom nationalen und syrischen Tourismus. Es besteht mittlerweile fast ausschließlich aus Ferienhäusern, zu denen sich ein paar Pensionen und Hotels gesellen. An Sommerwochenenden ist Arsuz bzw. Uluçınar ein beliebtes Ziel der in der Hitze brütenden Bewohner İskenderuns. Dann ist der Ort restlos überlaufen, dann wird bis spät in den Abend in den guten Fischrestaurants am Fluss getafelt (Mückenschutz nicht vergessen!) und danach in der "Metin Disco" und der "Sisli Meyhane" zu türkischem Pop getanzt. Der große Strand nördlich des Zentrums (über die Erholungsanlage "T.C.D.D. Eğitim ve Dinlenme" zu erreichen) ist schön und gepflegt und kostet einen Euro Eintritt. Wer von Arsuz weiter nach Çevlik (→ S. 601) will, sollte über einen robusten Geländewagen verfügen.

• *Verbindungen* Regelmäßige **Dolmuş**verbindungen von und nach İskenderun. Keine Verbindung nach Çevlik.

• *Übernachten* *****Arsuz Otel**, im Zentrum. Gehobeneres freundliches Hotel mit eigenem Strandabschnitt. Zum Meer hin überdachtes Terrassenrestaurant. DZ ca. 41 €. ✆ 0326/6432444, 📠 6432448.

Motel Yunus, sympathisches Motel, auf türkische Familien zugeschnitten: 3-Bett-Zimmer (ca. 14 €) und 5-Personen-Suiten (2 Räume, ca. 21 €). Alle mit Dusche/WC und Kühlschrank, aber ohne Klimaanlage. Ruhige Lage. Kinderfreundlich. Im Sommer angenehm schattiges Restaurant im Innenhof: Fisch und Fleisch. Zum Strand ein Katzensprung. Akdeniz Cad. 2 (ausgeschildert, neben dem Minarett), ✆ 6432088.

Belen

(19.000 Einwohner)

Den 750 m hohen Belen-Pass und das gleichnamige, am Berg klebende Städtchen 13 km südöstlich von İskenderun passiert man auf dem Weg nach Antakya. Als *Porta Syriae* war der Pass schon im Altertum ein wichtiger Punkt auf der Route von Anatolien nach Syrien. Außer einer paar guten Restaurants bietet der Ort aber nicht allzu viel: Kurz nach dem Pass weist ein Schild zur *Bakras Kalesi*, die man nach vier Kilometern und weiteren 15 Minuten zu Fuß erreicht. Die byzantinische, recht gut erhaltene Festung aus dem 10. Jh. wurde zur Sicherung des Passes auf einem Felskegel errichtet. In ihrem Inneren befindet sich eine Kirchenruine. Freier Eintritt.

• *Verbindungen* Regelmäßige **Dolmuş**verbindungen nach İskenderun und Antakya.

• *Essen & Trinken* **Restaurant Kurtoğlu**, direkt an der Straße im Zentrum, von İskenderun kommend rechter Hand. Besser, als es von außen aussieht – große Mezeauswahl, vorzügliche Küche, preiswert.

Antakya

(ca. 150.000 Einwohner)

Französischer Kolonialcharme trifft 1001 Nacht. Das geschichtsträchtige Antakya lädt zu einem Besuch seiner pittoresken Altstadt und eines der bedeutendsten Mosaikenmuseen der Welt ein.

Die abgelegene Provinzstadt im fruchtbaren Schwemmland des Hatay ist identisch mit *Antiochia*, das im Altertum eine Weltmetropole war. Von der antiken Bebauung ist jedoch nichts geblieben. Dafür entschädigen arabische Architektur und lepröse Jugendstilfassaden im bunten Nebeneinander – die enggassige Altstadt ist eine der schönsten und ungewöhnlichsten der Türkei. Im orientalisch pulsierenden Labyrinth des Basarviertels macht Umherirren Spaß, herauskommen wird man immer. Ganz anders hingegen das moderne Antakya. Der wenig romantische, fast kloakenhafte Flusslauf des Asi, des antiken Orontes, trennt diesen Teil von der Altstadt. Hier wechseln türkische Renommierpaläste und sozialer Wohnungsbau einander ab.

Morbider Kolonialcharme in der Altstadt von Antakya

In Antakya wird neben Türkisch auch Arabisch gesprochen. Der arabischsprachige Teil der Bevölkerung zählt überwiegend zur Minderheit der Alawiten, einer schiitischen Glaubensrichtung, nicht zu verwechseln mit den Aleviten (→ Islam, S. 56). Den französischen Herren von einst ist es wahrscheinlich zu verdanken, dass sich Antakya eine relative Freizügigkeit bewahrt hat. Frauen in Shorts bestimmen das Straßenbild ebenso wie zahlreiche Bierpinten. Kein Wunder also, dass Antakya ein beliebtes Ausflugsziel von (vornehmlich jungen und männlichen) Touristen aus den sittenstrengeren arabischen Nachbarländern, insbesondere aus Syrien, ist. Das Glas Bier vor dem obligatorischen Besuch eines Pornokinos gehört für sie zum Kernprogramm.

Geschichte

Im Jahre 307 v. Chr. gründete hier Antigonos, einer der Feldherren Alexanders des Großen, eine Siedlung namens *Antigoneia.* Nur sieben Jahre später fiel diese in die Hände seines einstigen Weggefährten, des Seleukidenkönigs Seleukos I. Nikator. Dieser machte Antigonos zur Hauptstadt seines Reiches. Die Stadt avancierte in kürzester Zeit zu einem bedeutenden und wohlhabenden Handelszentrum, dem die sinnenfrohen Bewohner den Ruf eines Sündenbabels anhefteten. Daran änderte sich nichts, als Antiochia, wie die Stadt nun hieß, 64 v. Chr. Hauptstadt der römischen Provinz Syrien wurde. Eine halbe Million Einwohner zählte man zu jener Zeit, darunter 200.000 Sklaven. Damit war Antiochia nach Rom und Alexandria die drittgrößten Stadt des Imperiums. Nach der Zerstörung Jerusalems 70 n. Chr. stieg sie zudem zum bedeutendsten Zentrum des frühen Christentums auf. Hier nämlich hatten Paulus und Barnabas verweilt, hatte Matthäus sein Evangelium geschrieben und Petrus zu missionieren begonnen. – bei der jüdischen Gemeinde Antiochas war er schnell auf offene Ohren gestoßen. Trotzdem strafte sie Gott mit mehreren Erdbeben, das schwerste brach jedoch erst 526 über Antiochia herein. Das Beben soll mehr als 250.000 Opfer in der Provinz gefordert haben.

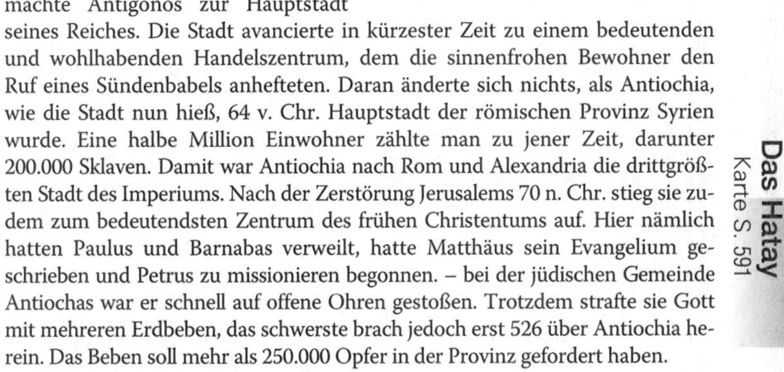

Trotzdem, Antiochia war begehrt. Jahrhunderte lang stritten sich Römer, Perser, Byzantiner, Araber und schließlich auch noch die Kreuzfahrer um die Stadt. Erst nachdem die ägyptischen Mameluken Antiochia 1268 vollständig zerstört hatten, wurde die Stadt uninteressant. In osmanischer Zeit duckten sich auf dem Trümmerhaufen der einstigen Weltmetropole nur noch ein paar hundert ärmliche Steinhütten. Nach dem Ersten Weltkrieg schlugen die Siegermächte Antakya dem französischen Protektorat Syrien zu, aus dem es nach einer Volksabstimmung 1939 in die Türkei entlassen wurde.

Information/Verbindungen/Ausflüge

- *Telefonvorwahl* 0326.
- *Information* abseits der Altstadt am Vali Ürgen Meydanı. Mo–Fr 8–12 Uhr und 13.30–17.30 Uhr. ✆ 2160610, ℻ 2135740.

> **Hinweis**: Individualtouristen benötigen für die **Einreise nach Syrien** ein Visum, das bei der zuständigen Vertretung im Heimatland vorab beantragt werden muss. Eine Erteilung an der Grenze ist nicht möglich (anders bei → Organisierten Touren), zudem werden Besitzer von Pässen mit israelischen Einreisestempeln grundsätzlich abgewiesen. Ein **Visum für Jordanien** wird an der Grenze ausgestellt (Stand: Frühjahr 2003).

- *Verbindungen* **Bus**bahnhof nordöstlich des Zentrums, problemlos zu erlaufen. Gute Anschlüsse in alle großen Städte der Türkei, nach Adana (3 Std.), Antalya 10 (Std.), Kayseri (8 Std.), İskenderun (1 Std.). Zudem tägl. mehrmals nach Jordanien (Amman, ca. 10 Std.) und Syrien (Aleppo ca. 4 Std., Damaskus ca. 10 Std.). Bedenken Sie, dass Grenzformalitäten die Reise um einige Stunden verlängern können.

Dolmuş: Dolmuşe nach İskenderun (über Belen) fahren vom Busbahnhof ab, Dolmuşe nach Reyhanlı (an der Petrusgrotte vorbei) und zum Yenişehir Gölü nahe dem Busbahnhof (genaue Abfahrtsstelle erfragen). Wer nach Yayladağı will, steigt an der İnönü Cad. auf Höhe des Busbahnhofs in ein Dolmuştaxi. Die Dolmuşe nach Harbiye fahren entlang der İnönü Cad. gen Süden, dort einfach zusteigen. Die Dolmuşe nach Altınözü (Burg), Samandağ und Çevlik starten nahe der Yavuz Sultan Selim Cad. im Norden der Stadt.

- *Organisierte Touren* nach Syrien bietet das Reisebüro **Titus Turizm** an der Atatürk Cad. 8. Eintagesausflug nach Aleppo inkl. Visum (wird für Gruppen ruckzuck besorgt), Transport und Mittagessen 50 €, Zweitagesausflug mit Übernachtung 99 €. Gestartet wird in der Regel am Sa. ✆ 2139141, titustur@hatayonline.net.tr.

Adressen/Einkaufen/Veranstaltungen

- *Ärztliche Versorgung* Staatliches Krankenhaus **Devlet Hastanesi** im Nordwesten der Stadt. Der Cumhuriyet Cad. stadtauswärts folgen, dann ausgeschildert. ✆ 2145430.
- *Autoverleih* **Gülturizm**, schräg gegenüber dem Hotel Güney. Das billigstes Fahrzeug, ein *Şahin*, kostet 22 € inkl. Versicherungen. Ada Çarşısı 1, ✆ 2134150, www.gulturizm.com.
- *Einkaufen* Der **Basar** von Antakya sucht seinesgleichen. In den engen Gässchen zwischen İstiklal und Kurtuluş Cad. sieht man Sattler neben Kesselmachern, kann Schafsfelle, exotische Käsesorten oder Gewürze erstehen. Wer vornehme Geschäfte sucht, findet sie entlang der Atatürk Cad. Ein Tipp: Die in der Türkei berühmte **Daphne-Seife** (*defne sabunu)* wird ausschließlich aus Lorbeeröl hergestellt, das im Hatay gewonnen wird. Die Naturseife ist hautschonend und verhindert angeblich Haarausfall. In vielen Geschäften erhältlich, das Kilo sollte nicht mehr als 3 € kosten.
- *Geld* **T.C. Ziraat Bankası** mit EC-Automat zwischen Adnan Menderes Cad. und Gündüz Cad. gegenüber der Ata Köprüsü.
- *Polizei* **Touristenpolizei** nahe dem Archäologischen Museum an der Ata Köprüsü. ✆ 2239215.
- *Post* an der Atatürk Cad. nahe der Ata Köprüsü.
- *Türkisches Bad (Hamam)* Im historischen **Meydan Hamamı** baden Frauen in der Regel tagsüber, Männer am Abend, für Touristen können private Sessions organisiert werden. Eintritt ohne Massage ca. 3 €. Im Basarviertel hinter dem Hotel Güney.
- *Veranstaltungen* Am 23. Juli feiert Antakya seine Befreiung mit dem **Internationalen Tourismus- und Kulturfestival**.

Übernachten (siehe Karte S. 599)

****Büyük Antakya Oteli (6)**, ein beliebtes Ziel von Busgruppen. 74 Zimmer mit dem üblichen Schnickschnack wie Föhn und Minibar. Die Ausstattung entspricht im Ganzen aber noch dem Stand der späten 1980er, als das Haus errichtet wurde. Disco, Bar und Friseur. DZ 47–84 € je nach Verhandlungsgeschick. Atatürk Cad. 8, ✆ 2135858, 📠 2135869.

Antik Beyazıt Hotel (10), die stilvollste Unterkunft Antakyas stellt alle Mehr-Sterne-Häuser in den Schatten. Das mit Liebe restaurierte, über 100 Jahre alte Stadthaus beherbergt 27 mit Geschmack eingerichtete Zimmer. Alte Steinböden, Klimaanlage und Internetanschluss. Für das Wohlbefinden des Gastes wird viel getan: In der Minibar Schokolade, Efes-Bier und Red Bull, im Bad echte Daphne-Seife, in den Aufgängen Obstschalen, von denen man jederzeit naschen kann. Äußerst zuvorkommender Service. Sein Geld voll und ganz wert: DZ mit Frühstück 90 €, EZ 70 €. Allein dieses Hotels wegen lohnt Antakya einen Besuch. Hükümet Cad. 4, ✆ 2162900, www.antikbeyazitoteli.com.

****Hotel Orontes (1)**, klimatisiertes Hotel in der Altstadt. Ordentliche DZ für ca. 36 €. Von Lesern empfohlen. İstiklal Cad. 58, ✆ 2145931, 📠 2145933.

Onur Hotel (3), an der gleichen Straße. Sie haben die Wahl zwischen rosa oder hellblau getünchten Zimmern. Das furnierte Billigmobiliar ist überall gleich. Klimatisierte DZ für ca. 28 €. İstiklal Cad. 10, ✆ 2162210, 📠 2162214.

Hotel Saray (8), gute Bleibe im Stadtzentrum, freundliche Rezeption. DZ mit Dusche/WC ca.15 €, mit Klimaanlage ca. 17 €. Restaurant. Hürriyet Cad. 3, ✆ 2149001, 📠 2149002.

Hotel Güney (4), nicht von der gepflegten Lobby beeindrucken lassen. Geboten werden spartanische Zimmer mit Steinböden und einfachen Sanitäranlagen, das DZ mit Frühstück zu 14 €. Wer knapper bei Kasse ist, kann ein Zimmer ohne privates Bad wählen und zahlt dann 10 € für das DZ, Frühstück ist auch hier im Preis inbegriffen. İstiklal Cad. 24, ✆ 2149713, 📠 2151778.

***Divan Oteli (2)**, 29 schlichte, abgewohnte Zimmer mit Balkon (ein Pluspunkt!) und teils neuen Bädern. Bis auf die verbröselten Teppichböden recht sauber. Der Mann an der Rezeption mag nicht jeden! DZ 12 €, EZ 8 €. İstiklal Cad. 62, ✆ 2151518, 📠 2146356.

Essen & Trinken (siehe Karte S. 599)

Die gute, meist scharf gewürzte Hatay-Küche weist starke arabische Einflüsse auf. Statt dem herkömmlichen Weißbrot kommt hier in der Regel dünnes Fladenbrot auf den Tisch. *Humus*, ein sämiges Kichererbsenpüree, ist eine beliebte Vorspeise. Zu den Spezialitäten Antakyas zählen zudem *Kağıt Kebap* ("Papierkebab"), auf hauchdünnem Teig verteiltes Fleisch, *Peynirli Künefe*, eine mit Käse versetzte, zuckersüße Nachspeise sowie *Kadayıf*, ein Dessert aus Fadennudeln. Ausgezeichnet isst man übrigens auch in Harbiye (→ S. 600), bekannt für seine hervorragenden Meze. Für den gemütlichen Nachmittagskaffee bieten sich die Teegärten im Belediye Parkı westlich des Flusses an.

Antakya Evi (11), die wohl angenehmste gehobenere Lokalität der Stadt im ersten Stock eines alten Kolonialgebäudes mit z. T. herrlichen Fliesenböden. Große Auswahl an leckeren Meze und Kebabspezialitäten, dazu kaltes Efes. Ein gutes Abendessen kommt (je nach Bierkonsum) auf 6–12 €. Reservierung empfohlen (✆ 2141350). Silahlı Kuvvetler Cad. 3.

Sultan Sofrası (5), die beste Adresse, um lokale Spezialitäten wie Kağıt Kebap und Künefe zu testen. Gehoben-biederes Lokantaambiente (Kellner mit Hemd und Krawatte). Die Preise liegen etwas über denen anderer Lokantas. Stets gut besucht. İstiklal Cad. 18.

Han Restaurant (9), an der Hürriyet Cad. gegenüber dem Hotel Atahan im ersten Stock. Gemütliches, luftiges Plätzchen, wo zu Meze und den klassischen Grillgerichten auch ausreichend Bier fließt. Im Innern des Lokals ist es weniger schön.

Süper 96 (7), türkisches Fastfood mit stark regionalem Einschlag in Eisdielenambiente. Neben zahlreichen Sorten knuspriger Pide und Lahmacun gibt es auch diverse Gerichte aus der heißen Tonpfanne (Kiremit) – probieren Sie das mit Käse überbackene Hühnchensauté. Billig. Uzunçarşı Cad. 9.

Sehenswertes

Mosaikenmuseum: Die Sammlung ist weltberühmt. In fünf Sälen werden Mosaiken aus dem 2. bis 5. Jh. präsentiert, die einst die Villen reicher Bürger in Antakya und Umgebung zierten. Die Mosaiken, z.T aus farbigen Flusskieseln entstanden, sind auf hohem künstlerischen Niveau, kaum verblasst und z. T. mehrere Quadratmeter groß. Sie zeigen Szenen aus der Mythologie, aber auch Alltägliches. Dionysos taucht gleich mehrmals auf und das stets betrunken. Herkules sieht man als mopsigen Helden mit den Schlangen kämpfen. Auf dem bekannten sog. "Yakto-Mosaik" schlagen sich die mythologischen Heroen mit Löwen, Tigern und Bären herum. Viel Beachtung wird dem "Glücklichen Buckligen" gezollt, dessen Glück auf Hüfthöhe zu erkennen ist ... Neben all den Mosaiken wirken die übrigen archäologischen Exponate zweitklassig.

Adresse/Öffnungszeiten Gündüz Cad., gegenüber der Ata Köprüsü am Kreisverkehr. Tägl. (außer Mo) 8.30–12 Uhr und 13.30–17 Uhr. Eintritt knapp 4 €, erm. 0,60 €. Fotografieren ohne Blitz gestattet.

Habib Naccar Camii: Antakyas älteste Gebetsstätte in der Kurtuluş Cad. ist eine ehemals byzantinische Kirche, die wiederum auf antiken Tempelfundamenten entstand. Von den Mameluken wurde sie im 13. Jh. in eine Moschee umgewandelt, das Minarett kam im 17. Jh. hinzu – ein hübsches Beispiel für den türkischen Barock. Seinen Namen erhielt die Moschee von einem Lokalheiligen, der nahe Antakya in einer Höhle lebte.

Kirchen in der Altstadt: Aus kunsthistorischer Sicht sind die Kirchen Antakyas wenig spannend, man kann hier jedoch ein paar interessante Details über die noch verbliebenen Christen der Stadt erfahren. So ist die *syrisch-orthodoxe Kirche* im Gassenwirrwarr nahe der Hürriyet Caddesi Zentrum einer 1.500-köpfigen, arabischsprachigen Gemeinde. Im Innern der Kirche aus dem 19. Jh. überraschen ein paar Ikonen aus Russland (in der Regel immer zugänglich).

Die *katholische Kirche* in der Kutlu Sokak nahe der Kurtuluş Caddesi wurde erst in den 1970ern den Aposteln Petrus und Paulus geweiht. Zuvor diente das Gebäude anderen Zwecken. Heute wird hier jeden Sonntag um 17 Uhr die Messe gelesen, doch der Andrang hält sich in Grenzen – nur noch 10 katholische Familien leben in Antakya. Seit 1988 feiert die kleine Gemeinde gar ihr Osterfest am gleichen Tag wie die orthodoxen Christen, um beim Eiersuchen nicht ganz alleine zu sein...

Apostelkirche (Petrus-Grotte): Dass Petrus in Antiochia missionierte, gilt als gesichert. Ob er jedoch gerade hier die erste christliche Gemeinde gegründet hat, ist eher eine Glaubensfrage. Der Papst sprach die "erste Kathedrale der Welt" 1983 auf jeden Fall heilig. Dabei handelt es sich um eine Grotte, deren Inneres aus nicht viel mehr als nacktem Fels sowie einem Altar und einem Bischofssitz aus Stein besteht. Der Tunnel links des Altars diente den Christen als Fluchtweg bei nahender Gefahr. Die vor der Grotte errichtete Kirchenfassade mit drei

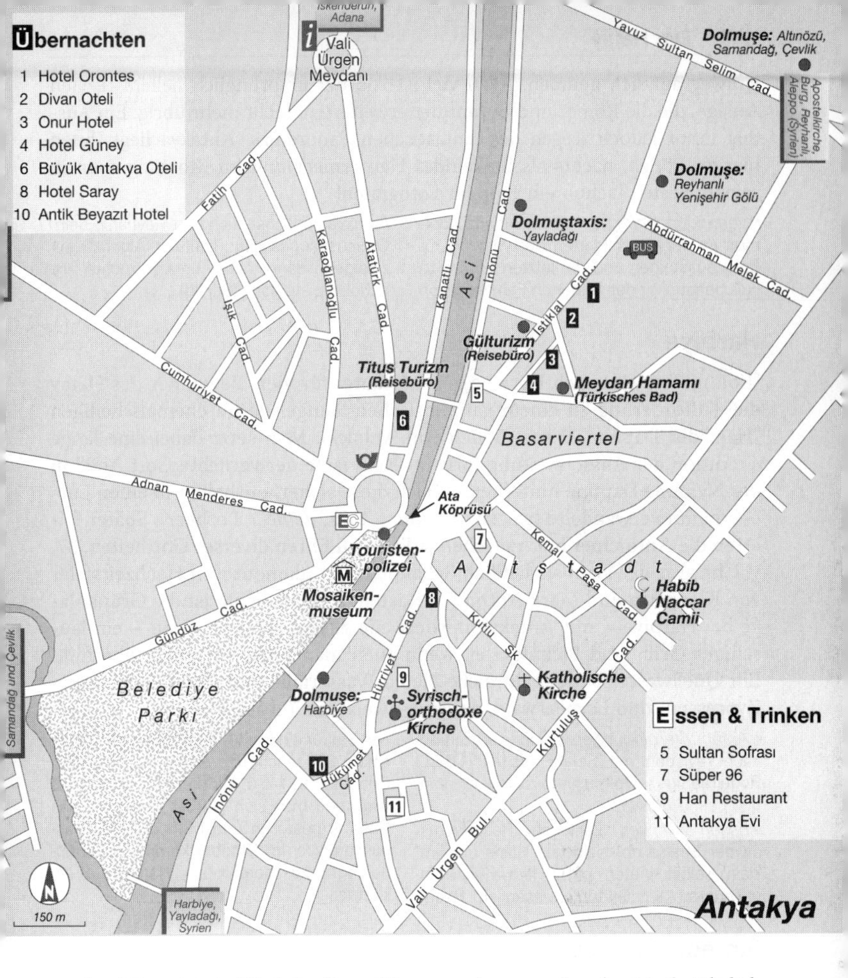

großen Bögen ist ein Werk der Kreuzfahrer aus dem ausgehenden 11. Jh. Jährlich am 29. Juni, dem Todestag des Petrus, wird in der Kirche ein Festgottesdienst gehalten, hin und wieder finden hier auch klassische Konzerte statt.

Etwa 200 m nordwestlich der Apostelkirche lässt sich zudem ein etwa fünf Meter hohes *Felsrelief* aus hellenistischer Zeit besichtigen, der Trampelpfad dorthin ist ausgeschildert. Unklar ist, ob das Relief den Totenschiffer Charon aus dem Hades oder Stadtgründer Seleukos Nikator darstellen soll.

• *Anfahrt/Öffnungszeiten* Die Kirche befindet sich ca. 2 km abseits des Zentrums. Von der Straße nach Reyhanlı mit "St. Pierre Kilisesi" bzw. "St. Peter Church" ausgeschildert. Mit den Reyhanlı-Dolmuşen vom Zentrum zu erreichen. Tägl. (außer Mo) 8–12 Uhr und 13.30–18.30 Uhr. Eintritt knapp 4 €, erm. 0,60 €.

Burg (Antakya Kalesi): Um zu der Zitadelle auf einem steil abfallenden Bergrücken im Süden der Stadt zu gelangen, muss man einen 14 km langen

Umweg auf sich nehmen. Allzu viel ist von der ursprünglich hellenistischen Anlage, die die Römer und Byzantiner erweiterten, nicht mehr übrig. Ein Ausflug lohnt jedoch wegen des fantastischen Panoramas. Antakya liegt Ihnen hier zu Füßen, nachts als funkelndes Häusermeer und im Morgengrauen in seinem besten Licht – ein Tipp für Fotografen!

• *Verbindungen/Anfahrt* Vom Altınözü-**Dolmuş** an der beschilderten Abzweigung zur Burg aussteigen und die letzten 1,5 km zu Fuß gehen. Mit dem **eigenen Fahrzeug** von Antakya zunächst Richtung Reyhanlı, beim Ortsausgangsschild Richtung Altınözü abzweigen, dann nach 12 km rechts die Schotterpiste hoch (Schild).

Harbiye

"Komm, lass uns nach Harbiye gehen!" lautet für viele Bewohner des Hatay die Aufforderung zu einem ganz irdischen Saufgelage im ehemals heiligen "Hain der Daphne" 9 km südlich von Antakya. Man setzt dabei eine lange Tradition der Ausschweifung fort: Im Hain jagte der verliebte Gott Apollon der Nymphe Daphne hinterher, bis sich diese sicherheitshalber in einen Lorbeerbaum verwandelte (griech. *daphne* = türk. *defne* = Lorbeer). Später feierten die Antiochier hier rauschende Feste zu Ehren diverser Gottheiten. 37. v. Chr. war der Hain schließlich Schauplatz der glamourösen Hochzeitsfeier von Kleopatra und Mark Anton (→ Kasten, S. 573). Heute ist die Grünanlage bei Harbiye – mit Antakya mittlerweile zusammengewachsen – ein lauschiges Grill- und Picknickziel, wenn auch manchmal ein wenig überfüllt. Ein Quellwasser bildet zahlreiche kleine Wasserfälle und Rinnsale in einem Zypressen- und Lorbeerwald, der stufenweise ins Tal abfällt.

• *Anfahrt/Verbindungen* Von der Straße nach Yayladağı mit "Şelale" ausgeschildert. Regelmäßige **Dolmuş**verbindungen von und nach Antakya.

• *Essen & Trinken* Zahlreiche Restaurants an der Straße oberhalb des Hains und im Hain selbst bieten gute Hatay-Küche in weinumrankten Gartenterrassen an. Rechnen Sie für ein Menü, bestehend aus Meze, einem Grillgericht und einem alkoholischen Getränk, mit 4–6 €. Wo kein Essen serviert wird, darf man sich getrost hinsetzen, das Getränk bestellen und Mitgebrachtes auspacken. Wer im Oktober kommt, sollte unbedingt die berühmten Harbiye-Datteln kosten.

Simeon-Stylites-Kloster

Der Wunderheiler Simeon der Jüngere (521–592) war ein Säulenheiliger, ein sog. Stylit (griech. *stylos* = Säule) – nach dem Vorbild des Säulenheiligen Simeon des Älteren, der eine Kultstätte im heutigen Nordsyrien besaß. Fast sein ganzes Leben verbrachte der Extremasket auf einer rund 12 m hohen Säule. Der Verkehr mit der Außenwelt – und auch die sagenumwobenen Heilungen durch Handauflegen – erfolgten über eine Leiter, die man an die Säule legte. Das Kloster Simeons des Jüngeren auf einem Hügel zwischen Antakya und Samandağ wurde 541 eingeweiht. Bis zum 13. Jh. war es ein Pilgerziel der Massen. Heute liegen die Ruinen in der Einsamkeit des Hatay. Von der berühmten Säule Simeons, dem einstigen Mittelpunkt des Klosters, ist nur noch die Basis erhalten. Zudem stehen noch die Überreste dreier Kirchen im Osten der Anlage. Die Aussicht von hier ist herrlich.

• *Anfahrt* Von Antakya in Richtung Samandağ, nach ca. 15 km in der Ortschaft Uzunbağ links abzweigen (ca. 300 m hinter dem Hinweisschild "Samandağ 10 km"). Es folgt ein 8 km langen Sträßlein in einem recht schlechten Zustand, unterwegs zur Sicherheit nach dem Weg fragen und Ausschau halten! Erblickt man das Kloster, muss man stets darauf zuhalten und den letzten Wegabschnitt laufen.

Samandağ/Vakıflı

Samandağ, 26 km südwestlich von Antakya, ist ein schäbiges Kaff mit 34.000 Einwohnern. Es bietet nichts außer den südlichsten türkischen Badegelegenheiten – lange, aber ungepflegte Sandstrände. Lohnenswert hingegen ist ein Ausflug in die nördlich von Samandağ gelegenen, abgeschiedenen Bergdörfer rund um den 1.281 m hohen *Musa Dağı* (Mosesberg). Dort liegt auch *Vakıflı*, das einzige armenische Dorf der Gegend, dessen Bewohner auch nach dem Anschluss des Hatay an die Türkei in ihrer Heimat blieben. Heute leben hier noch rund 30 armenische Familien. Wer nichts gegen ein paar Stunden in der Einsamkeit hat, findet in Vakıflı und Umgebung viele traurig stimmende Relikte aus armenischer Zeit. Die passende Lektüre dazu liefert Franz Werfels historischer Roman "Die 40 Tage des Musa Dagh". Er erzählt die Geschichte der Armenier vom Mosesberg, die sich 1915 gegen ihre Deportation in die syrische Wüste wehrten und schließlich von französischen Schiffen gerettet wurden. Erst nach Kriegsende kehrten sie wieder zurück.

• *Verbindungen* Regelmäßige **Dolmuş**verbindungen zwischen Samandağ und Antakya.

• *Anfahrt/Tipp für Selbstfahrer* Vakıflı ist von Samandağ ausgeschildert und über eine Piste zu erreichen. In entgegengesetzter Richtung führt ein romantisches Sträßchen, teils eng und holprig, in die Hügel über Samandağ (Aussicht auf das Mündungsgebiet des Orontes) und über die Dörfer Çöğürlü, Gözeme, Sebenoba, Karaköse, Leylekli nach Yayladağı (s. u.).

Çevlik

Der Low-Budget-Badeort Çevlik ist mit Samandağ mittlerweile fast zusammengewachsen. Vor allem Syrier und Jordanier machen hier Urlaub. Der Alkohol fließt in Çevlik in Strömen und selbst zum Abendessen wird bisweilen eine Flasche Whiskey geköpft. Tagsüber vertreibt man sich die Zeit am feinen grauen Sandstrand.

In der Antike lag hier *Seleukeia Pieria*, die Hafenstadt Antiochias mit rund 30.000 Einwohnern und erste Station der Missionsreise des Paulus. Reste der *Stadt-* und *Hafenmauern* sowie einige *Felsengräber* ("Kaya Mezarları") sind noch erhalten. Zu besichtigen ist auch ein mit "Titus Tüneli" ausgeschilderter 1.300 m langer, in den Fels geschlagener, schluchtartiger *Tunnel*, eine der gewaltigsten Tiefbauarbeiten der Antike. Er entstand unter dem römischen Kaiser Titus im 1. Jh. zur Umleitung eines Wildbaches, der die Stadt immer wieder überschwemmte. Eine Taschenlampe ist empfehlenswert (Eintritt 1 €, sofern jemand da ist).

• *Verbindungen* **Dolmuş**verbindungen von und nach Samandağ.

• *Übernachten/Essen & Trinken* Zahlreiche einfache, kakerlakenlastige Pensionen und ein kleiner spartanischer Campingplatz vor Ort. Ein Tipp in Sachen Essen ist der **Kokular Aile Çaybahçesi** (an der "Uferpromenade" nicht zu verfehlen). Im schattigen

Gärtchen grillt man *Harbiye Kebabı* (leckeren Hackfleischspieß mit Tomaten und Zwiebeln) und Wachteln *(bıldırcın)*. Letztere werden auf Wunsch direkt vor den Augen des Gasts geschlachtet! Dazu laufen Efes und Fernseher. Billig.

Yayladağı

Die verschlafene 6.000-Seelen-Gemeinde 55 km südlich von Antakya ist der letzte türkische Ort vor der syrischen Grenze – ein wenig frequentierter Grenzposten vor einem öden Streifen Niemandsland. Ein Ausflug nach Yayladağı ist jedoch ein Erlebnis, auch wenn man nicht nach Syrien will: Die Straße von Antakya windet sich durch einsame Landschaften und kleine Dörfer. Schnaufende, überladene Lkws, Ziegenherden und erstaunte Eselsreiter bilden die Kulissen einer herben, zerklüfteten Bergwelt.

Verbindungen Mit dem **Dolmuş** von Antakya aus problemlos zu erreichen.

Unentdecktes Hatay – ein Routenvorschlag

Um von Antakya zurück nach İskenderun zu gelangen, bietet sich ein Abstecher über Reyhanlı und Kırıkhan an. Allzu spannend ist dieser nicht, zumindest aber eine Abwechslung. Man fährt dabei rund 35 km nordöstlich von Antakya einige Kilometer unmittelbar entlang eines Stacheldrahtzaunes, der das türkische Niemandsland vom syrischen trennt. Hohe Grenztürme und bewaffnete Jandarma-Posten erinnern dabei an die einstige Teilung Europas durch den Eisernen Vorhang. Nahe der Grenze kann man am *Yenişehir-See* eine Teepause einlegen. *Reyhanlı* (52.000 Einwohner) selbst ist wenig sehenswert. Das Gleiche gilt für die in der Umgebung liegenden *Grabhügel* (mit "Çatalhöyük" und "Büyük Cübeyde Hüyüğü" ausgeschildert).

Mitten in der fruchtbaren Ebene zwischen Reyhanlı und Kırıkhan befindet sich das im Jahr 2000 eröffnete *Fünf-Sterne-Thermalhotel Hamamat.* Durchreisende können hier für 5 € ein Bad nehmen, das 38°C warme schwefelhaltige Wasser soll Rheuma und Hauterkrankungen lindern. Wer länger bleiben und sich zu syrischen, jordanischen und kuwaitischen Kurgästen gesellen will, bezahlt 70 € für das Doppelzimmer (✆ 0326/4641050, ℻ 4641090).

Kırıkhan (87.000 Einwohner) ist ein langweiliges Provinzstädtchen mit ein bisschen Industrie, die die landwirtschaftlichen Produkte der Umgebung verarbeitet. Eine großartige Aussicht über die Hatay-Ebene genießt man vom *Burgfelsen* am Ortsausgang Richtung Hassa. Folgen Sie knapp 200 m hinter dem Ortsschild der gelben Beschilderung "Beyaz Bestanı", auf einem holprigen Sträßchen geht es von dort noch zwei Kilometer bergauf. Picknickkorb nicht vergessen!

Unterwegs in einer bizarren Tufflandschaft

Kappadokien (Kapadokya)

Kappadokien ist ein Weltwunder der Natur im Herzen Anatoliens: eine einzigartige Tuffsteinlandschaft mit bizarren Felsgebilden, unterirdischen Städten und zahlreichen Höhlenkirchen. Was vor Millionen von Jahren ein Vulkanausbruch in die Wege leitete, besuchen heute mehr als eine Million Touristen jährlich.

Die schönsten Tufflandschaften Kappadokiens liegen im Dreieck Nevşehir-Avanos-Ürgüp. Hier erwartet Sie eine Fülle natürlicher Plastiken, einer Märchenwelt gleich, in der nur noch Kobolde und Feen fehlen, um sie perfekt zu machen. Es gibt nur wenige Gegenden der Welt, die sich schöner durchstreifen lassen. Neben dieser faszinierenden Landschaftsszenerie besitzt die Region auch ein großes kulturgeschichtliches Erbe aus byzantinischer Zeit – mehr als 1.000 Höhlenkirchen, nicht wenige davon mit prachtvollen Fresken ausgemalt. Nur ein Bruchteil davon wurde bislang entdeckt und zugänglich gemacht.

Entstehungsgeschichte

Als "Väter Kappadokiens" kann man die Vulkane *Erciyes Dağı* (3.916 m) nahe Kayseri, *Hasan Dağı* (3.253 m) nahe Aksaray und *Melendiz Dağı* (2.963 m) nahe Niğde bezeichnen. 10 bis 30 Millionen Jahre ist es her, dass sie das Innere der Erde nach außen kehrten: In wiederholten Ausbrüchen schleuderten sie Tuffasche in das umliegende Gebiet, die sich in Schichten von verschiedener Festigkeit und Farbe ablagerte. Durch Witterungseinflüsse wurden diese Schichten aufgespalten und tiefe Schluchten ausgewaschen. Das Tuffmaterial wurde in jahrtausendelanger Arbeit abgetragen, die weichen poröseren Schichten schneller als die wasserundurchlässigen harten. So bildeten sich die charakteristischen Tuffpyramiden, die so genannten Feenkamine (türk. *peri bacaları*), die den Naturgesetzen zu spotten scheinen und die heute den Reiz der kappadokischen Landschaft ausmachen.

Der Erosionsprozess ist noch in vollem Gange, in vielen Tälern findet man Feenkamine im Geburtsstadium, die sich eben erst aus der Tufflandschaft herauszuschälen beginnen. Andernorts stürzen Felsformationen ein – insbesondere solche, die der Mensch aushöhlte und bewohnte. Hier drang Sickerwasser ein, das in den strengen kappadokischen Wintern gefror und die Fassaden wegbrechen ließ. So blickt man dort, wo einst nur ein paar kleine Löcher für den Lichteinfall und zur Belüftung im Fels waren, auf aufgerissene Flächen, die aussehen, als hätte man einen Burgfelsen aufgesägt, um im Querschnitt eine Innenansicht zu präsentieren.

Kappadokien – die Highlights

Göreme Open Air Museum: Das Kirchental, ein UNESCO-Weltkulturerbe, ist ein Muss für alle Kappadokienbesucher. Hier besichtigt man die schönsten Felsenkirchen der Tuffregion.

Zelve: Die Höhlenwohnungen Zelves wurden erst in den 1950ern aufgegeben und sind heute ein Museum für aktive Urlauber.

Mustafapaşa und Uçhisar: zwei kappadokische Bilderbuchdörfer mit romantischen Unterkünften – ein Tipp für Selbstfahrer.

Derinkuyu: Wenn Menschen zu Maulwürfen werden, hinterlassen sie unterirdische Städte. Derinkuyu ist die größte Kappadokiens – ein Abenteuer im Underground.

Güzelyurt: Das ehemalige Griechenstädtchen befindet sich inmitten einer einsamen Höhenlandschaft. Auch hier gibt es unterirdische Städte und Höhlenkirchen.

Ihlara-Schlucht: Der "Grand Canyon der Türkei" liegt in der kappadokischen Peripherie und ist ein landschaftliches Grandiosum. Eine Wanderung hindurch, vorbei an einer Vielzahl von Höhlenkirchen, kann zum Highlight Ihres Türkeiaufenthaltes werden.

Siedlungsgeschichte

Funde lassen darauf schließen, dass das Gebiet bereits im Neolithikum besiedelt war. In hethitischer Zeit gehörte es zum Kernland des von Hattuşa (nahe dem heutigen Yozgat nördlich von Kappadokien) aus regierenden Reiches. Als Kappadokien, genauer Katpatuka ("Land der schönen Pferde"), wurde die Region erstmals unter den Persern erwähnt. Damit war aber ein viel größeres Terrain gemeint, das sich nicht nur auf die Tuffsteinlandschaft beschränkte. In hellenistischer Zeit gab es ein Kappadokisches Königreich, das von *Mazaca*, dem römischen *Caesarea Cappadociae* und heutigen Kayseri, regiert wurde. Bekehrt durch den Apostel Paulus, entwickelten sich hier schon sehr früh christliche Gemeinden. Bereits im 2. Jh. war Kappadokien überwiegend christlich, im 3. Jh. wurden kappadokische Bischöfe gar bis nach Mailand entsandt.

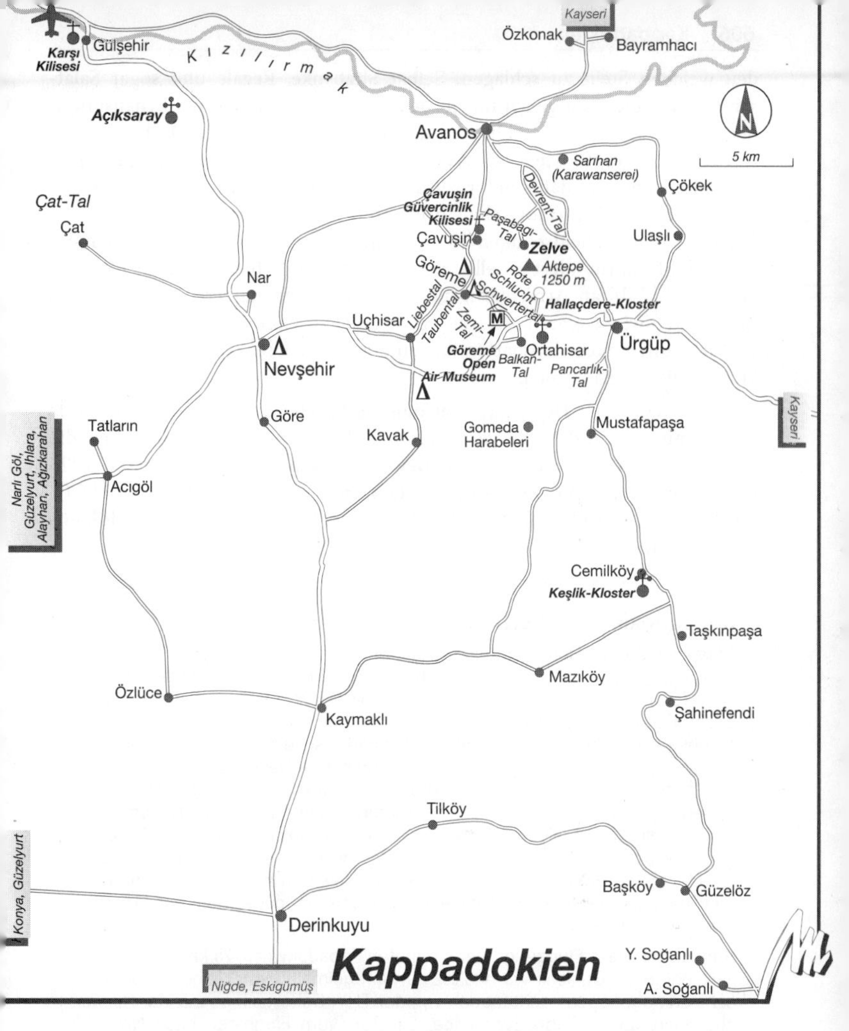

Zum wichtigsten Mann der Region avancierte im 4. Jh. Basilius, der Bischof von Caesarea, der die Liturgie der Ostkirche reformierte. Das entstehende Mönchstum wurde durch kleine, geschlossene Gemeinschaften gekennzeichnet. Sie nutzten erstmals die geographische Beschaffenheit der Tuffregion mit ihren natürlichen Verstecken und zogen in die abgeschiedenen Täler. Im 7. Jh. wurde Kappadokien mehrmals Frontgebiet des Byzantinischen Reiches. Auf die Perserkriege folgten die Einfälle der Araber, die *Sebaste* (Sivas) und Gebiete östlich von Caesarea besetzt hielten.

Mit dem Siegeszug des Islam über Vorderasien suchten und fanden viele Christen aus Syrien, Palästina und Ägypten in Kappadokien Zuflucht. Der Tuffstein war den Ankömmlingen ein dankbares Material: Es war leicht, Wohnungen in den weichen Stein zu schlagen. Selbst Sitzbänke, Regale und sogar Salatschüsseln haute man gleich mit in den Fels. Zudem hatten die Behausungen den Vorteil, im Sommer kühl und im Winter warm zu sein. Drohte Gefahr, wurden Wohnungen wie Kirchen zu Fluchtburgen und Verstecken, selbst ganze Städte legte man dafür unterirdisch an (→ Kasten, S. 641). Sicherer wurde die Lage für das kappadokische Christentum erst wieder, als die in religiösen Fragen toleranten Seldschuken im 11. Jh. große Teile Anatoliens eroberten. Im 13. und 14. Jahrhundert gesellte sich zu den bereits hier lebenden Christen eine große Zahl an Armeniern, die vor den Mongolenheeren im Osten des Landes geflüchtet waren. All die verschiedenen Kulturen, die lediglich das Christentum gemeinsam hatten, haben auf die Vielfalt der hiesigen Kirchenkunst Einfluss genommen.

Unter osmanischer Herrschaft wurden die Klöster aufgelöst, ihre Gebäude in Wohnungen und Ställe verwandelt. Zahlreiche Christen verließen die Gegend. Die letzten christlichen Bewohner Kappadokiens mussten 1923 infolge des Bevölkerungsaustauschs gehen. Heute bemüht sich die UNESCO, die Relikte der 1.000-jährigen Kirchen- und Klosterkultur Kappadokiens zu schützen.

Kappadokien im Überblick

Anreise mit dem Bus: Von allen größeren Städten der Südküste können Sie Busse nach Kappadokien buchen (Fahrtdauer→ Nevşehir/Verbindungen, S. 609.). Zum Teil fahren diese über Konya, wo Sie vielleicht auch umsteigen müssen. Endstation der Busse nach Kappadokien ist in der Regel Nevşehir. Von Nevşehir bestehen Dolmuşverbindungen ins kappadokische Kerngebiet (von 7–18 Uhr regelmäßig, bis 20 Uhr nur noch sehr beschränkt, → Nevşehir/Verbindungen, S. 609). Manche Busgesellschaften werben mit Direktbussen nach Göreme und lassen ihre Passagiere dennoch, oft mitten in der Nacht, an der Fernstraße nahe Nevşehir aussteigen – fragen Sie deswegen explizit nach dem Ankunftsort in Kappadokien! Die Gesellschaften Göreme Turizm, Nevtur und Kapadokya unterhalten kostenlose Zubringerbusse von Nevşehir in die Dörfer Zentralkappadokiens. Für ein Taxi von Nevşehir nach Göreme müssen Sie mit 14 € rechnen, nach Uçhisar mit 9 €.

Anreise mit dem Flugzeug: Der Flughafen Kapadokya ca. 25 km nördlich von Nevşehir nahe Gülşehir wurde 2002 nur unregelmäßig von kleinen Chartermaschinen angeflogen, nicht jedoch von der THY. Daher gab es z.Z. der Recherche auch keinen Zubringerservice. Ein Taxi vom Flughafen nach Nevşehir kostet ca. 20 €. In der Ankunftshalle gibt es einen Bankomaten.

Tägliche Direktflüge bestehen mit der THY zum Flughafen Kayseri knapp 70 km nordöstlich des kappadokischen Kerngebiets, jedoch nur von İstanbul. Wer also von Antalya oder Adana nach Kappadokien fliegen will, muss in İstanbul umsteigen – ein damit recht sinnloses Unterfangen. Der Flughafen von Kayseri liegt 4 km östlich der Stadt. Im Terminal finden Sie die Autoverleiher Avis (✆ 0352/3380594), Sixt (✆ 0352/2327747) und Hertz (✆ 0352/-3389555). Mit städtischen Bussen gelangen Sie vom Flughafen ins Zentrum, von dort mit Bussen (auf die Aufschrift "Terminal" achten) zum Busbahnhof, von dort wiederum weiter nach Kappadokien.

Drei **Übernachtungsadressen** für in Kayseri Gestrandete: ****Grand Eras Hotel**, komfortable, klassisch-moderne Zimmer. Restaurant, Disco, Fitnessraum und Sauna. DZ mit Frühstück 45 €. Şehit Miralay Nazım Bey Cad. 6, ✆ 0352/3305111, granderas@usa.net. ***Hotel Çapari**, an der Dononma Cad. 12. Ein etwas älteres Haus, aber noch in gutem Zustand und sehr sauber. DZ 27 € inkl. Frühstück. ✆ 0352/2225278, ℻ 2225282. **Hotel Sur**, direkt an der Zitadelle. Saubere Standardzimmer mit TV, Telefon und Minibar, die oberen mit netten Ausblikken, die nach hinten jedoch z. T. ohne Fenster! DZ mit Frühstück 18 €, EZ 12 €. Talas Cad. 12, ✆ 0352/2224367, ℻ 2213992.

Transfers von und zu den Flughäfen Kayseri und Kapadokya organisiert auf Wunsch das Reisebüro Argeus mit Sitz in Nevşehir und Ürgüp.

Auto- und Zweiradverleih: → Uçhisar, Göreme, Ürgüp und Avanos.

Ballonfahrten: → Göreme.

Campingplätze: → Nevşehir, Göreme, Avanos und Uçhisar. Das Gros der Campingplätze ist nur von Mai bis Mitte September geöffnet.

Karten: Traurig aber wahr – die regionalen Behörden sind nicht fähig oder willens, für eines der meistbesuchten Reisegebiete der Türkei eine auch nur halbwegs brauchbare Karte herauszugeben.

Reiten: → Uçhisar, Göreme und Avanos.

Reisezeit: → Wissenswertes von A bis Z, S. 60/61.

Standorte: Die meisten Besucher übernachten in Göreme und Ürgüp. Göreme ist aufgrund seiner zahlreichen Pensionen das Mekka der Rucksacktouristen. Ürgüp besitzt eine Vielzahl gehobenerer Unterkünfte. Von beiden Orten kann man das kappadokische Kerngebiet recht gut mit öffentlichen Verkehrsmitteln erkunden. Mehr Flair besitzen Uçhisar und Mustafapaşa – wer sich dort niederlässt, sollte jedoch an einen Mietwagen denken. Alle besseren Unterkünfte verfügen über eine Heizung.

Veranstaltung: Kappadokien-Festival mit viel Folklore in Ürgüp, Uçhisar und Göreme jährlich Ende August/Anfang September.

Verbindungen innerhalb Kappadokiens: Will man in kurzer Zeit viel sehen und sich dabei nicht einer organisierten Rundreise anschließen, ist ein Leihwagen oder ein Moped von Vorteil. Zu fast allen Sehenswürdigkeiten gelangt man (mehr oder minder) auch mit öffentlichen Verkehrsmitteln – je nach ihrem Standort. Zwischen den größeren Ortschaften wie Nevşehir, Göreme, Ürgüp und Avanos fahren tagsüber kommunale Busse und Dolmuşe. Schlecht sind die Verbindungen jedoch an Sonntagen und im Winter.

Waschsalon: → Göreme.

Wandern: Feste, knöchelhohe Schuhe mit guter Profilsohle sind empfehlenswert. Zwischen den Feentürmen geht es auf rutschigem Untergrund oft steil bergauf oder bergab. Leider existieren keine topographisch exakten Wanderkarten, auch gibt es bislang nur ansatzweise markierte Wege – der Ansatz beschränkt sich meist auf ein Hinweisschild am Beginn eines Pfades durch ein Tal. Die Gegend ist jedoch überschaubar, Orientierungspunkte gibt es viele, und ein Verlaufen ist kaum möglich – an irgendeiner Straße kommt man immer heraus. Im Reiseteil finden Sie Anregungen für Touren. Starten Sie früh, um für den Rückweg noch ein Dolmuş oder einen Bus zu erwischen.

Kappadokien Karte S. 605

Nevşehir

(70.000-Einwohner)

Von Süden oder Westen kommend, ist Nevşehir das Tor nach Kappadokien. Zum längeren Verweilen lädt die Provinzhauptstadt jedoch nicht ein.

Nevşehir ist Verkehrsknotenpunkt, Markt- und Verwaltungszentrum, aber mehr auch nicht. Das Bild der auf 1.200 m gelegenen Stadt ist nüchtern und grau, Sehenswürdigkeiten und Unterkünfte sind im Vergleich zu den Tuffsteindörfern der Umgebung zweitklassig.

Das ehemalige *Muşkara* war bis zur Tulpenzeit (ca. 1703–1730), einer Art Belle Époque des Osmanischen Reiches, ein Dorf wie so viele der Gegend. Erst mit der Ernennung des hier geborenen Damat İbrahim Pascha zum Großwesir wurde auf dessen Geheiß das Dorf zur "Neuen Stadt" (= Nevşehir) ausgebaut. Und wer heute in Nevşehir strandet und ein paar Stunden bis zum nächsten Bus verbringen muss, kann ihm danken, dass es so manches, wenn auch nicht gerade Spektakuläres zu besichtigen gibt. Da wäre zum einen die nach dem Großwesir benannte, 1727 errichtete *Damat İbrahim Paşa Külliyesi*. Zu dem Komplex nahe der Lale Caddesi in der Altstadt gehört neben einer Moschee eine Medrese (heute eine Bibliothek) und ein noch immer dampfendes Hamam, das für vier Euro Männern montags bis freitags zugänglich ist, Frauen nur samstags. Die Moschee selbst ist ein klassisch-osmanischer Zentralkuppelbau, der über einen Vorhof mit einem hübschen Reinigungsbrunnen betreten wird. Im Inneren sieht man die Loge des Großwesirs und die seines Gefolges.

Orientierung: Der Atatürk Bulvarı ist die Hauptachse der Stadt und durchschneidet das Zentrum von West nach Ost, der östliche Abschnitt wird auch Yeni Kayseri Caddesi genannt. Am Atatürk Bulvarı liegen die Tourist Information, die Touristenpolizei, das Museum, Dolmuş- und Bushaltestellen sowie mehrere Hotels. Ungefähr auf halber Höhe schneidet die Lale Caddesi den Atatürk Bulvarı. Folgt man dieser gen Norden, gelangt man zum Busbahnhof, gen Süden zum Damat-İbrahim-Pascha-Komplex. Die kleine Altstadt liegt südlich des Atatürk Bulvarı bzw. westlich der Lale Caddesi.

Vom Damat-İbrahim-Paşa-Komplex kann man durch die Gassen der Altstadt zur *Zitadelle* hoch über Nevşehir aufsteigen (mit dem Auto erst Richtung Konya und in einem Industrieviertel links ab, kein Hinweisschild, zur Sicherheit nachfragen). Sie wurde in seldschukischer Zeit errichtet und unter Damat İbrahim Pascha erweitert. So imponierend sie aus der Froschperspektive ist, so enttäuschend ist sie bei näherer Betrachtung: Die Zitadelle präsentiert sich in einem arg verwahrlosten Zustand und bietet keinen grandiosen Kappadokien-Panoramablick, sondern lediglich die Aussicht über eine nicht besonders schöne Stadt (frei zugänglich).

In entgegensetzter Richtung, an der Yeni Kayseri Caddesi, beherbergt ein trister staatlicher Kulturkomplex das städtische *Museum* mit der türkeitypischen Mischung aus archäologischer und ethnographischer Abteilung. Erste zeigt ein buntes Sammelsurium aus allen möglichen Epochen und Gegenden, Exponate aus Mesopotamien und Zypern, von den Urartäern und Phrygern. Die Römer steuerten Terrakotta-Sarkophage und Münzen bei, die Osmanen Handschriften.

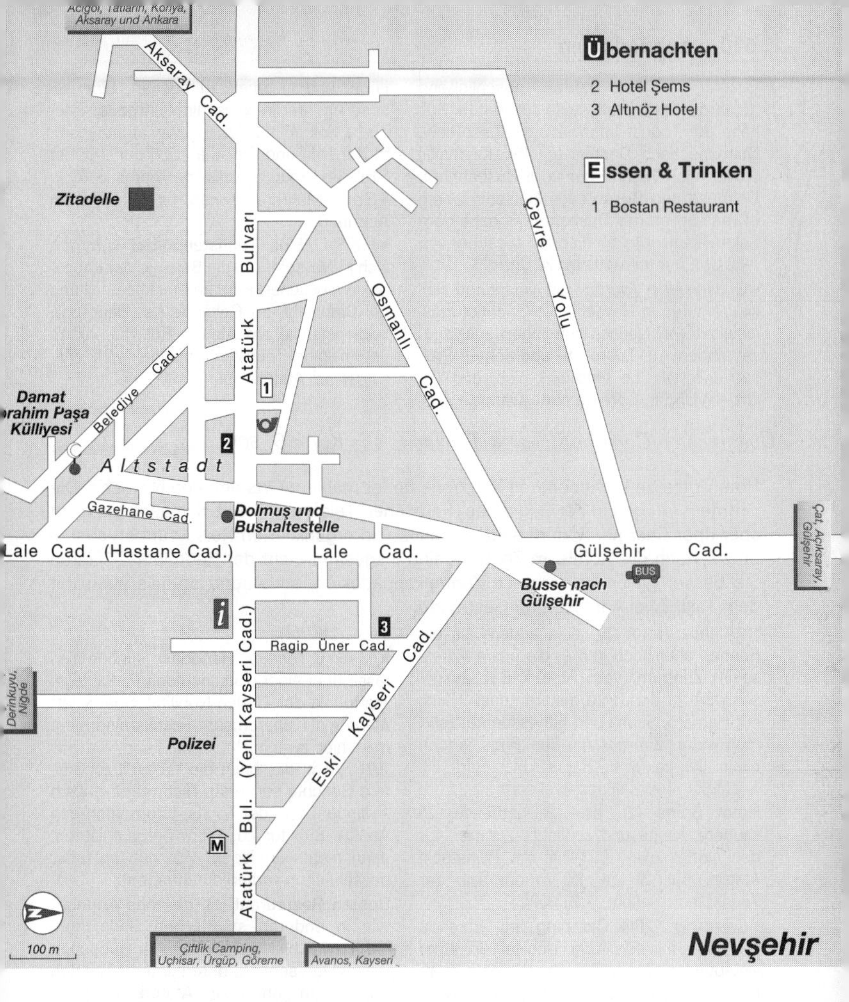

In der ethnologischen Abteilung sind u. a. Schmuck und Werkzeuge zu sehen (tägl. außer Mo 8–12 Uhr und 13–17 Uhr, Eintritt 0,60 €, erm. die Hälfte).

Information/Verbindungen/Sonstiges

• *Telefonvorwahl* 0384.

• *Information* am Atatürk Bul. (Yeni Kayseri Cad.). Hilfsbereites, freundliches Personal. April–Nov. Mo–Fr 8–12 Uhr und 13.30–17.30 Uhr, Sa/So kürzer; im Winter unregelmäßig geöffnet. ✆/℻ 2129573.

• *Verbindungen* **Bus/Intercity-Verbindungen**: Busbahnhof in der Gülşehir Cad. im Norden der Stadt ca. 1,5 km abseits des Zentrums. Vom Atatürk Bul. verkehren Dolmuşe zum Busbahnhof. Mind. alle 2 Std. nach Ankara (4,5 Std.), Nachtbusse nach İstanbul (10,5 Std.), Direktverbindungen nach Kayseri (1,5 Std.), Konya (3 Std.), İzmir (16 Std.), Pamukkale (11 Std.), Alanya (10 Std.), Antalya (12 Std.), Mersin (5 Std.) und Adana (5 Std.).

Kommunaler Bus/Dolmuş: Die Dolmuşe bzw. Busse nach Göreme, Ürgüp, Uçhisar, Ortahisar, Avanos und Aksaray starten am

Busbahnhof und fahren anschließend durch die Stadt (Haltestelle am Atatürk Bul. nahe der Tourist Information). Busse bzw. Dolmuşe nach Derinkuyu (über Kaymaklı) sowie nach Tatların nur vom Busbahnhof. Dolmuşe und Busse nach Gülşehir fahren etwas südlich des Busbahnhofs nahe dem Şekeryapan Hotel ab. Fahrten tagsüber von 7–18 Uhr, nur teilweise bis 20 Uhr!

• *Organisierte Touren* Oft versuchen Reiseagenturen in Nevşehir die Orientierungslosigkeit von Neuankömmlingen auszunutzen, indem sie Touren zu überhöhten Preisen anbieten. Es empfiehlt sich, erst vor Ort – in Ürgüp, Göreme oder Avanos – Ausflüge (und Quartier) zu buchen. Eine seriöse Agentur in Nevşehir ist **Argeus**, Evler Türbe Sok. 4, ✆ 2142800, www.argeus.com.tr. Angebot und Preise ähnlich der Ürgüper Filiale (→ Ürgüp/Organisierte Touren, S. 633).

• *Geld* Mehrere Banken mit Automat am Atatürk Bul.

• *Polizei* Eine **Touristenpolizei** kümmert sich in Nevşehir um die Belange der Kappadokienbesucher: Hilfe im Krankheitsfall und bei Diebstahl. Im Gebäude der Hauptpolizeidienststelle am Atatürk Bul., ca. 100 m unterhalb der Tourist Information. ✆ 2131377.

• *Post* am Atatürk Bul.

Übernachten/Camping/Essen & Trinken (siehe Karte S. 609)

Hotelklötze der gehobeneren Kategorie findet man am Ortsrand von Nevşehir. Die Zimmer verfügen in der Regel über Fernseher, Telefon und evtl. Klimaanlage, nicht aber über Charme. Zudem sind sie meist von organisierten Reisegruppen ausgebucht. Auch die Hotels im Zentrum sind insgesamt nicht der Rede wert – fahren Sie besser gleich weiter nach Zentralkappadokien, am Abend notfalls auch mit dem Taxi. Zwei Adressen für Gestrandete:

******Altınöz Hotel (3)**, alles andere als ein Renner, aber noch immer die beste Adresse im Zentrum, vom Atatürk Bul. ausgeschildert. In die Jahre gekommenes Haus. Für Hamam, Sauna und Fitnesscenter zahlt man extra. Zimmer für den Preis jedoch okay. DZ ca. 35 €. Ragıp Üner Cad. 23, ✆ 2139961, www.altinozhotel.com.

Hotel Şems (2), eine Billigadresse. 25 saubere, kleine und schlichte Zimmer, für den Notfall okay. DZ 15 € mit Frühstück. Atatürk Bul. 29 (ca. 150 m oberhalb der Tourist Information), ✆ 2133597.

• *Camping* **Çiftlik Camping**, am Ortsende von Nevşehir Richtung Uçhisar an einer vierspurigen Straße. Laut und wenig empfehlenswert, besser nach Uçhisar ausweichen. 2 Pers. mit Zelt und Auto zahlen ca. 5 €, ✆ 2192757.

• *Essen & Trinken* **Hanodası**, schöne Terrasse über einer plätschernden Parkanlage. Treffpunkt der lokalen Nobilität. Spezialität: *Mantı* mit Kichererbsen. Feenkamine sieht man hier zwar nicht, dafür Feen wie aus 1001 Nacht, die Ihnen die liebevoll zubereitete Gerichte servieren. Nicht ganz einfach zu finden: Von der Tourist Information den Atatürk Bul. für ca. 1 km bergauf laufen, dann rechts abbiegen. Von nun an (oder besser schon vorher) durchfragen!

Bostan Restaurant (1), gleiches Angebot wie in anderen städtischen Garküchen, dafür wird hier jedoch in einer hübschen Parkanlage serviert, deren unterer Teil den Çaytrinkern gehört. Am Atatürk Bul. nahe der Post.

Für zentralkappadokische Ziele wie Uçhisar (8 km) und Göreme (12 km) östlich von Nevşehir lesen Sie weiter ab S. 612, für die unterirdischen Städte von Kaymaklı und Derinkuyu südlich von Nevşehir ab S. 641.

Nördlich von Nevşehir

Im Gegensatz zu den Attraktionen der zentralkappadokischen Tuffsteinlandschaft führen die Sehenswürdigkeiten nördlich von Nevşehir ein eher stiefmütterliches Dasein. Nicht selten sind Sie der einzige Besucher. Dies hat seinen Reiz, auch wenn die Täler, Felsenkirchen und unterirdischen Städte zugegebenermaßen weit weniger imposant sind.

Çat und Çat Vadisi: Çat, rund 6 km nordwestlich von Nevşehir, ist das, was man ein unverfälschtes Bauerndorf nennt. Ähnlich sah das Gros der Ortschaften Kappadokiens aus, bevor der Massentourismus Einzug hielt. Von Çat kann man einen Spaziergang durch das wildromantische Çat Vadisi unternehmen, ein Tal mit niederen, hellen Tuffsteingebilden und Weinreben dazwischen. Der Weg dahin beginnt im Norden des Dorfes. In einem Felsenhaus in Çat wohnt seit 1989 übrigens der selbst ernannte "Höhlenmensch" Udo Best. Ist der Münchner nicht gerade auf Fotosafari, schreibt er amüsante Geschichten über das kappadokische Landleben. Wer sie erzählt bekommen will – den Udo kennt im Dorf jedes Kind.

Anfahrt/Verbindungen Çat ist von der Straße nach Gülşehir ausgeschildert. Dolmuşe steuern das Dorf nur selten an.

Açıksaray: Bei dem "Offenen Palast" 15 km nördlich von Nevşehir an der Straße nach Gülşehir handelt es sich um einen verschachtelten, mehrstöckigen Komplex aus Kirchen- und Klosteranlagen. Er gehört zu den ältesten christlichen Relikten Kappadokiens, die Kirchen datieren z. T. aus dem 6. Jh. Keine Freskenkunst, vielmehr schlichte, rote Wandzeichnungen sind hier zu sehen, u. a. Stierdarstellungen. Der Stier, der von vielen Völkern aufgrund seiner Zeugungskraft verehrt wurde, ist ein in Kappadokien selten verwendetes Symbol. Seine Bedeutung für das frühe Christentum ist nicht bekannt. In der Nähe des Palastes befindet sich eine auffällige pilzähnliche Felsformation, die man nach einem staubigen Spaziergang erreicht. Sie ist heute das Logo der 7 km nördlich gelegenen Stadt Gülşehir.

Verbindungen/Öffnungszeiten Problemlos mit Gülşehir-**Dolmuşen** oder –**Bussen** von Nevşehir zu erreichen, einfach unterwegs aussteigen. Stets zugänglich. Kein Eintritt.

Johannes-Kirche/Gülşehir: Das 9.300 Einwohner zählende Städtchen Gülşehir am Flusslauf des *Kızılırmak* liegt zu Fuße eines breiten Tufffelsen. Am Ortseingang (von Nevşehir kommend) ist die *Johannes-Kirche* mit "St. Jean Kilisesi" ausgeschildert. Die aufwendig restaurierte, zweigeschossige Kirche, auch "Karşı Kilise" genannt, gehört zu den Vorzeigekirchen Kappadokiens. Eine Wendeltreppe führt in die gänzlich mit prachtvollen Fresken ausgemalte Oberkirche. Mit Ausnahme der Darstellungen in der Apsis ist die Bildergalerie vollständig erhalten. Medaillons mit byzantinische Heiligen schmücken die Decke, an der Rückwand kämpfen die Heiligen Georg und Theodor gegen zwei Drachen. Eindrucksvoll sind auch die Szenen aus dem Neuen Testament: Letztes Abendmahl, Judaskuss und Auferstehung (tägl. 8–20.30 Uhr, Eintritt 2,90 €, erm. 0,60 €).

Im Zentrum von Gülşehir lässt sich zudem die schmucke *Karavezir-Mehmet-Pascha-Moschee* aus dem 18. Jh. besichtigen, kunstvoll verzierte Koranausgaben werden darin ausgestellt. Übrigens: Der zinnenbewehrte Komplex, der auf dem Tufffelsen hoch über der Stadt thront, ist ein Hotel. Bei unserer Recherche war es geschlossen und machte einen recht gruseligen Eindruck. Wie man uns im Ort erzählte, gehört es einem Schweizer, der nur auserwählten Nichttürken ein Zimmer vermietet.

Verbindungen Regelmäßige **Dolmuş**- und **Bus**verbindungen von und nach Nevşehir.

Kappadokien Karte S. 605

Längs des Uzunyol

Die Strecke von Nevşehir nach Aksaray war einst ein Teil des *Uzunyol* ("Langer Weg"), einer der ältesten Handelsstraßen der Welt. Auf ihr zogen die Karawanen aus Persien in die Seldschukenhauptstadt Konya. Aus jener Zeit zeugen noch einige Karawansereien, so z. B. der *Alayhan* rund 15 km südwestlich von Acıgöl. Der Han entstand in der Mitte des 13. Jh., wurde jedoch nie restauriert und zeigt sich in einem erbärmlichen Zustand. Lediglich das reich verzierte Portal, das noch zu drei Vierteln steht, ist sehenswert. Um einiges besser erhalten und daher auch besuchenswerter ist der aus gleicher Zeit stammende *Ağızkarahan* 15 km weiter Richtung Aksaray. Beachtenswert ist neben dem Portal die auf wuchtigen Säulen stehende Moschee im Innenhof (tägl. 7.30–20 Uhr, Eintritt 0,50 €). Die Busse zwischen Aksaray und Nevşehir passieren beide Karawansereien.

Acıgöl/Tatların: Unter beiden Ortschaften verbergen sich unterirdische Städte (→ Kasten, S. 641). Da sie um einiges kleiner sind als z. B. Derinkuyu oder Kaymaklı, kommen nur wenige Besucher. Es gibt keine festen Öffnungszeiten, irgendjemand ist für eine Führung aber immer zur Stelle. Die unterirdische Stadt von Acıgöl 21 km westlich von Nevşehir ist in Privatbesitz. Der Eigentümer, der direkt neben dem Eingang wohnt, entdeckte sie vor Jahren zufällig bei Bauarbeiten und ließ sie in Eigeninitiative teilweise ausgraben (Eintritt 1,50 €). Rund 9 km nördlich von Acıgöl liegt das Dorf *Tatların*. Highlight der unterirdischen Stadt hier ist eine Kirche mit gut erhaltenen Fresken vom Lebens- und Leidensweg Jesu (Eintritt 2,40 €, erm. 0,60 €).

• *Anfahrt/Verbindungen* Die Sehenswürdigkeiten sind in bzw. von Acıgöl ausgeschildert. Acıgöl ist mit den **Bussen** auf der Strecke Nevşehir-Aksaray problemlos erreichbar, einfach unterwegs aussteigen. Nach Tatların gelangt man von Nevşehir mit **Dolmuşen** hingegen nur 2-mal tägl. (1-mal morgens und 1-mal abends).

Falls Ihr nächstes Ziel Aksaray ist, lesen Sie weiter ab S. 652. Fahren Sie in die Ihlara-Schlucht, lesen Sie weiter ab S. 646.

Uçhisar

Wie ein Emmentaler ist der gewaltige Burgfels durchlöchert, in dessen Schatten sich einer der idyllischsten Orte Zentralkappadokiens duckt. Uçhisar ist nicht nur eine Stippvisite wert, Uçhisar bietet sich auch als gemütlicher Standort an.

Tagsüber bevölkern Busgruppen das kappadokische Vorzeigedorf und seinen Burgfelsen, einen majestätischen Brocken von 60 m Höhe. Im Inneren ist er zerfressen von Gängen und Räumen, die mittlerweile teils zugeschüttet oder unpassierbar sind. Um die 1.000 Menschen wohnten hier einst. Der nicht sehr beschwerliche Aufstieg über Außen- und Innentreppen belohnt mit einer fantastischen Aussicht über die Täler und Städte Kappadokiens – insbesondere zur "Blauen Stunde" am Abend, wenn sich die Landschaft in bezaubernden pastellfarbenen Tönen zeigt. An klaren Tagen thront im Hintergrund – meist mit schneebedecktem Gipfel – der fast 4.000 m hohe *Erciyes Dağı*, auf dem man im Winter übrigens Ski fährt (Burgeintritt 1,80 €).

Der Burgfelsen von Uçhisar

Noch heute lebt ein großer Teil der Bevölkerung Uçhisars von der Landwirtschaft. Doch auch hier zeichnet sich eine Wende ab. Insbesondere Franzosen und aus Frankreich zurückgekehrte Türken haben damit angefangen, die malerischen Felshäuser zu restaurieren und in stilvolle Unterkünfte zu verwandeln – kein Wunder also, dass man im Dorf mit Französisch besser als mit Englisch oder Deutsch zurechtkommt. Zum anfangs vornehmlich französischen Gästestamm gesellen sich heute Kappadokienbesucher aller Nationen, denen Ürgüp und Göreme zu laut, zu voll und zu kommerziell geworden sind. Uçhisar bietet verglichen mit diesen Orten noch eine reizvolle, friedfertige, nahezu ursprüngliche Atmosphäre.

Nahe Uçhisar laden das *Taubental* (*Güvercin Vadisi*) und das *Liebestal (Aşk Vadisi)* zu ausgedehnten Spaziergängen ein (→ Wandern).

Verbindungen/Ausflüge/Sonstiges

- *Telefonvorwahl* 0384.
- *Verbindungen* **Dolmuşe** nach Göreme fahren unterhalb des Dorfes an der Umgehungsstraße ab, **Busse** nach Nevşehir vom Dorfzentrum. Die Zubringerbusse der Gesellschaften Nevtur und Göreme Turizm starten und halten ebenfalls auf dem Dorfplatz, im Sommer mind. 1-mal tägl. über Nevşehir nach Antalya, İzmir, Pamukkale oder Bodrum, häufiger nach Konya, Ankara, Kayseri und İstanbul.
- *Organisierte Touren* bietet u. a. **Chimney Tours & Travel Agency** am Dorfplatz. Neben den üblichen Tagestouren werden auch Pferdeausritte für 6 € pro Std. angeboten. Nur französischsprachig. ✆/℻ 2712211.

Achtung: Kein Bankautomat vor Ort! Geldumtausch nur in Reisebüros möglich.

- *Auto-/Zweiradverleih* ebenfalls bei **Chimney Tours** möglich. Düsen Sie mit einem alten Ford Cabrio durch Kappadokien – ein Wahnsinnserlebnis für 35 € pro Tag.

Kappadokien Karte S. 605

Vermietet werden zudem Scooter (8 Std. 15 €) und 300-ccm-Maschinen für 18 €.

• *Einkaufen* **Kappadokische Weine** in den Farben rot, weiß und rosé kann man in der Weinkellerei **Kocabağ** ca. 1,5 km außerhalb an der Umgehungsstraße nach Göreme kosten und erstehen. **Onyx**produkte bietet die ortsansässige Fabrik, ebenfalls an der Straße nach Göreme, **deutsche Zeitungen** verkauft mit etwas Verspätung **Kemal'ın Yeri** am Dorfplatz.

Übernachten/Camping/Essen & Trinken

Alle Hotels und Pensionen sind vom Dorfplatz ausgeschildert. Eine kleine Auswahl:

Les Maisons de Cappadoce, die ausgefallenste Adresse vor Ort. 10 geschmackvolle Ferienwohnungen im traditionellen Stil, die ein französischer Architekt mit viel Liebe zum Detail in verlassene Höhlenwohnungen integrierte. Viel Flair, keine Wohnung gleicht der anderen, z. T. mit traumhaften Gärten. 2 Pers. bezahlen mit Frühstückskorb 95 € und damit für das Gebotene keinen Cent zu viel. Vermittlung über das hauseigene Büro am Dorfplatz. ✆ 2192813, www.cappadoce.com.

Les Terrasses d'Uçhisar, von einer sehr freundlichen und hilfsbereiten französischen Auswandererfamilie geführte Pension. 14 klassisch-stilvoll eingerichtete Zimmer für Verwöhnte – wählen Sie zwischen kühlen, gemütlichen Felsenzimmern oder Räumen mit grandioser Aussicht über die Feenkamine im Tal. Auch die Terrasse offenbart Wahnsinnsblicke. Angeschlossen ein Restaurant mit feiner französisch-türkischer Küche – hier aßen Leser für 8 € das beste (viergängige) Menü ihres Türkeiaufenthaltes. Auf Wunsch werden geführte Wandertouren kostenlos angeboten. Für das Gebotene günstig, DZ mit Frühstück 28 €. ✆ 2192792, www.terrassespension.com.

***__Kaya Oteli__, schon Prinz Charles gefiel es hier. Das Hotel arbeitet eng mit dem französischen Club Mediterranée zusammen und ist nicht selten ausgebucht. On parle français. Jedes Zimmer mit Blick auf das schöne Taubental. Nur im Sommer geöffnet. DZ mit HP 80 €. Östlich des Dorfplatzes. ✆ 2192007, ℻ 2192363.

Tekelli Evi Pansiyon, komfortable Minipension in ruhiger Lage. Geboten werden lediglich drei Zimmer – ein DZ (30 € mit Frühstück), ein Dreier (40 €) und ein Vierer (50 €). Alle Zimmer mit Küchenzeile, liebevoll-orientalisch eingerichtet und ideenreich in die Felsen integriert. Tolle Terrasse! ✆/℻ 2192929, tekelli@yahoo.com.

Pension La Maison du Rêve, zieht sich über mehrere Gebäudeteile und Stockwerke am Hang, z.T. mit großartigen Terrassen und ebensolchen Ausblicken. Die Aussicht vom obersten Balkon gab dem Maison du Rêve ("Traumhaus") wohl den Namen. Ein Zweisitzermofa im Verleih (12 € pro Tag). 35 Zimmer, DZ je nach Ausstattung und Terrasse 12–18 €, Frühstück inkl. ✆ 2192199, ℻ 2192775.

Pension Mediterranée, eine empfehlenswerte Adresse unter den Billigpensionen. Schlichte, aber sehr saubere Zimmer. Terrasse. DZ mit Bad und Frühstück 12 €. ✆ 2192210, ℻ 2192669.

• *Camping* **Koru Camping**, inmitten eines Wäldchens ca. 2,5 km südlich von Uçhisar. In puncto Schatten die Nummer eins in Kappadokien. Kapazität mittelgroß. Sanitäre Anlagen einfach, aber sauber. Kochmöglichkeit, Restaurant, Pool. Da etwas ab vom Schuss gelegen, ist der Platz ohne eigenes Fahrzeug nicht empfehlenswert. 2 Pers. mit Wohnmobil oder Zelt bezahlen ca. 7 €. ✆ 2199190.

• *Essen & Trinken* Ein gutes Restaurant besitzt das Kaya Oteli, ein hervorragendes die Terrasses d'Uçhisar" (→ Übernachten). Empfehlenswert ist zudem das **Uçhisar Restaurant** im Zentrum. Klassische türkische Küche, u. a. ideenreiche Meze (die Portion zu 1,80 €) und gute *Güveç*-Variationen (ca. 2,40 €). Serviert wird im baumbestandenen Innenhof, bei kühlem Wetter auch im gediegenen Innenbereich.

Wandern

Von Uçhisar kann man durch das zauberhafte weiße **Taubental** (mit "Güvercin Vadisi" ausgeschildert), das seinen Namen von den vielen Taubenschlägen in den Felsen erhielt, in weniger als zwei Stunden nach Göreme wandern. Der Pfad beginnt beim "Tandır Evi Restaurant" an der Straße nach Ürgüp. Zudem bietet sich ein längerer Spaziergang durch das **Liebestal** *(Aşk Vadisi)* an. Anfangs ist das Tal recht eng, später wird es weiter und überrascht mit seltsamen phallusartigen Tuffformationen. Den Einstieg finden Sie im Nordosten von Uçhisar an der Straße nach Göreme. Den Pfad bei der Onyxfabrik nehmen, nach ca. 250 m rechts ab. Am Ende des Tals erreicht man nach ca. 90 Min. ein geteertes Sträßlein, das nach rechts zur Verbindungsstraße Göreme–Avanos führt. Von dort bestehen Dolmuşverbindungen in beide Richtungen.

Onyx – Stein des Reichtums und der Alpträume

Kein Souvenirshop in Kappadokien, der nicht eine breite Palette von Onyxprodukten anzubieten hätte. Der Stein ist wie der Achat eine aus unterschiedlich gefärbten Lagen bestehende Varietät des Chalzedons. Onyxmarmor wird vor allem in der Gegend von Hacıbektaş 50 km nördlich von Nevşehir abgebaut. Maschinell wird der Stein zu Aschenbechern, Vasen, Mörsern, Schachfiguren oder sinnlosen Eiern gedrechselt und geschliffen – eine ziemlich staubige und für die Lungen mörderische Angelegenheit. Zum Schluss wird der Onyx mit einer chemischen Lösung poliert, die ihm den verkaufsfördernden Glanz verleiht. Wer die Metamorphose vom unbearbeiteten Stein zum Schmuckstück verfolgen will, hat z. B. in der "Onyx Factory" in Uçhisar Gelegenheit. Wer sich anschließend mit Onyxprodukten eindecken will, sollte sich die Eigenschaften des Steins durch den Kopf gehen lassen und abwägen: Angeblich bewirkt er schlechte Träume, gleichzeitig aber auch eine Vermehrung des Vermögens ...

Göreme

(ca. 2.000 Einwohner)

Das Dorf inmitten einer surrealen Tufflandschaft ist heute fast ein Synonym für Kappadokien. Es lockt die meisten Besucher an, zumal die kulturhistorischen Hotspots der Gegend in Laufweite liegen, allen voran das Göreme Open Air Museum.

Als Göreme noch Avcılar hieß, war es ein verträumtes Bauerndorf inmitten einer bizarren Ansammlung von Feenkaminen, Tuffkegeln und Höhlenwohnungen. Mit den großen Touristenströmen in den 1980ern änderte sich vieles für die rund 2.000 Einwohner, selbst der Name ihres Dorfes. Auch wenn sich hier heute japanische Reisegruppen und australische Backpacker zuweilen auf die Füße treten, fast jedes Haus eine Pension ist und nahezu jeder Bewohner in irgendeiner Weise vom Tourismusgeschäft abhängig ist – dem genialen Gesamtkunstwerk Göreme, einem ineinander greifenden Triumph von Natur und Architektur, ist kaum etwas anzuhaben. Felsenwohnungen und Tuffsteinhäuser fügen sich zu einem Gesamtbild zusammen, als hätte das Amt für Landschaftsschutz unter der Regie von Friedensreich Hundertwasser die Bauaufsicht geführt.

Göremes Beliebtheit resultiert vor allem aus der Tatsache, dass man rund um den Ort die meisten und besterhaltenen Felsenkirchen Kappadokiens findet. Das Kirchental rund 1,5 km südöstlich von Göreme, heute ein Open-Air-Museum, deklarierte die UNESCO zum Weltkulturerbe. Göreme selbst

Kappadokien Karte S. 605

besitzt hingegen kaum Sehenswürdigkeiten. Die Überreste eines antiken Felsengrabes mit zwei dorischen Säulen kann man an der so genannten *Roma Kalesi* ("Römische Burg"), dem auffälligsten Tuffsteinkegel Göremes entdecken – auf ihm weht stets eine türkische Flagge. Das Grab gehört zu den wenigen erhaltenen Zeugnissen aus vorchristlicher Zeit. Das *Konak Türk Evi,* ein restauriertes osmanisches Herrenhaus aus dem Jahre 1826, findet man im Gassenwirrwarr östlich der Orta-Mahallesi-Moschee – dort, wo noch ein bisschen traditionelles Leben herrscht, alte Herren Tavla spielen und dunkel gekleidete Bäuerinnen vor ihren Häusern ein Schwätzchen halten. Das in seinem Inneren reich mit Fresken geschmückte Haus beherbergt heute ein charmantes Restaurant, das leider nicht immer geöffnet ist (→ Essen & Trinken).

Information/Verbindungen/Ausflüge

• *Telefonvorwahl* 0384.

• *Information* Viele Reisebüro schmücken ihren Eingang mit dem recht offiziell wirkenden Schriftzug "Information" – das ist Etikettenschwindelei. Es gibt keine Tourist Information, lediglich ein kleines kommunales **Accomodation Office** am Busbahnhof, das (wenn überhaupt besetzt) nur bei der Zimmersuche hilfreich ist.

• *Verbindungen* Vom zentralen **Bus**bahnhof ausgezeichnete Verbindungen in fast alle Ecken der Türkei, allerdings wird man in der Regel von einem Zubringerbus zuerst nach Nevşehir gebracht und muss dort umsteigen. Halbstündl. **Dolmuş**verbindungen über Uçhisar nach Nevşehir, stündl. kommunale **Busse** nach Çavuşin und Avanos sowie alle 2 Std. nach Ürgüp und Ortahisar.

• *Organisierte Touren* Angeboten werden diverse Tagestouren zu den Topzielen Kappadokiens, Ausflüge zu Esel und zu Pferd, geführte Wanderungen oder Busreisen zu entfernteren Zielen wie beispielsweise zum Nemrut Dağı. Langweilig sind die häufigen Stopps bei Teppichknüpfvorführungen und anderen Verkaufsveranstaltungen – lassen Sie sich genau sagen, wohin die Tour führt und wie lange wo gehalten wird. Über 20 Agenturen sind im Geschäft. Von Lesern empfohlen wurden die Veranstalter **Zemi Tour** (Kayseri Cad. 28, ✆ 2712576, 📠 2712577) und **Turtle Tour** (nahe dem Busbahnhof, ✆ 948571388, 📠 948571463). Beide bieten Ganztagestouren für rund 25 € an, mit Studentenausweis ca. 20 % Ermäßigung.

Adressen

• *Ärztliche Versorgung* **Krankenhaus** nahe der Post. ✆ 2712126.

• *Auto- und Zweiradverleih* Jede Reiseagentur besorgt Ihnen ein Auto, manche arbeiten auch mit den großen internationalen Verleihern in Ürgüp zusammen – über **Zemi** (→ Organisierte Touren) bekommen Sie z. B. ein Avis-Fahrzeug. Ein Auto ist in Göreme ab ca. 29 € pro Tag zu haben. Auf Scooter und Fahrräder hat sich **Hitchhiker Tour** (beim Busbahnhof, ✆ 2712169) eingestellt. Preise für 8 Std.: Scooter 15 €, Fahrrad 8 €. **Öz Cappadocia Tour** direkt daneben hält das gleiche Angebot parat.

• *Geld* Geldwechsel bei Teppichhändlern und Reisebüros möglich. Der Automat der **Vakıf Bank** neben der Informationsstelle nimmt nur Kreditkarten an!

• *Polizei* ist über den Notruf 155 zu erreichen. Vor Ort gibt es nur eine Jandarma-Station.

• *Post* nahe der Straße nach Avanos in der Posta Sok.

• *Reiten* **Rainbow Ranch**, hier gibt es rund ein Dutzend Pferde zu mieten, ein Stunde Reiten ca. 7 €. Kontakt z. B. über das Reisebüro Turtle Tour (→ Organisierte Touren).

• *Waschsalon* Eine **Laundry** findet man an der Kayseri Cad. Des Weiteren bietet die **Pension Ufuk 2** (neben der Paradise Pension, → Übernachten) einen Waschservice.

• *Zeitungen* in deutscher Sprache bekommt man mit etwas Verspätung beim **Ali Baba Market** an der İçeridere Cad. nahe der Moschee.

Tipp: Kapadokya Balloons Göreme. Schweben Sie mit dem Heißluftballon über eine Märchenlandschaft! Die lizenzierte Ballonpilotin Kaili und ihr Kollege Lars – beide äußerst freundlich und hilfsbereit – bieten von April bis Oktober tägliche Flüge an. Der Ausflug dauert ca. 4 Std., die reine Flugzeit beträgt je nach Windverhältnissen 1–1,5 Std. Gestartet wird bei Sonnenaufgang (frühmorgens sind die Windverhältnisse am besten), vorher gibt es heißen Tee, hinterher Sekt, Kuchen und Gruppenfotos. Festes Schuhwerk, warme Kleidung und Fotoapparat nicht vergessen! Das "Muss für Kappadokienreisende", so eine Leserin. Billig ist der Spaß nicht, inkl. Hoteltransfer 210 € cash bzw. 230 € mit der Kreditkarte. Dennoch kein Nepp: Der Unterhalt einer Montgolfiere verschlingt Unsummen, wenn sie internationalen Sicherheitsbestimmungen genügen soll.
Anmeldung am besten so früh wie möglich bei Kapadokya Balloons Göreme an der Adnan Menderes Cad. (der Straße Richtung Uçhisar, knapp vor dem Saksağan Motel). ✆ 2712442, 📠 2712586, www.kapadokyaballoons.com.

Göreme: Treffpunkt der Rucksacktouristen

Übernachten (siehe Karte S. 619)

Unentschlossene können zunächst das Angebot des Accomodation Office (→ Information) studieren. Es gibt rund 60 einfache, aber urgemütliche Travellerpensionen (oft mit Felsenzimmern), wenige Mittelklassehotels und kaum luxuriöse Häuser. Unsere Empfehlungen umfassen nur einen kleinen Teil der guten Unterkünfte.

Ataman Hotel (12), abseits des großen Trubels am südöstlichen Ortsrand. Der Best-Western-Kette zugehörig und mit das Komfortabelste, was Göreme zu bieten hat. Der an den Felsen gedrückte Altbau beherbergt 16 stilvolle, charmante Zimmer, z. T. direkt in den Felsen. Über den neuen Anbau nebenan kann man sich genauso streiten wie über die glänzend-kitschigen Tagesdecken im Schlafsackstil. Alle Zimmer mit Haarfön, Wasserkocher und Minibar. Vornehmlich Busgruppen. DZ mit HP 150 €, als EZ 100 €. ✆ 2712310, www.atamanhotel.com.

****Ottoman House (9)**, niveauvolle Herberge an der Uzundere Cad. Aufwendig restauriertes Herrenhaus aus dem 19. Jh., von dem leider schon wieder der Putz blättert. Unter der Leitung eines freundlichen australisch-türkischen Paares. Komfortable, sehr schöne DZ für ca. 35 €, teuerer sind die Suiten. Wertvolle Teppiche en masse – der Herr des Hauses ist zugleich Göremes führender Teppichhändler. ✆ 2712616, www.indigoturizm.com.tr/ottoman.

Pension Arif (11), im Süden Göremes im höchstgelegenen Tuffkegel des Dorfs, der

Kappadokien Karte S. 605

Aufstieg lohnt sich. Fast alle Zimmer im Felsen, keines sieht wie das andere aus. Gefrühstückt wird auf der Dachterrasse mit tollem Blick über Göreme. DZ mit Dusche ca. 20 €, ohne ca. 12 €. ✆ 2712361.

Keleş Cave Pansiyon (13), in der Nähe der Pension Arif und fast so hoch gelegen wie diese. Überaus freundliche Bleibe mit acht gemütlichen Felsenzimmern und Wahnsinnsterrassen auf drei Etagen. Besitzer Ahmet ist ein freundlicher Mensch, kocht und singt und freut sich über die schöne Aussicht. Gastfreundschaft wird hier groß geschrieben, die Gästebücher sprechen für sich. Im Schlafsaal ohne Frühstück ca. 4 € pro Person, im DZ mit Bad und Frühstück 10 € pro Person. Waschservice. ✆ 2712135, keles_cave@hotmail.com.

Köse Pansiyon (2), nahe der Post. Die beliebteste Bleibe von Lonely-Planet-Lesern, deshalb selbst in der Nachsaison oft ausgebucht. Ruhige Lage, aber ohne den felsigen Charme vieler anderer Pensionen – ein Neubau. Gemalte Blumen zieren das Hausinnere, vor dem Haus blühen sie in natura. Dachterrasse und weitere Terrasse vor dem Haus. Ein ganz großes Plus ist der Pool (für Nichtgäste eintrittspflichtig). Für Gäste wird gekocht. Waschmaschine vorhanden. Äußerst freundlicher und hilfsbereiter Service. DZ mit Dusche ca. 18 €. ✆ 2712294, 📠 2712577.

Kemal's Guest House (7), kleine, gepflegte und äußerst freundliche Pension, von einem holländisch-türkischen Paar geleitet. Der holländische Teil heißt Barbara und hat ein idyllisches Blumengärtchen vors Haus gezaubert, der türkische Teil heißt Kemal und sorgt dafür, dass darin abends Stimmung aufkommt. DZ je nach Ausstattung mit üppigem Frühstück 12–18 €. Zeybek Sok. 3, ✆ 2712234, kemalsguesthouse@hotmail.com.

Pension L'Elysée (4), nahe Kemal's Guest House. Französische Patronin, deshalb türkische und französische Küche. Schöner Garten, schöne Aussicht, geschmackvoll eingerichtete Zimmer. DZ mit Dusche/WC ca. 18 €, Frühstück inkl. Sarıyürek Sok., ✆ 2712244.

Paradise Pension (6), an der Straße zum Open-Air-Museum ausgeschildert. Ordentliche, recht geräumige DZ um einen Innenhof gruppiert (mit Frühstück 15 €), zudem Mehrbettzimmer im Tuff (5 € pro Person mit Frühstück). Gemütliche, große Dachterrasse mit schöner Aussicht, auf der im Sommer hin und wieder auch gegrillt wird. Bewacht wird das Ganze von dem freundlichen Schäferhund Woody. ✆ 2712248, mozlak@hotmail.com.

Hostel Backpacker's Cave (10), unterhalb der Pension Arif (s.o.). Kleine Höhlenzimmer, Gemeinschaftsküche. Angenehmer Innenhof mit Bar und Schattenplätzen. English spoken. DZ mit Dusche ca. 13 €, ohne ca. 8 €. ✆ 2712705, 📠 2712736.

Camping

Kaya Camping, rund 3,5 km von Göreme entfernt in schöner Lage etwas oberhalb des Open-Air-Museums. Unsere Empfehlung. Aussicht über ein Tal voller Feenkamine. Gepflegt, saubere sanitäre Einrichtungen, Waschmaschine. Pool. Bar, Kellerrestaurant. Insgesamt westlichen Standards ebenbürtig, der Besitzer spricht perfekt Deutsch. 2 Pers. mit Wohnmobil zahlen 10 €. ✆ 3433100, 📠 3433984.

Paris Camping, falls auf dem Kaya kein Platz mehr ist, ein Kilometer weiter Richtung Ortahisar. Schattige Plätze, Pool, Heißwasserduschen, Waschmaschine, kleines Restaurant. An der Rezeption versteht man Englisch und Französisch. Billiger als das Kaya, in der Nachsaison tote Hose. ✆ 3432101.

Panorama Camping/Motel (1), an der Straße nach Uçhisar kurz nach dem Ortsausgang. Der kleine Camping profitiert von seiner einmaligen Lage (traumhafte Aussicht über Göreme) und lässt sich dafür bezahlen: Campen für 2 Pers. 10 €. Terrassenförmig angelegt, akzeptable sanitäre Einrichtungen, Waschmaschine und Kühlschrank. Kiosk, Pool und Kellerbar. Zudem werden zwei simple DZ ohne Bad für 20 € mit Frühstück vermietet. ✆ 2712352, 📠 2712589.

Berlin Camping (5), zentrumsnah, von der Straße zum Museum ausgeschildert. Kleiner Platz, ganz okay, aber bis aufs Panorama nichts besonderes. Deutschsprachig. 2 Pers. mit Auto und Zelt bezahlen 4 €. ✆ 2712249.

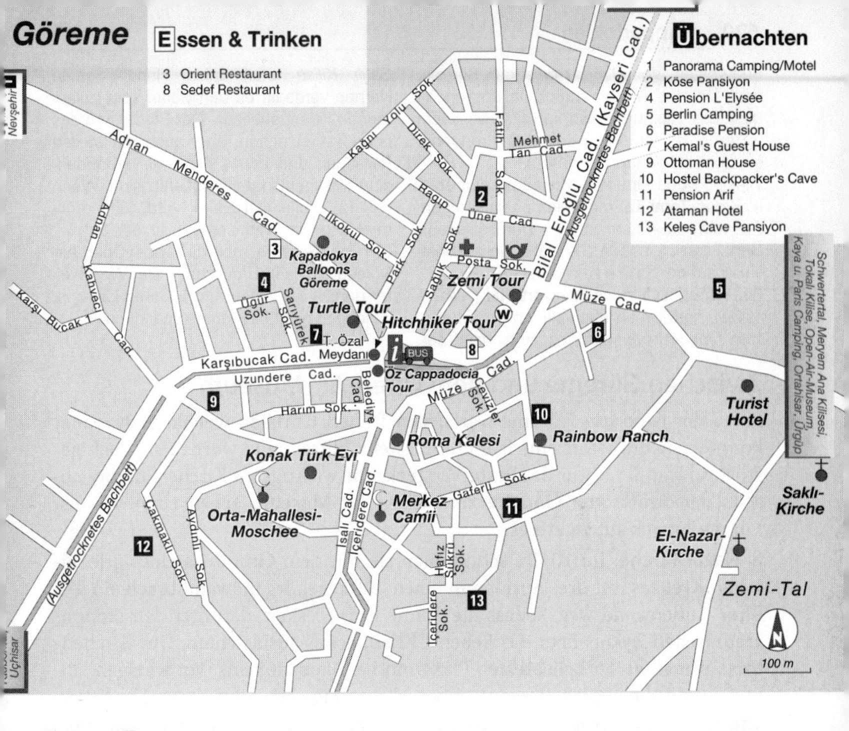

Essen & Trinken

Vorzüglich speist man in den Restaurants der Hotels **Ottoman House** (gediegene Atmosphäre, hervorragende Küche, Dachterrasse) und **Ataman** (beeindruckender Ausblick, leckere Fischspezialitäten, jedoch vornehmlich Busgruppenpublikum). Beiden gemein ist das europäische Preisniveau. Ansonsten hat man sich im Ort vornehmlich auf internationale Backpacker eingestellt. Neben den türkischen Standards gibt es Porridge, Cheese Toast, Spaghetti und Steaks.

Orient Restaurant (3), gemütliches, gepflegtes Restaurant mit schmiedeeisernen Stühlen (innen auf Parkett, draußen auf der Terrasse). Delikate Meze, hervorragende Grillgerichte. Vier-Gänge-Menü inkl. einem Getränk 5 €, à la Carte teuerer, auf jeden Fall für das Gebotene okay. Freundlicher Service, von Lesern empfohlen. Schräg gegenüber den Kapadokya Balloons an der Straße nach Uçhisar.

Mehmet Paşa Restaurant, versteckt in der Dorfidylle Göremes in einem alten, restaurierten Herrenhaus (s.o.). Leider nicht immer geöffnet – probieren Sie Ihr Glück, es lohnt sich. Serviert wird in zwei herrlichen, mit Fresken geschmückten Räumlichkeiten, zudem Terrasse mit toller Aussicht. Pro Person sollte man für ein schönes Abendessen mit 10 € rechnen.

Sedef Restaurant (8), im Zentrum. Eines der beliebtesten Lokale Göremes mit meist voll besetzter Veranda zur Straße. Großes Angebot an Meze, ebenso an Fleischgerichten. Versuchen Sie z. B. den *Vadi Kebap*, der auf offener Flamme serviert wird.

Wandern

Göreme ist dank seiner zahlreichen Täler in der nächsten Umgebung ein idealer Ausgangspunkt für kleine Wanderungen und längere Spaziergänge. Eine knapp zweistündige Wanderung führt z. B. durch das **Taubental** *(Güvercin Vadisi)* nach Uçhisar. Um den Einstieg nahe dem Ataman Hotel zu finden, folgt man der Uzundere Cad. gen

Südwesten. Von Uçhisar gelangen Sie mit dem Dolmuş wieder zurück. In entgegengesetzter Richtung, also von Uçhisar nach Göreme, ist der Weg weniger anstrengend (→ Uçhisar/Wandern, S. 614).

Westlich des Open-Air-Museums erstreckt sich das **Zemi-Tal** mit vielen phallusartigen Feentürmen – herrlich zum Durchstreifen! Den Einstieg finden Sie nahe dem Turist Hotel auf der Straße zum Museum.

Ein Hinweisschild ins **Schwertertal** *(Kılıçlar Vadisi)* findet man ebenfalls an der Straße zum Open-Air-Museum, ca. 50 m nach der *Saklı Kilise* (s.u.) linker Hand. Seinen Namen verdankt es den vielen spitz zulaufenden Felsengebilden. Der Pfad durch das enge Tal ist schön, aber auch mit steilen Passagen und etwas Kletterei verbunden, eine Taschenlampe empfiehlt sich! Wenn das Tal schließlich weiter wird, führt rechter Hand ein Pfad bergauf zu der Straße, die von Göreme (oberhalb des Open-Air-Museums) nach Ürgüp führt. Der Weg weiter durchs Tal verläuft in Richtung Çavuşin, ist jedoch nicht besonders spannend.

Zwischen Göreme und dem Open-Air-Museum

Die Täler rund um Göreme waren den frühen Christen willkommen – hier konnten sie ungestört eine fromme Existenz führen, und wurden sie doch gestört, so war die Natur das beste Versteck. Die wichtigsten Kirchen an und abseits der Straße von Göreme zum Open-Air-Museum geben einen kleinen Vorgeschmack auf Letzteres:

El-Nazar-Kirche: Im 10. Jh. schlug man sie mit dem Grundriss eines griechischen Kreuzes mit drei Apsiden in einen Tuffkegel. Irgendwann brach ein Teil ihrer Außenwand weg, sodass die Sonne ihre Fresken, darunter den ikonongraphischen Zyklus über das Leben Christi, etwas ausbleichten. Der Kirchentorso war eines der beliebtesten Plakatmotive Kappadokiens. Vor wenigen Jahren wurde die Kirche überaus aufwendig restauriert. Hinter der Kirche erstreckt sich das *Zemi-Tal*, durchsetzt von Weingärten und Aprikosenbäumen. Die Form der dortigen Feenkamine soll schon so mancher züchtigen Besucherin die Schamröte ins Gesicht getrieben haben ...

• *Wegbeschreibung/Öffnungszeiten* Am Ortsausgang von Göreme, kurz hinter dem Turist Hotel, zweigt rechter Hand ein befahrbarer Schotterweg zur Kirche ab (beschildert). Nach ca. 400 m links halten – ab hier sollten auch Motorisierte laufen (5 Min.). Von Sonnenauf- bis Sonnenuntergang geöffnet. Eintritt happige 3 €.

Saklı Kilise ("Versteckte Kirche"): Die Kirche am Abschluss einer Bergwand entstand vermutlich im 11. Jh. und wurde erst 1957 entdeckt. Ihre reiche Ikonographie illustriert die klassischen Themen: Entschlafung der Jungfrau, Taufe im Jordan und den Hl. Michael beim Bezwingen des Drachen. Auf den Fresken in auffällig hellen Farben entdeckt man auch Feenkamine – der Maler verwendete die kappadokische Landschaft als Bühnenbild für biblische Szenen. Dass die kunstvolle Ausschmückung noch so gut erhalten ist, führt man darauf zurück, dass die Kirche bereits kurz nach ihrer Fertigstellung wegen Einsturzgefahr aufgegeben wurde und in Vergessenheit geriet.

• *Wegbeschreibung/Öffnungszeiten* Auf halbem Weg zwischen Göreme und dem Open-Air-Museum weist ein Schild nach rechts zur Kirche. Ihr Name kommt nicht von irgendwo her – bevor Sie genervt in den Hügeln umherkraxeln, fragen Sie am besten im nahe gelegenen Café "Hikmet's Place" nach dem genauen Weg bzw. einem Führer. Stets zugänglich. Kein Eintritt.

Tokalı Kilise ("Schnallenkirche"): Die Kirche, ca. 100 m unterhalb des Eingangs zum Open-Air-Museum, gehört zu den größten Felsenkirchen Kappadokiens. Ihre farbenfrohen Fresken aus dem 10. Jh., z. T. sehr feine, aristokratisch anmutende Malereien, sind ungewöhnlich gut erhalten und nicht verblasst. Der Grund: Die Bauern der Gegend nutzten die Kirche einst als Taubenschlag und mauerten den tonnengewölbten Eingang bis auf ein kleines Flugloch zu. Nur einmal im Jahr öffneten sie ihn, um den Dung abzutransportieren. Benannt wurde die Kirche nach ihrem schnallenförmigen Dekor im Gewölbe. Auf dem Hügel über der Tokalı Kilise kann man weitere Kirchen entdecken, darunter die *Meryem Ana Kilisesi (Marienkirche)* aus dem 11. Jh. mit ebenfalls gut erhaltenen Fresken. Um sie zu finden, fragt man in der Tokalı Kilise am besten nach einem Führer.

Öffnungszeiten tägl. 8–18.30 Uhr. Eintritt nur mit Ticket des Open-Air-Museums.

Kirchenkunst in Kappadokien

Das Gros der Klöster, Kapellen und Einsiedeleien Kappadokiens, Bauten ohne strenge Statik, wurde zwischen dem 8. und 13. Jh. in den weichen Tuffstein gehauen. Vielerorts beeindrucken großartige, teils auch filigran ausgeführte Malereien mit sakralen Themen. Andere Kirchen zeigen hingegen nur ein paar Symbole und geometrische Muster – Kreuze, Zickzacklinien, Rosetten, Rauten oder einfache Ornamente, die mit roter Farbe auf den Stein aufgetragen wurden.

Der Grund dafür liegt im Ikonoklasmus ("Bilderstreit"), der im 8. und 9. Jahrhundert das Byzantinische Reich erschütterte. Unter dem Einfluss jüdischer und arabischer Anschauungen wurde unter Leo III. (717–741) die bildliche Darstellung von Christus, den Aposteln und Heiligen als Sünde angesehen und die Verehrung von Heiligenfiguren verboten. Sämtliche Ikonen wurden aus den Kirchen entfernt, unzählige Kunstwerke zerstört – eines der wenigen Beispiele vorikonoklastischer Kirchenkunst findet man in der *Ağaçaltı Kilisesi* im Ihlara-Tal (→ S. 646). Erst in der Mitte des 9. Jh. fand die kulturelle Stagnation ihr Ende, viele Kirchen wurden mit umso prächtigeren figurativen Ausdrucksformen neu geschmückt. In manchen Kirchen, in denen der Putz bröckelt, sieht man hinter schönen Fresken noch die alten ikonoklastischen Verzierungen.

Anhand der Malereien ist eine ungefähre Datierung somit auch für Laien möglich. Die mit Pinseln sehr detailliert ausgeführten Fresken sind die jüngsten und entstanden ab dem 11. Jh. Man nimmt an, dass es Kartonsammlungen für Künstler gab, welche die Anbringung der ersten Umrisse ermöglichte. Diese mussten später nur noch ausgemalt werden. Beabsichtigt war eine klare, graphische Interpretation der heiligen Texte, also eine stereotypisierte, didaktische Kunst, die eine einfache Auffassung der Bilder ermöglichte. Die Zyklen hatten den Prediger in seiner Aufgabe zu unterstützten, Analphabeten zu belehren. Die gängigsten Themen waren die Kindheit Marias, die Verkündigung, Christi Geburt, die Taufe Jesu durch Johannes, die Wunder Jesu, der Verrat des Judas, die Verleugnung Petrus', das Abendmahl, die Kreuzigung, die Grablegung, Auferstehung und Pfingsten. Viele Fresken wurden durch Steinwürfe – mit Vorliebe wurde auf die Augen gezielt – stark in Mitleidenschaft gezogen. Dies geschah durch eine spätere, islamisch begründete Bilderstürmerei.

Göreme Open Air Museum (Göreme Açık Hava Müzesi)

Kappadokiens Weltkulturerbe ist ein Tal voller Kirchen und Kapellen. Als man sie schuf, führte der Weg ins Himmelreich durch die Erde. Heute steht man trotz satter Eintrittspreise vor vielen Kircheneingängen zuweilen Schlange.

Die besondere Geologie der Region hat die Entwicklung einer Felsenarchitektur ermöglicht, bei welcher die Formen von Gebäuden im Negativen – also nicht durch Aufbau, sondern durch Aushöhlung – reproduziert wurden. Im Göreme Open Air Museum handelt es sich dabei insbesondere um Kirchen und Kapellen – zu besichtigen sind hier einige der schönsten Kappadokiens. Diese waren aber nicht nur Stätten des Gebets und der Meditation, auch Trauerfeierlichkeiten wurden darin abgehalten. Die zahlreichen Gräber (Steinmulden) in den Kirchen lassen darauf schließen, dass das kappadokische Christentum einen ausgeprägten Totenkult pflegte. In den Felsen der Umgebung kann man zudem Räumlichkeiten entdecken, die den Mönchen als Scheunen, Ställe für Ziegen und Schafe, Refektorien und Klosterzellen dienten. Auf dem vulkanischen, fruchtbaren Boden der Umgebung baute man Getreide, Wein und Gemüse an. Arg viel mehr ist über die Lebens- und Überlebensweise der christlichen Gemeinden Kappadokiens leider nicht bekannt. Das gilt auch für die ursprünglichen Namen der Kirchen. Ihre heutigen Bezeichnungen entspringen größtenteils dem einfachen Wortschatz der hier später ansässig gewordenen türkischen Bauern, die die Kirchen nach ganz simplen Kriterien unterschieden.

Gleich linker Hand hinter dem Eingang führen Stufen zum Rahibeler Manastırı (Nonnenkonvent) – er ist am Ende des Rundgangs beschrieben. Geradeaus gelangt man an einem Café und einem öffentlichen WC vorbei zur **Aziz Basil Şapeli (St.-Basilius-Kapelle)**, die einen kleinen Vorgeschmack auf das gibt, was Sie noch erwartet. In ihr Inneres fällt nur wenig Licht, die Fresken in den drei Apsiden, darunter Maria mit Jesus, lassen sich ohne Taschenlampe nur schwerlich ausmachen. In den Mulden am Boden des Vorraumes wurden einst Verstorbene beigesetzt.

Von hier führt der Weg weiter zur **Elmalı Kilise (Apfelkirche)**, eine kleine Kreuzkuppelkirche und zugleich eine der berühmtesten des Tals. Durch einen schmalen Gang gelangt man in den vollständig ausgemalten Innenraum. Die Kirche besitzt neun Kuppeln, die mittlere zeigt Jesus Pantokrator, drum herum Heilige, Engel (darunter können Sie Gabriel mit dem Apfel suchen) und Märtyrer. Die Fresken, einst durch mutwillige Zerstörung und Besuchermonogramme schwer in Mitleidenschaft gezogen, wurden jahrelang mühevoll restauriert. Stellenweise sieht man noch die alte, nichtfigurative Bemalung.

Im gleichen Felsblock befindet sich die **Barbara Kilise (Barbarakirche)**. Das auffällige, mit Ausnahme einiger Tierdarstellungen nichtfigurative Dekor dieser Kirche spricht für die Entstehung in der Zeit des Bilderstreits. Später wurden die Ornamente z. T. farbig übermalt. Das große axialsymmetrisch angeordnete Reiterbild stellt Georg und Theodor dar, die mit der Tötung des Drachens beschäftigt sind – dieses Bild findet man noch in weiteren hiesigen Kapellen. Auf der anderen Seite der Hauptapsis, die Jesu Pantokrator zeigt, sieht man die Schutzherrin der Kirche.

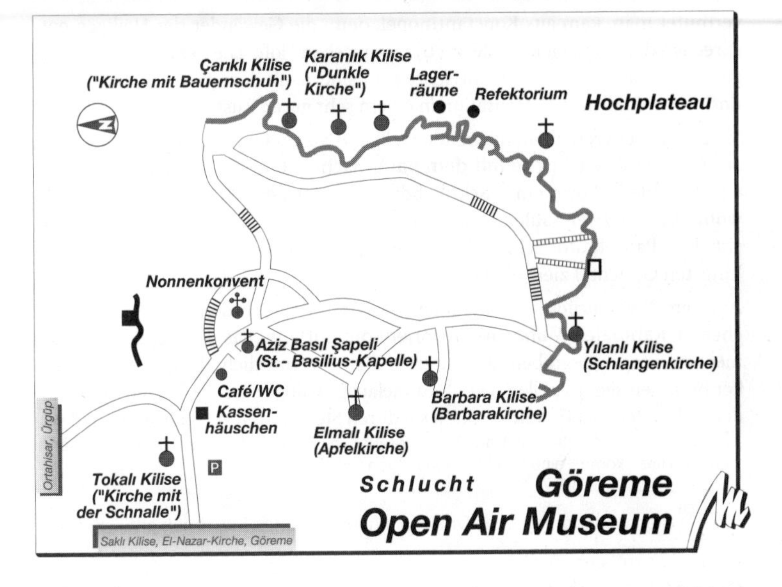

Die **Yılanlı Kilise (Schlangenkirche)** war ursprünglich eine Grabkammer, die später zur Kirche ausgebaut wurde. Die Apsis ist unvollendet. Auch hier lassen sich noch die alten geometrischen Muster in roter Farbe erkennen, und auch hier taucht wieder ein Fresko mit der Darstellung Georgs und Theodors im Kampf mit einem reptilienartigen Drachen auf – daher übrigens auch der Name der Kapelle. Beachtenswert ist das Fresko mit den Heiligen Basilius, Thomas und Onuphrius – Letzterer, übrigens Schutzpatron der Stadt München, steht nackt, mit stattlichem Bart und weiblicher Statur samt Brüsten vor einer Palme. Zu dieser seltsamen Figur gibt es mehrere Legenden. Es heißt, Onuphrius sei eine Frau gewesen und zwar von so hinreißender Schönheit, dass sie sich wünschte, Gott möge sich ihrer erbarmen und sie vor den Nachstellungen der Männer schützen. Gott kam ihrem Wunsch nach, entstellte ihr zum Schutze das Gesicht und ließ ihr einen Bart wachsen. Bösere Zungen behaupten, Onuphrius sei als Frau eine hemmungslose Sünderin gewesen und habe Gott gebeten, ihr noch mehr Gelegenheit zu geben, ihrem lasterhaften Lebenswandel zu frönen. Dieser verwandelte sie daraufhin aus Zorn in einen alten Mann.

Auf dem Weg weiter zur Karanlık Kilise passiert man ein **Refektorium** (Speisesaal) mit einem aus dem Fels gehauenen Tisch, der 40 bis 50 Personen Platz bot. Anbei sind in den Fels noch Lagerräume und Küchen geschlagen.

Über eine Treppe gelangt man schließlich zur **Karanlık Kilise ("Dunkle Kirche")**, für die ein separater Eintritt zu zahlen ist. Die Kirche hält, was ihr Name verspricht: Die Augen müssen sich erst an die Dunkelheit gewöhnen, bevor man die auf nachtblauen Hintergrund gemalten Fresken wahrnehmen kann. Diese zählen mit denen der Elmalı Kilise zu den vollkommensten Kappadokiens, wahrscheinlich wurden sie auch von dem gleichen Künstler im 11. Jh. gemalt. Dieser, so

Kappadokien
Karte S. 605

vermutet man, kam aus Konstantinopel, denn die Gewänder der Heiligen entsprechen der damaligen Mode am byzantinischen Hofe. Die Fresken, die vorrangig Szenen aus dem Leben Christi zeigen, sind dank dem geringen Lichteinfall und einer kürzlichen Restauration in einem sehr guten Zustand.

Vorbei an weiteren kleinen Kirchen (z. T. mit vielen Grabnischen) gelangt man zur **Çarıklı Kilise ("Kirche mit dem Bauernschuh")**. Ihren Namen verdankt sie einer Mulde in Form eines Schuhabdrucks unter dem Himmelfahrtsbild. Obwohl nur mit zwei Säulen ausgestattet, ist sie ebenfalls eine Kreuzkuppelkirche. Jesu Pantokrator schmückt die Zentralkuppel, die Deesis (Darstellung des Jüngsten Gerichts) ziert die Hauptapsis.

Auf dem Weg zurück zum Eingang passiert man noch den bereits angesprochenen **Rahibeler Manastırı (Nonnenkonvent)**. In das Felsgebilde wurden mehrere Etagen gegraben, die unterste diente vermutlich als Speisesaal, darüber befinden sich Kapellen. Durch tunnelartige Gänge sind die Etagen miteinander verbunden. Bei Gefahr konnten sie durch Steinplatten verschlossen werden.

Öffnungszeiten tägl. 8–18.30 Uhr. Open-Air-Museum 9 € (erm. 6 €), Karanlık Kilise zusätzliche 6 €. Hinzu kommt eine Parkplatzgebühr von 0,60 €.

Sie wollen weiter gen Osten? Ortahisar finden Sie auf S. 630, Ürgüp auf S. 632.

Çavuşin

5 km nördlich von Göreme, an der Straße nach Avanos, liegt Çavuşin, ein guter Ausgangspunkt für Wanderungen. Das bäuerlich geprägte Dorf hat außer dem Anblick einer großen, eingestürzten Felswand nicht viel zu bieten. Das Unglück, das mehrere Tote kostete, ereignete sich 1963 und besiegelte – zumindest in touristischer Hinsicht – das Schicksal des Dorfes: Mit dem Felssturz verlor der Ort mehr oder weniger auch seine große Attraktion, die berühmte *Täuferkirche*. Die vermutlich älteste Kirche der Region wurde auf das 5. Jh. datiert. Die verbliebenen Fresken im Fels, die man heute noch sehen kann, sind keinen Besuch wert. Nach dem Felssturz bauten sich die Bewohner neue Häuser in sicherer Entfernung zur Felswand, andere wanderten nach Deutschland ab, insbesondere in den Raum Göppingen und Esslingen.

Einzige Sehenswürdigkeit ist heute noch die *Çavuşin Güvercinlik Kilisesi ("Taubenschlagkirche")* etwas nördlich des Dorfes, rechts der Straße nach Avanos. Hier ist der Kirchenvorraum eingestürzt, sodass die dort noch verbliebenen Fresken – die Erzengel Gabriel und Michael – heute gänzlich dem Sonnenlicht ausgesetzt sind. Über eine Eisentreppe tritt man direkt ins hintere Kircheninnere, ein Tonnengewölbe mit drei Apsiden, das im 10. und 11. Jh. vollständig ausgemalt wurde. Dem Betrachter bietet sich ein wunderschöner, ausführlicher Bilderzyklus von der Verkündigung der Geburt Christi bis zur Himmelfahrt (tägl. 8–19 Uhr, Eintritt 1,50 €).

• *Verbindungen* Stündl. ein **Bus** nach Göreme und Avanos.

• *Übernachten/Camping* **Green Motel/Camping**, am Ende der Dorfstraße. Wer die Nacht ruhig und in ländlicher Idylle verbringen möchte, ist hier gut aufgehoben. Das Motel wird von dem freundlichen, Deutsch sprechenden Mehmet geführt, der vier Jahre im Schwäbischen verbrachte. Ordentliche Zimmer (je nach Aussicht und Ausstattung

Bizarre Felsformationen im Paşabağı-Tal

16–46 € für das DZ), ein nettes Felsenrestaurant und schattige Campingmöglichkeiten (pro Person 5 €). Das Frühstück kann im Obstgarten eingenommen werden. ✆ 0384/5327050, greenmotel@yahoo.com.

• *Wandern* Folgt man vom Dorfplatz der Straße vorbei an der Moschee bis zu ihrem Ende und zweigt dort rechts ab, findet man hinter einem Friedhof ein Hinweisschild in das **Rosental** *(Güllü Dere)*, das seinen Namen von den rosafarbenen Felsformationen erhielt. Unterwegs passiert man ein paar Kirchen, darunter die *Ayvalı Kilise* (Quittenkirche), wo man im Sommer meist einen Getränkeverkäufer findet. Von ihr führt auch ein Pfad weiter zur **Kızılçukur** (Roten Schlucht → S. 631).

Vom Rosental bietet sich auch die Möglichkeit einer Durchquerung des **Meskendir-Tals** *(Meskendir Vadisi)* an. Dabei erreicht man vorbei am Kaya Camping die Verbindungsstraße Göreme-Ürgüp. Keine Angst vorm Verlaufen – der 1.250 m hohe *Aktepe* zur Linken hilft als Orientierungspunkt. Umrundet man den Aktepe von Çavuşin übrigens entlang seiner Nordwestflanke, gelangt man über das **Paşabağı-Tal** nach **Zelve**.

Ein weiterer Wanderweg führt zudem von der Güvercinlik Kilisesi im Norden Çavuşins (s.o., Einstieg ausgeschildert) in die **Kızılçukur**.

Paşabağı-Tal

Das Paşabağı-Tal beherbergt die höchsten und imposantesten Feenkamine Kappadokiens. Die Natur hat hier eine besondere Posse gerissen. Umgeben von Weingärten und Souvenirshops stehen die Riesen teils zu Zwillingen und Drillingen zusammengewachsen in der Landschaft. Einige von ihnen wurden schon vor Jahrhunderten ausgehöhlt und fanden Verwendung als Mönchszellen, Kapellen, Grabkammern oder mehrstöckige Wohnungen. Selbst die Jandarma hat sich hier in einem Tuffsteinkegel einquartiert. Vor allem zum Sonnenuntergang ist im Tal die Hölle los. Um es zu erreichen, zweigt man von der Verbindungsstraße Göreme-Avanos rund 2 km nördlich von Çavuşin Richtung Zelve (ausgeschildert) ab – man passiert es kurz darauf automatisch. Wer mit dem kommunalen Bus unterwegs ist, steigt an der Abzweigung aus und geht den Rest zu Fuß (ca. 10 Min.).

Kappadokien Karte S. 605

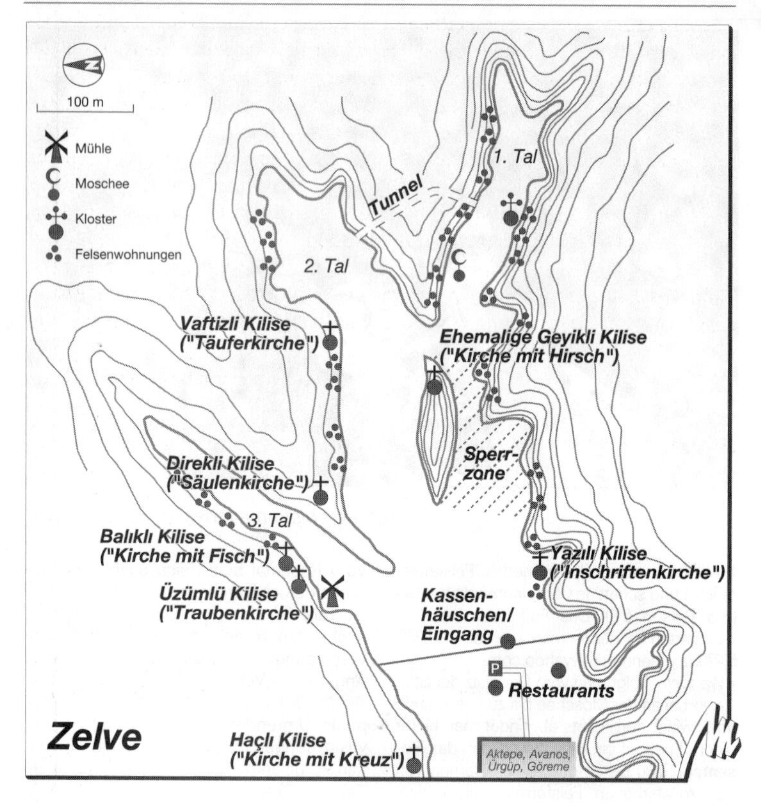

Zelve

Im rötlichen Tuffstein Zelves wohnten Römer, Byzantiner, Seldschuken, Osmanen, Griechen und Türken. Das Dorf wurde erst 1953 aufgegeben, nachdem die Felsen reihenweise einzustürzen begannen.

Das heute zum Museum erschlossene Areal ähnelt dem Göreme Open Air Museum (→ S. 622). Seine Felsenkirchen sind zwar weniger kunstvoll ausgemalt, dafür ist Zelve erheblich größer und landschaftlich reizvoller. Es umfasst drei durchlöcherte Täler, die zu den ältesten besiedelten Gegenden Kappadokiens zählen. Mehrere tausend Jahre lang lebten hier Menschen. Erst als das Wohnen in den Höhlen Mitte des 20. Jh. immer riskanter wurde, entstand mit staatlichen Mitteln zwei Kilometer nördlich Yeni Zelve (Neu-Zelve, heute Aktepe), eine Ansammlung unansehnlicher, uniformer Häuser. Bis in die Gegenwart rutschen in Alt-Zelve Felswände ab, zuletzt traf es den freistehenden Felskoloss mit der *Geyikli Kilise* ("Kirche mit dem Hirsch") zwischen dem ersten und dem zweiten Tal – er brach 2002 auseinander. Die dreieckigen Schilder entlang den Fußwegen, die sonst in den Alpen vor Steinschlag warnen, sind also durchaus ernst gemeint. Die drei Täler verlocken zu nicht ganz ungefährlichen Streifzügen, doch keine Sorge, die riskantesten Ecken sind abgesperrt. Man kann Felsenwohnungen erklettern, ein halbverfallenes *Kloster* aufsuchen, von dessen Decke ein Baum erdwärts wächst, alte *Mühlen* erkunden und eine *Felsenmoschee* mit einem typisch kappadokischen Mini-Minarett besichtigen: Zwischen den vier Säulen blieb dem Muezzin gerade noch genug Platz zur Erfüllung seiner Pflichten. Von den Kirchen ist die *Üzümlü Kilise (Traubenkirche)* die am besten erhaltene. Aufgrund ihres Dekors wird sie in die Zeit des Bilderstreites (8./9. Jh.) datiert. Abenteuerlich ist schließlich der Tunnel, der das erste und das zweite Tal verbindet. Der Eingang ist im zweiten Tal anhand einer auffälligen Eisentreppe leicht zu finden, im ersten Tal ist es schwieriger. In jedem Falle sollten Sie für die Durchquerung eine Taschenlampe zur Hand haben.

• Anfahrt Von der Straße Göreme–Avanos zweigt man 2 km hinter Çavuşin rechts ab, von da noch weitere 3 km bis Zelve (ausgeschildert). Wer mit dem Avanos-**Bus** von Göreme kommt, steigt an der Abzweigung nach Zelve aus und muss die restlichen 3 km laufen.

• Öffnungszeiten tägl. 8–18.30 Uhr. Eintritt 6 €, erm. 2,40 €.

Falls Sie von Zelve weiter nach Ürgüp wollen, passieren Sie das Devrent-Tal, einen versteinerten Zaubergarten. Lesen Sie dazu weiter ab S. 636.

Avanos

(ca. 12.000 Einwohner)

"Selbst ein Blinder findet den Weg nach Avanos", sagen die Einheimischen, "er folgt den Scherben zerbrochener Tonkrüge". Avanos ist das Zentrum des kappadokischen Töpferhandwerks.

Avanos besitzt zwar eine bis in die Hethiterzeit zurückreichende Siedlungsgeschichte, nahezu sämtliche Spuren davon sind jedoch verwischt. Nur die Tradition des Töpferhandwerks hat die Jahrtausende überlebt. Die Tonerde dazu gewinnt man aus den roten Hügeln der Umgebung und aus dem Bett des *Kızılırmak* ("Roter Fluss"), an dem sich die Stadt erstreckt. Der Fluss ist mit 915 km der längste der Türkei, und Avanos selbst wohl eines der zersiedeltsten, auseinandergezogensten Städtchen des Landes. Es liegt abseits von Feentürmen und des internationalen kappadokischen Trubels. Busgruppen kommen nur, weil die Touroperator Verträge mit den rund 50 Töpfereien des Ortes oder mit den charakterlosen Komforthotels am Stadtrand haben.

Avanos ist nett und ruhig, aber auch staubig und unspektakulär. Die Hauptachse des Städtchens ist die Atatürk Caddesi, die parallel zum *Kızılırmak* verläuft und das Zentrum durchschneidet. Nordöstlich des Cumhuriyet Meydanı – den Hauptplatz ziert ausnahmsweise keine Atatürkstatue, sondern die eines unbekannten Töpfers – erstreckt sich die Altstadt. Viele der schönen, wenn auch heute renovierungsbedürftigen alten Steinhäuser gehörten einst Armeniern. Hier findet man auch Kappadokiens kuriosestes Museum, das *Haarmuseum* des Töpfers Galip, der seit 25 Jahren Frauenhaar aus aller Welt sammelt (→ Pferdetrekking). Etliche tausend Exemplare baumeln hier von der Gewölbedecke, für Männer ist der Eintritt frei, Frauen müssen Haar lassen.

Eine weitere Attraktion soll der *Hacı Nuri Bey Konağı*, ein restaurierter osmanischer Gouverneurspalast werden. Man plant darin ein Teppichmuseum einzurichten. Bislang kann man das Gebäude schräg gegenüber dem Hotel Sofa ganz im Westen des Städtchens nur von außen anschauen.

Information/Verbindungen/Ausflüge

- *Telefonvorwahl* 0384.
- *Information* westlich des Zentrums an der Atatürk Cad. am Nordufer des Flusses. In der Saison tägl. 8–19 Uhr – klopfen Sie besser vorher an, sonst erleben Sie den Infomann vielleicht, wie es uns erging, mit heruntergelassener Hose! ✆ 5114360. Für kompetentere Informationen jeglicher Art kann man sich an das Reisebüro Kirkit (→ Organisierte Touren) wenden.
- *Verbindungen* **Bus**bahnhof ca. 2,5 km außerhalb des Zentrums (südlich des Flusses) an der Kapadokya Cad. Direktbusse in alle größeren Städte an der Küste, zudem nach İstanbul, Ankara, Trabzon oder Konya. Die kommunalen Busse nach Göreme (über Çavuşin) und die **Dolmuşe** nach Özkonak starten nahe der Post, die Busse nach Ürgüp und Nevşehir (teils über Çavuşin, Göreme und Uçhisar) vom Busbahnhof.
- *Organisierte Touren* bucht man am besten im Reisebüro **Kirkit**. Geboten werden neben Kappadokien-Sightseeingtouren per Minibus auch Tagestouren mit dem Fahrrad (18 € pro Person), Tageswanderungen (11 € pro Person), Fahrten ins Ihlara-Tal (27 € pro Person inkl. Eintritt und Mittagessen) und vieles mehr. Freundlich, deutschsprachig und sehr hilfsbereit. Atatürk Cad. 50 (östlich der "Information"), ✆ 5113259, www.kirkit.com.
- *Pferdetrekking* organisiert **Galip** von der stadtbekannten Töpferei nahe der Post. Das Angebot reicht von Tages- bis zu Wochentouren durch Kappadokien. Pro Tag inkl. Picknick 35 €, Schlafsäcke mitbringen. Wer nur kurz unterwegs sein will: 1 Std. 7 €, 2 Std. 10 €. ✆ 5114240, www.chez-galip.com.

Adressen/Sonstiges

- *Ärztliche Versorgung* **Krankenhaus** im Süden der Stadt nahe dem Busbahnhof. ✆ 5114021.
- *Autoverleih* über das Reisebüro **Kirkit** (→ Organisierte Touren). Der billigste Wagen kostet 49 € pro Tag.
- *Baden* in 38°C warmem, schwefelhaltigen Wasser kann man im absolut untouristischen **Thermalbad Bayramhacı Kaplıcası** eine halbe Autostunde nordöstlich von Avanos. Mehrere (z. T. nach Geschlechtern getrennte) Becken, Hamam, Sauna und Restaurant. Tägl. von Sonnenauf- bis Sonnenuntergang, Eintritt 1,80 €, mit Hamam 4,70 €. Von Avanos der Straße nach Kayseri folgen, nach ca. 15 km rechts ab nach Bayramhacı (4 km), dann noch 2 km zum Thermalbau. Keine Verbindungen mit öffentlichen Verkehrsmitteln, ein Taxi kostet retour ca. 18 €.
- *Einkaufen* Alles dreht sich um **Ton** und das, was man daraus herstellen kann. Etliche Werkstätten bieten im Zentrum ihre Waren an und geben Busgruppen eine Kurzdemonstration ihrer Kunst. Zudem haben **Teppich**knüpferei und -weberei in Avanos eine lange Tradition.
- *Geld* Banken mit EC-Automaten findet man im Zentrum.
- *Polizei* ganz im Westen der Stadt hinter dem Hamam. ✆ 5114036.
- *Post* zentral an der Atatürk Cad.
- *Töpferkurse* kann man in der Werkstatt von **Galip** (→ Pferdetrekking) belegen. Preise sind Verhandlungssache.
- *Türkisches Bad (Hamam)* Das **Alaaddin Hamamı** liegt ganz im Westen der Stadt. Finnische Holz- und türkische Steinsauna! Tagsüber ca. 5 € Eintritt. Ab 19 Uhr für Touristen reserviert (keine Geschlechtertrennung), Eintritt dann ca. 10 €. Das Hamam ist oft von Reisegruppen ausgebucht; ein paar Individualtouristen werden in der Regel jedoch geduldet.
- *Veranstaltungen* Internationales Festival des Handwerks im August.
- *Zeitungen* in deutscher Sprache verkauft das Reisebüro **Kirkit** (→ Organisierte Touren).

Übernachten/Camping/Essen & Trinken

Es gibt nur wenig empfehlenswerte Unterkünfte – das Gros der Hotels in Avanos ist auf Busgruppen eingestellt.

Sofa Hotel, im Westen des Städtchens, schräg gegenüber dem Hacı Nuri Bey Konağı. Schönes, verwinkeltes Haus mit Holzanbau und begrüntem Innenhof. Urgemütliche DZ mit Bad 30 €, Frühstück inkl. Orta Mah. 13, ✆/✆ 5114489.

Duru Motel, am höchsten Punkt von Avanos. Großartige Sonnenterrasse mit Aussicht über ganz Avanos. Gepflegte Zimmer mit Dusche/ WC. Gutes Restaurant. DZ ca. 28 €, 3-Bett-Zimmer ca. 34 €, Frühstück inkl. Eine Reservierung ist im "Duru Carpet Shop" am zentralen Platz (Cumhuriyet Meydanı 15) möglich. ✆ 5114005, ✆ 5112402.

Kirkit Pension, vermietet werden 14 ganz unterschiedliche Zimmer, alle freundlich-stilvoll eingerichtet und größtenteils mit Holzböden versehen. Sie verteilen sich auf mehrere, verwinkelt-romantisch an den Fels gedrückte alte Häuschen. Schöner Innenhof zum Frühstücken für warme Tage und ein Felsenrestaurant für kalte. Viele französische Gäste. DZ mit Bad 18 €. In einem Nebengässchen der Atatürk Cad. nahe dem gleichnamigen, dazugehörigen Reisebüro (→ Organisierte Touren). ✆ 5113148, www.kirkit.com.

• *Camping* **Ada Camping**, ca. 3 km südwestlich des Zentrum, ausgeschildert. Große schattige Anlage, geeignet auch für Wohnmobile. Nicht nur Kappadokiens größtes Schwimmbecken (Reklame: "You will not miss the sea") überzeugt, sondern auch die sanitären Anlagen: 24 saubere WCs und ebenso viele Duschen. Restaurant. Campen für 2 Pers. 6 €. Mai–Ende Sept. geöffnet. ✆ 5112429.

Essen & Trinken **Restaurant Bizim Ev**, direkt oberhalb des Sofa Hotels und seit seiner Eröffnung 2000 die Nummer eins am Ort. Großes Mezeangebot. Als Hauptgang empfehlen wir *Bostan Kebap* (Lammfleisch mit Auberginen), die Spezialität des Hauses. Dezent "osmanisch" eingerichtete Speiseräume, im Sommer wird auf der Dachterrasse getafelt. Meze ca. 1,80 €, Grillgerichte ab 2,40 €.

Tufana Restaurant, nahe dem zentralen Platz und ebenfalls zu empfehlen. Gute türkische Küche, vorrangig Pide und Kebap, vernünftige Preise. Mit ein bisschen Orientkitsch hat man versucht, das Kantinenflair aufzufrischen – ganz gemütlich. Schöner aber sitzt man an einem der drei Tische draußen vor der Tür auf dem Gehweg.

Çalı Piknik Restaurant, beliebtes Gartenlokal bei der Fußgängerbrücke direkt am Fluss.

Umgebung von Avanos

Sarıhan: 6 km östlich von Avanos liegt Sarıhan, der "gelbe Han", eine seldschukische Karawanserei aus dem Jahre 1249. Bei einer aufwendigen Restaurierung vor rund 25 Jahren wurde darauf geachtet, denselben gelblichen Stein wie im 13. Jh. zu verwenden. Sehenswert ist das reich dekorierte Eingangsportal mit einer Moschee darüber. Vom Dach hat man eine schöne Aussicht auf die Umgebung. Im großen Hof, wo einst Kamele be- und entladen wurden, werden heute an Sommerabenden zuweilen Derwischtänze aufgeführt.

Verbindungen/Öffnungszeiten Der Weg nach Sarıhan ist ausgeschildert. Wer ihn nicht im historischen Tempo nachvollziehen will und keine **Tour** gebucht hat, nimmt am besten ein **Taxi** (von Avanos retour ca. 3 €). Keine Dolmuşanbindung. Tägl. 8.30–18 Uhr. Eintritt 1,50 €.

Özkonak: Die unterirdische Stadt im Dorf Özkonak 21 km nördlich von Avanos ist weit weniger imposant wie jene von Derinkuyu oder Kaymaklı – was jedoch nicht heißt, dass Sie hier der einzige Tourist sein werden. Entdeckt hat

Kappadokien Karte S. 605

die Stadt, die einst 60.000 Menschen beherbergt haben soll, übrigens der Dorfmuezzin, der bei Arbeiten auf seinem Grundstück 1972 zu tief stocherte. Mitte der 1980er folgten offizielle Grabungsarbeiten, bei denen man einen Weinkeller, eine Küche sowie Kindergräber fand. Von den vermuteten 19 (!) Stockwerken sind momentan erst drei, stellenweise vier zugänglich. Die Gänge sind trotz Elektrifizierung ziemlich dunkel.

Verbindungen/Öffnungszeiten Stündl. **Dolmuş**verbindungen von Avanos. Im Dorf Özkonak mit "Yeraltı Şehri" ausgeschildert. Tägl. 8–19 Uhr. Nur mit Führung. Eintritt 3 €.

Von Avanos nach Ürgüp? Auf dem Weg dorthin passieren Sie das bizarre Devrent-Tal (→ S. 636). Für Ürgüp lesen Sie weiter ab S. 632.

Ortahisar

Der Koloss von Ortahisar ist ein 90 m hoher Burgfels, der sich wie die Nadel einer Sonnenuhr über den Häusern des Ortes erhebt und zu gegebener Zeit Schatten spendet. Das ruhige Landstädtchen ist nebenbei eines der größten Obst- und Gemüselager der Türkei.

Ortahisar ist ein gemütlicher, ursprünglicher Ort, den viele Touristen links liegen lassen – von ein paar Tagesbesuchern und Busgruppen, die in den Hotels am Ortsrand absteigen, einmal abgesehen. Man lebt hier auch nicht vom Geschäft mit der schönsten Jahreszeit, sondern von den rund 600 riesigen Tuffsteinhöhlen der Umgebung, natürliche Kühlräume mit einer Durchschnittstemperatur von 10°C. Zitronen und Orangen (aus der Gegend um Mersin), Kartoffeln, Äpfel oder Zwiebeln – ganze Lkw-Ladungen werden vor die Höhlen gekarrt und vor die Kellereingänge gekippt. In Kisten verpackt warten die Früchte dort dann auf den Weitertransport. Die halbe Türkei wird von Ortahisar beliefert, und es wird auch nach Europa exportiert.

Nach Feierabend spielt sich das Leben auf dem Platz vor der Burg ab, wo die Männer im Teegarten die Zeit beim Tavlaspiel totschlagen oder den Touristen beim Erkraxeln der Burg zuschauen: Der majestätische Burgfels, der den kappadokischen Christen einst als Versteck vor den Arabern diente, ist Ortahisars Attraktion. Die Höhlenwohnungen waren bis weit ins 20. Jh. noch bewohnt. Der Aufstieg über Gänge, Treppen und Leitern ist nicht gerade bequem, aber die Anstrengung wird mit einem Panoramablick auf das landwirtschaftlich genutzte Umland belohnt (tägl. 7.30–20.30 Uhr, gelegentlich wird ein Eintritt von 1,80 € verlangt).

• *Telefonvorwahl* 0384.

• *Information* beim Burgfels. Freundlich und hilfsbereit. Mai–Ende Okt. tägl. 9–18.30 Uhr. ✆ 3433071.

• *Verbindungen* Regelmäßige Verbindungen mit kommunalen **Bus**sen nach Nevşehir, zudem ca. 10-mal tägl. **Dolmuşe** nach Ürgüp.

• *Wandern* Eine kleine 45-minütige Wanderung führt vom Dorfplatz ins **Pancarlık-Tal** (→ S. 636, ausgeschildert). Zudem kann man bei einem Über-Stock-und-Stein-Spaziergang das **Balkan-Tal** mit mehreren abgeschiedenen Kirchen entdecken. Um dahin zu gelangen, läuft man links der Tourist Information bergab bis zur Brücke, von der ein Pfad hinab in ein meist ausgetrocknetes Bachbett führt. Dort folgt man dem leicht ansteigenden Bachbett talaufwärts. Die ersten Kirchen erreichen Sie bereits nach ca. 15 Min. Einen Überblick über mögliche Routen gibt auch ein Plan nahe der Tourist Information.

• *Übernachten* ***Hotel Burcu**, ansprechende Anlage, vornehmlich an Busgruppen gerichtet. Etwas außerhalb des Ortskerns, vom Ostzubringer ausgeschildert. Seit 2001 mit einladendem Swimmingpool hinter dem Gebäude, die Drinks werden direkt ans Wasser serviert. Die im tonnengewölbten Baustil errichteten Zimmer wirken anheimelnd und sind mit Telefon und Heizung ausgestattet. Restaurant angeschlossen. DZ mit Frühstück im Innenhof für 40 €. ✆ 3433200, 📠 3433500.

Mersin Oteli, am Dorfplatz. Freundlicher Besitzer, dessen Hauptkundschaft Obst- und Gemüsehändler sind. Helle, geräumig Zimmer mit Bad, aber ohne jeden weiteren Komfort. Kochmöglichkeit und Aussichtsterrasse. DZ 9 € und damit mehr als preiswert. ✆ 3432220, 📠 3432249.

Gümüş Pansiyon, neben der Post. Einfach, aber okay. Je höher, desto besser: in der ersten Etage Dusche/WC auf dem Flur, in der zweiten Etage in den Zimmern, in der dritten Etage wurde das Angebot um eine Dachterrasse aufgestockt. DZ 8 €, Frühstück extra – die Adresse für den schmalen Geldbeutel. ✆ 3433127.

Umgebung von Ortahisar

Hallaçdere-Kloster: Die wenig besuchte, einst riesige Klosteranlage hat im Laufe der Jahrhunderte unter der Erosion z. T. stark gelitten. Was heute wie ein Hof aussieht, waren einst überdachte Kirchenräume. In der noch zugänglichen Hauptkirche der früher mehrstöckigen Anlage sind Darstellungen aus der Ikonoklastenzeit zu erkennen. Etliche Reliefs an verschiedenen Stellen lassen vermuten, dass hier später auch armenische Steinmetze Hand anlegten.

• *Anfahrt/Öffnungszeiten* Von der östlichen Zufahrtsstraße nach Ortahisar am Ortseingang mit "Hallaç Hospital Monastery" ausgeschildert. Der Weg dorthin führt an einer Teppichweberei vorbei. Das Kloster liegt ca. 250 m hinter der Teppichweberei links der Straße. Frei zugänglich, die Hauptkirche des Klosters ist manchmal durch ein Eisengitter versperrt. Kein Eintritt.

Rote Schlucht (Kızılçukur): Rund vier Kilometer nördlich von Ortahisar erstreckt sich die von hohen Felswänden eingebettete, rosafarbene Tuffschlucht. Den besten Blick auf die Schlucht hat man vom Aussichtspunkt auf der Südwestseite des 1.250 m hohen *Aktepe*. Wie der Burgfels von Uçhisar ist auch er einer der beliebtesten Orte für den Sonnenuntergang über Kappadokien – mit etlichen Busladungen teilen Sie die romantische Stimmung. Durch das Tal führt ein 6,5 km langer Wanderweg, von dem auch die *Üzümlü Kilise* ("Weinkirche") ausgeschildert ist. Sie besitzt Wandmalereien in Form von Weinornamenten aus dem 9. Jh. Ein weiterer Wanderweg (4,5 km) führt von der Abzweigung zum Aussichtspunkt an der Straße Nevşehir-Ürgüp (→ Anfahrt) ins Rosental (*Güllü Dere*, → Çavuşin/Wandern, S. 625).

• *Anfahrt/Verbindungen* Man erreicht den Aussichtspunkt, indem man Ortahisar auf dem östlichen Zubringer verlässt und die Straße Nevşehir-Ürgüp überquert. Von der Kreuzung noch ca. 2,5 km auf einem Asphaltsträßchen – wer mit dem Nevşehir-Ürgüp-**Dolmuş** kommt, muss die 2,5 km laufen oder trampen.

• *Öffnungszeiten* tägl. von Sonnenaufgang bis nach Sonnenuntergang. Wer den regulären asphaltierten Weg zum Aussichtspunkt wählt (Autofahrer haben keine andere Möglichkeit), findet sich bald vor einer Schranke: Eintritt pro Person 1,80 €, erm. die Hälfte.

Kappadokien Karte S. 605

Ein Gruß aus Kappadokien

Ürgüp

(ca. 15.000 Einwohner)

Ein zweitklassiges Ausflugsziel, aber ein erstklassiger Ausgangspunkt: Das lebendige Städtchen bietet stilvolle Unterkünfte und ist zudem bekannt für seine guten Weine.

Zu Fuße eines markanten, hoch aufragenden Felsens liegt Ürgüp, eine der Hotelhochburgen Kappadokiens. Im Gegensatz zu Göreme lebt man hier aber nicht ausschließlich vom Tourismus, Ürgüp ist nach wie vor auch ein wichtiges Marktzentrum für die Bauern der Umgebung. Der älteste Teil des Städtchens erstreckt sich westlich des Hauptplatzes. Malerische Steinhäuser aus der Zeit vor dem Bevölkerungsaustausch erinnern hier an die griechische Vergangenheit des Ortes. Auch die Tradition der Weinkelterei (→ Kasten) wurde von den Griechen übernommen.

Der Stadtfelsen, auch *Temenni* ("Hügel der Wünsche") genannt, wird nachts in Flutlicht getaucht – eine leicht übertriebene Demonstration, doch an Sehenswürdigkeiten hat man sonst nicht viel zu bieten. Auf den Felsen gelangt man von der Ahmet Refik Caddesi über unzählige Stufen (tägl. 8.30–18 Uhr, Eintritt 1 €). Oben findet man neben einem Terrassencafé mit Panoramablick über Ürgüp eine alte *Medrese* und die *Türbe* des Seldschukenfürsten Kılıçaslan IV., der 1264 von seinem Bruder ermordet wurde. Am spannendsten ist ein unterirdischer Gang von 75 m Länge, durch den man zu einer der zahlreichen, von außen sichtbaren Felsenhöhlen gelangt. Der Tunnel ist stellenweise sehr eng, eine Taschenlampe empfiehlt sich. Die auf dem Felsen herumstreunenden Kinder können Ihnen den Eingang zeigen.

Ein etwas langweiligeres Unterfangen ist der Besuch des örtlichen *Museums* an der Kayseri Caddesi. Hier werden wenig spektakuläre Funde aus der Region gezeigt: Schmuck, Kandelaber, Waffen, Grabstelen und Keramik aus prähistorischer, hellenistischer und römischer Zeit. Das überraschendste Exponat ist der riesige Stoßzahn eines Mammuts, der angeblich 10 Millionen Jahre alt ist (tägl. außer Mo 8–17.30 Uhr, Eintritt 0,60 €).

Information/Verbindungen/Ausflüge/Wandern

• *Telefonvorwahl* 0384.

• *Information* Wie in Göreme gilt auch in Ürgüp: Die Aufschrift "Information" der Tourenanbieter ist Etikettenschwindel. Die einzige offizielle Tourist Information findet man beim Museum an der Kayseri Cad. Deutschsprachiges und hilfsbereites Personal, Hotelliste mit Preisangaben, Busfahrpläne etc. In der Saison tägl. 8–19 Uhr. ✆/℻ 3414059.

• *Verbindungen* **Bus/Dolmuş**: Vom kleinen zentralen Busbahnhof mehrmals am Tag (größtenteils über Nevşehir) in alle größeren Touristenzentren der Südküste, zudem nach Konya, Aksaray und Kayseri. Nachtbusse nach İstanbul. Ca. 10-mal tägl. Dolmuşe bzw. Busse nach Ortahisar, alle 2 Std. nach Mustafapaşa, Göreme und Avanos sowie alle 30 Min. nach Nevşehir.

Taxi: Einen guten Ruf besitzt **Göreme Taxi** am Busbahnhof, ✆ 3124193. Je nach Zielort pro Tag 55–85 €.

• *Organisierte Touren* werden von diversen Veranstaltern zu den Hauptattraktionen Kappadokiens angeboten. Unterwegs stoppt man bei Onyxfabriken, Teppichknüpfereien usw. – je billiger das Angebot, desto mehr derartige Stopps. Eine empfehlenswerte Adresse ist das Reisebüro **Argeus** (Touren ohne Einkaufsstopps, Mittagessen in kleinen authentischen Lokalen ohne Touristenabfertigung etc.). Selbstverständlich haben diese Ausflüge auch ihren Preis – Halbtagestouren ab 35 €, Tagestouren ab 70 € inkl. Eintrittsgelder. Argeus ist zudem die örtliche THY-Vertretung. İstiklal Cad. 7, ✆ 3414688, www.argeus.com.tr.

• *Wandern* Zum Zeitpunkt der Recherche 2002 wurde die Erschließung markierter Wanderwege rund um Ürgüp geplant. Sollten die Planungen auch einmal umgesetzt werden, gibt es z. B. einen **Rundwanderweg** (Hinweisschild existiert bereits), der zwischen Ürgüp und Ortahisar beginnt. Die Tourist Information hält schon Routenkarten mit türkischer Detailgenauigkeit parat.

Adressen/Einkaufen/Veranstaltung

• *Ärztliche Versorgung* Staatliches Krankenhaus **Devlet Hastanesi** nördlich des Zentrums, Zufahrt von der Postane Sok. ✆ 3414033.

• *Autoverleih* Vertretungen diverser internationale Anbieter vor Ort, z.B: **Avis**, İstiklal Cad. 10, ✆ 3412177, ℻ 3418750. **Budget**, Park Sok., ✆ 341651, ℻ 3415643. **Europcar**, İstiklal Cad., ✆ 3418855, ℻ 3414315. Das billigste Auto ab ca. 47 €. Daneben betätigen sich auch die lokalen Reiseagenturen als Verleiher, hier bekommt man ein Auto rund 30 % billiger.

• *Einkaufen* Entlang der Kayseri Cad., der Haupteinkaufsstraße, findet man Antiquitäten, Schmuck (großes Angebot an Silber) und Teppiche. **Kappadokische Weine** bekommt man bei der Kelterei **Turasan** am Ortsende an der Straße nach Nevşehir. Degustation selbstverständlich. Im Angebot sind Weiß-, Rot- und Roséweine zu einem Flaschenpreis von 2–11 €. Der beste Rotwein ist der preisgekrönte "Kalecik Karası". **Wochenmarkt** am Sa nahe dem Busbahnhof. Die Bauern aus der Umgebung verkaufen Gemüse, gleich dahinter wechseln auf dem Viehmarkt Schafe und Esel den Besitzer.

• *Geld* **T.C. Ziraat Bankası** mit EC-Automat an der Kayseri Cad.

• *Polizei* schräg gegenüber der Post an der Postane Sok. ✆ 3414058.

• *Post* an der Postane Sok.

• *Türkisches Bad (Hamam)* Das kleine aber feine Hamam Ürgüps befindet sich am Hauptplatz, dem Cumhuriyet Meydanı, und wurde 1900 errichtet. Für Touristen ist die Geschlechtertrennung auf dem heißen Stein aufgehoben, die türkischen Männer warten dann verständnisvoll im Vorraum. Tägl. 6–23 Uhr. Eintritt 3 €, Massage weitere 3 €.

• *Veranstaltung* **Weinlesefest** im August mit Musik- und Folkloreabenden. Auf dem Programm stehen auch Filme und Vorträge rund um den Wein.

Kappadokien Karte S. 605

• *Zeitungen* in deutscher Sprache bekommt man mit mindestens einem Tag Verspätung beim **Terminal Büfe** am Busbahnhof.

• *Zweiradverleih* z. B. bei **Alpin Adventure** am Cumhuriyet Meydanı. Bietet geführte Touren und gibt auch Ratschläge, wohin man sich auf eigene Faust mit dem geliehenen Vehikel begeben kann. 8 Std. Mountainbike 6 €, 8 Std. Scooter 15 €. ✆ 3418808.

Tröpfchen aus dem Tuff: Kappadokische Weine

Kappadokien steht in der Türkei nicht nur für Feenkamine und Felsenkirchen, sondern auch für trockene, erfrischende Weine. Vor allem in der Umgebung von Ürgüp und Ortahisar wird Weinanbau auf dem äußerst fruchtbaren vulkanischen Boden betrieben. Die Reben werden dabei jedoch nicht wie bei uns hochgezogen, sondern machen sich am Grund breit. Auf die Winzereien der Gegend wird mit "Şarap Fabrikası" oder einfach "Wine Factory" hingewiesen; sie können u. a. in Ürgüp, Uçhisar (→ S. 614) und Mustafapaşa (→ S. 637) besichtigt werden. Turasan, Kappadokiens größte Winzerei, liegt in Ürgüp (→ Einkaufen). Rund zwei Millionen Liter werden hier jährlich gekeltert und in Tuffsteinkellern zur Reife (6–18 Monate) gelagert. Da man mit den lokalen Reben die Nachfrage gar nicht decken kann, werden Trauben aus Ostanatolien hinzugekauft und mitgekeltert.

Übernachten

Unterkünfte aller Preisklassen: einfache Hotels und Pensionen im Zentrum, überaus stilvolle kleine Luxusherbergen nahe der Straße nach Nevşehir, große 08/15-Hotels für Busgruppen an der Straße nach Avanos und im Osten der Stadt.

Yunak Evleri (1), ein Traum, von der Straße nach Nevşehir ausgeschildert. 2000 eröffnet. 5-Sterne-Komfort innerhalb der dicken Mauern eines Fels- und Häuserkomplexes, dessen Außenanblick vor 100 Jahren wahrscheinlich ähnlich war. Winzige Terrassen mit herrlichen Panoramen, enge Passagen und kleine Innenhöfe geben dieser Unterkunft etwas Märchenhaftes. 15 stilvolle Zimmer, DZ mit Frühstück 175 €. ✆ 3416920, ℻ 3416924.

Esbelli Evi (6), die alteingesessenste Nobelpension Ürgüps, ebenfalls von der Straße nach Nevşehir ausgeschildert. In einem über 80 Jahre alte Steinhaus, das von einem Rechtsanwalt geschmackvoll und ideenreich restauriert und mit Antiquitäten bestückt wurde. Urtümlich-gemütliche, aber komfortable Höhlenatmosphäre. Auch Erich von Däniken wohnte schon hier! Nur 8 Zimmer. DZ 94 € mit sehr gutem Frühstück. ✆ 3413395, www.esbelli.com.tr.

Ürgüp Evi (2), und noch ein Märchenhaus in der Nachbarschaft. Ähnlich stilvoll. 9 naturgemäß etwas dunkle Höhlenzimmer mit alten Nischen und Ornamenten. Sonniger Hof, freundlicher Service. EZ 65 € mit Frühstück, DZ 85 €. ✆ 3413173, www.ürgüpevi.com.tr.

Falls alles ausgebucht ist: Weitere Traumadressen zu ähnlichen Preisen sind das **Elkep Evi (3)** und die **Kayadam Pension (4)** in der Nähe.

Hotel Surban (5), an der Ausfallstraße nach Nevşehir. Angenehme Bleibe in einem dezenten Bau. Für Leute mit weniger dickem Geldbeutel werden 31 freundliche, ordentliche und saubere Gewölbezimmer (das DZ zu 21 €) vermietet. Teuer wird es im neu restaurierten "Selçuklu Evi" nebenan. 20 äußerst stilvolle, traditionell eingerichtete Zimmer mit schönen Holzböden, kostenlosem Zugriff zur Minibar, tollen Bädern, nettem Innenhof, teilweise sogar mit eigenem Hamam! Hier berappt man 100 € für das DZ mit Frühstück. ✆ 3414603, www.hotelsurban.com.tr.

Hotel Akuzun (15), sehr sauber. Ordentliche Zimmer, aber ohne besonderes Flair. DZ mit Bad und Frühstück 38 €. İstiklal Cad., ✆ 3413869, www.hotelakuzun.tr.

Hotel Asya Minor (13), ruhiges Haus. Unterschiedlich große Zimmer mit etwas in die Jahre gekommener Ausstattung, das schönste mit Balkon an der Frontseite. Sonniger Innenhof und kleine schattige Loggia. Kochgelegenheit. Angenehme At-

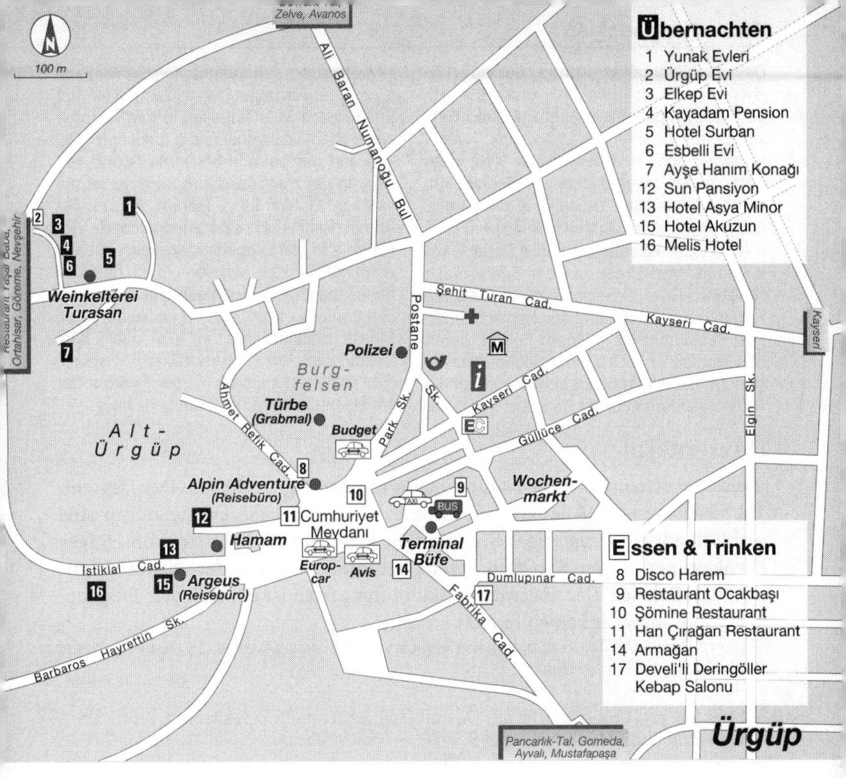

mosphäre. DZ mit Frühstück 30 €. İstiklal Cad. 38, ✆ 3414645., 📠 3412721.

Melis Hotel (16), altes griechisches Haus, die meisten Zimmer in einem Anbau mit Gewölbe und Pool davor. Sehr freundliche Anlage. Faire Preise: 20 € pro Person inkl. Frühstück. İstiklal Cad., ✆ 3412495, www.melishotel.com.

Ayşe Hanım Konağı (7), von der Straße nach Nevşehir ausgeschildert. 10 Zimmer, z. T. mit Natursteingewölbe. Großer Pool. Ebenfalls für das Gebotene preiswert, doch etwas ab vom Schuss. Pro Person mit Frühstück 12 €. ✆ 3413354, www.aysehanimkonagi.com.

Sun Pansiyon (12), oberhalb des Hamams, an den Felsen gebaut. Unser Tipp in der unteren Preisklasse. Die Besitzer, ein freundliches älteres Ehepaar, sprechen etwas Deutsch und Englisch. Zimmer von unterschiedlichem Niveau – von der Felsenkammer ohne Bad bis zum einfachen, aber sehr sauberen DZ mit privatem Bad (inkl. Frühstück 15 €, ohne Bad billiger). Ein Schlafraum mit acht Betten ist für kleine Gruppen gedacht. Gemütliche Dachterrasse. Hamam Sok., ✆ 3414493, 📠 3414774.

Essen & Trinken/Nachtleben

Han Çırağan Restaurant (11), nahe der Ahmet Refik Cad., mit Garten. Schick und teuerer, ausgezeichnete Küche. Die Spezialität des Hauses sind *Mantı*, mit Hackfleisch gefüllte Teigtäschchen in Knoblauchjoghurt. Auch das *Güveç* wird hier sehr zart zubereitet. Gute Weine aus der Umgebung.

Şömine Restaurant (10), am Cumhuriyet Meydanı. Gute Speisen zu verhältnismäßig günstigen Preisen. Probieren Sie das klassische kappadokische Gericht *Testi Kebap*, in Tonkrügen gegartes Fleisch. Leider nicht allzu schöne Atmosphäre, an den Tischen draußen aber ganz okay.

Restaurant Ocakbaşı (9), am Busbahnhof. In Bezug auf Fleischgerichte gilt das touristisch wenig frequentierte Restaurant mit großem Grill bei Einheimischen als Spitzenreiter.

Develi'li Deringöller Kebap Salonu (17), abends stets voll wie fast nirgendwo anders in Ürgüp. Neben guter Pide und Grillvariationen empfiehlt sich hier der *Kiremit Kebabı*, eine Kebabspezialität aus dem Tontöpfchen. Überdachter Außenbereich, von dem man das Treiben auf der Straße beobachten kann. Dumlupınar Cad.

• *Außerhalb* **Restaurant Yaşar Baba**, 3 km außerhalb von Ürgüp, an der Straße nach Nevşehir. Gute klassisch-türkische Küche, wegen der traumhaften Lage ziemlich teuer. Das Restaurant ist in einem Felsen, durch den hindurch man zu einer Sonnenterrasse gelangt, die eine großartige Aussicht auf die Tuffsteinlandschaft bietet. Tagsüber sehr heiß.

• *Nachtleben* Wer abends feiern will, kann es z. B. im **Armağan (14)** versuchen (an der Straße nach Mustafapaşa). In den Räumen eines alten Kamelstalls wird türkische Folklore und der bei uns bekannte Sound serviert. In der Hochsaison im Sommer ist die spaßige Höhlendisco **Harem (8)** an der Ahmet Refik Cad. eine ansprechende Adresse – in der Nebensaison kann es hier empfindlich kalt werden (das Personal bringt dann den wenigen Gästen einen Elektroofen). Wer zum Bier keine laute Musik braucht, hat in ein paar Bars Gelegenheit zu unbeschalltem Genuss. Nett sitzt man im Innenhof der **Prokopi Bar** am Hauptplatz – leider nicht ganz billig.

Devrent-Tal

Auch hier scheint sich die Natur künstlerisch betätigt zu haben. Das Devrent-Tal gleicht einem Wildpark versteinerter Ungetüme, die Darstellungen sind verblüffend: ein neugieriger Seelöwe, ein Hase, ein Kamel usw. Von einigen Feenkaminen ist der Basalthut bereits heruntergefallen, andere halten gerade noch die Balance. Der aberwitzige Skulpturengarten ist ein beliebter Busgruppenstopp, zumal er keinen Eintritt kostet.

Anfahrt Durch das Tal führt die Straße von Ürgüp nach Zelve/Avanos. Es passieren daher auch die Ürgüp-Avanos-**Busse**.

Falls Sie von Ürgüp (vorbei am Devrent-Tal) weiter nach Zelve fahren, lesen Sie weiter ab S. 626, für Avanos auf S. 627.

Pancarlık-Tal

Ein Abstecher ins Pancarlık-Tal bringt Sie zu ruinierten Kirchen und Kapellen. Am sehenswertesten ist die vor gar nicht allzu langer Zeit entdeckte und nach dem Tal benannte *Pancarlık-Kirche*. Der Handvoll Besucher im Jahr offenbart sie ein recht gut erhaltenes Deckenfresko sowie Heiligenfresken aus dem 10. und 11. Jh., deren Gesichter gelangweilten Schäfern z. T. als Zielscheiben dienten. Insgesamt ein netter Spaziergang, auch von Ortahisar aus möglich (→ Ortahisar/Wandern, S. 630).

Anfahrt/Öffnungszeiten Von der Straße Ürgüp-Mustafapaşa exakt 1,2 km nach dem Ortsschild von Ürgüp rechts ab (beschildert), dann noch ca. 3 km. Stets zugänglich, hin und wieder wird ein Eintritt von 1,80 € verlangt.

Gomeda Harabeleri

Etwas weiter Richtung Mustafapaşa führt die Beschilderung "Gomeda Harabeleri" zu den Tuffruinen eines byzantinischen Dorfes. Viel zu sehen gibt es nicht, auch wenn Ihnen zuweilen selbst ernannte Führer etwas anderes vormachen wollen. Die Gegend bietet jedoch Gelegenheit zu schönen, einsamen Spaziergängen. Von den Kirchen des Dorfes ist die *Timos-Stavros-Kirche* mit einigen Fresken aus dem 7. Jh. am interessantesten.

Anfahrt Von Ürgüp 3 km nach dem Ortsschild rechts ab Richtung Ayvalı, nach weiteren 3 km wieder rechts ab (beschildert), dann noch 1 km – erst Kopfsteinpflaster, dann Schotterpiste.

Übernachten **Gamirasu Cave Hotel**, in Ayvalı, einem abgeschiedenen Tuffsteindorf ca. 8 km südwestlich von Ürgüp. Ein kleines, nobles Paradies, geführt von dem deutsch-türkischen Paar Ibrahim und Sabrina: Komfortabel eingerichtete Felsenzimmer über mehrere Etagen verteilt und von unterschiedlicher Größe. Im Innenhof gepflegter Rasen und – abgesehen vom Ruf des Muezzins – absolute Ruhe. Über dem Hotel die Ruinen einer byzantinischen Kirche mit einigen Freskenresten. Die deutsche Wirtin ist nebenbei auf alternative Medizin spezialisiert. DZ mit Frühstück 60 €, besser gleich mit HP für 70 €. Von der Straße Ürgüp-Mustafapaşa ausgeschildert. ✆ 0384/3545820, 📠 3545815.

Mustafapaşa

(ca. 2500 Einwohner)

Das Bilderbuchdorf lädt auf erholsam-ruhige Tage ein. Allabendlich, nach dem letzten Tourenbus, bleibt in Mustafapaşa nichts anderes als ländlich-verschlafenes Kappadokien zurück.

Als das 5 km südlich von Ürgüp gelegene Dorf noch Sinasos hieß, wohnten hier überwiegend Griechen, die weit über die Grenzen Kappadokiens hinaus als kunstfertige Steinmetze bekannt waren. 1923 musste die angestammte Bevölkerung ihre Heimat verlassen, Türken aus Griechenland übernahmen ihre prächtigen Häuser und Anwesen. Viele davon sind heute liebevoll restauriert. Entlang den Pflastergässchen und in den Tufffelsen der Umgebung verstecken sich weitere Zeugen der griechischen Vergangenheit – nichts anderes als Kirchen und Klöster, das Gros davon ist ausgeschildert. Wer schon zu viele davon gesehen hat, kann den Tag in Mustafapaşa auch mit einem gemütlichen Glas Wein ausklingen lassen (→ Einkaufen).

Im Zentrum selbst steht die *Ayios-Konstantinos-Kirche* aus dem Jahre 1729. Sie ist eine der wenigen Kirchen Kappadokiens, die nicht in den Tuff geschlagen wurden. Leider ist sie meist verschlossen. Für happige 4 € kann man hingegen die unterirdische *Ayios-Vasilios-Kirche* rund einen Kilometer nördlich des Dorfes am Rande eines Plateaus besichtigen – die Fresken der über 1.000 Jahre alten Kirche sind z. T. neueren Datums, da islamische Bilderstürmer des 20. Jh. die Gesichter der Heiligen zerkratzt hatten. In entgegengesetzter Richtung darf man für das gleiche Geld gleich drei Felsenkirchen besichtigen, die *Ayios-Stefanos-Kirche,* etwas oberhalb davon das *Ayios Nikolaos Manastırı,* ein ehemaliges Felsenkloster, und die *Sinasos-Kirche.*

Information/Verbindungen//Wandern/Einkaufen

• *Vorwahl* 0384.

• *Information* **Übersichtstafeln** zum Dorf, zu den Kirchen und zur Umgebung sind an der Durchgangsstraße aufgestellt. Dort gibt es auch einen kleinen, selbst ernannter **Infoladen**. Die Einmannbesetzung ist für Tikketverkauf und Führungen durch den Ort und zu den Felsenkirchen zuständig – häufig ist der Laden deswegen verschlossen und Sie müssen sich etwas gedulden.

• *Verbindungen* alle 2 Std. ein **Bus** nach Ürgüp.

• *Wandern* Von Mustafapaşa besteht die Möglichkeit, ins pittoreske Dorf **Ayvalı** (→ Gomeda Harabeleri/Übernachten) oder nach **Gomeda** (s.o.) zu laufen – schöne Strecken über Wiesen und Felder. Folgen Sie dem bergauf führenden Pflastersträßchen gegenüber dem Rathaus *(Belediye)* im Zentrum. Nach ca. einem Kilometer er-

Kappadokien Karte S. 605

Griechische Architektur in Mustafapaşa

reicht man das Sträßchen von Ayvalı nach Mustafapaşa, auf der anderen Straßenseite geht der Weg weiter. Bei einer Weggabelung nach weiteren ca. 400 m geht es rechts nach Gomeda, links nach Ayvalı.

• *Einkaufen* **Wein**! In der **Winzerei Kapadokya** (ausgeschildert), einem fast 50 Jahre alten Familienbetrieb mit ca. 20 Beschäftigten, werden jährlich rund 400.000 l Wein gekeltert. Die edelste Sorte war zum Zeitpunkt der Recherche der "89er Kapadokya". Eine Kostprobe wert ist zudem der Kirschlikörwein.

Übernachten/Essen & Trinken

Restaurants im herkömmlichen Sinn sind Mangelware, dafür verköstigt im Ort fast jede Unterkunft. Alle Hotels und Pensionen sind ausgeschildert.

Lamia, hoch über dem Ort. Die freundliche Besitzerin Lamia (türkisch-deutscher Herkunft) und ihre drei Dalmatiner Cimban, Daisy und Irma vermieten fünf geräumige und sehr gediegene Zimmer in einem restaurierten griechischen Haus. Drei Zimmer unter altem Gewölbe. Gemütliche Sonnenterrasse und schattige Plauschecke im Innenhof. DZ inkl. üppigem Frühstück 50 €. ✆ 3535413, ℻ 3535044.

Old Greek House, charmantes griechisches Landhaus mit herrlichem Innenhof. 13 stilvolle, jedoch schlichte Zimmer drum herum, teilweise sehr geräumig, mit schönen Holzböden, altem Mobiliar, Zentralheizung und Tonnengewölbe. Eigenes Hamam! Inhaber Süleyman Öztürk spricht gut Englisch, und seine Frau kocht hervorragend. Von Lesern empfohlen. DZ mit Frühstück 35 € – sein Geld voll und ganz wert. ✆ 3535306, www.oldgreekhouse.com.

Pacha Hotel, zentrale Lage. 11 einfache Zimmer mit Bad, dazu Terrassenrestaurant mit schöner Aussicht, zudem begrünter Innenhof. Pro Person 10 € inkl. Frühstück. ✆ 3535331, www.hotelpacha.com.

Monastery Pension, schnuckelige Pension an und in den Felsen. Vermietet werden 10 einfache Zimmer von unterschiedlicher Größe und mit nicht ganz sauberen Bädern. Alles verteilt sich auf mehrere verwinkelte Etagen. Netter Familienbetrieb. Hauseigene Höhlendisco, in der Besitzer Ercan Karagöz abends auch hin und wieder mit der Saz aufspielt. Restaurant angeschlossen. DZ mit Frühstück 15 €. ✆ 3535005.

Von Mustafapaşa weiter gen Süden

Rund 40 km auf einer schmalen Landstraße trennen Mustafapaşa vom Soğanlı-Tal. Nackte Felslandschaften wechseln unterwegs mit sanften Hügeln und bewaldeten Tälern entlang im Sommer trockener Flussläufe ab. Wenige Kilometer südlich von Mustafapaşa weist ein Schild zum **Damsa-Stausee** (Damsa Barajı). Hier kann man picknicken und auch ohne Strand einen Sprung ins Wasser wagen (Eintritt 0,30 €, Auto extra). Etwas weiter südlich passiert man **Cemil**, ein terrassenförmig angelegtes, malerisches Dorf mit einer dreischiffigen, griechischen Kirche. Auf den Dächern der Häuser liegen Aprikosen zum Trocknen aus. Zwei Kilometer hinter Cemil befinden sich etwas abseits der Straße die Ruinen des **Keşlik-Klosters**. Bis in jüngste Zeit wurde es von den Bauern der Gegend noch als Stall genutzt, heute ist das Kirchenareal teilweise restauriert und eintrittspflichtig (knapp 1 €). Der freundliche Wärter hat, um seinen kargen Lohn aufzubessern, einen netten Teegarten angelegt. Über **Taşkınpaşa** und **Şahinefendi** erreicht man ein Hochplateau, dann das Dorf **Güzelöz**. Nach weiteren 10 km zweigt rechts die Straße ins Soğanlı-Tal ab. Auf dieser Strecke fahren keine Dolmuşe, Trampen ist wegen geringen Verkehrsaufkommens schwierig, ein eigenes Fahrzeug nötig.

Sie wollen weiter zu den unterirdischen Städten? Auf der Straße ins Soğanlı-Tal zweigt zwischen dem Keşlik-Kloster und dem Dorf Taşkınpaşa eine neue Straße nach Mazıköy (→ S. 643) ab, von wo Sie zu den unterirdischen Städten von Kaymaklı (→ S. 643), Özlüce (→ S. 643) und Derinkuyu (→ S. 641) gelangen. Derinkuyu erreicht man auch über Güzelöz.

Soğanlı-Tal

Durch fehlende Dolmuşverbindungen ist das Soğanlı-Tal vom restlichen Kappadokien etwas isoliert. Das gleichnamige Dorf darin besteht aus zwei Siedlungen: Auf der Stichstraße ins Kirchental passiert man zunächst *Aşağı Soğanlı* ("Unteres Soğanlı") mit vielen hässlichen, uniformen Häuschen. Diese Siedlung entstand, nachdem Felseinstürze das Leben in *Yukarı Soğanlı* ("Oberes Soğanlı") unsicher gemacht hatte. Der Besuch von Yukarı Soğanlı ist gebührenpflichtig. Hier gabelt sich das Tal. In seinen beiden Armen sollen sich einst – je nach Schätzung – zwischen 100 und 200 Kirchen befunden haben. Viele sind eingestürzt, andere nur den einheimischen, verschwiegenen Hirten bekannt, die die ehemaligen Kirchen und Kapellen als Ställe nutzen und nicht wollen, dass sich daran etwas ändert. Auffällig sind die zahlreichen, mit weißer Farbe gekennzeichneten Taubenschläge an den Talhängen. Noch heute wird im Dorf wie seit Hunderten von Jahren Taubenmist gesammelt und als Düngemittel verwendet. Schon die Mönche von einst gaben den Mist ihren Rebstöcken bei, und kelterten aus den Trauben den angeblich besten Wein weit und breit. Als Kloster- und Kirchenzentrum diente das romantischen Zwillingstal bis ins 13. Jh. Heute spaziert man hier oft alleine hindurch. Lauffaule können sich auf einem Esel durch das Tal schaukeln lassen. Unterwegs begegnet man zahlreichen Dörflerinnen, die Ihnen kleine, possierliche Stoffpuppen

Kappadokien Karte S. 605

andrehen wollen. Dabei handelt es sich um keine lokale Handarbeit, sondern Bestellware aus dem südostanatolischen Kahramanmaraş. Die bedeutendsten Kirchen sind ausgeschildert, hier ein kleiner Überblick:

Kirchen zwischen Aşağı und Yukarı Soğanlı (gebührenfrei): Rechts der Straße liegt die *Tokalı Kilise (Schnallenkirche)*. 50 in den Fels gehauene Stufen führen zu ihr. Vor dem Eingang, an dem sich schon griechische Besucher aus dem 19. Jh. mit Monogramm und Jahreszahl verewigt haben, sieht man mehrere Grabmulden. Innen überrascht die großräumige Felsarchitektur mit drei sehr langen, hohe Schiffen. Leider sind die Fresken bis zur Unkenntlichkeit zerstört. Auf der anderen Straßenseite kann man zudem die *Gök Kilise (Himmelskirche)* besichtigen.

Kirchen im nördlichen Tal: Die nördliche Talhälfte (hinter der Schranke nach rechts abbiegen) beherbergt die interessantesten Kirchen Soğanlıs. Zunächst erreicht man rechter Hand die *Karabaş Kilisesi*, die "Kirche mit den schwarzen Köpfen". Sie besteht aus einem Schiff mit Tonnengewölbe. Ihre Fresken zeigen vorrangig Szenen aus dem Leben Jesu, aber der Name der Kirche trügt: Nicht die Köpfe sind schwarz, sondern ihr Hintergrund. Viele Fresken der *Yılanlı Kilise (Schlangenkirche)*, etwas weiter auf der gleichen Seite, wurden irgendwann – vielleicht zum Schutz – mit schwarzer Farbe übermalt, sind aber größtenteils noch zu erkennen. Schräg gegenüber der Yılanlı Kilise führt ein Pfad zu zwei weiteren Kirchen. Die *Kubbeli Kilise (Kuppelkirche)* aus dem 10. Jh. ist vor allem wegen ihrer eigenartigen Kuppel interessant, bei der die Baumeister den Fels zu einem runden Turm geformt haben. Nahebei findet man die *Saklı Kilise ("Versteckte Kirche")*, die ihrem Namen alle Ehren macht: Man entdeckt sie erst, wenn man mehr oder minder davor steht.

Kirchen im südlichen Tal: Neben der *Geyikli Kilise (Hirschkirche)* ist hier vor allem die *Tahtalı Kilise (Holzkirche)* sehenswert. Ihren Namen erhielt sie von einer Holzbrücke, über die sie bis heute erreichbar ist. Zuweilen wird die Kirche auch *Barbara-Kirche* genannt.

• Anfahrt/Öffnungszeiten Soğanlı ist von der Straße Mustafapaşa-Yeşilhisar ausgeschildert (5 km). Keine Verbindung mit öffentlichen Verkehrsmitteln! Wer nicht individuell motorisiert ist, schließt sich am besten einer organisierten Tour an, die das Tal mit einschließt. Tägl. 8.30–18 Uhr. Eintritt für die Kirchen von Yukarı Soğanlı

0,90 €, keine Studentenermäßigung. Kein Blitzlicht beim Fotografieren!

• *Essen & Trinken* **Restaurant Cappadocia**, idyllisches kleines Restaurant vor dem Eingang ins gebührenpflichtige Gelände. Tische auf einer Wiese unter Apfelbäumen, dahinter der Fluss. Das Fleisch kommt in Steintöpfchen brodelnd auf den Tisch. Zum Nachtisch Joghurt mit Honig. Würde der Bierpreis wieder auf durchschnittliches Niveau herabgesetzt, könnten wir das Lokal uneingeschränkt empfehlen.

Unterirdische Städte – Wunder im Untergrund

Rund 50 unterirdische Städte werden in Kappadokien vermutet, 36 wurden bereits entdeckt, aber nur die wenigsten sind bislang dem Fremdenverkehr zugänglich gemacht worden. Ein Abstieg in die Unterwelt gehört zum Pflichtprogramm eines Kappadokienbesuchs.
Bereits in der Hethiterzeit vor rund 4.000 Jahren, so vermutet man, entstanden in Kappadokien die ersten Siedlungen im Untergrund. Infolge der Christenverfolgungen durch die Römer und im Zuge der Arabereinfälle im 7. Jh. wurden sie, als Fluchtstätten der kappadokischen Christen, über mehrere Stockwerke ausgebaut. Beim geringsten Anzeichen einer Gefahr packten die christlichen Bewohner des Umlands Kind, Kegel und Proviant und verschwanden – teilweise bis zu sechs Monate – in die Unterwelt. Noch 1838 brachte man sich so vor den ägyptischen Truppen in Sicherheit. Zugänglich waren die riesigen unterirdischen Städte, in denen meist mehrere tausend Menschen unterkamen, durch gut getarnte Höhleneingänge. Ein ausgeklügeltes Belüftungssystem sorgte für Frischluft. Es gab Lager für Wein, Öl und Wasser, noch heute sind rußgeschwärzte Küchen zu sehen.
Die Besichtigung einer unterirdischen Stadt hat etwas Abenteuerliches: Man kraxelt durch ein Labyrinth aus schmalen Gängen mit ausgetretene Stufen, durch unzählige Löcher und Durchbrüche. Ein aufrechtes Gehen ist meist nicht möglich. Wer Neigungen zur Platzangst hat, sollte insbesondere Derinkuyu und Kaymaklı mehr als alle anderen unterirdischen Städte meiden. In der Hochsaison stecken hier die Gruppen in den niedrigen Gängen zuweilen fest. So kann man sich zumindest die Situation der Bewohner von einst vorstellen, die darin eng auf eng und monatelang hausten. Grundsätzlich empfiehlt sich ein Führer und – obwohl die Gänge in der Regel beleuchtet sind – die Mitnahme einer Taschenlampe. Und noch etwas: Auch wenn draußen die Sonne brennt – die Räume unter Tag haben eine gleichbleibende Temperatur von 7–8°C.

Derinkuyu

Wer Derinkuyu nicht gesehen hat, hat Kappadokien nur zur Hälfte gesehen, heißt es. Kappadokiens berühmteste unterirdische Stadt entstand aus dem Entschluss von Menschen, es den Maulwürfen gleichzutun.

Oberirdisch präsentiert sich der zersiedelte 11.000-Einwohner-Ort 29 km südlich von Nevşehir als ein ödes, graubraunes, anatolisches Städtchen. Lediglich die bunten Tourenbusse bringen etwas Farbe in die Eintönigkeit. Nach dem Besuch der unterirdischen Stadt (s. u.) gibt es kaum einen Grund zum Bleiben.

Kappadokien Karte S. 605

Klaustrophoben, die ihrem Partner nicht folgen und das Warten nicht mit nervenden, puppenverkaufenden Dorfkindern verbringen wollen, können einen Blick auf die *armenische Basilika* 100 m südlich des Eingangs zur unterirdischen Stadt werfen. Der wuchtige, von einer Mauer umgebene, dreischiffige Bau aus dem Jahre 1858 wurde im 20. Jh. von griechischen Christen übernommen und nach deren Vertreibung als Mühle und Lagerhaus verwendet. Zum Zeitpunkt der Recherche fanden an der Basilika Restaurierungsarbeiten statt. Ab Mitte 2003 soll sie der Öffentlichkeit zugänglich sein. Abgetrennt von der Basilika steht der Glockenturm, auf dem sich seit Jahrzehnten Störche einnisten. Die *Cumhuriyet Camii (Republiksmoschee)* nördlich der Unterirdischen Stadt war einst ebenfalls eine Basilika (19. Jh.), Mitte des 20. Jh. versah man sie mit einem Minarett. Eine rein islamische Geburt hingen ist die *Park Camii,* ein geradezu kühner architektonischer Entwurf aus den Jahren 1971–89. Der auffällige moderne Bau mit dem dreiseitig-pyramidalen Minarett liegt ganz im Süden des Ortes.

• *Verbindungen* Derinkuyu erreichen Sie alle 30 Min. von Nevşehirs Busbahnhof – entweder mit einem kommunalen **Bus** oder einem Reisebus nach Niğde (dann unterwegs abspringen). Von Derinkuyu zudem tägl. 2 Verbindungen zur Ihlara-Schlucht.

• *Öffnungszeiten der unterirdischen Stadt* tägl. 8–18 Uhr. Eintritt 6 €.

• *Übernachten* Für absolute Notfälle sind einige schlichte Unterkünfte vor Ort vorhanden.

Unterirdische Stadt (Yeraltı Şehri): Derinkuyu, so vermutete einst Bestsellerautor und Pseudowissenschaftler Erich von Däniken, sei kein Werk von Menschenhand. Acht Stockwerke wurden seit der zufälligen Entdeckung der unterirdischen Stadt 1963 freigelegt. Die oberen Stockwerke waren als *Wohn- und Schlafräume* eingerichtet, aber auch Tiere, eine *Weinpresse* und selbst ein ganzer *Klosterkomplex* fanden hier Platz. Angeblich war diesem Kloster die erste Nervenheilanstalt der Welt angeschlossen, in dem psychisch Kranke zur Therapie an Säulen gebunden wurden (!). In den unteren Stockwerken befanden sich *Versammlungs-* und *Lagerräume* sowie ein *Kerker* für kriminelle Unterweltler. Durch einen *Tunnel,* so vermutet man, war Derinkuyu mit der 9 km entfernten Nachbarstadt Kaymaklı verbunden. Bemerkenswert sind zudem die sog. *Rollsteintüren,* die wie Mühlsteine aussehen. Sie wurden bei Gefahr – von innen vor den Eingang gerollt – ein unüberwindbares Hindernis. Die Kommunikation mit der Außenwelt wurde dann über drei bis vier Meter lange Kanäle von 10 cm Durchmesser aufrecht erhalten, die von den ersten beiden Stockwerken ins Freie führten.

Am imposantesten ist das *Belüftungssystem.* Von der ersten unterirdischen Ebene sollen insgesamt über 15.000 kleine Schächte nach oben geführt haben. In den tieferen Etagen sind es weniger, aber die Luftzirkulation funktioniert noch heute bis zum achten Stockwerk hinunter. Hielte man dort eine brennende Zigarette an den zuführenden Luftschacht, so zöge der Rauch nach unten, wechselte man zum luftabführenden Schacht, nach oben – doch herrscht striktes Rauchverbot. Das Belüftungssystem mit seinen 70–85 m tiefen Schächten diente gleichzeitig dem Wassertransport. Noch bis kurz vor der Wiederentdeckung der unterirdischen Stadt schöpfte die Bevölkerung Derinkuyus (*derin kuyu* = tiefer Brunnen) ihr Wasser aus diesen Schächten – ohne von dem dazugehörigen Höhlensystem zu wissen.

Kaymaklı und Umgebung

Auch der kleine Ort Kaymaklı 9 km nördlich von Derinkuyu besitzt eine unterirdische Stadt. Vorbei an einer Rampe mit aufdringlichen Souvenirhändlern gelangt man zu einem schlichten Höhleneingang, der in ein Labyrinth aus Tunneln und Räumen in bis zu 35 m Tiefe führt. Die Anlage ist nicht so groß wie die von Derinkuyu – in Kaymaklı sind von acht Stockwerken nur fünf freigelegt –, in ihrem Aufbau aber ähnlich. Man schätzt, dass hier einst bis zu 3.000 Menschen unterkommen konnten. Rechnen Sie für den Rundgang mit ca. 20 Minuten.

Verbindungen/Öffnungszeiten Alle **Bus**se von Nevşehir nach Derinkuyu passieren Kaymaklı. Die unterirdische Stadt ist mit "Yeraltı Şehri" ausgeschildert. Tägl. 8–18.30 Uhr. Eintritt 6 €, Parken 0,60 €.

Özlüce: Das von Kürbisfeldern umrahmte Dorf Özlüce 4 km westlich von Kaymaklı (ausgeschildert) ist mit öffentlichen Verkehrsmitteln nicht erreichbar. Die Ausgrabungen der hiesigen unterirdischen Stadt stecken noch in den Kinderschuhen – bislang wurde nur ein Stockwerk freigelegt. Einen kleinen Einblick in das Leben unter der Erde von einst vermittelt Özlüce aber auch. Und im Juli und August, wenn sich vor den Eingängen zu den unterirdischen Städten von Derinkuyu und Kaymaklı lange Schlangen bilden, ist Özlüce gar eine Alternative. Die Reise in die Unterwelt kostet hier offiziell keinen Eintritt, auch wenn die Dorfkinder, die wie nervende Schmeißfliegen um Sie tanzen, anderes behaupten (stets zugänglich).

Mazıköy: In dem freundlichen Dörfchen Mazıköy 10 km östlich von Kaymaklı (ausgeschildert) wurde die christliche Zufluchtsstätte nicht ausschließlich unterirdisch angelegt, sondern auch in einen großen Tuffsteinfelsen hineingegraben. Die Besichtigung der Anlage erfordert sportliches Geschick, da es einige senkrechte Röhren zu durchklettern gilt. Auf dem Felsen findet man Gräber. Wer sich keiner Tour anschließt, die Mazıköy einschließt, ist auf ein eigenes Fahrzeug angewiesen (tägl. 8–18.30 Uhr, Eintritt 1,80 €, erm. 0,60 €.).

Güzelyurt

(3.800 Einwohner)

Ein Hauch Toskana, eine Prise Griechenland und ein würziger Schuss Orient – Güzelyurt ist das schönste Örtchen außerhalb des kappadokischen Kerngebiets. Auch hier findet man unterirdische Städte und ein Klostertal.

Güzelyurt, zwischen Derinkuyu und dem Ihlara-Tal gelegen, besitzt Charme und kulturhistorische Sehenswürdigkeiten. Das urgemütliche Städtchen auf 1.485 m inmitten einer einsamen Höhenlandschaft blickt auf eine lange Geschichte zurück; stummen Zeugen der Vergangenheit begegnet man an jeder Ecke und vielerorts in der Umgebung. Hier war die Heimat des Heiligen Gregor von Nazianz, dessen Geburtsort *Arianzos* (= Sivrihisar) nur einige Kilometer entfernt liegt. Der berühmte griechische Theologe, Bischof und Literat (330–390) machte Karballa, wie der Ort damals hieß, zu einem religiösen Zentrum. Mehr als 100 Kirchen und Kapellen entstanden. Bis in die osmanische Zeit war der Ort vornehmlich griechisch besiedelt und bekannt für seine Töpferkunst und Goldschmiede. Noch Anfang des 20. Jh. lebten hier rund 1.000

griechische Familien, unter die sich rund 50 muslimische mischten. Die Türken, die nach dem Bevölkerungsaustausch von 1923 zuzogen, nannten Karballa fortan Güzelyurt, "Schöne Heimat".

Strenge Auflagen sorgen heute dafür, dass Güzelyurt auch *güzel* bleibt und nicht den durchschnittstürkischen Vorstellungen von rein zweckmäßiger Architektur zum Opfer fällt. So dürfen Neubauten nicht mehr als zwei Stockwerke besitzen und müssen aus Naturstein errichtet werden. Das Ergebnis ist ein überaus pittoresker, von Touristen erstaunlicherweise relativ wenig beachteter Ort, der einen entspannten Aufenthalt garantiert.

• *Information* Auf dem Dorfplatz informiert eine große **Schautafel** über die Lage aller Sehenswürdigkeiten.

• *Verbindungen* 6-mal tägl. ein **Dolmuş** vom und zum Aksarayer *Eski Terminal* (→ Wege nach Kappadokien/Aksaray, S. 652).

• *Einkaufen* Güzelyurt ist bekannt für seine **Töpferwaren**. Montags findet ein bunter **Wochenmarkt** statt.

Achtung: Kein Bankomat vor Ort!

• *Veranstaltung* Zum **Dorffest** Ende September reisen auch viele Griechen an, Nachfahren der ehemaligen Bewohner.

• *Übernachten* Neben den genannten Unterkünften werden im Ort auch einfache Privatzimmer für rund 6 € pro Person vermietet.

Hotel Karballa, über dem Dorfplatz. Untergebracht in einem ehemaligen Kloster aus dem 19. Jh. Herrliche Anlage mit jedoch etwas lieblos eingerichteten Zimmern, z. T. mit Hochbetten. Pool! Das Haus ist gelegentlich von Gruppen der französischen Sportorganisation UCPA ausgebucht, deshalb Reservierung empfohlen. DZ mit Frühstück 34 €, mit HP 48 €. ✆ 0382/4512103, karballa@hotmail.com.

***Hotel Karvalli**, 2001 unterhalb des Dorfes in absolut ruhiger Lage eröffnet. Noch ist alles blitzeblank, Marmortreppe inklusive. 20 helle, saubere Zimmer, z. T. mit Aussicht auf einen Stausee und den Hasan Dağı. Unter deutsch-türkischer Leitung. DZ mit Frühstück 29 €. ✆/℻ 0382/4512736, www.karvalli.com.

Sehenswertes

Klostertal: Die ersten Klostergemeinschaften in dem sechs Kilometer langen, anfangs zwischen steil aufragenden Felswänden eingebetteten Tal, wurden im 3. Jh. gegründet. Bereits im 4. Jh. sollen hier angeblich rund 60.000 (!) Menschen gelebt haben, heute sind es etwa 300. Von den über 100 Kirchen und Kapellen sind noch 15 zugänglich. Die ehemalige Hauptkirche des Klosterzentrums, die *St.-Gregor-Kirche*, steht nur wenige Meter unterhalb des Kassenhäuschen rechter Hand. Sie entstand bereits Ende des 4. Jh., wurde mehrmals renoviert und umgebaut, zuletzt in eine Moschee umgewandelt. Leider ist sie von außen viel ansehnlicher als von innen. Ihre Fresken sind übertüncht. Was sich hinter der weißen Farbe befindet, weiß der freundliche, leider nur Türkisch sprechende Imam, der nebenan wohnt und gerne durch seine Moschee führt. Im Kirchengarten befindet sich eine unterirdische "Heilige Quelle", deren Wasser gegen allerlei Zipperlein helfen soll. Von den vielen weiteren Kirchen im Tal sei noch die *Çömlekçi Kilisesi* ("Töpferkirche", ausgeschildert) erwähnt. Ihre Fresken im Kirchenschiff besitzen noch kräftige, klare Farben.

• *Wegbeschreibung/Öffnungszeiten* Folgt man im Ort der Beschilderung zum "Monastery Valley" (zu Fuß ca. 10 Min.), gelangt man automatisch zum Kassenhäuschen. Motorisierte können von dort noch ca. 1 km ins Tal fahren, danach heißt es laufen. Das Tal lädt zum Durchwandern ein. Tägl. 8–20 Uhr. Eintritt 3 €, erm. 0,60 €.

Unterirdische Städte: Davon besitzt Güzelyurt gleich vier – eine im Zentrum, eine auf dem Weg zum Klostertal und zwei im Tal selbst (ausgeschildert). Da die unterirdischen Städte bislang nur ansatzweise ausgegraben sind und eher Höhlenwohnungen mit unterkellerten Stockwerken bzw. unterirdischen Dörfern ähneln, sind sie kaum besucht und gerade deswegen reizvoll. Für die unterirdische Stadt im Zentrum und für die auf dem Weg ins Tal bieten sich selbst ernannte Führer an, die entlohnt werden wollen. Der Besuch der beiden anderen unterirdischen Städte ist im Eintritt für das Klostertal enthalten.

Umgebung von Güzelyurt

Kızıl Kilise: Einsam erhebt sie sich in der kargen Landschaft. Allein die Anfahrt ist ein Erlebnis. Die frei stehende, kreuzförmige Langbaukirche entstand irgendwann zwischen dem 5. und dem 7. Jh. Ihren Namen hat die "Rote Kirche" von der roten Färbung ihres Mauerwerks. Sie gehört zu den besterhaltenen und schönsten byzantinischen Bauwerken Kappadokiens, leider nur ist von ihrem Freskenschmuck kaum mehr etwas erhalten.

• *Anfahrt* Man verlässt Güzelyurt in Richtung Osten (Çiftlik) und sieht die Kirche, nachdem man den 1.770 m hohen Sivrihisar-Pass (5 km hinter Güzelyurt) überwunden hat, von der Straße aus linker Hand auf freiem Feld. Im spitzen Winkel zweigt ein Feldweg von der Straße ab, der zu ihr führt.

Yüksek Kilise: Die ebenfalls freistehende "Hohe Kirche" liegt 5 km südwestlich von Güzelyurt und ist auf dem Weg nach Ihlara linker Hand kaum zu übersehen: Der imposante burgähnliche Bau ist eine Dominante in der Landschaft. Die Fresken der Kirche wurden von den Bewohnern Güzelyurts leider übermalt – islamisch fundierter Ikonoklasmus der Neuzeit. Zur Kirche gehören 12 zellenartige Zimmer, in denen einst Mönche lebten. Zum Zeitpunkt der letzten Recherche, so hieß es, richteten sich darin gerade ein paar Deutsche ein, die die Zimmer von der Stadtverwaltung auf 39 (!) Jahre gemietet haben und zu Ferienwohnungen umbauen wollen. Wenn alles so stimmt, sind sie zu beneiden.

Die Yüksek Kilise

Ihlara-Schlucht

Die 15 km lange Schlucht wird auch als "Grand Canyon der Türkei" bezeichnet. Die Wanderung hindurch, vorbei an mittelalterlichen Felsenkirchen, zählt zu den schönsten Kappadokiens.

Die imposante Schlucht entstand wahrscheinlich durch den unterirdisch fließenden *Melendiz*, der das felsige Terrain so lange unterhöhlte, bis es irgendwann einstürzte. Zahlreiche Felsbrocken im Tal stimmen für diese Entstehungstheorie.

Im 8. Jh. wurde das *Peristrema-Tal*, so der frühere Name der Schlucht, zum Rückzugsgebiet byzantinischer Mönche. In Zeiten der Verfolgung bot die schwer zugängliche Schlucht ein ideales Versteck. Von Abgeschiedenheit kann heute keine Rede mehr sein – alle kappadokischen Tourenveranstalter haben den Cañon im Programm. Trotzdem ist die Erkundung des Tals mit seiner üppigen Vegetation und den schroff aufsteigenden Felswänden noch immer ein einmaliges Erlebnis.

Von Derinkuyu bzw. Güzelyurt kommend erreicht man zunächst das zwischen Felsen eingequetschte gleichnamige Dorf **Ihlara** am Südende der Schlucht. Eine gut ausgebaute Straße führt von Ihlara am Westrand des Cañons gen Norden, Richtung Aksaray. Wer von dort anreist, muss die folgenden Abschnitte von hinten aufrollen.

Folgt man am nördlichen Ortsende von Ihlara der Abzweigung zum **Ihlara Vadisi**, gelangt man über eine Stichstraße zum Haupteingang des Cañons beim **Peristrema-Restaurant** – wer zu faul ist, in die Schlucht hinabzulaufen, genießt von hier die beste Aussicht auf das Tal.

Hinweis: Steigt man vom Haupteingang beim Peristrema-Restaurant in die Schlucht hinab, stößt man am unteren Ende der Treppe auf die *Ağaçaltı Kilisesi* ("Kirche unter dem Baum"). Links der Treppe führt ein Weg zur *Sümbüllü Kililse* (Hyazinthenkirche). Über eine Brücke gelangen Sie auf die andere Flusseite zur *Yılanlı Kilise* (Schlangenkirche). Damit haben Sie die wichtigsten Kirchen der Schlucht gesehen (für eine detaillierte Beschreibung der Kirchen s. u.). Kalkulieren Sie für den Weg hinab in die Schlucht, inklusive Besichtigung und Wiederaufstieg, rund 2 Std. ein.

Ein paar Kilometer weiter nördlich zweigt wieder eine Stichstraße nach rechts ab, diesmal nach **Belisırma**, ein in die Schlucht gepresstes Bilderbuchdörfchen mit ein paar einladenden Teegärten am Fluss.

Zurück auf der Straße nach Aksaray, folgen die 47°C warmen **Thermalquellen von Ziga**. Schon die Römer wussten sie zu schätzen, heute tun dies türkische Familien. Mit umgerechnet einem Euro sind auch Sie dabei, die Anlage ist jedoch recht verwahrlost. Das Wasser hilft angeblich bei Rheuma-, Frauen- und Hautkrankenheiten (tägl. 8–22 Uhr).

Im Felsendorf **Yaprakhisar** stößt man – weitab vom kappadokischen Kerngebiet – ebenfalls auf Tuffsteinformationen. Hier war es insbesondere der über

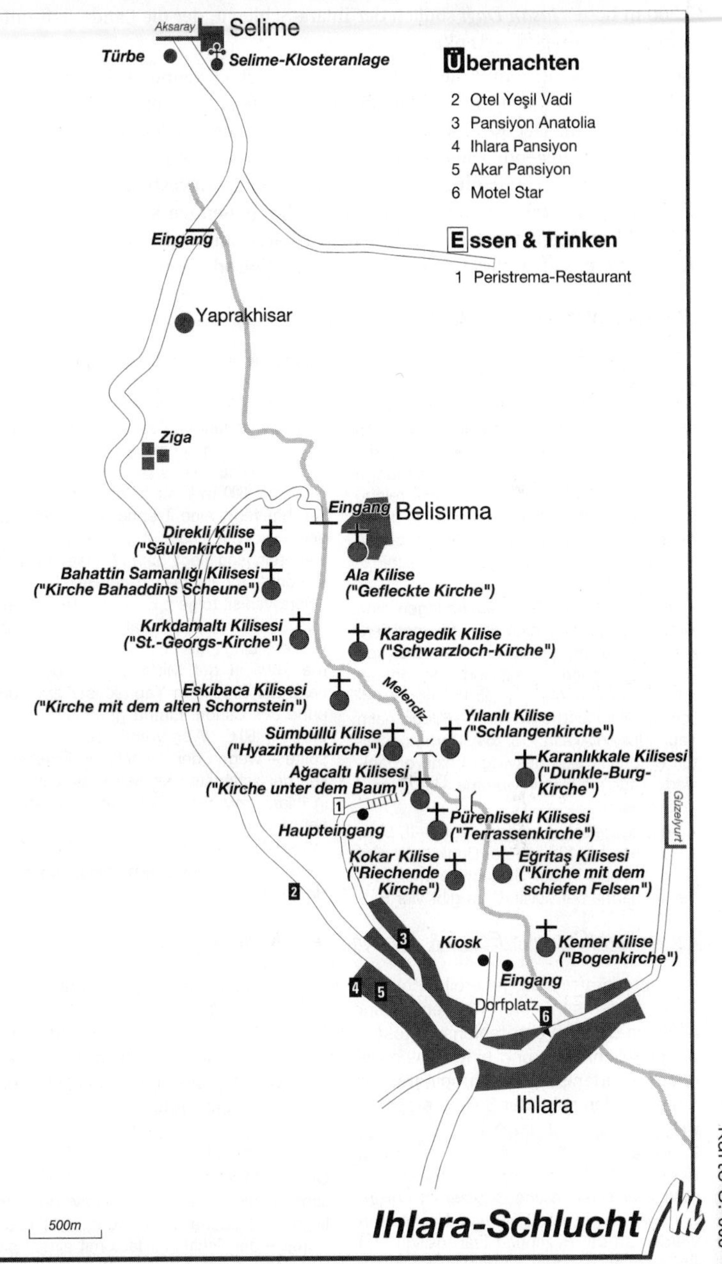

Kappadokien
Karte S. 605

3.200 m hohe *Hasan Dağı* südlich der Ihlara-Schlucht, der die Landschaft unter seinem Ascheregen versenkte.

Bei der Häuseransammlung **Selime**, gegenüber einer kleinen seldschukischen Türbe, versteckt sich im Tuffsteinabhang der Eingang zu einer Klosteranlage aus dem 8. Jh. Der Komplex ist durch einen engen, steilen Tunnelstieg mit dem darüber liegenden Felsplateau verbunden – kein Zuckerschlecken, sondern nur mit Taschenlampe, Wagemut, Stand- und Trittfestigkeit zu meistern. Der Eintritt ist frei – auch wenn sich die herbeirennenden Kinder um Sie bzw. Ihr Geld schlagen werden und Ihnen den Bären aufbinden wollen, dass das Kloster bereits als Kulisse für eine "Star Wars"-Episode diente ...

Information/Verbindungen/Sonstiges

• *Telefonvorwahl* 0382.

• *Information* Keine offizielle Tourist Information vor Ort. Kompetente Beratung erfährt man im **Peristrema-Restaurant** vom freundlichen und deutschsprachigen Şefik Bey, dem Manager. Der dazugehörige Souvenirshop bietet nicht nur eine reiche Auswahl an Büchern, sondern ist obendrein auch in praktischen Belangen behilflich: Je nach Wetterlage Regenschirm- oder Schneeschaufelverleih.

• *Verbindungen* Die Verbindungen von Zentralkappadokien sind etwas kompliziert. 2-mal tägl. gelangt man mit einem **Bus** von Derinkuyu nach Ihlara-Dorf, ansonsten muss man von Aksaray (45 km nordwestlich der Schlucht) anreisen (→ Wege nach Kappadokien/Aksaray, S. 654). Unmotorisierten empfiehlt sich deswegen eine **organisierte Tour**, die man in Göreme, Ürgüp usw. buchen kann.

• *Öffnungszeiten/Zugänge* tägl. 8–18 bzw. spätestens bis 19 Uhr. Bei Dunkelheit darf sich niemand in der Schlucht aufhalten – die Jandarma patrouilliert! Es gibt **vier Eingänge**, die allesamt gebührenpflichtig sind. Einer davon befindet sich im **Dorf Ihlara** nahe dem Motel Star. Um ihn zu finden, nimmt man unmittelbar vor dem Eingang zum Motel den schmalen Weg links bergauf. Er verläuft stets parallel zur Schlucht. Nach ca. 600 m erreicht man einen Kiosk. An ihm führt eine Treppe vorbei am Kassenhäuschen hinab in die Schlucht. Der Haupteingang liegt beim **Peristrema-Restaurant** – von Ihlara-Dorf der Beschilderung "Ihlara Vadisi" folgen. Exakt 382 Treppenstufen führen von hier hinab in die Schlucht. Weitere Eingänge befinden sich in **Belisırma** etwa in der Mitte der Schlucht und nahe der Brücke in **Yaprakhisar** am Nordende des Cañon. Eintritt grundsätzlich 3 €, erm. 0, 60 €. Wer wenig Zeit mitbringt, sollte – wegen der schnelleren Erreichbarkeit der schönsten Kirchen – die Eingänge in Ihlara bzw. beim Restaurant Peristrema nehmen.

• *Geld* Decken Sie sich vorher ein! Zur Not kann man im **Peristrema-Restaurant** am Haupteingang zur Schlucht Geld wechseln.

Übernachten/Camping/Essen & Trinken (siehe Karte S. 647)

Die Unterkünfte sind generell recht schlicht. Als Ausgangspunkt – sowohl von der Nähe zu den schönsten Kirchen als auch von der touristischen Infrastruktur her – ist Ihlara-Dorf am empfehlenswertesten. In Belisırma bieten vier Restaurants Campingmöglichkeiten und eine Pension einfache Zimmer. In Yaprakhisar findet sich neben spartanischsten Campingmöglichkeiten eine Pension mit angegliedertem Teppichladen nahe der Selime-Klosteranlage – nur für den Notfall.

• *Übernachten in Ihlara-Dorf u. Umgebung* **Ihlara Pansiyon (4)**, am Ortsrand in Richtung Aksaray. Ahmet aus München, der ebenso rührige wie freundliche Besitzer ist nur im Sommer da, in der Vor- und Nachsaison werden an der Rezeption Französisch und Englisch gesprochen. Ordentliche DZ mit Balkon und Dusche/WC 15 €, Frühstück inkl. ✆/℡ 4537077.

Otel Yeşil Vadi (2), zwischen Ihlara und Belisırma an der Straße nach Aksaray – in erster Linie für Selbstfahrer geeignet. Die beste Adresse der Schlucht, dazu mit einem bislang noch unschlagbaren Preis-Leistungs-

Blick vom Peristrema-Restaurant auf die Ihlara-Schlucht

Verhältnis. Funkelnagelneues Haus, im Herbst 2002 eröffnet. 12 freundliche Zimmer – bei der Beurteilung lassen wir den hässlichen Pseudo-Laminat-Boden außer Acht. Zur Anlage gehört ein Forellenrestaurant, zudem bestehen Campingmöglichkeiten (pro Fahrzeug 6 €). Netter Service. DZ mit Frühstück 12 €, EZ 6 €. ☏/℻ 4537706.

Akar Pansiyon (5), am Ortsrand in Richtung Aksaray. Der Pension angeschlossen sind ein Getränke- und Lebensmittelladen sowie ein kleines Restaurant für die Gäste. Nach hinten ein motelähnlicher Neuanbau, in dem die sauberen Zimmer wesentlich ruhiger sind und über große Duschräume verfügen. Touren in die Schlucht werden angeboten. Auch 3-Bett-Zimmer. DZ mit Balkon und Dusche/WC 12 €, EZ 9 €, Frühstück inkl. Campingmöglichkeiten. ☏ 4537018, ℻ 4537511.

Pansiyon Anatolia (3), an der Straße zum Restaurant Peristrema. Sauber und einfach. Die Zimmer nach vorne verfügen über einen großen Balkon. DZ mit Dusche/WC 12 € inkl. Frühstück. Campingmöglichkeit unter den Bäumen im Garten, der Boden ist allerdings mehr Acker als Wiese. Campen für 2 Pers. ca. 5 €. ☏ 4537440, www.anatoliapansion.4t.com.

Motel Star (6), im Ortskern direkt am Fluss. Wunderschöner Garten, in dem es sich stundenlang frühstücken lässt, abends Pide-Service (leider zu Abzockerpreisen) und Mücken. Saubere, geräumige Zimmer, was man von den miserablen Etagenbädern nicht behaupten kann. Leicht überteuert, aber trotzdem die Unterkunft mit dem größten Charme vor Ort. DZ mit Frühstück 12 €. ☏ 4537676.

• *Essen & Trinken* **Peristrema-Restaurant (1)**, nicht nur bei Busgruppen beliebt. Am Haupteingang zur Schlucht nahe Ihlara-Dorf. Unter deutsch-türkischer Regie. Sauberkeit wird großgeschrieben, der Gast ist König und lässt sich zu vernünftigen Preisen mit türkischen Spezialitäten verwöhnen. Obendrein findet man einen gut sortierten Weinkeller vor. Großartige Aussicht auf das Tal von der Terrasse. Eine Pension ist seit Jahren in Planung, man wartet nur noch auf die Erlaubnis.

Durch die Schlucht – die interessantesten Kirchen

Für eine gemütliche Durchwanderung der gesamten Schlucht, begleitet von Vogelgezwitscher und Froschgequake, sollte man mit Kirchenbesichtigungen rund einen Tag einkalkulieren. Ein Verlaufen ist schlicht unmöglich. Wer in

Kappadokien Karte S. 605

Ihlara-Dorf Quartier bezogen hat, fährt am besten mit dem morgendlichen Aksaray-Bus (erkundigen Sie sich nach der genauen Abfahrtszeit!) bis Yaprakhisar und läuft von dort durch die Schlucht zurück. Ein Taxi kostet für die gleiche Strecke ca. 10 €. Eine weitere Möglichkeit ist, seine Wanderung in Belisırma zu unterbrechen und am nächsten Tag weiter zu wandern. Für die Besichtigung der Kirchen empfiehlt sich eine Taschenlampe.

Um die 150 Kirchen und Kapellen werden rechts und links des Melendiz-Flusses zwischen Ihlara und Selime vermutet, bislang wurde jedoch erst ein kleiner Teil davon entdeckt. So manche Kirchen sind mit Fresken geschmückt, ihre Pracht reicht jedoch nicht an die Kirchen im Göreme Open Air Museum heran. Da es nicht allzu viele Brücken über den Fluss gibt, muss man – will man die Kirchen in ihrer Reihenfolge von Süd nach Nord bzw. andersrum abklappern – immer wieder ein Stück auf der einen Flussseite vor- oder zurücklaufen, um mit den Kirchen auf der anderen Seite fortfahren zu können. Die sehenswertesten Kirchen sind ausgeschildert, die wichtigsten im Überblick:

Ağaçaltı Kilisesi ("Kirche unter dem Baum"): Sie gilt als die älteste Kirche des Tals. Ihre Kuppel, vermutlich im 7. Jh. von einer noch ungeübten Hand in Pastellfarben ausgemalt, zeigt die Auferstehungsszene – es handelt sich dabei also um ein vorikonoklastisches Werk, das den Bilderstreit überdauert hat. Dies lässt vermuten, dass das abgeschiedene Tal in den Kirchenstreit weniger involviert war, zumal die Fresken in keiner Beziehung zur zeitgenössischen Kunst Konstantinopels stehen.

Sümbüllü Kilise (Hyazinthenkirche): Sie ist eine der wenigen Kirchen des Tals, die eine in den Fels gemeißelte, breite Fassade besitzt. Im Parterre war sie einst mit nichtfigurativer Malerei ausgeschmückt. Im eigentlichen Kirchenraum darüber – den Gang hinauf müssen Sie sich mit der Taschenlampe suchen – findet man auch Reste figurativer Fresken aus dem 10. Jh.

Yılanlı Kilise (Schlangenkirche): Dabei handelt es sich um die größte und aufgrund der gut erhaltenen, farbenfrohen Fresken auch um die schönste Kirche des Tals. Die Fresken stammen aus der zweiten Hälfte des 9. Jh., dem Ende der ikonoklastischen Krise. Neben zahlreichen Heiligen und Märtyrern erkennt man eine Engelsgestalt mit einer Waage, mit der das Gewicht der Sünden gemessen wird. Das mögliche Urteil wird auf Augenhöhe linker Hand präsentiert: Vier nackte Sünderinnen werden von Schlangen umzingelt. Von dieser Darstellung erhielt die Kirche ihren Namen.

Kokar Kilise ("Duftende Kirche") : Diese besitzt Fresken, die auf das Ende des 9. Jh. datiert werden. In der Mitte der bemalten Decke erkennt man ein großes Kreuz mit der segnenden Hand Gottes. Etwas nördlich der Kirche, auf der gleichen Flussseite, liegt die *Pürenliseki Kilise (Terrassenkirche)*, deren Fresken jedoch schon stark in Mitleidenschaft gezogen sind.

Kırkdamaltı Kilisesi (St.-Georgs-Kirche): Sie ist eine der wenigen Kirchen des Tals, deren Entstehungszeit (1283–1295) aufgrund von Inschriften genau datiert werden konnte. Unter den Darstellungen findet sich auch die Abbildung eines byzantinischen Geistlichen in seldschukischer Tracht. Dies wird als Zeugnis für die wechselseitige Toleranz der Religionen in damaliger Zeit interpretiert.

Der Weg ist das Ziel – Routen nach Kappadokien

Die meisten Individualreisenden, die von der Südküste einen Ausflug nach Kappadokien unternehmen, wünschen sich einen abwechslungsreichen Rundkurs. Kappadokien ist aber nicht Rom, und kaum eine Route führt direkt ans Ziel. Lassen Sie also den Weg das Ziel sein – alle vorgeschlagenen Routen sind landschaftlich überaus reizvoll, führen über Pässe, durch enge Täler und weite Ebenen. Unterkunftsmöglichkeiten finden Sie in allen größeren Städten. Falls man eine Übernachtung einplant, sollte man jedoch bedenken, dass die motorisierte Hotelsuche in türkischen Großstädten nach Einbruch der Dunkelheit mehr als nur nervenaufreibend sein kann.

Route 1: Manavgat-Beyşehir-Konya-Aksaray-Nevşehir

Die Standardroute von den Touristenzentren der Riviera nach Kappadokien beträgt rund 500 km.

Beyşehir (41.700 Einwohner): Das verschlafene Landstädtchen am gleichnamigen See liegt auf 1.116 m. Sehenswertes besitzt es außer der *Eşrefoğlu Camii*, der größten Holzsäulenmoschee der Türkei (1297), wenig. Das imposante Zeugnis seldschukischer Schnitzkunst befindet sich rund 500 m nördlich des Zentrums. Die Strände vor Ort sind wenig einladend, die Auswahl an guten Unterkünften gering.

• *Übernachten/Camping* **Haceliler Otel**, erst 2002 eröffnet, was noch lange kein Qualitätsmerkmal ist. 13 recht stillose Zimmer. Schöne Terrasse auf dem Dach mit tollem Blick über Stadt und See. DZ mit Frühstück 15–20 €. Im Zentrum an der Antalya Cad., ✆ 0322/5122517.

Martı Motel und Camping, 4 km südwestlich von Beyşehir direkt am See. 13 halbwegs saubere Zimmer mit Dusche/WC (mit Frühstück 15 €), besser schlägt man sein Zelt auf der nicht ungemütlichen, recht schattigen Wiese davor auf (pro Fahrzeug 6 €). Gutes Restaurant angeschlossen, lekkere Fischküche. Jeden Abend (bis 2 Uhr nachts) Livemusik! Infolge leichter Verschilfung des Ufers ist Baden nur bedingt möglich. ✆ 0535/6397030 (mobil).

Konya (ca. 726.000 Einwohner): Die religiös-konservative "Sittenwächterin" des Landes wirkt, als wäre sie von der freizügig-liberalen Küstenregion nicht knapp 300, sondern mehrere tausend Kilometer entfernt.

Konya, auf über 1.000 m gelegen, besitzt als Marktort eines weiten Umlands einen besuchenswerten Basar und ist zugleich Messestadt sowie Pilgerziel. Gläubige zieht es vor allem in das **Mevlana-Kloster**, die bedeutendste Sehenswürdigkeit Konyas. Hier steht der Sarg des Mystikers Celaleddin Rumi (1207–1273), Gründer des auch "Orden der Tanzenden Derwische" genannten Mevlanaordens. Seine Lehre umfasste hellenistisches, christliches, buddhistisches und vor allem islamisches Gedankengut. Höchstes religiöses Ziel der Mevlevis ist die Vereinigung der Seele mit dem Göttlichen, mit Allah. Dieses Ziel wird durch einen ekstatischen, "Sema" genannten Tanz erreicht, der von einem kleinen Orchester und einem Männerchor begleitet wird. Dabei drehen sich die Derwische in wallender Tracht (die weißen Gewänder symbolisieren Lei-

Kappadokien Karte S. 605

chentücher, die roten, nach oben verjüngten Hüte Grabsteine) um den Vortänzer und um die eigene Achse. Der Vortänzer dreht sich in die andere Richtung. So entsteht ein sich bewegendes "Sternbild", das man heute in Konya leider nur noch (von Folkloretänzern vorgeführt) beim Mevlanafestival Mitte Dezember sehen kann. 1925 wurde der Orden unter Atatürk verboten, das Kloster säkularisiert und zum Museum deklariert. Ein heiliger Ort, in dem der Geist der Derwische weiterlebt, ist es für viele Gläubige geblieben: Fromme Muslime küssen das Portal des sakralen Grabbaus und knien vor dem versilberten Türchen nieder, das den Besucher von Mevlanas Sarkophag trennt (tägl. außer Mo 9–18 Uhr, Mo ab 10 Uhr, Eintritt 2,40 €, erm. 1,20 €). Direkt neben dem Kloster befindet sich die **Selimiye-Moschee**, eine klassisch-osmanische Kuppelmoschee mit zwei schlanken Minaretten. Gebetsnische und Kanzel der zwischen 1566 und 1574 errichteten Moschee sind aus massivem Marmor.

Wie das Mevlanakloster stammen auch viele weitere Bauwerke der Stadt aus seldschukischer Zeit, als Konya Hauptstadt des Sultanats der Rum-Seldschuken war. Insbesondere auf und rund um den Burghügel im Westen der Stadt – übrigens ein *Hüyük*, ein aus jahrtausendelanger Besiedelung entstandener Schutthügel – sind diese zu finden. Zu den interessantesten Sehenswürdigkeiten gehören die **Alaeddin-Moschee** direkt auf dem Hügel, westlich davon die **İnce-Minare-Medrese**, heute ein Museum für seldschukische Bildhauerei und Schnitzkunst (tägl. außer Mo 9–12 Uhr und 13.30–17.30 Uhr, Eintritt 0,60 €) und nördlich davon die **Büyük-Karatay-Medrese,** welche ein sehenswertes Fayencenmuseum beherbergt (tägl. außer Mo 9–12 Uhr und 13.30–17.30 Uhr, Eintritt 0,60 €).

Das **Archäologische Museum** der Stadt findet man neben der **Sahip-Ata-Moschee** an der gleichnamigen Straße südlich des Burghügels. Es besitzt eine große Sammlung römischer Sarkophage, zudem Schmuck- und Gebrauchsgegenstände, die bis in die Hethiterzeit zurückreichen (tägl. außer Mo 9–12 Uhr und 13.30–17.30 Uhr, Eintritt 0,60 €).

• *Information* an der Mevlana Cad. nahe der Selimiye-Moschee. Mo–Sa 8.30–12 Uhr und 13.30–17.30 Uhr. ✆ 0332/3506489, 📠 3506461.

• *Verbindungen* **Bus**: Vom Busbahnhof rund 3 km nördlich des Zentrums Verbindungen in alle größeren türkische Städte. Man erreicht den Busbahnhof mit Zubringern der Busgesellschaften oder mit Dolmuşen von der Şerefettin-Moschee an der Mevlana Cad. (auf die Aufschrift "Otogar" achten).

Zug: Der Bahnhof liegt ebenfalls ab vom Schuss im Südwesten der Stadt. Anschlüsse nach Adana, İstanbul und Eskişehir. Stadtbusse fahren vom Burghügel dorthin, auf die Aufschrift "İstasyon" achten.

• *Übernachten* *****Selçuk Oteli**, im Gassenwirrwarr östlich des Burghügels und nördlich der Mevlana Cad. Sehr gepflegtes Haus mit charmant-moderner Lobby und einem super Preis-Leistungs-Verhältnis. 83 freundliche Zimmer mit Marmorwaschbecken in den Bädern, alkoholfreier Minibar, Föhn und Klimaanlage, viele davon mit Balkon. Sauna und Fitnessraum dürfen umsonst benutzt werden. DZ mit Frühstück 33 €, EZ 21 €. Babalık Sok. 4, ✆ 0332/3532525, www.otelselcuk.com.tr.

Otel Ankara, eine Empfehlung in der Billigkategorie. 2000 eröffnetes, zentral gelegenes Haus mit 16 freundlichen und sehr sauberen Zimmern von ausreichender Größe auf drei Etagen. Nett verkachelte Aufgänge. DZ mit Frühstück (Büfett!) 15 €, EZ 9 €, Dreier 19 €. Hükümet Alanı 2 (Mevlana Cad.), ✆ 0332/3504158, 📠 3517951.

• *Essen & Trinken* Der Fastenmonat Ramazan wird in Konya streng befolgt – in dieser Zeit bleiben viele Lokale geschlossen!

Restaurant Köşk, etwas abseits des Zentrums, in der Topraklık Cad. 66. Innen Orientflair, außen durch die angrenzende Straße leider alles andere als idyllisch.

Am Sultanhanı

Trotzdem die Nummer eins in Sachen regionale Küche. Serviert werden z. B. Almsuppe, *Fırın Kebabı* (ein herzhaft-fettiger Kebab aus dem Ofen, bei drohendem Darmverschluss empfohlen), *Mantı* oder Börekvariationen. Empfehlenswert.

Cadde Restaurant, am Alaettin Bul. neben der İnce-Minare-Medrese über einem McDonald's. Ohne das Lokal wäre ein Übernachtaufenthalt in Konya nur halb so schön. Beste und fast einzige Adresse, um in der Stadt zu guten Meze Bier und Rakı zu trinken. Dazu gelegentlich Livemusik. Modern eingerichtet, große luftige Dachterrasse. Unser Tipp in Konya. Ab Mittag geöffnet.

Sultanhanı: Inmitten der öden Hochebene zwischen Konya und Aksaray, einer einstigen Karawanenroute, liegen mehrere Hane. Der größte und besterhaltene ist der 1229 erbaute Sultanhanı, benannt nach dem seldschukischen Sultan Alaeddin Keykobat (geöffnet von Sonnenauf- bis Sonnenuntergang, Eintritt 0,60 €). Durch ein prächtiges, mit Ornamenten geschmücktes Portal betritt man den Innenhof, in dessen Mitte sich eine Moschee auf vier Pfeilern erhebt. In den Hallen links waren Küchen, das Bad und Verkaufsläden untergebracht. Die drei Räumlichkeiten rechts des Hofes sowie der gewaltige, fünfschiffige Wintersaal mit seinen 32 Säulen dienten u. a. den Tieren als Nachtlager. Das heutige Dorf um die Karawanserei ist alles andere als spannend.

• *Übernachten* **Pension Kervansaray**, keine 100 vom Han entfernt. Einfache Zimmer mit Bad. Die Inhaber, drei Brüder, sprechen gut Deutsch, Englisch und Französisch, kennen die Gegend hervorragend und geben gerne Tipps für Ausflüge. DZ mit Frühstück 12 €. Campingmöglichkeiten im Garten, für 2 Pers. 3,50 €. ✆ 0382/2422429, ℻ 2422430.

Pension Kervan, im Osten des Ortes, ausgeschildert. Die besseren Zimmer als das Kervan, dafür etwas ab vom Schuss. Kleine Campingwiese mit eigenen sanitären Anlagen. Sehr ruhige Lage. Gleiche Preise wie das Kervansaray, Zimmer mit Bad oder Nasszellen. ✆ 0382/2422325, kervancamping@mynet.com.

Kappadokien Karte S. 605

Aksaray (ca. 100.000 Einwohner): Die verkehrsgünstig gelegene Stadt bietet wenig Attraktives. Das Gros der ausländischen Besucher stellen Ingenieure aus Stuttgart, die *Mercedes Benz Türk* besuchen, wo in Lizenz Lastwagen produziert werden. Wer zufällig dienstags in Aksaray strandet, kann über den Wochenmarkt bummeln. Ansonsten bietet sich ein Besuch des örtlichen **Museums** an, das sich in den Räumlichkeiten der Zinciriye-Medrese befindet, die 1345 unter der Herrschaft der Karamanoğulları erbaut wurde. Das Gebäude mit seinem beachtenswerten Portal ist interessanter als das Museum selbst. Gleich daneben liegt das schöne **Tarihi Paşa Hamamı** mit getrennten Abteilungen für Männer und Frauen (Eintritt mit Massage 5 €, nahe dem Fluss). Einen Blick kann man auch in die **Ulu Cami** gegenüber dem Rathaus werfen. Im Inneren der Moschee, die zu Anfang des 15. Jh. errichtet wurde, ist ein fein aus Holz gearbeiteter Minbar zu sehen. Das **Eğri Minare** ("Schiefes Minarett") scheint wie der berühmte italienische Turm die Gesetze der Statik zu verhöhnen. Das 1221 bis 1236 errichtete Ziegelsteinminarett mit Fayencendekor ist eines der wenigen Zeugnisse seldschukischer Baukunst in Aksaray – die Moschee daneben ist neueren Datums. Man findet es, indem man vom Rathaus auf das *Aksaray Lisesi*, einen großen Natursteinbau inmitten eines Parks, zuläuft und diesen auf seiner rechten Seite umgeht. Schon kurz darauf sieht man die Minarettspitze.

• *Information* Das **İl Turizm Müdürlüğü** liegt zentral in einem alten Stadthaus in der Taşpazar Cad., ausgeschildert. Hier ist ein rudimentärer Stadtplan zu bekommen. Mo–Fr 8.30–12 Uhr und 13.30–17.30 Uhr. ✆ 0382/2132474, 📠 2125651.

• *Verbindungen* Der hochmoderne **Busbahnhof** befindet sich ca. 5 km außerhalb des Zentrums an der Straße nach Konya. Dolmuşe dorthin starten vom Zentrum an der Bankalar Cad. Stündl. vom Busbahnhof aus nach Konya, regelmäßig nach Nevşehir, Nachtbusse nach Antalya. Wer nach Sultanhanı will, nimmt einen Bus nach Konya und steigt unterwegs aus. Busse bzw. **Dolmuşe** nach Ihlara und Güzelyurt starten vom *Eski Terminal*, dem alten Busbahnhof ca. 500 m südlich des Zentrums am Atatürk Bul. – Achtung: Schon ab dem späten Nachmittag geht nichts mehr!

• *Übernachten/Camping* Wer unbedingt ganz billig wohnen muss – ein paar Absteigen befinden sich nahe dem Eski Terminal. Campingmöglichkeiten bestehen an der Raststätte **Ağaçlı Turistik Tesisleri**, unübersehbar am westlichen Ortsausgang an der Straße nach Ankara/Nevşehir gelegen – eine riesige Anlage mit allem Drum und Dran in unschöner Umgebung.

*****Hotel Üçyıldız**, direkt neben dem Rathaus *(Belediye)*. 1999 eröffneter Glaspalast mit klimatisiertem Komfort. DZ 29 €, EZ 21 € mit Frühstück. Bankalar Cad. 6, ✆ 0382/2140404, 📠 2125003.

****Otel Yuvam**, bei der Provinzverwaltung *(Vilayet)*. Das wohl beste Zwei-Sterne-Haus Zentralanatoliens. Familienbetrieb mit 16 sauberen, komfortablen und lieb-kitschig eingerichteten Zimmern. Alles gut in Schuss und sehr gepflegt. Kaum überbietbares Preis-Leistungs-Verhältnis: DZ mit Frühstück 12 €, als EZ die Hälfte. Eski Sanayi Cad., ✆ 0382/2120024, 📠 2132875.

• *Essen & Trinken* Eine niveauvolle Küche, zu der Alkohol serviert wird, findet man im Restaurant des **Hotels Üçyıldızlı** zu entsprechenden Preisen. Hervorragenden İskender Kebap, Pide- und Grillvariationen bekommt man im **Şamdan İskender Kebap Salonu** in der Coğlakı Cad. Einfaches Lokantaambiente. Zentral gelegen, ca. 300 m vom Rathaus *(Belediye)* entfernt.

Für Sehenswürdigkeiten auf der Strecke zwischen Aksaray und Nevşehir → Längs des Uzunyol, S. 612.

Route 2: Silifke-Mut-Karaman-Konya/Niğde-Nevşehir

Der erste Abschnitt dieser Route ist im Reiseteil unter "Ausflug ins Hinterland von Silifke" (ab S. 556) beschrieben. Von Karaman bietet sich sowohl eine Fahrt über Konya (insgesamt ca. 475 km) als auch über Ereğli und Niğde ins Zielgebiet an (ca. 400 km). Für die Weiterfahrt über Konya → Route 1, für die Weiterfahrt über Niğde → Route 2.

Karaman/Binbirkilise: Karaman (107.000 Einwohner) ist ein angenehmer Ort für einen Zwischenstopp: Die Stadt ist leicht zu überschauen, stressfrei und wegen ihrer Lage auf rund 1.000 m Höhe selbst im Sommer nicht allzu heiß. An oder nahe ihrer Hauptachse, der İsmet Paşa Caddesi, findet man nahezu alle Hotels, Restaurants und Sehenswürdigkeiten – vom einzigen **Museum** über die schönsten **Moscheen** bis zum **Hamam**. Rund 35 km nördlich von Karaman liegen die **Binbirkilise** ("1001 Kirche"). Die Anzahl der byzantinischen Kirchenruinen in einsamer Lage ist zwar märchenhaft übertrieben, ein Abstecher lohnt dennoch über alle Maßen. Nicht die Ruinen sind spektakulär, sondern ihre Lage auf einem Bergmassiv umgeben von einer weiten Ebene. Grandiosere Aussichten hat man nur selten.

• *Verbindungen* Der **Bus**bahnhof von Karaman liegt außerhalb des Zentrums nahe der Straße nach Konya, mit Dolmuşen von der Hauptstraße zu erreichen. Regelmäßige Verbindungen nur nach Konya und Ereğli, wo man weiter nach Niğde gelangt. Der Bahnhof liegt ca. 1 km außerhalb des Zentrums, die Dolmuşe zum Busbahnhof passieren ihn. Regelmäßige **Zug**verbindungen nach Konya, Adana und (über Niğde) nach Kayseri.

• *Anfahrt zu den Binbirkilise* Von Karaman Richtung Karapınar. Im Örtchen Dinek, ca. 25 km hinter Karaman, weist ein gelbes Schild links zu den Binbirkilise, allerdings ist der Hinweis "5 km" irreführend. Das schmale asphaltierte Sträßchen erreicht nach ca. 10 km das Dorf Madenşehri, wo die erste Kirchenruine unübersehbar in den Himmel ragt. Von hier geht es auf einem gut befahrbaren Schottersträßchen (8 km, immer geradeaus, die Rechtsabzweigung unterwegs ignorieren) weiter bis zum einsamen Winzigdorf Üçkuyu mit den Resten einer weiteren Kirche. Von hier können Sie auf die Suche nach den 999 anderen Kirchen gehen. Keine Verbindung mit öffentlichen Verkehrsmitteln von Karaman.

• *Übernachten in Karaman* ****Nas Otel**, bestes Haus vor Ort, an der Hauptstraße. Komfortable Zimmer mit TV und Minibar, teilweise recht geräumig. Freundlicher Service. Der Muezzin ruft nebenan. DZ mit Frühstück 21 €. İsmet Paşa Cad. 30, ✆ 0338/2138200, ℻ 2129240.

Saray Otel, ebenfalls an der Hauptstraße. Einfache, ordentliche Herberge, sauber. Plüschige, rosa-blaue Zimmer. DZ mit Bad 14 €, ohne Bad 11 €. İsmet Paşa Cad. 21, ✆ 0338/2126565, ℻ 2127600.

• *Essen & Trinken in Karaman* **Ender Restoran**, beliebtestes Lokal im Städtchen, an Wochenenden proppenvoll. Gepflegtes Ambiente, durch die Polstersitzecken fast schon gemütlich. Gute Küche, die man nicht überall bekommt: *Güveç, Saç Kavurma* usw. Alkoholfrei und günstig – pro Person is(s)t man mit 2,40 € dabei. İsmet Paşa Cad.

Hatuniye Karaman Sofrası, in der gleichnamigen Medrese neben dem Museum nahe der Hauptstraße. Schönes Innenhofrestaurant in altem Gemäuer mit neuem Glasdach. Authentisch-türkische Küche zu fairen Preisen. Hastane Cad. 14.

Route 3: Tarsus-Pozantı-Niğde-Derinkuyu/Soğanlı-Tal

Die Route über die Kilikische Pforte, den "Brenner des Taurus", beträgt rund 250 km. Der 1.050 m hohe Pass etwa 65 km nördlich von Tarsus, den die Türken *Gülek Boğazı* nennen, galt schon im Altertum als eine der wichtigsten

Kappadokien
Karte S. 605

Taurusüberquerungen. Leider hat die wildromantische Berglandschaft drum herum seit dem Bau der Autobahn von Tarsus nach Pozantı viel an Charme verloren. Schöner, wenn auch holpriger, ist die alte, parallel verlaufende Landstraße. Noch vor dem Gülek Boğazı passiert man auf ihr, in der Nähe des Örtchens Çamalan, den *Alman Mezarlığı* ("Deutscher Friedhof"). Ein Gedenkstein erinnert hier an die 41 Deutschen, die beim Bau der durch den Taurus führenden Bagdadbahn (→ S. 576) ihr Leben ließen.

Çiftehan: Das verschlafene Dorf Çiftehan ist wegen seiner 53°C warmen Thermalquelle bekannt (mit "Çiftehan Kaplıcaları" ausgeschildert). Das Wasser hilft angeblich bei fast allen Leiden, von Nierensteinen über spastische Krämpfe bis zu Frauenkrankheiten. Gegen eine geringe Gebühr können auch Nichtkurgäste ein Bad nehmen.

• *Übernachten* Die passabelste Unterkunft auf der Strecke ist das etwas sterile ***Çelik Palas Hotel** in Çiftehan, zugleich die "Kurverwaltung" des Ortes. 25 recht kitschig eingerichtete, leicht abgewohnte, aber geräumige Zimmer mit Balkon. Der Hit sind die Marmorbadewannen – Quellwasser rund um die Uhr! DZ mit VP 44 €, mit HP 38 €, mit Frühstück 29 €. Wer billiger wohnen will: Das Hotel vermittelt auch einfache Unterkünfte im Ort, mit ca. 9 € sind Sie dabei. ✆ 0388/5312241, ℻ 5312234.

Niğde (ca. 100.000 Einwohner): Die Provinzhauptstadt am südlichen Rand Kappadokiens spielt nicht Großstadt, sondern präsentiert sich als grüner, ruhiger und freundlicher Ort. Die Hauptachse des Städtchen ist die İstiklal Caddesi, die in die Bankalar Caddesi übergeht. Das Zentrum wird von einer seldschukischen **Befestigungsanlage** überragt. Südlich des Zitadellenhügels liegt die **Alaeddin-Moschee** aus dem Jahre 1223 mit einem reich verzierte Portal, das – eine Rarität in der islamischen Kunst – auch figürliche Darstellungen aufweist. Kunsthistoriker interpretieren die langhaarigen Köpfe als personifizierte Planetenzeichen.

Die **Hüdavent-Hatun-Türbe**, 1312 für die Tochter des Seldschukenfürsten Kılıçaslan IV. erbaut, befindet sich westlich der Bankalar Caddesi. Sie gilt als eines der schönsten seldschukischen Grabmäler überhaupt. Ihr oktagonaler Unterbau wird mittels einer Zwischenstufe elegant in ein 16-flächiges Pyramidendach übergeführt. Das Dekor zeigt neben geometrischen Formen auch Darstellungen von Pflanzen und Tieren. Einen Besuch wert ist zudem das neu restaurierte **Museum** mit Funden aus der Umgebung, die bis ins Neolithikum zurückreichen. Gruselig sind die Mumie einer Nonne aus einer Kirche der Ihlara-Schlucht und einige Kindermumien, die bei Aksaray gefunden wurden. Das Museum liegt westlich der İstiklal Caddesi und ist ausgeschildert (tägl. außer Mo 8–12 Uhr und 13–17 Uhr, Eintritt 0,60 €).

• *Information* im Rathausgebäude im Park an der Cumhuriyet Cad. (rückwärtigen Eingang benutzen), 3. Stock. Hilfsbereit, aber leider nur wenig kompetent. Mo–Fr 8–12 Uhr und 13–17.30 Uhr (im Winter bis 17 Uhr). ✆ 0388/2323393, ℻ 2324704.

• *Verbindungen* **Bus/Dolmuş:** Der Busbahnhof befindet sich nordöstlich des Zentrums an der Ausfallstraße nach Kayseri. Mehrmals tägl. nach Adana und Nevşehir. Dolmuşe zum Busbahnhof fahren an der İstiklal Cad. ab. **Dolmuşe** nach Eski Gümüş (s. u.) starten von der *Köy Garajı* neben dem Busbahnhof.

Zug: Bahnhof ca. 15 Gehminuten östlich des Zentrums. Verbindungen nach Adana und Kayseri. Reservierung unter ✆ 0388/2323541.

• *Übernachten* ***Otel Evim**, "bestes" Haus der Stadt, eigentlich aber kaum der Rede wert. Der Kasten bietet 48 abgewohnte Standardzimmer mit unwichtigem Schnickschnack wie Minibar oder Haarföhn. Das DZ mit Frühstück überteuerte 33 €. Cumhuriyet Meydanı, ✆ 0388/2323536, 📠 2321526.

Otel Şahiner, unsere Empfehlung. Relativ neues Haus mit 44 freundlichen, sehr sauberen Zimmern und schönen Bädern. Im Obergeschoss ein gepflegtes, alkoholfreies Restaurant, in dem auch das Frühstück eingenommen wird – nette Ausblicke! Gutes Preis-Leistungs-Verhältnis: DZ mit Frühstück 16 €, EZ 9 €. In einer Seitengasse der Bankalar Cad. auf Höhe der T.C. Ziraat Bankası. ✆ 0388/2322121, 📠 2331402.

• *Essen & Trinken* **Beykoz Lokantası,** sympathische Lokanta, in der man sich über jeden Ausländer freut. Neben guten Topfgerichten auch gegrillte Hühner, leckere Nudeln in Knoblauchjoghurt und hervorragende Nachspeisen – lassen Sie sich *Şanbaba* auftischen, eine zuckersüße Kalorienbombe mit einem dicken Sahneklecks. İstiklal Cad.

Eski Gümüş: 9 km nordöstlich von Niğde, von der Straße nach Kayseri mit "Gümüşler Manastırı" ausgeschildert, liegt Eski Gümüş ("Altes Silber"), das besterhaltene Felsenkloster des kappadokischen Christentums. Das Kloster betritt man durch ein schmales Tor, das bei Gefahr mit einem Stein geschlossen wurde. Der Innenhof, der sich im Felsgestein wie ein gewaltiger Lichtschacht ausnimmt, war früher vermutlich überdacht. An die Wände sind Lisenen (pfeilerartige Mauerstreifen) und Kreuze gemeißelt. Vom Innenhof gelangt man zum Refektorium und zu diversen Lagerräumen – Wasser-, Wein- und Öldepots. Hauptattraktion ist die Klosterkirche. Vier mächtige, zylindrische und mit Blumenmotiven versehene Säulen tragen die Zentralkuppel. Die Fresken stammen aus dem 10. und 11. Jh., wurden in der zweiten Hälfte des 20. Jh. restauriert und besitzen daher kräftige Farben. Schöne Malereien findet man insbesondere in der Apsis, darunter die Brustbilder der zwölf Apostel, deren Gesichter und Gewänder nahezu stereotyp sind (tägl. 9–12 Uhr und 13.30–18.30 Uhr, Eintritt 0,90 €, Fotografieren der Fresken verboten).

Über die Nationalstraße 756 gelangen Sie nördlich von Niğde zur unterirdischen Stadt Derinkuyu (→ S. 641) und von dort weiter ins kappadokische Kerngebiet. Alternativ kann man, nach einem Abstecher in den Nationalpark Sultan Sazlığı (s. u.), über Yeşilhisar und das Soğanlı-Tal (→ S. 639) nach Zentralkappadokien gelangen.

Nationalpark Sultan Sazlığı: Das Naturparadies umfasst Süß und Salzwasserseen, der größte ist der *Yay Gölü*, ein Nistplatz von rund 300 Vogelarten, darunter Pelikane, Kraniche, schwarze Störche und Weißkopfenten. Beste Zeit für Ornithologen sind das Frühjahr und der Herbst. Die Pension Sultan im Dorf **Ovaçiftliği** (s. u.) organisiert Bootsausflüge auf den See. Dabei geht es in übergroßen Streichholzschachteln – so sehen die nach Gondelart mit Hilfe langer Stangen bewegten Stocherkähne jedenfalls aus – durch das Schilf (zweistündiger Trip für 1–4 Pers. 50 €). Fußgänger sollten auf Schlangen achten.

• *Anfahrt* Die Abzweigung zum See ist von der Straße Niğde–Kayseri ausgeschildert. Mit öffentlichen Verkehrsmitteln ist die Anfahrt schwierig, da nur selten Dolmuşe in das am See gelegene Bauerndorf Ovaçiftliği verkehren.

• *Übernachten* Die beste Adresse vor Ort ist die **Sultan Pansion** (in Ovaçiftliği ausgeschildert) mit 14 ordentlichen Zimmern mit Bad. Eigenes Restaurant, das auch Tuborg ausschenkt. Von Nov. bis Febr. geschlossen. DZ 20 € mit Frühstück, EZ 10 €, Campen umsonst. ✆ 0352/6585549, www.sultanpansionbirding.com.

Preiswerter, aber auch einfacher ist die **Atilla Pansiyon** nebenan.

Kappadokien Karte S. 605

Kleines Sprachlexikon

Aussprache

Die Hauptbetonung liegt in der Regel auf der ersten Silbe. Vokale werden außer bei Fremdwörtern stets kurz gesprochen. Nur wenige der insgesamt 29 Buchstaben – Umlaute zählen im Türkischen als eigene Buchstaben – sind im Deutschen unbekannt oder werden anders ausgesprochen:

C, c wie Dsch (nie wie K!)
Ç, ç wie Tsch
ğ nach dumpfen Vokalen ein schwach hörbares, gutturales G, nach hellen Vokalen hingegen ähnlich dem deutschen J
h am Silbenende wie ein schwaches Ch
I, ı ein bei uns unbekannter Vokal; kehliges I, eine Art Mischung zwischen I und E
J, j wie J in Journal
Ş, ş wie Sch
V, v wird stets stimmhaft ausgesprochen wie W in Wiesel
Y,y wie deutsches J in ja
Z,z stimmhaftes S (nie Tz!)

Grundlegende Wörter und Sätze

Evet/Hayır — *Ja/Nein*
Teşekkür ederim/ Lütfen — *Danke/Bitte*
Affedersiniz — *Entschuldigen Sie bitte*
Merhaba — *Hallo*
Allaha ısmarladık — *Auf Wiedersehen (sagt der Gehende)*
Güle Güle — *Auf Wiedersehen (sagt der Bleibende)*
Hoşça kal — *Tschüss*
Günaydın — *Guten Morgen*
İyi günler — *Guten Tag (auch als Verabschiedung)*
İyi akşamlar — *Guten Abend*
İyi geceler — *Gute Nacht*
Nasılsın/Nasılsınız? — *Wie geht es dir/Ihnen?*
İyiyim — *Mir geht es gut.*
...var mı? — *Gibt es/Haben Sie ...?*
Saat kaç? — *Wie viel Uhr ist es?*

Unterwegs

Ortsbezeichnungen

Tren İstasyonu — *Bahnhof*
Garaj/Otogar — *Busbahnhof*
Havalimanı/Havaalanı — *Flughafen*
İskele — *Fähranlegestelle*
Saray — *Palast*
Sokak — *Gasse*
Cadde — *Straße*
Meydan — *Platz*
Cami — *Moschee*
Hisar — *Festung*
Kilise — *Kirche*
Müze — *Museum*
Banka — *Bank*
Hastane — *Krankenhaus*
Köprü — *Brücke*
Ada — *Insel*
Eczane — *Apotheke*
Süpermarket — *Supermarkt*
Postane — *Post*

Zur Orientierung

Nerede...? — *Wo ist ...?*
Ne zaman? — *Wann?*
Sağ — *Rechts*
Sol — *Links*
Doğru — *Geradeaus*
Otobüs — *Bus*
Tren — *Zug*
Vapur — *Fähre*
Bilet — *Fahrkarte*

Hinweise

Giriş	*Eingang*	Bayan	*Damen*
Çıkış	*Ausgang*	Açık/Kapalı	*Offen/Geschlossen*
Tuvalet	*Toilette*	Polis	*Polizei*
Bay	*Herren*	Girilmez	*Eintritt verboten*

Zahlen

Bir	*1*	On dört	*14*	Seksen	*80*
İki	*2*	On beş	*15*	Doksan	*90*
Üç	*3*	On altı	*16*	Yüz	*100*
Dört	*4*	On yedi	*17*	iki yüz	*200*
Beş	*5*	On sekiz	*18*	Bin	*1.000*
Altı	*6*	On dokuz	*19*	On bin	*10.000*
Yedi	*7*	Yirmi	*20*	Yüz bin	*100.000*
Sekiz	*8*	Yirmi bir	*21*	Beş yüz bin	*500.000*
Dokuz	*9*	Otuz	*30*	Bir milyon	*1.000.000*
On	*10*	Kırk	*40*	Beş milyon	*5.000.000*
On bir	*11*	Elli	*50*	Beş buçuk milyon	*5.500.000*
On iki	*12*	Altmış	*60*		
On üç	*13*	Yetmiş	*70*	On milyon	*10.000.000*

Essen und Trinken

Allgemein

Afiyet olsun!	*Guten Appetit!*
Şerefe!	*Prost!*
Yemek listesi	*Speisekarte*
Hesap, lütfen!	*Zahlen, bitte!*
Kahvaltı	*Frühstück*
Öğle yemeği	*Mittagessen*
Akşam yemeği	*Abendessen*

Frühstück

Beyaz Peynir	*Schafskäse*
Kaşar Peynir	*Milder gelber Käse*
Bal	*Honig*
Reçel	*Marmelade*
Tereyağı	*Butter*
Yumurta	*Eier*
Ekmek	*Brot*
Şeker	*Zucker*
Tuz	*Salz*

Getränke

Kahve	*Kaffee*
Türk Kahvesi	*Türkischer Mokka*
Neskafe	*Nescafé*
Çay	*Tee*
Süt	*Milch*
Su	*Wasser*
Soda	*Mineralwasser*
Meyve Suyu	*Fruchtsaft*
Ayran	*Getränk aus Joghurt, Wasser und Salz*
Bira	*Bier*
Şarap	*Wein*
Beyaz Şarap	*Weißwein*
Kırmızı Şarap	*Rotwein*

Vorspeisen

Meze	*Türkische Vorspeise*
Ezme	*Creme aus Gemüse oder Joghurt*
Haydari	*Joghurtdip mit Minze und Knoblauch*
Humus	*Kichererbsenpüree*
Patlıcan Salatası	*Auberginensalat*
Zeytinyağlılar	*Kaltes Gemüse in Olivenöl*
Piyaz	*Salat aus Bohnen, Olivenöl und Zitrone*
Sigara Böreği	*Mit Schafskäse gefüllter, frittierter Blätterteig in Zigarrenform*
Çerkes Tavuğu	*"Tscherkessenhuhn" (Hühnerfleisch in Walnusssauce)*

Çiğ Köfte — *Frikadellenart aus rohem Hackfleisch und Weizengrütze*
Çorba — *Suppe*
Mercimek Çorbası — *Linsensuppe*
Yayla Çorbası — *Almsuppe (Joghurtsuppe mit Zitrone und Minze)*
Domates Çorbası — *Tomatensuppe*
Tavuk Çorbası — *Hühnersuppe*
İşkembe Çorbası — *Kuttelflecksuppe*

Hauptgerichte

Dolma — *Gefülltes Gemüse*
Yaprak Dolması — *Gefüllte Weinblätter*
Biber Dolması — *Gefüllte Paprikaschoten*
Patlıcan Dolması — *Gefüllte Auberginen*
Kabak Dolması — *Gefüllte Zucchini*
İmam bayıldı — *"Der İmam ist in Ohnmacht gefallen" (Gebackene Aubergine mit Zwiebeln und Tomate)*
Güveç — *Gemüseschmortopf, oft mit Fleischstückchen*
Köfte — *Hackfleischbällchen*
Hindi — *Putenfleisch*
Tavuk — *Huhn*
Piliç — *Brathuhn*
Sığır — *Rind*
Dana — *Kalb*
Kuzu — *Lamm*
Pirzola — *Kotelett (meist Lamm)*
Karışık Izgara — *Mixed Grill*
Şiş Kebap — *Spieß*
Tas Kebap — *Lammschmortopf*
Arnavut Çiğeri — *"Albanische Leber" (Leberstückchen)*

Gemüse und Beilagen

Sebze — *Gemüse*
Bamya — *Okraschoten*
Kuru Fazulye — *Getrocknete Bohnen*
Taze Fazulye — *Grüne Bohnen*
Bezelye — *Erbsen*
Ispanak — *Spinat*
Karnıbahar — *Blumenkohl*
Lahana — *Kraut*
Domates — *Tomate*
Zeytin — *Olive*
Soğan — *Zwiebel*
Salatalık — *Gurke*
Sarmısak — *Knoblauch*
Çoban Salatası — *Hirtensalat (gemischter Salat mit Schafskäse)*
Salata — *Salat*
Yeşil Salata — *Grüner Salat*
Cacık — *Joghurtsauce mit Knoblauch und Gurke*
Makarna — *Nudeln*
Patates — *Kartoffeln*
Pilav — *Reis*
Bulgur — *Weizengrütze*

Fisch und Meeresfrüchte

Balık — *Fisch*
Barbunya — *Meerbarbe*
Levrek — *Seebarsch*
Lüfer — *Blaubarsch*
Kılıç — *Schwertfisch*
Sardalya — *Sardine*
Kalkan — *Steinbutt*
Hamsi — *Schwarzmeersardine*
Uskumru — *Makrele*
Midye — *Muscheln*

Obst

Meyve — *Obst*
Armut — *Birne*
Elma — *Apfel*
Karpuz — *Wassermelone*
Kavun — *Honigmelone*
Üzüm — *Weintrauben*
Muz — *Banane*
Portakal — *Orange*
Ayva — *Quitte*
Çilek — *Erdbeeren*
İncir — *Feige*
Kayısı — *Aprikose*
Şeftali — *Pfirsich*
Kiraz — *Kirsche*
Vişne — *Sauerkirsche*
Nar — *Granatapfel*
Limon — *Zitrone*

Süßes

Sütlaç — *Gebackener Milchreis*
Baklava — *Gefüllter Blätterteig in Zuckersirup*
Helva — *"Türkischer Honig"*
Lokum — *Konfekt aus Stärke und Zucker, verschiedenartigste Varianten*
Dondurma — *Eis*
Kek — *Kuchen*
Pasta — *Torte*

Verlagsprogramm

Unsere Reisehandbücher im Überblick

Deutschland

- Allgäu
- Altmühltal
- Berlin & Umgebung
- Bodensee
- Franken
- Fränkische Schweiz
- Mainfranken
- *MM-City* Berlin
- Nürnberg, Fürth, Erlangen
- Oberbayerische Seen
- Ostseeküste – von Lübeck bis Kiel
- Schwäbische Alb

Niederlande

- *MM-City* Amsterdam
- Niederlande
- Nordholland – Küste, IJsselmeer, Amsterdam

Nord(west)europa

- England
- Südengland
- *MM-City* London
- Schottland
- Irland
- Island
- Norwegen
- Südnorwegen
- Südschweden

Osteuropa

- Baltische Länder
- Polen
- *MM-City* Prag
- Westböhmen & Bäderdreieck
- Ungarn

Balkan

- Mittel- und Süddalmatien
- Kroatische Inseln & Küste
- Nordkroatien – Kvarner Bucht
- Slowenien & Istrien

Griechenland

- Amorgos & Kleine Ostkykladen
- Athen & Attika
- Chalkidiki
- Griechenland
- Griechische Inseln
- Karpathos
- Korfu & Ionische Inseln
- Kos
- Kreta
- Kreta – der Osten
- Kreta – der Westen
- Kreta Infokarte
- Kykladen
- Lesbos
- Naxos
- Nord- u. Mittelgriechenland
- Paros/Antiparos
- Peloponnes
- Rhodos
- Samos
- Samos, Chios, Lesbos, Ikaria
- Santorini
- Skiathos, Skopelos, Alonnisos, Skyros – Nördl. Sporaden
- Thassos, Samothraki
- Zakynthos

Türkei

- *MM-City* Istanbul
- Türkei – Mittelmeerküste
- Türkei – Südküste
- Türkei – Westküste
- Türkische Riviera – Kappadokien

Frankreich

- Bretagne
- Côte d'Azur
- Elsass
- Haute-Provence
- Korsika
- Languedoc-Roussillon
- *MM-City* Paris
- Provence & Côte d'Azur
- Provence Infokarte
- Südfrankreich
- Südwestfrankreich

Italien

- Apulien
- Chianti – Florenz, Siena
- Dolomiten – Südtirol Ost
- Elba
- Gardasee
- Golf von Neapel
- Italien
- Italienische Riviera & Cinque Terre
- Kalabrien & Basilikata
- Liparische Inseln
- Marken
- Oberitalien
- Oberitalienische Seen
- *MM-City* Rom
- Rom/Latium
- Sardinien
- Sizilien
- Südtoscana
- Toscana
- Toscana Infokarte
- Umbrien
- *MM-City* Venedig
- Venetien & Friaul

Nordafrika u. Vorderer Orient

- Sinai & Rotes Meer
- Tunesien

Spanien

- Andalusien
- Costa Brava
- Costa de la Luz
- Ibiza
- Katalonien
- Madrid & Umgebung
- Mallorca
- Mallorca Infokarte
- Nordspanien
- Spanien

Kanarische Inseln

- Gomera
- Gran Canaria
- *MM-Touring* Gran Canaria
- Lanzarote
- La Palma
- *MM-Touring* La Palma
- Teneriffa
- *MM-Touring* Teneriffa

Portugal

- Algarve
- Azoren
- Madeira
- *MM-City* Lissabon
- Lissabon & Umgebung
- Portugal

Lateinamerika

- Dominikanische Republik
- Ecuador

Österreich

- *MM-City* Wien

Schweiz

- Tessin

Malta

- Malta, Gozo, Comino

Zypern

- Zypern

Aktuelle Informationen zu allen Reiseführern finden Sie im Internet unter www.michael-mueller-verlag.de

Gerne schicken wir Ihnen auch das aktuelle Verlagsprogramm zu.

Michael Müller Verlag GmbH, Gerberei 19, 91054 Erlangen, Tel. 0 91 31 / 81 28 08-0; Fax 0 91 31 / 20 75 41; E-Mail: mmv@michael-mueller-verlag.de

Fotoverzeichnis

Farbseiten

Michael Bussmann (mb); Jochen Grashäuser (jg); Kapadokya Balloons (kb)

s/w-Fotos

Sabine Becht: 373, 376

Ralph-Raymond Braun: 532, 536

Michael Bussmann: 11, 12, 13, 14, 15, 18, 22, 25, 27, 30, 34, 37, 38, 42, 49, 59, 63, 70, 77, 79, 83, 87, 95, 99, 104, 113, 119, 123, 126, 138, 145, 159, 166, 180, 185, 215, 220, 225, 230, 234, 247, 261, 275, 280, 286, 319, 322, 327, 333, 344, 347, 361, 364, 368, 381, 397, 402, 405, 407, 420, 424, 430, 433, 440, 443, 449, 451, 453, 455, 463, 471, 475, 481, 489, 491, 495, 502, 507, 511, 519, 529, 531, 539, 547, 550, 553, 559, 563, 572, 577, 589, 595, 603, 613, 617, 625, 632, 638, 645, 649, 653

Jochen Grashäuser 1, 26, 51, 177, 187, 190, 201, 209, 216, 239, 244, 245, 249, 265, 276, 297, 303, 312, 313, 315, 321

Frank Naundorf: 349, 353, 378

Thomas Schröder: 194, 257, 305, 309

Beim Sattelmacher

Sach- und Personenregister

A

B

P

R

S

T

U

V

W

X-Z

Der Burgfelsen von Ortahisar

Geographisches Register

A

B

C

D

K

L

M

N

O

P

R

S

T

U

V

X-Z